張以仁先生七秩壽慶論文集

（上冊）

編輯委員會　編

臺灣 學生書局 印行

張以仁先生玉照

①民國 45 年攝

②民國 47 年與女友周富美小姐合影

③民國 50 年服役時攝

④民國 50 年與周富美女士的結婚照

⑤民國 61 年 12 月攝

⑥民國 65 年攝(左起毛漢光、龔煌城、陳槃、張以仁、龍宇純)

⑦民國65年赴美訪問時，與張光直先生攝於美國耶魯大學

⑧民國65年赴美訪問時，攝於大峽谷

⑨民國 65 年赴美訪問時，攝於尼加拉大瀑布

⑩民國 65 年赴美訪問時，攝於哈佛大學(左起張以仁、馬漢寶、余英時、張偉仁)

⑪民國 65 年赴美訪問時，與許倬雲先生攝於匹茲堡大學

⑫民國 65 年赴美訪問時，與童世綱先生攝於普林斯頓大學

⑬民國 65 年應美國國務院之邀赴美訪問時，攝於夏威夷

⑭民國 65 年赴美訪問時，與夏威夷大學陶天翼先生合影

⑮民國 76 年春節與小說家紀剛攝於高雄澄清湖

⑯民國 76 年毛子水先生壽誕時，與吳大猷先生合影

⑰民國76年與夫人周富美女士攝於南港家中

⑱民國76年攝於南港家中

⑲民國 78 年 4 月與胞弟守仁攝於金玉滿堂餐廳

⑳民國 79 年遊北京頤和園，與夫人合影

㉑民國 81 年與學生合影

㉒民國 81 年 2 月遊臺北木柵動物園時，與王叔岷先生、楊慶章先生合影

㉓民國 81 年 5 月參加中央研究院中國文哲研究所舉辦之「國際朱子學會議」擔任主持人時攝

㉔民國 81 年赴美研究時，攝於史丹福優勝美地公園

㉕民國 81 年赴美研究時，與友人合影於史丹福優勝美地公園

㉖民國 81 年赴美研究時，與史丹福大學王靖宇教授及其秘書合影

㉗民國81年赴美研究時，攝於史丹福大學研究室

㉘民國81年赴美研究時，攝於史丹福大學教育館

㉙民國87年12月攝於家中(左為楊晉龍、右為徐富昌)

㉚民國84年4月，赴上海華東師範大學參加詞學會議，全體與會學者合影

㉛民國 84 年 4 月參加上海華東師範大學詞學會議，攝於陳子龍墓園

㉜民國 84 年 5 月上課時之神情

㉝民國 85 年 8 月與學生同遊至善園時攝

㉞民國 86 年與夫人同遊木柵杏花林時攝

㉟民國86年與孫兒同同攝於臺灣大學校門口

㊱民國86年9月全家合影於臺北家中

㊲民國87年1月遊擎天崗時，與家人合影

㊳民國87年1月，與夫人遊士林先總統蔣公官邸

㊴民國 87 年 2 月與詩友合影

㊵民國 87 年與臺大中文系畢業生合影

弁　言

中華民國八十八年歲次己卯元月穀旦，恭逢
醴陵張以仁先生七秩攬揆之辰。先是，門人謀所以侑觴者，僉以　先生自早歲研經中秋，數教上庠，至今垂四紀，著作等身，裁成無數，值茲令辰，弟子宜各出所業，奉手請益，即所以壽　先生。繼而　先生之朋儕、學侶亦有惠賜鴻文者。爰裒為一集，凡四十餘篇，都百萬言。略依四部分類，編次成冊，敬呈　先生，藉申祝嘏之忱，並就教碩學方家。而門人諸生亦用是相勉，使不敢稍惰承衍之志耳。

詩云：「高山仰止，景行行止。」　先生學行，雖難企及，然心嚮往之。謹以斯集恭祝　先生
福壽康寧

張以仁先生七秩壽慶論文集編輯委員會謹識

張以仁先生七秩壽慶論文集

目 錄

【史】

【子】

【集】

張以仁先生學行述略

先生湖南醴陵人，少承庭訓，喜讀書，而酷嗜文學；早歲嘗有志小說創作，蓋儼然文藝青年也。及肄業國立臺灣大學中國文學系暨研究所，時坐連皋比者，有若毛先生子水、戴先生君仁、臺先生靜農、鄭先生騫、屈先生萬里、王先生叔岷、董先生同龢，皆宿儒負時望。先生追陪杖履，數年間，親承其口講指畫，乃悟創作非深入體驗生活不爲功，因思以學術濟世。研究所卒業，入中央研究院歷史語言研究所任助理員，旋合聘母校任教。史語所爲傅孟眞先生一手創設，治學重史料，立論持大體；國士諤諤，一言興邦；取與不苟，進退有節；其學風篤實剛健，蓋合學術、事功、德行爲一，故體大用宏如此。先生入所，去孟眞先生以憂國卒已數年；然一言垂範，百世儀型，流風餘韻，固未沫也。先生浸染其間，日與良師益友，研經籀史，從容論道，俯讀仰思，其學遂日進。每一篇出，或釋群疑，或立新說，無不愜心當理，眾口騰譽之。著有專書六種，論文百數十篇，屢獲國內外學術獎勵，並榮膺國科會傑出研究貢獻獎，表率士林，實至名歸。

先生以學問湛深，治事勤敏，洊升研究員兼第一組主任。網羅人才，發展斷代史及思想史專史研究。其間並爲政府延攬，出任行政院國家長期發展科學委員會人文及社會組副組長兼理組務，綜綰全國人文社會科學研究之規劃與執行，所推動之大型研究計畫如「臺灣濁水大肚兩溪流域自然與文化史科際研究」、「中國近代化之區域研究」、「臺灣人口成長與經濟發展」、「判例研究」、「青少年問題研究」……等，莫不轟動一時，影響深廣。可謂宏謨遠猷，獻替良多；方今人文社會科學之蓬勃發展，論者以爲實奠基於此。隨應美國國務院邀請，赴美國考察閱月。先生治學本不主故常，而志切用世；至是讀萬卷書，行萬里路，眼界愈闊，感慨遂深，而吟詠篇什斯出矣。其後復借聘出長國立中山大學中國文學系暨研究所，擘畫周詳，身言並教，一時稱南臺首學云。比年中央研究院籌設中國文哲研究所，先生以學驗俱富，公正無私，膺任諮詢委員會委員。旋又任該院學術諮詢總會聘任資格審查委員會人文組委員。舉凡組織架構、發展方向、專業分工、領域整合，與夫人才之延攬培育，無不竭智殫精，期於可大可久；至於言必有物，一秉至公，虛衷服善，和而不同，則尤爲同人所欽服云。抑先生之公正負責尚有可述者，厥維命題閱卷一事。此本教讀生涯，凌雜米鹽；而先生必敬必謹，命題則參詳至再，閱卷則終始如一；尤以國家高等文官考試，先生歷膺典試委員兼命題委員暨閱卷委員之重任，於試題之研擬、閱卷委員之遴聘、標準卷之公評，皆細心斟酌，絲毫不苟；閱卷必正襟危坐，不應酬，不盼睞，全神灌注，繹字尋行，所謂「如對大賓，如承大祭」者，蓋先生自律如此。而玉尺量才，棘闈課士，一時得人稱盛焉，胥先生之博學篤行有以致之。

先生長身玉立，風神俊朗，治學嚴謹，任事精勤，望之若有不可犯之色。然性和易，樂與人爲善。嘗語弟子曰：「我面折人非，轉身即忘；蓋對事不對人，心無罣礙沾滯故也。」又曰：「我見人文章有好處，忍不住要誇他，不論識與不識；蓋學術者，天下之公器，而人才難得也。」是以與人交，久而愈敬，待人接物，一以直道行之，斯無入而不自得也。先生純孝出於天性，太夫人體氣素孱弱，先生定省溫凊，出入必面，視哽視噎，行步扶將，蓋數十年如一日。太夫人偶攖小疾，先生奉湯藥、進甘旨，必手自檢點。太夫人或以細故蹙額，先生輒俯身附耳，和顏怡色，絮絮作小兒女態，必待色霽而後止。世皆稱太夫人以弱質丁亂世，克享遐齡，福壽全歸，以爲積善之報。是固然。抑不知先生孝思不匱，自少及壯，壯而向老，事親能盡孝養之道且終身無違。蓋太夫人有生之年，先生皆猶丱然總角，依違膝下者；桑榆暮景，得此洵足以忘老、忘憂也。

先生好讀書，務博覽，喜藝文，自群經、諸史、小學、辭賦、說部、雜文，以至翻譯名著，無不涉獵。中間雖沈潛學術，以經、史與文籍考訂、訓詁之學名世，然下筆嚴法度，尙詞藻，理、文、聲、情並重。世俗或以爲議論考據，文取旨達，不必斤斤於藻繢；而先生每草一文，於布局、謀篇、句式、文氣，皆三致意焉；其課士衡文，亦恆借此以覘諸生之才性格局。平居耳目所觸，中心所感，性情所寄，壹皆發之於吟詠。早歲喜倚聲，尤工小令，委婉而有深致。論者以爲瓣香《花間》，得溫、韋法乳。不知其深情一往，實闇合《飮水》，遙紹《小山》。抑往而能反，如雲絮拂空，胸中了無滯礙，則先生之才學、識見有以過之也。先生自訪美半載，觸處興感，旅次拈筆，頗有騷人之致；然作輟無時，未暢厥風。其後應史丹福大學禮聘，再度赴美，講學研究一年。加州景色宜人，史大所在，尤稱清麗幽絕。江山勝跡，風物信美；春鳥秋蟬，夏雲冬月；益以離人之愁，家國之思，於是詠物、感懷、記遊、涉事，詩思泉湧，而名篇佳什日以出矣。蓋詩有別才，非讀書窮理不得，而有諸中必形於外，揚子所謂「言爲心聲」，彥和嘗稱「楚人多才」，信哉！斯言也。

先生之詩，蓋自胸臆中流出，每直抒性靈，不標宗趣，然而堂廡特大，則先生之才高、學博有以致之。以小學泰斗，尤邃古音韻，且先工倚聲，故於詩律特細。其清新沉鬱處，不讓古人；又擅以俚語入詩，配合時代脈動，盡去陳言僻典，重以社論專欄、街談巷議、漫畫卡通，先生無不收之、貯之、剪之、裁之，故能寫眼前事，諷當前政，熔鑄今古、別開生面，使古典詩有現代感。先生固留心時事、關懷社會者，主中山系務時，嘗以教讀餘暇，應邀兼攝新聞筆政，報紙特爲闢專欄，七日來復。或評騭人物，或針砭政府，或闡微顯幽；其見解深刻，用語醒豁精警，讀之如快馬斫陣，淋漓酣暢；汝南月旦，一時風靡。及其發而爲詩也，則無時、無地、無人、無事不可以入其詩囊，大則廟堂訏謨，今非昨是；小則兒女私情，離合悲歡；蓋排日而有詩，而詩皆實錄也。所謂合經、史、諸子、唐詩、宋詞、小說、新聞報導、現代文學於一爐而冶之；其思深、境廣、語新，兼具有時代意義，方之前賢，亦不多見，蓋天分、人力兼而有之，故能矯然獨立於古今詩人之外，而別張一軍也。

先生德配周富美女士，系出高雄望族。國立臺灣大學中國文學系暨研究所資深教授。專攻先秦諸子，以研究《墨子》、《韓非》之學顯名當世。其教學循循善誘，是以生徒皆敬其學、慕其人，而樂從之受業焉。性貞靜賢淑。自來歸張氏，敬事家姑，遠近以孝聞。食必軟熟，衣必輕暖，洗沐盥漱，步趨扶持，蓋數十年如一日，從無倦容。待先生以禮，教子女以義，門庭穆雍，煦煦然一團和氣焉。先生治學、治事，所以卓然有成者，夫人內助之功允居其首，誠所謂賢妻、孝婦、慈母、良師也；蓋必萃吾國傳統婦女美德於一身，然後始克臻此。子二：長漢宜，旅美電腦工程師。次錦宜，魚病專家，任職水產試驗所，研究有成，疊獲獎勵；公餘創作不輟，其小說連載於《中國時報》，見者咸以爲先生有後也。女珮宜，習電腦，任職中央研究院。子女俱已婚嫁，生活美滿。先生向平願了，客歲並有抱孫之喜。孫男名本橋，以與其母生同月日，小字曰同同。性聰慧，見人輒露齒笑。聞其周晬時，先生循鄉俗，使抓周，則取筆與中央研究院、臺大手冊二事。是經笥貽謀，克承家聲，可以預卜也。先生鍾愛之特甚，於其洗三、剃髮、抓周、乃至坐臥、孩笑、蹵躄、指揮、顧盼，壹皆有詩，並以小字注其本事；復倩人繪圖，精工印製，命之曰《涵怡集》，寓「含飴弄孫」之意，用以分贈親友。得者寶之，咸以爲題雅而切，情摯而眞，詩則自然、質樸、清新、典麗、兼而有之；而其描摹嬰兒之心理、狀貌、情態，體會深至，刻畫入微，自非大手筆莫辦，且於吾國數千年詩史獨爲創格。不獨本橋他日長成，知其爲乃祖手澤，而當護惜善守，即撰當代詩話者，亦宜加以著錄。爰附記於此，用備采擇焉。

《傳》曰：「士先器識而後文藝。」又曰：「有德者必有言。」孔門四科，德行居首。觀先生以一身兼儒林、文苑、獨行，而其學問所造、性情所寄、行事所本，皆自性分中出，亦即自事親、立身中來，知聖人此言，其旨深遠矣。

門人

周鳳五恭撰

張以仁先生著作目錄

甲、專書

1. 國語研究（臺北：國立臺灣大學中文研究所碩士論文，1959 年 6 月）。
2. 國語虛詞集釋（臺北：中央研究院歷史語言研究所專刊 55，1968 年 9 月）。
3. 國語斠證（臺北：臺灣商務印書館，1969 年 7 月）。
4. 國語左傳論集（臺北：東昇出版公司，1980 年 9 月）。
5. 中國語文學論集（臺北：東昇出版公司，1981 年 9 月）。
6. 春秋史論集（臺北：聯經出版事業公司，1990 年元月）。
7. 花間詞論集（臺北：中央研究院中國文哲研究所籌備處專刊 13，1996 年 12 月）。

乙、論文

1. 讀〈魏風〉，國立臺灣大學中文系畢業論文（1957 年 6 月）。
2. 論國語與左傳的關係，《歷史語言研究所集刊》第 33 本（1962 年 2 月），頁 233-286（收入《國語左傳論集》）。
3. 從文法語彙的差異證國語左傳二書非一人所作，《歷史語言研究所集刊》第 34 本上冊（1962 年 12 月），頁 333-366（收入《國語左傳論集》）。
4. 讀史記會注考證札記（一），《大陸雜誌》第 26 卷 12 期（1963 年 6 月），頁 375-376。
5. 與徐復觀先生談“仁”，《文星》第 71 期（1963 年 9 月），頁 13-15。

6. 村姥姥是信口開河——談談李辰冬教授對詩經作者的新發現，《文星》第74期（1963年12月），頁37-43。
7. 讀史記會注考證札記（二），《大陸雜誌》第29卷1期（1964年7月），頁13-17。
8. 緯書集成"河圖"類鍼誤，《歷史語言研究所集刊》第35本（1964年9月），頁113-133（收入《中國語文學論集》）。
9. 關於左傳君子曰的一些問題，《孔孟月刊》第3卷3期（1964年11月），頁29-30。
10. 國語札記（一），《大陸雜誌》第30卷7期（1965年4月），頁229-232。
11. 戰國策札記（一），《大陸雜誌》第31卷6期（1965年9月），頁197-201。
12. 戰國策札記（二），《大陸雜誌》第31卷7期（1965年10月），頁241-244。
13. 晉文公年壽辨誤，《歷史語言研究所集刊》第36本上冊（1965年12月），頁295-307（收入《春秋史論集》）。
14. 釋詩螽斯"薨薨"，《幼獅學誌》第4卷（1965年12月），頁1-11（收入《中國語文學論集》）。
15. 讀史記會注考證札記（三），《大陸雜誌》第32卷6期（1966年3月），頁186-187。
16. 讀中華五千年史春秋史前四章，《思與言》第4卷1期（1966年5月），頁44-46。
17. 經傳釋詞的音訓問題，（韓國）《中國學報》第5輯（1966年6月），頁43-47。
18. 論語札記，《大陸雜誌》第33卷1期（1966年7月），頁5。
19. "告"字探源，《大陸雜誌》第33卷4期（1966年8月），頁109-111。

20. 有關“對”字的一些問題，《大陸雜誌》第33卷7期（1966年10月），頁212-214。
21. 經傳釋詞諸書所用材料的時代問題，《大陸雜誌》第34卷2期（1967年元月），頁50-52（收入《中國語文學論集》）。
22. 國語虛詞訓解的商榷，《歷史語言研究所集刊》第37本上冊（1967年3月），頁389-419。
23. 國語札記（二），《慶祝李濟先生七十歲論文集》（下），（臺北：清華學報社，1967年12月），頁806-916。
24. 古書虛字集釋的假借理論的分析與批評，《歷史語言研究所集刊》第38本（1968年元月），頁233-245（收入《中國語文學論集》）。
25. 經傳釋詞諸書訓解及引證方面的檢討，《國立中央圖書館館刊》第2卷1期（1968年7月），頁37-55（收入《中國語文學論集》）。
26. 由廣韻變到國語的若干聲調與聲母上的例外，《大陸雜誌》第37卷5期（1968年9月），頁19-28。
27. 讀史記會注考證札記（四），《大陸雜誌》第37卷6期（1968年10月），頁32-34。
28. 經傳釋詞補、經傳釋詞再補以及經詞衍釋的音訓問題，《歷史語言研究所集刊》第39本上冊（1969年元月），頁45-49（收入《中國語文學論集》）。
29. 讀史記會注考證札記（五），《大陸雜誌》第38卷5期（1969年3月），頁14-18。
30. 國語舊注輯校序言，《歷史語言研究所集刊》第41本第3分（1969年9月），頁535-537。
31. 國語辨名，《歷史語言研究所集刊》第40本下冊（1969年11月），頁613-624（收入《國語左傳論集》）。

32. 「形訓」的歷史淵源及其在訓詁方法上的地位，《中華文化復興月刊》第3卷6期（1970年6月），頁28-29（收入《中國語文學論集》）。
33. 「讀如」「讀若」「讀爲」「讀曰」與「當爲」，《大陸雜誌》第41卷3期（1970年8月），頁26-27（收入《中國語文學論集》）。
34. 訓詁學的舊業與新猷，《東方雜誌》（復刊）第4卷4期（1970年10月），頁45-46（收入《中國語文學論集》）。
35. 國語舊注輯校（一），《孔孟學報》第21期（1971年4月），頁173-193。
36. 從虛字訓解源流談到助字辨略與經傳釋詞，《東方雜誌》（復刊）第4卷11期（1971年5月），頁38-39。
37. 國語舊注輯校（二），《孔孟學報》第22期（1971年9月），頁201-232。
38. 說文"訓""詁"解，《文史季刊》第2卷1期（1971年10月）（收入《中國語文學論集》）。
39. 國語舊音考校序言，《歷史語言研究所集刊》第42本第4分（1971年12月），頁563-569。
40. 國語舊音考校，《歷史語言研究所集刊》第43本第4分（1971年12月），頁673-726。
41. 莊子山木篇"王長"釋文疏義兼駁俞樾，《中華文化復興月刊》第5卷1期（1972年元月），頁28-29（收入《中國語文學論集》）。
42. 國語舊注輯校（三），《孔孟學報》第23期（1972年4月），頁247-277。
43. 從若干有關資料看"訓詁"一詞早期的涵義，《歷史語言研究所集刊》第44本第1分（1972年7月），頁83-88（收入《中國語文學論集》）。
44. 國語舊注輯校（四），《孔孟學報》第24期（1972年9月），頁275-304。
45. 國語集證卷之一（上），《歷史語言研究所集刊》第44本第1分（1972年9月），頁89-151。

46. 國語集證卷之一（下），《歷史語言研究所集刊》第 44 本第 2 分（1972 年 10 月），頁 153-225。

47. 國語舊注輯校（五），《孔孟學報》第 25 期（1973 年 4 月），頁 173-208。

48. 國語舊注輯校（六），《孔孟學報》第 26 期（1973 年 9 月），頁 197-216。

49. 聲訓的發展與儒家的關係，《總統蔣公逝世周年記念論文集》（臺北：中央研究院，1976 年 4 月），頁 1203-1221（收入《中國語文學論集》）。

50. 鄶亡於叔妘說，《歷史語言研究所集刊》第 49 本第 1 分（1978 年 3 月），頁 1-14（收入《春秋史論集》，題目改爲從鄶亡於叔妘說到密須與鄢之亡亦與女媧有關）。

51. 春秋鄭人入滑的有關問題，《中央研究院成立五十周年紀念論文集》（臺北：中央研究院，1978 年 6 月），頁 515-536（收入《春秋史論集》）。

52. 國語舊注範圍的界定及其佚失情形，《屈萬里先生七秩榮慶論文集》（臺北：聯經出版事業公司，1978 年 10 月），頁 129-139（收入《國語左傳論集》）。

53. 鄭國滅鄶資料的檢討，《歷史語言研究所集刊》第 55 本第 4 分（1979 年 12 月），頁 615-643（收入《春秋史論集》）。

54. 國語集證卷二（上），《歷史語言研究所集刊》第 51 本第 4 分（1980 年 12 月），頁 593-606。

55. 國語舊注輯佚的工作及其產生的問題，《中央研究院國際漢學會議論文集》（臺北：中央研究院，1981 年 10 月），頁 543-570。

56. 鄧曼亡鄧之說的檢討，《臺靜農先生八十壽慶論文集》（臺北：聯經出版事業公司，1981 年 11 月），頁 204-222（收入《春秋史論集》）。

57. 從司馬遷的意見看左丘明與國語的關係，《歷史語言研究所集刊》第 52 本第 4 分（1981 年 12 月），頁 651-680（收入《春秋史論集》）。

58. 論詞義的種類，《幼獅學誌》第 16 卷 4 期（1981 年 12 月），頁 79-91。

59. 論語詞的演變，（韓國）《中國國學》第10輯（1982年9月）。
60. 淺談國語的傳本，《孔孟月刊》第21卷3期（1982年11月），頁21-23。
61. 從國語與左傳本質上的差異試論後人對國語的批評（上），《漢學研究》第1卷2期（1983年12月），頁419-453（收入《春秋史論集》）。
62. 從國語與左傳本質上的差異試論後人對國語的批評（下），《漢學研究》第2卷1期（1984年6月），頁1-22（收入《春秋史論集》）。
63. 國語韋注商榷，《孔孟月刊》第23卷3期（1984年11月），頁36-37。
64. 晉文公年壽問題的再檢討，《鄭因百先生八十壽慶論文集》（臺北：臺灣商務印書館，1985年6月），頁65-108（收入《春秋史論集》）。
65. 讀詞小識，《臺灣大學中文學報》創刊號（1985年11月），頁139-150。
66. 鄭桓公非厲王之子說述辨，《毛子水先生九五壽慶論文集》（臺北：幼獅文化公司，1987年4月），頁507-544（收入《春秋史論集》）。
67. 試從密處說溫詞，《臺灣大學中文學報》第2期（1988年11月），頁103-105。
68. 淮南高注"私鈚頭"唐解試議，《歷史語言研究所集刊》第59本第4分（1988年12月），頁995-1013。
69. 孔子與春秋的關係問題商榷，《中央研究院第二屆國際漢學會議論文集》（臺北：中央研究院，1989年6月），頁91-121（收入《春秋史論集》，題目改爲孔子與春秋的關係）。
70. 溫飛卿詞舊說商榷，《臺灣大學中文學報》第3期（1989年12月），頁99-131（收入《花間詞論集》）。
71. 試釋溫飛卿"夢江南"詞一首，《臺灣大學文史哲學報》第37期（1989年12月），頁25-31（收入《花間詞論集》）。
72. 溫飛卿詞舊說商榷續，《中央研究院中國文哲研究集刊》創刊號（1991年3月），頁135-180（收入《花間詞論集》）。

73. 《花間》詞人薛昭蘊，《臺灣大學中文學報》第 4 期（1991 年 6 月），頁 81-86。
74. 訓詁與華文教學的關係，世界華文教育協進會「全美華文教師學會年會」宣讀論文（1991 年 11 月 24 日），頁 1-10。
75. 溫飛卿“菩薩蠻”詞張惠言說試疏，《中央研究院中國文哲研究集刊》第 2 期（1992 年 3 月），頁 185-197（收入《花間詞論集》）。
76. 試釋薛昭蘊“浣溪沙”詞一首，《臺灣大學中文學報》第 5 期（1992 年 6 月），頁 119-124。
77. 《花間》詞人皇甫松，《臺灣大學文史哲學報》第 39 期（1992 年 6 月），頁 2-14（收入《花間詞論集》）。
78. 從鹿虔扆的“臨江仙”談到他的一首“女冠子”，《中央研究院中國文哲研究集刊》第 3 期（1993 年 3 月），頁 197-207（收入《花間詞論集》）。
79. 溫庭筠兩首“女冠子”的訓解與題旨的問題，《王叔岷先生八十壽慶論文集》（臺北：大安出版社，1993 年 6 月），頁 1-10（收入《花間詞論集》）。
80. 試論孫光憲的四首“楊柳枝”，《中央研究院中國文哲研究集刊》第 4 期（1994 年 3 月），頁 161-176（收入《花間詞論集》）。
81. 試釋皇甫松“夢江南”之一，《臺灣大學中文學報》第 6 期（1994 年 6 月），頁 13-20。
82. 試論溫庭筠的一首“荷葉盃”詞，《第一屆詞學國際研討會論文集》（臺北：中央研究院中國文哲研究所，1994 年 11 月），頁 173-182（收入《花間詞論集》）。
83. 花間詞舊說商榷，《漢學研究》第 13 卷 1 期（1995 年 6 月），頁 207-221（收入《花間詞論集》）。
84. 溫庭筠〈菩薩蠻〉詞的聯章性，《花間詞論集》（1996 年 12 月），頁 121-150。
85. 《花間》詞人薛昭蘊，《花間詞論集》（1996 年 12 月），頁 215-232。

86. 試釋薛昭蘊〈浣溪沙〉詞一首，（1996年12月），頁233-246。

87. 試論皇甫松的兩首〈浪淘沙〉，《臺灣大學中文學報》第9期（1997年6月），頁31-42。

88. 《花間》詞中的非情詞，《臺大文史哲學報》第48期（1998年6月），頁47-111。

丙、編輯整理

1. 國語引得（臺北：中央研究院歷史語言研究所，1976年12月）。

丁、其他

1. 淺談"陰陽對轉"，《聯合報》1964年8月11日。
2. 也談"反切"，《中央日報》1966年1月29日。
3. 從「乃覺三十里」談到訓詁，《中央日報》1968年8月15日。
4. 李白憶秦娥，《中央日報文藝評論》第22期（1984年8月23日）。
5. "關於李清照再嫁之爭議"講評，《中外文學》第13卷5期（1984年10月），頁69-77。
6. 不問馬，《高雄市紀念孔子誕辰特刊》（1987年9月），頁11-12。

（楊晉龍輯）

《禮記·中庸、坊記、緇衣》非出於《子思子》考

程元敏*

《漢書·藝文志·六藝略·禮類》著錄《禮古（文）經》、《（禮今（文））經》既已，緊接即著錄「《記》百三十一篇」，班固於其下自注其作者曰：「七十子後學者所記也。」《記》，《禮經》之記——傳記是也。

《漢·志·諸子略·儒家類》著錄「《子思》二十三篇」，班亦自注其作者曰：「名伋，孔子孫，爲魯繆公師。」孔伋，《史記·孔子世家》：「孔子生鯉，字伯魚，……伯魚生伋，字子思。」是也。同書同部同類又著錄「公孫尼子二十八篇」，班亦自注其作者曰：「七十子之弟子。」姓公孫，字子石，名尼❶，孔子之弟子，非孔子弟子之弟子（班注誤），事迹詳下《公孫尼子》卷。

夫《記》百三十一篇之《禮》既與《子思》、《公孫尼子》二書分別著錄，而後兩子書亦復分別著錄，撰人又皆異，則《記》、《子思》、《公孫尼子》三籍各自爲書，不相糾葛，昭昭明也。

今傳《禮記》四十九篇（實四十六目，因其中〈曲禮〉、〈檀弓〉、〈雜

---

* 國立臺灣大學中文研究所兼任教授。

❶ 近人阮廷焯〈公孫尼子考佚〉（在其《先秦諸子考佚》頁 33－45）：「《漢書·藝文志·儒家》載《公孫尼子》二十八篇，班氏不言名某，則尼者其名也。考班《志》著錄之例，其書以姓稱者，下必注云名某不知者闕；……以字稱者，下注云名某，如《子思》二十三篇，下云名伋；以名稱者，則不注字某，……故尼之字，為班氏所不言。」

記〉三目，各分上篇、下篇；多三篇，故爲四十九篇），相傳爲西漢戴聖（稱小戴）編。四十九篇來源，大部分取自上述之百三十一篇之《記》，一部分取自其它文獻說甚紛紜，第非本文主題，姑置弗詳論。其中有編次相連之四目篇——〈坊記〉第三十、〈中庸〉第三十一、〈表記〉第三十二、〈緇衣〉第三十三，有謂取諸《子思（子）》，或《公孫尼子》者，請徵其說，更辨其然否於下。

子思事迹，散見記傳，其中不乏攸關學術之言論附見，然有如〈中庸〉等長篇近似專題之論說，當子思時代，載入記傳併以傳世者極罕，而大抵託專書以出。則是類似〈中庸〉等《禮》學論文，如眞爲子思所撰，則可能編入《子思子》以傳。果然，梁沈約即作是觀者，

> 《隋書·音樂志上》：沈約於梁武帝天監元年（西元 502）奏對曰：「漢初，典章滅絕，諸儒捃拾溝渠牆壁之間，得片簡遺文與禮事相關者，即編次以為《禮》，皆非聖人之言，……〈中庸〉、〈表記〉、〈防（坊）記〉、〈緇衣〉皆取《子思子》。」

《漢·志》著錄之《子思（子）》二十三篇，原書久佚。考篇目可能有〈累德〉一目，《後漢書·王良傳》論曰：「語曰：『同言而信，則信在言前；同令而行，則誠在令外。』」唐李賢注：「此皆《子思子·累德篇》之言，故稱『語曰』。」唐馬總《意林》引文字小異作「《子思子》」，但未記篇名；《中論·貴驗》及《太平御覽》引則稱「子思曰」。其餘二十二篇，傳之後世但見書志著錄及多家輯編、稱引殘文。今祇擇其關切〈中庸〉等四篇者，略依年次，先綜述略如下：

曰三國魏徐幹《中論》引，見下。

曰梁沈約述（方見上引）。

曰庾仲容《子鈔》，摘取周秦以來一百七家雜記要語，爲三十卷。原書佚。

宋高似孫《子略》卷一錄列舊目，有梁庾仲容《子鈔》原目錄，庾目中有《子思子》七卷。唐馬總一遵庾目，增損成《意林》，詳下。

曰《隋書·經籍志·子部·儒家》：「《子思子》七卷，魯穆公師孔伋撰。」殆即同庾書所據之七卷本。

曰《舊唐書》卷四七〈經籍志·子部·儒家〉：「《子思子》八卷，孔伋撰。」八疑七誤，《新唐書》卷五九〈藝文志·子部·儒家〉著錄同，作七卷是。殆即同於《隋·志》之所著錄。

曰唐代他士亦多見稱引，略依時次爲虞世南（《北堂書鈔》）、歐陽詢（《藝文類聚》）、李賢（方見上述）、李善（《文選注》）、徐堅（《初學記》）、司馬貞（《史記索隱》），而以馬總《意林》最重要。馬氏謹依庾氏《子鈔》列目，增損成書《意林》五卷，取錄視《子鈔》爲嚴。其卷一列目「《子思子》七卷」，目下集佚文十條（影清《武英殿聚珍版叢書》本）。

曰宋初，李昉《太平御覽》多引（詳下），殆亦庾《鈔》以下所見之七卷本。厥後，此編亡逸，僞七卷本乃作，即見下晁《志》。

曰宋晁公武《郡齋讀書志》卷十〈子類·儒家〉：「《子思子》七卷，……孔伋子思撰。載：『孟軻問牧民之道何先？子思曰：先利之。孟軻曰：君子之教民者，亦仁義而已，何必曰利？子思曰：仁義者，固所以利之也。上不仁，則下不得其所；上不義，則（下）樂爲詐，此爲不利大矣。故《易》曰「利者，義之和也」，又曰「利用安身，以崇德也」，此皆利之大者也。』溫公采之，著於《通鑑》。」（元馬端臨《文獻通考》卷二〇八〈經籍考〉據鼂《志》著錄，全引鼂氏此文）謹案：此決是僞書。知者，孟子不及親炙於子思，而此書竟載思孟問答，又公然襲竄《孟子·梁惠王上》載主客義利之辨，子思安得爲此？「孟軻問止大者也」九十三字，亦見僞《孔叢子·雜訓篇》多四字，又文字小異。，則此書抄襲《孔叢》。

《孔叢子·居衞篇》另亦載思孟問答，都是僞者鑿空杜撰。夫《史記·孟子荀卿列傳》：「孟軻……受業子思之門人。」《索隱》：「今言門人者，乃受業於子思之弟子也。」自劉向《列女傳》、班固《漢·志》著錄「《孟子》十一篇，自注曰：「名軻，鄒人，子思弟子。」、趙岐《孟子題辭》、高誘《淮南子注》、應劭《風俗通》皆謂孟軻親受業於子思（參看屈師翼鵬《古籍導讀》頁116、阮廷焯《先秦諸子考佚》頁 9），隋王劭因謂「人」字衍（《索隱》引），則定孟軻親受業孔伋之門。清梁玉繩《史記志疑》力辨其非，以年世稽之，孟子不得登子思之門，執卷受業。錢賓四先生訂《孟子年譜》（見其《孟子研究》）亦證孟子不及親師事子思，又撰《子思生卒攷》（在其《先秦諸子繫年》頁 172），此並參酌。❷

此一僞《子思子》七卷，文既見采於司馬光《資治通鑑》（余對勘《通鑑》卷二引文，見溫公是采自本七卷《子思子》，非采自《孔叢子》），是北宋神宗哲宗世已流傳，南宋孝宗世晁公武親撫是書著於錄目，其下元脫脫《宋史·藝文志·子類·儒家》、明焦竑《國史經籍志·子類·儒家》、陳第（明中晚葉人）《世善堂書·諸子百家類》均著錄。明初宋濂《諸子辨》（在《文憲集》卷二七）據此原書同引此思孟問答，尤爲確證，宋曰：「《子思子》七卷，亦後人綴緝而成，非子思之所自著也。中載『孟軻問牧民之道何先？子思子曰：先利之。軻曰：君子之告

❷ 清黃以周輯《子思》卷六〈逸篇〉黃氏自按曰：「孟子與子思年不相及。……鼂氏所見七卷本已有此條，即劉向所校二十三篇中亦似早有此文，故《列女·母儀傳》、《藝文志》自注竝謂孟子師事子思。……蓋二十三篇中在秦漢閒已多後人附益之文，……劉氏父子校中秘書，信從其言，故向作《列女傳》、歆作《七略》皆本之為說。是則謂孟子親受業於子思，其言固未覈實。謂劉向所校二十三篇無此條，亦似矯枉過正之論也。讀者知其為後人附益之詞，斯可矣。」敏案：《列女傳》、《漢·志》（本諸《七略》）定孟子親師事子思，殆別有所據史，未必依「後人附益」之《子思子》，黃謂秦漢閒二十三篇書已有後人羼入材料，未敢遽從。

民者，亦仁義而已，何必曰利？子思子曰：仁義者，固所以利之也。上不仁，則不得其所；上不義，則樂爲詐，此爲不利大矣。他日，孟軻告魏侯罃以仁義』。蓋深得子思子之本旨。或者不察，乃遽謂其言若相反者，何耶？」比晁《志》引多「告魏侯罃」二句，的是實據原典，而僞《孔叢子》無此二句，是此本抄襲《孔叢子》而另又臆增十一字是也。❸

曰宋汪晫（1162－1237）輯《子思子》一卷，今具存，清《文淵閣四庫全書》本。此輯本南宋中晚葉著成，王應麟見及，云：「今有（《子思子》）一卷，乃取諸《孔叢子》。」（《漢藝文志考證》卷五《子思子》下自注）是輯分內外篇。外篇爲六，〈無憂〉第四、〈胡母豹〉第五、〈喪服〉第六、〈魯繆公〉第七、〈任賢〉第八、〈過齊〉第九，剌取僞《孔叢子》，又加點竄以成，王伯厚即指類此之部分，〈過齊〉輯有思孟答問，葢以思孟親相授受。內篇爲三，〈天命〉第一、〈鳶魚〉第二、〈誠明〉第三，割裂〈中庸〉，增加名目以成，葢汪承舊說，以〈中庸〉出《子思子》，故編入〈內篇〉。編次踳駁，鄙陋可哂（《四庫提要》、黃以周、胡玉縉評）！

《子思子》原本、北宋初中葉輯本既竝逸，清朝輯本不得不作，較早者，有

曰洪頤煊（1765－？，道光十三年年六十九）輯《子思子》一卷（在《經典集林》卷十九），今具存。所輯中有佚文三條，洪氏考謂分別合《禮記》〈坊記〉、〈中庸〉、〈表記〉，說併詳下。

其後，更有

❸ 此七卷本，宋末王應麟《漢藝文志考證》卷五，但據《漢·志》，言「《子思》二十三篇」，又依《隋、唐·志》稱「《子思子》七卷」，次引沈約語及《文選注》、《初學記》載佚文三條，寔未見原典，故清黃以周輯《子思》自序曰：「《意林》載《子思子》七卷，南宋以後，七卷本已難獲，而鼂公武猶及見之，其季遂亡。淵博如王伯厚已不得見。」敏案：晁錄之七卷本，時尚在天壤間，不惟「宋季」未亡，元明人猶及見，一如上述，黃失檢。

曰馮雲鵷輯《子思子書》六卷、卷首一卷，收入其《聖門十六子書》之內，道光十四年刊，後收入《孔子文化大全》，一九八九年版，今具存，據影印本。馮氏自跋曰：「《史記》：『……子思作〈中庸〉，』而《孔叢子》以爲『〈中庸〉四十九篇』，今所存於《小戴記》者《中庸》一篇。然則書之散失者多矣。茲……取《孔叢子》〈記問〉以下至〈抗志〉六篇，分爲二卷，又採馬氏《繹史》所載爲〈補遺〉一卷。……聊爲肄業者先河後海之一助云爾。」（又有卷首及附錄，不煩贅述）敏案：此輯先全抄僞《孔叢》，既而又自當代馬驌《繹史》（原書具存）稗販數條，不作固可。馮氏信子思作〈中庸〉，〈中庸〉出《子思子》，用舊說也。

曰顧宗伊《子思子遺編輯注》三卷，臺灣未見，大陸有書（見《叢書子目類編》）。

曰黃以周（1828－1899）輯《子思》七卷，光緒二十二年刊，今具存。〈自序〉：「……《毛詩譜》引〈中庸〉一事，《史、漢注》引〈中庸〉兩事，《文選注》引〈緇衣〉兩事，《意林》所采《子思子》十餘條，一見於〈表記〉，再見於〈緇衣〉，則梁沈約謂今《小戴》〈中庸〉、〈表記〉、〈坊記〉、〈緇衣〉四篇類列，皆取諸《子思》書中，斯言洵不誣矣。」氏於是全錄〈中庸〉爲其輯本〈內篇〉卷一（據舊說及佚文，詳下），定〈絫德〉爲其〈內篇〉卷二（證依《後漢書注》，已見上），又全錄〈表記〉爲〈內篇〉卷三（因《意林》、《御覽》引，說詳下），〈緇衣〉爲〈內篇〉卷四（因《文選注》、《意林》引，說亦詳下），〈坊記〉爲〈內篇〉卷五（並無佚文可資，但據沈約說耳）。卷六爲外篇，首揭〈重見〉，即彙列上述《史、漢注》、《詩譜》、《意林》、《文選注》、《御覽》所引殘文，多關涉《禮》書者；繼爲〈逸篇〉，亦從舊籍輯錄《子思子》殘文，無關《禮》書者。末卷七附錄子思事迹多條，引僞《孔叢子》文也。其前文方肯定思孟年不相及（已見註❷），此又抄引《孔叢·居衞》思孟答問語，踳駁乃爾！有胡玉縉者，於時襄黃氏輯逸（黃〈自序〉），退而自創輯本，懲黃《輯》僞雜，盡卻《孔叢》不列。

欲補舊輯之不足，又求更專（如關涉《禮》書者）更深之考證，民國輯本二家於是乎作，

曰胡玉縉（1859－1940）撰〈輯子思子佚文攷證〉（在其《許廎學林》卷六，鉛排本），今具存。是編專輯佚文，已見於經典（指《中庸》等四篇）者，不復贅列，則認定〈中庸〉等四《禮》篇原均各屬《子思子》之一篇，自序云：「沈約云『《禮記》〈中庸〉、〈表記〉、〈坊記〉、〈緇衣〉，皆取《子思子》』，證以馬總、李善所引，時時見於〈表記〉、〈緇衣〉，疑所稱『子云』、『子曰』、『子言之』者，皆《子思子》之言。……《漢·志·禮類》有《記》百三十一篇、《中庸說》二篇，當是〈中庸〉一篇本在《子思子》二十三篇中，而七十子後學者取以編入百三十一篇內。或欲區而爲二，非也。」所論皆可議，議詳下。惟所輯佚文，類爲「明引《子思子》、但引「子思曰」二科，取材嚴謹。每條考校異文，見佚文關涉《禮》篇者，輒攷證於其下。即得〈表記〉、〈緇衣〉二篇與佚文攸關，說併詳下論。

曰阮廷焯〈子思子考佚〉一篇（在其《先秦諸子考佚》中，民國六十九年鉛排本），具存。是編最晚作，萃舊輯於一所猶有兩輯未收，亦不見稱說。，檢討其得失。乃刊改漏缺，匡正謬誤，增輯佚文，考徵源委，用工深厚。得「佚文」四十六條、又記存疑一條。氏以謂：思孟之年，實無緣相值，則子思未曾親授孟軻（輯本〈考證〉）。然竟依《晁·志》引屬僞之〈子思子〉與明陳士元《孟子雜記》，輯入佚文三條，均記思孟對話，實皆原出僞書《孔叢》，蹈輯逸者浮濫之通弊。又從舊說以謂子思作〈中庸〉，

〈中庸〉爲《漢·志》所著錄之《子思》二十三篇中之一篇。復徵以《詩譜》、《史索隱》、《後漢注》、《意林》、《書鈔》、《文選注》、《路史》引「佚文」，論〈中庸〉〈表記〉〈坊記〉〈緇衣〉皆取諸《子思子》，申沈約意見也。

〈中庸〉等四篇，是否源出於《子思子》、各屬其書之一篇，請謹審上揭馬本（《意林》）、洪本、黃本、胡本及阮本所輯佚文與考辨，參酌其所據之文獻（如類書、子書等），求實如下。

〈中庸〉源出案：

㈠天命之謂性，率性之謂道，修道之謂教。（《後漢書》卷四三唐李賢注引子思曰） 黃本卷六據收，「教」下衍「也」字，當刪，黃曰：「《後漢書·朱穆傳·注》引，單稱『子思』，今見〈中庸篇〉，則唐人所引『子思』，即出『《子思子》』也。」阮本亦有收，亦衍「也」字，亦當刪，阮校注曰：「案《禮記·中庸》：『天命之謂性，率性之謂道，修道之謂教。』文與此同。」以引文出《子思子》，同黃本。馬、洪、胡本均未收。敏案：所謂《子思子》本之〈中庸篇〉，與《禮記·中庸篇》，兩書分別傳鈔，上下千年，竟然無一異字，校勘學上極罕見。當是李賢引文即是據《禮記·中庸篇》，因舊說《史記》、鄭《禮注》、王肅僞《孔叢子》。多定〈中庸〉乃孔子思伋作，故引〈中庸〉文直舉作者人名——子思，不稱原篇名——〈中庸〉，觀賢另注〈王良傳〉引「《子思子·累德篇》」之辭（已詳上述），分別甚明。洪本未收，其或有見及此；阮本貪多，稍傷浮濫。胡本自序曰：「專就佚文輯之，凡見經典，概不贅列。」殆以文既見諸經〈中庸〉全同，故不復贅列，下放此。

㈡喜怒哀樂之未發，謂之中；發而皆中節，謂之和。（宋羅泌《路史·後記》卷十三下《子思子》曰，《四庫全書》本在卷十四）　阮校注曰：「案

《禮記·中庸》：『喜怒哀樂之未發，謂之中；發而皆中節，謂之和。』文與此同。」是以引文出《子思子》。馬、洪、黃、胡本均未見收。

敏案：北宋僞本《子思子》作者，見子思作〈中庸〉舊說，遂取〈中庸〉入其僞書，羅泌（南宋孝宗朝以後人）摭其文句以證古史耳。

㈢天下之通道五，所以行之者三。（《史記·平津侯列傳》：「（公孫弘）乃上書曰：『臣聞：（二句方見上引）。』」唐司馬貞《索隱》：「案此語出《子思子》，今見《禮記·中庸篇》。」） 洪、黃、阮本均收。洪注云：「案《索隱》云：……。是《子思子》本有〈中庸篇〉。」阮校注云：「案《禮記·中庸》：『天下之達道五，所以行之者三。』文與此同。」三家都以此引文出於《子思子》。馬本未收。胡病黃本濫收，故斥去之。

敏案：《史·平津侯傳》「所以行之者三」以下，弘續奏「五通道、三通德」八目：「曰君臣、父子、兄弟、夫婦、長幼之序。此五者，天下之通道也。智、仁、勇，此三者，天下之通德，所以行之者也。故曰力行近乎仁，好學近乎智，知恥近乎勇。知此三者，則知所以自治；知所以自治，然後知所以治人。天下未有不能自治而能治人者也。」小司馬既署注文於「天下止者三」二句下，明僅此十二字見於《子思子》原典，而當時傳本《禮記·中庸》亦見此諸文同（惟通，作達。達，通也，無所不通曰達；義有狹廣之辨。），非指謂〈中庸〉出《子思子》；《子思子》、〈中庸〉共有此二句文而已。《子思子》既舉「八目」，下必有釋文如弘奏「曰君臣止治人者也」之類，但小司馬無有注說，明《子思子》釋文內容異乎弘所奏，故不作同異文辭。夫弘奏「五通道、三通德」——君臣、父子、兄弟、夫婦、長幼暨仁、智、勇，略同〈中庸〉（僅缺長幼，而多朋友。）❹，則《子思子》說五倫、三德目必異乎〈中庸〉矣，

---

❹ 《漢書·公孫弘傳》：「（公孫弘）乃上書曰：『臣聞：天下通道五，所以行之者三：君臣、父子、夫婦、長幼、朋友之交。五者，天下之通道也。仁、知、勇三者，所以行之也。故曰好問近乎知，力行近乎仁，知恥近乎勇。知此三者，知所以自治；知所以自治，然後

不爾，小司馬將移其注語署於「治人者也」之下，曰「案此語出《子思子》，今見《禮記・中庸》」也。今既不然，《中庸》「八目」一段文（自「天下之通道」至「治人者也」，渾然一體，不容分割。），非出《子思子》矣。蓋「五、三」德目，儒家經典多著，公孫弘（《公羊》雜家，亦學曾子。）聞諸〈中庸〉耳；〈中庸〉西漢已受重視，《漢・志》《中庸說》二篇，即是論說〈中庸〉之作也。

㈣於穆不已。（《詩・周頌・維天之命》：「維天之命，於穆不已。」孔《正義》：「（鄭玄）《（詩）譜》云：『子思論《詩》「於穆不已」。』……。」）

黃本收，阮本從之。馬、洪、胡三本均不錄。

敏案：《詩・周頌・維天之命》：「維天之命，於穆不已。」毛《傳》：「孟仲子曰：『大哉！天命之無極，而美周之礼也。』」孔《正義》：「《譜》云：『孟仲子者，子思弟子，蓋與孟軻共事子思，後學於孟軻，著書論《詩》，毛氏取以爲說。……』……《譜》云：『子思論《詩》「於穆不已」，仲子曰：「於穆不似。」』此《傳》雖引仲子之言，而文無『不似』之義。蓋取其所說，而不從其讀。」鄭玄向謂〈中庸〉子思作，又認孟軻親炙於子思，而孟仲子時代與軻近，兼師思、孟。鄭所記古昔子思、仲子師徒論《詩》本經「於穆不已」句義，仲子解「不已」爲「不似」，子思解義則未見引。此事甚可疑。且鄭記「子思論《詩》」，似據傳記，未必即據《子思子》一書，不應遽定爲其佚文。矧「於穆不已」乃《詩》本文，黃、阮本竝收爲《子思子》佚文，既失收；又先執《禮・中庸》者《子思子》之一篇之成見，故或曰此「《詩》於穆不已」乃「子思語，今見〈中庸〉」（黃本），或曰「《禮記・中庸》：《詩》曰：「『惟天之命，於穆不已。』文與此（於穆不已）同。」（阮校注）即謂引此《詩》句乃據《子思子・

知所以治人（唐顏師古注：「自『好問近乎智』以下，皆《禮記・中庸》之辭。」）；未有不能自治而能治人者也。』」《史》、《漢》記弘上書文頗異，特以五倫無兄弟有長幼及三達德次序不同〈中庸〉，故師古乃斷自「好問近乎知」以下始為〈中庸〉之辭。

中庸篇》，重非是也。

揆上揭所謂《子思子》佚文四事，或誤采北宋僞本《子思子》（二）；或注者用〈中庸〉本文，誤定爲孔子思伋語（一）；或兩書一、二字句偶似，而要義大殊，竟誤會史家意，偏以槩全，定〈中庸〉篇出《子思子》書（三）；或徑取子思論《詩》本經爲《子思子》佚文，牽合〈中庸〉引《詩》，以謂同出一源（四）。咸無以確證〈中庸〉一篇爲《子思子》書二十三篇之一，審矣！

又上錄所謂佚文，分別見於今本〈中庸〉首章、二十章及二十六章。近人研究，此四章（合後半段其它多章）晚作，爲後人附加（說詳下），故此其諸所謂佚文不可能出子思之手。

方述諸家（如汪馮黃胡阮氏）所引佚文，並不足以據證〈中庸〉篇出《子思子》書，爾乃堅持〈庸〉自《思》來者，以舊說如此，傳千餘年（即詳下），孰敢異議？夫〈中庸〉篇，解《禮經》之作也故《白虎通義·喪服篇》引其文，稱《禮·中庸》曰；又〈爵篇〉引其文，稱《禮·中庸記》曰，記云者，傳注之誼也。，誠《禮記》之一目篇。〈中庸〉作者：

> 《史記·孔子世家》：「……（孔）伋，字子思，……嘗困於宋。子思作〈中庸〉。」

子思何時作〈中庸〉，遷《史》未明；或逕刪去下一「子思」，令文意連屬上文變爲「子思困於宋，作〈中庸〉」，非也。僞《孔叢子》即爾，其《居衞篇》云：「（樂朔之徒）圍子思，宋君聞之，駕而救子思。子思既免，曰：『……吾困於宋，可無作乎？』於是撰〈中庸〉之書四十九篇敏案：謂〈中庸〉有四十九篇，無論如何曲解，皆不可通，此不遑辨。。」後世謂子思阨於宋乃著〈中庸〉，咸蹈其誤。

> 鄭玄《目錄》云：「〈中庸〉者，……孔子之孫子思伋作之，以昭明聖祖之德。」（《禮記·中庸》孔《正義》引）

後世多從司馬、鄭說，定〈中庸〉出子思伋之手，如梁沈約（已詳上）、唐徐堅《初學記》卷二一〈文部·經典〉一：「《禮記》者，本孔子門徒共撰所聞也。後通儒各有損益，子思乃作〈中庸〉，……。」至宋代，以程朱之說影響當世及後代（元明清）最大，今但依朱子《中庸章句》選錄數文，

> 子程子曰：「……此（〈中庸〉）篇乃孔門傳授心法，子思恐其久而差也，故筆之於書。」（《中庸章句》標題下）
>
> 右第一章，子思述所傳之意以立言。（《中庸章句》首章章旨）
>
> 第二章至第十一章，「子思所引夫子之言以明首章之義者止此。」（《中庸章句》第十一章下述前十章之章旨）
>
> 右第二十一章，子思承上章……而立言也。自此以下十二章，皆子思之言。（《中庸章句》第二十一章下述上下章旨）
>
> 末章旨，《中庸章句》曰：「子思因……推而言之。」

尤後，多遵程朱說，不煩多錄。

〈中庸〉誰作？何時作？出於《子思子》乎？請自全篇三十三章分章依朱子《章句》三千五百六十三字考稽：

經書篇名，絕多揀取本文首句（或首章）二、三字，今本〈中庸篇〉首章不見篇題——「中庸」二字，鄭玄《目錄》（孔《正義》引）釋其故曰：

> 名曰〈中庸〉者，以其記中和之為用也；庸，用也。

案：本經有「致中和」，鄭因牽合以說〈中庸〉，明中和之用猶中庸，是命篇之義尚暗託於首段文字羣之內。第首章不見標題字，二章以下乃迭出，此甚可疑，宋王柏朱子之三傳弟子釋曰：

> 今既以〈中庸〉名篇，而「中庸」二字不見於首章何也？曰道也者，非它道也，非可離之道也，即中庸之道也。曰不可離，豈非日用常行之道、是曰庸乎？……蓋中庸之義，已默寓於道之中。不然次章忽曰「君子中庸」，與首章全不相屬，恐子思子之文章決不如是之無原也。（《魯齋王文憲公文集》卷十〈中庸論下〉）

案：中庸是道，但道之意義中庸不能盡之，不可須臾離之道，即非中庸所能盡詮者，則魯齋釋而疑點仍在；首章可能爲後來竄入者。矧首次兩章全不相屬，啟人疑竇尤甚。

日·武內義雄〈子思子考〉一名〈中庸考〉（江俠庵譯，收入其《先秦經籍考》中冊頁106－131），以爲〈中庸〉之作也，

> 此等之篇兼包〈坊記〉、〈表記〉、〈緇衣〉，必非一時一人所作，迨後由子思後學所編纂。想其中最原始之部分，只為〈中庸〉之前半（自第二章至第十九章），至〈中庸〉之後半（第二十章以下至末第三十三章），乃後人從〈中庸〉之前半而傳演之者。……自其成立之前後論，最先出者當為〈中庸〉之前半。……最後出者為〈中庸〉之後半。……又〈中庸〉之首章，……其所述卻與下半截深有關係；……首章與上半，無直接關係。……故余推測〈中庸〉之首章與下半，乃韓非始皇之頃，是子思學派之人所敷演之部分，非子思原始的部分。

武內氏蓋以爲：上半二至十九章，文章係記言體，文字短小；下半首章加二十至末（三十三）章，係論說體，文字長大；且上、下思想固亦有異。上半是原始《中庸》，下半是後人附益之《中庸》。余謂：一篇之首章，不見篇題字，的是後增今本〈緇衣〉首章無「緇衣」二字，固亦後人增添，說詳下。；末章型式——七引詩，既而作七「故君

子」云云，此種議論，綴屬容易；繫諸全篇之末，安置方便。的是後增。

馮友蘭作〈中庸的年代問題〉（載《古史辨》冊四頁183、4），亦將〈中庸〉分爲兩大截，微異武內；亦自義理、文體兩事著眼，云：

> 細觀〈中庸〉所說義理，首段自「天命之謂性」至「天地位焉，萬物育焉」（首章），末段自「在下位，不獲乎上」（二十章後半）至「無聲無臭，至矣」（末三十三章終），多言人與宇宙之關係，似就孟子哲學中之神秘主義之傾向，加以發揮。其文體亦大概為論著體裁。中段自「仲尼曰，君子中庸」（二章）至「道前定，則不窮」（二十章前半，下即接後半「在下位」……），多言人事，似就孔子之學說，加以發揮。其文體亦大概為記言體裁。由此異點推測，則此中段似為子思原來所作之〈中庸〉，即《漢書·藝文志·儒家》中之《子思》二十三篇之類馮氏自注：「此亦不過就其大概言之，其實中段中似亦未嘗無後人附加之部分，不過有大部分似爲子思原來所作之〈中庸〉耳。」。首末二段，乃後來儒者所加，即《漢書·藝文志》「凡《禮》十三家」中之《中庸說》二篇之類也。

案：馮謂今〈中庸〉中段大部分似爲〈子思〉二十三篇之類，並無證據；又謂中段亦有後人附加部分，亦不遑指明。至《中庸說》二篇，乃說〈中庸〉之專著，猶《明堂陰陽說》五篇，說明堂之專著也，同著錄於《漢·志》，各爲「凡《禮》十三家」之一。而〈中庸〉中段，「中庸」二字出現九次，若首末二段如馮說係說此中段者，則何以不見其剋就中庸一義討論之文（僅章二十七一見「中庸」字），乃反「就孟子哲學中之神秘主義之傾向，加以發揮」？馮說待議。

〈中庸〉後半段文字，攸關篇之著成時代，引發討論最多者，有數事，討說於下：

⑴在下位，不獲乎上至誠之者，人之道也。（二十章）

清崔述以爲此文襲《孟子》，其

《崔東壁遺書・洙泗考信餘錄》卷三：「……（〈中庸〉第二十章）『在下位』以下十六句見於《孟子》（〈離婁上〉），其文小異，說者謂子思傳之孟子者。然孔子子思之名言多矣，孟子何以獨述此語？孟子述孔子之言皆稱『孔子曰』，又不當掠之為己語也。其可疑三也。由是言之，〈中庸〉必非子思所作；蓋子思以後，宗子思者之所為書，故托之於子思，或傳之久而誤以為子思也。……嗟夫！〈中庸〉之文，采之《孟子》，……少究心於文義，顯然而易見也，乃世之學者，反以為《孟子》襲〈中庸〉，……顛之倒之，豈不以其名哉！」

〈中庸〉襲《孟子》，襲者文理詳明，而被襲者簡要，此學術思想發展進程，而辨僞者一準則，「少究心於文義，顯然而易見也」，

武內義雄曰：「（〈中庸〉）『在下位，不獲乎原誤引作於上至執之者也』一節，殆與《孟子・離婁上篇》同文；《孟子》不說是子思之言。〈中庸〉比於《孟子》多出『誠者，不勉而中，不思而得，從容中道，聖人也。誠之者，擇善而固執之者也』數句。因此推測，〈中庸〉是本《孟子》之語而敷演之。」（〈子思子考〉）

馮友蘭曰：「〈中庸〉所論命、性、誠、明諸點，皆較《孟子》為詳明，似就孟子之學說加以發揮者。」（〈中庸的年代問題〉）

案：「在下位」一節，《孟子》不以爲出於孔子，亦不言是子思曰，夫《孟子》述孔、思之言皆稱「孔子曰」、「子思曰」《孟子》稱「孔子曰」及述「孔子」極多，此不必枚舉；稱「子思曰」二次，述「子思」十餘次。，此既不著，則是孟子自我發言，而〈中庸〉襲之，益演詳明，是爲〈中

庸〉者，發揮孟學，其人斷非孔伋子思明矣。《孟子》論「誠身」詛用「誠」字八，七在〈離婁下〉此章，一在〈盡心上〉「萬物皆備於我矣，反身而誠，樂莫大焉。」，的確簡要；〈中庸〉論「誠身」推衍爲「誠明」，用「誠」、「誠明」兩共二十四次，皆在後段章二十一二十六及三十二。，的確詳明。〈庸〉之襲《孟》，彰彰明，而反以爲〈庸〉是子思作，《孟子》襲其文，顚之倒之，豈非以子思之名，舊以爲渠作〈中庸〉乎？

又案：至於命、性，〈中庸〉首章「天命之謂性，率性之謂道，修道之謂教」，明性乃天賦人受，本善，比《孟子》言人之善性天賦，尤爲統合明確；次章下亙至二十章上半「道前定，則不窮」一槩論中庸之道，與首章「性道教」疏離，首章的是後增，遙接二十章下半「在下位」亙至三十三章終篇，大抵論性之本體與工夫，自是較《孟子》論命、性爲詳明，馮說信，有一例可茲比見：

> 《孟子・盡心上》首章：「盡其心者，知其性也；知其性，則知天矣。存其心，養其性，所以事天也。」

「知其性」前面一段工夫，《孟子》教人「盡心」，不如《中庸》提出一「誠」字爲具體；《孟子》不及盡物之性，《中庸》論性則兼具人物（《孟子・盡心上》第四章：「萬物皆備於我矣，反身而誠，樂莫大焉。」亦同是盡物之性，本體工夫兼具，但類此言論，《七篇》之書罕見），〈中庸〉二十二章：

> 唯天下至誠，為能盡其性；能盡其性，則能盡人之性；能盡人之性，則能盡物之性；能盡物之性，則可以贊天地之化育；可以贊天地之化育，則可以與天地參矣。

〈庸〉論心性，視《孟》詳明，〈庸〉義後出，申揚《孟》學，馮說洵是也。

⑵今夫地，……及其廣厚，載華、嶽而不重，振河、海而不洩，萬物載焉。（二十六章）

華、嶽，清俞正燮《癸巳存稿》卷二：「（子思作〈中庸〉：）按〈中庸〉《釋文》：一本載山嶽而不重敏案：陸德明《經典釋文・禮記音義》卷四：「華、嶽，本亦作山嶽。」，今云『載華、嶽而不重』，《爾雅・釋山》云：『河南華，河西嶽。』不是子思之文，當是西漢博士所改也。」

案：華、嶽，華山、嶽山也。華山，《尚書・禹貢》「華陽、黑水惟梁州」，又「導岍及岐，……至于太華」，華（陽）、太華即華山，在今陝西省華陰縣，古屬雍州地，而南界梁州、東南交豫州；嶽山，即岍山，亦即吳嶽山，在今陝西省隴縣（參看屈師翼鵬《書傭論學集・岳義稽古》）。《釋文》「河南、河西」，謂黃河之南、之西是也。俞氏以爲子思魯人，作〈中庸〉不應遠舉華、嶽爲證，必西漢《禮》學博士以其所習知之地名改「山嶽」爲「華、嶽」。余謂下文「河、海」，「在先秦時代，所有的河字都指黃河而言」（《書傭論學集・河字意義的演變》），海，指謂齊魯以東之海域，河、海皆地有所實指，則對文之華、嶽亦應實指其地，不應泛作山嶽，鄭注《禮記》作華、嶽，吾恐妄改作山嶽者南北朝人，彼曹誤信子思作〈中庸〉舊說，故㲺改以遷就之也。❺

清葉酉〈再與袁隨園書〉：以〈中庸〉有「華嶽」一詞，乃漢人所作，

---

❺ 陳槃先生《大學中庸今釋》頁五：「『華、嶽』一詞，也有人懷疑，因為《論語》、《孟子》上面說山，都只舉泰山為例，而〈中庸〉乃舉華、嶽，這自然會使人覺得奇怪。不過，據《釋文》說『華、嶽』本來也作『山嶽』。到底原來的本子作『華、嶽』呢？還是作『山嶽』呢？我們完全沒有法子知道。所以這一條是不能成為證據的。」敏案：作華、嶽是，陳先生維護經典，宅心忠厚，可敬！

而託名於子思。(《古籍導讀》頁178引)

武內義雄曰:「以華、嶽為山之代表,華山為河南之華陰山,嶽山為河西之吳嶽。此為魯人子思之文,何以政治中心則移於秦乎?……則〈中庸〉之後半截,乃在秦時代。子思後學傳演其上半截之文。」

近人多家,稍持異論,

顧實《漢書藝文志講疏》《子思》下,「或曰『子思魯人,嘗居宋,而〈中庸〉稱華、嶽,是非所宜言也』。不知此正子思所以形容祖德之廣崇,〈二南〉、〈大雅〉嘗言江、漢矣,豈必囿於咫尺之間哉?宋鈃宋人、尹文齊人,作華山冠以自表。此亦可為〈中庸〉稱華、嶽無可疑之例證。」

郭沫若《十批判書》頁一三九:「『載華、嶽而不重』一語,無關重要。請看與子思約略同時而稍後的宋鈃,便『作為華山之冠以自表』,足見東方之人正因未見華山而生景慕。忽近而求遠,乃人情之常,魯人而言華、嶽,亦猶秦人而言東海而已。」

案:「載、振」諸句,形容地道博厚,文貫上下,立義甚明,非關孔聖之德,顧君玩鄭玄子思作〈中庸〉用昭明聖祖德語,而橫生是意。秦人居西鄙,東進齊魯之東盡海,淹有天下,爲其日夜企望,累世經營大業,若動言「東海」固宜。周人在遠西,朝夕所顒望者,豈非「海隅出日,罔不率俾」乎(《尚書·君奭》周公曰)?舜禹在近西,「光天之下,至于海隅蒼生,萬邦黎獻,共惟帝臣」(《尚書·皐陶謨》禹奏舜帝曰),豈非虞廷君臣樂道者乎?若夫子思,平生足迹,不外魯齊宋衞,華山恐非所至,西陲吳嶽諒非所知,而忽與海東共舉,誠非所宜言。《詩·周南、召南》,姬周南方之國也,詩人實見其「江之永矣，漢之廣矣」而興歌；《大雅·江漢》，周宣王命召虎平淮南夷之詩也，詩人讚曰「江漢湯湯，武夫洸洸」，亦是直敘其人事地。咫尺之間，千里之外，一皆寫實，豈有人在魯宋，虛取渺不可知之山岳以爲喻哉？則〈中庸〉似秦人作，近身取譬耳。《莊子·天下》：「宋鈃、尹文……作爲華山之冠以自表。」唐成玄英疏：「華山，其形如削，上下均平，而宋、尹立志清高，故爲冠以表德之異。」〈天下〉又記宋、尹之學行，曰「不累於俗，不飾於物，不苟於人，不忮於眾」，故作冠華山以自表其異行，取喻豈苟乎哉！

(3)今天下，車同軌，書同文，行同倫。（二十八章）

> 武內義雄曰：車同軌二句，與〈琅玡碑〉「器械一量，同書文字」句同義，又與《史記·始皇本紀》二十六年記新政云「一法度衡石丈尺，車同軌，書同文字」相似。行同倫句，即〈琅玡碑〉所謂「是維皇帝，匡飭異俗」、〈泰山碑〉「男女禮順，慎遵職事，昭隔內外，靡不清靜」暨〈會稽碑〉云「防隔內外，禁止淫佚」，是讚始皇之政。（〈子思子考〉）
>
> 馮友蘭曰：「〈中庸〉有『今天下，車同軌，書同文，行同倫』之言，所說乃秦漢統一中國後之景象。」（〈中庸的年代問題〉）

案：此第二十八章首引「（孔）子曰」，至「行同倫」云云止，故鄭玄注「今（天下）」，曰：「今，孔子謂其時。」謂「今」是孔子春秋時代。朱子《章句》不然，謂「（孔）子曰」，僅至「載及其身者也」止，其下（含「今天下」等十二字）爲子思申明孔子意而發之言論，故《章句》曰：「今，子思自謂當時也。」謂「今」是子思戰國初中葉時代。細玩上下文，朱說良是。合觀三事，的是大一統以後景象；羣雄割據之戰國時代尚無有也。

又案：車同軌，春秋之初，似曾實行，《左傳·隱公元年》：「秋七月，天王使宰咺來歸惠公、仲子之賵，緩，且子氏未薨，故名。天子七月而葬，同軌畢至；諸侯五月，同盟至；大夫三月，同位至；士踰月，外姻至。贈死不及尸，弔生不及哀，豫凶事，非禮也。」此記當時赴喪禮制，條理清晰，內容完備。孔《正義》：「鄭玄、服虔皆以軌爲車轍也。王者馭天下，必令車同軌，書同文；同軌畢至，謂海內皆至也。」軌既車轍，同軌即車轍相同；欲車轍同，必先同一車制；是故同軌即統一車制。天下諸侯駕相同型制之車輛咸集天朝赴喪，即同軌畢至。同軌遂衍義爲「諸侯」、「海內人士」。鄭、服釋暗用〈中庸〉「車同軌」兩句外此，十三經未見。先秦典籍似僅《管子·君臣上》一見而字異：「書同名，車同軌，此至正也。」亦是論統一車制文字。其上文猶有「衡石一稱，斗斛一量，丈尺一綧制，戈兵一度。」管仲之後學撰《管子》，戰國以後成書。，明《禮記》、《春秋傳》同謂此爲統一車文故事。其實非也。《左傳》此記周家禮度，是政治理想，一如上注述引管子，統一器制爲法家主張，純在學術理論階段；尚未實施者，海內猶未混一故也。至秦，而宇內爲一，故作「今天下，車同軌，書同文，行同倫」語，始皇呑八州臨萬國以後之景象也。

三案：書同文，大槩謂秦制小篆，詔天下共用。陳槃先生以爲：春秋以前的文字，雖因時地而有差別，但總是從「六書」發展下來的華夏民族文字，這就是「同文」（《大學中庸今釋》頁 5）。郭沫若以爲「書同文，行同倫」，在春秋戰國時已有其實際，金文文字與思想之一致性便是證明，不必待秦漢之統一（《十批判書》頁 139）。夫華夏民族文字之發展，自然漸向統一，但由出土竹帛覘之，至戰國末，東（齊魯）西（周秦）南（楚）文字差別猶大，必俟秦漢統一全國行篆隸而後一致，是也。

四案：行同倫，謂倫理思想統一上述郭氏「金文思想之一致性」，諒已考慮及此。，戰國初葉成書之〈堯典〉，作者發表其統一倫理之思想，託古帝舜事以出，云舜巡守天下，分別與東西南北四方面羣后「修五禮，如同也五器」，吉凶軍賓嘉五禮及其禮器，修治統一之，所爲者即是「行同倫」，唯實亦止限於理想；頒旨行之，須俟秦皇統一以後。

⑷仲尼曰：「君子中庸，小人反中庸。」（二章）

仲尼祖述堯舜，憲章文武。（三十章）

屈師翼鵬曰：「今按：〈中庸〉中可疑之處，……其書又有『仲尼祖述堯舜』之語，顯非子思之言。」

案：朱子《章句》：「（二至十一章，）子思所引夫子之言以明首章之義者止此。」又：「（二十二至三十三章，）皆子思之言。」則兩「仲尼」，子思稱其祖父也。孔《正義》曰一是「子思引仲尼之言」，二是「（子思）以《春秋》之義說孔子之德」，竝同朱子《章句》。夫七十子之徒，乃至後學（如孟軻）引孔子言，或述孔子，偶爾稱「仲尼」云云，夫字號尊稱也，弟子固得稱之，第以嫡孫而稱親祖，不曰祖而直稱字，甚可疑，蓋本是孔門後學者言，非發自子思孔伋口也。武內及馮氏咸謂今〈中庸〉首尾後人附加，中段較信，今觀所謂中段（其中第二章）有「仲尼曰」，非子思當言，則中段亦後作，非出《子思子》也。

⑸〈中庸〉與《荀子》

戴師靜山論〈中庸〉有「慎獨」一詞，同於《荀子·不苟》，兩文著成時代相近；又論二十一章以下，乃漢儒所加，舉兩文密切相關詞句，明〈中庸〉後《荀子》乃作：持論極精到，茲淬取其說如下；它說雖多，不敢以蕪蔓章段❻。戴先生曰：「〈中庸〉首段，……裏面也有慎獨一

❻ 武內義雄〈子思子考〉：「又從第二十章至二十四章說誠之文，與《荀子·不苟篇》之文相似。〈不苟篇〉比〈中庸〉之文章為簡約，且彼以誠是養心之法；〈中庸〉更進一步，以誠為貫天地人之原理。恐〈中庸〉此等之章，比〈不苟篇〉尤為後出。」說頗淺略，附錄於此。又近人胡止歸（志奎）〈中庸章句淵源辨證〉（《大陸雜誌》二十一卷七、八、

詞，與《荀子·不苟篇》所用的同義。……慎獨即是致誠。……〈中庸〉『戒慎乎其所不睹，恐懼乎其所不聞。莫見乎隱，莫顯乎微，故君子慎其獨』這幾句話，是講工夫的；功夫即是致本然之誠。和《荀子·不苟篇》的宗旨『夫此順命以慎其獨』無異。《荀子》致誠要唯仁唯義的專壹，為學要『真積力久則入』，和〈中庸〉的『誠之者擇善而固執之』、『人一己百，人十己千』亦無異。……（〈中庸〉）二十三章『其次致曲，曲能有誠。誠則形，形則著，著則明，明則動，動則變，變則化。唯天下至誠為能化』，和〈不苟篇〉『誠心守仁則形，形則神，神則能化矣。誠心行義則理，理則明，明則能變矣』，字句大致相同。……由《淮南子》（〈泰族訓〉講陰陽家氣類相感，〈中庸〉致曲章也有陰陽家的話）也可證〈中庸〉後半篇，是漢人所作。（《梅園論學集·荀子與大學中庸》）

〈中庸〉襲《孟子》，受《荀子》影響，言車文彝倫，呈大一統景象，秦人作書，非孔伋手撰；所謂佚文同於〈中庸〉者，無一可信，〈中庸〉非出《子思子》信然。

〈坊記〉、〈表記〉、〈緇衣〉源出案

今本《禮記·坊記、表記、緇衣》三篇，其開篇第一章都作「子言之或子言之曰，同。」，其後各章或各段開頭，或作「子曰」，或作「子云」，又間或再出「子言之」，三篇頗有異同。

先坊記，

《禮記·坊記》開篇第一章：「子言之：『君子之道至命以坊欲。』」

十期）亦論《荀》、〈庸〉同異，博而寡要。

> 孔《正義》曰：「此一節發端起首，揔明所坊之事。但此篇凡三十九章，此下三十八章悉言『子云』，唯此一章稱『子言之』者，以是諸章之首、一篇揔要，故重之特稱『子言之』也；餘章其意稍輕，故皆言『子云』也。諸書皆稱『子曰』敏案：僅一例外，猶是弟子記昔日所聞，《論語・子罕》：「……牢日：『子云吾不試，故藝。』」，唯此一篇皆言『子云』，是錄記者意異，無義例也。」

案：首章「子言之：……禮以坊德，刑以坊淫，命以坊欲」，《正義》謂渠是「諸章之首，一篇揔要」。第余讀二至三十三章，皆記「禮以坊德」義，三十四至末三十九章，僅六章，記「禮，坊民所淫」，不及「坊民之欲」孔《正義》曰：「自此以下終於篇末，揔坊男女奔淫之事。」蓋欲包在淫中。，又不及「刑、命」。深疑此首章陋儒後增，尚不能統叙一篇大要也。

次〈表記〉，

> 《禮記・表記》開篇第一章「子言之」，孔《正義》曰：「此一篇……稱『子言之』凡有八所，皇侃氏云：『皆是發端起義，事之頭首，記者詳之，故稱「子言之」。若於「子言之」之下更廣開其事，或曲說其理，則直稱「子曰」。』今檢上下體制，或如皇氏之言，今依用之。」

案：孔《正義》云「或如皇氏之言」，作疑詞，蓋見篇中體例未盡純一故爾，

> 王夢鷗先生《禮記今註今譯》頁六八九〈表記〉：「按此篇所說的事，依次為：君子行為的根本、仁與義的相互關係、仁的要素、義的要素、虞夏商周的政教得失、事君之道、言行待人之道及卜筮等八項，其分段皆甚明顯，且各以『子言之』發端。唯『君子不以辭盡人』一節，作『子曰』，而此處實為闡述『言行待人』之首；而『後世雖有作者』一節，

本為述『虞夏商周政教』之末，而稱『子言之曰』，非惟不合於行文的體例，且辭句突兀，與他處不同，孫希旦（《禮記集說》卷五十）疑為傳寫之誤，蓋或近之。若將兩處『子言之曰』及『子曰』彼此逡換，正合皇氏所說的體例。」

案：逡換後，每「子言之」章下，皆領起數章用「子曰」開頭之文字，分別闡述其章首所起發之義，甚是合理。

後〈緇衣〉，

《禮記·緇衣》開篇第一章：「子言之曰：『為上易事也，為下易知也，則刑不煩矣。』」孔《正義》曰：「此篇凡二十四章，唯此云『子言之曰』，餘二十三章皆云『子曰』，以篇首宜異故也。」

案：此子所言三句，既不足爲下二十三章之揔要，一若〈坊記〉首章然；又不能如〈表記〉，弁後數章之上，爲之發端起義，然而尸居全篇之首，特作「子言之曰」何哉？孔《正義》曰「篇首宜異」；徒以篇首何必立異？孔說尚未盡誼也。

夫古書篇名，絕多采取自本文首章（已見上論〈中庸〉篇名），今本〈緇衣〉篇名，不見於本文首章，乃出於次章，何故？

《禮記·緇衣》首章，孔《正義》又曰：「此篇題〈緇衣〉，而入文不先云〈緇衣〉者，欲見君明臣賢如此，後乃可服緇衣也。」

案：今本〈緇衣〉，君明臣賢之誼，並未見諸首章，則《正義》「如何如何，後乃可服緇衣」形同虛說。有人奮筆黜卻今首章另估，升次章爲首矣，黃以周《子思·內篇》卷四〈緇衣〉：「此篇本以『好賢如〈緇衣〉，惡惡如巷伯』為章首，書以『〈緇衣〉』名篇，即取章首之言；『子言之曰』云云，乃其序也。』」

案：古書本文自帶序文，引起下本文而敍導之，如《周禮》之「序官」，先敍下所立官員之爵等員額，下方詳記其官職；又如《尚書》直記王侯言論「某王某公某諸侯曰」，記其人話言幾及通篇，但常導之以「書本敍」非謂今傳千一百零一字之《書序》於其上。黃斷此「子言之」云云乃其書本序，理論上可通，但非實情。

今本〈緇衣〉次章，題目二字入文，原本乃篇之首章，後人蓋見同倫兩篇——〈坊記、表記〉章首皆有敍起下所記言子曰、子云云云，冠「子言之曰」其上以提領之，淺人遂倣作「子言之曰」四句十九字添於篇耑。考公元一九九三年冬，湖北省荊門市郭店一號楚墓（葬墓年代當戰國中期偏晚），出土存竹簡八百餘枚，其中有〈緇衣〉原無篇名，對照今本《禮記·緇衣》，因擬加篇題。茲稱楚簡〈緇衣〉，相對《禮記·緇衣》稱爲今本〈緇衣〉。。（依據及參酌〈荊門郭店一號楚墓〉，《文物》一九九七年七期、《郭店楚墓竹簡》，一九九八年五月版，文物出版社）。楚簡〈緇衣〉開篇第一章「夫子曰：『好娓（美）女（如）好〈茲（緇）衣〉，亞（惡）亞（惡）女（如）亞（惡）遖（巷）白（伯），則民臧（臧）旄（它？）而型（刑）不屯。』《寺（詩）》員（云）：『愁（儀）型（刑）文王，萬邦乍（作）孚。』」（楚簡釋文依參《郭店楚墓竹簡·釋文》，下同）則今本〈緇衣〉首章十九字，乃後人見〈坊記〉〈表記〉提頭均有「子言之」云云，遂杜撰加諸原第一章（帶有〈緇衣〉〈巷伯〉等文者）之上。孔《正義》「篇名二字退居第二位理由」、黃氏「子言之章乃全篇之序」，均非是也。唯楚簡〈緇衣〉首章作「夫子曰」，下二十二章只作「子曰」，首章立義，總為下諸章發端，則《正義》「篇首宜異」近是。乃知古本之可貴，今本之羼雜譽文。

今本此三篇，記「子言之」、「子曰」、「子云」，出現位置不盡同，又有「日」、「云」異文，則眾「子」者謂誰？「日」、「云」有別，作篇者非出一手乎？

> 武內義雄〈子思子考〉：〈表記〉〈緇衣〉，「邵晉涵以為其言『子曰』者，皆是孔子之言；其言『子言之』者，皆子思之言。」
>
> 黃以周《子思・內篇》卷三〈表記〉：「凡曰『子言之』者，皆子思子之言，表明其恉趣之所在。……『子言之』與『子曰』必兩人之言。而『子曰』為夫子語，則『子言之』為子思子語，更何疑乎？」（黃於〈緇衣〉〈坊記〉之「子言之」及〈緇衣〉之「子日」說同此）（顧實《漢書藝文志講疏》：「〈表記、坊記、緇衣〉開端皆稱『子言之』，蓋子思語而弟子述之也；稱『子云』『子日』者，引孔子語也。」同黃，但〈坊〉篇「子云」，黃另有意見，下詳）

案：子，孔子也，七十子及後學者所共稱尊；「子日」即孔子日，弟子後學直述之幾無例外，見諸經書數百次；「子言之」，共見今本〈坊、表、緇〉三篇十次，等同「子日」，以用於發篇或篇中更端，故別作「子言之」，寔同為一人——孔子言，二之非是。多士執守沈休文〈坊・庸・表・緇〉出《子思子》意，百計欲證成其說，欲益反損。

> 清錢大昕《潛研堂文集卷十七・論子思子》：「〈坊記〉一篇引《春秋》者三、引《論語》者一。《春秋》孔子所作，不應孔子自引，而《論語》乃孔子沒後，諸弟子所記錄，更非孔子所及見，然則篇中云『子言之』『子曰』者，即子思子之言，未必皆仲尼之言也。……《子思》二十三篇，……今已邈不可得，獨此數篇附《禮記》以傳，其詞醇且簡，與《論語》相表裏。此固百世以下有志於聖賢之學者所宜講求。」

胡玉縉《許廎學林卷六·輯子思子佚文攷證》：「疑（〈坊、表、緇〉）所稱『子云』『子曰』『子言之』者，皆子思子之言，故〈坊記〉引『三年無改於父之道』兩句，以《論語》為別。」

〈坊記〉載「子言之」（一次）章首，一若〈表記〉、〈緇衣〉爾；未載「子曰」，而載「子云」（三十八次）。錢氏認爲「子曰」與「子云」義同，不煩區別，故舉〈坊記〉之「子云」合〈表記〉、〈緇衣〉之「子曰」，總論之爲「子曰」；胡氏則加區分。錢、胡竝篤信沈約子思子作〈坊記〉等三篇之說，故均極力欲證成篇中「子言之」、「子曰」（含「子云」）皆子思子之言。

〈坊記〉：「《春秋》不稱楚越之王喪。」此引孔子《春秋經》也；又：「魯《春秋》記晉喪曰：殺其君之子奚齊及其君卓。」更：「魯《春秋》猶去夫人之姓曰吳，其死曰孟子卒。」此竝引魯國史記《春秋》也：三引假定都是孔子語，夫孔子於魯史記《春秋》爲何不可引用？錢氏失論；又孔子於自撰之書——《春秋（經）》，嘗曰：「知我者其惟《春秋》乎？罪我者其惟《春秋》乎？」（《孟子·滕文公下》引孔子曰）固得自引，錢氏寧忘之歟？

〈坊記〉：「子云：『君子弛其親之過，而敬其美。』《論語》（〈學而〉、〈里仁〉均）曰：『三年無改於父之道，可謂孝矣。』（《尚書·無逸》：）『高宗云：三年（不言）；其惟不言，言乃讙。』」胡氏以爲上「子云」，爲子思子之言；又下引「孔子云」，爲避免與上引之「子云」祖孫混淆，於是改引書（《論語》）名，不作人稱（子云）。元敏謹案：余檢〈坊記〉以「子云」起頭共三十八章，行文型式均如上引「子云：『……。』引書一種或兩種以證成子所云。」凡二十章，餘十八章只有「子云」，無引書。又檢〈表記〉、〈緇衣〉，行文型式竝同〈坊記〉。則此三篇引書，皆篇之作者之言，非所引上文「子云、子曰」（孔子）之言。分別甚晰，故胡氏謂作者以孔子《論語》別「子思子云」之說，枉費心力。此「子云」既僅至「而敬其美」句止，下不及「《論語》曰」云云，則錢氏「孔子身不及見《論語》」，而此不可能稱其書名，因據斷上「子云」乃子思子云、非孔子云，亦徒費翰墨耳。是〈坊記〉篇引魯《春秋》、《春秋（經）》、《論語》，均不害論定上之「子云（曰）」爲孔子之言也❼。

儒家經典——十三經及《大戴禮記》直引孔子語，除此〈坊記〉作「子云」外，絕無僅有，先秦其它典籍（不計僞書）似亦無有。祇〈坊記〉作「子云」不作「子曰」，黃以周已察其異，惜其解釋極不合理❽。夫〈坊記〉之爲文也，其作者一面因襲，議論型式倣依〈表記〉、〈緇衣〉；一面變易，將「子曰」槩作「子云」，故與舊異。亦或作者時代較晚，里貫不同，語言文字習慣特殊，並非務反舊制。要之，〈坊記〉與性質相近之〈表記〉〈緇衣〉，非出一手，殆無疑問。

先秦儒家經典引經，多《詩》《書》《易》，引《春秋》者極少，遑論魯《春秋》（《春秋傳》之見引自當列外），而〈坊記〉乃三引之，知其篇晚作。《論語》者，「孔子應答弟子、時人，及弟子相與言而接聞於夫子之語也」（《漢·志·論語類》），孔子既卒，門人輯纂而成（同上）。書中記曾參之死，夫曾參少孔子四十六歲，又老而死，是《論語》成纂，上去孔子三十多年，梁皇侃《論語義疏》謂《論語》是孔子歿後七十弟子之門人共撰錄（參屈師翼鵬《先秦文史資料考辨》），

---

❼ 宋王應麟《漢藝文志考證》卷五：「沈約謂《禮記·中庸、表記、坊記、緇衣》皆取《子思子》（王氏自注：「愚按〈坊記〉引《論語》曰『三年無改於父之道，可謂孝矣』，《論語》成於夫子之門人，則〈坊記〉所謂『子云』者，非夫子之言也。」）。」敏案：〈坊記〉「子云」下不引書，引書之人為此篇之作者，篇內引《論語》不礙判「子云」為「孔子云」也。伯厚失讀。

❽ 其《子思·內篇》卷五〈坊記〉案：「『子云』者，子思子之言，所以別『子曰』也。」又案：「篇內引《春秋》并引《論語》，則『子云』為子思子之言信矣。」敏案：黃以〈表記〉、〈緇衣〉之「子曰」為孔夫子語（已見上引），而此〈坊記〉之「子云」為子思子語以別。此說絕不可通，夫同一作者，一「曰」與「云」字異，竟歧一祖為二祖孫，所據篇內引《春秋》、《論語》，實乃〈坊記〉作者之言（已詳上文），非子思孔伋自撰〈坊記〉文又於文內自稱「子云」又自引經書也。

子思即使得見，亦在晚歲，但所見本猶未題書名——《論語》。先秦儒家經典，此〈坊記〉而外，曾無稱述《論語》（書名）者；同時代其它典籍亦無斥僞書不算，如《孔子家語·七十二弟子解》：「曾參……疾時禮教不行，欲修之，孔子善焉，《論語》所謂『浴乎沂，風乎舞雩』之下。」僞撰，稱《論語》，不數。，但有暗用《論語》據今傳本知其引用文或引稱「（孔）子曰」者，即如〈緇衣〉「子曰：南人有言曰：『人而無恒，不可以爲卜筮。』」出今《論語·子路》字小異。又如《大戴禮記·曾子本孝篇》：「曾子曰：『孝子，……父死三年，不敢改父之道。』」亦暗用《論語》文。而〈坊記〉明言《論語曰》，著成必晚於〈緇衣〉（其著成時代，詳下）等。《論語》之成書名，當在漢文帝朝或略早，後漢晚葉趙岐〈孟子題辭〉曰：「漢興，除秦虐禁，開延道德。孝文皇帝欲廣遊學之路，《論語》、《孝經》、《孟子》、《爾雅》皆置博士。後罷傳記博士，獨立五經而已。」《論語》係傳記，爲百家，時與五經竝立學官，至武帝獨尊儒術，罷黜百家，始不復立。❾〈坊記〉蓋作於西漢初葉。

或者檢據《子思子》佚文，證〈坊記〉從出，有清洪氏，而民國阮君本之，

(一)洪頤煊輯《子思子》：「七日戒，三日齊，承一人焉以爲尸，過之者趨敏案：洪氏誤寫作起，今徑正。走，以教敬也洪氏自注：「《北堂書鈔》九十。案俗本改作〈坊記〉，誤。」。」阮本同收，引《禮記·坊記》文，云：「文與此同。」馬、黃、胡本俱不見收。

余檢善本《書鈔》，具如下，

(一之一)唐虞世南《北堂書鈔》卷九十：「七日戒，三日齋虞氏自注：「《禮·坊記》云：「七日戒，三日齋，承一人焉以爲尸，過之者趨走，以教敬也。」。」（清《文淵閣四庫全書》本）

案：洪據寔俗本《書鈔》（如清光緒十四年南海孔氏重刊本即是），竄改善本（如《四庫》本所據之內府藏本即是）之「《禮·坊記》云」爲「子思子曰」，因誤輯入爲《子思子》文。

---

❾ 清朱彛尊《經義考》卷二一一：著錄「孔鮒《論語義疏》二卷」，引宋王欽若《冊府元龜》云：「孔鮒為陳勝博士，撰《論語義疏》二卷。」敏案：義疏之名，起於西晉，盛於南北朝，不應秦末孔鮒已以名其著書，《漢·志》、《隋·志》竝不著錄，必後世偽託之書。

《禮·緇衣》作者，蚤有二說，先劉瓛云是公孫尼子，信者藐藐；後沈約云是子思，幾翕然從之。從者多舉《子思子》佚文以印證〈緇衣〉，振振有詞。茲駢列〈緇衣〉今、古楚簡本，逐事檢討如後文。

(一)子言之日：「爲上易事也，爲下易知也，則刑不煩矣。」(今本〈緇衣〉)

楚簡本無此章十九字，而以「夫子日：『好娧（美）』云云」（即相當於今本第二章者）爲首章。

敏案：楚簡本首章具篇題字(〈緇衣〉)，大義又能總括全篇，理居章首，以提領下二十二章義，作「夫子日」以與下多章「子日」分別。今本竄加「子言之日」云云，當刪。說已詳上論。今人廖名春氏〈荊門郭店楚簡與先秦儒學〉談及，並未深論。

(二)小人溺于水，君子溺于口也。(意林卷一《子思子》)　洪、黃、胡、阮本咸據收；後三輯本且均援〈緇衣〉證同。

今本〈緇衣〉有，兩于字均作於，字通；無也字。

楚簡本無。

敏案：今本〈緇衣〉多此十六一章，自「子日：小人溺於水，君子溺於口至相亦惟終」，凡百六十三字，鄭玄注本已有。知乃鄭前漢人取《子思子》竄入者，故竝見於《禮·緇衣》及《子思子》。馬總擇錄其中兩句，入文於其輯本。沈約在梁，見經禮、子竝有其文，遂認定經〈緇衣〉出《子思子》。更後，人正信沈說，又見佚《子思子》文與〈緇衣〉有同，於是益信沈說。不知〈緇衣〉原無此文，亦非孔伋作，楚簡佐證，可珍在此。

(三)《昭明文選》卷五一王子淵〈四子講德論并序〉「君者中心，臣者外體」唐李善注：「《子思子》日：『民以君爲心，君以民爲體，心正則體脩，心肅則身敬也。』」(影宋六臣本《文選》、影粹芬閣藏版李善注《文選》；李注本脩作修，字義同)

(四)《昭明文選》卷二四張茂先〈荅何劭詩〉二首之第二首「其言明且清」

李善注：「《子思子》：『《詩》云：「昔吾有先正，其言明且清，國家以寧，都邑以成。」』」（板本同上）

上兩佚文，洪、黃、胡、阮本均據收，後三輯本且均援〈緇衣〉證同。馬本未收。

上兩佚文，今本〈緇衣〉有，文具同章十七章內，謹盡錄章文：「子曰：『民以君爲心，君以民爲體；心莊則體舒，心肅則容敬。心好之，身必安之；君好之，民必欲之。心以體全，亦以體傷；君以民存，亦以民亡。』詩云：『昔吾有先正，其言明且清，國家以寧，都邑以成，庶民以生。誰能秉國成，不自爲正，卒勞百姓？』君雅曰：『夏日暑雨，小民惟曰怨；資冬祈寒，小民亦惟曰怨。』」

楚簡本：僅有「民以君爲心，君以民爲體」兩句同（第三條）；「詩云：昔吾有先正」四句無（第四條）。

敏案：「民以君」二句，《子思子》有，楚簡〈緇衣〉亦有，是兩文作者取材同。蓋二句乃儒家政治學術要義，七十子及後學共誦，故不約而同用阮本云：「《漢書·武帝紀》元狩元年詔云：『蓋君者心也，民猶支體。』即本於此。」亦尊儒家大道。。⑩要義猶大經，弟子後學闡發詮解人人殊，《子思子》以「心正則體脩，心肅則身敬也」詮讀上二句，後人竄入今本〈緇衣〉而更訂二、三字，而楚簡本則無「心正」二句：而徑以「心好則體安之，君好則民忩（欲）之，古（故）心以體法，君以民芒（亡）」上申「民以君」二句義，比今本〈緇衣〉插入「心莊」二句

---

⑩ 饒宗頤先生作〈緇衣零簡〉（載《學術集林》卷九，一九九六年十二月上海遠東出版社）：「楚地出土戰國簡冊，不少流落海外，余所見楚簡有一條，文云『民恴（德）一，峕（詩）員（云）：「丌（其）峇（容）不敀，出言……。」』……蓋即《禮記》……〈緇衣〉殘文。」敏案：一（壹）德，儒家學說要義，孔門後學作文常見援引，饒先生所見另一文獻內之楚簡，此郭店楚簡亦具，其文甚至引《詩》幾全同，如下：「則民悳弌（一），寺（詩）員（云）：『其頌（容）不改，出言又（有）□。』」可見但憑一、二句同文，不即考究，遽即認定此文出於彼書，極不可信。

簡該。又今本下文「心好之至亦以民亡」，文汗漫曲繞，遠不及楚簡精當。則是原始未經羼亂之〈緇衣〉篇（如此楚簡本即是）異乎《子思子》書，篇非出於彼書也。

又案：胡氏時楚簡尚未出土，彼見「昔吾有先正」四句略同《子思子》佚文，亟曰：「〈緇衣〉引同，休文謂〈緇衣〉取《子思子》，於此益信。」（胡本攷證日）饒宗頤先生殆尚未見此楚簡，致亦誤信胡氏，引其說申同[11]。又下文「誰能秉國成」三句，楚簡本亦有，作「隹（誰）秉寙（國）成，不自為貞正也，卒裚（勞）百眚（姓）。」少能字，同古文《毛詩》；〈緇衣〉引則合今文〈齊詩〉（清陳喬樅《齊詩遺說攷》卷六）。楚簡引《詩·小雅·節南山》三句申釋上「民以君」以下六句理洽義備；今〈緇衣〉因上多增文句，故增引逸《詩》五句用增加釋文意義，逸《詩》采從《子思子》，故二者合。原始未經羼雜之楚簡本〈緇衣〉，誠無關乎《子思子》也。

〈緇衣〉既非出於《子思子》中之篇，自亦非孔伋子思作，則沈約說可棄；劉瓛云公孫尼子作，理當檢討。彼公孫尼子何人斯？尤當先考。

《史記·仲尼弟子列傳》：「公孫龍字子石，少孔子五十三歲。」郭沫若謂此「龍」為「尼」誤，公孫龍即公孫尼，而「尼者泥之省，名尼字石，義正相應。」（據阮廷焯〈公孫尼子考佚〉引郭〈公孫尼子與其音樂理論〉；下說公孫尼事迹，亦有參酌阮本）楚人。尼與其他孔門高弟齊名，「曾子、子石盛美齊侯」（《春秋繁露》俞〈序〉）、「宓子賤、漆雕開、公孫尼子之徒亦論性情」（《論衡·本性》）、「……子路請出，孔子止之；子張、子石請行，孔子弗許；子貢請行，孔子許之」（《史記》）、「子貢問子石，子不學《詩》乎」（《說苑·反質》）？公孫尼與顏淵以下三十四人，俱「顯有年名，及受

⓫ 出處同上註⓾。

業聞見於書傳」（《史記》）。《韓非子·顯學》所記孔門後學八儒之一「孫氏之儒」，孫氏即公孫氏之省⑫，公孫尼也。

著《公孫尼子》二十八篇，阮本曰：「今本《禮記·樂記、緇衣》，皆有取於此書。……案桓譚《新論》佚文『武帝時，河間獻王好儒，與毛生等共采《周官》及諸子言樂者，取《公孫尼子》以作《樂記》』。」（此《樂記》二十三篇，《漢·志》著錄，今本《禮·樂記》從中擇取十一篇、合爲一篇）沈約奏對云：「（《禮記》）〈樂記〉取《公孫尼子》。」（載《隋書·音樂志上》）南齊劉瓛謂公孫尼子作〈緇衣〉，詳下。是公孫尼者，孔門後學傳禮樂之儒也。公孫尼誠孔子弟子（共見註⑫），《漢·志》「七十子之弟子」，殆誤。《隋·志》「尼，似孔子弟子」，史官疑不敢定。求其事迹，近人言之，頗有同異⑬。

《公孫尼子》，《漢·志》著錄二十八篇⑭，《隋書》卷三四〈經籍志·

---

⑫ 《韓非子·顯學篇》：「自孔子之死也，……有孫氏之儒。」民國陳奇猷《集釋》：「此孫氏以指公孫尼子為是。蓋本篇乃詆儒者，諒韓非不致詆譭其師（——荀卿）。且韓非對其師頗愛護，……公孫氏本可省稱為孫氏。」民國楊樹達《漢書窺管》卷三：「《春秋繁露》……引公孫之養氣曰：……。孫詒讓據《御覽》四百六十七引，定為《公孫尼子》文，是也。又按《韓非子·顯學篇》云：『孔子死後，儒分為八，有公孫氏之儒。』蓋即尼子。」

⑬ 錢賓四先生：公孫尼子殆荀子門人，因其文〈緇衣〉多類《荀子》，《樂記》剿襲《荀子》（《先秦諸子繫年攷辨·諸子攟逸》）。饒宗頤先生：《公孫尼子》言德壹，楚簡亦言，公孫尼子應先於荀卿（出處同前註⑩引）。饒是。郭沫若：「公孫尼可能是孔子直傳弟子，當比子思稍早，雖不必後于子貢子夏，但先于孟子荀子是無問題的。」（〈公孫尼子與其音樂理論〉，轉引自陳國慶《漢書藝文志注釋彙編》頁 102）是。李學勤：《論衡》載周人世碩論人性有善有惡，公孫尼子之徒亦論人性，與相出入，亦言性有善惡。碩撰《世子》，班固云碩陳人，七十子之弟子。長沙馬王堆帛書《五行》載「世子曰」，世子即世碩，與公孫尼同是孔子再傳弟子（〈荊門郭店楚簡中的《子思子》〉，《文物天地》一九九八年二期）。世碩與公孫尼同時，但不必定二人皆孔子弟子之弟子，李據班《志》定尼為孔子之再傳，恐失。

⑭ 宋高似孫《子略》卷一列「《漢書藝文志》著錄子書書目，有「《公孫尼子》一篇」，殆依後世書目如《子鈔》所列輯本一篇（卷）數以當《漢·志》之所著錄之二十八篇數，甚失謹重。

子部·儒家〉：「公孫尼子一卷。」《舊唐書·經籍志·子部·儒家》：「《公孫尼子》一卷，公孫尼撰。」（《新唐書·藝文志》同部同類著錄同，但不復題撰人姓名；彼認爲姓名已具書名中）《宋史·藝文志》不著錄。原典殆南宋中葉少後亡佚。

梁庾仲容《子鈔》列書目，有「《公孫尼子》一卷」（見《子略》錄列舊目）。馬總《意林》卷二依酌庾本，損益成輯，具《公孫尼子》原作文，干上「《文子》」而誤。一卷六條。宋初「《太平御覽》所引，雖有溢出唐人所見，然《御覽》一書多出鬻販，難以憑信」（阮本）。南宋初葉，鄭樵《詩辨妄》尚見引，迨中葉，洪邁已不見原典，其《容齋續筆》卷十六·計然意林》：「《意林》……所引書，如……《公孫尼子》……，今……不傳於世。」清馬國翰《玉函山房輯佚書》、洪頤煊《經典集林》竝有輯本，均作一卷；阮廷焯輯本後出，較勝。三本今均具存。

〈禮·樂記〉取《公孫尼子》，漢（桓譚）梁人（沈約）說，無大爭議，馬國翰、洪頤煊兩輯本竝以〈樂記〉全篇具載《禮記》，不錄入；只錄佚句。諸家所輯，《公孫尼》論樂佚句，《意林》一條、馬阮各增多相同之一條。

〈緇衣〉作者，則爭議大。鄭玄未言此篇作者，以渠明言子思作〈中庸〉推度，知鄭不認爲公孫尼作〈緇衣〉。斷〈緇衣〉公孫尼作，始南朝齊劉瓛（事迹詳後），

> 唐陸德明《經典釋文》卷十四〈禮記音義·緇衣〉題下：「〈緇衣〉，劉瓛云：『公孫尼子所作也。』」（《通志堂經解》本；瓛，附《釋音》《禮記注疏》本誤作獻）

但少後，沈約以〈緇衣〉取於《子思子》（已屢見上《子思子》卷）。齊梁爾後，從劉從沈，議論紛紛。

考輯《子思子》三家——黃、胡、武內，從沈，

黃本〈自序〉曰：「《毛詩譜》引〈中庸〉……、《史、漢注》引〈中庸〉……、《文選注》引〈緇衣〉……；《意林》所采《子思子》……，一見於〈表記〉，再見於〈緇衣〉。則梁沈約謂今《小戴·中庸、表記、坊記、緇衣》四篇類列，皆取諸《子思》書中，斯言洵不誣矣。」（胡本說大致同）

黃本又曰：「《文選注》引《子思子》……、《意林》載《子思子》……，則〈緇衣篇〉出自《子思子》明矣。《釋文》引劉瓛說〈緇衣〉公孫尼子所作，不足據也。」

武內義雄〈子思子考〉：「〈表記〉、〈緇衣〉、〈坊記〉諸篇，乃子思後學所集成，而作為子思之語者。」

民國顧實《漢書藝文志講疏·儒家》說《子思》，謂〈緇衣〉等篇取諸，同黃本；說《公孫尼子》，云：「劉瓛曰：『〈緇衣〉，公孫尼子所作。』劉說非也。」

案：〈表記〉作者，詳最後。餘〈緇衣〉等三篇，論爲子思所作者，徒依所謂佚文；而佚文無一條可信（已見上考），則三篇非出自《子思子》。史遷、鄭玄定〈中庸〉子思作，沈約說〈緇、坊〉二篇出子思手，又別無其它堅強證據，故形同虛說。或察見〈緇、坊〉文字晚作，不可能出孔伋親筆，但仍不肯駁正沈約，於是創爲「諸篇乃子思後學所集成」，作爲子思之語者（如子曰、子云類），欲以解蔽。夫謂子思後學，斷年可晚至漢代或尤晚，如是討論，迂濶無埻，治絲而益棼之而已⓯。劉瓛、沈約俱言〈緇衣〉作人而人不一，胡爲認定劉言不如沈

⓯ 近人動輒論古書（如〈中庸〉）有後人增竄，茲舉一說為代表，郭沫若《十批判書》頁一

言可信，此不可曉！

唐、宋文獻專家——徐堅、王應麟從劉，

徐《初學記》卷二一〈文部・經典〉一：「《禮記》者，本孔子門徒共撰所聞也。後通儒各有損益，……公孫尼子作〈緇衣〉，……其餘眾篇皆如此例。」

王《漢藝文志考證》卷五：「《公孫尼子》二十八篇，《隋、唐・志》一卷。似孔子弟子。沈約謂〈樂記〉取《公孫尼子》，劉瓛曰：『〈緇衣〉，公孫尼子所作也。』馬總《意林》引之。」

從劉是也（詳下）。

清人兩輯佚專家——馬國翰、洪頤煊輯本均以〈緇衣〉作者是公孫尼，亦是劉非沈，

馬輯本《公孫尼子》一卷，首列〈樂記〉題目，下云：「（引沈約語。）今其〈樂記〉全篇具載《禮記》，不錄；錄（〈樂記〉之）佚句於後。」下即輯收〈樂記〉佚文兩條。次列〈緇衣〉題目，下云：「按劉瓛曰：『〈緇衣〉，公孫尼子所作。已具《禮記》，不錄。』下即輯收佚文十三條，皆非出於《禮記・緇衣》，乃是〈公孫尼子〉它篇之文。

洪輯本（《經典集林》卷二十）《公孫尼子》一卷十七條，洪氏曰：「劉

四〇：「不過〈中庸〉經過後人的潤色竄易是毫無問題的，任何古書，除刊鑄於青銅器者外，沒有不曾經過竄易與潤色的東西。但假如僅因枝節的後添或移接，而否定根幹的不古，那卻未免太早計了。」約計〈中庸〉三千五百六十三字，近人多家認首章、二十章至末三十三章為後人竄加，竄進約二千二百五十六字，占百分之六十三，且均屬精義，豈是枝節？餘僅百分之三十七，又是糟粕，豈得許為「根幹」乎？

瓛云『〈緇衣〉，公孫尼子所作也原自注：「〈禮記釋文〉。案《初學記》三十一：『公孫尼子作〈緇衣〉、〈樂記〉。
』〈樂記〉、〈緇衣〉文，
並在《禮記》，今不錄。」 。」

兩家之所以棄沈保劉，將〈緇衣〉全經論爲《公孫尼子》佚文之一篇，其故莫詳，且持二家所收佚文以與今《禮記·緇衣》校，又無一事相契，故學者疑不敢質信，

屈先生曰：「（轉引劉瓛說。）按：《漢·志》著錄《公孫尼子》二十八篇，原注謂公孫尼子為『七十子之弟子』。〈緇衣〉蓋《公孫尼子》二十八篇之一，漢人取以入《禮記》。《初學記》、《意林》皆曾引《公孫尼子》，是其書至唐猶存。劉瓛南齊時人，得見《公孫尼子》，故所言如此。然沈約謂〈緇衣〉取於《子思子》，未詳其故。」（《古籍導讀》頁178－179）

先生又曰：「……劉瓛……說〈緇衣〉是公孫尼子所作，大概是因為〈緇衣〉和《公孫尼子》有很多相同的地方。」（《先秦文史資料考辨》頁352）

李學勤曰：（陸德明稱劉瓛云〈緇衣〉公孫尼子所作，）前人顧實《漢書藝文志講疏》已指出不如沈約說可信。我曾推想，劉瓛的說法可能是因為〈緇衣〉的觀點與公孫尼相似（〈荊門郭店楚簡中的《子思子》〉）。同師說。

唐代類書、清人輯本，雖引佚《公孫尼子》文多條，但覈其觀點，竟未發現其與〈緇衣〉相同，故饒宗頤先生寧從胡本，錄《文選》所引《子思子》佚文，言「〈緇衣〉文字，有不少同于《子思子》，則是事實」，因謂：「劉瓛說未必可信。……〈緇衣〉是否《公孫尼子》作，則尚難獲確證。」（竝見〈緇衣零簡〉）

余謂確證獲矣！《公孫尼子》佚文、今本〈緇衣〉、楚簡〈緇衣〉，三事合一，是確證也，

古者長民，衣服不貳，從容有常，以齊其民。（清陳夢雷《古今圖書集成·經籍典》卷一五一載宋鄭樵《詩辨妄·詩序辯》曰：「……其文全出於《公孫尼子》。」）

阮輯本據收，校注曰：「《禮記·緇衣》『長民者至則民德壹』，即本此文。」

子曰：「長民者，衣服不貳，從容有常，以齊其民，則民德壹。」（今本《禮記·緇衣》；《毛詩·小雅·都人士序》：「古者長民，衣服不貳，從容有常，以齊其民，則民德歸壹。」題漢賈誼《新書·等齊》：「孔子曰：『長民者，衣服不二，從容有常，以齊其民，德一。』」均略同）

子曰：「倀（長）民者，衣備（服）不改，䢔（從？）頌（容）又（有）棠（常），則民悳（德）弌（一）。」（楚簡〈緇衣〉）

案：在楚簡、《新書》，首句上著「子曰或孔子曰」，係公孫尼所撰《公孫尼子·緇衣》，託孔子之言以出者；《詩辨妄》節引《公孫尼子·緇衣》，略去「子曰」，直稱書名——《公孫尼子》。既爲節引，故省末「則民悳弌」一句；其它文字小異，誼則無殊。今本〈緇衣〉比楚簡多「以齊其民」四字，乃後儒潤色語。楚簡多用借字，校讀今本，見其借倀爲長、借備爲服、借頌爲容、借棠爲常，俱是；其它一、二異文，誼均相通。《毛序》、《新書》抄襲今本〈緇衣〉。楚簡「則民悳弌」句下引《詩》證義，云：「其頌（容）不改，出言又（有）□，利（黎）民所信。」出〈小雅·都人士〉。今本〈緇衣〉亦於同一處所引《詩》，云：「彼都人士，狐裘黃黃，其容不改，出言有章，行歸于周，萬民所望。」亦經後學潤色，據《詩》本經增文易字，使與之相同。則此條《公孫尼子》佚文，出該書〈緇衣篇〉，考楚簡、今本〈緇衣〉字句同異，允爲確

證。鄭樵漁仲（1104－1162）北宋晚南宋初人，尚及見原典，故其《通志·諸子略·儒術》著錄「《公孫尼子》一卷，七十子之弟子」，治《詩》作《詩辨妄》，自《公孫尼子》引文，故佚文可信。

阮輯本最後出（民國五十七年撰，六十九年版行），前輯《子思子》佚文，定其中三條與〈緇衣〉同，既用沈約說謂〈緇衣〉取《子思子》；今又見《詩辨妄》引《公孫尼子》文與〈緇衣〉合，則自度劉瓛說又當尊重，於是爲調停之說，云：

> 《禮記》〈釋文〉引劉瓛云：「〈緇衣〉，公孫尼子所作也。」今檢鄭樵《詩辨妄》引《公孫尼子》云：……。文與《禮記·緇衣》同，則瓛之言為不妄也。惟……沈約奏答云：「〈緇衣〉，取《子思子》。」瓛與沈約同時，其說不當有異。因疑〈緇衣〉之篇，不獨取自子思之書，而亦有取公孫之書。此所言不同者，特各就己見為說耳。」

案：楚簡本新出，阮君不及見，但據今本〈緇衣〉定所謂佚文出子思之書，故雖已明知瓛言不妄，約言可疑，仍作依違兩可之論，不能無疵！

〈緇衣〉作者，劉、沈異說，而劉說勝。知者，劉早沈晚；劉是當代碩儒，沈是詞府文士；劉畢生志業在經書，不慕榮利，沈生平志業在文章，縈心仕進；劉授經業，通羣經，而甚專《禮學》有專著，沈未嘗講經，無經學專著。職是，吾寧信專家之確說，不信文士之空談。經《禮》學大師——劉瓛事迹，

> 瓛，字子珪，沛國相人。……宋大明四年（460），舉秀才。……少篤學，博通五經，聚徒教授，常有數十人。……瓛……儒學冠於當時，京師士子貴遊莫不下席受業。……永明七年（489），（竟陵王子良）表世祖為瓛立館，……生徒皆賀。……未及徙居，遇病。……及卒，時年五十六（434

—489）。……母孔氏甚嚴明，謂親戚曰：「阿稱便是今世曾子。」……今上（梁武帝）天監元年，下詔為瓛立碑，謚曰貞簡先生。所著《文集》，皆是《禮》義，行於世。初，瓛講〈月令〉畢，謂學生嚴植曰：「江左以來，陰陽律數之學廢矣。吾今講此，曾不得其髣髴。」時濟陽蔡仲熊《禮》學博聞，謂人曰：……。瓛亦以為然。（《南齊書》本傳）

瓛爲當時儒士，負盛名，學徒眾多，杜栖「從儒士劉瓛受業」（《南齊書·孝義傳》），「瓛儒學而有重名」（《南史·劉顯傳》），「沛國劉瓛爲儒者宗」（《梁書·司馬褧傳》），劉瓛爲碩儒（《南史·儒林·何佟之傳》），「瓛門下多車馬貴游」（《南史·范縝傳》）。

瓛所講羣經，《南齊書·高祖十二王傳》：「建元三年，……上遣儒士劉瓛往郡，爲（蕭）鏵講五經。」《梁書·文學傳下》：「劉瓛則關西孔子，通涉六經，循循善誘，服膺儒行。」何胤嘗從受三經，「胤師事沛國劉瓛，受《易》及《禮記》、《毛詩》。」（南史·何胤傳）瓛撰《周易乾坤義疏》、《周易繫辭義疏》、《毛詩序義疏》、《毛詩篇次義》及《孝經說》，舊史志或著於錄，輯佚家或有輯本今傳。

瓛之經業，《禮》學謂其專門，上引本傳記渠講〈禮記·月令〉，及授何胤《小戴禮記》外，《南史·隱逸下·吳苞傳》「瓛於褚彥回宅講《禮》」，《南史·齊高帝諸子傳上》「瓛爲臨川王蕭映講《禮》」。南齊太祖從瓛問《禮·祭義》，瓛對，太祖從之（《南齊書·禮志上》）。瓛弟子司馬筠「尤明《三禮》」（《南史·儒林·司馬筠傳》）、又一弟子范縝「尤精《三禮》」（《南史·范縝傳》），竝從師受。

漢馬融注《三禮》；鄭玄注《三禮》（今具存），又有《禮》學論文。馬鄭師徒誠《禮》學兩鉅儒，瓛深於《禮》，故人以媲馬鄭，梁元帝（蕭繹）《金樓子》卷一〈興王篇〉：「沛國劉瓛，當時馬鄭；上梁武帝每析疑義，雅相推揖。」

梁武帝亦深《禮》學，少時曾經服膺，至是推尊瓛學，後（天監元年）又詔爲立碑賜謚。史臣亦如是評論瓛《禮》學，

《南齊書·陸澄傳》後，史臣曰：「建武繼立，……劉瓛承馬、鄭之後，一時學徒以為師範。」

唯《南史》瓛本傳以擬曹、鄭，

瓛……儒業冠於當時，都下士子貴游莫不下席受業，當世推其大儒，以比古之曹、鄭。

曹，後漢曹褒（父充，治《慶氏禮》爲博士）也，受父業，治《禮》慶氏學，又傳《禮記》四十九篇（《後漢書》本傳），比鄭玄早。⑯

瓛有《禮》學專著，《隋·志》著錄云：「梁又有《喪服經傳義疏》一卷，劉瓛撰。」此只解《儀禮》之一篇，書至唐而亡。至瓛之全《禮》論文，都收入其《文集》中，《南史》本傳「瓛所著《文集》行於世」，而《南齊書》本傳言「所著《文集》行於世」之外，更總述其篇義曰：「皆是《禮》義。」則純爲專經「《禮》學論文集」，當入經部經解類，《隋·志》但觀「《文集》」名，故退次集部，云：「又有《劉瓛集》三十卷，亡。」失所部分。瓛此文集，

⑯ 曹，或係賈之誤，曹、賈字形近。賈，逵也。逵通五經，作《周官解故》，亦有《詩》學專著，亦是鄭玄前經學大家。

唐代乃亡，陸德明歷陳、隋、唐初，又經學大家，親見瓛此《禮》學論文總集，即據其中《禮記》論文，述瓛說謂〈緇衣〉是公孫尼子作，寫入其《經典釋文・音義》。夫人親孿公孫尼子經學，所論記《禮》篇作者，無可疑者也。而沈休文晚生（441－513），所著又盡文史科業，晉書百十卷、宋書百卷、宋文章志三十卷等，而無一爲經解。休文助梁帝奪天下，歷官要職，不遑經學，其奏對《禮》篇作者，類多得之傳聞，不如劉瓛說信，亦又何疑？吾從劉說，半以此。

〈表記〉取諸《子思子》，亦沈約倡始，後人從者乃援《子思子》佚文以證其是，

(一)緐于樂者重于憂，厚于義者薄於行。（《意林》卷一《子思子》；《太平御覽》卷五六五引《子思子》曰義作味）君子同則有樂，異則有禮。（《御覽》同上引《子思子》曰） 洪、黃、胡、阮咸據收不盡同，此不煩歷舉，下放此。；胡曰：「〈表記〉：『厚於義者薄於仁，尊而不親。』疑行亦當作仁。」阮曰：「今謂胡說是也。惟《說郛》本《意林》作『厚於義而薄於利』，與此不同，謹附誌於此。」

今本〈表記〉：「厚於義者薄於仁，尊而不親。」

敏案：佚文「厚于義」句，同〈表記〉；所多「緐于樂」之句，作用在陪襯下句，存廢均不影響主句之立意。蓋自《子思子》采編入《小戴禮》時，曾經刪潤，但枝葉雖去，根幹猶存。義作味、仁作利，淺人妄改，於上下文未適。胡、阮竝引〈表記〉證同佚文，得之。

(二)君子不以所能者病人，不以人之不能者愧人。（《意林》卷一《子思子》）

洪、黃、胡、阮本咸據收；黃曰：「《意林》引《子思子》，今見〈表記〉。」胡曰：「〈表記〉所能上有其字，不能上有所字。」阮曰：「案《禮記・表記》，……文與此同。」

今本〈表記〉：「君子不以其所能者病人，不以人之所不能者愧人。」

敏案：〈表記〉多其，字爲三身代；多所，虛字，去之均無傷文義。黃、

阮竝稱〈表記〉之文證同，得之。

(三)《史記·高祖本紀》：「太史公曰：『夏之政忠，忠之敝，小人以野，故殷人承之以敬；敬之敝，小人以鬼，故周人承之以文；文之敝，小人以僿。』」唐司馬貞《索隱》：「然此語本出《子思子》，見今《禮·表記》作薄。……僿猶薄之義也。」 馬、黃、胡本咸無；洪、阮本竝據收，洪曰：「《索隱》云：……。今《禮·表記》文少異。」阮曰：「……《史記索隱》謂見今《禮記·表記》，檢今本則無此文。」

今本〈表記〉：「夏道尊命，……近人而忠焉，……其民之敝，……喬而野。……殷人尊神，……先鬼而後禮，……其民之敝，蕩而不靜。……周人尊禮尚施，……其民之敝，利而巧，文而不慙，賊而蔽。」

敏案：所謂〈表記〉佚文，對勘今〈表記〉大異，上方擇取〈表記〉段文勉與所謂佚文略似者，依然格格不入，故阮云檢今本《禮·表記》則無此文。阮說雖是，第佘檢校證本，方知《索隱》遭淺人竄改，日·水澤利忠《史記會注考證校補》卷八：「《索隱》『然此語本出《子思子》，』至『薄之義也』……，毛晉刻單《索隱》本、同治九年張文虎刊金陵書局本同。各本此注作『然此語本出水澤自注：「中統、游本無出字。」《禮·表記》』，作『其民之敝，利而巧，文而不慙，賊而敝』也。」小司馬原謂太史公語本諸《禮·表記》，第考〈表記〉一段文之中，亦僅「其民之敝，利而巧，文而不慙」三句與此史公語近似，淺人竟妄改「出《禮·表記》」爲「出《子思子》」云云。此條作爲《子思子》佚文，當立刪。夏人教忠，其失野，殷人救以敬；殷人教敬，其失鬼，周人救以文；周人教文，其失薄，救薄莫若忠也：亦見《春秋·元命包》、《白虎通義·三教篇》等，與此史公語，殆皆同出一源，均未曾表示語出《子思子》。

(四)天下有道，則行有枝葉；天下無道，則言有枝葉。（《太平御覽》卷四〇三《子思子》曰） 洪、黃、胡、阮本咸據收，馬本無；黃曰：「《太平御覽》……引《子思子》，今見〈表記〉。」胡曰：「〈表記〉：『君子不以辭盡人，故天下』云云，言作辭。」阮云：「案《禮記·表記》，……文與此同。」

今本〈表記〉：「天下有道，則行有枝葉；天下無道，則辭有枝葉。」

敏案：言、辭字異誼同，佚文與今〈表記〉文幾全同。黃、胡竝有指說，甚是。梁啟超《飲冰室專集（八十四）·漢書藝文志諸子略考釋》曰：「《太平御覽》四百三引《子思子》曰：『天下有道，則行有枝葉；天下無道，則言有枝葉。』即〈表記〉文，沈約說當可信。」

上舉三證（一）、（二）、（四），唐宋（初）人親見《子思子》而載引其文，與今〈表記〉合，甚至幾乎一字無訛如（二）、（四）兩事。，且又無其他反證，則子思孔伋作〈表記〉，為其大著作——《子思子》二十三篇中之一篇，信矣。

結　論

《漢書·藝文志》著錄經《禮》書「《記》百三十一篇」、「《中庸說》二篇」，又著錄子儒書「《子思》二十三篇」、「《公孫尼子》二十八篇」。斯四編既分別著錄，則各自為一書。今傳《禮記》四十九篇，內含〈坊記〉、〈中庸〉、〈表記〉、〈緇衣〉四篇相連類，舊或說出於《記》百三十一篇，或謂取自《子思子》、乃孔伋字子思作，又說公孫尼字子石作、取自《公孫尼子》。若「《中庸說》二篇」一書，說「〈中庸〉一篇」之書也，是解經專著先須假定〈中庸〉是經篇，漢人所撰，與子思無關，不應混為一談。

《子思子》原典，歷三國、南朝梁、唐至北宋初，書志著錄，方家稱引甚多，選萃本亦有兩家，惜原典至北宋初中葉之際亡逸。偽本於是乎作，溫公《通鑑》采其文，晁君《讀書志》著之錄，至明中葉猶存，後乃亡逸。輯本於是乎繼起，宋汪晫、清洪頤煊、馮雲鵷、顧宗伊、黃以周、民國胡玉縉、阮廷焯七家有本，今具存。《公孫尼子》原典，自梁歷至南宋初葉，著錄引稱者亦不絕，至中葉而亡逸，今傳輯本只有馬國翰、洪頤煊、阮廷焯三家。

〈表記〉，梁沈約謂取諸《子思子》，今據《意林》、《御覽》所載三條佚文，明言「《子思子》曰」，佚文又與今本〈表記〉合，證沈說信。至《史記索隱》謂〈高祖本紀〉太史公曰「夏殷周政」云云，「本出《禮·表記》」，淺人妄改爲「本出《子思子》，見今《禮·表記》」云云，茲援善本正其謬，明棄不取之意。

〈坊記〉與〈表記、緇衣〉俱有「子言之」、「子曰」（「子云」），同是孔子一人語，經書載孔門後學尊稱孔子悉是如此；多家強生分別，或謂「子言之」是子思語，「子曰、云」，乃孔子語；或謂均是子思語，令與下引《論語》曰、《春秋》曰亦爲孔子語別，因定此三篇子思孔伋作。非也。蓋〈坊記〉稱「子云」不稱「子曰」，不同於〈表、緇〉甚至其它經書，作者爲另一人；該篇又直引《論語》曰，夫《論語》書名，先秦典籍不見稱，〈坊記〉蓋作於西漢初葉，故得稱之。沈說未信。洪阮二氏輯本據俗本《北堂書鈔》輯所謂《子思子》佚文同於〈坊記〉者一條，因定〈坊記〉子思作同沈約，第余檢善本《書鈔》，知虞世南此係直引《禮·坊記》，淺人妄改爲《子思子》，今嚴正之。

〈中庸〉孔子思伋作，自《史記》、鄭《目錄》、僞《孔叢子》立說，宋程朱從申，天下幾翕然從之。於是多家輯本檢出所謂《子思子》佚文四條，謂合今〈中庸〉。第余覆查各條，或誤采北宋僞本《子思子》；或注者直用〈中庸〉本文，認是子思語；或所謂佚文與〈中庸〉要義大殊，竟強指謂兩者相合；或原是子思論《詩》本經，竟牽合〈中庸〉，以爲同出《子思子》一源。是無一足證適取者也。

〈中庸〉首章，不見篇題字（中庸），又說性命，爲後人附加；二十章以下，說心性誠明較爲詳贍。首尾呼應，呈論說體，同是一人附加。中段另一人作，爲記言體。以學術發展進程論之，當在《孟子》之後，文字且有直接因襲《孟子》者，崔述、馮友蘭、日武內義雄咸有說。又其言慎獨，即是致誠，與

《荀子·不苟》同義，輔證以它事，則其後半爲漢人所作，戴師靜山有說也。既是孟子後學者作，非出《子思子》確甚！

〈中庸〉云「載華、嶽而不重」，子思魯人，不宜出是言喻。又云「今天下，車同軌，書同文，行同倫」，明是嬴皇併六國後景象，子思作文焉得言此？清以來，多家持此二事以質疑，近人則多有爲駁復釋難者。余一一爲之更審再鞫，斷原控一方是。則是〈中庸〉喻事，舉秦氏統一後景物，子思戰國初焉得作是語哉！

〈中庸〉非子思作，不出於《子思子》二十三篇中，以上揭三大事證析，鐵案如山！

〈緇衣〉公孫尼作，敢恪守劉瓛而迕沈約說者，徐堅、陸明德、王應麟、馬國翰、洪頤煊，寥寥數家而已。信沈者多家，鉤聚所謂《子思子》佚文（均唐人引，三條），整合今〈緇衣〉，宜若無可置疑。顧余據新出楚簡〈緇衣〉與校討，所謂佚文，或楚簡本無有；或僅少半有，但係儒家政教大道，後儒共奉習誦之語，非直從《子思子》引，持曾經後人竄雜之今〈緇衣〉，以證所謂佚文源出，不足證也矣；而楚簡本，戰國中葉偏晚之際成編，純壹無摻雜，依之準之，宜乎！北宋末南宋初鄭樵《詩辨妄》引《公孫尼子》一條，正合今本〈緇衣〉，楚簡又同有，亦合。夫書本與地下資料與佚文三事合一，〈緇衣〉八儒之一大家公孫尼作，益信！

斷古書作者之人，時代愈蚤近古愈可信，劉瓛子珪庚齒、學術年代及卒年均甚早於沈約休文，故劉說較沈可信度大；劉畢生精研經《禮》，尤深《禮記》，終身治學講授議禮，沈晚而留連仕途，治史籍詞章，經《禮》學經歷著作闕若，故沈不若劉說宏正；劉有禮學專著，其中以《文集》三十卷最切要，全是說《禮》義，史本傳載、史志著錄，陸德明親見而據引「劉瓛云：〈緇衣〉，公孫尼子所作也」，夫復何疑！

《禮記》〈表記〉，子思孔伋作，出其《子思子》諸篇中之一篇，沈約說偶得之；〈坊記〉，西漢初葉人作，〈緇衣〉，公孫尼子石作、出其《公孫尼子》眾篇中之一篇：沈說均失，劉瓛說〈緇衣〉作者得之；〈中庸〉，秦漢之際人作，史遷、鄭君竝誤，沈休文不考從失。

《論語》中之子路

朱守亮*

提　要

本文除於緒言中，說明寫作動機、方法及取材，下分四章分別討論，得知子路：在稟賦個性上：則豪爽憨直，剛強勇猛，但有時不免近於伐善粗野。在學養修持上：則尚誠信，重然諾，尊師篤友，有疑必問或反詰。雖有時表面似頂撞師長，不讓同門，但多出自憨直個性，而少惡意。在行事理念上：則果決明快，奮勇先人，為求達成己志，甚或死而無怨。在政績功業上：則可片言折獄，明其爭訟之是非，長於兵賦，而教民有勇知方也。雖如此，但亦多有可議處：喭、野、行行，率爾輕慢，此出於個性，尚不足少之。惟「何必讀書，然後為學」，或強不知以為知，甚而逞巧佞而禦人口給，則實外於孔門禮教重學理念矣！故孔子多明白呼而教之、誨之。有時表面似申斥訓誡，實厚望於已升堂，尚未入室之子路，而多愛之深，責之切，意在誘掖期勉，至乎中行之境也。

關鍵詞：論語　子路　孔門弟子　憨直　誠信　剛強　果決

緒　言

在世人逐漸注意人文教育之今日，探討以儒家代表之我國固有文化，勢屬必要。而儒家代表人物爲孔子；欲了解孔子之言行思想，學說理念，最具體者：則可於孔子與門弟子之互動中得之。在諸多典籍中，最信實者爲《論語》；在諸多門弟子中，最爲突出者爲子路，故先由《論語》中之子路始，再了解諸弟

---

*　國立政治大學中國文學系兼任教授。

子孰爲「具體而微」，孰爲「聖人之一體」。如此，則可全部了解孔子及儒家文化矣。

余幼年時讀私塾時，曾見一「孔門七十二弟子侍坐圖」，眾弟子皆坐姿，惟子路爲立姿，此圖究係複印古畫或時人新作、爲好事者戲爲之，抑或作者別有所據，皆不知。又聞余家附近鄉名「仲潛」者爲子路故里，且有許多子路勇猛過人，類今泰山、飛俠、超人等傳聞。因之，在幾近一甲子歲月中，每與友人談話，或授課涉及子路時，無不樂道此等事，以爲獨得鄉先賢祕辛而自豪。今深思之，雖覺荒誕，亦非無因，乃據信實資料，而爲斯文。

有關子路資料，雖甚多典籍中載有，但以《論語》中所存者最信實可靠。而孔門弟子中，子路確亦爲一特殊人物。在《論語》中出現則數爲四十一（次數爲 67），竟超過最大弟子顏（32）、曾（18），更遑論游（9）、夏（23）；次爲子貢（56）。深以爲子貢之所以次多者，與其長於外交、善貨殖，知名度高有關；而子路恐確爲一特殊人物使然也。

本文各節，皆先將《論語》中原文錄出，然後加以疏解考論，所言或出己意，或採自昔賢時彥之論，雜揉眾說而成。其取材除《論語》有關者外，經書如《左傳》、《春秋公羊傳》、《禮記》；史書如《史記》、《漢書》、《後漢書》；子書如《孟子》、《荀子》、《韓非子》、《呂氏春秋》、《韓詩外傳》、《淮南子》、《鹽鐵論》、《新序》、《說苑》、《論衡》、《潛夫論》，甚而僞書《孔子家語》等。毋論僞書或多人合撰之書，凡資料有參考價值，或可相互發明者，皆納入說解中，或於附註中引錄。

茲附子路字號、籍里、生卒年、封爵、個性、功業等重要資料於後，或有助於對子路之瞭解。下分四章，詳述本文欲探析者。一得之愚，必有訛誤疏失，至祈同好方家，有以教我也。

子路生平事蹟

子路，姓仲，名由，字子路，又名季路。春秋末魯卞之野人。❶生於魯襄公三十一年（亦昭公元年，西元前 542 年），少孔子九歲。❷幼家貧，生活較困窘。❸其爲人也，曾陵暴孔子，孔子以禮誘導之，而請爲弟子。❹始終追隨孔子周游各國，情感甚篤。卒於魯哀公十四年（衛出公 12 年，西元前 480 年），卒時孔子爲之覆醢，而悲歎爲天欲滅絕一己。❺享年六十二歲。配享，唐時進封爲「衛侯」，宋改爲「河內侯」，旋又追封爲「衛公」。❻子路之爲人也，

---

❶ 按《史記·仲尼弟子列傳》：「仲由，字子路，卞人也。」〔漢〕司馬遷撰：《史記》（臺北：藝文印書館，1900 年影印〔清〕乾隆武英殿刊本），頁 878。李啟謙云：「一致認為卞邑在今山東省泗水縣東五十里之卞橋鎮（今又稱泉林）。」見李氏撰：《孔門弟子研究》（山東：齊魯書社，1987 年），頁 51。另據錢地之集解云：「野哉由也。」見錢氏撰：《論語漢宋集解》（臺北：臺灣中華書局，1978 年），頁 660。又《尸子·勸學》：「子路，卞之野人。」（臺北·廣文書局，1979 年《子書二十八種》本），冊 5，卷上，頁 1。梁啟雄亦稱：「子貢、季路，故鄙人也。」見梁氏撰：《荀子柬釋》（臺北：臺灣商務印書館，1969 年），頁 381。

❷ 分見《孔門弟子研究·子路》及《史記·仲尼弟子列傳》，皆同前註。

❸ 《說苑·建本》：「子路曰：負重道遠者，不擇地而休；家貧親老者，不擇祿而仕。昔者由事二親之時，常食藜藿之實，而為親負米百里之外。」〔漢〕劉向撰：《說苑》（臺北：世界書局，1955 年《四部刊要》本），頁 26。

❹ 《史記·仲尼弟子列傳》：「子路性鄙，好勇力，志伉直，冠雄雞，佩猳豚。陵暴孔子。孔子設禮稍誘子路，子路後儒服委質，因門人請為弟子。」，同註❶，頁 878。《論衡·率性》：「世稱子路無恆之庸人，未入孔門時，戴雞佩豚，勇猛無禮。聞頌讀之聲，播雞奮豚，揚唇吻之音，聒聖賢之耳，惡至甚矣，孔子引而教之。」〔漢〕王充撰：《論衡》（臺北：世界書局，1955 年《四部刊要》本），頁 15。

❺ 《禮記·檀弓上》云：「孔子哭子路於中庭，有人弔者，而夫子拜之。既哭，進使者而問故。使者曰：醢之矣。遂命覆醢。」（臺北：藝文印書館，1981 年影印〔清〕嘉慶 20 年〔1815〕江西南昌府學阮元刊本），頁 112。又《公羊傳·哀公十四年》：「顏淵死，子曰：噫！天喪予；子路死，子曰：噫！天祝予。西狩獲麟。孔子曰：吾道窮矣。」（臺北：藝文印書館，1981 年影印〔清〕嘉慶 20 年〔1815〕江西南昌府學阮元刊本），頁 357。

❻ 李啟謙云：「《後漢書·明帝記》載：東漢明帝十五年東巡狩，三月，……幸孔子宅，祠仲尼及七十二弟子。從這以後，孔子弟子包括子路在內，就不斷受到歷代官府的祭祀。與此同時，對子路也不斷追加謚號。唐朝時（開元 27 年，西元 739 年）進封為『衛侯』，宋代（大中祥符 2 年，西元 1009 年）改封為『河內侯』，旋又追封為『衛公』。」，同註❶，頁 64。

孝親友於女兄，❼尊師加惠人民。❽恃強好勇，崇信尙義。❾聞過則喜，而爲

❼ 《說苑·建本》記：「南游于楚，從車百乘，積粟萬鍾，累茵而坐，列鼎而食。願食藜藿，為親負米之時，不可復得也。枯魚銜索，幾何不蠹：二親之壽，忽如過隙。草木欲長，霜露不使；賢者欲養，二親不待。故曰：家貧親老，不擇祿而仕也。」同註❸，頁 26。又《孔子家語·致思》：「由也事親，可謂生事盡力，死事盡思者也。」（臺北：臺灣商務印書館，1900 年《四部叢刊》本），頁 21。又《禮記·檀弓上》：「子路有姊之喪，可以除之矣。而弗除也。孔子曰：何弗除也？子路曰：吾寡兄弟而弗忍也。孔子曰：先王制禮，行道之人，皆弗忍也。子路聞之，遂除之。」同註❺，頁 120。另《漢書·外戚傳》顏師古《注》亦有：「子路厚於骨肉，雖違禮制，是其仁愛。」（臺北：臺灣中華書局，1966 年《四部備要》本），卷 97 上，頁 15。

❽ 《史記·仲尼弟子列傳》：「子路後儒服季質，因門人請為弟子。」同註❶，頁 878。司馬貞《索隱》：「服虔注《左氏》云：古者始事，必先書名於策，委死之質於君，然後為臣，示必死節於其君也。」又李啟謙云：「君臣如此，師徒也是一樣。臣委質於君，弟（子）委質於師，其義一也。（見《史記》有關注解）這就是子路願以死忠於孔子，以後子路的行為果是如此。孔子有病時，他為之祈禱；（〈述而〉）在陳絕糧時，他想辦法給孔子作飯。（《墨子·非儒下》）；周游列國途中，他處處跟隨。孔子自己就說：「自吾得由，惡言不聞於耳。」（《史記·仲尼弟子列傳》）孔子還說：「道不行，乘桴浮於海，從我者，其由與！」（〈公冶長〉）他處處跟隨并誓死保護孔子。（同註❶，頁 57）另《韓非子·外儲說·右上》：「季孫相魯，子路為郈令。魯以五月起眾為長溝，當此之時，子路以其私秩粟為漿飯，要作溝者於五父之衢而食之。」見拙著：《韓非子釋評》（臺北：五南書局，1992 年），頁 1250。《說苑·臣術》亦有：「子路為蒲令，備水災，與民春修溝瀆，為人煩苦，故予人一簞食，一壺漿。孔子聞之，使子貢復（覆）之，子路忿然不悅，往見夫子曰：由也以暴雨將至，恐有水災，故與人修溝瀆以備之，而民多匱於食，故與人一簞食，一壺漿，而夫子使賜止之何也？夫子疾由之行仁也？夫子以仁教而禁其行，由也不受！子曰：爾以民為餓，何不告於君，發倉廩以給食之，而以爾私饋之？是汝不明君之惠，見汝之德義也。速已則可矣，否則，爾之受罪久矣！子路心服而退也。」同註❸，頁25。

❾ 《中庸》：「子路問強。子曰：南方之強與？北方之強與？抑而之強與？」見〔宋〕朱熹集注，蔣伯潛廣解：《語譯廣解四書讀本》（臺北：啟明書局，1952 年），頁 8，以下所引同此本。《說苑·建本》：「孔子謂子路曰：汝何好？子路曰：好長劍。」頁 29。又〈雜言〉：「（子夏問仲尼）曰：子路之為人也何若？曰：由之勇，賢於丘也。」頁 140。（《列子·仲尼》全同）。《左傳·哀公十四年》：「小邾射以句繹來奔，曰：使季路要我，吾無盟矣。使子路，子路辭。季康子使冉有謂之曰：千乘之國，不信其盟，而信子之言，子何辭焉？對曰：……彼不臣，而濟其言，是義之也，由弗能。」（臺北：藝文印書館，1981 年影印〔清〕嘉慶 20 年〔1815〕江西南昌府學院元刊本），頁 1031。李啟謙云：「千乘之國，不信其盟，而信子（子路）之言，可是子路辭退不幹，原因是不能鼓勵小邾射幹背叛國家這種不義之事。從這段故事就可看出，在當時子路就已經是一位守信用而著稱的人物了。」同註❶，頁 56。

天下聖德賢士。⑩至其功業也，與乎四科政事，長於兵賦，治績遠聞，鄰國不敢侵境，孔子曾再三稱許之。⑪

一、孔子方面

由孔子於子路主動教誨、贊許、告誡，評論諸弟子時中有子路，或子路問而答之諸方面了解子路。

㈠ 主動教誨、贊許、告誡者

〈爲政〉

子曰：「由、誨女，知之乎？知之為知之，不知為不知，是知也。」

孔子呼子路而告之，謂我教汝以知之之道乎？其所實知者，則以爲知；實

---

⑩ 《孟子·公孫丑》：「孟子曰：子路，人告之以過則喜。」頁 51。《三國志·吳書·諸葛恪傳》：「自孔氏門徒，大數三千，其見異者，七十二人。至于子張、子路、子貢等七十之徒，亞聖之德。」(臺北：藝文印書館，1990 年影印〔清〕乾隆武英殿刊本)，頁 1152。《後漢書·列女傳》：「子路至賢，猶有伯寮之愬。」(臺北：藝文印書館，1990 年影印〔清〕乾隆武英殿刊本)，頁 997。

⑪ 《論語·顏淵》：「政事，冉有，季路。」同註❶，頁 550。《論衡·率性》：「子路……卒能政事，序在四科。」同註❹，頁 15。《鹽鐵論·殊路》：「七十子恭受聖人之術，有名列于孔子之門，皆諸侯卿相之才，可南面者數人，云政事者，冉有、季路。」〔漢〕桓寬撰：《鹽鐵論》(臺北：世界書局，1955 年《四部刊要》本)，頁 24。《漢書·刑法志》：「治其賦兵，教以禮誼。」(臺北：藝文印書館，1990 年影印〔清〕乾隆武英殿刊本)，頁 501。《荀子·大略》：「晉人欲伐衛，畏子路不敢過蒲。」同註❶，頁 378。又《韓詩外傳》：「子路治蒲三年，孔子過之。入境而善之曰：由，恭儉以信矣。入邑曰：善哉！由，忠信以寬矣。至庭曰：善哉！由，明察以斷矣。子貢執轡而問曰：夫子未見由，而三稱善，可得聞乎？孔子曰：入其境，田疇草萊甚辟，此恭敬以信，故民盡力。入其邑，墉屋甚尊，樹木甚茂，此忠信以寬，其民不偷。(至其庭)其庭甚閑，此明察以斷，故民不擾也。」見賴炎元撰：《韓詩外傳今註今譯》(臺北：臺灣商務印書館，1972 年)，頁 237。

所不知者，則以為不知，如此則為眞知矣。蓋子路好勇兼人，或有強不知妄以為知自欺情事，故孔子語此以教之。⓬

〈陽貨〉

子曰：「由也，女聞六言六蔽矣乎？」對曰：「未也。」「居！吾語女，好仁不好學，其蔽也愚；好知不好學，其蔽也蕩；好信不好學，其蔽也賊；好直不好學，其蔽也絞；好勇不好學，其蔽也亂；好剛不好學，其蔽也狂。」

孔子呼子路而問聞六言六蔽事乎？子路答曰未聞。孔子命之坐而告之：謂仁者：博施周急，若不好學以裁之，則恐不當施傷惠，而為昏愚。智者：明照事物，若不好學以裁之，則恐行動或不當理，而蕩逸無所適從。信者：重承諾不欺罔，若不好學以裁之，則恐信如尾生抱柱之死，而殘害其身。直者：正人之曲無隱晦，若不好學以裁之，則恐直如楚人不隱父惡，而絞切親恩。勇者：果敢猛進，若不好學以裁之，則恐唯匹夫、血氣是逞，而急切生禍害。剛者：無欲不曲求，若不好學以裁之，則恐頑強失節近愎戾，而狂妄倨傲。蓋子路之長，在勇於為善，其失之者，在不喜讀書為學，故有「何必讀書，然後為學」之言。但讀書為學，在明道知中，無適無莫，不滯於一端，而得其宜以裁之。否則，雖有盛德，亦必生蔽塞，而不自見其過也。此恐子路所短，故孔子語此以教之。⓭

⓬ 《荀子·子道》：「故君子知之曰知之，不知曰不知，言之要也。能之曰能之，不能曰不能，行之要也。」（《說苑·雜言》全同），又〈儒效〉：「知之曰知之，不知曰不知；內不自以誣，外不自以欺。」皆可與此相互發明。同註❶，分見頁 400，90。

⓭ 《說苑·建本》：「孔子謂子路曰：汝何好？子路曰：好長劍。孔子曰：非此之問也，請以汝之所能，加之以學，豈可及哉？子路曰：學亦有益乎？孔子曰：夫人君無諫臣則失政，士無教友則失德，狂馬不釋其策，操弓不返於檠，木受繩則直，人受諫則聖，受學重問，

〈子罕〉

子曰：「衣敝縕袍與衣狐貉者立，而不恥者，其由也與？『不忮不求，何用不臧。』」子路終身誦之。子曰：「是道也，何足以臧？」

孔子以子路著破敗麻枲賤衣，與著狐貉輕裘華服者並立，常人之情，必感慚恥，而能不如是者，惟仲由也歟？其所以如此者，乃因不妒嫉他人，不貪求財物，將何爲而不善乎，以美子路也。子路性憨直，聞孔子美己，常稱誦之，似有伐善自矜意。孔子知之，謂是亦爲善之道也，尙復有美於此者，何可自伐其善以抑之，而誘其能再修德，復進於善；雖已登堂，更望其能入室也。

〈顏淵〉

子曰：「片言可以折獄者，其由也與？子路無宿諾。」

孔子謂凡聽訟，必須兩辭，以定是非，偏信一言，足能決斷獄訟者，惟子路可。其所以如此者，以其果決明辨也。抑或以其性直、情無所隱、信義昭著，人皆知之，僅聽其一言，足可定其是非矣。又子路所允諾他人之事，急於實踐，不久留或有遺忘疏失而失信也。此與其性憨直果決有關，亦與其聞斯行之，兼人個性有關，故孔子兩言以美之也。

孰不順成，毀仁惡士，且近於刑。君子不可以不學。子路曰：南山有竹，弗揉自直，斬而射之，通於犀革，又何學為乎？孔子曰：括而羽之，鏃而砥礪之，其入不益深乎？子路拜曰：敬受教哉。」又「子路問於孔子曰：請釋古之學，而行己之意可乎？孔子曰：不可，昔者東夷慕諸夏之義，有女，其夫死，為之內私婿，終身不嫁，不嫁則不嫁矣，然非貞節之義也。蒼梧之弟，娶妻而美好，請與兄易，忠則忠矣，然非禮也。今子欲釋古之學，而行子之意，庸知子用非為是，用是為非乎？不順其初，雖欲悔之，難哉！」同註❸，頁 29-30。此除告以為學之義可參考外，亦恐子路勇於行私意，而不學以非為是也。

〈衛靈公〉

子曰：「由、知德者鮮矣。」

孔子呼子路而告之，謂汝少知義理之得於己之德也。蓋君子固窮，而子路曾慍見，故孔子語此以教之也。

〈先進〉

子曰：「由之瑟，奚為於丘之門？」門人不敬子路。子曰：「由也，升堂矣，未入於室也。」

孔子以子路性剛，鼓瑟亦有壯氣，而不合雅頌。⓮謂此聲何爲出於丘之門乎？所以誡之也。門弟子不解孔子之意，以孔子爲輕賤子路，而不敬之。孔子乃就子路之德行、學識造詣深淺言之。謂子路已造乎正大高明之階堂，特未深入精微之奧室耳，斯亦難矣，何可遽爾輕慢不敬之乎？又復爲之解也。

㈡ 評論諸弟子時中有子路者

〈先進〉

⓮ 《說苑·修文》：「子路鼓瑟，有北鄙之聲。……北者，殺伐之域。……昔舜造南風之聲，其興也勃焉，至今王公述而不釋。……紂為北鄙之聲，其廢也忽焉，至今王公以為笑。彼舜以匹夫，積正合仁，履中行善，而卒以興。紂以天子，好慢淫荒，剛厲暴賊，而卒以滅。今由也匹夫之徒，布衣之醜也，既無意乎先生之制，而又有亡國之聲，豈能保七尺之身哉！冉有以告子路。子路曰：由之罪也，小人不能耳，陷而入於斯，宜矣子之言也。遂自悔不食七日，而骨立焉。孔子曰：由之改過矣。」同註❸，頁 165。又《語譯廣解四書讀本·論語》：「程子曰：言之聲之不和，與己不同也。《家語》云：子路鼓瑟，有北鄙殺伐之聲，蓋其氣質剛勇，而不足於中和，故其發於聲者如此。」同註❾，頁 160。皆謂不合雅頌之音。

子曰：「從我於陳、蔡者，皆不及門也。德行：顏淵、閔子騫、冉伯牛、仲弓。言語：宰我、子貢。政事：冉有、季路。文學：子游、子夏。」

孔子憫昔周游列國，厄於陳、蔡之弟子，今皆不在門下，因追思其能。決斷不疑，長於治理國事之政者，則有冉有、季路二人也。

又

（子曰）：「柴也愚，參也魯，師也辟，由也喭。」

孔子就四弟子之短長，而評其得失也。子路性剛強，有時或跋扈恣睢，猛烈近狂，失之粗獷。故孔子語此使自勵也。

又

閔子侍側，誾誾如也。子路、行行如也。冉有、子貢，侃侃如也，子樂。「若由也，不得其死然。」

孔子以四弟子能各盡其自然之性，神貌相合，無所隱匿，故懽樂之也。惟子路行行，性過剛強，不能體剛履柔而相濟，故獨道其恐將不得壽終以戒之也。⓯

又

⓯ 後子路仕於衛，事輒不去，於西元前480年，卒死於衛族權力爭奪孔悝之亂。事詳《左傳・哀公十五年》。又《史記・仲尼弟子列傳》：「斷子路之纓，子路曰：君子死而冠不免，遂結纓而死。孔子聞衛亂曰：嗟乎！由死矣。已而果死！」同註❶，頁875。《孔子家語・顏回》：「顏回問子路（於孔子）曰：力猛於德而得其死者，鮮矣。盍慎諸焉？孔子謂顏回曰：人莫不知此道之美，而莫之禦也，莫之為也。何居為聞者，何日思也夫？」同註❼，頁96。於此，亦可知子路過剛勇，而不能濟之以德，故終死於非命。

子路、曾皙、冉有、公西華侍坐。子曰：「以吾一日長乎爾，毋吾以也！居則曰：『不吾知也。』如或知爾，則何以哉？」子路率爾而對曰：「千乘之國，攝乎大國之間，加之以師旅，因之以饑饉，由也為之，比及三年，可使有勇，且知方也。」夫子哂之。「求、爾何如？」對曰：「方六七十，如五六十，求也為之，比及三年，可使足民，如其禮樂，以俟君子。」「赤、爾何如？」對曰：「非曰能之，願學焉。宗廟之事，如會同，端章甫，願為小相焉。」「點、爾何如？」鼓瑟希，鏗爾，舍瑟而作。對曰：「異乎三子者之撰。」子曰：「何傷乎？亦各言其志也。」曰：「莫春者，春服既成，冠者五六人，童子六七人，浴乎沂，風乎舞雩，詠而歸。」夫子喟然歎曰：「吾與點也！」三子者出，曾皙後。曾皙曰：「夫三子者之言何如？」子曰：「亦各言其志也已矣！」曰：「夫子何哂由也？」曰：「為國以禮，其言不讓，是故哂之。」「唯求則非邦也與？」「安見方六七十，如五六十，而非邦也者？」「唯赤則非邦也與？」「宗廟會同，非諸侯而何？赤也為之小，孰能為之大？」

孔子乘間，子路、曾皙、冉有、公西華四弟子侍坐，因使各言其志，以觀其器能也。子路性剛直勇決，故率爾先三子而對。謂千乘公侯之國，迫於大國之間，又加之以師旅侵伐於外，復因之以饑饉民困於內。而由也治之，比及三年之後，可使其民有勇以禦外，且內教之使知合宜之道也，孔子聞而哂笑之。諸弟子退，曾皙後而問孔子，三弟子所言爲政之事，無甚不同，夫子何獨哂笑子路耶？孔子謂治國貴謙讓之禮，子路不達爲國此禮，率爾搶先而對，故哂笑之也。⓰

⓰ 《說苑·指武》：「孔子北遊東土農山，子路、子貢、顏淵從焉。孔子喟然歎曰：登高望下，使人心悲，二三子者各言爾志，丘將聽之。子路曰：願得白羽若月，赤羽若日，鐘鼓之音，上聞乎天；旌旗翩翻，下蟠於地，由且舉兵而擊之，必也攘地千里，獨由能耳。使

〈公冶長〉

顏淵、季路侍。子曰：「盍各言爾志？」子路曰：「願車馬衣輕裘，與朋友共，敝之而無憾。」顏淵曰：「願無伐善，無施勞。」子路曰：「願聞子之志？」子曰：「老者安之，朋友信之，少者懷之。」

孔子乘間，顏淵、季路二弟子侍坐。謂何不各言爾心中之所志也？子路性剛直勇決，乃先顏淵而對。謂一己重義輕財，願車馬、衣裘，與朋友共乘服，雖敝敗壞毀，亦無憾恨也。言後乃反問夫子之志如何？孔子以老人養之以安，朋友與之以信，少年懷之以恩，言一己之所志告之，以誘掖子路亦能至于斯境也。

㈢ 子路問而孔子答之者

〈先進〉

子路問：「聞斯行諸？」子曰：「有父兄在，如之何其聞斯行之？」冉有問：「聞斯行諸？」子曰：「聞斯行之！」公西華曰：「由也問：『聞斯行諸？』子曰：『有父兄在。』求也問：『聞斯行諸？』子曰：『聞斯行之。』赤也惑，敢問。」子曰：「求也退，故進之；由也兼人，故退之。」

夫二子，為我從焉。」同註❸，頁 124。《荀子·宥坐》：「子路曰：敢問持滿有道乎？孔子曰：聰明聖知，守之以愚；功被天下，守之以讓；勇力撫世，守之以怯；富有四海，守之以謙。」同註❶，頁 389。此皆言子路於孔子之問，多不謙讓，而率先發言並矜其勇猛之個性也。

子路、冉有同問若聞人有窮困當賑貧救乏之事，於斯即得行之乎？二人問同，但孔子答之異，故公西華疑而惑之，問其所以然也。孔子以子路性行行、喭、野，凡事務在勝尚人，見義勇爲，有聞即行。故有「有聞，未之能行，唯恐又聞」之言。於所當爲，不患其不爲，而特患其率爾急遽考量少，行之或過。故以有父兄在者，人子無私假予，有事必先白告父兄，而勿自專，以抑退之也。又

> 季路問事鬼神。子曰：「未能事人，焉能事鬼？」曰：「敢問死。」曰：「未知生，焉知死？」

子路問事鬼神，其理如何？孔子以生人尚未能事，況死者鬼神乎？又問人死後，其事如何？孔子以尚未知生時之事，則安知死後者乎？蓋鬼神及死事難明，孔子不道無益之語，故皆不答，以抑子路之多問也。或以爲鬼神及死事雖難明，但「祭神如神在」，「事死如事生」，子路當知之。今竟此問，知子路於往昔談論此等問題時，或未加注意，而以不答暗示其不甚讀書也。

〈子路〉

> 子路問曰：「何如斯可謂之士矣？」子曰：「切切偲偲，怡怡如也，可謂士矣！朋友切切偲偲，兄弟怡怡。」

子路問如何行之，始可謂士？孔子答以士之行也，當懇到、勉勵、和悅也。又恐其混於所施，乃分別謂朋友以義合，當懇到、勉勵，相互切磋責善；兄弟以恩合，當謙順、和樂，相互友恭以盡天倫也。子路性剛直，於此恐有所不足，故告之如此。

〈憲問〉

> 子路問君子。子曰：「修己以敬。」曰：「如斯而已乎？」曰：「修己以安人。」曰：「如斯而已乎？」曰：「修己以安百姓；修己以安百姓，堯、舜其猶病諸！」

子路問如何行之，始可謂君子，孔子初告以修己以敬，乃敬修己身，使不失禮怠忽也。此恐子路所短，初告之如此。子路意有未足，又問而告以修己以安人，乃加惠於九族朋友，使之順適康泰也。子路仍感不足，再問而終告以修己以安百姓。乃推恩於天下眾人，使之安居樂業也。孔子知子路兼人，恐其未已，故以修己以安百姓之事，雖堯、舜之聖，其猶難之以抑子路，使反求諸近也。

又

> 子路問成人。子曰：「若臧武仲之知，公綽之不欲，卞莊子之勇，冉求之藝；文之以禮樂，亦可以為成人矣！」曰：「今之成人者何必然！見利思義，見危授命，久要不忘平生之言，亦可以為成人矣。」

子路問如何行之，始可謂成人？孔子先言古之成人為：智能避齊禍如臧武仲，廉能不營財利如孟公綽，勇能獨格虎如卞莊子，藝能才藝出眾如冉求。既有智、廉、勇、藝，復節之以禮，和之以樂而文成之，雖未足多，亦可謂成人矣。至今之成人也，則不必四者盡備，若見財利，則思義之合宜否，然後取之；見君危難，則當盡忠以致命，二者所謂「臨財毋苟得，臨難毋苟免」是也。又與人有舊約之言，雖年長富貴顯達，亦不忘而實踐之，所謂「不遺故舊」是也。能行此三事，亦可以為成人矣。古之成人，子路或不能及；今之成人，子路能之，故孔子語此以誘而勉成之也。

〈陽貨〉

子路曰：「君子尚勇乎？」子曰：「君子義以為上。君子有勇而無義為亂，小人有勇而無義為盜。」

子路有勇，意謂勇可崇尚，而問孔子君子亦崇尚勇乎？孔子以君子之所行，以義爲準。蓋義者宜也，無適無莫，義之爲比。在上之君子，如僅有勇而無義，則爲亂逆；在下之小人，如僅有勇而無義，則爲盜賊，以救子路或恃勇，而未能配義之失，故孔子語此以抑之也。⓱

〈憲問〉

子路曰：「桓公殺公子糾，召忽死之，管仲不死。曰：未仁乎？」子曰：「桓公九合諸侯，不以兵車，管仲之力也，如其仁，如其仁。」

子路謂桓公殺公子糾，召公死其事；管仲不僅未能死之，且忘君事仇，忍心害理，未得謂爲仁以問孔子。孔子以九合諸侯，不以兵車，乃不假威力以致霸，存亡繼絕，諸夏相安。濟人民於衽席，挽被髮而左衽，此一匡天下偉業，仁之大者也。管仲不爲匹夫匹婦之爲諒，自經於溝瀆，硜硜然死節，沒世不見聞，此仁之小者也。舍小而就大，乃大聖大賢，大英雄豪傑，成大事業之所當爲，故重其言曰仁矣乎。子路未之知，故孔子告之如此。⓲

⓱ 《論語·公冶長》：「孔子謂：由也！好勇過我，無所取材。」亦即子路有勇，而不知所以裁度事之可否之義也。可與此相互發明。

⓲ 管仲未死糾相小白事，《論語》中除此外，次章子貢亦問及。而《管子》、《孟子》、《左傳》、《史記》等亦有詳略不同記載。事之原委，以蔣伯潛綜合之說較簡約，特錄之於下：「齊僖公生諸兒、糾、小白。僖公卒，諸兒立，是為襄公。襄公無道，鮑叔牙知亂將作，奉小白奔莒，及襄公從弟無知弒公自立，召忽、管仲奉糾奔魯，齊人殺無知，小白自莒先入，立為桓公。魯以師納糾，齊師敗之乾時。齊使魯殺糾，執管、召送之齊，召忽自殺，管仲囚而至齊，桓公釋而相之。詳見《左傳》及《史記》」，同註❾，頁216。又《說苑·善說》：「子路問於孔子曰：管仲何如人也？子曰：大人也。子路曰：昔者管子說襄公，

〈子路〉

子路問政。子曰：「先之，勞之。」「請益。」曰：「無倦。」

子路問爲政之道如何？孔子初告以君子以道教民，欲政速行，在凡民之行，必身先之，則不令而行矣。欲民速服，在凡民之事，必身勞之，則雖勤不怨矣。子路積極兼人，以爲爲政之道，當不止如此，而請益之。孔子告以不可急遽狂進，無懈於先之勞之則可矣。蓋子路喜於有爲，而恐其不能持久，故孔子語此以使之深思也。

〈憲問〉

子路問事君。子曰：「勿欺也，而犯之。」

子路問事君之道如何？孔子以君臣以義合，事之之道，理當不欺罔；若君有過，必犯顏諫爭。而子路、冉求之事季氏也，季氏有伐顓臾，謀動干戈於邦內大過，不僅未犯顏諫爭，竟反而爲之辭，故孔子告之如此。

〈子路〉

子路曰：「衛君待子而為政，子將奚先？」子曰：「必也正名乎？」子

襄公不說，是不辨也。欲立公子糾而不能，是無能也。家殘於齊而無憂色，是不慈也。桎梏而居檻車中無慚色，是無愧也。事所射之君，是不貞也。召忽死之，管仲不死，是無仁也。夫子何以大之？子曰：管仲說襄公，襄公不說，管子非不辨也，襄公不知說也。欲立公子糾而不能，非無能也，不遇時也。家殘於齊而無憂色，非不慈也，知命也。桎梏居檻車而無慚色，非無愧也，自裁也。事所射之君，非不貞也，知權也。召忽死之，管仲不死，非無仁也。召忽者，人臣之材也；不死，則三軍之虜也；死之，則名聞天下，夫何為不死哉！管仲者，天下之佐，諸侯之相也，死之，則不免為溝中之瘠；不死，則功復用於天下，夫何為死之哉？由！汝不知也。」同註❸，頁97。皆可與此相互參考發明。

路曰：「有是哉！子之迂也。奚其正？」子曰：「野哉！由也，君子於其所不知，蓋闕如也。名不正則言不順，言不順則事不成，事不成則禮樂不興，禮樂不興則刑罰不中，刑罰不中則民無所措手足。故君子名之必可言也，言之必可行也，君子於其言，無所苟而已矣。」

子路問孔子，衛君若待夫子而爲政，將何所先行？孔子告以必先正百物萬事是非善惡之名，⑲失此則不可爲政矣！子路不達是理，故言豈有若是哉？夫子之言遠於事也，何其名之正乎？孔子聞此，乃斥子路鄙俗不達事理，率爾妄對。除詳言事由順成名，由言舉名。若名不正，則言不順序；言不順序，則政事不成；政事不成，則君不安於上，風不移於下，是禮樂不興行也；禮樂不興行，則有淫刑濫罰，故不中於道理也；刑罰枉濫，民則畏懼不自安，而無所措其手足矣。名不正之嚴重後果如是，豈遠於事耶？且君子所名之事，必可得而明言；所言之事，必可得而遵行外，並以二事教之。首言君子於其所不知，則當闕而勿據以爲言；次則君子於其所言，無所苟且輕忽，蓋一苟且輕忽，則其餘皆如是矣。此乃子路所缺，故孔子語此重責之也。

二、子路方面

由子路於孔子至情關切，惑而質疑，或不滿意其行事等諸方面了解子路。

⑲ 孔子於衛政云必先正名者，錢地之有綜合說明，其云：「衛國之政亂，由靈公無道啟之。己既無道，而有淫亂之夫人南子。其世子蒯聵之不孝，先是欲殺其母，以去國醜也。事未遂而逃出衛，流亡國外，乃如晉公子重耳然。其父靈公卒，欲返衛，其子輒出兵拒之。輒拒之，實其母南子之所為也。其衛國之亂，由於（先有）父不父，而後有子不子。先有君不君，而後有臣不臣。蓋孔子以君君、臣臣、父父、子子，為立教之大本，本正，百物正矣，本失，百物失矣。所謂百物之名者，即百物萬事，善惡之名也。正名者，正百物萬事是非之名也。」同註❶，頁664，可說明必須先正名之理。

㈠　至情關切者

〈述而〉

> 子疾病，子路請禱。子曰：「有諸？」子路對曰；「有之，誄曰：『禱爾于上下神祇。』」子曰：「丘之禱久矣。」

孔子疾病，子路請禱於鬼神，冀其賜福癒疾。孔子以死生有命，不欲禱祈而反問有此禱祈於神鬼之事乎？子路引古舊禱誄辭以對。孔子以子路質直好善，見己病甚，失所主而請禱祈，不欲直拒其關切而非之。謂一己素行合於神明，無所忤逆，若此，則丘之禱也已久矣，而教子路也。

〈子罕〉

> 子疾病，子路使門人為臣。病閒曰：「久矣哉！由之行詐也。無臣而為有臣，吾誰欺？欺天乎？且予與其死於臣之手也，無寧死於二三子之手乎！且予縱不得大葬，予死於道路乎？」

孔子疾病，子路以孔子曾爲魯大夫，恐其一病不起，欲使門弟子，習行家臣之禮而治其喪。孔子病小差後知之，以時既久，故謂子路有欺詐之心久矣。現己既去大夫，是無臣也；無臣而爲有臣，如此詐行，吾將誰欺？人乎天乎！且即使有臣，吾與其死於臣之手，毋寧死於門弟子之手也。又吾死後，縱不得以君臣禮葬，有門弟子在，吾豈復憂其被棄於道路乎？言必得禮葬也。孔子以子路質直愛己切，欲尊己而不知所以爲尊，將陷己欺天，故詳陳所以然，以告子路也。

㈡ 惑而質疑者

〈述而〉

子謂顏淵曰：「用之則行，舍之則藏。唯我與爾有是夫。」子路曰：「子行三軍則誰與？」子曰：「暴虎馮河，死而無悔者，吾不與也。必也臨事而懼，好謀而成者也。」

孔子語顏淵，可行則行，可止則止，用舍隨時，行藏不忤於物，惟吾二人能同之也。子路質直，見夫子獨美顏淵，自負其勇，意夫子若行三軍爲主帥，當誰與同？以爲非己莫屬而質問之也。孔子以若不能智勇兼備，謀慮周詳，而徒空手搏虎，無舟渡河，雖死而不悔者，吾不與之同也。子路衒勇，故孔子語此，抑而戒之也。必也臨事而能戒懼，好謀而能成功者，吾則與之同行三軍之事矣。語此又所以誘掖子路愼其勇也。

〈衛靈公〉

在陳絕糧，從者病，莫能興，子路慍見。曰：「君子亦有窮乎？」子曰：「君子固窮，小人窮斯濫矣。」

子路以孔子在陳絕糧，從行弟子皆乏食困病，無能起者。見此情形，或以身剛強獨能起，乃慍怒而見，質疑於孔子。謂君子人也，學則祿在其中，亦有窮困而至此者乎？⑳孔子以子路性剛猛，或心不平，而逞血氣之勇。乃言君子

⑳ 《荀子·宥坐》：「孔子南遊楚，厄於陳、蔡之間，七日不火食，藜羹不糝，弟子皆有飢色。子路進問之曰：為善者天報之以福，為不善者天報之以禍，今夫子累德、積善、懷美。行之日久矣，奚居之隱也。」同註❶，頁 395。又《說苑·雜言》略同。皆言累德、積善之君子，何窮厄也至此，故慍見也。

人也。能固守其窮，行道不渝，而無怨悔。若夫小人，窮則濫溢爲非，而有敗德之行矣，所以慰子路也。

㈢　不滿意其行事者

〈陽貨〉

公山弗擾以費畔，召，子欲往，子路不說。曰：「末之也已！何必公山氏之之也！」子曰：「夫召我者，而豈徒哉？如有用我者，吾其為東周乎！」

弗擾爲季氏費邑宰，與陽虎共執季桓子，據邑以叛，而召孔子，孔子欲往之。子路以君子當去亂就治，不從叛逆，今何欲往而不喜悅。謂時不我用，道既不行，無可適往，則當止之，何必公山氏之適乎？欲諫止之。孔子以夫召我者，豈容無事而空然爲之，必將用我道也。如有用我道者，則我將興周道於東方，使魯爲周也。蓋孔子栖栖遑遑，懷周道，遊列國，以圖匡世濟民，故不擇地擇人，力求王道實踐，而蘇民困，故欲往之。此子路不知，故道其所以然以曉之也。

又

佛肸召，子欲往。子路曰：「昔者由也，聞諸夫子曰：『親於其身為不善者，君子不入也。』佛肸以中牟畔，子之往也，如之何？」子曰：「然！有是言也。不曰堅乎，磨而不磷？不曰白乎，涅而不緇？吾豈匏瓜也哉？焉能繫而不食？」

佛肸爲趙簡子中牟宰，據邑以叛，而召孔子，孔子亦欲往之。子路以昔者聞夫子有言，君子不入不善之國，身爲不善之行，今何往以中牟叛之佛肸，而違前言何？欲以諫止之。孔子以誠有是言也。雖如此，但君子見機而作，亦有可往之理。蓋至堅者，磨於礪而不薄；至白者，染於涅而不黑，雖居濁亂，不能污之也。孔子又以非繫而不可食之匏瓜，無益於世。且天下無不可變之人，亦無不可變之事，應見機而權行，故不擇地擇人，亦求道之行而蘇民困也。且子路聞乘桴於海而喜，聞往公山氏而不悅，見形不見道，故孔子亦詳其所以然以曉之也。

〈雍也〉

子見南子，子路不說。夫子矢之曰：「予所否者，天厭之！天厭之！」

孔子至衛，見靈公夫人南子。子路性剛直，以君子之行，當義之與比，何以見此淫亂婦人以自辱也？故不喜樂。夫子誓之，謂吾之見南子，欲因以使說靈公行治道耳；如所行不由其道，不合於見小君之禮，天將棄絕我也。再言之者，重其誓，欲使子路信己也。㉑

三、他人方面

由他人問子路於孔子，於孔子前評論子路；或問孔子於子路，於子路前嘲諷孔子等方面了解子路。

㉑ 《史記・孔子世家》：「靈公夫子有南子者，使人謂孔子曰：四方之君子不辱，欲與寡君為兄弟者，必見寡小君，寡小君願見。孔子辭謝，不得已而見之。夫人在絺帷中，孔子入門，北面稽首，夫人自帷中再拜，環珮玉聲璆然。孔子曰：吾鄉為弗見，見之，禮答焉。子路不說，孔子矢之曰：予所不者，天厭之！天厭之！居衛月餘，靈公與夫人同車，宦官者雍渠參乘，出，使孔子為次乘，招搖市過之。孔子曰：吾未見好德如好色者也，於是醜之，去衛。」同註❶，頁765。可與此相互發明。

㈠ 問子路於孔子者

〈公冶長〉

> 孟武伯問「子路仁乎？」子曰：「不知也。」又問。子曰：「由也，千乘之國，可使治其賦也；不知其仁也。」「求也，何如？」子曰：「求也，千室之邑，百乘之家，可使為之宰也；不知其仁也。」「赤也，何如？」子曰：「赤也，束帶立於朝，可使與賓客言也；不知其仁也。」

孟武伯以子路有仁德否乎問於孔子。孔子以仁道至大、至重、至宏遠，一己尚未敢居，顏淵僅三月不違，況子路等日月至焉者乎？又不願直言無仁，非獎誘之教，故以不知也答之。武伯意子路有仁，又復問之。孔子除肯定子路可治千乘大國兵賦之所長外，仍以不知其仁也答之。

〈雍也〉

> 季康子問:「仲由,可使從政也與?」子曰:「由也果,於從政乎何有?」曰：「賜也，可使從政也與？」曰：「賜也達，於從政乎何有？」曰：「求也，可使從政也與？」曰：「求也藝，於從政乎何有？」

季康子問於孔子，仲由之才，可使爲大夫從事於政也與？孔子以子路剛勇猛進，果敢決斷能任事，其於從政，何難之有？謂其才可使從政也。

〈先進〉

> 季子然問：「仲由、冉求，可謂大臣與？」子曰：「吾以為異之問；曾由與求之問！所謂大臣者，以道事君，不可則止。今由與求也，可謂具臣矣！」曰：「然則從之也與？」子曰：「弒父與君，亦不從也。」

季子然係季氏子弟，自多季氏得冉有、仲由二賢臣，以是否爲大臣問於孔子。孔子除抑季子然之自多外，並陳以正道事君，君有過惡則諫，三諫不從，則止而去位不仕大臣之義。今冉求、仲由，二人臣於季氏，季氏有過惡，如謀動干戈伐顓臾，舞八佾僭天子，旅泰山以雍徹，竟不諫爭匡救，使恣其行。又不止而去位不仕，不可謂大臣，僅備臣數之具臣而已。季子然聞此，又問既如是，則君有過惡，皆縱其慾而從之者乎？孔子以雖不諫不止；但如有弒父與君忤逆之事，則亦不從也。語此除陰折季氏僭竊不臣之心外，並深許二子必不黨惡也。

㈡ 於孔子前評論子路者

〈憲問〉

公伯寮愬子路於季孫，子服景伯以告。曰：「夫子固有惑志於公伯寮，吾力猶能肆諸市朝。」子曰：「道之將行也與？命也；道之將廢也與？命也。公伯寮其如命何？」

子服景伯以季孫信讒，因公伯寮之誣譖子路以罪，信而恚怒之。而謂一己猶能辨子路無罪，且使季氏誅寮，陳其尸於市朝以告孔子。孔子以道之行廢，皆係本然不可知之天命。雖季氏信公伯寮之誣讒；但能違天命乎？不許其請，而拒其將辨子路無罪之行也。

㈢ 問孔子於子路者

〈述而〉

葉公問孔子於子路，子路不對。子曰：「女奚不曰：『其為人也，發憤忘食，樂以忘憂，不知老之將至云爾。』」

楚大夫葉公問孔子之志行如何於子路，子路未知所以答，恐答之不得體，故不對。孔子聞子路不能答，乃謂汝何不如是言之乎？其孔子之爲人也，發憤嗜學而忘食，樂道自適而忘憂，孜孜不息而忘身之老將至焉耳。三者聖賢大德，子路未能盡知，故孔子教而使對葉公之問也。

㈣　於子路前嘲諷孔子者

〈憲問〉

子路宿於石門，晨門曰：「奚自？」子路曰：「自孔氏。」曰：「是知其不可而為之者與？」

子路宿於石門，守門隱者問而知自孔子處來。是舊知孔子之行者，故反問是知天下無道，世不可教，而周游東西，強爲其不可爲之孔子與？此蓋於子路面前，譏孔子不能隱遯避世也。

〈微子〉

長沮、桀溺耦而耕，孔子過之，使子路問津焉。長沮曰：「夫執輿者為誰？」子路曰：「為孔丘。」曰：「是魯孔丘與？」曰：「是也。」曰：「是知津矣！」問於桀溺。桀溺曰：「子為誰？」曰：「為仲由。」曰：「是魯孔丘之徒與？」對曰：「然。」曰：「滔滔者，天下皆是也；而誰以易之？且而與其從辟人之士也，豈若從辟世之士哉？」，耰而不輟。子路行以告，夫子憮然曰：「鳥獸不可與同群！吾非斯人之徒與而誰與？天下有道，丘不與易也。」

孔子道經長沮、桀溺二偶耕隱者旁，使子路問津渡之所在。長沮得知使問者爲魯之孔丘後，譏孔子數周游天下，無所不至，當知津渡之所在，拒而不答。桀溺得知子路爲孔子生徒後，亦譏孔子不識時務。謂天下皆亂，滔滔然似水之橫流汎溢，誰與能變易之乎？並陰招子路與其從孔子之周游，不如從己之遯隱爲得也。覆種不止，亦不以津渡告。子路以二人所言告孔子後，孔子乃悵然謂：吾自當與此天下人同群，栖栖遑遑，思以救之，而不逃世同群於鳥獸，以遯隱山林而自潔也。且天下若已平治，則吾無用變易之，正以天下濁亂，故欲以善道而救世。孔子以此語子路，謂長沮、桀溺二人，不達己志也。

又

> 子路從而後，遇丈人，以杖荷篠。子路問曰：「子見夫子乎？」丈人曰：「四體不勤，五穀不分，孰為夫子？」植其杖而芸。子路拱而立，止子路宿。殺雞為黍而食之，見其二子焉。明日，子路行以告。子曰：「隱者也。」使子路反見之。至，則行矣。子路曰：「不仕無義，長幼之節，不可廢也；君臣之義，如之何其廢之？欲潔其身，而亂大倫！君子之仕也，行其義也。道之不行，已知之矣。」

子路以譏孔子爲不勤勞四體，不分辨五穀，何爲夫子，植杖而芸拒答；但留宿爲食，現其二子於子路以杖荷篠丈人之言，而告孔子。孔子謂爲隱者，使子路再返見之，至則人行而他去，留言二子謂：知父子之恩，長幼之節不可廢；何可廢君臣之義而不仕乎？君子之仕亂世也，非苟爲榮華富貴利祿而已，在行拯萬民於衽席君臣大義耳。現今世亂，已知己之道不見用，其所以栖栖遑遑者，在爲其不可爲而爲，冀行其道耳。三月無君，遑遑如也在此。孔子使子路語此以告隱者荷篠丈人，使其明己志也。

四、其　他

非出自孔子、子路或他人之言語，僅就書中文字記載了解子路。

㈠　勇於行者

〈公冶長〉

子路有聞，未之能行，惟恐有聞。

子路稟性果決，又好勇兼人，必行無宿諾。前所有聞於夫子者，尙未及行之，則恐又別有所聞，不得並行，此記子路之勇於力行。

又

子曰：「道不行，乘桴浮于海，從我者，其由與？」子路聞之喜。子曰：「由也！好勇過我，無所取材。」

孔子以中國不能行己治國善道，欲乘小舟浮渡於海而居九夷，因子路果敢有勇，欲令從己俱往。子路聞夫子云此，能隨以護衛而喜之。孔子以子路質直勇於行，信以爲眞，乃謂子路之勇也勝過我，惟不能裁度事理，知己所以云此，在嘆世無道，感慨而發，實無浮海他去微意，故語此以教子路也。此亦記子路之勇於力行。

〈鄉黨〉

色斯舉矣，翔而後集。曰：「山梁雌雉，時哉！時哉！」子路共之，三嗅而作。

群鳥之止棲飛翔，必詳察客觀環境而行之。見人有捕捉之色，則驚起飛去；迴翔審視，見危機已無，而後下止也。孔子行於山梁之間，見雌雉於水側飲啄，悠然自得，而興得其時之嘆。子路聞孔子慨歎，揖而拱之，雌雉誤以爲有捕捉意，乃三振翅而起飛他去也。此記子路之輕率於行。

㈡ 飾於過者

〈季氏〉

季氏將伐顓臾，冉有、季路見於孔子。曰：「季氏將有事於顓臾。」孔子曰：「求！無乃爾是過與？夫顓臾，昔者先王以為東蒙主，且在邦域之中矣。是社稷之臣也！何以伐為？」冉有曰：「夫子欲之，吾二臣者，皆不欲也。」孔子曰：「求！周任有言曰：『陳力就列，不能者止。』危而不持，顛而不扶，則將焉用彼相矣？且爾言過矣！虎兕出於柙，龜玉毀於櫝中，是誰之過與？」冉有曰：「今夫顓臾，固而近於費，今不取，後世必為子孫憂。」孔子曰：「求！君子疾夫，舍曰欲之，而必為之辭。丘也，聞有國有家者，不患寡而患不均，不患貧而患不安；蓋均無貧，和無寡，安無傾。夫如是，故遠人不服，則修文德以來之！既來之，則安之！今由與求也，相夫子，遠人不服，而不能來也，邦分崩離析，而不能守也。而謀動干戈於邦內，吾恐季孫之憂，不在顓臾，而在蕭牆之內也。」

季氏欲伐顓臾，冉有、季路爲季氏臣以告孔子。雖未有何發問，但孔子以二子失持危扶顚，虎兕出柙，龜玉毀櫝爲相典守之責。因冉求之飾辭以辯，故孔子詳加分析君有大過，而不能犯顏諫爭也。此記冉有、季路之飾於過。

〈先進〉

子路使子羔為費宰。子曰：「賊夫人之子！」子路曰：「有民人焉，有社稷焉，何必讀書，然後為學？」子曰：「是故惡夫佞者。」

子路臣季氏，舉習學未成熟之子羔爲費邑宰。雖未有何發問，但孔子知之，以賊害學未優而使之仕，必累其身斥之。子路辯之，言費邑有民可治，有社稷神可事，治民事神亦學也，何必讀典籍書，始謂之學乎？孔子知子路之辯，並非本意，僅理屈辭窮，而逞口舌便給，文過飾非以禦人耳。謂古者學而後爲政，未聞以政而學，何以不讀書乎？故孔子既斥其非，亦惡其佞，恐其有過惡而不知，陷於罪咎也。此記子路之飾於過。

結　論

經上粗略陳述，於《論語》四十一則有關子路記載中，除極少數無涉子路之行誼外，綜合觀之，可大體發現，在稟賦個性上：則豪爽憨直、剛強勇猛；但有時不免近於伐善粗野。在學養修持上：則尙誠信，重然諾，尊師篤友，有疑必問或反詰。雖有時表面似頂撞師長，不讓同門，但多出自憨直個性，而少惡意。在行事理念上：則果決明快，奮勇先人，爲求達成己志，多所堅持，而無反顧，甚或死而無怨。在政績功業上：則可片言折獄，明其爭訟之是非；長於兵賦，而教民有勇知方也。雖如此，但亦多有可議處：喭、野、行行，率爾輕慢，此出於個性，尙不足少之。惟「何必讀書，然後爲學」，或強不知以爲知，甚而逞巧佞而禦人口給，則實外於孔門禮教重學理念矣。故孔子多明白呼而教之、誨之。有時表面似申斥訓誡，實多愛之深、責之切，而意在誘掖期勉也。至同門之或有不敬，是不眞知雖未入室，但已升堂之子路也。識乎此，則知前所言幼時所聞類今泰山、飛俠、超人云云，及後人所謂勇同夏育，敢於維持治安，打擊犯法等，㉒雖係過度想像渲染，實亦非爲無因也。

附 記

此文承王甦、朱維煥、曾厚成三教授削其贅疣，繩其謬誤；研究生陳伯适複印資料；黃端陽、東陽兄弟打字、排版、校對，皆惠我至多，特一併於此致深切謝意。

㉒ 《漢書·地理志》：「周末有子路、夏育，民人慕之，故其剛武，上氣力。」，同註❼，頁 1665。又李啟謙云：「《漢書·東方朔傳》：記載了這位滑稽大王和漢武帝的一段談話，說的是聖君用人一定能把各方面最賢能的人，安排在最恰當的位置上。例如：請周公為丞相，孔子為御史大夫，姜太公為將軍，…子路為執金吾，（維持治安之官職）等等。這裡他把子路當成了勇於打擊犯法行為，敢於維持社會秩序的典型人物。」同註❶，頁 62。與勇士夏育並舉，且維持治安，勇於打擊犯法，何異今之所謂泰山、飛俠？

《周官》與《周禮》

劉文強*、黃聖松**

提　要

歷來學者均認為在漢代典籍中的《周官》及《周禮》，雖然名稱略有出入，實則是指同一部書，至於所以相涉，實由劉歆。至於《史記》之《周官》與《尚書·周官》或有可能為同一書，但是鄭、賈、孔三人均以為此《周官》與《周禮》絕非同一書，可見歷來有不同的意見。本文以為，既有異說，必有原因。至於《周官》與《周禮》是否為同一部書，除了基本的考證外，更有其經學史及上古史上的另外一層含意，可堪探究，學者不宜輕易放過此種問題。

一、前　言

「周官」一詞，一再出現於《史記》的〈封禪書〉、〈周本紀〉及〈魯周公世家〉。〈封禪書〉曰：

> 《周官》曰：冬日至，祀天於南郊，迎長日之至。夏日至，祭地祇。皆用樂舞，而神乃可得而禮也。❶

---

*　國立中山大學中國文學系副教授。

**　國立政治大學中國文學研究所碩士生。

❶　〔日本〕瀧川龜太郎：《史記會注考證》（臺北：洪氏出版社，1980年），卷28，頁497。

瀧川資言考證云：

愚按：《周官》即《周禮》。《周禮・春官・大司樂》云（下略），史公蓋約是文。❷

又曰：

封禪用希，曠絕莫知其儀禮。而群儒采〈封禪〉、《尚書》、《周官》、〈王制〉之望祀射牛事。❸

〈周本紀〉曰：

成王自奄歸，在宗周，作〈多方〉。既絀殷命，襲淮夷，歸在豐，作《周官》，興正禮樂，度制於是改，而民和睦，頌聲興。❹

瀧川資言考證云：

采《書・周官》序。❺

又〈魯周公世家〉曰：

---

❷ 《史記會注考證》，同前注，卷 28，頁 497。
❸ 《史記會注考證》，同注❶，卷 28，頁 513－514。
❹ 《史記會注考證》，同注❶，卷 4，頁 74。
❺ 《史記會注考證》，同注❶，卷 4，頁 74。

成王在豐，天下已安，周之官政未次序，於是周公作《周官》，官別其宜。❻

歷來學者均和瀧川資言一樣，認為漢代典籍中的《周官》及《周禮》，雖然名稱略有出入，實則是指同一部書。至於《周官》與《周禮》相涉，實由劉歆，荀悅《前漢紀》曰：

歆以《周官》十六篇為《周禮》，王莽時，歆奏以為禮經，置博士。❼

自此之後的典籍中，《周官》及《周禮》便成為通用的詞彙。但若從現有的文獻材料重新對《周官》與《周禮》的名義與關係作考察，則兩者之間卻有更深一層的關聯。

二、《史記》之《周官》、《尚書·周官》與《周禮》

《周官》與《周禮》，在一般的認識中，往往會將兩者劃上等號。然而，在《周禮·小宰》中，鄭玄卻有不同的說法。鄭玄曰：

前此者，成王作《周官》，其志有述天授位之義，故周公設官分職以法之。❽

---

❻ 《史記會注考證》，同注❶，卷 33，頁 568。

❼ 〔漢〕荀悅：《前漢紀》（臺北：臺灣商務印書館，1974 年《人人文庫》本），卷 25，頁 246。

❽ 〔漢〕鄭玄注，〔唐〕賈公彥疏：《周禮注疏》（臺北：藝文印書館，1981 年影印阮刻本），頁 42。

賈公彥《疏》云：

> 鄭依《書傳》云：周公攝政三年，踐奄與滅淮夷同時。又按成王《周官》：成王既黜殷命，滅淮夷，還歸在豐，作《周官》。則成王作《周官》在周公攝政三年時，周公制禮在攝政六年時，故云：前此者，謂成王前於此時作《周官》。其志謂成王志意有述天授位之義，即彼《周官》云：唐、虞稽古，建官惟百，夏、商倍之。今予小子，訓迪厥官，以立太師、太傅、太保，茲惟三公。論道經邦，燮理陰陽。下云：立三孤及天地四時之官。是其志有述天地三百六十官位之義，故周公設官分職法之也，此鄭義，不見古文《尚書》，故為此解。若孔據古文《尚書》，〈多士〉已下，並是周公致政後成王之書。周公攝政時，淮夷、奄與管、蔡同作亂，成王即政後又叛，成王親征之，故云：滅淮夷，還歸在豐，作《周官》用人之法，則彼《周官》在此《周禮》後，與鄭義異也。❾

對照鄭、賈二氏之言，《周官》與《周禮》又是不同的兩部書了。其實，賈公彥所謂「成王《周官》」，即是目前通行本《尚書》中的〈周官〉篇；至於賈《疏》中所說成王「滅淮夷，還歸在豐，作《周官》」、「唐、虞稽古，建官惟百，夏、商倍之」等云云，亦是今本《尚書·周官》中的文字。

上引《史記》的〈周本紀〉及〈魯周公世家〉中，均提及《周官》一書，但兩篇所記載的又有不同。若粗看〈周本紀〉，作《周官》之人確是成王，而〈魯周公世家〉則明言「周公作《周官》」。但合兩篇之記載相比對，無論成王作《周官》或是周公作《周官》，其時間均在成王親政之後，其地點亦都是在豐，而且司馬遷在兩篇中所提及的〈多士〉及〈無佚〉，也都在《周官》之

❾ 《周禮注疏》，同前注，頁43。

前。因此，兩篇中所言的《周官》似乎是指同一部書，只是所記載的作者不同而已。若以常理推之，〈周本紀〉中雖言成王作《周官》，但實際上這項工作卻大不可能由成王自己親自動手，而應是交付給下面的官員負責。而這位負責的官員，則很有可能是〈魯周公世家〉中所記載的周公（當然周公也有可能再交給下頭的人去做）。司馬遷所撰寫《史記》體例分明，〈本紀〉中只載帝王事蹟，所以便於〈周本紀〉中，將作《周官》之人定為成王；而在〈魯周公世家〉中，則將實際負責工作的周公，記載成《周官》的作者。如此，雖然同是「作《周官》」一事，在不同的體裁篇章中，才有不同的記載。若以上的推論正確，則鄭、賈二氏在《周禮》中所指的「成王《周官》」及「彼《周官》」，應當就是〈周本紀〉及〈魯周公世家〉中的同一部《周官》。

鄭玄及賈公彥在注疏中均認為，《周官》與《周禮》並不是同一部書，但兩部書孰前孰後，鄭、賈二人卻有不同的看法。鄭玄認為成王所作的《周官》，則較所謂「周公設官分職以法之」而著的書籍為早。賈《疏》認為，鄭玄此見是依據《尚書大傳》中的記載而有此論。《尚書大傳》曰：

> 周公居攝，一年救亂，二年克殷，三年伐奄、多方。⑩

《尚書大傳》中的鄭玄《注》則云：

> 奄國在淮夷之旁，周公居攝之時，亦叛。王與周公征之，三年，滅之。自此而來歸。⑪

---

⑩ 題〔漢〕伏勝：《尚書大傳》（臺北：臺灣商務印書館 1986 年景印文淵閣《四庫全書》本），冊 68，頁 414。

⑪ 《尚書大傳》，同前注，冊 68，頁 414。

如據鄭氏之言，奄國是與淮夷同時叛周，而且是由成王與周公親征平定。而《史記·魯周公世家》亦日：

> 管、蔡 武庚等，果率淮夷而反。周公乃奉成王命，興師東伐，作〈大誥〉。遂誅管叔、殺武庚、放蔡叔、收殷餘民，以封康叔於衛、封微子於宋，以俸殷祀、寧淮夷東土。⓬

則淮夷又與管叔、蔡叔、武庚等一起叛周。但〈魯周公世家〉中只云成王命周公東征，並非如鄭玄於《尚書大傳》注中所言，是由成王與周公東征。賈公彥以為，鄭玄即是依據《尚書·周官》中的記載，認為成王便是在敉平管、蔡、武庚、淮夷等作亂，回到豐之後便作《周官》一書。況且《尚書·周官》中連言「黜殷命」及「滅淮夷」，正與《尚書大傳》中的記載相符，所以鄭玄便將作《周官》的時間訂在周公居攝的第三年。而在《尚書大傳》中又記載日：

> 周公攝政，四年建侯衛，五年營成周，六年制禮樂，七年致政成王。⓭

據此，鄭玄則認為周公所著之書，是在其居攝的第六年「制禮樂」時所作，故鄭玄在《周禮·天官冢宰·注》中便云：

> 周公居攝而作六典之職，謂之《周禮》。⓮

因此鄭玄便云：「前此者，成王作《周官》……故周公設官分職以法之。」而

⓬ 《史記會注考證》，同注❶，卷 33，頁 567。
⓭ 《尚書大傳》，同注❿，冊 68，頁 411。
⓮ 《周禮注疏》，同注❽，頁 10。

其中所謂「前此者」的此，即是鄭玄所注的《周禮》，也就是周公法成王的《周官》所作之書。而周公著此書的目的，便是效法成王《周官》的精神，並且條列官職的名目及職權。

但賈公彥在《疏》中又提出一說，云：

> 孔據古文《尚書》，〈多士〉以下，並是周公致政後，成王之書。⓯

賈公彥文中所云的古文《尚書》，事實上是假託孔安國之名的僞孔傳本《尚書》。而這部《尚書》成書蓋在鄭玄之後，所以鄭玄不知此說。孔穎達在《尚書·堯典·疏》中云：

> 不同者，孔依壁內篇次及序為文，鄭依賈氏所奏《別錄》為次。孔未入學官，以此不同。考論次第，孔義是也。⓰

據此可知，鄭玄所見的篇次與僞孔傳本《尚書》不同。賈公彥則依後者立論，認爲〈多士〉以下的諸篇，即成王親政以後的文字。孔穎達在〈堯典〉疏中也比較鄭玄與僞孔傳本《尚書》篇次，其中有五篇先後有異。〈周官〉篇在孔壁古文《尚書》的篇次中，即是在〈多士〉之下，所以賈公彥便據此認定〈周官〉篇是在成王親政之後。賈氏又認爲，淮夷與奄國在成王親政之後又再度叛周，所以成王便親自出征。賈氏此見，蓋從《史記·周本紀》記載而來，其文曰：

> 召公為保，周公為師，東伐淮夷、殘奄，遷其君薄姑。成王自奄歸，在

⓯ 《周禮注疏》，同注❽，頁 43。

⓰ 題〔漢〕孔安國傳，〔唐〕孔穎達等正義：《尚書正義》（臺北：藝文出版社，1981 年影印阮刻本），頁 17。

宗周，作〈多方〉。既絀殷命，襲淮夷，歸在豐，作《周官》。⓱

賈氏與鄭玄一樣，均認同《尚書大傳》中「周公攝政……六年制禮樂，七年致政成王」的說法，因此以為周公所著的《周禮》，是在其攝政的第六年所作。所以，賈氏便認為周公的《周禮》在前，而成王的《周官》在後，如此便與鄭玄之義不同。《尚書大傳》中關於周公事蹟的繫年，與《史記》的記載多有出入。賈公彥《疏》云：

孔安國為營洛邑、封康叔、制禮作樂，同是攝政七年。⓲

孔氏此見與鄭、賈又相異，亦不同於《史記》。但孔氏仍認為周公制《周禮》，當是在致政成王之前，如此便不可能與成王所作的《周官》相同。總之，《史記》之《周官》與《尚書·周官》或有可能為同一書，但是鄭、賈、孔三人均以為此《周官》與《周禮》絕非同一書。

三、《書序》

上節所引《周禮·小宰》疏中，賈公彥認為鄭玄因為未曾看過古文《尚書》，因此才將成王作《周官》的時間放在周公制《周禮》之前，且考《尚書鄭注》之篇目，其中亦無〈周官〉篇。據《漢書·儒林傳》、〈藝文志〉的記載中，均言伏生傳《尚書》二十九篇。至於二十九篇的篇目，自來學者紛云，但諸家之中均無〈周官〉篇，⓳而自孔壁所出的十六篇逸書中，亦無此篇。⓴不過，

⓱ 《史記會注考證》，同注❶，卷4，頁74。

⓲ 《周禮注疏》，同注❽，頁10。

⓳ 諸說歸納為以下主要四家，即：章太炎：〈太誓伏生本有〉、〔明〕梅鷟：〈尚書考異序〉、〔清〕王先謙：〈尚書孔傳參正〉、〔清〕王鳴盛：〈尚書後案〉。許錟輝先生認為其中

考之史冊，〈周官〉篇卻在百篇〈書序〉、僞孔本《尚書》百篇篇目、鄭序百篇篇目及僞古文《尚書》中出現。關於百篇〈書序〉，孔穎達在〈堯典·序〉《疏》中云：

> 檢此百篇，凡有六十三序，序其九十六篇，〈明居〉、〈咸有一德〉、〈立政〉、〈無逸〉不序所由。直云：咎單作〈明居〉、伊尹作〈咸有一德〉、周公作〈立政〉、周公作〈無逸〉。六十三序者，若〈汩作〉、〈九共〉、〈槀飫〉，十一篇共序；其〈咸乂〉四篇同序；其〈大禹謨〉、〈臯陶謨〉、〈益稷〉、〈夏社〉、〈疑至〉、〈臣扈〉、〈伊訓〉、〈肆命〉、〈徂后〉、〈太甲〉三篇、〈盤庚〉三篇、〈說命〉三篇、〈泰誓〉三篇、〈康誥〉、〈酒誥〉、〈梓材〉二十四篇，皆三篇同序；其〈帝告〉、〈釐沃〉、〈汝鳩〉、〈汝方〉、〈伊陟〉、〈原命〉、〈高宗肜日〉、〈高宗之訓〉，八篇皆共卷。類同故同序，同序而別篇者三十三篇，通〈明居〉、〈無逸〉等四篇為三十七篇，加六十三即百篇也。㉑

如孔氏所言，百篇〈書序〉只有六十三篇，其中四篇不序所由，另有數篇同用一序的情形。屈萬里先生在《尚書集釋》中則認爲，百篇〈書序〉實存序文六

以王先謙之說比較可信，而其篇目依序為：〈堯典〉、〈臯陶謨〉、〈禹貢〉、〈甘誓〉、〈湯誓〉、〈盤庚〉、〈高宗肜日〉、〈西伯戡黎〉、〈微子〉、〈牧誓〉、〈洪範〉、〈金縢〉、〈大誥〉、〈康誥〉、〈酒誥〉、〈梓材〉、〈召誥〉、〈洛誥〉、〈多士〉、〈無逸〉、〈君奭〉、〈多方〉、〈立政〉、〈顧命〉、〈康王之誥〉、〈呂刑〉、〈文侯之命〉、〈費誓〉、〈泰誓〉。

⑳ 逸《書》十六篇篇目如下：〈舜典〉、〈汩作〉、〈九共〉、〈大禹謨〉、〈益稷〉、〈五子之歌〉、〈胤征〉、〈典寶〉、〈湯誥〉、〈伊訓〉、〈肆命〉、〈咸有一德〉、〈原命〉、〈武成〉、〈旅獒〉、〈畢命〉。

㉑ 參見《尚書正義》，同注⑯，頁 18。

十七篇，而非孔穎達所云的六十三篇。㉒這是因爲屈先生將〈明居〉、〈咸有一德〉、〈立政〉及〈無逸〉四篇計算在內，故較孔穎達所計多了四篇。而許錟輝考定《史記》記載《尚書》篇目的文字，則共有六十三處，且認爲其中的內容與百篇〈書序〉頗有出入；所以，許氏便認爲司馬遷所見的〈書序〉，當與百篇〈書序〉不同。㉓屈先生則認定百篇〈書序〉是爲馬、鄭所傳，且與古文《尚書》同出自孔壁，㉔並引揚雄《法言·問神》爲證，曰：

> 昔之說《書》者序以百，而〈酒誥〉之篇俄空焉。㉕

又引王充《論衡·正說》曰：

> 孝景帝時，魯共王壞孔子教授堂以為殿，得百篇《尚書》於牆壁中。……東海張霸，案百篇之〈序〉，空造百兩之篇，獻之成帝。㉖

及：

> 案百篇之〈序〉，闕遺者七十一篇。㉗

認爲既然百篇〈書序〉出自孔壁，自是自先秦所遺；而且司馬遷著《史記》時

㉒ 參見屈萬里：《尚書集釋》（臺北：聯經出版事業公司，1983年），頁287、288。
㉓ 參見邱燮友、周何、田博元編著：《國學導讀》（臺北：三民書局，1993年），冊2，頁176。
㉔ 屈萬里：《尚書集釋》，同注㉒，頁287、288。
㉕ 〔漢〕揚雄：《法言》，《百子全書》（長沙：嶽麓書社，1993年點校本），第1冊，頁714。
㉖ 〔漢〕王充：《論衡》，《百子全書》，同前注，第4冊，卷28，頁3489。
㉗ 〔漢〕王充：《論衡》，同前注，頁3490。

復屢用其說，應當不是劉歆所僞。㉘

雖然，另一派學者則認爲，百篇〈書序〉乃張霸所僞作，《漢書·儒林傳》曰：

> 世所傳百兩篇者，出東萊張霸。分析合二十九篇，以為數十；又采《左氏傳》、〈書敘〉為作首尾，凡百二篇。篇或數簡，文意淺陋。成帝時求其古文者，霸以能為百兩徵，以中書校之，非是。霸辭：「受父。父有弟子尉氏樊並。」時太中大夫平當、侍御史周敞勸上存之。後樊並反，迺黜其書。㉙

據《漢書·儒林傳》所記載，張霸所作的「百兩篇」《尚書》，其內容仍是以伏生所傳的今文《尚書》二十九篇爲主，只是將其分析拼湊爲百篇。而這裡所謂的〈書敘〉，可能是指《今文尚書》二十九篇中的短序，張霸將之分析，又採《左傳》中的文字，成爲其所編造百篇《尚書》的序。其後，張霸將所編造的百兩篇《尚書》獻於朝廷。漢成帝使人校之中秘書，知其是僞造編湊而成，之後不久便被廢除。雖然百兩篇《尚書》被廢，但其百篇〈書序〉仍然繼續流傳，東漢的馬融、鄭玄，就曾爲這本百篇〈書序〉作注。

百篇〈書序〉或許如屈、許二氏所言，也或許如大陸學者劉起釪在《尚書學史》中所論，是其抄錄並改寫《史記》中關於《尚書》的記載，再加上采擷《左傳》的文字而成。㉚無論百篇〈書序〉的眞僞如何，其與《史記》有著相當密切的關係。若百篇〈書序〉果眞出自孔壁，則司馬遷當親睹此書，並且引用在《史記》中；若司馬遷所見的〈書序〉不同於目前流傳的百篇〈書序〉，

㉘ 屈萬里：《尚書集釋》，同註㉒，頁 288。

㉙ 〔漢〕班固：《漢書·儒林傳》（臺北：鼎文書局，1995 年點校本），卷 88，頁 3607。

㉚ 劉起釪:《尚書學史》（北京：中華書局，1989 年），頁 109。

則《史記》中所引六十三處〈書序〉，當是另有所本，或許較早於百篇〈書序〉；又若百篇〈書序〉爲僞作，則極可能是本於《史記》中之文字改寫而成。至於《史記》中關於《尚書》諸篇的記載，應是另有所據。所以，不論其眞象爲何，《史記》中所記載的《周官》，當是確有此書。梅鷟《尚書考異》云：

> 此篇（按：指《尚書·周官》篇）因《周禮》一書。……〈冬官〉雖亡，不知其實。蓋散亂於五官之中，實未全亡，顧乃取〈考工記〉以補〈冬官〉之缺。東晉時人，窺見此意，特作〈周官〉一篇，以示後世，使知〈冬官〉不亡之意。又見三公、三孤與三公、三少相當，而無當於六官，故首言公、孤，以示後人，使知公、孤無定位，無專職，乃六卿兼官之意。……此其作書之本意也。不然則冢宰掌邦治以下五條，皆依傍《周禮》原文，獨司空一條，改作掌邦士云云，以示人皆紊入司徒一官之中。㉛

惠棟在《古文尚書考》中，考證〈周官〉篇的眞僞則云：

> 劉氏勰謂，《論語》以前，經無「論」字。而〈周官〉有「論道經邦」之語，皆梅氏之漏義也。㉜

閻若璩在《尚書古文疏證》中，更認爲此篇可能是從《漢書·百官公卿表》中空造而來；㉝屈萬里先生在《尚書集釋》中，更逐條檢對〈周官〉篇抄襲或修

㉛ 〔明〕梅鷟：《尚書考異》（臺北：藝文印書館，1966 年），頁 111。

㉜ 〔清〕惠棟：《古文尚書考》，《皇清經解尚書類彙編》（臺北：藝文印書館，1986 年影本），冊 1，頁 8。

㉝ 〔清〕閻若璩《尚書古文疏證》，《續經解尚書類彙編》（臺北：藝文印書館，1986 年影本），冊 1，頁 69。

改先秦古籍之處。㉞據以上諸家的考證可知，〈周官〉篇的內容當是由後人所僞作。至於僞作〈周官〉篇等古文《尚書》的作者，則有不同的說法。惠棟《古文尚書考》、閻若璩《尚書古文疏證》以爲是東晉梅賾所僞；梅鷟在《尚書考異》中則認爲是東晉皇甫謐所僞；丁晏《尚書餘論》則認爲是魏王肅所僞；陳夢家《尚書通論》甚至於認爲是晉人孔安國所僞；而劉師培《尚書源流考》更有僞古文《尚書》有二本之說，一本爲王肅所僞，此本至今已亡佚，一本於東晉時所僞，即目前的通行本；戴君仁先生在《閻毛古文尚書公案》中，則修正其師劉氏之說，認爲已亡佚者不是王肅所僞，而是魏晉間王肅門人所作，至於目前的通行本，則是晉宋間人所僞。㉟

據此可知，鄭玄在《周禮》注中所謂成王作的《周官》，事實上只有在《史記》、僞孔本《尚書》、百篇篇目、鄭序百篇篇目及百篇〈書序〉中出現。在賈《疏》所謂古文《尚書》出現之前，〈周官〉篇只有篇名及序，並沒有實際的內容；而且其中的序，是眞是僞亦未能判別。因此《書序》之說能否作爲佐證，已大有可疑。若據此而云〈周官〉與《周禮》究竟有無關係，怕是白費心機。

四、衍生的問題——《尚書大傳》與周公事蹟

鄭玄、孔穎達、賈公彥等經學家，常在注經作疏時，徵引《尚書大傳》中的記載。但該書內容的可靠性，其實與其它典籍相同，皆應有所保留，不宜一概視爲定論。例如第二節提及《尚書大傳》中所記載，關於周公居攝七年間的事蹟，便與《史記》不合。而最早記載《尚書大傳》者爲《隋書·經籍志》，其文曰：

㉞ 屈萬里：《尚書集釋》，同注㉒，頁 324、325。

㉟ 邱燮友、周何、田博元編著：《國學導讀》，同注㉓，冊 2，頁 188。

《尚書大傳》三卷，鄭玄注。[36]

在《崇文總目》中則曰：

《尚書大傳》三卷，漢濟南伏勝撰，後漢大司農鄭玄注。伏生本秦博士，以章句授諸儒，故博引異言授受，援經而申證云。[37]

晁公武《郡齋讀書志》曰：

《尚書大傳》三卷，右秦伏生勝撰，鄭康成注。勝至漢孝文時，年且百歲，歐陽生、張生從學焉。音聲猶有訛誤，先後猶有差外，重以篆隸之殊，不能無失。勝終之後，數子各論所聞，以己意彌縫其闕，而別作章句。又特撰大義，因經屬指名之曰傳。後劉向校書得而上之。[38]

陳振孫《直齋書錄解題》記曰：

《尚書大傳》四卷，漢濟南伏勝撰，大司農北海鄭康成注。凡八十有三篇，當是其徒歐陽、張生之徒雜記所聞，然亦未必當時本書也。[39]

雖然《崇文書目》等書是宋人的著作，但其對於《尚書大傳》的敘述或許頗近於事實。由於此書是伏勝口授之學，後來著於竹帛後，仍將伏生視爲該書的作

---

[36] 〔唐〕魏徵等：《隋書》（臺北：鼎文書局，1993 年點校本），卷 32，頁 913。
[37] 〔宋〕王堯臣、王洙、歐陽修等：《崇文總目》（臺北：華聯出版社，1965 年），頁 7。
[38] 〔宋〕晁公武：《郡齋讀書志》（臺北：臺灣商務印書館，1968 年），頁 165。
[39] 〔宋〕陳振孫：《直齋書錄解題》（臺北：臺灣商務印書館，1968 年），頁 545。

者。但由於未成書前是歷代口耳相傳，傳承時也就難免有所疏漏或訛誤。《尚書大傳》記錄周公事蹟，曰：

> 周公居攝，一年救亂，二年克殷，三年伐奄、多方。[40]
>
> 周公攝政，四年建侯衛，五年營成周，六年制禮樂，七年致政成王。[41]

對照《史記·周本紀》，其文曰：

> 周公行政七年，成王長，周公反政成王，北面就群臣之位。成王在豐，使召公復營洛邑，如武王之意。周公復卜，申視，卒營築居九鼎焉。[42]

則營雒邑是在周公致政成王之後。然考之〈魯周公世家〉則曰：

> 成王七年二月乙未，王朝步自周至豐，使太保召公先之雒相土。其三月，周公往營成周雒邑，卜居焉，曰：吉。遂國之。成王長，能聽政，於是周公乃還政於成王。[43]

如此，營雒邑又在成王親政之前。而《尚書·召誥序》曰：

> 成王在豐，欲宅洛邑。使召公先相宅，作〈召誥〉。[44]

此〈序〉並未說明召公至雒邑的正確時間，然孔穎達《疏》云：

---

[40] 《尚書大傳》，同注[10]，冊 68，頁 414。

[41] 《尚書大傳》，同注[10]，冊 68，頁 411。

[42] 《史記會注考證》，同注[1]，卷 4，頁 73。

[43] 《史記會注考證》，同注[1]，卷 33，頁 567。

[44] 《尚書正義》，同注[16]，頁 218。

> 武王既崩，周公即攝王政，至此已積七年，將歸政成王，故經營洛邑，待此邑成，使王即政。㊺

孔氏此說，則與〈魯周公世家〉的記載相同。又，《逸周書·作雒》曰：

> 及將致政，乃作大邑成周於土中。㊻

此處記載又與〈魯周公世家〉同。屈萬里先生也認爲：

> 〈周本紀〉先言還政，次言營洛；或前數語為追敘後事，或為史之駁文，未可知也。……以〈召誥〉、〈洛誥〉所載年月證之，《大傳》所謂五年營成周之說，殆不然也。㊼

以此推之，則營建雒邑在周公致政成王之前的說法，可能較爲可信。

然而在《尚書大傳》中，卻有「六年制禮樂」之說。賈公彥在《周禮·天官冢宰·疏》中云：

> 案《禮記·明堂位》云：周公攝政六年，制禮作樂，頒度量於天下。又案《書傳》亦云：六年制禮作樂。所制之禮，則此《周禮》也。㊽

而《禮記·明堂位》曰：

㊺ 《尚書正義》，同注⑯，頁 218。

㊻ 《逸周書》（臺北：臺灣商務印書館，1986 年景印文淵閣《四庫全書》本），冊 370，頁 35。

㊼ 屈萬里：《尚書集釋》，同注㉒，頁 171。

㊽ 《周禮注疏》，同注❽，頁 10。

六年，朝諸侯於明堂，制禮作樂，頒度量而天下大服。七年，致政成王。[49]

由於不知〈明堂位〉成書於何時，則《尚書大傳》之說可能本於《禮記·明堂位》，亦有可能是後者本於前者。但考之《尚書》諸篇，與「制禮作樂」相關者，唯有〈立政〉及〈周官〉兩篇。〈周官〉篇的內容爲僞作，已在第三節說明；而〈立政〉篇中則記載官名，且多論及設官之事。〈魯周公世家〉曰：

成王在豐，天下已安，周之官政未次序。於是周公作《周官》，官別其宜。作〈立政〉，以便百姓。百姓說。[50]

又〈周本紀〉曰：

既黜殷命，襲淮夷，歸在豐，作《周官》。興正禮樂，度制於是改，而民和睦，頌聲興。[51]

兩篇記載作《周官》之後，國家制度「官別其宜」、「興正禮樂，度制於是改」，而且「民和睦，頌聲興」，似乎其影響的層面及成效是相當廣大的。雖然〈魯周公世家〉及〈周本紀〉中，對於作《周官》之人的記載不同，但極有可能直接負責這項工作者即是周公。單就這方面的記載，似乎便可以與《尚書大傳》中所謂周公「制禮作樂」的說法相互應證，而其中的差異也只是時間的不同而已。對於「制禮作樂」及作《周官》的正確年代，以目前有限的文史資料及出

---

[49] 〔漢〕鄭玄注，〔唐〕孔穎達等正義：《禮記注疏》（臺北：藝文印書館，1981 年影印阮刻本），頁 576。

[50] 《史記會注考證》，同注[1]，卷 33，頁 568。

[51] 《史記會注考證》，同注[1]，卷 4，頁 74。

土文物，尚不能下結論。雖然《尚書大傳》的記載與《史記》有明顯的不同，但或許《尚書大傳》的作者另見他說也未可知。不過，《尚書大傳》似乎是將周公重大的事蹟，平均分配至其攝政的七年之中，這不禁讓人有鑿斧編造之疑。〈周本紀〉曰：

> 管叔、蔡叔群弟疑周公，與武庚作亂畔周。周公奉成王命，伐誅武庚、管叔、放蔡叔，以微子開代殷後，國於宋。頗收殷餘民，以封武王少弟，封為衛康叔。……初，管、蔡畔周，周公討之，三年而畢定。[52]

將周公平管、蔡、武庚及封康叔於衛的事蹟，記載爲三年。然〈魯周公世家〉則曰：

> 管、蔡、武庚等，果率淮夷而反。周公乃奉成王命，興師東伐，作〈大誥〉。遂誅管叔、殺武庚、放蔡叔，收殷餘民，以封康叔於衛，封微子於宋，以奉殷祀，寧淮夷東土，二年而畢定。[53]

此處卻記載爲二年。但無論是三年或是二年，《史記》均未能像《尚書大傳》記載地如此詳細，將周公的功蹟逐年列出；更何況封康叔於衛之事，也並非如《尚書大傳》所言，是在周公攝政的第四年，而是在其居攝的前三年或二年之內。而在上文中，屈萬里先生已認爲營建東都雒邑，當是在周公致政成王之前，而非在周公攝政的第五年。由此可見，《尚書大傳》中對於周公事蹟的記載，極有可能是後人重新編造而成。若此推論正確，則《史記》中的記載，應當是

---

[52] 《史記會注考證》，同注[1]，卷 4，頁 73。
[53] 《史記會注考證》，同注[1]，卷 33，頁 567。

較爲可信的。依此，則作《周官》、〈立政〉之事，便極有可能是《尚書大傳》中所謂的「制禮作樂」，而非如鄭、賈、孔等經師所言，是不同的兩件事。

關於周公事蹟的問題，也曾引起學者間熱烈的討論。如已過世的學者徐復觀先生就批評陳夢家、屈萬里二先生的看法，54屈先生亦有論難，說皆甚長。若細加討論，恐費篇幅。因此，本文謹先提出若干擬問，逮日後再另爲文申論。

五、成王《周官》與周公《周禮》

關於《周禮》一書的作者及成書時代，自古以來眾說紛云，莫衷一是。若歸納歷代學者之見，則大致可分爲周公說、劉歆說及戰國說三種。近代以來，大部份學者均認爲此書應是作於戰國，如錢穆先生的〈周官著作時代考〉及〈讀周官〉兩文，不僅立主此說，亦兼反駁前二說。55至於《周禮》的出現，據《漢書·景十三王傳》記載曰：

> 獻王所得書，皆古文先秦舊書：《周官》、《尚書》、《禮》、《禮記》、《孟子》、《老子》之屬，皆經傳說記，七十子之徒所論。56

且前言中所引《史記·封禪書》的文字便已記載，群儒曾采《周官》等書，考察封禪的禮儀。據此可知，至少在漢武帝之世，《周官》已可得見。前言中所引荀悅《前漢紀》中已說明，將《周官》更名爲《周禮》者爲西漢末的劉歆；而在此之前關於《周禮》的記載，均將《周禮》寫爲《周官》。除了上引《史

---

54 見〈與陳夢家屈萬里兩先生商討周公旦曾否踐阼稱王的問題〉〈有關周公踐阼稱王問題的申復〉，二文收在《周秦漢政治社會結構之研究》（臺北：臺灣學生書局，1975年）。

55 錢穆：《兩漢經學今古文平議》（臺北：東大圖書公司，1978 年），頁 285－434；《中國學術思想史論叢》，冊 2，頁 383－389。

56 《漢書》，同注29，卷 53，頁 24101。

記·封禪書》及《漢書·景十三王傳》外，如《漢書·藝文志》中即記載曰：

《周官經》六篇，《周官傳》四篇。(57)

六國之君，魏文侯最為好古。孝文時，得其樂人竇公，獻其書，乃《周官》大宗伯之〈大司樂〉章也。(58)

又，《漢書·王莽傳》曰：

立《樂經》，益博士員，經各五人，徵天下通一蓺教授十一人以上。及有逸《禮》、古《書》、《毛詩》、《周官》、《爾雅》、天文、圖讖、鍾律、月令、兵法、史篇、文字。(59)

羲和劉歆與博士諸儒七十八人皆曰：……發得《周禮》，以明因監。(60)

雖然班固的《漢書》是東漢時代的作品，但其書中的記載，應是根據當時的資料而寫，所以仍保留《周官》的舊稱。據此可知，從初得此書開始，至劉歆更名之前，此書均稱爲《周官》。至於何以稱此書爲《周官》，則可能是由於初得此書之時，書中未有自名；且觀其內容，是以記載周代職官及職權爲主；再者，史傳中有言周公（或曰成王）曾作《周官》一書，而且此書亦是以記載官政、制度爲主，所以便認爲河間獻王所得之書即是周公所作的《周官》，並以此定名。上文中已經說明，目前所見的《周禮》，實是戰國時人所作，當非周公所著的《周官》。所以，將河間獻王所得之書稱爲《周官》，實是附會之見。

(57) 《漢書》，同注㉙，卷30，頁1709。

(58) 《漢書》，同注㉙，卷30，頁1712。

(59) 《漢書》，同注㉙，卷99上，頁4069。

(60) 《漢書》，同注㉙，卷99上，頁4090－4091。

漢初時人會有此想法，亦是徵於史籍記載，認爲兩者的性質相同，所以才會產生這種推測。既然漢初之人如此，則戰國時人可能也是朝著這個方向而編成此書。此書非一時一地一人所作，甚至於其來源可能更早。而其中的內容或許只是編寫者所擬造，或許也參考其他的古籍，也或許是記錄了一些各代各國的實際制度，也有可能其中眞有周公所作《周官》的一些遺存。但基本上，極可能都是根據史籍中周公作《周官》這項記載爲出發點，而編寫成此書。

《尚書大傳》中關於周公事蹟的記載，極可能是後人有意地編寫改造而成。鄭玄、賈公彥等經師在注經作疏時，往往引用《尚書大傳》的內容，而忽略了《史記》的記載。在第三節中也曾提出，無論百篇〈書序〉的眞僞如何，其與《史記》之間的關係應是相當密切。鄭玄在司馬遷之後，其必然可見《史記》。若鄭玄曾讀及〈周本紀〉，則必然知道淮夷叛周共有兩次，一次在周公攝政之時，一次在成王親政之後。而事實上〈周官〉篇序曰：「成王既黜殷命，滅淮夷，還歸在豐，作《周官》，」[61]其文字與《史記·周本記》的記載幾乎相同。以此推算，當知《周官》是在淮夷第二次叛周之後所作；但鄭玄卻仍將作《周官》的時間，定在周公居攝的第三年，並在《尚書大傳》注中云成王與周公一起東征。其實鄭玄並非不知《史記》的記載，而是囿於《尚書大傳》「三年伐奄、多方」之說。[62]因爲《尚書大傳》中伐淮夷的記載只有一次，而無成王親政後淮夷再叛的記載，所以鄭玄才認爲淮夷叛周是在周公居攝的第三年，更云是成王親自東征，以符合〈周官序〉中「成王既黜殷命，滅淮夷」的記載。賈公彥的說法則與鄭玄不同，認爲成王作《周官》是在周公還政之後。雖然其說與《史記》的記載相同，但從其《疏》中的內容來看，賈公彥並非是從《史記》中直接找到答案，而有可能是從僞古文《尚書》中「〈多士〉以下，並是周公

---

[61] 《尚書正義》，同注[16]，頁269。

[62] 《尚書大傳》，同注[10]，冊68，頁414。

致政後，成王之說」，[63]這項說法裡輾轉而知。由此足見，鄭、賈二位經師對於史籍資料的運用及重視程度，竟是如此消極而薄弱。而鄭、賈意見相左，前者認為成王作《周官》在前，後者認為周公作《周禮》在前；而其中最主要的原因，是因為二人都相信《尚書大傳》「六年制禮樂」之說。[64]在第四節中已經說明，所謂的「六年制禮樂」，極有可能與《史記》中所記載作《周官》、〈立政〉是同一件事。而在第二節中也針對〈周本紀〉及〈魯周公世家〉，對於作《周官》之人的不同記載作了推論，認為實際負責此工作者當是周公。如果以上兩種推論能夠成立，則鄭、賈二人對於成王作《周官》、周公作《周禮》孰前孰後的說法，都成為不存在的爭論。尤其是在特定的經學（或政治）立場下，更必須將所謂成王作《周官》與周公作《周官》是同一件事，而周公作《周禮》與周公作《周官》也是同一件事。如此才足以化解成王與周公之間的緊張關係，又能夠凸顯周公制禮作樂的聖人形象，其用心不可謂淺。

六、結　論

鄭、賈由於以《尚書大傳》的記載為立論基礎，所以便認為《周官》與《周禮》是兩部不同的書。漢時之人，甚至於更早的戰國時人，均將河間獻王所得之書，附會、假託為百篇〈書序〉中的《周官》篇，故也將之稱為《周官》。但鄭、賈等經師卻尊從《尚書大傳》的記載，認為成王（或曰周公）所作的《周官》，與周公攝政六年制禮作樂時所著之書為不同的兩本書。賈公彥在《周禮正義・序》中云：

> （鄭）眾、（賈）逵洪雅博聞，又以經、書、記轉相證明為解。逵解行

---

[63] 《尚書注疏》，同注[8]，頁43。

[64] 《尚書大傳》，同注[10]，冊68，頁411。

> 於世，眾解不行。兼攬二家為備，多所遺闕。然眾時所解說，近得其實。獨以〈書序〉言：「成王既黜殷命，還歸在豐，作《周官》，則此《周官》也（按：即目前通行的《周禮》）。」失之矣。65

鄭眾、賈逵的年代在鄭玄之前，而鄭眾注經時尚未對此有任何的異議。然鄭玄注《周禮》時卻開始有不同的想法，足見此說當是由鄭玄為始。賈公彥在〈序〉中又云：

> 其名《周禮》，為《尚書·周官》者，周天子之官也。〈書序〉曰：「成王既黜殷命，滅淮夷，還歸在豐，作《周官》。」是言蓋失之矣。案《尚書·盤庚》、〈康誥〉、〈說命〉、〈泰誓〉之屬，三篇〈序〉皆云：「某作若干篇。」今多者不過三千言；又書之所作，據時事為辭，君臣相誥命之語。作《周官》之時，周公又作〈立政〉。上下之別，正有一篇。《周禮》乃六篇，文異數萬，終始辭句，非《書》之類，難以屬之。66

賈公彥認為，《尚書》中的〈周官〉篇，應與其他《尚書》篇章一樣，都是短篇單章之文，而非如《周禮》這般的巨著。再加上劉歆之時，將河間獻王所得的《周官》更名為《周禮》。因此，基於以上種種理由，鄭、賈便自然地將《周禮》與〈周官〉區隔開來，成為兩種不同的著作，並將前者屬為周公所作，後者歸為成王所著。但鄭玄會有這種想法，最重要的原因還是有意抬高周公的地位。孔穎達在《周禮正義·序》中云：

---

65 《周禮注疏》，同注8，頁8。

66 《周禮注疏》，同注8，頁8、9。

唯有鄭玄遍覽群經，知《周禮》者，乃周公致太平之跡，故能答林碩之論難，使《周禮》義得條通。……玄以為括囊大典，網羅眾家，是以《周禮》大行後王之法。[67]

既云《周禮》是「周公致太平之跡」，又說《周禮》能「大行後王之法」，足見鄭玄對於《周禮》的評價極高，而其最終的目的還是在推崇周公。這種看法也可以從鄭玄極力回護《尚書大傳》而得到證明。在上文中，已多次提及《尚書大傳》與《史記》的記載不合，而《史記》的眞實性似乎較之《尚書大傳》可信。以鄭玄的博學多聞，應當讀過《史記》，也應該可以發現《尚書大傳》與《史記》相衝突、矛盾之處。但鄭玄寧可採用《尚書大傳》的說法，而捨棄可信度較高的《史記》，足見這中間有其取捨的道理。而這些道理，對鄭玄而言，即是一種尊崇周公的信念，乃至於是一種信仰。而這種信念或信仰，對鄭玄或是其他的經學家而言，無論是尊孔子或是尊周公，都是絕對不可動搖的。但鄭玄在《周禮・小宰》中《注》曰：

成王作《周官》，其志有述天授位之義，故周公設官分職以法之。[68]

筆者在〈《禮記》〈月令〉、〈王制〉鄭注「周制」、「殷制」觀念分析——兼論鄭玄經學立場問題〉一文中，[69]曾經論證，鄭玄在經學的立場上尊崇周公所作的《周禮》。在此可看出其強調周公所作的《周禮》，乃是效法成王的《周官》而成。顯然鄭玄的說法充滿了調合的意味，似乎和前引該文不同。關於這一點，我們必須考慮到鄭玄當年所面對的政治現況，以及他所提出的解決之道。

---

[67] 《周禮注疏》，同注[8]，頁8。

[68] 《周禮注疏》，同注[8]，頁42。

[69] 《中山人文學報》，第7期，頁1－16，高雄。

我們看到東漢晚年是怎樣的一個動亂時代，毫無實權且自身難保的天子，和有能力成爲周公的權臣（不止曹操一人而已）。動亂的帝國，需要有一個如周公般有能力的臣子來穩定和振興；而這個臣子當然是應該受到天子的節制，承天子之命而行事。所以鄭玄會堅持前者：成王作《周官》，其志有述天授位之義，故周公設官分職以法之。如是，周公制禮作樂奠定了爲人稱頌的成康之治；但是另外一個重點卻是，周公承成王述天授位之義的《周官》而作《周禮》。果能如此，不論是成王是否曾作《周官》，或是周公有無承成王而作《周禮》，就都不重要了。反之，鄭玄透過注解經書以表達的理想，可謂苦心孤詣，更加令人同情和深思了。

《白虎通》引讖說原舛論略

黃復山*

《白虎通》與東漢「圖讖」之解經關係，歷來有二種迥異之論斷。一自思想層面與學術背景推論，謂二者之內容幾乎相同，如侯外廬以爲此書「百分之九十的內容出於讖緯」、❶林麗雪則云：「《白虎通》受讖緯影響之深，幾乎全篇累牘均爲讖緯之言。」❷一據《白虎通》引「圖讖」篇名之量化統計論證，如唐兆君統計《白虎通》引「經傳」五八二次、引「讖緯」三〇次，「經、讖」之引用比例爲十七：一，可見二者關係疏遠。

二說之持論雖各有所據，卻皆失之浮泛，並未就二者之實質關係，作全面、深入之比較與探析。此一質疑，本人於撰寫博士論文《漢代《尚書》讖緯學述》時，已先行提出。近年研究讖緯，於此一議題嘗作深入之探討，所擬「《白虎通》與東漢圖讖關係探論」研究計畫，並得國科會補助，遂有是文之作。惟以例證無慮百數十條，只能擇選部分，作舉隅論略而已，難免有不周之處，尚祈識者教正。

本論文既論述《白虎通》與「圖讖」之關係，當先確定「圖讖」之內容及流衍，才不致誤斷二者之關係。而「圖讖」與「緯書」之實，歷代多有誤解，故於此略作概述，以明其區別。光武帝於建武中元元年（56A.D.）「宣布圖讖

---

* 淡江大學中文系副教授。

❶ 侯外廬等：〈漢代白虎觀宗教會議與神學思想〉，《中國思想通史》（北京：人民出版社，1957年），第2卷，頁229。

❷ 林麗雪：〈白虎通與讖緯〉，《孔孟月刊》22卷3期（1983年11月），頁23。

於天下」，內容包括《河圖》、《雒書》與八種「經讖」，凡八十一卷。自鄭玄起始，學者多稱此八十一卷為「讖緯」或「圖緯」；元陶宗儀《說郛》、明王穀《古微書》以來，寖有裒輯文獻所存圖讖佚文者，約十數家，此即現今「讖緯」研究者所依據之「緯書輯本」。是以下文論述中，「圖讖」專指光武官定之「八十一卷圖讖」，而「緯書輯本」則指稱《說郛》以降各種輯佚而言。

惟「緯書輯本」既為後世學者裒輯，其佚文之誤認、訛舛，自屬難免，是以考正佚文出典，以正其本源，乃為不可或忽者。蓋若某條佚文實屬元、明以後「緯書輯本」之誤認衍增，並非光武八十一卷圖讖原有，豈可據以論斷東漢圖讖學術？是以輯本之誤衍，若有牽涉經義解說者，確然不可不作辨也明矣！

至若歷代輯本中，以黃奭《黃氏逸書考·通緯》較佳，民國二十四年經由江都朱長圻補刊（以下簡稱「黃奭本」），徵實性較高；近年則以日本學者安居香山、中村璋八二位先生編纂之《重修緯書集成》鉛排本（以下簡稱「安居本」），收錄最屬完備。是以本論文所引述之讖緯佚文，若未特別注明出處，概出自「黃奭本」及「安居本」，並以數字逐條標示號次，以利查覈；引自安居本者，更於號次前加英文字母「a」作為「安」字之簡稱。引文比較之際，為利於校覈，偶或捨傳統行文之敘述，改採框表分欄、列行排比方式，由上下欄對應關係，以查見佚文字句之異同。

一、《白虎通》文句與讖文相同，實屬西漢經說通義

《白虎通》所引之「《傳》曰」二六條，有五條與緯書輯本之佚文相同；「《禮說》」二條，皆與輯本文句相同，似顯示《白虎通》取擷圖讖文句之例。如陳槃先生即循此斷云：「考《白虎通》引圖讖亦或曰『說』，如卷七〈考黜篇〉引《禮說》，陳立《疏證》曰：『此《禮含文嘉》文也』；又〈聖人篇〉引《禮說》，《疏證》曰：『皆《禮含文嘉》文』。……然則其引讖緯而代之

以某某《經》說者，簡略之辭，或其原書稱本自如此，與康成引書之因避嫌者，自有別也。」❸又謂：「《淮南子·人間篇》：『秦皇挾《錄圖》，見其《傳》曰：亡秦者胡也』；《史記·三代世表》褚先生引《詩緯》曰『《詩傳》』；《白虎通義·五經篇》引《尚書璇璣鈐》、〈五刑篇〉引《孝經鉤命決》，並謂之『《傳》』，是也。」❹

然而詳覈史實，《淮南》成書、褚先生補《史記》皆在西漢，早於圖讖八十一卷之編修，逾五十載；是以其書所引「某說」者，概屬西漢經解通義，其後或得光武朝臣取擷入官定圖讖之中，故後世以爲與讖文相類；亦有雖未取入圖讖中，卻被後世學者誤認爲讖緯佚文，而收入輯本中者。鄭玄、何休箋注經義時，始以《禮說》、《春秋說》等詞，指稱讖緯篇目；是以後世誤認鄭、何二氏之前文獻（如《白虎通》等）所言之「某說」爲讖緯佚文，並收入緯書輯本者，並不可從。以下略擇五例，列述《白虎通》此類引文，以見其實。

㈠ 九錫之禮

《白虎通·攷黜》云：

> 《禮說》：「九錫：車馬、衣服、樂則、朱戶、納陛、虎賁、鈇鉞、弓矢、秬鬯，皆隨其德，可行而次。能安民者賜車馬，能富民者賜衣服，能和民者賜樂則，民眾多者賜朱戶，能進善者賜納陛，能退惡者賜虎賁，能誅有罪者賜鈇鉞，能征不義者賜弓矢，孝道備者賜秬鬯。以先後與施行之次，自不相踰，相為本末然。」❺

---

❸ 陳槃先生：《古讖緯研討及其書錄解題》（臺北：國立編譯館，1990 年），頁 541。

❹ 同前注，頁 548。

❺ 〔清〕陳立：《白虎通疏證》（北京：中華書局，1994 年），卷 7，頁 302。

《禮說》「九錫」之內容，與《禮含文嘉》四三相似：「《禮》有九錫：一曰車馬，二曰衣服，三曰樂則，四曰朱戶，五曰納陛，六曰虎賁，七曰斧鉞，八曰弓矢，九曰秬鬯。皆所以勸善扶不能。四方所瞻，侯子所望。」然而考覈其源，《含文嘉》出自《公羊解詁·莊公元年》，❻「四方」以下八字爲黃奭本所增，並非《解詁》引文；再詳蒐經傳注疏，引及此條讖文者，如顏師古《曲禮疏》等凡四書，文字略有不同；又有《韓詩外傳》引「《傳》曰」一條，亦與此說相類。今以《白虎通》爲主，併其餘五書引文，製爲一表，以見彼此之異同：

《白虎通》	《韓詩外傳》	《公羊解詁》	《穀梁集解》	〈曲禮〉顏《疏》	〈旱麓〉孔《疏》
《禮說》： 九錫： 車馬、 衣服、 樂則、 朱戶、 納陛、 虎賁、 鈇鉞、 弓矢、 秬鬯， 皆隨其德， 可行而次。	《傳》曰： 諸侯之有德， 天子錫之， 一錫車馬， 再錫衣服， 三錫虎賁， 四錫樂器， 五錫納陛， 六錫朱戶， 七錫弓矢， 八錫鈇鉞， 九錫秬鬯。	《禮》 有 九錫， 一曰車馬， 二曰衣服， 三曰樂則， 四曰朱戶， 五曰納陛， 六曰虎賁， 七曰弓矢， 八曰鈇鉞， 九曰秬鬯。 皆所以勸善 扶不能。	《禮》 有 九錫， 一曰輿馬， 二曰衣服， 三曰樂則， 四曰朱戶， 五曰納陛， 六曰虎賁， 七曰弓矢， 八曰鈇鉞， 九曰秬鬯。 皆所以褒德賞 功也。德有厚 薄，功有輕重， 故命有多少。	《含文嘉》： 九錫， 一曰車馬， 二曰衣服， 三曰樂則， 四曰朱戶， 五曰納陛， 六曰虎賁， 七曰斧鉞， 八曰弓矢， 九曰秬鬯。	《含文嘉》云 一曰車馬， 二曰衣服， 三曰樂則， 四曰朱戶， 五曰納陛， 六曰虎賁， 七曰斧鉞， 八曰弓矢， 九曰秬鬯。

❻ 〔唐〕徐彥：《公羊傳注疏》（臺北：藝文印書館，1980 年影印阮元刻《十三經注疏》本），卷 6，頁 5。

考《白虎通》既引《禮說》，又下按語云：「以先後與施行之次，自不相踰，相爲本末然。」是以爲所述次第有不可更易者。然而上表諸書，所引九錫次第並不一致：《韓詩》「三錫虎賁、四錫樂器、六錫朱戶」，獨異其餘五種；「弓矢、鈇鉞」之次第，則《白虎通》與《詩經》孔《疏》、《禮記》顏《疏》相同，《韓詩》與《公羊》、《穀梁》二注無異；而《白虎通》、《解詁》、《集解》引文末句，文意不同，又爲其餘三書所無者。更覈以楊士勛《穀梁疏》云：

> 舊說解九錫之名：
>
> 一曰輿馬，大輅、戎輅各一，玄馬一也。
>
> 二曰衣服，謂玄袞也。
>
> 三曰樂則，謂軒懸之樂也。
>
> 四曰朱戶，謂所居之室，朱其戶也。
>
> 五曰納陛，謂從中階而升也。
>
> 六曰虎賁，謂三百人也。
>
> 七曰弓矢，彤旅之弓矢也。
>
> 八曰鈇鉞，謂大柯斧，賜之專殺也。
>
> 九曰秬鬯，謂賜秬鬯之酒，盛以圭瓚之中，以祭祀也。❼

楊氏先已引范甯「《禮》有九錫」云云，同於讖文，此處又據「舊說」釋其內容，殆見「舊說」與「圖讖」二種說辭，乃作此說。以此比覈所言「九錫」之次第、釋義，當屬西漢經解通義也。

考平帝元始五年五月，王莽攝政，朝臣張純等奏請：「謹以六藝通義，經

---

❼ 〔唐〕楊士勛：《穀梁傳注疏》（臺北：藝文印書館，1980 年影印阮元刻《十三經注疏》本），卷 5，頁 4。

文所見，《周官》、《禮記》宜於今者，爲九命之錫。」❽制度既成，於是莽「稽首再拜，受綠韍、袞冕、衣裳，瑒琫、瑒珌，句履，鸞路乘馬，龍旂九旒，皮弁素積，戎路乘馬，彤弓矢，盧弓矢，左建朱鉞，右建金戚，甲冑一具，秬鬯二卣，圭瓚二，九命青玉珪二，朱戶、納陛」。❾王莽所拜受，較之《韓詩外傳》者僅缺「樂則、虎賁」二種。可見「九錫」之禮，迄至西漢末年乃始漸次著爲定制。光武朝臣編定圖讖時取用舊說，而《白虎通》亦採舊時《禮說》釋之。後世不察，以爲《白虎通》取資圖讖，而不知是《白虎通》、圖讖適巧皆取用前漢《禮說》舊聞也。

㈡　八風與政令

「八風」爲殷商甲骨文即已載錄之氣象術語，先秦文獻如《呂覽·十二季》、〈月令〉等，更取之配合月令政事爲說，其後亦成爲經學內容之一。《白虎通》言及「八風」與政令之配屬關係，略同於《太平御覽·天部》所引之《易通卦驗》。❿以此而論，《白虎通》解經，又有出自圖讖者矣。惟蒐檢光武官定圖讖之前諸文獻，可知解「八風」者，實屬經學通識也。如《禮記·月令》、《淮南子·天文篇》、劉向《五經通義》等，皆有此類說辭。今取《淮南》、《白虎通》、《易通卦驗》三書所言，製爲一表，以明示彼此雷同情況，再作析述：

---

❽　〔漢〕班固：《漢書》（北京：中華書局，1962 年點校本），卷 99 上，頁 4072。
❾　《漢書》，同前注，頁 4075。
❿　〔宋〕李昉等：《太平御覽》（石家莊：河北教育出版社，1994 年），卷 9，頁 73。

《淮南子・天文篇》⓫	《白虎通・八風》	《易通卦驗》189
1 條風至，則出輕繫，去稽留。 2 明庶風至，則正封疆，修田疇 3 清明風至，則出幣帛，使諸侯 4 景風至，則爵有位，賞有功。 5 涼風至，則報地德，祀四郊。 6 閶闔風至，則收縣垂，琴瑟不張。 7 不周風至，則修宮室，繕邊城 8 廣莫風至，則閉關梁，決刑罰。	1 條風至，則出輕刑，解稽留。 2 明庶風至，則修封疆，理田疇 3 清明風至，出幣帛，使諸侯。 4 景風至，則爵有德，封有功。 5 涼風至，則報土功，祀四鄉。 6 昌蓋風至，則申象刑，飾囷倉 7 不周風至，則築宮室，修城郭 8 廣莫風至，則斷大辟，行刑獄。	8 冬至廣莫風至，王者誅有罪，斷大刑 1 立春條風至，王者赦小罪，出覊留。 2 春分明庶風至，正封疆，修田疇。 3 立夏清明風至，出幣帛，禮諸侯。 4 夏至景風至，辨大將，封有功。 5 立秋涼風至，報土功，祀四鄉。 6 秋分閶闔風至，牛馬出櫪，將帥講武 7 立冬不周風至，修建宮室，繕完城郭 八風以時至，則陰陽和，萬物育。 王者當順八風，行八政。

《通卦驗》之排序，與前二者不同，末二句說辭亦屬獨具者。三書除字句互有歧異外，政令內容亦頗見參差，如閶闔風至，有「收縣垂，琴瑟不張」、「申象刑，飾囷倉」、「牛馬出櫪，將帥講武」等旨意不同之文句；廣莫風至則有「閉關梁，決刑罰」、「斷大辟，行刑獄」、「王者誅有罪，斷大刑」等異辭；景風至之「爵有德」，《通卦驗》別作「辨大將」。此外，黃奭本《春秋考異郵》亦有同類之說辭，如第十二條：「條風至，王者赦小羌而出稽留。」第十三條：「夏至四十五日，景風至，則封其有功也。」

另覈《山堂肆考・風》，引《易緯通卦驗》此條，其中閶闔風至之政令作「解懸垂，琴瑟不張」，⓬同於《淮南》而異於《白虎通》。此皆可證，光武之官定圖讖與《白虎通》所言「八風」，實皆取資於漢代經學通識，並非《白虎通》引用《通卦驗》讖文也。

⓫ 引文分見劉文典：《淮南鴻烈集解》（北京：中華書局，1989年），卷3，頁92；陳立：《白虎通疏證》，同注❺，卷7，頁341-46。

⓬ 〔明〕彭大翼：《山堂肆考》（上海：上海古籍出版社，1992年），卷4，頁6。

㈢ 三代三教

《白虎通·三教》云：

> 三王之有失，故立三教，以相指受。夏人之王教以忠，其失野，救野之失莫如敬。殷人之王教以敬，其失鬼，救鬼之失莫如文。周人之王教以文，其失薄，救薄之失莫如忠。繼周尚黑，制與夏同。三者如順連環，周而復始，窮則反本。⓭

所言三王立三教，同於《禮記·表記》孔《疏》所引《元命包》：「三王有失，故立三教以相變。夏人之立教以忠，其失野，故救野莫若敬。殷人之立教以敬，其失鬼，救鬼莫若文。周人之立教以文，其失蕩，故救蕩莫若忠。如此循環，周則復始，窮則相承。此亦三王之道，故三代不同也。」⓮然而《白虎通》「繼周」八字，爲《元命包》所無；末三句字辭亦有差異。再尋繹此說源流，《說苑·脩文》已作載述：

> 三王之術如循環，故夏后氏教以忠，而君子忠矣；小人之失野。救野莫如敬，故殷人教以敬，而君子敬矣；小人之失鬼。救鬼莫如文，故周人教以文，而君子文矣；小人之失薄。救薄莫如忠。故聖人之與聖也，如矩之三雜，規之三雜，周則又始，窮則反本也。⓯

其說解三王之教，君子、小人之別，較前二書更詳明。再覈東漢王充《論衡·

⓭ 〔清〕陳立：《白虎通疏證》，同注❺，卷 8，頁 369。

⓮ 〔唐〕孔穎達：《禮記正義》（臺北：藝文印書館，1980 年影印阮元刻《十三經注疏》本），卷 54，頁 17。

⓯ 〔漢〕劉向：《說苑》（臺北：臺灣商務印書館，1985 年），卷 19，頁 651。

齊世篇》，亦嘗引用此說，卻名之曰《傳》：

《傳》曰：「夏后氏之王教以忠。上教以忠，君子忠；其失也，小人野。救野莫如敬，殷之王教以敬。上教用敬，君子敬；其失也，小人鬼。救鬼莫如文，故周之王教以文。上教以文，君子文；其失也，小人薄。救薄莫如忠。承周而王者，當教以忠。」⑯

《論衡》所引之「《傳》」，蓋即出自《尚書大傳》：「夏后氏主教以忠」，⑰「周人之教以文。上教以文，君子；其失也，小人薄」。⑱由此循繹，可知「三教」之說，實先出自《書傳》，劉向編《說苑》採其文爲之，光武編修圖讖、《白虎通》解釋經義、王充《論衡》，皆取其說爲辭。是知《白虎通》此段文辭並未取資讖語也。

再考西漢成書之《禮記・表記》、《史記》中，亦嘗言及此說。〈表記〉云：

子曰：「夏道尊命，事鬼敬神而遠之，近人而忠焉。……其民之敝，惷而愚，喬而野，朴而不文。殷人尊神，率民以事神，先鬼而後禮。……其民之敝，蕩而不靜，勝而無恥。周人尊禮尚施，事鬼敬神而遠之，近

---

⑯ 黃暉：《論衡校釋》（北京：中華書局，1990 年），卷 18，頁 808。

⑰ 〔唐〕賈公彥：《儀禮注疏》（臺北：藝文印書館，1980 年影印阮元刻《十三經注疏》本），卷 36，頁 7，賈疏引《書傳畧說》。陳壽祺謂此即《尚書大傳・略說》，見〔清〕陳壽祺：《尚書大傳輯校》，《皇清經解續編》（臺北：漢京文化公司，1980 年），冊 2，頁 1180。

⑱ 〔唐〕李善：《文選注》，同注⑭，卷 53，頁 10，引《尚書大傳》。引文「君子」下原缺一「文」字，當補。

人而忠焉。……其民之敝，利而巧，文而不慙，賊而蔽。」⑲

《史記·高祖本紀》載：

太史公曰：「夏之政忠，忠之敝，小人以野，故殷人承之以敬。敬之敝，小人以鬼，故周人承之以文。文之敝，小人以僿，故救僿莫若以忠。三王之道若循環，終而復始。周秦之閒，可謂文敝矣。」⑳

〈表記〉解說頗詳，而史遷則節言之，二者體式不同，而史遷文辭更似圖讖文句。惟司馬貞《索隱》謂：「此語本出《子思子》，見今《禮·表記》。」㉑是則《索隱》謂此條類似圖讖之語，實出自〈表記〉，未以讖文視之。此皆可證，「三教」實屬西漢經義通識，東漢初乃編入圖讖中；並非光武圖讖所獨具，而得《白虎通》徵引者。

㈣ 明堂制度

《白虎通·辟雍》言及天子靈臺、明堂制度，與《禮含文嘉》相同，《孝經援神契》亦有與之相類之文句，似可稱曰《白虎通》與圖讖關係密切之證也。今列述相關引文五條，製爲一表，以見彼此之文句異同：

---

⑲ 〔唐〕孔穎達：《禮記正義》（臺北：藝文印書館，1980 年），卷 54，頁 15-17。
⑳ 〔漢〕司馬遷：《史記》（北京：中華書局，1962 年點校本），卷 8，頁 393。
㉑ 同前注，頁 394。

《白虎通·辟雍》	《禮含文嘉》36、35	《孝經援神契》82	桓譚《新論》
天子所以有靈臺者，何？	36 禮：天子靈臺，		
所以考天人之心，	所以觀天人之際，		
察陰陽之會，	陰陽之會也。		
揆星辰之證驗，	揆星度之驗，		
	徵六氣之瑞，		
	應神明之變化，		
	覩日氣之所驗，		
爲萬物獲福無方之元。	爲萬物獲福於無方之原。		
天子立明堂者，	35 明堂		
所以通神靈，感天地，	所以通神靈，感天地，		
正四時，出教化，	正四時，		
宗有德，重有道，	崇有悳，		
顯有能，褒有行者也。	褒有行。		
明堂上圓下方，八窗四闥，		明堂上圓下方，八窗四闥，	
布政之宮，在國之陽。		布政之宮，在國之陽。	天稱明，故命曰明堂。
上圓法天，下方法地，	上員象天，下方象地，		上圓法天，下方法地，
八窗象八風，	八窗象八風，		八窗象八風，
四闥法四時，	四闥法四時，		四闥法四時，
九宮法九州，	九室法九州，		九室法九州，
十二坐法十二月，	十二座法十二月，		十二坐法十二月，
三十六戶法三十六雨，	三十六戶法三十六氣，		三十六戶法三十六雨，
七十二法七十二風。	七十二牖法七十二候也。		七十二法七十二風。[22]

比較一、二欄所言，《白虎通》頗似綜合《禮含文嘉》三六、三五，及《孝經援神契》八二等三條讖文而成者。惟《白虎通》少「徵六氣……所驗」三句，末段文字亦略有差異；而《含文嘉》三五所缺之「明堂上圓下方……國之陽」一段，正可取《孝經援神契》八二條補足。則《白虎通》似取資圖讖而來矣。然而覈以《大戴禮·明堂》：「明堂者，古之有也。凡九室：一室而有四戶、

[22] 〔劉宋〕范曄：《後漢書·志八》（北京：中華書局，1962 年點校本），頁 3177。

八牖，三十六戶、七十二牖。以茅蓋屋，上圓下方。」㉓則知《白虎通》此段，源出西漢經學通義。更覈以第三欄桓譚《新論》，則《白虎通》末句缺一「牖」字，而「十二坐、雨、風」三詞同於《新論》，卻異於《含文嘉》之「十二座、氣、候」；是其出典當更近於《新論》也。

考桓譚起家於成帝朝，新莽時熟見符命之造作，知方士讖言詐術詳矣，光武初既任給事中，乃於建武三年（27A.D.）奏言：「今諸巧慧小才伎數之人，增益圖書，矯稱讖記」，並力請光武「屏群小之曲說，述五經之正義」。㉔桓譚斥讖言甚力，其所言經義，當屬西漢以來通儒所言，偶或與《禮含文嘉》相同者，必為圖讖編選之時取經解通義為之，並非桓譚取讖文解經也。《白虎通》所引「明堂」解義，既同於桓譚說，當亦屬概言西漢經學通義，而非襲取圖讖而來也。

隋宇文愷奏〈明堂議表〉，引《禮圖》云：「建武三十年（54A.D.）作明堂。明堂上圓下方，上圓法天，下方法地，十二堂法日辰，九室法九州。」㉕可知光武帝在宣布圖讖之前，已據經學通義建構明堂。宇文愷又引《黃圖》云：「堂方百四十四尺，法坤之策也，方象地。屋圓楣徑二百一十六尺，法乾之策也，圓象天。太室九宮，法九州。太室方六丈，法陰之變數。十二堂法十二月，三十六戶法極陰之變數，七十二牖法五行所行日數。八達象八風，法八卦。通天臺徑九尺，法乾以九覆六。高八十一尺，法黃鍾九九之數。二十八柱象二十八宿。堂高三尺，土階三等，法三統。堂四向五色，法四時五行。殿門去殿七十二步，法五行所行。」㉖所言旨意與《禮圖》相同而更為詳盡，蓋即光武帝於建武年間所構築之明堂形制也。可見《白虎通》與《禮緯》等所言之「明堂」，

㉓ 〔清〕王聘珍：《大戴禮解詁》（北京：中華書局，1983年），卷8，頁149。

㉔ 〔劉宋〕范曄：《後漢書》，同注㉒，卷28上，頁959。

㉕ 〔唐〕魏徵等：《隋史》（北京：中華書局，1973年點校本），卷68，頁1592。

㉖ 《隋史》，同前注，卷68，頁1591。

實屬西漢經學通義，並非《白虎通》取資圖讖而來。

㈤ 聖人異表

《白虎通》曰：

> 聖人皆有異表。《傳》曰：「伏羲日祿衡連珠，大目、山准、龍狀，作《易》八卦以應樞。黃帝龍顏，得天匡陽，上法中宿，取象文昌。顓頊戴干，是謂清明，發節移度，蓋象招搖。帝嚳駢齒，上法月參，康度成紀，取理陰陽。堯眉八彩，是謂通明，歷象日月，璇璣玉衡。舜重瞳子，是謂滋涼，上應攝提，以應三光。」《禮說》曰：「禹耳三漏，是謂大通，興利除害，決河疏江。皋陶馬喙，是謂至誠，決獄明白，察于人情。湯臂三肘，是謂柳翼，攘去不義，萬民咸息。文王四乳，是謂至仁，天下所歸，百姓所親。武王望羊，是謂攝揚，盱目陳兵，天下富昌。周公背僂，是謂強俊，成就周道，輔于幼主。孔子反宇，是謂尼甫，德澤所興，藏元通流。」聖人所以能獨見前覩，與神通精者，蓋皆天所生也。㉗

所引《傳》曰、《禮說》，述及伏羲、五帝、三王、周公、孔子等十三位帝君、聖人之異貌、功業。其文散見於黃奭本《春秋演孔圖》（十三條）、《春秋元命苞》（十條），今依《白虎通》引文次第，列述如下：（⑴至⒀爲編次，數字爲筆者爲黃奭《通緯》佚文所加之編碼）

《春秋演孔圖》：

⑴八八：伏犧大目，是謂舒光，作象八卦，以應天樞。

⑵八九：黃帝龍顏，得天匡陽，上法中宿，取象文昌。

㉗〔清〕陳立：《白虎通疏證》，同注❺，卷 7，頁 337-341。

⑶二四：顓頊戴干，是謂崇仁。

帝佶戴干，是謂清明，發節移度，蓋象招搖。

⑷九〇：帝嚳駢齒，上法月參，康度成紀，取理陰陽。

⑸二五：堯眉八彩，是謂通明，歷象日月，璇璣玉衡。

⑹二六：舜目重童，是謂無景，上應攝提，以象三光。

⑺二七：禹耳三漏，是謂大通，興利除害，決河疏江。

⑻九一：皐陶鳥喙，是謂至誠，決訟明白，察於人情。

⑼二八：湯臂三肘，是謂柳翼，攘去不義，萬民蕃息。

⑽九三：文王四乳，是謂至仁，天下所歸，百姓所親。

⑾九四：武王望羊，是謂攝揚，盱目陳兵，天下富昌。

⑿九五：周公僂背，是謂強俊，成就周道，輔於幼主。

⒀九六：孔子反宇，是謂尼父，立德澤世，開萬世路。

《春秋元命苞》：

⑵一九三：黃帝龍顏，得天庭陽，上法中宿，取象文昌。戴天履陰，乘數制剛。

⑶一九五：顓頊戴干，是謂崇仁。

⑶一九四：顓頊駢幹，上法月參，集威成紀，以理陰陽。

⑷一九六：帝嚳戴干，是謂通明，發節移度，蓋象招搖。

⑸一九七：堯眉八采，是謂通明，厤象日月，璿機玉衡。

⑹一九八：舜重瞳子，是謂滋涼，上應攝提，下應三元。

⑺一九九：禹耳三漏，是謂大通。

⑼二〇〇：湯臂四肘，是謂神剛，象月推移，以綏四方。

⑽二〇二：文王四乳，是謂含良。

⑾二〇三：武王駢齒，是謂剛強，取象參房，承命誅害，以順天心。

再則《五行大義》引《春秋文耀鉤》五條，所言五帝異貌、功業，亦與《白虎通》此段文意相類：

⑵黃帝龍顏，得天庭，法中宿，取象文昌。

⑶帝摯戴干，是謂清明，發節移度，蓋象招搖。

⑷顓頊併幹，上法月參，集威成紀，以理陰陽。

⑸堯眉八采，是謂通明，曆象日月，陳劂考功。

⑹舜重瞳子，是謂滋諒，上應攝提，以統三光。㉘

三則《禮含文嘉》六一，載夏禹等七人異貌、事功，與《禮說》相同：

⑺禹耳三漏，是謂大通，興利除害，決河疏江。

⑻皋陶馬喙，是謂至誠，決獄明白，察於人情。

⑼湯臂三肘，是謂柳翼，攘去不義，萬民蕃息。

⑽文王四乳，是謂至仁，天下所歸，百姓所親。

⑾武王望羊，是謂攝揚，盱目陳兵，天下富昌。

⑿周公背僂，是謂俊強，成就周道，輔於幼王。

⒀孔子反宇，是謂尼丘，德澤所興，臧元通流。

由上引四段圖讖佚文，似足說明《白虎通》所引「《傳》曰、《禮說》」，出自圖讖。然而詳覈四筆圖讖引文，則知《白虎通》之「《傳》曰」云云，與《春秋緯》並不同。編次⑴之伏羲「日祿衡連珠」，不見於《春秋緯》而略見於《孝經援神契》一八〇：「伏羲大目、山準、日角，而連珠衡。」編次⑶之顓頊、⑷之帝嚳，引文混淆錯置；《元命苞》之⑼湯臂四肘、⑽文王含良、⑾武王駢齒、⒀孔子藏元等，皆與「《傳》曰」不同。再者，《演孔圖》第三〇條：「舜目四童，謂之重明，承乾踵堯，海內富昌。」第二九條：「文王四乳，是謂含良，武王駢齒，是謂剛強。」亦與《傳》非一源。可知《白虎通》此條之《傳》，與《春秋緯》不盡相合。

㉘　〔隋〕蕭吉：《五行大義》（《知不足齋叢書》，〔清〕嘉慶刊本），卷 5，頁 10。

《傳》及《禮說》之出處，覈以《淮南子·脩務篇》所載堯、舜等四人之功業，則此類異貌、功業之描述，實爲西漢以來之舊說也。〈脩務篇〉云：

⑸堯眉八彩，九竅通洞，而公正無私，一言而萬民齊；

⑹舜二瞳子，是謂重明，作事成法，出言成章；

⑺禹耳參漏，是謂大通，興利除害，疏河決江；

⑽文王四乳，是謂大仁，天下所歸，百姓所親；

⑻皐陶馬喙，是謂至信，決獄明白，察於人情。㉙

引文四言一句，與讖文體式相同。所言皐陶、禹及文王之異貌、功業，全同《白虎通》所引，可見《禮說》者，實擷取西漢成說；至若堯、舜之功業，雖與「《傳》曰」所述不同，而堯眉八彩、舜重瞳子，則屬西漢傳聞，並非圖讖獨具者。《淮南子》爲西漢武帝時，淮南王「招致賓客方術之士數千人」所作，㉚雜引西漢傳注、方術而成。可知《白虎通》所引之《傳》曰、《禮說》二段文字，當與此有所淵源也。

又考黃奭本《春秋演孔圖》：

第二三條：倉頡四目，是謂竝明。

第九二條：后稷植穀，是謂僂仁，司其所利，海內富明。

以及《春秋元命苞》：

第一九二條：倉頡四目，是謂竝明。

第二〇四條：蚩尤虎卷，威文立兵。

㉙ 劉文典：《淮南鴻烈解》，同注⓫，卷19，頁641-42。

㉚ 〔漢〕班固：《漢書》，同注❽，卷44，頁2145。

第二〇五條：后稷岐頤自求，是謂好農，蓋象角亢，戴土食穀。

皆爲四字句體式，言及古聖賢之異貌，與上引十三人當屬同一類型。《白虎通》既取西漢傳世經義而成書，所引「《傳》、《禮說》」未收「倉頡、后稷、蚩尤」三人，其爲朝臣論議未及、或編纂成書缺錄、或後世輯本不全，已不可考知矣。惟校覈圖讖佚文及《白虎通》輯本，可證二者引文必互有短長，可作截長補短之斟證，當爲考論二者時之文獻效益也。

以上所論，可知《白虎通》所引之「《傳》、《禮說》」，並非擷自光武官定圖讖，而是取自西漢以來學者熟知之通義。光武朝臣編定圖讖時，取「《傳》曰」等通義入八十一卷中，致使後人衍生《白虎通》取資於圖讖之錯覺。

二、輯本誤引，致使《白虎通》文句與讖文相同

(一) 四夷之數

《白虎通》謂：「東方爲九夷，南方爲八蠻，西方爲六戎，北方爲五狄。故〈曾子問〉曰：『九夷、八蠻、六戎、五狄，百姓之難至者也。』」㉛所載「四夷」之數，及配屬方位，甚爲明確。惟所引〈曾子問〉之語，不見於今本《禮記·曾子問》，而與〈明堂位〉相類：「昔者周公，朝諸侯于明堂之位，……九夷之國，東門之外，……八蠻之國，南門之外，……六戎之國，西門之外，……五狄之國，北門之外。」㉜亦以「九夷、八蠻、六戎、五狄」爲數序。

「四夷」之數，黃奭本《尚書考靈曜》三五條亦載其說：「七戎、八蠻、九夷、八狄，總而言之，謂之四海。海之言昏晦，無所睹也。」若此，則《白

㉛ 〔清〕陳立：《白虎通疏證》，同注❺，卷3，頁112。

㉜ 〔唐〕孔穎達：《禮記正義》，同注⓮，卷31，頁2。

虎通》暗引《尚書考靈耀》矣。惟詳覈經傳注疏言及「四夷」之數，皆互有異同。試製為一表如下，可知《白虎通》、〈明堂位〉之「六戎、五狄」，與《考靈曜》、《爾雅》之「七戎、八狄」並不相同：

	白虎通 禮樂	禮記 明堂記	尚書 考靈曜	爾雅 釋地	周禮 職方氏
東	九夷	九夷	九夷	九夷	四夷
南	八蠻	八蠻	八蠻	六蠻	八蠻
西	六戎	六戎	七戎	七戎	五戎
北	五狄	五狄	八狄	八狄	六狄

再詳考「四夷」之數，孔穎達於《詩》、《書》注疏中已致其疑，謂：「徧檢經傳，四夷之數，參差不同，先儒舊解，此《爾雅》殷制。」㉝又云：「此（按：指毛《傳》）及《中候》直言『四海』，不列其數。」㉞是頗引讖緯之孔穎達，已明指讖文並無「四夷」之數；細檢歷代引及讖緯之史籍傳注與類書，迄至《古微書》，尚未收錄此條為《考靈曜》讖文，而首見於朱彝尊《經義考·毖緯三》，實乃誤認張華《博物志》卷一〈地〉之行文而來。筆者已於博士論文《漢代《尚書》讖緯學述》中，作過論證。㉟是以就《白虎通》此句而言，並未引用讖文。

㈡ 歲閏禘祫之禮

《白虎通》曰：

㉝ 〔唐〕孔穎達：《尚書正義》（臺北：藝文印書館，1980 年影印阮元刻《十三經注疏》本），卷 13，頁 1。

㉞ 〔唐〕孔穎達：《毛詩正義》（臺北：藝文印書館，1980 年影印阮元刻《十三經注疏》本），卷 10 之 1，頁 5。

㉟ 黃奭本《考靈曜》第 35 條為輯本誤收之讖文，詳見黃復山：《漢代《尚書》讖緯學述》（臺北：輔仁大學中文研究所博士論文，1996 年），頁 272 之考論。

> 三歲一閏，天道小備，五歲再閏，天道大備。故五年一巡守，三年二伯出，述職黜陟。㊱

所言「歲閏」，與黃奭本《禮稽命徵》一一〇條相類：「三年一閏，天氣小備；五年再閏，天氣大備。故三年一祫，五年一禘。」《白虎通》言「天道」、「巡守」，《稽命徵》云「天氣」、「禘祫」，二者指意不同；惟歲閏之說，則二者無異。據此，《白虎通》又有暗引圖讖之處矣。然而詳考其實，《稽命徵》一一〇條實屬輯本誤收，《白虎通》此條，亦未見歷代輯本收錄，當非圖讖佚文也。《白虎通》之「天道」云云，蓋源出於劉向《五經通義》：

> 王者、諸侯所以三年一祫，五年一禘，何？三年一閏，天道小備，故三年一祫。祫者皆取未遷廟主，合食太祖廟中。五歲再閏，天道大備，故五歲一禘。禘者，諦也，取已遷廟主，食合太祖廟中。㊲

所言「合食祖廟」云云，證以光武建武二十六年（西元 50），張純奏疏：「《禮》：三年一祫，五年一禘。毀廟之主，陳於太祖；未毀廟之主，皆升合食太祖；五年再殷祭。」㊳再考劉向編纂之《說苑》，亦有類似之說辭，曰：「三歲一祫，五年一禘；祫者，合也；禘者，諦也。祫者，大合祭於祖廟也；禘者，諦其德而差優劣也。」㊴可知劉向、張純與《白虎通》、《稽命徵》所言之歲閏、禘祫，實屬西漢經解通識也。

再考光武建武六年（30），朱浮上書論吏治，嘗引「《傳》曰：『五年再

㊱〔清〕陳立：《白虎通疏證》，同注❺，卷 6，頁 290。

㊲〔明〕陳耀文：《天中記》（上海：上海古籍出版社，1992 年），卷 42，頁 22。

㊳〔劉宋〕范曄：《後漢書·志九》，同注㉒，頁 3194。

㊴〔漢〕劉向：《說苑》，同注⑮，卷 19，頁 678。

閏，天道乃備。』」㊵其後建武二十六年（50），張純奏議「禘祫」之禮，引「《禮說》：三年一閏，天氣小備；五年再閏，天氣大備。故三年一祫，五年一禘」。㊶朱疏之「《傳》曰」與《白虎通》文意相同，張奏之「《禮說》」則爲輯本《禮稽命徵》之出典。殷元正《集緯》首錄此條入《稽命徵》，並於該條下〈自注〉：「《山堂考索·禮門》引《禮說》。」㊷惟覆查章如愚《山堂考索》，此條仍出於張純奏疏。㊸再檢覈歷代史傳注疏及類書等，尙無引《稽命徵》此條之讖文者，可知實屬殷氏誤認張純「《禮說》」爲《禮稽命徵》也，當予刪除。㊹

由上考知，「《傳》曰」、「《禮說》」，實屬西漢經學通義，光武編修圖讖並未取張純所引之《禮說》入八十一卷之中，緯書輯本收錄者，實屬誤認。是以《白虎通》此條說解與讖文無涉。

㈢　聖人異表

上文「聖人異表」節，言及《白虎通》引《禮說》，同於黃奭本《禮含文嘉》第六一條。惟考源黃奭本此條，蓋取自王穀《古微書》，而《古微書》此條則逕取《白虎通·聖人》之《禮說》成文，文下並〈自注〉云：「《白虎通·聖人篇》引《禮說》。」㊺然而細檢東漢以來，歷代史傳注疏及類書所引讖緯佚文，實未見《禮說》此條列入《禮緯》中者。可知《古微書》所輯實屬臆收，當予刪除。如是，則《白虎通》此條《禮說》雖偶與《春秋緯》相同，卻絕非《禮含文嘉》佚文，《白虎通》此條自無引用《含文嘉》之可能也。

㊵　〔劉宋〕范曄：《後漢書》，同注㉒，卷 33，頁 1143。

㊶　《後漢書》，同注㉒，卷 35，頁 1195。

㊷　〔清〕殷元正：《集緯》，《緯書集成》（上海：上海古籍出版社，1994 年），頁 755。

㊸　〔宋〕章如愚：《山堂考索·前集》（北京：中華書局，1992 年），卷 32，頁 9。

㊹　黃復山：《歷代《尚書》讖緯學述》，同注㉕，頁 47 已有考論。

㊺　〔明〕王穀：《古微書》，《緯書集成》，同注㊷，頁 325。

此類輯本之誤收，輒使學者論述東漢經學與圖讖關係時，衍生虛妄之論斷，積弊既久，竟成定論，貽誤可謂深遠矣。

三、《白虎通》文句由讖文引證，利於字句校覈

上文「聖人異表」一節，所引《春秋元命苞》、《演孔圖》等五條，皆屬《白虎通》所無，可作補闕者。又如〈五行篇〉引《元命苞》曰：「土無位而道在，故大一不興化，人主不任部職。」㊻覈以《太平御覽》所引《元命苞》，則後者較詳，曰：「土無位而道在，故太一不興化，人主不任部，地出雲起雨，以合從天下，勤勞出於地，功名歸於主。」㊼又《白虎通·封禪》言及「王德至天」之祥瑞感應，文意完整：「德至天，則斗極明，日月光，甘露降。德至地，則嘉禾生，蓂莢起，秬鬯出，太平感。德至文表，則景星見，五緯順軌。」㊽黃奭本《孝經援神契》散見二〇四、二〇五、二二一～二二三、二二六、二六九等七條佚文，可據以補爲完整段落。此外，《白虎通》尚有大段引文，亦有與圖讖佚文相類，可藉以收互補之功者，略述於下：

(一) 爵名釋義

依《太平御覽》引錄，知《白虎通·爵》嘗迻錄四條讖文，陳立《疏證》等輯本皆失於考覈：

> 爵有五等，以法五行也。或三等者，法三光也。或法三光，或法五行，何？質家者據天，故法三光；文家者據地，故法五行。《含文嘉》曰：「殷爵三等，周爵五等。」各有宜也。〈王制〉曰：「王者之制祿爵，

㊻　〔清〕陳立：《白虎通疏證》，同注❺，卷4，頁169。

㊼　〔宋〕李昉等：《太平御覽》，同注❿，卷36，頁284。

㊽　〔清〕陳立：《白虎通疏證》，同注❺，卷6，頁283。

凡五等，謂公侯伯子男也。」此據周制也。……所以名之為公者何？公者，通也，公正無私之意也。侯者，候也，候順逆也。人皆千乘，象雷震百里所潤同。㊾

除引《禮含文嘉》、〈王制〉外，其餘皆屬《白虎通》之行文。然而覈以《太平御覽·封建部》引文，則知原文當有明引《孝經援神契》一段，句首亦與圖讖文意相同，今輯本已佚，可據《御覽》補其闕文：

《白虎通》曰：「爵五等者，法五行。或三等者，法三光。或法三，或法五，何？質者據天，故象三光；文者據地，故法五行。《禮含文嘉》曰：『殷爵三等，周爵五等。各有宜也。』〈王制〉曰：『王者之制祿爵，凡五等，謂公侯伯子男乎。」此據周也。所以名之為公、侯，何？公者，公正無私之意。侯者，候順逆故也。《孝經援神契》曰：『二王之后稱公，大國侯，皆千乘，象雷震百里，所潤雲雨同。』」㊿

《御覽》引文據「《白虎通》、《禮含文嘉》、《王制》、《孝經援神契》」等篇名，區分爲四段，「雲雨同」之下接以《史記》秦將白起事，則與《白虎通》無關矣。細繹其意，實乃拆解上引《白虎通·爵》之文句而成者。此亦爲《御覽》引書之常例也。由引文證之，則今輯本《白虎通》漏敚「《孝經援神契》……大國侯」數語，當據《御覽》補足闕文。《孝經援神契》文句，又見《禮記·王制》孔穎達《疏》，「二王」作「王者」，「大國侯」作「大國稱侯」，餘皆同。51是則《白虎通》明引圖讖篇名之數卅一，又當別增此一條也。

㊾ 〔清〕陳立：《白虎通疏證》，同注❺，卷 1，頁 6-8。

㊿ 〔宋〕李昉等：《太平御覽》，同注❿，卷 198，頁 650。

51 〔唐〕孔穎達：《禮記正義》，同注⓮，卷 11，頁 3。

再者，《白虎通》法三光、五行云云，覈以《公羊傳·桓公十一年》何休《解詁》所引《春秋說》：「質家爵三等者，法天之有三光也。文家爵五等者，法地之有五行也。」52可知《白虎通》此段文意，實乃節取《春秋說》而成者，而考覈《解詁》所引之《易說》、《禮說》、《春秋說》、《孝經說》等數十條，皆即讖緯文句無誤。

三則《白虎通》釋公、侯名義之語，亦與《公羊傳》何休《解詁》所引《春秋說》相同：「公之言公，公正無私。侯之言候，候逆順，兼伺候王命矣。」53

以此可知，《白虎通》此段文句，除〈王制〉非經文外，其餘四段，《禮含文嘉》與《孝經援神契》爲明引圖讖篇目，「法三光」、「釋公侯」則爲略取讖文之意而成者。

(二) 五藏配屬

《白虎通·性情》引《樂動聲儀》曰：

> 官有六府，人有五臟。五藏者，何也？謂肝、心、肺、腎、脾也。肝之為言干也，肺之為言費也，情動得序。心之為言任也，任于恩也。腎之為言寫也，以竅寫也。脾之為言辨也，所以積精稟氣也。五藏：肝仁、肺義、心禮、腎知、脾信也。
>
> 1. 肝所以仁者何？肝，木之精也，仁者好生，東方者，陽也，萬物始生，故肝象木，色青而有枝葉。目之為候何？目能出淚，而不能內物，木亦能出枝葉，不能有所內也。
> 2. 肺所以義者何？肺者，金之精。義者斷決，西方亦金，殺成萬物也。

---

52 〔唐〕徐彥：《公羊傳注疏》，同注6，卷5，頁10。

53 《公羊傳注疏》，同注6，卷1，頁5。

故肺象金，色白也。鼻為之候何？鼻出入氣，高而有竅，山亦有金石累積，亦有孔穴，出雲布雨，以潤天下，雨則雲消，鼻能出納氣也。

3. 心所以為禮何？心，火之精也。南方尊陽在上，卑陰在下，禮有尊卑，故心象火，色赤而銳也。人有道尊，天本在上，故心下銳也。耳為之候何？耳能徧內外，別音語，火照有似于禮，上下分明。

4. 腎所以智何？腎者，水之精，智者進止無所疑惑，水亦進而不惑。北方水，故腎色黑，水陰，故腎雙。竅之為候何？竅能瀉水，亦能流濡。

5. 脾所以信何？脾者，土之精也，土尚任養，萬物為之象，生物無所私，信之至也。故脾象土，色黃也。口為之候何？口能啖嘗，舌能知味，亦能出音聲，吐滋液。[54]

此一段明引《動聲儀》讖文，凡四百二十餘字，實爲圖讖中少見之長文。惟陳立不明圖讖體例，其《疏證》僅取「官有六府，人有五藏」八字爲讖文，再以「右論五性六情」之章節名目，區隔「五藏者，何也」以下四百餘字爲《白虎通》行文。覈以《五行大義·配藏府》所引《元命苞》佚文，則知陳氏之誤也。《大義》引《元命苞》云：

脾者弁也，心得之而貴，肝得之而興，肺得之而大，腎得之以化。肝仁、肺義、心禮、腎知、脾信。

1. 肝所以仁者，何？肝，木之精，仁者好生，東方者陽也，萬物始生，故肝象木，色青而有柔。

2. 肺所以義者，何？肺，金之精，義者能斷，西方殺成萬物，故肺象金，色白而有剛。

---

[54] 〔清〕陳立：《白虎通疏證》，同注[5]，卷 8，頁 383-85。

3.心所以禮者，何？心者，火之精，南方尊陽在上，卑陰在下，禮有尊卑，故心象火，色赤而光。

4.腎所以智者，何？腎，水之精，智者進而不止，無所疑惑，水亦進而不惑。故腎象水，色黑，水陰，故腎雙。

5.脾所以信者，何？脾，土之精，土主信，任養萬物，為之象生物無所私，信之至也。故脾象土，色黃。㊺

斠覈二文，《大義》引文缺「官有六府……以竅寫也」一段，其下五藏之配屬，亦刪「目之爲候」「鼻之爲候」等說辭。然而據此可證《動聲儀》確爲四百餘字之長文無疑。

小結

由上文所述內容完整之引文，可知《白虎通》並非取資於圖讖。此類與讖文相同，而實出於西漢經解通義者，實非少數，姑再舉數例如下：⑴〈號〉「帝者，諦也」，與《元命苞》相同，考以《詩·君子偕老》毛《傳》：「尊之如天，審諦如帝。」㊻劉向《說苑·脩文》：「三歲一祫，五年一禘；祫者，合也；禘者，諦也。祫者，大合祭於祖廟也；禘者，諦其德而差優劣也。」㊼劉向《五經通義》：「帝者，諦也，取已遷廟主，食合太祖廟中。」㊽三書所解「諦」義，皆與《白虎通》相類。⑵〈紼冕〉「垂旒者，示不視邪；纊塞耳，示不聽讒也」，同於《禮含文嘉》四八條、《禮稽命徵》一五五條；然而《大戴禮》：「古者冕而前旒，所以蔽明；黈纊塞耳，所以揜聽也。」《淮南子·

㊺ 〔隋〕蕭吉：《五行大義》，同注㉘，卷3，頁14。

㊻ 〔唐〕孔穎達：《毛詩正義》，同注㉞，卷3之1，頁7。

㊼ 〔漢〕劉向：《說苑》，同注⑮，卷19，頁678。

㊽ 〔明〕陳耀文：《天中記》，同注㊲，卷42，頁22引。

主術篇》：「冕而前旒，所以蔽明也。黈纊塞耳，所以蔽聰也。」皆與之相同。⑶〈崩薨〉「天子飯以玉，諸侯以珠，大夫以璧，士以貝」，與《禮稽命徵》、《春秋元命苞》相同；而《大戴禮》：「天子飯以珠，含以玉；諸侯飯以珠，大夫士飯以珠，含以貝。」《說苑·修文篇》：「天子唅以珠，諸侯以玉，大夫以璣，士以貝。」亦皆與之相同。是皆可證《白虎通》所引，出自西漢經學通義，並非取資圖讖而來。

再者，《白虎通》所引「《禮說》、《傳》曰」，本非圖讖佚文，而後世讖緯學者誤認，取以入輯本中，乃衍爲《白虎通》多引圖讖之例證。此類輯本誤認，以致弄假成眞，清儒陳立疏證時，亦輒取以爲說，學者循之，乃多謂《白虎通》引圖讖解經，而不知《白虎通》實取自西漢經學通義，而光武官定圖讖時，亦適取相同經解成編。是乃二者解義偶或同源，並非相互取資也。

綜合上論，《白虎通》與光武官定「經讖」之關係，並不直接。二者解經相近之文句，實多屬各自資取漢代經學通義。再者，今日習見之各種緯書輯本，於判斷取擇佚文時，多所臆斷，疏漏實夥，以致研究者循其訛舛，誤解圖讖在「白虎觀論議」時之影響力，憑添學者判解東漢經學及圖讖眞象之誤會也！是皆不可不作釐清！

賈公彥「周禮疏序」論考

張寶三*

提　要

賈公彥《周禮疏》起首論官號沿革及「序周禮廢興」二文，諸本所題非一，學者或謂宜題為「周禮疏序」。本文據單疏本《周禮疏》加以考察，並比觀單疏本《周易正義》、宋紹熙本《禮記正義》等，以為單疏本《周禮疏》此二文本置於卷一，非置於卷首，且未題若「周禮正義序」、「周禮疏序」等標題，其有此等標題者，當非賈《疏》之舊。又其內容性質與《周易正義》之「八論」及《禮記正義》卷一「夫禮者，經天地，理人倫」至「不復繁言也」等文之性質相近，皆為其疏本經前之總論也。

關鍵詞：賈公彥　周禮疏序　單疏本　自序　總論

前　言

唐賈公彥《周禮疏》起首二文，學者或稱「周禮疏序」。本文擬比觀單疏本《周禮疏》、單疏本《周易正義》、宋紹熙本《禮記正義》等，對《周禮疏》此二文之標題及其內容性質略作論考。為方便討論，文中標題仍沿用舊稱，稱「周禮疏序」。

* 國立臺灣大學中國文學系教授。

一、「周禮疏序」舊題略論

阮元江西南昌府學刊本《周禮注疏》卷首載有賈公彥〈周禮正義序〉及〈序周禮廢興〉二文。（參見書影一）日本學者加藤虎之亮《周禮經注疏音義挍勘記》校「周禮正義序」標題❶云：

> 疏本❷作周礼疏卷第一，浙本❸同，但礼作禮。金、秦本❹作周礼序。阮❺云：「惠校本❻作周禮疏序，當從之。」《考證》❼云：「按孔穎達作五經疏，皆曰正義，賈公彥作《周禮》、《儀禮》疏，直云疏，不稱正義。此序不云周禮疏序，而云正義者，疑後人所改；或唐人疏與正義可以通稱。」（卷1，頁1）

據加藤氏此校，則諸本間此文標題之異同大略可知。今考其題為「周禮正義序」者，當出於宋人所為，❽其稱之不當，不煩細辨。惟阮元《挍勘記》謂「惠校

---

❶ 加藤氏《周禮經注疏音義挍勘記》以阮刻為底本，故此處出「周禮正義序」五字。參該書〈凡例〉（昭和32年〔1957〕出版）。

❷ 此指日本船橋家舊藏單疏本，今藏京都大學附屬圖書館，參《周禮經注疏音義挍勘記》〈引據各本書目解說〉，以下同。引文中註解並為筆者所加。

❸ 此指浙東茶鹽司本，世稱八行本。

❹ 金本指明金蟠葛鼒刻本，或稱永懷堂本。秦本指仿秦刻九經本。

❺ 此指阮元：《周禮注疏挍勘記》。

❻ 此指清惠士奇、惠棟父子校本。〔清〕阮元：《周禮注疏挍勘記》〈引據各本目錄〉「惠校本《周禮注疏》四十二卷」下云：「盧文弨曰：東吳惠士奇暨子棟以宋注疏本校疏，以余氏萬卷堂本校經、注、音義，書於毛氏本。」見該書〈序目〉（揚州阮氏文選樓藏板），頁2。以下引阮氏諸經《注疏挍勘記》版本皆同。

❼ 此指清乾隆武英殿本所附《考證》。

❽ 《玉海》（〔清〕乾隆11年〔1746〕序刊本）云：「咸平三年三月癸巳，命國子祭酒邢昺等校定《周禮》、《儀禮》、《公羊》、《穀梁傳》正義，又重定《孝經》、《論語》、《爾雅》正義。四年九月丁亥（原註：一作丁丑）翰林侍講學士邢昺等及直講崔偓佺表上

本作周禮疏序，當從之。」今學者亦有從之者，❾此則仍有待詳細討論。

今存唐代所修《五經正義》，諸經《正義》皆有〈序〉，〈序〉中例言修撰所本及參與修撰人士等。如〈毛詩正義序〉云：

其近代為義疏者，有全緩、何胤、舒瑗、劉軌思、劉醜、劉焯、劉炫等。然焯、炫並聰穎特達，文而又儒，擢秀幹於一時，騁絕轡於千里，固諸儒之所揖讓，日下之無雙。於其所作疏內，❿特為殊絕，今奉勅刪定，故據以為本。然焯、炫等負恃才氣，輕鄙先達，同其所異，異其所同，或應略而反詳，或宜詳而更略。準其繩墨，差忒未免；勘其會同，時有顛躓。今則削其所煩，增其所簡，唯意存於曲直，非有心於愛憎。⓫謹與朝散大夫行太學博士臣王德韶、徵事郎守四門博士臣齊威等對共討論，辨詳得失。至十六年，又奉勅與前脩疏人及給事郎守太學助教雲騎尉臣趙乾叶、登仕郎守四門助教雲騎尉臣賈普曜等對。勅使趙弘智覆更詳正。凡為四十卷。庶以對揚聖範，垂訓紛蒙。故序其所見，載之卷首

重校定《周禮》、《儀禮》、《公》、《穀傳》、《孝經》、《論語》、《爾雅》七經疏義，凡一百六十五卷（原註：一本云一百六十三卷）。賜宴國子監，咼加一階，餘遷秩。十月九日，命摹印頒行，於是九經疏義具矣。」，卷 43，頁 17。今存單疏本《周禮疏》卷首載有咸平六年（1003）中書門下牒文，首標「周禮正義」四字。又單疏本《公羊疏》卷首亦載景德二年（1005）中書門下牒文，首標「公羊正義」四字。據此可推《周禮疏》、《公羊疏》等稱「正義」，當由宋人所為。詳參〔日本〕杉浦豐治：〈公羊疏跋〉，《公羊疏論考（考文篇）》（愛知縣：學友會，昭和 36 年〔1961〕發行），頁 133－135。

❾ 如日本學者池田秀三先生：〈周禮疏序譯注〉云：「按：當以周禮疏序為正名，今從惠校本。」見《東方學報（京都）》第 53 冊（1981 年 3 月），頁 558。又池田先生〈周禮疏序譯注〉內容併及「序周禮廢興」一文。本文以下所論亦併「序周禮廢興」而論之。

❿ 阮元：《毛詩注疏挍勘記》云：「日下之無雙：閩本、明監本、毛本同。案：之下當有所字，錯入下句。」（卷 1，頁 1）又云：「於其所作疏內：閩本、明監本、毛本同。案：當作其於作疏內，其於二字誤倒，所字上句錯在此。」（卷 1，頁 1）

⓫ 憎原作增，據阮元《挍勘記》改。

云爾。⑫

他經《正義》〈序〉之形式亦大略同此。⑬此外賈公彥所撰《儀禮疏》亦有〈序〉，〈儀禮疏序〉云：

> 竊聞道本沖虛，非言無以表其疏；言有微妙，非釋無能悟其理。是知聖人言曲，事資注釋而成。至於《周禮》、《儀禮》，發源是一，理有終始，分為二部，並是周公攝政太平之書。《周禮》為末，《儀禮》為本，本則難明，末便易曉。是以《周禮》注者則有多門；《儀禮》所注，後鄭而已。其為章疏，則有二家：信都黃慶者，齊之盛德；李孟悊者，隋日碩儒。慶則舉大略小，經注踈漏，猶登山遠望而近不知。悊則舉小略大，經注稍周，似入室近觀而遠不察。二家之疏，互有脩短，時之所尚，李則為先。案：（中略）。⑭黃、李之訓，略言其一，餘足見矣。今以先儒失路，後宜易塗，故悉鄙情，聊裁此疏。未敢專欲，以諸家為本，擇善而從，兼增己義。仍取四門助教李玄植詳論可否，僉謀已定，庶可施以函丈之儒、青衿之俊，幸以去瑕取玖，得無譏焉。（卷1，頁1）

此〈序〉亦同諸經《正義》〈序〉，言及修疏所本及同修之人等。

今考《周禮疏》起首二文，其中未有一語言及修撰所本及修撰始末，與諸經《正義》〈序〉及〈儀禮疏序〉等並不類，其非賈公彥《周禮疏》之自序，當可斷言。

---

⑫ 見《毛詩注疏·毛詩正義序》（臺北：藝文印書館影印〔清〕嘉慶 20 年〔1815〕江西南昌府學刊本），頁1－2。下引《十三經注疏》，若未特別標示，並據阮刻本。

⑬ 詳參諸經《正義》〈序〉，文繁不具錄。

⑭ 此處賈氏各舉一例以論李、黃之誤，文繁從略。

復考單疏本《周禮疏》⓯之情形。單疏本《周禮疏》首頁載「（宋眞宗）咸平六年八月」中書門下牒，次頁首行題「周礼疏卷第一」，次行題「唐朝散大夫行太學⓰博士弘文館學士臣賈公彥等撰」，次行以下爲自「夫天育烝民」至「此即官號沿革，粗而言也」⓱及「序周禮廢興」等二文。二文之前，未標「周禮正義序」若「周禮疏序」等標題。二文之後乃接「天官冢宰」疏文。（參見書影二）據此可知，《周禮疏》起首二文，本載於賈《疏》卷一之首，而非置於卷一以前之卷首，且此二文本未標如「周禮正義序」或「周禮疏序」等標題。浙東茶鹽司本《周禮注疏》（世稱八行本），尙可見其承襲單疏之跡。⓲

由上所論，可知諸本《周禮疏》起首二文，其特標「周禮正義序」、「周禮疏序」、「周禮序」等標題者，皆非賈疏之舊也。

二、「周禮疏序」內容性質論考

欲考察《周禮疏》起首二文之內容性質，宜比觀《周易正義》及《禮記正義》二書以論之。

孔穎達《周易正義》於〈序〉之後，經文疏之前，尙有一文（參見書影三），此文或題「八論」，然諸本間所題亦頗有異同。⓳「宋兩浙東路茶鹽司刻宋元

⓯ 此據日本京都大學附屬圖書館所藏單疏本，參前註❷。

⓰ 「太學」單疏本原作「大覺」，「大」同「太」，「覺」當為「學」之誤，今改正。

⓱ 此即阮本題「周禮正義序」所包含之內容。

⓲ 浙東茶鹽司本於全書起首題「周禮疏卷第一」，次載自「夫天育烝民」至「此即官號沿革，粗而言也」及「序周禮廢興」二文。次卷首行復題「周禮疏卷第一」，次行接「天官冢宰第一」及疏文。由此觀之，浙本雖以此二文別出，然仍題「周禮疏卷第一」，未若他本題「周禮正義序」或「周禮疏序」，可見其承襲單疏之跡。

⓳ 如阮刻本於〈周易正義序〉後接題「周易正義卷第一」一行，次行云：「自此下分為八段」。阮元：《周易注疏挍勘記》云：「周易正義卷第一：閩、監、毛本同，錢本無此七字，但有八論二字。」（卷 1，頁 1）另八行本、單疏本相關之情況，參下所論。

遞修本」《周易注疏》於〈周易正義序〉後，題「八論」二字，[20]下云：

自此下分為八段

第一論易之三名

第二論重卦之人

第三論三代易名

第四論卦辭爻辭誰作

第五論分上下二篇

第六論夫子十翼

第七論傳易之人

第八論誰加經字

以下則從「第一論易之三名」至「第八論誰加經字」依次論之。此文之後，次即接「周易注疏卷第一」。此浙本《周易注疏》爲十三卷，清陳鱣〈跋〉云：

孔穎達等〈周易正義序〉云「十有四卷」，《新唐書·藝文志》及《郡齋讀書志》同，惟《直齋書錄解題》作十三卷，引《館閣書目》亦云「今本止十三卷」。按〈序〉所云「十有四卷」者，蓋兼《略例》一卷而言，若《正義》原本止十三卷。《舊唐書·經籍志》誤作十六卷，後皆作十卷，又為妄人所并也。（〈跋〉，頁1）

此爲陳鱣推測《周易正義》十三卷本與十四卷差異之原因。然考單疏宋監本《周

---

[20] 此據北京：中華書局，1988 年影本。版本名稱參李致忠：〈影印宋刻本《周易注疏》說明〉。

易正義》，㉑則知陳說之非。單疏本《周易正義》實爲十四卷，「八論」全部獨立爲一卷，題「周易正義卷第一」，無「八論」二字。卷一後接經文之疏，題「周易正義卷第二」。（參見書影四）傅增湘《藏園群書題記》〈宋監本周易正義跋〉云：

> 余得書之後，粗書披尋，取北監本校之，前四卷中，凡改定一百七十餘字。（中略）其關係最要者，即本書卷第是也。考孔穎達〈序〉云：「為之正義，凡十有四卷。」《舊唐書·志》及《郡齋讀書志》同。至《直齋書錄解題》乃作十三卷，且引《館閣書目》言：「今本只十三卷」。（中略）至陳仲魚得八行祖本，亦十三卷，乃為之說曰：「原本衹十三卷，今云十四卷者，殆兼《略例》一卷而言。」其說尤為差謬。蓋孔氏為王《注》作《正義》，於《略例》邢璹《注》未嘗加以詮釋，何緣併為一談？今以宋本觀之，第一為八論，第二〈乾〉，第三〈坤〉，以迄第十四為〈說卦〉、〈序卦〉、〈雜卦〉，則十四卷之次第完然具存，然後知朱、陳諸君所由懷疑不決者，可不煩言而解。㉒

案：傅說是也。依單疏本《周易正義》考之，其卷首爲「五經正義表」，㉓次「周易正義序」，下接「周易正義卷第一」，即以「八論」之內容爲卷一，卷二以下釋《周易》本文。由此觀之，「八論」之性質與〈周易正義序〉之性質當有別。蓋〈正義序〉歷言修撰所本及參與修撰者，以明其書修撰之背景及過程。「八論」則總論與易有關之內容及《周易》篇題諸事。㉔後者屬於總論之

㉑ 此據北平人文科學研究所，1935 年影印傅增湘雙鑑樓藏本。

㉒ 見《藏園群書題記》（上海：上海古籍出版社，1989 年），卷 1，頁 4。

㉓ 此為唐高宗永徽四年（653）《五經正義》勘定完成，長孫無忌等所上之表。單疏本《尚書正義》、《春秋正義》卷首亦皆有此表，唯二者並題「上五經正義表」。

㉔ 如「第一論易之三名」從鄭玄「易一名而含三義：易簡一也，變易二也，不易三也。」之

性質，與〈正義序〉當有差別，故單疏本以〈正義序〉列卷首，而以「八論」爲卷一也。

其次復考《禮記正義》之情形。阮元江西南昌府學刊本《禮記注疏》卷一「禮記」標題下有疏，疏文自「正義曰：夫禮者，經天地，理人倫」至「其後馬融、鄭玄之等，各有傳授，不復繁言也。」（卷1，頁1－4）然阮本此文另又重出，置於〈禮記正義序〉與卷一之間，文首標「禮記正義」四字。（參見書影五）阮元《禮記注疏挍勘記》校此重出之文云：

> 夫禮者經天地至不復繁言也：案此篇即「曲禮」二字下正義。《考文》㉕於「曲禮」二字下正義云：「正德、嘉靖二本以此一段㉖別題『禮記正義』四字，以在〈正義序〉後，亦為重複也。」指此篇。（卷1，頁1）

案：阮《挍》引山井鼎《七經孟子考文》之說，以爲此文不當重出，阮氏此說是也。然阮《挍》謂此文乃「曲禮」二字下正義，其說則有可商。今存《禮記正義》單疏本皆僅爲殘卷，㉗未得見卷首之情形。惟宋紹熙本《禮記正義》卷

說。「第二論重卦之人」引述諸家異說，後乃定從王弼之說，以為伏犧重卦。「第四論卦辭爻辭誰作」謂「驗此諸說，以為卦辭文王、爻辭周公，馬融、陸績等並同此說，今依而用之。」「第六論傳易之人」述孔子至王弼間易之傳授。「第八論誰加經字」云：「但《子夏傳》云：『雖分為上、下二篇，未有經字，經是後人所加，不知起自誰始。』案：前漢孟喜易本云分上、下二經，是孟喜以前已題經字。其篇題經字雖起於後，其稱經之理則久在於前。（下略）」可知其所論為與易及《周易》篇題有關之內容。

㉕ 此指山井鼎《七經孟子考文》，參《禮記注疏挍勘記》〈引據各本目錄〉。

㉖ 《七經孟子考文》原文「段」下有「疏」字，阮挍所引缺略。見《七經孟子考文、補遺·禮記》（日本：東都書林，享保十六年〔1731〕梓畢，寬政三年〔1791〕再補本），卷1頁2。

㉗ 今存者有日本昭和三年（1928）狩野教授還曆記念會影印東京岩崎男爵所藏卷子本單疏《禮記正義》殘卷，存卷五，四百餘行。又日本身延山久遠寺藏單疏《禮記正義》殘卷，存卷六十三至七十，共八卷，昭和五年（1930）東方文化學院影印行世。另吳興劉承幹嘉業堂刊有單疏《禮記正義》殘卷，存卷三及卷四（兩卷皆未全）。

數爲七十卷，且分卷情形與單疏本殘卷相符，㉘或可據以推考單疏本之面貌。

宋紹熙本《禮記正義》，卷首爲〈禮記正義序〉，次接「禮記正義卷第一」此卷之首二行題「國子祭酒上護軍曲阜縣開國子臣孔穎達等奉勅撰」，下即接「夫禮者，經天地，理人倫」至「不復繁言也」此文，㉙次接「曲禮上第一」，下即爲本經之疏文。（參見書影六）考此文當非「曲禮」篇題下之正義，《正義》另疏篇題「曲禮上第一」云：

> 第一者，《小爾雅》云：「第，次也。」呂靖云：「一者，數之始。」禮記者，一部之大名，曲禮者，當篇之小目，既題曲禮於上，故著禮記於下以配注耳。

案：《正義》所據標題當作「曲禮上第一禮記鄭氏注」，㉚故所釋如此。此處疏語前後語氣連貫，當無由插入「夫禮者經天地」一文。由此可知「夫禮者，

㉘ 如身延本單疏《禮記正義》殘卷卷六十三為〈緇衣〉「子曰：大人不親其所賢，而信其所賤」以下之疏；卷六十四為〈問喪〉、〈服問〉、〈間傳〉三篇之疏；卷六十五為〈三年問〉、〈深衣〉、〈投壺〉三篇之疏（以下省略不復繁舉）；分卷並與紹熙本《禮記正義》同。

㉙ 此據潘明訓影印宋紹熙本。又紹熙本此文之前未若阮本等標「禮記」二字。

㉚ 《正義》下文接云：「鄭氏者，姓鄭名玄，字康成，北海高密人。（中略）然鄭亦附盧、馬之本而為之注，注者即解書之名。但釋義之人多稱為傳，傳謂傳述為義，或親承聖旨，或師儒相傳，故云傳。今謂之注者，謙也，不敢傳授，直注己意而已。」此乃疏「鄭氏注」三字也。山井鼎《七經孟子考文》載古本標題「曲禮上第一禮記一鄭氏註」及足利本標題「曲禮上第一禮記鄭氏註」，下論云：「此二本以足利本為是也，古本禮記下加數目字，恐非舊文矣。其餘註疏本合刻《正義》時胡亂脩整，全失舊本之體矣。今惟《周禮》、《儀禮》卷端稍存其舊，而《禮記》全失，可謂妄作也。不如古本、足利本，則何以解疏中所謂『禮記者，一部之大名，曲禮者，當篇之小目，既題曲禮於上，故著禮記於下以配注耳』之語？卷首必存『曲禮上第一禮記鄭氏註』十字，而後疏意得通，而可謂鄭氏之舊矣。」（《禮記》，卷 1，頁 4）案：山井鼎之說是也。另有關古書之標題，參〔清〕盧文弨：《鍾山札記》（〔清〕乾隆 55 年〔1790〕抱經堂刻本），卷 3〈大題小題〉條。

經天地，理人倫」至「不復繁言也」一文必不如阮《挍》所謂爲「曲禮」下之正義也。

今考《禮記正義》此文之內容，其首論禮之起源，繼論唐、虞、夏、商皆當有其禮，次述周代之禮而論及《周禮》、《儀禮》、《禮記》三書之內容與傳授情形。然則此文與《周易正義》之「八論」性質相近，皆爲疏本經前之總論也。其首論禮之起源云：

> 夫禮者，經天地，理人倫，本其所起，在天地未分之前，故〈禮運〉云：「夫禮必本於大一。」是天地未分之前已有禮也。禮者理也，其用以治，則與天地俱興，故昭二十六年《左傳》稱晏子云：「禮之可以為國也久矣，與天地並。」但于時質略，物生則自然而有尊卑，若羊羔跪乳，鴻雁飛有行列，豈由教之者哉？是三才既判，尊卑自然而有。

案：此謂禮理起於天地未分之前，即〈禮運〉所云「禮必本於大一」也。㉛至於吉、凶、賓、軍、嘉五禮之初備，則下文續論云：

> 案：〈禮運〉云：「夫禮之初，始諸飲食，燔黍捭豚，蕢桴而土鼓。」又〈明堂位〉云：「土鼓葦籥，伊耆氏之樂。」又〈郊特牲〉云：「伊耆氏始為蜡。」蜡即田祭，與種穀相協，土鼓葦籥又與蕢桴土鼓相當。故熊氏云：「伊耆氏即神農也。」既云始諸飲食，致敬鬼神，則祭祀吉禮起於神農也。又《史記》云：「黃帝與蚩尤戰於涿鹿。」則有軍禮也。《易·繫辭·黃帝九事章》云：「古者葬諸中野。」則有凶禮也。又《論

㉛ 《正義》於下文云：「皇氏云：『禮有三起，禮理起於大一，禮事起於遂皇，禮名起於黃帝。』其禮理起於大一，其義通也；其禮事起於遂皇、禮名起於黃帝，其義乖也。」（卷1，頁2）「禮理」之說參此。

語撰考》云：「軒知地利，九牧倡教。」既有九州之牧，當有朝聘，是賓禮也。若然，自伏犧以後，至黃帝，吉、凶、賓、軍、嘉五禮始具。

此謂黃帝時五禮始具也。

《正義》於下文續論唐、虞、夏、商亦皆當有其禮，次乃述周代之禮而論及《周官》、《儀禮》、《禮記》三書。《正義》云：

武王沒後，成王幼弱，周公代之，攝政六年，致大平，述文武之德而制禮也。故〈洛誥〉云：「考朕昭子刑乃單父祖德。」又《禮記·明堂位》云：「周公攝政六年，制禮作樂，頒度量於天下。」但所制之禮則《周官》、《儀禮》也。鄭作〈序〉云：「禮者體也、履也。統之於心曰體，踐而行之曰履。」（中略）禮雖合訓體、履，則《周官》為體，《儀禮》為履。故鄭〈序〉又云：「然則三百、三千，雖混同為禮，至於並立俱陳，則曰：此經禮也，此曲禮也。或云：此經文也，此威儀也。」是《周禮》、《儀禮》有體、履之別也。（中略）（《儀禮》）今行於世者，唯十七篇而已，故《漢書·藝文志》云：「漢初高堂生傳《禮》十七篇」是也。至武帝時河間獻王得古《禮》五十六篇，獻王獻之。又《六藝論》云：「後得孔子壁中古文《禮》凡五十六篇，其十七篇與高堂生所傳同而字多異，其十七篇外，則逸《禮》是也」。（中略）其《周禮》，《六藝論》云：「《周官》壁中所得六篇。」《漢書》說河間獻王開獻書之路，得《周官》有五篇，失其〈冬官〉一篇，乃購千金不得，取〈考工記〉以補其闕。《漢書》云得五篇，《六藝論》云得其六篇，其文不同，未知孰是。其《禮記》之作，出自孔氏，但正禮殘缺，無復能明，故范武子不識殽烝，趙鞅及魯君謂儀為禮。至孔子沒後，七十二之徒，共撰所聞以為此記，或錄舊禮之義，或錄變禮所由，或兼記體、履，或雜序得失，故編而錄之以為記也。〈中庸〉是子思伋所作。〈緇衣〉，公孫尼子所撰。鄭康成云〈月令〉呂不韋所修。盧植云〈王制〉謂漢文時博士所錄。其餘眾篇，皆如此例，但未能盡知所記之人也。

案：此因釋《禮記》，乃兼及《周官》、《儀禮》，蓋以三者關係密切故也。然其重點仍在《禮記》，因此下文乃有「其《周禮》、《儀禮》、是《禮記》之書」[32]、「則此禮記是也」之語。此下復述三《禮》之傳承云：

其《周禮》、《儀禮》、是《禮記》之書，自漢以後，各有傳授。鄭君《六藝論》云：「案：《漢書》〈藝文志〉、〈儒林傳〉云傳《禮》者十三家，唯高堂生及五傳弟子戴德、戴聖名在也。」又案〈儒林傳〉云：「漢興，高堂生傳《禮》十七篇，而魯徐生善為容，孝文時，徐生以容為禮官大夫，瑕丘蕭奮以禮至淮陽太守。孟卿，東海人，事蕭奮，以授戴德、戴聖。」《六藝論》云「五傳弟子」者，熊氏云：則高堂生、蕭奮、孟卿、后倉、及戴德、戴聖為五也。此所傳皆《儀禮》也。《六藝論》云：「今禮行於世者，戴德、戴聖之學也。」又云：「戴德傳記八十五篇。」則《大戴禮》是也。「戴聖傳禮四十九篇。」則此《禮記》是也。〈儒林傳〉云：「大戴授琅邪徐氏，小戴授梁人橋仁字季卿、楊榮字子孫。仁為大鴻臚，家世傳業。」其《周官》者，始皇深惡之，至孝武帝時始開獻書之路，既出於山巖屋壁，復入祕府。五家之儒，莫得見焉。至孝成時，通人劉歆校理祕書，始得列序，著於《錄》、《略》。為眾儒排棄，歆獨識之，知是周公致太平之道。河南緱氏杜子春，永平

---

[32] 「是《禮記》之書」參下文所引。是者此也。阮元：《禮記注疏挍勘記》云：「其《周禮》《儀禮》是《禮記》之書：閩、監、毛本同。案：此『是禮記』之『是』，猶下『則此禮記是也』之『此』，非謂《周禮》、《儀禮》皆為《禮記》也。（下略）」（卷1，頁3）

時初能通其讀，鄭眾、賈逵往授業焉。其後馬融、鄭玄之等，各有傳授，不復繁言也。

此述三《禮》之傳授，並以之作結。

綜上所述，知《禮記正義》此文，乃《正義》釋本經前之總論，其於《禮記》之相關問題論之已詳，故篇題「禮記」下不復詳疏也。阮本一者於卷首〈正義序〉之後，重出此文，卷一此疏又置於「禮記」二字下，並未宜也。

比觀《周易正義》及《禮記正義》上述二文，當可更明《周禮疏》起首二文之內容性質。此二文，前者論「官號沿革」，後者述「《周禮》廢興」，總而言之，其當為疏《周禮》本經前之總論，如前述《禮記正義》卷一「夫禮者，經天地」至「不復繁言也」一文也。

其論「官號沿革」一文，起首云：

夫天育蒸民，無主則亂，立君治亂，事資賢輔。但天皇、地皇之日，無事安民。降至燧皇，方有臣矣。是以《易通卦驗》云：「天地成位，君臣道生，君有五期，輔有三名。」《注》云：「三名，公、卿、大夫。」又云：「燧皇始出，握機矩，表計寘，其刻曰，㉝蒼牙通靈，昌之成。孔演命，明道經。」《注》云：「燧皇謂人皇，㉞在伏羲前，風姓，始王天下者，斗機云㉟：所謂人皇九頭，兄弟九人，別長九州者也。」是政教君臣，起自人皇之世，至伏羲因之。故《文耀鉤》云：「伏羲，作易名官者也。」又案《論語撰考》云：「黃帝受地形，象天文，以制官。」

㉝ 曰原作日，據浦鏜：《周禮注疏正誤》、汪文臺：《十三經注疏校勘記識語》及池田秀三先生：〈周禮疏序譯注〉說改。

㉞ 燧上原有拒字，據阮元《校勘記》及池田秀三先生說刪。

㉟ 阮元：《校勘記》云：「斗機云：浦鏜云：疑作運斗樞。」（卷1，頁1）

伏義已前，雖有三名，未必具立官位，至黃帝名位乃具。是以《春秋》緯《命厤序》云有九頭紀，時有臣無官位尊卑之別。燧皇、伏義既有官，則其間九皇六十四民有官明矣。但無文字以知其官號也。

案：因《周禮》乃記載「設官分職」之書，㊱故此先論官號之起源及沿革。起首謂君臣之分，起自燧皇，然其時官位未具，至黃帝時，名位乃具也。此下復論「自少皞以上」、「顓頊及堯」、「唐虞」等之官號，末乃論夏、商、周三代云：

夏官百有二十，公卿大夫元士，具列其數。殷官二百四十，雖未具顯。案下〈曲禮〉云：六大、五官、六府、六工之等，鄭皆云殷法。至於屬官之號，亦蔑云焉。案：〈昏義〉云「三公九卿」者，六卿并三孤而言九，其三公又下兼六卿，故《書傳》云：「司徒公、司馬公、司空公。」各兼二卿。㊲案：〈顧命〉太保領冢宰，畢公領司馬，毛公領司空，別有芮伯為司徒，彤伯為宗伯，衛侯為司寇，則周時三公各兼一卿之職，與古異矣。但周監二代，郁郁乎文，所以象天立官，而官益備。此即官號沿革，粗而言也。

此文所論為官號之起源及沿革。下文「序周禮廢興」乃論《周禮》之廢興及傳授。因《周禮》與《儀禮》之關係密切，故述《周禮》之前，先述《儀禮》之

㊱ 《周禮》於〈天官〉、〈地官〉、〈春官〉、〈夏官〉、〈秋官〉諸官序官之首並云：「惟王建國，辨正方位，體國經野，設官分職，以為民極。」

㊲ 或以「各兼二卿」亦為《書傳》之語，然諸家所輯、校《尚書大傳》並至「司空公」止，今亦以此斷句。

傳授，㊳其下接論《周禮》云：

> 《周官》孝武之時始出，秘而不傳。《周禮》後出者，以其始皇特惡之故也。是以馬融《傳》云：「秦自孝公已下，用商君之法，其政酷烈，與《周官》相反，故始皇禁挾書，特疾惡，欲絕滅之。搜求焚燒之獨悉，是以隱藏百年。孝武帝始除挾書之律，開獻書之路。既出於山巖屋壁，復入于秘府，五家之儒，莫得見焉。至孝成皇帝，達才通人劉向子歆，校理秘書，始得列序，著于《錄》、《略》，然亡其〈冬官〉一篇，以〈考工記〉足之。時眾儒並出共排，以為非是，唯歆獨識。其年尚幼，務在廣覽博觀，又多銳精于《春秋》，末年乃知其周公致大平之迹，迹具在斯。奈遭天下倉卒，兵革並起，疾疫喪荒，弟子死喪，徒有里人河南緱氏杜子春尚在，永平之初，年具九十，家于南山，能通其讀，頗識其說。鄭眾、賈逵往受業焉。眾、逵洪雅博聞，又以經書記轉㊴相證明為解。逵解行於世，眾解不行，兼攬二家為備，多所遺闕。（中略）」又云：「至六十為武都守，郡小少事，乃述平生之志，著《易》、《尚書》、《詩》、《禮》傳皆訖。惟念前業未畢者唯《周官》，年六十有六，目瞑意倦，自力補之，謂之《周官傳》也。」

案：此處引馬融《周官傳·序》之文，旨在敘《周禮》秦時被搜焚獨悉之由與漢時重出、校理、及劉歆、杜子春、鄭眾、賈逵、馬融諸家傳授作注之情形。

㊳ 此與《禮記正義》「夫禮者，經天地，理人倫」至「不復繁言也」一文論《禮記》而兼及《周禮》、《儀禮》情形相似。

㊴ 阮元：《校勘記》云：「案：轉當作傳。」（卷 1，頁 2）池田秀三先生：〈周禮疏序譯注〉云：「阮元云：『轉當作傳。』案：經書記三字，文義未備，阮說似是。然『轉相』亦為常語（原注：例如注 42〈劉歆傳〉），轉字未必訛。勘案以上，今記之下補傳字。」（同注❾，頁 581）謹案：池田先生之說當可從。

賈疏引馬融此文，其下略有補說。文末復述鄭玄與《周禮》之關係云：

> 故鄭玄〈序〉云：「世祖以來，通人達士大中大夫鄭少贛名興及子大司農仲師名眾、故議郎衛次仲、侍中賈君景伯、南郡太守馬季長皆作《周禮》解詁。」又云：「玄竊觀二三君子之文章，顧省竹帛之浮辭，其所變易，灼然如晦之見明，其所彌縫，奄然如合符復析，⓴斯可謂雅達廣攬者也。然猶有參錯，同事相違，則就其原文字之聲類，考訓詁、捃祕逸。謂二鄭者，同宗之大儒，明理于典籍，觕識皇祖大經《周官》之義，存古字，發疑正讀，亦信多善；徒寡且約，用不顯傳于世。今讚而辨之，庶成此家世所訓也。」（中略）又云：「斯道也，文武所以綱紀周國，君臨天下，周公定之，致隆平龍鳳之瑞。」然則《周禮》起於成帝劉歆，而成于鄭玄，附離之者大半。故林孝存以為武帝知《周官》末世瀆亂不驗之書，故作十論、七難以排棄之；何休亦以為六國陰謀之書。唯有鄭玄徧覽群經，知《周禮》者乃周公致大平之迹，故能答林碩之論難，使《周禮》義得條通。故鄭氏傳曰：「玄以為括囊大典，㊶網羅眾家。」是以《周禮》大行，後王之法。《易》曰：「神而化之，存乎其人。」此之謂也。

案：此引鄭玄〈周禮序〉之文，以明鄭玄爲《周禮》作注之由。又稱揚鄭玄對

⓴ 〔清〕陳澧：《東塾讀書記·鄭學》（臺北：臺灣商務印書館，1968 年《國學基本叢書》本），卷 15，頁 228，疑「合符復析」當作「析符復合」。

㊶ 〔清〕臧庸：《拜經日記·序周禮廢興衍字》（拜經堂刊本），卷 9，頁 14－15 云：「（前略）又：『故鄭氏傳曰：玄（竇三案：玄原作元，今復原，下同）以為括囊大典，網羅眾家。』此引范氏《後漢書》鄭君傳贊耳，當云：『故鄭玄傳以為括囊大典，網羅眾家。』文有衍誤。」案：臧庸謂賈《疏》此乃引范曄《後漢書》〈鄭玄傳·贊〉之語，「贊」當為「論」。

《周禮》之貢獻，可謂推崇備至。此緣於《周禮》因鄭玄作《注》乃得大行，故特表彰其功也。

此二文，前者論官號之起源，後者述《周禮》之廢興，合而觀之，與前述《禮記正義》「夫禮者，經天地，理人倫」至「不復繁言也」一文之內容性質極爲相近也。㊷

由上所論，可知舊稱「周禮疏序」者，實應爲《周禮疏》釋本經前之總論，其不當列於卷一前之「卷首」，亦不宜視爲賈公彥之自序也。

三、「周禮疏序」與經疏間之違異

今存賈公彥所撰經疏有《儀禮疏》及《周禮疏》二書。㊸據〈儀禮疏序〉所述，其《儀禮疏》乃據黃慶、李孟悊二家之舊疏修撰而成。㊹然《周禮疏》因未見賈氏自述其修撰所本，故其與舊疏間之關係如何，固難的言。㊺今考《周

㊷ 《周禮疏》起首此二文，今所存單疏本中，已見其分為二部分，然就內容而言，二者應皆為總論之一體，此可由比觀《禮記正義》而知。《周禮疏》此分為二，是否如《周易正義》「八論」之分為八段而論之，抑或已失賈《疏》原貌，蓋難考之矣。

㊸ 《舊唐書·經籍志》及《新唐書·藝文志》除著錄賈公彥《儀禮疏》五十卷、《周禮疏》五十卷之外，《舊唐書》復著錄賈公彥《禮記疏》八十卷，《新唐書》復著錄賈公彥《禮記正義》八十卷。惟賈氏《禮記疏》今已佚。

㊹ 參前第一節所引。

㊺ 〔宋〕陳振孫：《直齋書錄解題·禮類》（上海：上海古籍出版社，1987 年點校本），卷 2，頁 44，錄「周禮疏五十卷」，解云：「（前略）《廣川藏書志》云公彥此疏據陳邵《異同評》及沈重《義疏》為之，二書並見《唐藝文志》，今不復存。」〔元〕馬端臨：《文獻通考·經籍考》（北京：中華書局，1986 年影印 1935 年商務印書館《十通》本），卷 181，頁 1557「周禮疏十二卷」下亦錄陳氏此說。董逌《廣川藏書志》之說，不知何所本。〔清〕孫詒讓：《周禮正義·略例十二凡》（北京：中華書局，1987 年點校本），頁 2 云：「賈疏蓋據沈重《義疏》重修。」〈自注〉云：「據馬端臨《文獻通考》引董逌說。《隋書·經籍志》載沈重《周官禮義疏》四十卷，與賈本卷帙並同，董說不為無據。唐修經疏大都沿襲六朝舊本。賈疏原出沈氏，全書絕無援引沈義，而其移改之跡，尚可推案。如〈載師〉疏引《孝經援神契》一節，本〈草人〉《注》『黃白宜以種禾之屬』句釋義，賈移入〈載師〉而忘刪其述《注》之文，是其證。至董氏謂賈兼據陳邵《周禮異同評》，

禮疏》起首論官沿革一文，所述有與經文之疏相違異者，其云：

> 案：〈明堂位〉云：「有虞氏官五十，夏后氏官百，殷二百，周三百。」鄭《注》云：「有虞氏官蓋六十，夏百二十，殷二百四十，周三百六十，不得如此記也。」〈昏義〉云：「三公九卿二十七大夫八十一元士。」鄭云：「蓋夏制。」依此差限，故不從《記》文。（中略）案：〈昏義〉云「三公九卿」者，六卿并三孤而言九，其三公又下兼六卿，故《書傳》云：「司徒公、司馬公、司空公。」各兼二卿。案：〈顧命〉太保領冢宰，畢公領司馬，毛公領司空，別有芮伯為司徒，彤伯為宗伯，衛侯為司寇，則周時三公各兼一卿之職，與古異矣。（下略）

案：賈疏於此處引《書傳》以釋〈昏義〉「三公九卿」之義，乃以《書傳》所云爲夏制。然〈地官司徒·序官〉：「鄉老，二鄉則公一人。」鄭《注》：「老，尊稱也。王置六鄉，則公有三人也。三公者，內與王論道，中參六官之事，外與六鄉之教，其要爲民，是以屬之鄉焉。」（卷9，頁2）賈《疏》釋《注》云：

> 云「中參六官之事」者，案：《書傳》云：「天子三公，一曰司徒公，二曰司馬公，三曰司空公。」彼《注》云：「《周禮》天子六卿，與大宰、司徒同職者則謂之司徒公，與宗伯、司馬同職者則謂之司馬公，與司寇、司空同職者則謂之司空公，一公兼二卿，舉下以為稱。」是其「中參六官之事」。（卷9，頁3）

則肊揣，不足據也。」案：《隋書·經籍志》載沈重《周官禮義疏》四十卷，兩《唐書》並載沈重《周禮義疏》四十卷，賈公彥《周禮疏》五十卷。孫詒讓謂沈重《周官禮義疏》四十卷，「與賈本卷帙並同」，其說恐未妥也。董逌之說，是否有據，尚難遽斷。惟賈氏《周禮疏》應有所本，參下文所論。

此處引《書傳》及鄭玄《書傳注》以解《周禮》鄭《注》所言三公「中參六官之事」之義，此以「一公兼二卿」爲周制，與前引論官號沿革一文所述「周時三公各兼一卿之職」顯有違異也。㊻據此違異現象推之，或兩者之中當有本諸舊疏者，而前後未加統一，致此扞格也。㊼

結　論

賈公彥《周禮疏》起首論官號沿革及「序周禮廢興」二文，諸本所題不一，學者或謂宜題爲「周禮疏序」。據以上所論，知單疏本此二文本在卷一之首，未加若「周禮正義序」、「周禮疏序」等標題，考其內容亦非賈公彥《周禮疏》之自序，故似不宜題爲「周禮疏序」也。又此二文與《周易正義》卷一之「八論」及《禮記正義》卷一「夫禮者，經天地，理人倫」至「不復繁言也」等文之性質相近，蓋皆爲其疏本經前之總論也。㊽

㊻　此違異之處，參池田秀三先生：〈周禮疏序譯注〉，同注❾，注 90。

㊼　類似之例亦可於《周易正義》中見之。考單疏本《周易正義》卷一「八論」之「第六論夫子十翼」中云：「其彖、象等十翼之辭，以為孔子所作，先儒更無異論。但數十翼亦有多家，既文王易經本分為上、下二篇，則區域各別，彖、象釋卦，亦當隨經而分。故一家數十翼云：『上彖一，下彖二，上象三，下象四，上繫五，下繫六，文言七，說卦八，序卦九，雜卦十。』鄭學之徒，並同此說，故今亦依之。」此明言依用鄭學之徒所數之十翼名稱及次第。然〈乾卦·象〉曰：「天行健，君子以自強不息。」《正義》釋云：「此大象也，十翼中之第三翼，總象一卦，故謂之大象。」又：「潛龍勿用，陽在下也。見龍在田，德施普也。終日乾乾，反復道也。」《正義》釋云：「自此以下至『盈不可久』，是夫子釋六爻之象辭，謂之小象。」此處《正義》以象分「大象」、「小象」，且以「大象」為十翼中之第三翼，與「八論」中所言「上象三，下象四」顯有異也。《周易正義》此現象正可與《周禮疏》比觀。

㊽　本文初稿嘗於 1997 年 1 月在京都大學人文科學研究所「中國的禮制與禮學」研究班上提出報告。會中承蒙班長小南一郎教授見教，小南教授以為：六朝義疏中有「發題」一類著作，《周禮疏》起首二文，其性質蓋近於「發題」。此教頗具啟發性，謹誌之以感念小南教授之高誼。

書影一　阮元刻本《周禮注疏》

周禮正義序

唐朝散大夫行太學博士弘文館學士臣賈公彥等奉

勑撰

夫天育蒸民無主則亂立君治亂事資
賢輔但天皇地皇之日無事安民降自
燧皇方有臣矣是以易通卦驗云天地
成位君臣道生君有五期輔有三名注
云三名公卿大夫又云燧皇始出握機
矩表計寘其刻曰蒼牙通靈昌之成孔
演命明道經注云拒燧皇謂人皇在伏
羲前風姓始王天下者斗機云所謂人
皇九頭兄弟九人別長九州者也是政
教君臣起自人皇之世至伏羲因之故
文耀鉤云伏羲作易名官者也又案論
語撰考云黃帝受地形象天文以制官
伏羲已前雖有三名未必具立官位至
黃帝名位乃具是以春秋緯命厤序云
有九頭紀時有臣無官位尊卑之別燧

皇伏羲既有官則其間九皇六十四民
有官明矣但無文字以知其官號也案
左傳昭十七年云秋郯子來朝公與之
宴昭子問焉曰少皞氏鳥名官何故也
杜氏注云少皞金天氏黃帝之子己姓
之祖也郯子曰吾祖也我知之昔者黃
帝氏以雲紀故爲雲師而雲名注云黃
帝軒轅氏姬姓之祖也黃帝受命有雲
瑞故以雲紀事百官師長皆以雲爲名
號縉雲氏蓋其一官也炎帝氏以火紀
故爲火師而火名注云炎帝神農氏姜
姓之祖也亦有火瑞以火紀事名百官
也共工氏以水紀故爲水師而水名注
云共工以諸侯霸有九州者在神農前
大皞後亦受水瑞以水名官也大皞氏
以龍紀故爲龍師而龍名注云大皞伏
羲氏風姓之祖也有龍瑞故以龍命官
也我高祖少皞摯之立也鳳鳥適至故

（中略）

阮元刻本《周禮注疏》

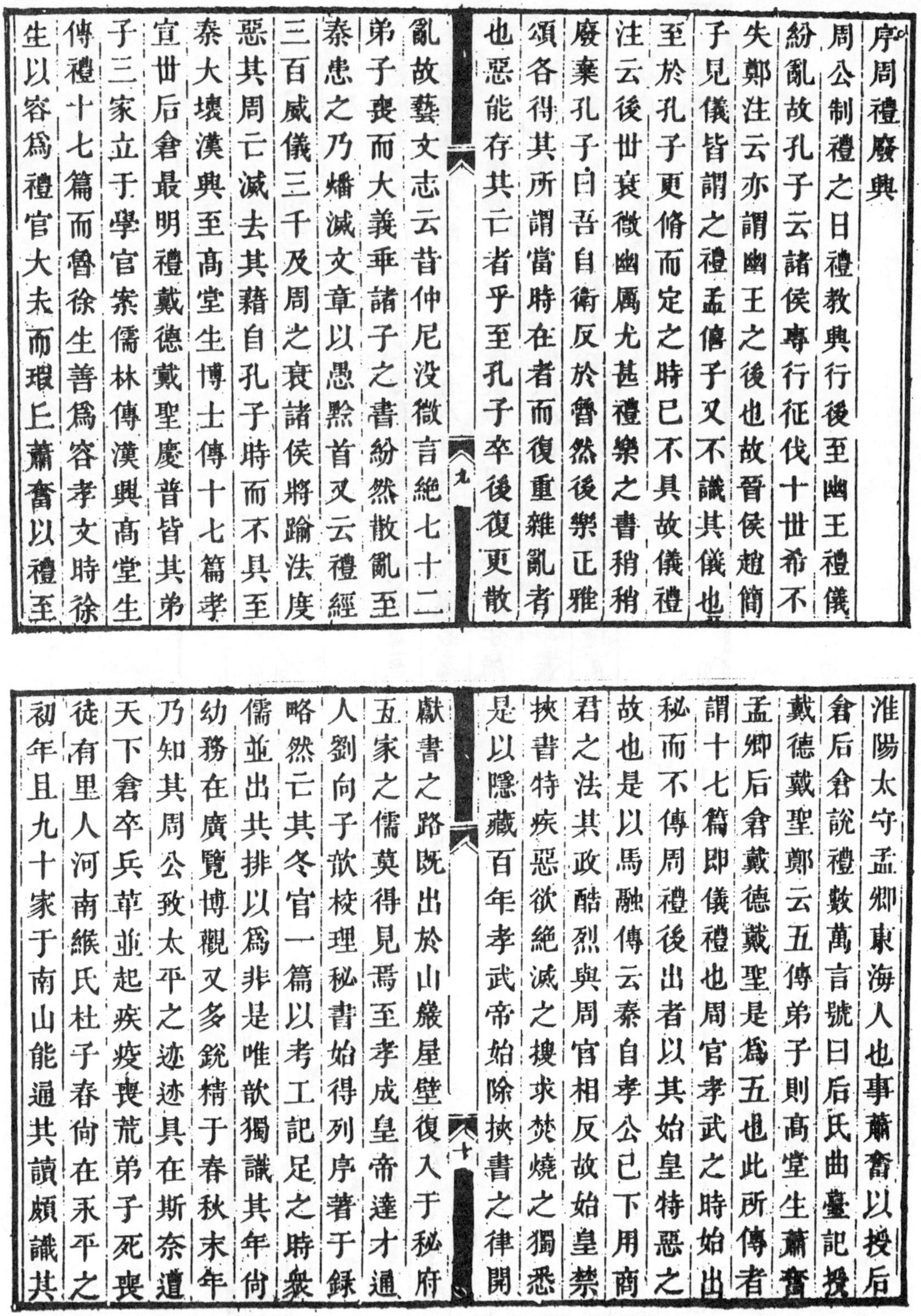
序周禮廢興
周公制禮之日禮教興行後至幽王禮儀
紛亂故孔子云諸侯專行征伐十世希不
失鄭注云亦謂幽王之後也故晉侯趙簡
子見儀皆謂之禮孟僖子又不識其儀也
至於孔子更脩而定之時已不具故儀禮
注云後世衰微幽厲尤甚禮樂之書稍稍
廢棄孔子曰吾自衛反於魯然後樂正雅
頌各得其所謂當時在者而復重雜亂者
也惡能存其亡者乎至孔子卒後復更散
九
亂故藝文志云昔仲尼沒微言絕七十二
弟子喪而大義乖諸子之書紛然散亂至
秦患之乃燔滅文章以愚黔首又云禮經
三百威儀三千及周之衰諸侯將踰法度
惡其周亡滅去其籍自孔子時而不具至
秦大壞漢興至高堂生博士傳十七篇孝
宣世后倉最明禮戴德戴聖慶普皆其弟
子三家立于學官案儒林傳漢興高堂生
傳禮十七篇而魯徐生善爲容孝文時徐
生以容爲禮官大夫而瑕丘蕭奮以禮至

淮陽太守孟卿東海人也事蕭奮以授后
倉后倉說禮數萬言號曰后氏曲臺記授
戴德戴聖鄭云五傳弟子則高堂生蕭奮
孟卿后倉戴德戴聖是爲五也此所傳者
謂十七篇即儀禮也周官孝武之時始出
秘而不傳周禮後出者以其始皇特惡之
故也是以馬融傳云秦自孝公已下用商
君之法其政酷烈與周官相反故始皇禁
挾書特疾惡欲絕滅之搜求焚燒之獨悉
是以隱藏百年孝武帝始除挾書之律開
十
獻書之路既出於山巖屋壁復入于秘府
五家之儒莫得見焉至孝成皇帝達才通
人劉向子歆校理秘書始得列序著于錄
略然亡其冬官一篇以考工記足之時衆
儒並出共排以爲非是唯歆獨識其年尚
幼務在廣覽博觀又多銳精于春秋末年
乃知其周公致太平之迹迹具在斯奈遭
天下倉卒兵革並起疾疫喪荒弟子死喪
徒有里人河南緱氏杜子春尚在永平之
初年且九十家于南山能通其讀頗識其

書影二　單疏本《周禮疏》

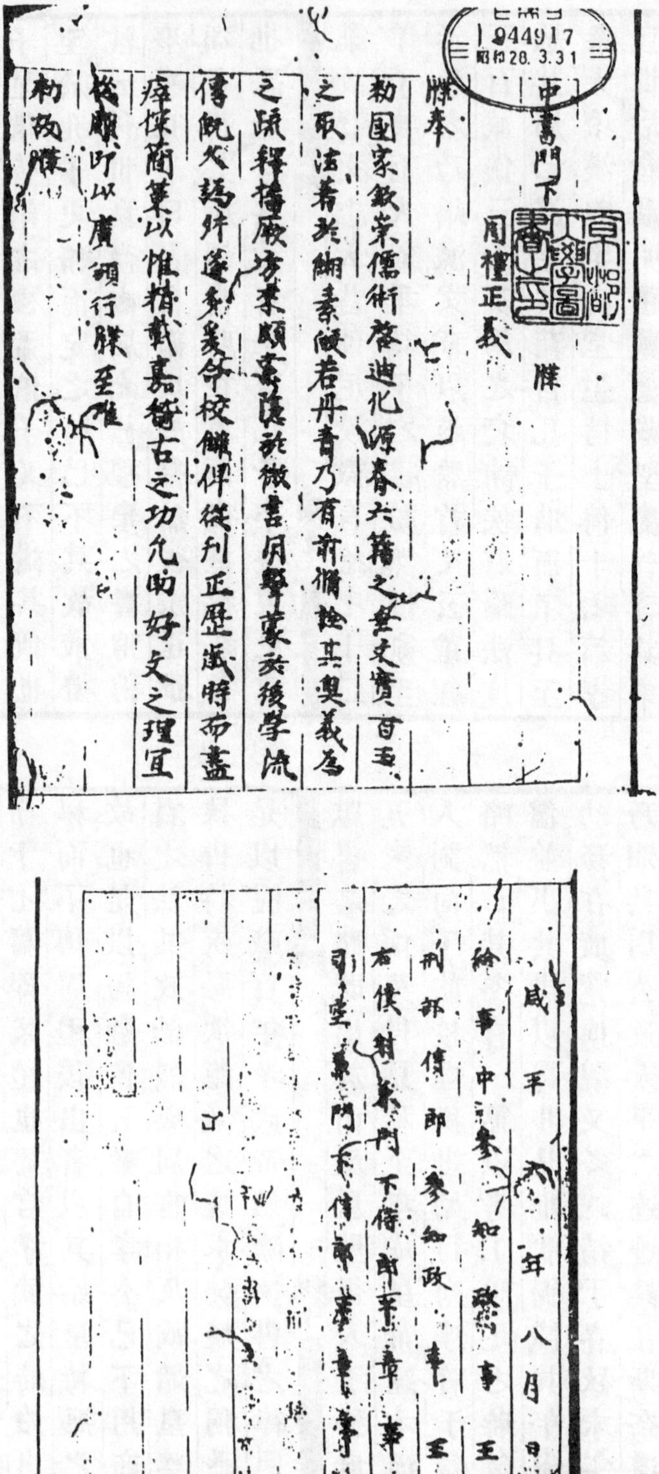
中書門下　牒
周禮正義
牒奉
勅國家欽崇儒術啓迪化源眷六籍之垂文實百王
之取法肴於緗素頗若丹青乃有前脩撰其奧義爲
之疏釋播厥方來顧巖隱於微言用擊蒙於後學流
傳既久踳舛遂多爰命校讎俾從刊正歷歲時而盡
痒除簡策以惟精載嘉稽古之功允助好文之理宜
依所印以廣頒行牒至准
勅故牒

咸平三年八月　日牒
給事中參知政事王
刑部侍郎參知政事王
右僕射兼門下侍郎平章事李
司空兼門下侍郎平章事呂

單疏本《周禮疏》

周礼疏卷第一
唐朝散大夫行太學博士弘文館學士臣賈公彥等撰
夫天育蒸民無主則亂立君治亂事資賢輔但天皇
地皇之日無事安民降自燧皇方有臣矣是以易通
卦驗云天地成位君臣道生君有五期輔有三名注
云三名公卿大夫又云燧皇始出握機矩表計寘其
刻日蒼牙通靈昌之成孔演命明道經注云指燧皇
謂人皇在伏羲前風姓始王天下者斗機云所謂人
皇九頭兄弟九人別長九州者也是燧皇君臣起自
人皇之世至伏羲因之故文耀鉤云伏羲作易名官

（中略）

義王暴棄曆義云三公九卿者天卿并三孤而言九
其三公又下兼六卿故書傳云司徒公司馬公司空
公各兼二卿案顧命大保領冢宰畢公領司馬毛公
領司空別有芮伯為司徒彤伯為宗伯衛侯為司寇
則周時三公各兼一卿之職與古異矣但周監二代
郁郁乎文所以象天立官而官益備此即官號沿革
興而言也
序周礼廢興　周公制礼之日礼教興行後至幽王
礼儀紛亂故孔子云諸侯專行征伐之世禮不失鄭
注云亦謂幽王之後也　故晉侯趙簡子見儀而謂之

千言又書之所作據時事為辭君臣相詰命之語作
周官之時周公又作立政上下之別正有六篇周礼
乃六篇文異數万終始辭句非書之類難以屬之時
有君奭得從諸又云斯道也文武所以綱紀周國
君臨天下周公定之致隆平龍鳳之瑞然則周礼起
於成帝劉歆而成于鄭玄附離之者大半故林孝存
以為武帝知周官末世瀆亂不驗之書故作十論七
難以排棄之何休亦以為六国陰謀之書唯有鄭玄
遍覽群經知周礼者乃周公致大平之迹故能荅林
碩之論難使周礼義得條通鄭氏傳曰玄以為括囊

（中略）

大典綱羅衆家是以周礼大行後王之法易曰神而
化之存乎其人此之謂也　天官冢宰鄭目錄云象
天所立之官冢大也宰者官也天者統理万物天子
立冢宰使掌邦治亦所以摠御衆官使不失職不言
司者大宰摠御衆官不主一官之事也　釋曰鄭云
象天者周天有三百六十餘度天官亦摠摂三百六
十官故云象天也云宦者亦是摠摂為號故題曰天
官也鄭又云冢大宰官也者下注對大宰則云冢有
大之上此不對大宰故云冢大也宰者調和膳羞之
名此冢宰亦能調和衆官故號大宰之官鄭又云不

書影三　阮元刻本《周易注疏》

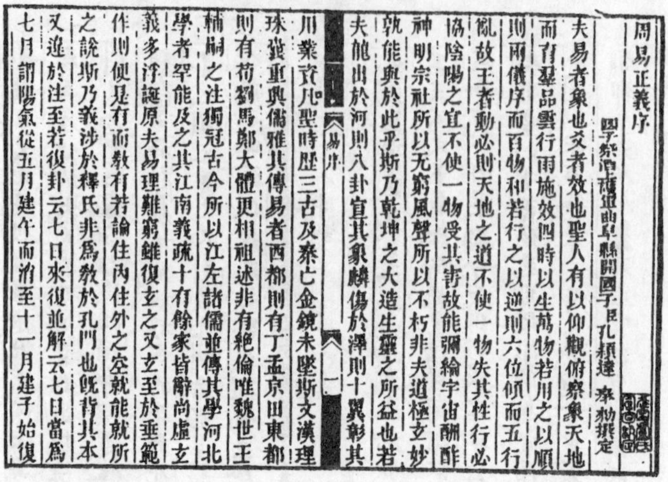
周易正義序
國子祭酒上護軍曲阜縣開國子臣孔穎達奉勅撰定
夫易者象也爻者效也聖人有以仰觀俯察象天地
而育羣品雲行雨施效四時以生萬物若用之以順
則兩儀序而百物和若行之以逆則六位傾而五行
亂故王者動必則天地之道不使一物失其性行必
協陰陽之宜不使一物受其害故能彌綸宇宙酬酢
神明宗社所以无窮風聲所以不朽非夫道極玄妙
孰能與於此乎斯乃乾坤之大造生靈之所益也若
夫龍出於河則八卦宜其象麟傷於澤則十翼彰其
易序　一
用業資凡聖時歷三古及秦亡金鏡未墜斯文漢理
珠囊重興儒雅其傳易者西都則有丁孟京田東都
則有荀劉馬鄭大體更相祖述非有絶倫唯魏世王
輔嗣之注獨冠古今所以江左諸儒並傳其學河北
學者罕能及之其江南義疏十有餘家皆辭尚虛玄
義多浮誕原夫易理難窮雖復玄之又玄至於垂範
作則便是有而教有若論住內住外之空就能就所
之說斯乃義涉於釋氏非為教於孔門也既背其本
又違於注至若復卦云七日來復並解云七日當為
七月謂陽氣從五月建午而消至十一月建子始復

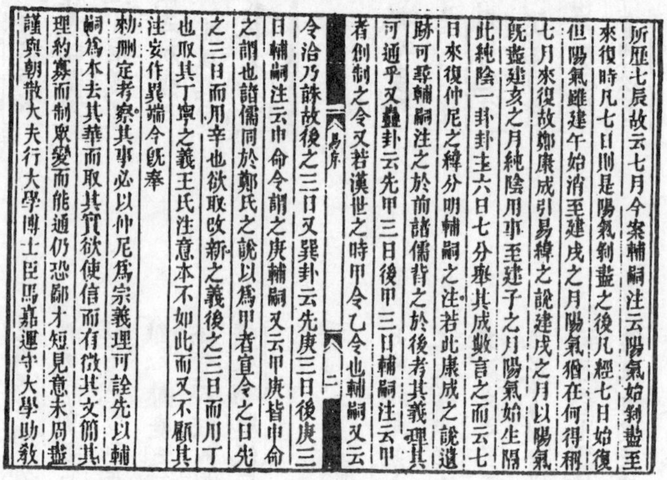
所歷七辰故云七月今案輔嗣注云陽氣始剝盡至
來復時凡七日則是陽氣剝盡之後凡經七日始復
但陽氣雖建午始消至建戌之月陽氣猶在何得稱
七月來復故鄭康成引易緯之說建戌之月以陽氣
既盡建亥之月純陰用事至建子之月陽氣始生隔
此純陰一卦卦主六日七分舉其成數言之而云七
日來復仲尼之緯分明輔嗣之注若此康成之說遺
迹可尋輔嗣注之於前諸儒背之於後考其義理其
可通乎又蠱卦云先甲三日後甲三日輔嗣注云甲
者創制之令又若漢世之時甲令乙令也輔嗣又云
易序　二
令洽乃誅故後之三日又巽卦云先庚三日後庚三
日輔嗣注云申命令謂之庚輔嗣又云甲庚皆申命
之謂也諸儒同於鄭氏之說以為甲者宜令之日先
之三日而用辛也欲取改新之義後之三日而用丁
也取其丁寧之義王氏注意本不如此而又不顧其
注妄作異端今既奉
勅刪定考察其事必以仲尼為宗義理可詮先以輔
嗣為本去其華而取其實欲使信而有徵其文簡其
理約寡而制衆變而能通仍恐鄙才短見意未周盡
謹與朝散大夫行大學博士臣馬嘉運守大學助教

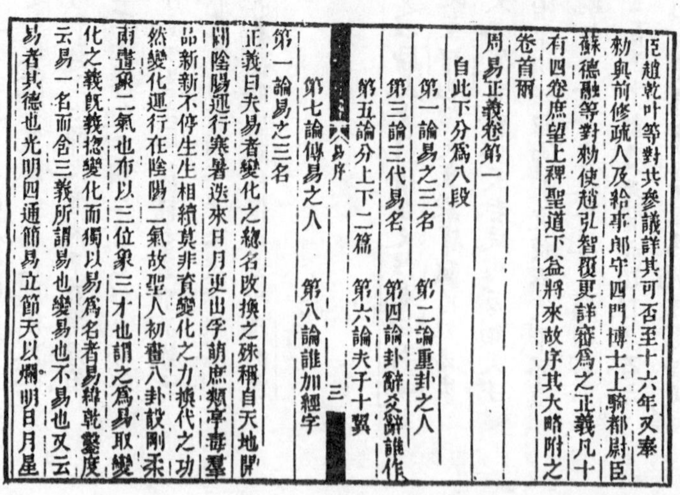
臣趙乾叶等對共參議詳其可否至十六年又奉
勅與前修疏人及給事郎守四門博士上騎都尉臣
蘇德融等對勅使趙弘智覆更詳審為之正義凡十
有四卷庶望上裨聖道下益將來故序其大略附之
卷首爾
周易正義卷第一
自此下分為八段
第一論易之三名　第二論重卦之人
第三論三代易名　第四論卦辭爻辭誰作
第五論分上下二篇　第六論夫子十翼
第七論傳易之人　第八論誰加經字
易序　三
第一論易之三名
正義曰夫易者變化之總名改換之殊稱自天地開
闢陰陽運行寒暑迭來日月更出孚萌庶類亭毒羣
品新新不停生生相續莫非資變化之力換代之功
然變化運行在陰陽二氣故聖人初畫八卦設剛柔
兩畫象二氣也布以三位象三才也謂之為易取變
化之義既義揔變化而獨以易為名者易緯乾鑿度
云易一名而含三義所謂易也變易也不易也又云
易者其德也光明四通簡易立節天以爛明日月星

書影四　單疏本《周易正義》

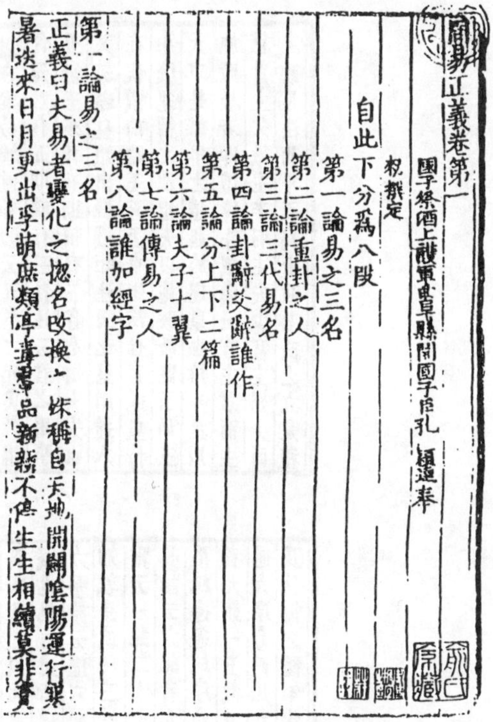

周易正義卷第一
國子祭酒上護軍曲阜縣開國子臣孔　穎達奉
勑撰定
自此下分爲八段
第一論易之三名
第二論重卦之人
第三論三代易名
第四論卦辭爻辭誰作
第五論分上下二篇
第六論夫子十翼
第七論傳易之人
第八論誰加經字
第一論易之三名
正義曰夫易者變化之總名改換之殊稱自天地開闢陰陽運行寒
暑迭來日月更出孚萌庶類亭毒羣品新新不停生生相續莫非資

變化之力換代之功然變化運行在陰陽二氣故聖人初畫八卦設
剛柔兩畫象二氣也布以三位象三才也謂之爲易取變化之義既
義總變化而獨以易爲名者易緯乾鑿度云易一名而含三義所謂
易也變易也不易也又云易者其德也光明四通簡易立節天以爛
明日月星辰布設張列通精无門藏神无穴不煩不擾澹泊不失此
其易也變易者其氣也天地不變不能通氣五行迭終四時更廢君
臣取象變節相移能消者息必專者敗此其變易也不易者其位也
天在上地在下君南面臣北面父坐子伏此其不易也鄭玄依此義
作易贊及易論云易一名而含三義易簡一也變易二也不易三也
故繫辭云乾坤其易之緼邪又云易之門戶邪又云夫乾確然示人
易矣夫坤隤然示人簡矣易則易知簡則易從此言其易簡之法則
也又云爲道也屢遷變動不居周流六虛上下无常剛柔相易不可
爲典要唯變所適此言順時變易出入移動者也又云天尊地卑乾
坤定矣卑高以陳貴賤位矣動靜有常剛柔斷矣此言其張設布列
不易者也崔覲劉貞　簡等並用此義云易者謂生生之德有易簡

之義不易者言天地定位不可相易變易者謂生生之道變而相續
皆以緯稱不煩不擾澹泊不失此明是易簡之義无爲之道故易者
易也作難易之音而周簡子云易者易也不易也變易也易者易
代之名凡有无相代彼此相易皆是易義不易者常體之名有常有
體无常无體是不易之義變易者相變改之名兩有相變此爲變易
張氏何氏並用此義云易者換代之名待奪之義因於乾鑿度云易
者其德也或沒而不論或云德者得也萬法相形皆得相易不顧緯
文不煩不擾之言所謂用其文而背其義何不思之甚故今之所用
同鄭康成等易者易也音爲難易之音義爲簡易之義得緯文之本
實也蓋易之三義唯在於有然有從无出理則包无故乾鑿度云夫
有形者生於无形則乾坤安從而生故有太易有太初有太始有太
素太易者未見氣也太初者氣之始也太始者形之始也太素者質
之始也氣形質具而未相離謂之渾沌渾沌者言萬物相渾沌而未
相離也視之不見聽之不聞循之不得故曰易也是知易理備包有
无而易象唯在於有者蓋以聖人作易本以垂教教之所備本備於

（中略）

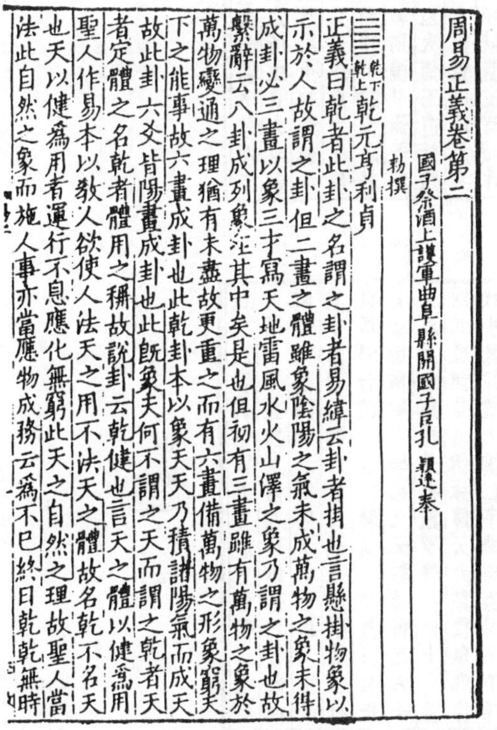

周易正義卷第二
國子祭酒上護軍曲阜縣開國子臣孔　穎達奉
勑撰
☰ 乾下乾上 乾元亨利貞
正義曰乾者此卦之名謂之卦者易緯云卦者掛也言懸掛物象以
示於人故謂之卦但二畫之體雖象陰陽之氣未成萬物之象未得
成卦必三畫以象三才寫天地雷風水火山澤之象乃謂之卦也故
繫辭云八卦成列象在其中矣是也但初有三畫雖有萬物之象於
萬物變通之理猶有未盡故更重之而有六畫備萬物之形象窮天
下之能事故六畫成卦也此乾卦本以象天天乃積諸陽氣而成天
故此卦六爻皆陽畫成卦也此既象天何不謂之天而謂之乾者天
者定體之名乾者體用之稱故說卦云乾健也言天之體以健爲用
聖人作易本以教人欲使人法天之用不法天之體故名乾不名天
也天以健爲用者運行不息應化無窮此天之自然之理故聖人當
法此自然之象而施人事亦當應物成務云爲不已終日乾乾無時

書影五　阮元刻本《禮記注疏》

禮記正義
夫禮者經天地理人倫本其所起在天地
未分之前故禮運云夫禮必本於大一是
天地未分之前已有禮也禮者理也其用
以治則與天地俱與故昭二十六年左傳
稱晏子云禮之可以爲國也久矣與天地
並但于時質略物生則自然而有尊卑若
羊羔跪乳鴻鴈飛有行列豈由教之者哉
是三才既判尊卑自然而有但天地初分
之後即應有君臣治國但年代緜遠無文
禮記序　五
以言案易緯通卦驗云天皇之先與乾曜
合元君有五期輔有三名注云君之用事
五行王亦有五期輔有三名公卿大夫也
又云遂皇始出握機矩注云遂皇謂遂人
在伏犧前始王天下也矩法也言遂皇持
斗機運轉之法指天以施政教既云始王
天下是尊卑之禮起於遂皇也持斗星以
施政教者即禮緯斗威儀云宮主君商主
臣角主父徵主子羽主夫少宮主婦少商
主政是法北斗而爲七政七政之立是禮

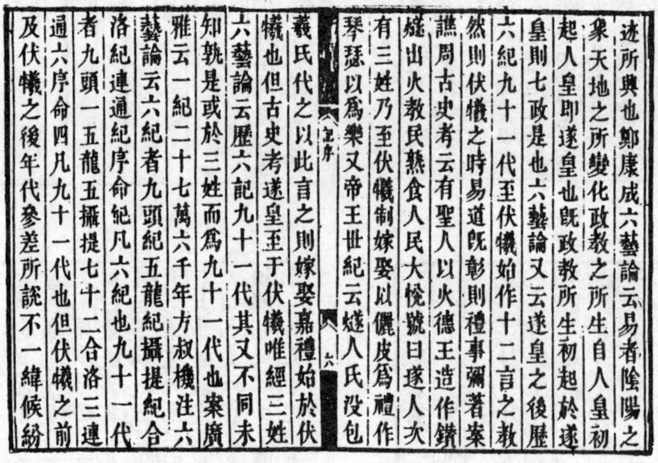
迹所興也鄭康成六藝論云易者陰陽之
象天地之所變化政教之所生自人皇初
起人皇即遂皇也既政教所生初起於遂
皇則七政是也六藝論又云遂皇之後歷
六紀九十一代至伏犧始作十二言之教
然則伏犧之時易道既彰則禮事彌著案
譙周古史考云有聖人以火德王造作鑽
燧出火教民熟食人民大悅號曰遂人次
有三姓乃至伏犧制嫁娶以儷皮爲禮作
琴瑟以爲樂又帝王世紀云燧人氏没包
禮記序　六
羲氏代之以此言之則嫁娶嘉禮始於伏
犧也但古史考遂皇至于伏犧唯經三姓
六藝論云歷六紀九十一代其又不同未
知孰是或於三姓而爲九十一代也案廣
雅云一紀二十七萬六千年方叔機注六
藝論云六紀者九頭紀五龍紀攝提紀合
洛紀連通紀序命紀凡六紀也九十一代
者九頭一五龍五攝提七十二合洛三連
通六序命四凡九十一代也但伏犧之前
及伏犧之後年代參差所說不一緯候紛

（中略）

徐生以容爲禮官大夫瑕丘蕭奮以禮至
淮陽太守孟卿東海人事蕭奮以授戴德
戴聖六藝論云五傳弟子者熊氏云則高
堂生蕭奮孟卿后倉及戴德戴聖爲五也
此所傳皆儀禮也六藝論云今禮行於世
者戴德戴聖之學也又云戴德傳記八十
五篇則大戴禮是也戴聖傳禮四十九篇
則此禮記是也儒林傳云大戴授瑯琊徐
氏小戴授梁人橋仁字季卿楊榮字子孫
仁爲大鴻臚家世傳業其周官者始皇深
禮記序　十三
惡之至孝武帝時始開獻書之路既出於
山巖屋壁復入祕府五家之儒莫得見焉
至孝成時通人劉歆校理祕書始得列序
著于錄略爲衆儒排棄歆獨識之知是周
公致太平之道河南緱氏杜子春永平時
初能通其讀鄭衆賈逵往授業焉其後馬
融鄭玄之等各有傳授不復繁言也

阮元刻本《禮記注疏》

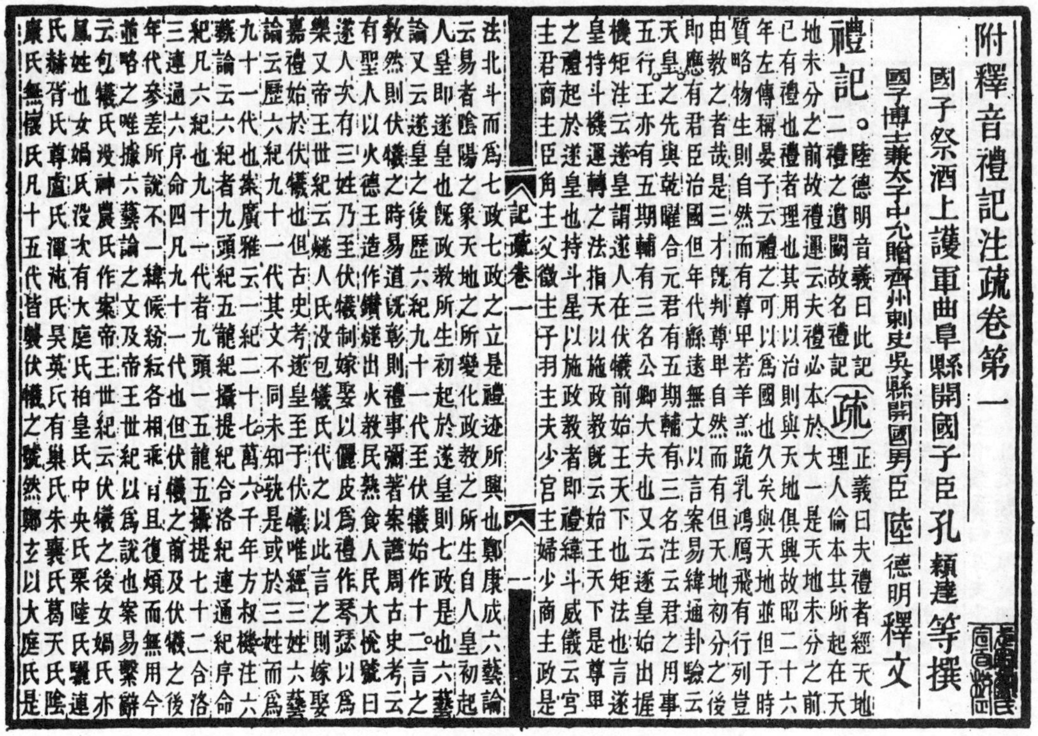
附釋音禮記注疏卷第一
國子祭酒上護軍曲阜縣開國子臣孔穎達等撰
國子博士兼太子中允贈齊州刺史吳縣開國男臣陸德明釋文
禮記。陸德明音義曰此記二禮之遺闕故名禮記【疏】正義曰夫禮者經天地理人倫本其所起在天
地未分之前故禮運云夫禮必本於大一是天地未分之前
已有禮也禮者理也其用以治則與天地俱興故昭二十六
年左傳稱晏子云禮之可以爲國也久矣與天地並但于時
質略物生則自然而有尊卑若羊羔跪乳鴻鴈飛有行列豈
由教之者哉是三才既判尊卑自然而有但天地初分之後
即應有君臣治國但年代綿遠無文以言案易緯通卦驗云
天皇之先與乾曜合元君有五期輔有三名注云君之用事
五行王亦有五期輔有三名公卿大夫也又云遂皇始出握
機矩注云遂皇謂遂人在伏犧前始王天下也矩法也言遂
皇持斗機運轉之法指天以施政教既云始王天下是尊卑
之禮起於遂皇也持斗星以施政教者即禮緯斗威儀云宮
主君商主臣角主父徵主子羽主夫少宮主婦少商主政是
記疏卷一 一
法北斗而爲七政七政之立是禮迹所興也鄭康成六藝論
云易者陰陽之象天地之所變化政教之所生自人皇初起
人皇即遂皇也既政教所生初起於遂皇則七政是也六藝
論又云遂皇之後歷六紀九十一代至伏犧始作十二言之
教然則伏犧之時易道既彰則禮事彌著案譙周古史考云
有聖人以火德王造作鑽燧出火教民熟食人民大悅號曰
遂人次有三姓乃至伏犧制嫁娶以儷皮爲禮作琴瑟以爲
樂又帝王世紀云燧人氏沒包犧氏代之以此言之則嫁娶
嘉禮始於伏犧也但古史考遂皇至于伏犧唯經三姓六藝
論云歷六紀九十一代其文不同未知孰是或於三姓而爲
九十一代也案廣雅云一紀二十七萬六千年方叔機注六
藝論云六紀者九頭紀五龍紀攝提紀合洛紀連通紀序命
紀凡六紀也九十一代者九頭一五龍五攝提七十二合洛
三連通六序命四凡九十一代也但伏犧之前及伏犧之後
年代參差所說不一緯候紛紜各相乖背且復煩而無用今
並略之唯據六藝論之文及帝王世紀以爲說也案易繫辭
云包犧氏沒神農氏作案帝王世紀云伏犧之後女媧氏亦
風姓也女媧氏沒次有大庭氏柏皇氏中央氏栗陸氏驪連
氏赫胥氏尊盧氏渾沌氏昊英氏有巢氏朱襄氏葛天氏陰
康氏無懷氏凡十五代皆襲伏犧之號然鄭玄以大庭氏是

書影六　宋紹熙本《禮記正義》

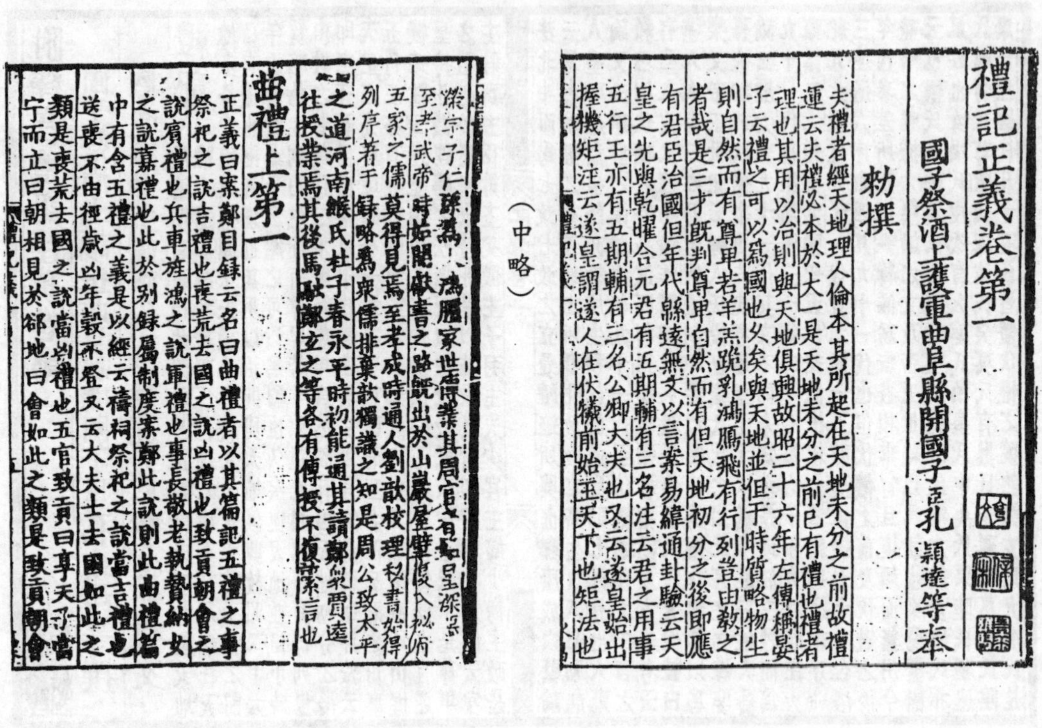

禮記正義卷第一

國子祭酒上護軍曲阜縣開國子臣孔穎達等奉

勑撰

夫禮者經天地理人倫本其所起在天地未分之前故禮運云夫禮必本於大一是天地未分之前已有禮也禮者理也其用以治則與天地俱興故昭二十六年左傳稱晏子云禮之可以為國也久矣與天地並但于時質略物生則自然而有尊卑若羊羔跪乳鴻鴈飛有行列豈由教之者哉是三才既判尊卑自然而有但天地初分之後即應有君臣治國但年代綿遠無文以言案易緯通卦驗云天皇之先與乾曜合元君有五期輔有三名注云君之用事五行王亦有五期輔有三名公卿大夫也又云遂皇始出握機矩注云遂皇謂遂人在伏犧前始王天下也矩法也

（中略）

滎宗子仁踐焉為鴈家世傳業其周官見有星孫宗至孝武帝時始開獻書之路旣出於山巖屋壁復入祕府五家之儒莫得見焉至孝成時通人劉歆校理秘書始得列序著于錄略為衆儒排棄歆獨識之知是周公致太平之道河南緱氏杜子春永平時初能通其讀鄭衆賈逵往授業焉其後馬融鄭玄之等各有傳授不復繁言也

曲禮上第一

正義曰案鄭目錄云名曰曲禮者以其篇記五禮之事祭祀之說吉禮也喪荒去國之說凶禮也致貢朝會之說賓禮也兵車旌鴻之說軍禮也事長敬老執贄納女之說嘉禮也此於別錄屬制度案鄭此說則此曲禮篇中有含五禮之義是以經云禱祠祭祀之說當吉禮也送喪不由徑歲凶年穀不登又云大夫士去國如此之類是喪荒去國之說當凶禮也五官致貢曰享天子當宁而立曰朝相見於郤地曰會如此之類是致貢朝會

《尊孟辨》及其學術意義

夏長樸*

提　要

《朱子文集》中收有〈讀余隱之尊孟辨〉一文，並且對這部書有相當不錯的評論，可見這部書頗受朱子的肯定。雖說如此，但長期以來，這部書始終湮沒不彰，並沒有得到學者的重視卻是事實。有鑑於這部書在宋代孟子學復興過程中具有特殊的意義，並且對於討論非孟與尊孟意見的差異具有一定的參考價值，因此筆者以《尊孟辨》一書為研究對象，對其做了較深入的探討。

在討論本題時，主要集中在三個方面：（一）、《尊孟辨》的編撰動機，（二）、《尊孟辨》的主要內容與問題重點，（三）、《尊孟辨》的學術價值。透過上述重點的討論，可以確定這部書不僅保存了蘇軾《論語說》與鄭厚《藝圃折衷》等有關非孟的重要資料，同時在孟學復興的過程中扮演過關鍵的角色，起過一定的作用，的確具有相當的學術價值，值得予以重視。

一、前　言

在宋代孟子學復興的過程中，有一個奇異的現象，那就是疑孟反孟的作品相當多，站在尊孟的立場爲孟子辯護的作品卻相當少。疑孟反孟的著作中，除了爲人熟知的李覯的《常語》、司馬光的《疑孟》、鄭厚的《藝圃折衷》等作

---

*　國立臺灣大學中國文學系教授。

品之外，其他揭舉反孟旗幟的著作不在少數，如：北宋馮休的《刪孟》、❶何涉的《刪孟》、陳次公的〈述常語〉、傅野的〈述常語〉、劉敞（原父）的〈明舜〉、張俞的〈論韓愈稱孟子功不在禹下〉、劉恕（道原）的〈資治通鑑外紀〉、晁說之（以道）的〈奏審皇太子讀孟子〉等，❷他如南宋李著的《楚澤叢語》、❸葉適的《習學記言序目》、黃次伋的《評孟》等，也都對孟子其人其書持批判的態度。這些作品雖不出於一人之手，但疑孟反孟的態度卻是堅定一致，立場極爲鮮明。可見反孟的學者不僅不在少數，而且勇於表達自己的看法。相較於此，尊孟的學者雖不少，也極力推崇孟子，但他們除了註解《孟子》而外，❹似乎並未考慮到應該出面，爲支持孟子而辯。至於願意挺身而出，針對反孟言論加以批駁的，則有如鳳毛麟角，少之又少。就筆者目前所知，似只有胡宏的〈釋疑孟〉、❺張九成的《孟子傳》❻及余允文的《尊孟辨》而已。胡宏的〈釋

---

❶ 見〔宋〕晁公武：《郡齋讀書志·解題》（臺北：臺灣商務印書館，1968 年《國學基本叢書》本），卷3。

❷ 以上所述蓋據〔宋〕邵伯溫：《邵氏聞見後錄》（北京：中華書局，1997 年《唐宋史料筆記》本），卷 11－13，頁 81－106。案：晁說之（以道）〈奏審皇太子讀孟子〉一文，晁氏：《嵩山文集》（臺北：臺灣商務印書館，1981 年《四部叢刊廣編》本），卷 3，頁 66，作〈奏審覆皇太子所讀孝經論語爾雅荀子〉，二文內容全同，惟標題有異。

❸ 見〔宋〕陳振孫：《直齋書錄解題》（臺北：臺灣商務印書館，1968 年《國學基本叢書》本），卷 10，頁 302，《楚澤叢語》解題云：「右迪功郎李著吉先撰。不知何人作，其書專闢孟子，紹興中撰進。大意以為王氏之學出於孟氏，然王氏信有罪矣，孟氏何與焉？此論殆得於晁景迂之微意。」

❹ 晁公武：《郡齋讀書志》，同注❶，卷 3 上，著錄有張載的《橫渠孟子解》十四卷、范祖禹等五人的《五臣解孟子》十四卷；趙希弁：《昭德先生郡齋讀書志·後志》，同注❶，卷 2，著錄有程頤的《伊川孟子解》十四卷，又有王安石《孟子解》十四卷、王雱《孟子解》十四卷、許允成《孟子解》十四卷，解題云：「右皇朝王安石介甫素喜《孟子》，自為之解，其子雱與其門人許允成皆有注釋，崇、觀間場屋舉子宗之。」除了上述諸人作品外，《宋史·藝文志》的著錄也不少，可見僅只北宋就有相當多的《孟子》註解。

❺ 〔宋〕胡宏：《五峰集》（臺北：臺灣商務印書館，1986 年影印文淵閣《四庫全書》本），卷 5，總頁 250－255。又《胡宏集》（北京：中華書局，1987 年點校本），頁 318－327。

疑孟〉一文，就形式而言，係專對司馬光〈疑孟〉而發，但內容過於簡要，僅標舉若干要旨，稍作申說，且多半點到為止，未能暢所欲言，辯解的效果不是很大。❼至於張九成的《孟子傳》一書，《四庫全書總目·孟子傳提要》的作者認為是針對當時學者疑孟反孟而作，❽書中的確也有若干針對非孟疑孟而發的言論，❾但前人已經指出，是書之作，主要是為熙寧、元祐時事而發，重點不在為孟子鳴不平。❿如此說來，專就反孟諸作提出駁斥意見的，事實上只有

---

❻ 趙希弁：《昭德先生郡齋讀書志·附志》，同注❶，卷5上，著錄張九成《孟子解》三十六卷，陳振孫：《直齋書錄解題》，同注❸，卷3，著錄張九成《孟子解》十四卷，〔元〕馬端臨：《文獻通考·經籍考》（北京：中華書局，1991年影本），卷11、〔清〕朱彝尊：《經義考》（臺北：臺灣中華書局，1979年《四部備要》本），卷234，著錄張無垢《孟子解》十四卷；《橫浦先生文集》卷首所附張容〈橫浦先生家傳〉則有《孟子說》十四卷；《四庫全書》收錄張九成《孟子傳》二十九卷，商務印書館《四部叢刊·廣編》影印吳縣滂熹齋藏宋刊本則作《張狀元孟子傳》二十九卷。蔣秋華〈論張九成孟子傳中的義利觀〉比較異同，以為書名當從宋刊本及《四庫全書》，作《孟子傳》為是。其說有理，今從之。蔣文收在《孟子思想的歷史發展》（臺北：中央研究院中國文哲研究所籌備處，1985年），頁153－190。

❼ 對於胡宏的〈釋疑孟〉，朱熹就極為不滿，他說：「五峰辨《疑孟》之說，周遮全不分曉。若是恁地分疏《孟子》，劃地沈淪，不能得出世。」語見《朱子語類》（臺北：文津出版社，1986年影印北京中華書局本），卷101，頁2594；又同書卷29，頁735。

❽ 《欽定四庫全書總目》（整理本）（北京：中華書局，1997年）張九成《孟子傳·提要》云：「惟註是書，則以當時馮休作《刪孟子》，李覯作《常語》，司馬光作《疑孟》，晁說之作《詆孟》，鄭厚叔（點校者案：鄭厚叔，當作鄭厚，字叔友，見朱熹《文集》）作《藝圃折衷》，皆以排斥孟子為事，故特發明於義利經權之辨，著孟子尊王賤霸有大功，撥亂反正有大用。……故其言亦切近事理，無由旁涉於空寂，在九成諸著作中，此為最醇。」（卷35，頁293上）

❾ 如張九成云：「孟子識見高遠，直與當時後世所見絕不同，此所以非、所以疑、所以詈。當年如陳臻、屋廬子、淳于髡之徒，後世如荀卿、司馬公、李泰伯之徒，近日如鄭厚之徒，自信者或至於譏，忠厚者或至於疑，忿疾者或幾於罵矣。」見《孟子傳》（臺北：臺灣商務印書館，1986年影印文淵閣《四庫全書》本），卷9/11b-12a/330-331/冊196。

❿ 近人張元濟在商務印書館影印《張狀元孟子傳》的〈跋文〉中即說：「元祐更新，老臣柄國，用人行政，盡反熙、豐之所為，不以至誠相感，而惟意氣是尚；於是紹述之議起，朋黨之禍成，內爭不息，外患乘之，而宋室亦從此不振。公生其時，追惟禍始，思為懲前毖後之計，著為是書，以為謀國者告。……其言之深切，意之懇摯，何莫非為熙寧、元祐兩

《尊孟辨》一書而已。也就因爲這種獨特性，在探討宋代孟學復興過程時，《尊孟辨》這部書自然具有相當的價值，值得作進一步的討論。可惜的是，長久以來，這部書始終沒有受到學界的重視，除少數一二學者外，⓫幾乎沒有人將其當作研究的對象，這可以說是相當可惜的一件事。此次筆者不揣淺陋，對這部久遭忽視的著作進行一些探討，用意不僅在彌補這個缺陷，更希望藉著這次討論，對宋代反孟與尊孟學者爭議的具體內涵，有更完整且清楚的了解。

二、《尊孟辨》的編撰動機及其相關問題

《尊孟辨》的作者余允文，字隱之，南宋建安人。生卒年不詳，該書自序署「隆興元年（西元 1163）」、〈續辨序〉署「乾道八年（西元 1172）」，隆興、乾道都是宋孝宗的年號，則余氏當是南宋初人，與朱熹（西元 1130－1200）大約同時。⓬

陳振孫《直齋書錄解題》著錄《尊孟辨》五卷《續辨》二卷，⓭《四庫全書總目》則著錄《尊孟辨》三卷《續辨》二卷《別錄》一卷。兩者卷數明顯不同，《提要》卻謂：「陳振孫《直齋書錄解題》載是書，卷數與今本合。」頗令人不解。對於此一差異現象，崔富章《四庫提要補正》的看法是：「四庫館

朝時事而發。吾知安石聞之，固必身自愧悔，即文、富、韓、呂、歐陽、司馬諸賢，亦豈有不爽然自失者也？馮休、李覯、晁說之、鄭厚叔輩，當時以排斥孟子為事，公固不能默爾而息，然必謂是書之作，專為孟子鳴不平，又豈能以意逆志者耶？」見張元濟：《涉園序跋集錄·張狀元孟子傳》（臺北：臺灣商務印書館，1979 年），頁 24。

⓫ 就筆者所知，以《尊孟辨》為研究對象的，只有日本學者近藤正則：〈讀余隱之尊孟辯に見える朱子の孟子不尊周への對應〉，《日本中國學會報》第 33 集，頁 101－115 一文，但近藤該文的重點在探討朱子對孟子不尊周的看法，並非以《尊孟辨》本身為研究對象。

⓬ 參看〔日本〕市川安司：〈朱子文集に見える李覯の常語について〉，《東京支那學報》第 1 號。

⓭ 見陳振孫：《直齋書錄解題》云：「建安余允文隱之撰。以司馬公有《疑孟》，及李遘（覯）泰伯《常語》、鄭厚叔友《折衷》，皆有非孟之言，故辨之，為五卷。後二卷則王充《論衡·刺孟》，及東坡《論語說》中與孟子異者，亦辨焉。」同注❸，卷 9。

嘗採進吳玉墀家藏寫本一冊，內容爲辨司馬光、《史剡》、李覯、鄭厚諸條，《浙江採集遺書總錄》著錄爲五卷，注明尚缺後二卷（原注：《續辨》）。《提要》稱『陳振孫《直齋書錄解題》載是書，卷數與今本合』，『今本』或爲浙江進呈《尊孟辨》五卷，館臣約略篇頁改爲三卷耳。誠如是，則分卷不同，內容實無殊也。」⓮崔氏所謂「浙江進呈《尊孟辨》五卷，館臣約略篇頁改爲三卷」，由於沒有其他的佐證，此說僅能做爲參考。至於原本殘缺的《續辨》部份，《四庫》館臣取《永樂大典》所存以補完。⓯但《四庫全書總目》在篇題下標注「《永樂大典》本」，則與事實不完全相符。《尊孟辨》自明中葉後已無完本，今存各本如《守山閣叢書》本、《叢書集成》本，都由《四庫》本出。

何以會編撰《尊孟辨》這麼一部書？余允文在〈自序〉中說：

> 道之不明久矣，辨其可已乎！昔戰國有孟軻氏，願學孔子，術儒術，道王道，言稱堯舜，辭闢楊墨，倡天下以仁義。聖人之道，蝕而復明，孟子力也。孟氏沒，斯道將晦，七篇之書，幸免秦火。後之讀其書者，雖於時措之宜未能盡識，至其翕然稱曰「孔孟」，豈可厚誣天下後世，以為無真儒無公議哉？噫！道同則相知，道不同則不相知。……本朝先正司馬溫公，與夫李君泰伯、鄭君叔友，皆一時名儒，意其交臂孟氏而篤信其書矣。溫公則疑而不敢非；泰伯非之，而近於詆；叔友詆之，而逮乎罵。……伊川程先生謂：「孟子有泰山巖巖之氣象」。乃知非而詆、詆而罵者，殆猶煙霧翁興，時焉蔽之耳，何損於巖巖？余懼世之學者，隨波逐流，蕩其心術，仁義之道益泯。於是取三家之說，折以公議而辨之，非敢必人之信，姑以自信而已。命之曰《尊孟辨》，俟有道者，就

⓮ 崔富章：《四庫提要補正》（杭州：杭州大學出版社，1990 年），頁 232－234。

⓯ 《四庫全書簡明目錄》（臺北：世界書局，1975 年影印本）云：「原本殘缺，今從《永樂大典》補完。」

而正焉。⓰

從文中引用程伊川（頤）的言論來看，余允文的學術立場似乎比較接近理學，也和一般理學家一樣，肯定孟子，並且同意韓愈以孟子上承孔子的主張。基於「辨以明道」的心理，他一再強調孟子所謂「時措之宜」的必要，不僅批評了疑孟的司馬光、非孟的李覯（泰伯）與詆孟的鄭厚，同時也在《尊孟續辨》中，補充批評了王充與蘇軾。究其動機，無非在效法孟子力闢楊墨捍衛聖人之學的精神，以衛道明道為己任。余允文在這裡刻意揭舉後儒「雖於時措之宜未能盡識」，卻「翕然稱曰『孔孟』」，並非隨口稱說，其中實有所指。這因為南、北宋之交，以反孟出名的大學者晁說之，正是極力反對孔孟並稱的一人。晁說之在其《儒言》一書的「孔孟」條即說：「孔孟之稱誰倡之者？漢儒猶未之有也。既不知尊孔子，是亦孟子之志歟？其學卒雜於異端，而以為孔子之儷者，亦不一人也，豈特孟子而可哉？如知《春秋》一王之制者，必不使其教有二上也。世有『荀孟』之稱，荀卿詆孟子『僻違而無類，幽隱而無統，閉約而不解』。未免為諸子之徒，尚何配聖哉？」⓱晁氏私淑司馬光，自號景迂生，可見他對司馬光是相當的崇拜。由於崇拜司馬光，進而深受司馬光疑孟的影響，因此形成他激烈的反孟態度。晁氏上述言論是否合理姑且不論，但他極不贊成「孔孟」並稱，卻是不爭的具體事實。《儒言》自署完成於「玄黓執徐仲秋己丑」，也就是宋徽宗政和二年（西元 1112 年）秋天，早於《尊孟辨》五十一年，余允文應該可以見到，因而會有上述的感慨。

除了晁說之的《儒言》以外，促使余允文編寫《尊孟辨》的另一個可能因素，就是邵博的《邵氏聞見後錄》。《邵氏聞見後錄》出現在《尊孟辨》之前，

⓰ 〔宋〕余允文：《尊孟辨·原序》（臺北：臺灣商務印書館，1986 年影印文淵閣《四庫全書》本），頁 1a-2a/518-519/冊 196。

⓱ 〔宋〕晁說之：《嵩山文集·儒言》，同注❷，卷 13，總頁 250「孔孟」條。

雖未明標非孟，事實上卻是一部不折不扣的反孟專著。《聞見後錄》卷十一至卷十三所收的反孟文獻有三卷之多，全錄了《荀子·非十二子》以下至晁說之〈奏審皇太子讀孟子〉等疑孟刺孟非孟的言論，並在前言中說：「後漢王充有〈刺孟〉，近代何涉有〈刪孟〉，文繁不錄。王充〈刺孟〉出《論衡》，韓退之贊其『閉門潛思，《論衡》以修』矣。則退之於孟子『醇乎醇』之論，亦或不然也。」⓲言辭雖隱約，反孟的立場卻堅定清楚。如此說來，《邵氏聞見後錄》雖無反孟之名，實際上卻是反孟批孟的資料彙編，在宋代孟學振興的思潮下，它扮演著反對此一學術發展的重要角色。

《聞見後錄》據邵博自序，完成於高宗紹興二十七年（西元 1157 年）三月，次年邵博即去世。《尊孟辨》則成於孝宗隆興元年（西元 1163 年），較諸《聞見後錄》，成書時間整整晚了六年，《續辨》成書的時間則更晚。就此而言，余允文的《尊孟辨》似乎有與《聞見後錄》針鋒相對的姿態，這個問題以往並沒有學者注意到。雖說余允文的〈尊孟辨序〉與〈尊孟續辨序〉並未提及邵博或《邵氏聞見後錄》，但這並不表示他沒有可能見到《邵氏聞見後錄》。我們就兩書成書時間相近，論述的觀點與立場恰恰相反這一客觀事實來看，《尊孟辨》之作，是針對《邵氏聞見後錄》而來的可能性極大。如果這個推測不誤的話，《邵氏聞見後錄》的出現，應是促使余允文編撰《尊孟辨》的主要誘因。至於《四庫全書總目》所謂：「允文此書，其亦窺伺意旨，迎合風氣而作，非眞能闢邪衛道者歟！」⓳其依據仍待商榷，以此論斷，證據似有不足，且有因

⓲ 《邵氏聞見後錄》，同注❷，卷 11，頁 81。

⓳ 《四庫全書總目·尊孟辨提要》（整理本），同注❽，卷 35，總頁 461。案：《提要》據《朱子文集》所載〈與劉共父書〉，謂允文「蓋武斷於鄉里者，其人品殊不足重。」又據周密《癸辛雜識》所載晁說之著論非孟子，為宋高宗所黜。謂余允文撰著《尊孟辨》，有諂媚高宗之嫌。

人廢言之嫌，⑳此處暫且存而不論。

三、《尊孟辨》所呈現的反孟與尊孟的爭議

今本《尊孟辨》的內容，《四庫全書總目》據《永樂大典》所載，謂：「凡辨司馬光《疑孟》者十一條，附《史剡》一條；辨李覯《常語》者十七條；鄭厚叔（今案：『叔』字衍文）《藝圃折衷》者十條。《續辨》則辨王充《論衡·刺孟》者十條，辨蘇軾《論語說》者八條。此後又有〈原孟〉三篇，總括大意，以反覆申明之。」㉑就此而言，除王充《論衡·刺孟》不計外，允文此書已將宋代反孟學者主要著作網羅殆盡。再就其著作形式而言，先條列疑孟反孟言論，再置余氏辯解於後，既便參照，眉目亦清楚分明，對於問題的掌握比較容易。這種著作方式充分顯示余允文擁護孟子、爲孟子而辯的明顯意圖，如果再把《邵氏聞見後錄》出現在先的因素也考慮進去，那麼進一步將是書的編撰解釋爲捍衛孟子甚或爲孟子而戰，應該是合理的推測。

就《尊孟辨》所收錄的四十七條資料來看，司馬光、李覯、鄭厚、蘇軾等人攻擊孟子的主要內容主要集中在下列各方面：孟子不尊周天子，違背君臣之義；孟子言論違背孔子的意旨；孟子出語輕率，持論自相矛盾；孟子所說各事，常與歷史不符；孟子的王霸論不正確等等。㉒以下各舉一例，略加說明，並將

⑳ 《四庫全書總目》所據的證據主要是《朱子文集》所載的〈與劉共父書〉，但今本《文集》未見此文。其次，又將羅大經《鶴林玉露》所載「晁說之著論非孟子，為宋高宗所黜」一事，誤為周密《癸辛雜識》。有此兩端，在沒有其他更有力證據出現前，對《四庫全書總目》的說法，筆者暫時仍持保留態度

㉑ 《四庫全書總目·尊孟辨提要》（整理本），同注❽，卷35，總頁461。

㉒ 近藤正則在其〈讀余隱之尊孟辯に見える朱子の孟子不尊周への對應〉，同注⓫，一文中，將詆孟學者的言論歸納為下列三點：⑴從孟子思想的內容方面指摘孟子的具體言行違背孔子之道；⑵從孟子的敘述表現上非議孟子言論過激，好用詭辯；⑶從考證的立場質疑《孟子》一書的的記載與史實不符。其說頗為簡要，可參看。又李覯與司馬光兩人對孟子的抨擊中，孟子的性善說也是一個重點，但李覯《常語》中並沒有這一方面的討論，其意見散

余允文的辯難一併附上，以見兩者觀點的差異所在：

1. 孟子不尊周天子，違背君臣之義。

李覯《常語》：

孟子曰：「五霸者，三王之罪人也。」吾以為孟子者，五霸之罪人也。五霸率諸侯事天子，孟子勸諸侯為天子。苟有人性者，必知其逆順耳矣，孟子當周顯王時，其後尚且百年而秦并之。嗚呼！忍人也，其視周室如無有也。

余允文辨曰：

孟子說列國之君，使之行王政者，欲其去暴虐行仁義，而救民於水火耳。行仁義而得天下，雖伊尹、太公、孔子說其君，亦不過此。彼五霸者，假仁義而行，陽尊周室，而陰欲以兵強天下。孟子不忍斯民死於鬥戰，遂以王者仁義之道詔之。使當世之君不行仁義，而得天下，孟子亦惡之矣，豈復勸諸侯為天子哉？大抵入人之罪，必文致其事，巧為鍛鍊，無所不至。謂孟子為忍人，入罪也多矣，其知有天誅鬼責之事乎？㉓

見於李氏《文集》中，《尊孟辨》並未收入。《尊孟辨》雖收有司馬光的《疑孟》，但並未同時將司馬光質疑孟子性善說的重要文獻——〈性辨〉（即《溫國文正司馬公文集》中的〈善惡混辨〉）一併收入，由於資料有所不足，此處只有從缺。有關這方面討論，請參看拙撰：〈李覯的非孟思想〉，《幼獅學誌》19 卷 4 期（1987 年 10 月），頁 121－145 及〈司馬光疑孟及其相關問題〉，《臺大中文學報》第 9 期（1997 年 6 月），頁 115－144 二文，有較詳細的討論。

㉓ 《尊孟辨》，同注⑯，卷中/3a-b/530/冊 196。

孟子曾說過：「五霸者，三王之罪人也。」㉔又曾說：「仲尼之徒無道桓、文之事者」，㉕可見孟子不喜言霸道。但李覯認爲孟子當周顯王時，下距秦亡周尚有百年之久，而孟子周遊列國，所到之處如齊、魏，無不勸其君行仁政以一天下，視周天子如無物，完全不顧周天子仍在位這一事實。這種不尊周的行爲，違背了人臣的本分，相較於五霸尚知「率諸侯事天子」，其表現猶在五霸之下。余允文的辯解重點有二：其一，他認爲勸國君「行仁義而得天下」，是人臣的本分，也是古來的傳統，伊尹、太公、孔子等人莫不如此，孟子所爲正是遵循此一傳統，善盡人臣的職責。孔子若在孟子之時，所作所爲恐怕也是如此，這就是所謂的「時措之宜」。其二，五霸所爲，並非眞能行仁義，只是將行仁義做爲工具，「假仁義而行，陽尊周室，而陰欲以兵強天下」這和孟子的立意完全不同，孟子主張的是「不嗜殺人者能一之」，㉖他勸齊宣王、梁襄王行仁政，用意即在此。因此他批評李覯的理解有「文致其事，巧爲鍛鍊，」故入人罪之嫌。

2.孟子言論與孔子不相應，名學孔道，實違孔子本意。

司馬光《疑孟》曰：

> 孔子聖人也，定、哀庸君也，然定、哀召孔子，孔子不俟駕而行；過位，色勃如也，足躩如也。過虛位且不敢不恭，況召之，有不往而他適乎？孟子學孔子者也，其道豈異乎？夫君臣之義，人之大倫也。孟子之德，孰與周公？其齒之長，孰與周公，周公之於成王？成王幼，周公負之以朝諸侯。及長而歸政，北面稽首畏事之，與事文、武無異也。豈得云彼

㉔ 〔宋〕朱熹：《四書章句集注·孟子集注·告子下》（臺北：大安出版社，1986 年影印本），卷 12，頁 343。

㉕ 《孟子集注·梁惠王上》，同前注，卷 1。

㉖ 《孟子集注·梁惠王上》，同注㉔，卷 1，頁 206。

有爵，我有德、齒，可慢彼哉？

余允文辨云：

孟子將朝王，王使人來曰：「寡人如就見者也，有寒疾，不可以風。朝將視朝，不識可使寡人得見乎？」探王之意，未嘗知以尊德樂道為事，方且恃萬乘之尊，不肯先賢者之屈，故辭以疾，欲使孟子屈身先之也。孟子知其意，亦辭以疾者，非驕之也，身可屈，道其可屈乎？其與君命召「不俟駕而行」異矣。又孟子曰：「天下有達尊三：朝廷莫如爵，鄉黨莫如齒，輔世長民莫如德。」夫尊有德敬耆老，乃自古人君通行之道也。人君所貴者爵爾，豈可慢夫齒與德哉？若夫伊尹之於太甲、周公之於成王，此乃大臣輔導幼主，非可與達尊概而論也。[27]

在肯定「孟子學孔子者也」的前提下，司馬光以《論語》中孔子尊君的記載爲證，責備孟子妄自尊大，以「我有德、齒」爲藉口，蔑視「君臣之義」，看重個人的出處進退猶在國君之上，不僅不尊君，而且根本與孔子的言行相違背。余允文則認爲，從孟子「將朝王」來看，孟子本有朝見國君的打算，並無驕君之意，只是在「身可屈，道不可屈」的大原則下，不能委屈求全，接受「以王召我」這種無理的待遇。孟子期盼國君尊德樂道，他提出「天下有達尊三」這一命題，用意即在提醒國君尊道敬老，不要師心自用，唯我獨尊。孟子在形跡上似乎有侮君之嫌，揆其用心，卻是在提升人君之德，這種言行並未違背孔子之道，也不應加以懷疑。

3.孟子出語輕率，持論自相矛盾。

---

[27] 《尊孟辨》，同注[16]，卷上/4b-6a/521-522/冊196。

鄭厚《藝圃折衷》曰：

今之諸侯取於民雖不義，不可謂「禦人於國門之外」。取非其有，賊義也；取充其類，盡義也。是輕重之等也，是孟軻原情以處罪也。至未能「什一，去關市之征」，復與攘雞同科，何任情出入，而前後自戾也如此？

余允文辨云：

孟子謂今之諸侯賦斂於民，不由其道，而與禦人而奪之貨何異？取非其有為盜，取充其類為義之盡，猶未為盜，是輕重之等，是誠孟子能原情以處罪也。至於戴盈之問未能「什一，去關市之征，請輕之，以待來年。」孟子設攘雞之喻以答之，而曰：「如知其不義，斯速已矣，何待來年」者，意謂戴盈之徒知其非，而不能速改矣。以此譏之，豈得謂「任情出入、前後自戾」歟？鄭氏專以偏見曲說，而非詆孟子，學無師承，其蔽也如此，卒為名教之罪人也。惜哉！㉘

鄭厚攻擊孟子在處理萬章問「禦人於國門之外」與戴盈之要求「什一，去關市之征，今茲未能。請輕之，以待來年，然後已」兩事時，未能有相同的「原情處罪」，質疑孟子言論不一致，前後相戾，判斷事情有兩套標準。余允文則認為前一事，孟子固然是原情定罪，充分做到「權然後知輕重」；至於後一事，則是在「如知其不義，斯速已矣，何待來年」的考量下所作的判斷，依然是權衡輕重，原其情而定其罪，並不如鄭厚所譏是「任情出入、前後自戾」。

㉘ 《尊孟辨》，同注⑯，卷下/7b-8a/545/冊 196。

4.孟子所說各事，常與歷史不符

李覯《常語》曰：

> 或曰：「以德行仁者王，王不待大，湯以七十里，文王以百里，何如？」曰：「皆孟子之過也。〈大雅〉曰：『瑟彼玉瓚，黃流在中。』九命然後錫以玉瓚秬鬯。帝乙之時，王季為西伯，以功得受此賜。周自王季中分天下而治之矣，奚百里而已哉？〈商頌〉曰：『玄王桓撥，受小國是達，受大國是達。率履不越，遂視既發。相土烈烈，海外有截。帝命不違，至於湯齊。』契之時已受大國，相土承之，入為王官伯，以長諸侯，威武烈烈，四海之外率伏，截爾整齊。商自相土威行乎海外矣，奚七十里而已哉？嗚呼！孟子之教人，教人以不知量也哉！」

余允文辨曰：

> 孟子曰：「湯以七十里，文王以百里」，蓋言亳、豐，皆小國也。雖王季、相土嘗為伯以長諸侯，而其受封之初，乃七十里、百里爾，固未嘗闢土地、并吞諸侯之國也。而謂〈大雅〉曰：『瑟彼玉瓚，黃流在中。』九命然後受此賜，王季西伯中分天下而治矣，奚止於百里！〈商頌〉曰：『相土烈烈，海外有截。』契之時已受大國，相土承之，入為王官伯，以長諸侯，威行乎海外矣，奚止七十里！遂以是為孟子之過，教人以不知量，余所未喻。[29]

李覯據〈大雅〉〈商頌〉的記載，駁斥孟子所謂「湯以七十里，文王以百里」

---

[29] 《尊孟辨》，同注[16]，卷中/14b-15b/536/冊 196。

王天下的說法，與史實不符，不足採信。余允文則替孟子釐清，所謂「湯以七十里，文王以百里」，指的是湯與文王始封之事，而〈大雅〉〈商頌〉所記載的卻是文王、商湯已爲諸侯之長時的史實，二者都是事實，孟子並沒有虛構歷史以立說，自無所謂「不知量」之事。

5.孟子的王霸論不正確

司馬光《疑孟》曰：

> 所謂性之者，天與之也；身之者，親行之也；假之者，外有之而內實亡也。堯、舜、湯、武之於仁義也，皆性得而身行之也；五霸則強焉而已。夫仁〔義者〕，㉚所以治國家而服諸侯也，皇、帝、王、霸皆用之，顧其所以殊者，大小高下遠近多寡之間耳。假者，文具而實不從之謂也。文具而實不從，其國家且不可保，況於霸乎？雖久假而不歸，猶非其有也。

余允文辨曰：

> 仁之為道，有生者皆具，有性者同得，顧所行如何耳。堯、舜之於仁，生而知之，率性而行也。湯武之於仁，學而知之，體仁而行也。五霸之於仁，困而知之。意謂：非仁則不足以治國家服諸侯，於是假而行之，其實非仁也。而謂「皇、帝、王、霸皆用之，顧其所以殊者，大小高卑遠近多寡之間耳，」何所見之異也？孟子之言曰：「堯舜性之，湯武身

㉚ 「義者」二字原缺，據《司馬文正公傳家集》（臺北：臺灣商務印書館，1965 年《國學基本叢書》本）、（臺北：臺灣商務印書館，1986 年影印文淵閣《四庫全書》本）、《溫國文正司馬公文集》（臺北：臺灣商務印書館，1979 年《四部叢刊》本）及《增廣司馬溫公全集》（〔日本〕東京：汲古書院，平成 5 年〔1993〕影印內閣文庫藏宋刊本）補足。

之，五伯假之。假之而不歸，烏知其非有。」正合《中庸》所謂：「或安而行，或利而行，或勉強而行，及其成功一也。」孟子之意，以勉其君為仁耳，惜乎五伯假之而不能久也。㉛

司馬光認爲治國用仁是天經地義的常理，不論皇、帝、王、霸身分高下，都必然如此，否則不足以保其國。因此他質疑孟子所謂「五霸假之。久假而不歸，惡知其非有也」這個說法。余允文在答辯中將孟子所云與《中庸》「或安而行之，或利而行之，或勉強而行之」相比擬，其實相當不妥。此因就孟子觀點而言，五霸乃假借行仁義之名以濟其私，並非眞行仁義，「假之」與困知勉行是兩回事，不能等同。司馬光所以會有此疑，實因「久假而不歸，惡知其非有也」一語，趙岐注爲：「五霸若能久假仁義，譬如假物，久而不歸，安知其不眞有也。」㉜趙岐的註解其實頗有問題，此語的正確解釋應爲朱子所云：「言竊其名以終身，而不自知其非眞有。」㉝司馬光根據趙注因而有此一質疑。

從上述的撮要說明中，可以大致看出非孟學者攻擊孟子的重點，主要集中在一個相當明確的問題上，這就是所謂的君臣關係問題。批評孟子不尊周，當然是指孟子鼓勵齊、梁國君行仁以統一天下，置周天子於不顧，違背君臣之義。指責孟子言論與孔子不相符合的學者極多，蘇軾的《論語說》八條完全就此點著眼，則是其中較特殊的例子。司馬光批評孟子名學孔子，實背孔子，關鍵在於孔子事魯君甚恭，謹守君臣本分；相較於此，孟子卻標舉齒、德亦尊，以與國君相抗，甚至誇言：「故將大有爲之君，必有所不召之臣。遇有謀焉，則就之。其尊德樂道，不如是不足與有爲也。」㉞這都是非孟學者所不能忍受的無

㉛ 《尊孟辨》，同注⑯，卷上/15b-16b/526-527/冊 196。

㉜ 〔清〕焦循著，沈文倬點校：《孟子正義》（北京：中華書局，1987 年），卷 27，頁 924。

㉝ 《孟子集注·盡心上》，同注㉔，卷 13，頁 358。

㉞ 《孟子集注·公孫丑下》，同注㉔，卷 4，頁 243。

理犯上之言。至於批評孟子言論前後矛盾、所言常與史實不符，著眼點依然是在君臣關係上，所謂「湯以百里，文王以七十里」之論辯，其要點並不在這件事否爲史實，而是在於孟子以此事爲例，鼓吹「不嗜殺人者能一之」，慫恿各國國君行仁政，以統一天下，取周天子而代之。這才是非孟學者關心的重點。鄭厚所謂：「孟軻既教齊、梁、滕之君，使自爲湯、武，則是諸侯未嘗受命於天子也。」㉟又批評「孟子勸滕文公曰：『苟爲善，後世子孫必有王者矣』」一事爲「是心何心哉」？㊱就充分顯示出這種心態。至於司馬光在質疑「久假而不歸，惡知其非有」時，強調皇、帝、王、霸皆用仁義，「故其所以殊者，大小高下遠近多寡之間耳」，其用意無非在肯定王、霸本質並無不同，其區別只在地位的高低；推而言之，「君臣之義，人之大倫也」，是不可任意更改的。就此看來，非孟學者攻擊孟子的面向雖多，但百川歸海，關切的還是孟子破壞了傳統的君臣名分，使得臣下不受固有禮制的約束，敢於衝決「君臣之義，無所逃於天地之間」㊲這一羅網，進而萌生「大丈夫當如此也」㊳甚或「彼可取而代之」㊴的念頭，重蹈五代政權更迭頻繁，易君如更衣的覆轍，這是非孟學者之所以要極力反對的原因所在，李覯、司馬光的言論就是最好的代表。

相較於非孟學者的咄咄逼人，余允文的回應，雖也有情緒性的言語，㊵大

㉟ 《尊孟辨》，同注⑯，卷下/6b/544/冊 196。

㊱ 《尊孟辨》，同注⑯，卷下/5a-b/544/冊 196。

㊲ 〔清〕郭慶藩輯，王孝魚點校：《莊子集釋·人間世》（北京：中華書局，1989 年），卷 2 中，頁 155 載：仲尼曰：「天下有大戒二：其一，命也；其一，義也。子之愛親，命也，不可解於心；臣之事君，義也，無適而非君也，無所逃於天地之間。是之謂大戒。」此語未必真出於孔子，但很可以代表傳統儒家學者的見解。

㊳ 〔漢〕司馬遷：《史記·高祖本紀》（臺北：世界書局，1972 年影印點校本），卷 8，頁 344 載：「高祖常繇咸陽，縱觀，觀秦皇帝，喟然太息曰：『嗟乎，大丈夫當如此也！』」

㊴ 《史記·項羽本紀》，同前注，卷 7，頁 296 載：「秦始皇帝游會稽，渡浙江，（項）梁與（項）籍俱觀。籍曰：『彼可取而代也。』梁掩其口，曰：『毋妄言，族矣！』梁以此奇籍。」

㊵ 如前所舉批評李覯「其知有天誅鬼責之事乎」（頁 530），又批評李覯「僻儒得以妄生譏

體上說都能就事論事，這從朱熹的評語可以看得出來。㊶余允文的答辯主要集中在下列幾個重點上，那就是：第一，孟子與孔子的觀點是一致的，表現在言行上時雖偶有方式的差異，但以仁義爲根本基礎卻沒有什麼不同，所謂「孔子作《春秋》，當一王之法，正天下之名分，使亂臣賊子知所懼；孟子以王者仁義之道說諸侯，使之知有君臣父子，而杜僭竊篡弑之禍，正得夫《春秋》之旨，但學者有所未究爾。」㊷第二，非孟學者指控孟子不尊周，鼓勵諸侯以「一天下」爲職志，違背君臣之道。這是他們食古不化，過於執著君臣名分所致，他說：「春秋之時，周室衰微，天王不能自立，以至下堂而見諸侯。當是時徒擁其虛位耳。孔子歷聘七十二君，未嘗說之使尊周室。……孟子距孔子之時，又百有餘歲，則周之微弱可知矣。若管仲之功可爲，孔子爲之矣，孔子不爲，孟子安得爲之乎？……孟子未嘗不欲當時之君尚德而不尚力，豈復使諸侯儼然在天子之位哉？」㊸換言之，當時即使孟子執意尊周也是徒費心力。時勢既然如此，孟子退而求其次，鼓吹諸侯以德行仁，勸說「不嗜殺人者能一之」，實爲不得已，也是合乎時宜的做法，㊹不能將其解釋爲孟子蔑棄傳統的君臣之義。第三，在立言行事方面，孟子非常重視權時制宜，絕不膠柱鼓瑟，一成不變。就此看來，余允文在回應非孟學者的批評與質疑時，刻意凸顯孟子因時制宜的

議」（頁 532），指責鄭厚「專以偏見曲說而非詆孟子，學無師承，其弊也如此，卒為名教之罪人也」（頁 545）、「己不能事父兄，而責人以孝悌之道，有未至，亦其蔽也。寐而狂言，祇足以駭童稚，及長者聞之，付一笑耳」（頁 546）等等。

㊶ 朱熹有〈讀余隱之尊孟辨〉一文，收在《朱文公文集》（臺北：臺灣商務印書館，1979 年《四部叢刊正編》本），卷 73「雜著」中。《四庫全書》本將此文繫於《尊孟辨》余允文辨說後，極便參考，各本從之。

㊷ 《尊孟辨》，同注⑯，卷中/9b-10a/533-534/冊 196。

㊸ 《尊孟辨》，同注⑯，卷中/9a-10a/533-534/冊 196。

㊹ 朱熹對此有極清楚的解釋，〈讀余隱之尊孟辨〉即云：「孔子尊周，孟子不尊周，如冬裘夏葛，饑食渴飲，時措之宜異爾。……孔孟易地則皆然。」見《朱文公文集》，同注㊶，卷 73，總頁 1283。

特質，這種辯護方式，比較具有說服力。

在非孟學者的言論與余氏的辯護中，我們可以清楚的看出雙方的基本態度是不同的：非孟學者將批評的重點集中在君臣之義的的主題上，強調君臣名分的不可踰越，並且以孔子謹守君臣之義爲主要依據，用來駁斥孟子的君臣相對關係說。所以如此，除了有堅持傳統名分不可變動的心理因素外，㊺另一個原因應該是現實政治的考量。眾所皆知，宋代開國之後，有鑑於唐末五代以來，藩鎮跋扈，國君大權旁落，臣下仗恃兵權在手，任意更置甚至篡弒人君，導致政局動盪不安，天子地位大幅度低落。於是「事爲之防，曲爲之制」，㊻一方面重用文人，他方面則採取收奪兵權、分割相權以及收縮州郡長官行政權等種種措施，㊼以達到集天下大權於君主一人之身的目的。而當時許多學者，也極力主張尊君，以改變五代的弊習。李覯與司馬光在討論王霸時，強調王霸之別不在仁義之有無，而在地位名分之高下，就是最明顯的例證。由於孟子力倡將傳統的君臣關係轉化爲相對而非絕對，並且揚言：「君之視臣如手足，則臣視君如腹心；君之視臣如犬馬，則臣視君如國人；君之視臣如土芥，則臣視君如

㊺ 李覯與司馬光同樣堅持君臣名分不可任意更動，但兩人的基本理念有所差異，李覯認為「立君者，天也；養民者，君也。非天命之私一人，為億萬人也。」見《李覯集·安民策》（北京：中華書局，1981 年），卷 18，頁 168。他是基於功利的考量，強調設君的目的在於安民養民，君以一身而繫億萬人生命的安危，焉可輕易更動？司馬光則本於孔子的正名主張，認為「天地設位，聖人則之，以制禮立法，內有夫婦，外有君臣。婦之從夫，終身不改；臣之事君，有死無貳。此人道之大倫也。苟或廢之，亂莫大焉！」見《資治通鑑·後周紀二》（臺北：世界書局，1962 年），卷 291，頁 9511。可見他的態度要保守許多。

㊻ 〔宋〕李燾：《續資治通鑑長編》（臺北：世界書局，1974 年影印本），卷 17（案：此卷用《永樂大典》卷 12380 配補），頁 205，開寶 9 年 10 月宋太宗即位赦書語。

㊼ 有關收兵權事，參看〔明〕陳邦瞻：《宋史紀事本末·收兵權》（臺北：三民書局，1973 年影本），卷 2。分割相權事，自宋初即已開始，先設樞密使掌軍事，使宰相不能掌管軍政；再設戶部、鹽鐵、度支三司使掌財務，號稱「計相」，使宰相不能過問財政。至於縮減州郡長官職權，朱熹有一段話極為傳神，他說：「本朝鑒五代藩鎮之弊，遂盡奪藩鎮之權，兵也收了，財也收了，賞罰刑政一切收了。州郡遂日就困弱。靖康之禍，虜騎所過，莫不潰散。」見《朱子語類》（臺北：文津出版社，1986 年影印點校本），卷 128，頁 3070，。

寇讎。」㊽這一革命性的言論，隨著孟子地位的逐漸上升，勢必如洪水猛獸般到處橫流，衝擊傳統的君臣觀念，極有可能造成價值觀的調整改變。面對此一可能的變局，爲防患於未然計，非孟學者不能不採取行動，主動攻擊孟子，試圖阻止此一可能趨勢。相對於非孟學者的堅決反對，余允文在君臣關係上極力支持孟子的君臣觀，他強調：「道之在天下，有正有變。堯舜之讓，湯武之伐，皆變也。……爲人臣者非不知正之爲美，或曰『從正則天下危，從變則天下安』，然則孰可？苟以安天下爲大，則必曰『從變可』。唯此最難處，非通儒莫能知也。……君有大過，貴戚之卿反覆諫而不聽，則易其位。此乃爲宗廟社稷計，有所不得已也。」㊾在這種情況下，他採取從「時措之宜」的觀點來爲孟子辯護，可以說是再自然不過的事了。

四、《尊孟辨》在宋代孟學復興史上的特殊價值

《尊孟辨》一書的內容及正反兩面的意見大致已如上述。就其內容而言，除了彰顯孟子「權以制宜」的思想，以駁斥反孟學者的質疑之外，余允文本人在思想上並沒有特殊的創見，學理上的建樹也並不多。但若暫時放開余允文本人，從另一個角度去思考的話，《尊孟辨》這部書的出現，在宋代學術史的發展上，卻具有相當值得注意的學術意義。

前曾提過，東漢王充已有《論衡·刺孟》之作。即使在宋代，《尊孟辨》這部書出現之前，非孟的作品即層出不窮，不在少數。而這些非孟作品中，有不少是旗幟鮮明的打著反孟的口號的著作，如馮休的《刪孟》、何涉的《刪孟》、司馬光的《疑孟》、晁以道的《詆孟》㊿以及黃次伋的《評孟》等，這些作品

㊽ 《孟子集注·離婁下》，同注㉔，卷 8，頁 290。

㊾ 《尊孟辨》，同注⑯，卷上/12b-13a/525/冊 196。

㊿ 《經義考》，同注❻，卷 234，著錄有晁以道《詆孟》，注云：「佚」。案：〔宋〕周密：《齊東野語》（北京：中華書局，1997 年），卷 16，頁 303，「性所不喜」條云：「人

態度或溫和或激烈，不論如何，堅決反孟卻是一致的。相對於此，尊孟的學者卻低調多了，除了南宋的胡宏針對司馬光的《疑孟》，作《釋疑孟》外，其他不見挺身回應的專著。就在這個時候，也就是南宋高宗末，余允文完成了《尊孟辨》，不僅補足了這一頁空白，也正式回應了長久以來非孟學者的挑戰。《尊孟辨》可以說是最先也是唯一一部直接標舉「尊孟」字樣的學術著作，雖然算不上是異軍蒼頭特起，但就它清楚揭舉「尊孟」立場的做法而言，這部書已經在宋代孟學復興運動中樹立了「拔趙幟，立漢幟」的典範。這可以說是《尊孟辨》的第一個學術價值。

就著作形式而言，《尊孟辨》及《尊孟續辨》將北宋以來下及南宋初的非孟的重要作品蒐集成書，並且逐條做了批評。這種著作方式，等於是對宋代以來非孟的意見做了正式的總檢討。就中國學術史而言，這種形式著作的出現，總象徵著「新陳代謝」的時代即將來臨。換言之，舊的學術局面將要告退，而新的學術局面即將展開，先秦時代的《莊子·天下篇》、《荀子·非十二子篇》、《呂氏春秋·不二篇》，漢代的《淮南子·要略篇》、司馬談的《論六家要旨》等作品，都有類似的作用。當然，《尊孟辨》的學術價值基本上不足以跟這些傑出著作相提並論，但若就其出現的時機與象徵性而言，可以說是具體而微，在某種程度上是相當接近的。這種現象的出現，顯示開始於中唐韓愈的孟子復興運動，經過北宋尊孟學者的竭力提倡，到此時已接近完成，孟子當令的時代即將開始。這可以說是《尊孟辨》的第二個學術價值。

《藝圃折衷》的作者鄭厚是鄭樵的從兄，在今存宋代非孟的作品中，《藝圃折衷》一書對孟子的批評最激烈，其中頗多人身攻擊的言語，如：「軻忍人

各有好惡，於書亦然。前輩如杜子美不喜陶詩，歐陽公不喜杜詩，蘇明允不喜揚子，坡翁不喜《史記》。王充作〈刺孟〉，司馬公作《疑孟》，李太伯作《非孟》，晁以道作《詆孟》，黃次伋作《評孟》，若酸鹹嗜好，亦各有所喜。非若今人之胸中無真識，隨時好惡，逐人步趨而然者。」朱彝尊蓋據此說著錄。

也，辨士也，儀、秦之雄也。其資薄，其性慧，其行輕，其說如流，其應如響，豈君子長者之言哉！」甚至於說：「戰國縱橫捭闔之士，皆發冢之人，而軻能以《詩》《禮》也。」51雖說如此，《藝圃折衷》卻是討論宋代孟學復興時不可或缺的史料，可惜原書早已亡佚，收入《尊孟辨》中的十條，成爲碩果僅存的資料，52可說彌足珍貴。至於蘇軾的《論語說》，宋人公私書目均未見著錄，晁公武《郡齋讀書志》則著錄有《論語解》十卷（《宋史・藝文志》作四卷）。53但蘇軾本人曾說：「吾爲《論語說》，與孟子辨者八，吾非好辨也，以孟子爲近於孔子也。……故必與孟子辨，辨而勝，則達於孔子矣。」54其弟蘇轍作〈亡兄子瞻端明墓誌銘〉也說：「復作《論語說》，時發孔氏之秘。」55可見《論語解》之外，蘇軾的確另有《論語說》一書。《論語解》亡佚已久，不可得而見，《尊孟續辨》所收錄的《論語說》正好八條，與蘇軾的說法相符，有可能即是完書。如此說來，《尊孟辨》保存了上述二書的佚文，爲宋代孟學復興研究留下了相當珍貴的資料。這可以說是《尊孟辨》的第三個學術價值。

五、結　語

雖說《朱子文集》中收有〈讀余隱之尊孟辨〉一文，並且對非孟學者的意見及余允文的評論做了精湛的批評，可以看出朱熹本人對這部書的確相當重

---

51 《尊孟辨》，同注16，卷下/2b-3a/542-543/冊 196。案：〔宋〕羅大經：《鶴林玉露》（北京：中華書局，1997 年《唐宋史料筆記》本），乙編，卷之 1，頁 121，「非孟」條載：「鄭叔友著《崇正論》，亦非孟子曰：『軻，忍人也，辨士也，儀、秦之流也。……戰國縱橫捭闔之士，皆發冢之人，而軻能以《詩》、《禮》者也。』」兩者內容全同，而書名則異，原因何在，不得而知。

52 〔元〕陶宗儀：《說郛》（上海：商務印書館，1927 年張宗祥重校排印本），卷 31 所收《藝圃折中》，疑即自《尊孟辨》輯出，待考。

53 《昭德先生郡齋讀書志》，同注1，卷 1 下，頁 79。

54 《尊孟續辨》，同注16，卷下/11a-b/563/冊 196。

55 〔宋〕蘇轍：《蘇轍集・欒城後集》（北京：中華書局，1990 年校點本），卷 22，頁 1127。

視。但無可否認的是，《尊孟辨》這部書長期以來一直為人所忽略，甚至漠視。余允文其人固然微不足道，但這部書在討論宋代孟學復興過程時，卻是不可或缺的重要文獻，這是我們必須予以肯定的。

南宋高宗末年是孟子地位提升的關鍵時刻，高宗本人酷嗜《孟子》，[56]非孟大將晁說之因激烈反孟而遭斥退，[57]種種跡象顯示尊孟的思潮聲勢高漲，已逐漸形成沛然莫之能禦的形勢。《尊孟辨》恰在此時撰著，秉持孟子「權時制宜」的大原則，針對非孟的主要言論，在就事論事絕不迴避的態度下，逐一做了深入的批駁，從而樹立起尊孟的大纛。就學術史的角度而言，《尊孟辨》的出現，不僅為唐宋以來逐漸發展成形的尊孟運動，提供了駁斥非孟言論的依據，肯定了孟子地位上升的合理性；同時，在學術理論與政治現實的緊密結合下，它也使孟學復興的正當性得到確認。而《尊孟辨》本身在學術發展過程中的關鍵地位也因之而彰明較著。就文獻學的觀點來看，它保存了鄭厚《藝圃折衷》與蘇軾《論語說》的佚文，不僅為尊孟運動留下了重要資料，同時為學術研究提供了頗具參考價值的文獻，這也是應該予以重視的。

---

[56] 宋高宗非常喜好《孟子》，曾一再親手書寫，如〔宋〕李心傳：《建炎以來繫年要錄》（臺北：文海出版社，1980 年影印本），卷 17，總頁 713 載：「（建炎二年）九月戊戌，上以所書《資治通鑑》第四冊賜黃潛善。時上退朝日覽四方章奏，暇則讀經史，嘗取《孟子》論治道之語，書之素屏。因謂黃潛善曰：『《論》、《孟》乃幼年所習，論之了無凝滯。』」同卷，頁 715 又載：「九月甲辰，……上曰：『自朕幼習《孟子》書，至成誦在口，不覺寫出。』……上又曰：『如孟子言：用賢與殺，皆察於國人。朕詳味斯言，欲謹守之，神交上友，如與孟子端拜而議。』」類此記載尚多，不一一詳舉。

[57] 羅大經：《鶴林玉露》，同注[51]，卷之 1，頁 121，「非孟」條載：「晁說之亦著論非孟子，建炎中，宰相進擬除官，高宗曰『孟子發揮王道，說之何人，乃敢非之！』勒令致仕。

楊慈湖《易》學概述

鍾彩鈞*

一、前　言

楊簡，字敬仲，慈溪人，學者稱慈湖先生，生於宋高宗紹興十一年，卒於理宗寶慶二年（1141－1226），年八十六。

慈湖是陸象山最重要的弟子，對象山心學有進一步的發展。但觀察慈湖的著述，有《詩傳》、《易傳》、《春秋傳》、《曾子》、《先聖大訓》等，而《慈湖遺書》二十卷中，❶有九卷與經學有關，因此慈湖亦可說爲廣義的經學家。

向來有關慈湖的研究多取材於《慈湖遺書》，現今研究中，僅董金裕❷及大陸學者的《宋明理學史》❸對慈湖經學有簡略的介紹。對慈湖思想的研究，《宋明理學史》評爲「唯我論」、「蒙昧主義」。日本學者楠本正繼、荒木見悟、島田虔次、牛尾弘孝皆有論述，對慈湖思想有視爲靜觀與動靜一如的不同，

---

*　中央研究院中國文哲研究所籌備處研究員，兼代理主任。

❶　〔宋〕楊簡：《慈湖遺書》（臺北：臺灣商務印書館，1986 年影印文淵閣《四庫全書》本）。並以《四明叢書》本（臺北：國防研究院、中華大典編印會，1966 年影印本），第 4 集，第 1 冊參照。

❷　〈楊簡的心學及其評價〉，《國立政治大學學報》61 期（1990 年 6 月），頁 31－43。

❸　侯外廬、邱漢生、張豈之主編：《宋明理學史》（北京：人民出版社，1984 年），第 20 章，第 2 節。

島田氏還注意到浙東學術的問題。❹本文嘗試探討慈湖《楊氏易傳》，❺希望能從不同材料中得到不同的見解。

慈湖弟子錢時作〈寶謨閣學士正奉大夫慈湖先生行狀〉，論其志云：

> 蓋先生之學以古聖為的，嘗言非大聖人，終未全明。故於子思、孟子猶若有所未滿。論治則三代之規模，苟為漢、唐，事業雖隆貴，所弗願焉。（《慈湖遺書》，附錄，頁29下－30上）

至於其上達古聖的方法是心學，這是和傳註章句之學相對的：

> 嗚呼！三代衰，聖教熄，異端邪說爭鞭駕於天下。其後傳註以為經，章句以為學。洙泗家法，徒存紙上之空言，穿裂剝蝕，舛干稂莠。學者信之愈篤，即所以遺害者愈深。求其真得我心之同然，洞照古聖于千載之上，無是理也。於赫我聖，篤生賢哲，而先生又挺出諸儒後。伏義肇畫，初無文義可傳；孔氏遺書，不從言語上得。本心本聖，無體無方，虛明變化，無非妙用。斯道也，堯以之安安，舜以之無為，禹以之行其所無事，❻湯以之懋昭，文王以之順帝則，武王以之訪洪範，周公以之師保萬民，孔子以之為刪、❼為定、為繫、為筆削褒貶。是之謂中，是之謂

---

❹ 〔日本〕楠本正繼：《宋明儒學思想の研究》（東京：廣池學園，1964年），第2編，1章4節。〔日本〕荒木見悟：〈陳北溪と楊慈湖〉，《哲學》6輯。〔日本〕島田虔次：〈楊慈湖〉，《東洋史研究》24卷4號（1966年），頁123－141。〔日本〕牛尾弘孝：〈楊慈湖の思想——その心學の性格について〉，《中國哲學論集》1期（1975年），頁33－45。

❺ 〔宋〕楊簡：《楊氏易傳》（上海：上海古籍出版社，1990年《四庫易學叢刊》影印文淵閣《四庫全書》本）。並以《四明叢書》本（臺北：廣文書局，1974年影印本）參照。

❻ 「所無」，《四庫》本作「無所」，據《四明》本改。

❼ 「刪」，《四庫》本作「剛」，據《四明》本改。

極，是之謂秉彝之則。茫茫千古，智探巧索，如瞶商律，❽如膜指杓，而先生得之，斯道於是大明。開後學之夷塗，掃群迷之浮論，有功聖門大矣。（同上，頁 27 上－28 上）

依錢時之意，慈湖不從文字，而從人心同然處洞照古聖於千載之上。慈湖用心學來解釋經典，同時又從經典尋求心學的依據。雖說是「六經註我」，畢竟是推尊六經，超越漢唐來尋求理想，而不可謂其獨任胸臆。

二、慈湖心學要旨——從〈己易〉到《楊氏易傳》

㈠〈己易〉與《楊氏易傳》的著作時間

慈湖弟子曾熠在嘉定元年（1208，慈湖六十八歲）曾合刊〈己易〉與〈孔子閒居解〉，附錄云：「楊先生〈己易〉，曩先生宰樂平時嘗加改訂。」按，慈湖宰樂平在五十二至五十四歲，❾則〈己易〉初稿更在其前，可謂早年著作，今本則可代表五十四歲前的思想。至於《楊氏易傳》的著成，〈行狀〉云：

其歸自冑監也，家食者十四載。築室德閏湖上，更名慈湖，館四方學子于熙光詠春之間而啟迪之。於是始傳《詩》、《易》、《春秋傳》、《曾子》，始取先聖大訓間見諸雜說中者，刊訛剔誣，萃六卷而為之解。（《慈湖遺書》，附錄，頁 28 上下）

按〈年譜〉，慈湖離開國子博士在慶元二年（1196，年五十六），則諸經學著作的傳授在此後十四年，稍晚於〈己易〉的著作年代。可以說，〈己易〉的著

❽ 「瞶」，《四庫》本作「瞶」，據《四明》本改。

❾ 據〈年譜〉，《四明》本《慈湖遺書·附錄》。

成稍早，作爲理論性的提示，《楊氏易傳》接著詳細分析卦爻，〈己易〉的未盡之意在《楊氏易傳》中得到進一步的展開。

㈡　〈己易〉中的心學思想

慈湖〈泛論易〉有一段：

> 少讀《易·大傳》，深愛「無思也，無為也，寂然不動，感而遂通天下之故」，竊自念學道必造此妙。及他日讀《論語》，孔子哭顏淵至於慟，從者曰：「子慟矣。」曰：「有慟乎？」則孔子自不知其為慟，殆非所謂無思無為，寂然不動者。至於不自知，則又幾於不清明。懷疑於中，往往一二十年。及承教於象山陸先生，聞舉扇訟之是非，忽覺簡心乃如此清明虛靈，妙用泛應，無不可者。及後居妣氏喪，哀慟切痛，不可云喻。既久略省察，曩正哀慟時，乃亦寂然不動，自然不自知。方悟孔子哭顏淵至於慟矣而不自知，正合無思無為之妙，益信吾心有如此妙用，哀至於如此其極，乃其變化。故《易·大傳》又曰：「變化云為。」不獨簡有此心，舉天下萬古之人皆有此心。益信人皆與堯舜禹湯文武周公孔子同此心，顧人不自知不自信爾。（《慈湖遺書》，卷7，頁33下－34下）

《易·大傳》無思四句講得道境界，也就是自然而然，不加絲毫思慮而萬事就理。但這境界似是連孔子都達不到的。直到慈湖三十二歲承教象山，始悟「此心即道」，❿及後來居母喪，雖哀慟至極，反省此心，雖無意必而自然如此哀

---

❿　《楊氏易傳·履》記此事有此數語：「孔子曰：心之精神是謂聖。孟子曰：仁，人心也。某自弱冠而聞先訓，啟道德之端。自是靜思力索者十餘年，至三十有二而聞象山先生之言，忽省此心之清明，神用變化，不可度思，始信此心之即道。深念人多外馳，不一反觀，一反觀，忽識此心，即道在我矣。」（卷5，頁16下）

慟，始悟此心雖酬酢萬變而實寂然不動，這便是無思無爲之妙。也就是說，他領悟到無思四句講的是人心本來就有的能力。道原來在我心，只須反觀而自信。

慈湖悟道後，解經皆就心而論。對於講天地人事變化的《易經》，也用心來涵蓋，人事固然不用說了，連天地變化也說成我的變化。這說法該如何理解？是否爲過度誇張的唯我論？慈湖建立〈己易〉，最重要的基礎是開頭的幾句：

> 易者己也，非有他也。以易為書，不以易為己，不可也。以易為天地之變化，不以易為己之變化，不可也。天地我之天地，變化我之變化，非他物也。私者裂之，私者自小也。（《慈湖遺書》，卷7，頁1上）

慈湖提出：我是無限的，天地變化皆屬於我，唯因私而後分裂自小，將天地與我分開即是一種分裂自小。慈湖又說：

> 自生民以來，未有能識吾之全者，惟睹夫蒼蒼而清明而在上，始能言者名之曰天；又睹夫隤然而博厚而在下，又名之曰地。清明者吾之清明，博厚者吾之博厚，而人不自知也。（同上，頁1下）

就是說，天地只是我的清明與博厚，唯因不識我之全，故以爲是我之外的天地。但天地所以爲我的天地，可能是天地須待我的認識而後成立，這是認識論的唯心論，也可能是天地因爲我心的體現而成爲價值的存在，這是價值論的唯心論。但慈湖不取以上見解，而是從性的無限來建立。他說：

> 夫所以為我者，毋曰血氣形貌而已也。吾性澄然清明而非物，吾性洞然無際而非量。天者吾性中之象，地者吾性中之形。故曰：「在天成象，在地成形。」皆我之所為也。混融無內外，貫通無異殊。觀一畫，其旨

> 昭昭矣，厥後又繫之辭曰乾。乾，健也，言乎千變萬化，不可紀極，往古來今，無所終窮，而吾體之剛健未始有改也。言乎可指之象，則所謂天者是也。天即乾健者也，天即一畫之所似者也，天即己也，天即易也。地者，天中之有形者也。吾之血氣形骸乃清濁陰陽之氣合而成之者也。吾未見夫天與地與人之有三也。三者形也，一者性也，亦曰道也，又曰易也。名言之不同，而其實一體也。（同上，頁2上下）

所謂我，不就形體說，而就性說。性是無限的，因此天地是性中的形象。但並不是性大於天地，而是天地人混融貫通。性千變萬化，健動不窮，就是乾、健。但健動不窮必須寄托於形象，天就是象，而地是天中之有形者，其在人則爲血氣形骸。從小我看，我是由性與血氣形骸所合成；然而性可無限伸展，千變萬化，相應地也有各種事物，而這些不能謂之在我之外。不管從小我大我來看，天地人都是混融不二的。但其中最根本的是性，性不是血氣形貌，而是無限的，因此我也是無限的。故云：「不以天地萬物萬化萬理爲己，而惟執耳目鼻口四肢爲己，是剖吾之全體而裂取分寸之膚也，是梏於血氣而自私也，自小也。」（同上，頁4下）可知慈湖主張形上我，而不是將血氣形貌的我任意誇大。

然而性雖可無限地伸展，卻不必只從包羅萬物上講，必須從小我上便能建立。慈湖說：

> 謂之己者，亦非離乎六尺而復有妙己也，一也。二之者，私也，梏也。安得無私與梏者而告之。姑即六尺而細究之。目能視，所以能視者何物？耳能聽，所以能聽者何物？……可見者有大有小，有彼有此，有縱有橫，有高有下，不可得而一。其不可見者不大不小，不彼不此，不縱不橫，不高不下，不可得而二。（同上，頁6上下）

能視能聽者是性，這是不可見者，也是不可得而二者。性須不離身而得，以免流於逐外。性雖然可以無限伸展，然而其爲寂然不動感而遂通，卻是反求此身而現在，也就是所以能視聽言動者。但慈湖從身而繼續內求：

> 然而至易也，至簡也。或者自以為難，近取諸身，殊不遠也。身猶遠爾，近取諸心，即此心而已矣。曾子傳之曰：「夫子之道，忠恕而已。」孟子學之曰：「仁，人心也。」又曰：「惻隱之心，人皆有之；羞惡之心，人皆有之。」又曰：……（同上，頁 10 下－11 上）

慈湖終於提出心字，原來前面講的易、天、人、性，皆就寂然不動感而遂通的知能而言，這知能就是心，呼應了慈湖三十二歲所悟的「此心即道」。在慈湖，心是即身而在的普遍知能（「不可得而二」），當然包括了生理能力（「所以視者，所以聽者」），但更重要的是忠恕、惻隱等道德能力。慈湖每言「人心即道，是爲道心」，雖然不離視聽言動的知能，終須以自然而然的道德爲主要成分。慈湖從「心之所同然」處，對兩者皆加肯定，然而兩者雖相關，終不免有明確的區分，慈湖對此確有忽略。但朱子學派的學者謂慈湖有見於人心，無見於道心，以視聽言動代替了仁義禮智的位置，是陽儒陰釋，此不免流於苛評。⓫

慈湖所謂的人心是普遍的，常在的。他說：

> 孔子曰：「造次必於是，顛沛必於是。」子思曰：「道也者，不可須臾離也，可離非道也。」嘗曰：道也者，未始須臾離也。非曰造次間為之，顛沛間為之，無須臾而不為也。是心本一也，無二也。無嘗斷而復續也，

⓫ 如〔明〕羅整菴著，閻韜點校：《困知記·續卷下》（北京：中華書局，1990 年）彙集評慈湖語三十三條，第二條即人心道心之辨。又，關於慈湖借用佛語或近似佛語的情形，該卷舉出不少例子，可供參考。

> 無嚮也不如是而今如是也，無嚮也如是而今不如是也。晝夜一也，古今一也，少壯不強而衰老不弱也。可強可弱者，血氣也；無強無弱者，心也。有斷有續者，思慮也；無斷無續者，心也。能明此心，則思慮有斷續而吾心無斷續，血氣有強弱而吾心無強弱。有思無思，而吾心無二。不能明此心，則以思慮為心，雖欲無斷續，不可得矣。以血氣為己，雖欲無強弱，不可得矣。雖欲造次於是，顛沛於是，無須臾不於是，勉強從事，不須臾而罷矣，況於造次乎？況於顛沛乎？（同上，頁 11 下－12 下）

就是說，心有普遍常在的性格。知其如此，就須和血氣、思慮二者區別開來，二者是具體的、形而下的、多的、差異的，而心則無二無別。如果一般對心的概念是就血氣、思慮而言的話，那麼慈湖所主張的並不是這一般的心，而可稱爲形上心。

形上心當如何用工夫？形上心既然普遍常在，就不該因人之聖愚而有異，慈湖說：

> 為聖者不加，為愚者不損也；自明也，自昏也，此未嘗昏，此未嘗明也。或者蔽之二之，自以為昏為明也。昏則二，明則一，明因昏而立名，不有昏者，明無自而名也。昏明皆人也，皆名也，非天也。天即道，天即乾，天即易，天即人。天與人亦名也。（同上，頁 7 上下）

慈湖的意思，昏明只是人的差異，但道（即心）是一樣的。慈湖又說：「善學《易》者求諸己，不求諸書。古聖作《易》，凡以開吾心之明而已。」（頁 8 下）道在人雖然無二，但在人，明的價值自然比昏要高，否則《易》也不必學了。前引文的意思只是說，昏者不因其昏而於道有損，道仍是即其心而在，只是不明而已。這樣說來，人似應求心地之明了，慈湖卻指出不應勉強求明：

> 然則昏者亦不思而遂已可乎？曰：正恐不能遂已。誠遂已，則不學之良能，不慮之良知，我所自有也；仁義禮智，我所自有也。萬善自備也，百非自絕也，意必固我無自而生也，雖堯舜禹湯文武周公孔子何以異於是？（同上，頁9下）

慈湖說不如遂已，並不是昏眞的勝於明，而是勉強求明，恐怕揠苗助長，反而影響了不學不慮的本心。求明而無助長之蔽，才是眞的工夫，慈湖稱爲思，而思之中實包括了儒家一般的修身工夫，不止是明心見性的悟見：

> 雖然，思亦何害於事？箕子曰：思曰睿。孔子曰：學而不思則罔。周公仰而思之，夜以繼日。思亦何害於吾事也？庸言之信，庸行之謹，不可以精粗論也。儆戒無虞，罔失法度，正《易》道之妙也。堯舜允執厥中，執此也，兢兢業業，弗敢怠也。禹之克艱，不敢易也；湯改過不吝，去其不善而復於善也；文王翼翼，小心也。信吾信，謹吾謹，儆戒吾儆戒，執吾執，兢兢吾兢兢，業業吾業業，艱吾艱，改吾改，翼翼吾翼翼。無二我也，無二《易》也。……但兢兢，但業業，但克艱而弗易，但改過，但翼翼。方兢兢業業，克艱而不易時，此心果可得而見乎？果不可得而見乎？果動乎？果不動乎？特未之察耳。似動而不移也，似變而未嘗改也。不改不移，謂之寂然不動可也，謂之無思無慮可也，謂之不疾而速不行而至可也。（同上，頁9下－10下）

慈湖雖在明與昏、思與不思之間反覆論說，其旨意實甚清楚。就是從本來的心性來說，是普遍常在，不待修爲的，但慈湖仍將儒家修身傳統包含了進去，將修身同於心的變化云爲。於是無思無慮與修身的關係即是心的寂然不動與感而遂通。

㈢ 《楊氏易傳》中的心學思想

1.心無體說

以上略述了〈己易〉的心學思想。慈湖以《易》爲己，以天地變化爲己之變化，乃是立基於形上心的認識。在修養工夫上，則強調與無思無慮的心體本來一致。

《楊氏易傳》因爲隨卦爻而申論，內容遠較〈己易〉豐富，而且《楊氏易傳》稍晚出，也可視爲思想成熟之作。茲提出其與〈己易〉不同處來討論。當然這種不同也可能由於〈己易〉篇幅有限，來不及談到這些問題而已。

在《楊氏易傳》中，有得道則無往不利的觀念，而其基礎是「心無體」。慈湖解釋〈履卦·彖辭〉「履，柔履剛也。說而應乎乾，是以履虎尾不咥人亨。剛中正，履帝位而不疚，光明也」，說：

> 履之為言行也。人行乎世，得其道則無往不利，失其道則無往而利。得其道則履虎尾不咥人也，不得其道雖履平地猶傷其足。履之道何道也？柔而已。世之言柔者多矣，而能柔者寡。何為乎寡也？有己私焉，立我於中，不能柔也。雖知柔為善而行之，及物觸之，己私突發，柔變而為剛矣。夫天下之難制者唯剛，而柔履之，唯得道者為能柔也。……柔勝剛，弱勝強，天下莫柔弱於水，而反堅強者莫之能先。又莫柔乎風，風無形而發大屋折大木。柔之卒勝其剛如此。熟觀天下萬事，唯柔為勝。若夫用剛，則必中而無所偏倚，必正而不入於邪，又履帝位君體則為宜，斯能無疚病。唯光明者乃能之，光明者，內心光明，是為道心，是為聰明睿智。然則用剛之難如此。雖然，夫道一而已矣。道心無體，本無剛

柔，即此本有無體之心而行之，而旁觀者自曰柔曰剛，是謂不識不知，順帝之則，無體無方，神不可測。剛柔異名，其道則一，得其一者，自無不宜。如日月之光，無所思為而萬物畢照。道心光明，不動乎意，知柔知剛。（《楊氏易傳》，卷 5，頁 11 上－12 下）

這段話說得道而後能應變行世，而區分出柔、剛、無體三個層次。慈湖對柔能勝剛的解釋令人想起老子之道，柔足以應變行世，但似就個人層面而言。用柔用剛皆須無己私，不立我，然而唯中正光明者能用剛，則用剛更難，而履帝位欲有作爲者必須用剛（中正則剛）。但剛尙非究竟，得道者能剛能柔。道心無體，得道者只是不識不知，順帝之則，而隨旁人去說剛柔。〈己易〉提出吾性澄然清明、洞然無際，心非思慮、非血氣，也就是提出形上心的概念。但在《楊氏易傳》才有更明確的「心無體」的觀念。這觀念是從形上心來的，但更能把實體觀念消化掉，而化爲純粹的知能。⓬當然這不是心理、智力的知能，而是無所不知、無所不能的形而上的知能，所謂「如日月之光，無所思爲而萬物畢照」。

在討論「心無體」觀念的理論效果之前，須先指出慈湖此時對「明」的重視。慈湖在〈己易〉論述本心的普遍常在，無間聖愚，故不強調昏明的差別。聖人的修養，也視爲本心感而遂通的一面，雖修養而仍爲無思無慮。但在《楊氏易傳》，則更看重昏明的差別。慈湖解釋〈離·象辭〉「重明以麗乎正」云：

⓬ 慈湖解〈艮·六四爻辭〉「艮其身，無咎」云：「千愆萬繆皆起於身，能止其身，如絲而理其總，如火而沃其薪，截然寂然，本無可言，本無所始。身，氣血爾，氣血何所思？氣血之中亦何所有？聖人於是不言心而言身，於以見心乃虛名，本無所有。苟言心，則人以心為實有。立我立私，禍本益固。故聖人於此不言心。於咸之四亦不言心。」（卷 17，頁 6 下－7 上）身本無身，止於身並非止於心（免得人以心為實有，立我立私），而是止於無。

重明，本明而又明也。人皆有明德，唯君子能明之。故〈晉·象〉曰：君子以自昭明德。唯君子明之，眾人不能，則人雖有明德，又以能明為善，故曰重明。人心非氣血，無形體，虛明神用，無所不通，意動故昏。一日覺之，自神自明，六通四闢，視聽言動，心思變化，無不皆妙，無不中正。其有小人略窺迂似，放肆顛倒於非僻之中，故曰小人之中庸無忌憚。是故重明之卦利乎貞正。（卷10，頁21下－22上）

重明即明明德。明德人人皆有，而唯君子爲能明明德。〈己易〉也說「天地我之天地，天地變化我之變化，非他物也，私者裂之，私者自小也」，但這裡才能更明白指出人心雖然通於天地萬物（即明德），但如果本然之明不能自覺地明之，則通者復塞。於是原理上通於天地萬物，並不表示事實上能通，明之的工夫遂有絕對的必要。此外，明之不但通於萬物，而且包含了心思行爲的中正。「明」成爲君子小人區分的界限。

茲討論「心無體」的理論效果。慈湖以爲心無體而後能包含一切。其解〈睽·彖辭〉「天地睽而其事同也，男女睽而其志通也，萬物睽而其事類也」云：

人心無體，無體則無際，無際則天地在其中，人物生其中，鬼神行其中，萬化萬變皆在其中。然則何往而不一乎？如人之耳目口鼻四肢雖不同而一人也，根幹枝葉華實雖不同而一木也，源流瀦派洑激雖不同而一水也。（卷13，頁2上下）

因爲心無體，只是純粹知能，因此以所涵蓋的天地萬物爲其內容，以其皆心，故無往而不一。

慈湖又以爲心無體而後能遷善改過，其解〈益·大象〉「君子以見善則遷，有過則改」云：

> 人誰無好善之心，往往多自謂己不能為而止。人誰無改過之心，往往多自以難改而止。凡此二患皆始於意。意本於我，道心無體，何者為我？清明在躬，中虛無物，何者為我？雖有神用，變化云為，其實無體。知我之本無體，則聲色甘芳之美，毀譽榮辱之變，死生之大變，如太虛中之雲氣，亦如水鑑中之萬象，如四時之變化，其本體無所加損，何善之難遷，何過之難改，舜聞一善言，見一善行，若決江河，沛然莫之能禦者，以舜之胸中洞然一無所有，故無所阻滯也。（《楊氏易傳》，卷 14，頁 3 下－4 上，亦見於〈泛論易〉，《慈湖遺書》，卷 7，頁 32 下－33 上）

連死生都無體，不可加損於我了，更何況是善惡？其遷改何難之有？但慈湖此說實可加以質疑，就是善惡既無加損於我，則何必遷善改過？何不視如死生四時之變化，隨其來去？可見無體只說到境界的一面，做爲道德實踐的基礎似有不足之處。然而無體必然能通於天地萬物，慈湖似乎是從能通這點反過來論其有道德，則能通似可作爲道德的標準。如其解〈困·彖辭〉「困而不失其所亨，其惟君子乎！貞大人吉，以剛中也」，云：

> 蓋君子不以氣血為己，以氣血為己，則勞其筋骨，餓其體膚，處其賤辱，則己勞己餓己賤辱也，安得說樂而亨乎？惟君子不以氣血為己，道心無體，變化云為，神用無方，無明不息，其樂何窮？……謂夫於困拚之中而能不失其貞正者，又非君子之所能。君子德未備，道未全，大人則道全德備，睿知燭微，如日月之代明；神聖應變，如四時之錯行。從容委蛇乎羊腸九曲之間，而每發中的，故雖困而不失其正。子路之死，子羔之去，可以為君子，不可以為大人之貞。孔子則不然，雖見南子，背蒲適衛，欲從公山佛肸，未嘗失正也。子路剛矣而未中，中者不作於意，一無所倚，如太虛然。虛則明，明則不輔子以拒父矣。剛中之德惟大人

有之。人皆有之，昏而蔽之；賢者昏明雜之；惟純明為聖人，聖人即大人。（《楊氏易傳》，卷 15，頁 11 下－12 下）

能通有兩種。道心無體，故君子能不受制於外在現實，無入不自得，雖處困而心亨，這是通而未必正。但唯有聖人的純明，不但不受困，還能燭見幾微而處變得當，如日月之代明，四時之錯行，能如此，即是中正之德，不但能通而且得正。君子還只是心理上的亨通，所行未必中正；聖人在困中亦能得中正。慈湖在論君子聖人差別時帶進了道德實踐，我們可以說他加進了道德的標準。如果要將其說作一致的解釋，則說這是道心燭微應變，通達至極所帶來的道德，似乎亦無不可。⓭

心無體說的另一理論效果，是主張健動。慈湖解〈無妄·彖辭〉「剛自外來而爲主於內，動而健，剛中而應，大亨以正」，云：

道心無外內，外心即內心，惟人之昏，不省乎內，惟流乎外，是故姑設內外之辭。……視者即聽者，聽者即心思之所從起。起莫知其所從，用莫知其所終。覺則復而為主於內，不覺則放而為客於外。此心有至剛不可磨滅之妙，昏猶金之混於沙泥，明猶金之出於泥沙。內非外內，復者自知。知無所思，變化云為。動而健，不隨氣以衰，剛無所屈，中無所

⓭ 茲再錄一段有關聖人賢人道德性格的話以供參考，〈大有·彖辭〉「大中而上下應之，曰大有。其德剛健而文明，應乎天而時行，是以元亨」，解云：「中無大小，人有大小，賢人之中，無作好，無作惡，無偏無陂，無反無側。聖人之中亦無以異於賢人之中，而剛健如天，文明如天，如日月之代明，如四時之錯行，變化正大，則非賢人之所及也，是謂大中。賢非無剛健文明之德，不為事物所遷移，即剛健也；發諸文為，條理不亂，緝熙光明，物莫之蔽，即文明也。唯聖人盡之，賢者未盡，故大中之道惟聖人可以當之。……人心自善、人心自靈、人心自明、人心自神、人心自備眾德萬善，自與天地無二，自有變化隨時中節之妙，特聖人不失其全，賢者猶未精一未全，故不同，聖人盡此大中之全，故元亨。」（《楊氏易傳》，卷 6，頁 17 下－18 下）

偏，姑名剛中，豈思豈為？虛明而應，群心自隨。……下之至動足以發揮無妄之至神，徒靜猶妄，至動無妄，愈動愈神，是謂無妄之貞。孔子從心所欲而不踰矩，大亨以正也。（卷9，頁15下－17上）

慈湖謂內外是姑設之辭，其實只是昏明之異。明則得此心至剛不可磨滅之妙，遂能不屈不偏，以至動發揮至神。從前引幾段引文，清楚看出慈湖認爲聖人（或大人）高於賢人（或君子）之處在其中正之德，然後不止於內心亨通，與物無忤，還能燭照幾微，動中肯綮。聖人因爲無體之明，已經融入變化云爲，是至動至神的（然而其心體本止而不動），這樣就爲儒家入世經世的立場建立了新的基礎。此外値得提出的是，慈湖強調聖愚的差異與明的工夫的必要，其讀者群仍是士大夫階層。心學的流行在明中葉以後開啓了平民講學的契機，但慈湖心學仍是士大夫之學，完全保持著宋學的精神。

2.心地工夫

再說到《楊氏易傳》的工夫論。慈湖以「不起意」之教而著名，但〈己易〉中並無「不起意」一詞，只談昏明與人心私狹之病，在《楊氏易傳》中每言「人心本明，意動則昏」，如前引文中數見，意是慈湖爲人心之昏所找到的原因。慈湖在《楊氏易傳》中所舉的工夫與〈己易〉多同，仍然是明、去私、思等。慈湖解〈隨卦·九四〉「有孚在道以明」，〈小象〉「有孚在道，明功也」，說：

夫道心之中無己私，果無己私，則自足以取信於人。無己私則明，明無己私。然則孚也道也明也，一也，而〈象〉又專言之曰明功也者何也？道心人人之所自有，己私人人之所本無。惟昏故私，惟不昏則吾即道，虛明無我，本無所私，故歸功於明。（卷7，頁18下－19上）

這是說人心本然無私，故能明則私自然消化。但私是人生而帶來的，並不容易消釋，慈湖解〈謙·彖辭〉「天道下濟而光明，地道卑而上行，天道虧盈而益謙，地道變盈而流謙，鬼神害盈而福謙，人道惡盈而好謙，謙尊而光，卑而不可踰，君子之終也」，云：

> 人生而私其己乳曰己乳，少長而食曰己食，有奪之則爭，愛則喜，有怒之則啼。又其長也，人譽之則喜，有言其失則不樂。大禹神聖，特以不矜不伐稱，則人之好矜伐者眾矣。聖人深知夫人情難克其己私如此，故詳其言，指切其驗，庶幾其或省也。亦猶〈乾·文言〉水火雲龍風虎之喻，使人之己私消盡，則道心虛明，無我無體，如天地，如日月，如變化自生，當剛則自剛，當柔則自柔，當謙則自謙，如四時之錯行也。（卷7，頁2上）

去私並不容易，故〈彖辭〉反覆指陳。但根柢仍然在道心之明，明則自然無私，自然能謙。〈己易〉又提到雖思而仍然無思無慮，《楊氏易傳》也有類似的說法，〈中孚·初九〉「虞吉，有他不燕」，〈小象〉「初九虞吉，志未變也」，釋云：

> 虞吉者，恐懼之異稱。曾子戰戰兢兢，如臨深淵，如履薄冰，如此者終其身，此之謂虞也。《易》曰：君子敬以直內，敬者虞之謂也。禹曰安汝止，即虞也。虞未作於思慮也，使作於思慮，則有他矣，則不燕安矣，則動則不止矣，則變矣。變則漸入于詐。《老子》亦曰：我獨怕兮其未兆，未兆者，意未作，未有他之時也，而《老子》曰獨怕云者，戰戰兢兢恐懼而非思慮也，故〈象〉曰志未變。（卷19，頁8上下）

慮是恐懼而非思慮，這樣慈湖在其無體的形上學之下包括了儒家傳統的心地工夫。

與不起意工夫直接相關的是「敬」與「蒙」。慈湖釋〈坤·文言〉「敬以直內」云：「聖人又慮學者雖欲直而未能直，故教之以敬，敬則心不放逸，自直矣。直者本心，未始不直，未始或曲，惟起意故曲爾。」（卷 2，頁 16 上）釋〈升卦·上六〉「冥升，利于不息之貞。〈象〉曰：冥升在上，消不富也」，云：「冥升正道，不息悠久。蒙以養正，乃作聖之功。……人心無體，無體則何所有？未始不虛也。意動故不虛。此虛明無體，本無進退，因故習積久，故蒙養以漸消其習氣，其間有惰者，故以不惰者爲不息。」（卷 15，頁 10 下－11 上）敬在工夫之前，敬是心中保持些微張力（只到不放逸的程度），心自能直，放逸則起意而曲了。蒙在工夫之後，虛明已得心體之正了，然而故習尚在，蒙養是不識不知之養，以漸消其習氣。

慈湖的工夫論是消極性的修養，有個重要原因，他以爲人的本然已是至善，不待修爲，因此沒有積德的觀念。〈升·大象〉：「君子以順德，積小以高大。」釋云：

> 孔子曰：據於德，德，得也，實得於道也，非言語之所及，非思慮之所通，故〈中庸〉曰：苟不至德，至道不凝焉。夫道一而已矣，豈有道德之異哉？人心有昏之間，故聖賢立言，辨析其所以異。……據之為言，非若有若無，惚恍之間也。實有而實可據也。惟其未嘗思而思也，未嘗為而為也。蒙以養正，養此也，順是而養之，自漸至於高大，不可揠苗也。……惟蒙可以養之。蒙者文王之不識不知也，孔子之無知也。善養德者莫善於此。道雖洞明，質有故習，故習難於頓釋也。順而養之，意態不作，則本德自明自神，自無不善，自高大矣。本無高，因人之卑陋而名其不卑陋之為高；本無大，因人之小狹而名其不小狹者之為大。曰

> 順曰積，皆設為之辭，自得自信者自知之。(卷15，頁7下－8下)

至德與不德的差別在人心的昏明。據德是眞實地據德，然而是無思無爲地據。養德的方法是蒙養，即不識不知地養，順養即漸至於高大。但慈湖立即解釋不識不知所以消釋故習使意態不作，高大本無高大，乃是對照於人的自爲卑陋自爲狹小而言，順積其實只是恢復心地本然的光明。

3.性善論及其意義

從「人心即道」的主張，自然可以推論出性善。前文已引述了慈湖形上心的概念，但單就內涵而言，心只是靈明，只是純粹的知能，然而本身便包含一切爲善的能力。因此慈湖說：「人心自明，逐外則昏。〈乾〉曰自強、〈謙〉曰自牧、〈復〉曰自知、〈頤〉曰自養、〈晉〉曰自昭明德、〈比〉曰不自失，皆所以明人心之自靈自明也。」（《楊氏易傳》，卷5，頁3下－4上）又說：「人心至靈，其有過差，亦自知之，故心亦悔之。」（卷7，頁24下）慈湖並非以爲隨心而行皆無過差，而是以爲過差亦由心而知，能改即恢復心的光明，因此說：「夫人之本心自善自正，自神自明。唯因物有遷，始昏始放，言語始輕脫。今也愼其言語，言語不輕肆，而內心得所養矣。因物有遷，始昏始放。飲食始不節，今也節之，則欲不縱而內心得所養矣。去其害心者，而本心之光明如初矣。」（卷10，頁8上）

性善論是一種實踐理論，將道德歸本於人心靈明，可以使人不逐外，由反省而改過遷善。但更重要的意義是在其影響於政治實踐。慈湖釋〈泰·大象〉「后以財成天地之道，輔相天地之宜，以左右民」，以及〈蒙·初六〉「利用刑人，用說桎梏」，〈小象〉「利用刑人，以正法也」，說：

> 民性自善自中，惟左右之，使饑寒不切其身，不拂亂其性，又以五禮防其僞而導之中，以五刑防其過而協于中，凡此皆所以左之右之，堯匡之

> 直之輔之翼之，知民性之本善，故左右而養之。後世不知民性之本善，無禮樂刑政以左右之，三才之氣乖亂，凶災饑饉洊臻，民困窮無告。又立法以利導民之私欲，以亂法導亂民，及民抵冒肆犯，則又曰：民頑不可訓。遂傷殘之。又輕重不當，為善者未必免，為惡者未必刑。罪重者得輕刑，罪輕者得重刑。民益亂，不知所為，盡胥而為惡。皆由不知民性本善，不左右之而困之，又直擾害之故也。（卷6，頁2下－3上）
>
> 惟明者深知人之性本善本明，因何以蔽，因何而蒙，蔽在某處，病在某處。因其蔽處病所而刑之，則桎梏可脫，是謂以正法刑人。每歎以邪法刑人，益人之桎梏者多矣。（卷3，頁13上）

性善論在政治的層面成爲仁政的實踐。慈湖主張性善，在政治上則持積極有爲的態度，並非聽民自化，而是「左右而養之」。值得注意的是，慈湖對「財成天地之道，輔相天地之宜」的解釋，是就人對自然界的裁制而言，這是幫助民生之事，但慈湖並不接著說民生既利則易於爲善，可以放任，而是加上一段政治措施（即上舉引文）。對人民不僅照顧其生活，更須以禮樂刑政來化導，這完全是儒家的立場。於是性善論的影響不在於人民的自動性（雖然君子在自立自強上有自動性），而在於政治措施的性質。在位者明白人性之善，因而政治以教化爲目的，刑罰的輕重也須符合人民的善惡，否則成爲邪法，反而助長人民爲惡。

三、《楊氏易傳》中的經世思想

㈠　經世的基礎

從以上的討論可知慈湖心學思想就實踐層面而言，有強烈的經世傾向。例如釋〈井·九五〉「井洌寒泉，食。〈象〉曰：寒泉之食，中正也」云：「寒泉洌然，無喪無得，寂然不動也。食者及物也。中正之道自不動，自有及物之功，非索之外者，人心之所自有也。」（《楊氏易傳》，卷 16，頁 4 下）慈湖凡言中正，皆指不僅消極應世，而能積極地作爲。但我們須進一步看虛靈如何能經世。

慈湖釋〈渙·大象〉「風行水上，渙。先王以享于帝立廟」云：

> 《孝經》曰：愛親者不敢惡於人，敬親者不敢慢於人。凡慈愛恭敬有一失焉，即失人心。王心之誠愛誠敬，雖已自足達之，深入乎民之心，又著之於禮樂政事聲名文物，則觀感亦深，動化益敏。夫所以合天下離散之心者，在此而已。而或者求諸權術，良可鄙笑。其有以力假仁，僅足小濟。岌岌危懼，禍亂繼作，安得不去彼取此？（《楊氏易傳》，卷 18，頁 15 上下）

此言凝聚天下的原理，凝聚天下人心靠感動。虛靈包含愛敬的德性，愛敬是人心所同然，而禮樂政事聲名文物等聖賢的文化建設，也視之爲人心之所同然，皆所以感動天下而凝聚之。又釋〈隨·彖辭〉「大亨貞，無咎，而天下隨時。隨時之義大矣哉」云：

> 蓋人情有曲折時變習俗之不同，惟道德之全者，睿智畢照，變化云為，靡不中節，故大亨貞無咎，而於天下可以隨時而無不通矣。時變之來無窮，時變之狀無定。古無可稽之典，近無可法之則，事變忽生，人情忽變，而欲隨時而應，舉不失義，非得《易》道之大全，其孰能與於此？然則隨時之義豈勉彊之所能？豈學習之所到？《易》曰：不習無不利。惟不習者得此義矣。《易》曰：天下何思何慮！惟無思無慮者得此義矣。得此義如水鑑洞然照萬象，如日月遍照萬物，自神自明，不可度思。（卷 7，頁 15 下－16 上）

道德之全指的是心能全其虛靈，而不是就其含藏萬理而言。得道德之全者，則如水鑑日月的遍照，能對事物有全面的掌握，對發展趨勢更不忽略，而達到前知的效果。⓮因此道德之全可以隨時應變，這是心學靈活的一面。這和陽明的「良知誠致，則不可欺以節目時變，而天下之節目時變不可勝應矣」，⓯相似而不同，良知是愛親愛民，誠有此心，則不必受限於既有的格套，而能通權達變。但慈湖似乎更就智性之明說的，指心思靈活，洞中機會。但不論是慈湖還是陽明，其心學思想皆為經世的實踐奠定了基礎。

慈湖由心之虛靈建立經世的作用，而是否建立這個作用，也是儒道區分的根據。慈湖釋〈履·大象〉「君子以辨上下，定民志」，及〈大壯·彖辭〉「大者正也」云：

> 上下有章，貴賤有等，天秩之敘也。致其辨焉，使上者安於上，下者安於下，則民志定矣。彼老氏謂禮為忠信之薄亂之首，則安能治天下國家？老氏窺本見根，不睹枝葉，不見宗廟之美，百官之富，習乎道家之學，未學乎《易》者也。孔子大聖，猶曰五十而後學《易》，可以無大過，《易》道之未易遽學如此。蓋天下之變化無窮，情偽萬狀，而欲動中機會，變化云為，無非典禮，誠非一於清虛淨寂者之所能盡識也。（卷 5，頁 13 上下）
>
> 德雖大而不出於正，縱心於規矩之外，世所謂道家者流間有之，而人心不服。（卷 12，頁 2 上）

⓮ 慈湖雖常用「水鑑」或「冰鑑」之喻，畢竟不見於《周易》本文。見於《周易》本文，而慈湖屢次指出的，是「光」之喻。如〈需卦〉「光亨」，釋云：「其亨也光，如日月之光，無思無為，自無所不照。人情於需待，於得所需，能不動心。今如光焉，寂然不動，如是而亨，是為光亨。聖人善於明道如此。」（卷 4，頁 1 下）光完全融入所照的萬物，故能寂然不動而萬物自然亨通。

⓯ 〈傳習錄中· 答顧東橋書〉，《王陽明全集》（上海：上海古籍出版社，1992 年），頁 50。

慈湖將虛靈與禮相結合，以比較道家與《易》道，禮不僅用來修己，也是治天下所必須，而表現了《易》道豐富的內容，足以行世。道家則有體無用，不可以治天下國家。

(二) 經世思想舉要

《易經》六十四卦三百八十四爻，內容包羅萬象，慈湖解既然體用兼重，便包含了豐富的經世思想。本文只能略舉自今日言之較有特色者。

慈湖論學以三代聖賢爲理想，論治亦然，《易經》則是三代政治理想的淵藪。在〈坤·彖辭〉，慈湖解釋「坤厚載物，德合無疆」二句後，又有一段發揮：

> 孔子曰：地載神氣，神氣風霆，〔風霆〕流行，⑯庶物露生，無非教也。孔子以此教學者，故其言精。《易》之〈彖辭〉，孔子以教筮者，故其言顯。因人心以為二，故合之。教亦多術矣，《易》本占筮之書，古神聖之設教，知空言難以告人，因民生之所利用，因致其教，因以發神明之德，因以通萬物之情。《書》曰：水火金木土穀惟脩，正德利用厚生惟和，是謂六府三事。所謂利用，即范金合土刳木剡木之類；所謂厚生，即水火穀足以養生之類。凡皆生民之所日用，聖人因其日用而致正德之教。使五十者衣帛，七十者食肉之類，皆因厚生而教以正德。器有常制，不苟不侈之，皆因利用而教以正德。至於《易》筮而教以正德，五帝三王所以教化之速者，因民生日用教之也。周衰，此教隳矣，而況於秦漢而下乎！（《楊氏易傳》，卷2，頁2下－3下）

⑯ 「風霆」二字《四庫》本誤奪，據《四明》本補。

孔子以即形即道教學者，使之悟道。對於人民，包括箴者，則從民生日用中教導其中的道理。例如從范金合土刳木剡木中，教以器有常制，不苟不侈，這是因利用而教以正德；從衣服飲食教以五十者衣帛，七十者食肉，這是因厚生而教以正德。這裡說明了三代政治理想包括了養生與教育，更進而要求二者的合一。慈湖屢屢以三代理想和秦漢以下的現實對比，不僅在此處而已。

慈湖釋〈蠱·大象〉「君子以振民育德」云：

> 蠱弊必有以振作之。振作之者，所以救其弊壞不正之習害道者，以養育其德性耳。其作之不可過之，不可擾之，使勿傷其德也。《書》云：惟皇上帝降衷于下民，若有恒性，克綏厥猷惟后。人君無他職，順民常性使安其道而已。凡其禮樂刑政一出乎此。禮防民之偽，樂防民之情，刑協民于中，政率民以正。帝堯匡之、直之、輔之、翼之、使自得之、又從而振德之。自秦漢而下不復知有此事。後世忿民之非僻蠱弊而振作之者，安知民有德性而育之哉？漢遣繡衣直指之使，惟誅擊之而已。（卷7，頁22下－23下）

三代政治有振民育德之意，故有禮樂刑政，而皆以養育德性爲目的。後世則有刑罰而無教育。慈湖又解〈噬嗑·大象〉「先王以明罰敕法」云：「法書亦平時敕正之，或垂之象魏，或讀之於閭，又讀之於族，又讀之於黨於州，皆所以敕戒之，欲其無犯。」（卷8，頁19下）主張法律教育。

而在養民的一面，除了養德，還注重生活上的養。〈賁·大象〉「君子以明庶政，無敢折獄」，釋云：

> 賁，文也；文，柔德也。君子知民之未化不在乎民也，在我而已，在庶政而已，不在乎刑也，在養之而已，未有庶政咸得其道而民不化者。刑

> 獄，武德也；武，文之反也。使其折獄為本務，無不得已之意焉，則刑益繁，民亦亂，失本末之敘故也。秦漢而下罕明斯旨。（卷9，頁2下）

主張先養民，用刑是不得已，若庶政不良，徒用刑罰，不一定能止亂。

慈湖在用人上主張擇賢久任。〈比·大象〉「地上有水，比。先王以建萬國，親諸侯」，釋云：

> 水由地中行，則各得其所；水在地上，則散漫無統。先王雖聖智，不能以一人兼治四海之民，故必屬而理之，萬國於是乎建。是王者親比諸侯，侯各親比其民，民各附其所統屬矣。後世之郡縣亦古之萬國，惟不擇賢久任，故治苟且，民失其安，風俗益壞，藩籬不固。遵《易》道而行，無一夫不被堯舜之澤矣。（卷5，頁2上下）

三代理想的封建政治不可復行，替代的辦法是取其精神，擇賢久任。慈湖〈上寧宗疏〉主要的論點就是擇賢久任。⓱

慈湖的政治理想主義強調君主的道德，其解〈漸·彖辭〉「進以正，可以正邦也」，以及〈中孚·彖辭〉「說而巽，孚乃化邦也」，云：

> 人心不可以彊而服也。行一不義，殺一不辜而得天下，湯武不為也。故邦可正也。唐太宗假竊義兵之名以欺天下後世，而奸利之穢不可掩也，雖力假仁義以朽糞牆，⓲人心終不可彊之使化也，故太宗頗有治跡而無治化。此所謂正邦者，人心正也，非徒飾其跡而已也。（卷17，頁9下）

⓱ 參考〈慈湖行狀〉，《慈湖遺書》，附錄，同注❶，頁11下－13上，22下。

⓲ 「牆」，《四庫》本作「戕」，據《四明》本改。

> 卦象兌巽為說而巽。〈中孚〉無我，和說自生，自柔巽不忤。苟微立己意於其間，則必有不和說不巽者矣。如此備言，則〈中孚〉之全，明白無虧，〈中孚〉之用，邦民自化。此豈五霸之權術，漢道之雜霸哉？一於誠而已矣。（卷 19，頁 6 上）

這兩段話與朱子闢陳同甫的雜用王霸近似，都表現了政治上的理想主義。以為國君當以道德得天下，以道德維持天下。⓳

慈湖又主張正兵，〈師卦．上六〉「大君有命，開國承家，小人勿用。〈象〉曰：大君有命，以正功也。小人勿用，必亂邦也」，釋云：

> 用小人為將帥，幸而成功，則難於不賞；使之開國承家，則害及民，必亂邦也，豈聖人君國子民之大道？去一害民者，又用一害民者，以亂易亂必不可。……用師而用詐，取勝於目前，貽禍於後日，其應如響。自有正兵之法可用。諸葛亮以正兵，李靖以正兵，二子之善用兵，諸將無及。後世之為將者胡不用此，而獨以詐歟？二子之用正不用詐，君子之所與也，《易》之道也。（卷 4，頁 16 上－17 上）

對正兵的主張，慈湖列為治天下急務之一，⓴可見這與擇賢久任同樣是南宋的政治問題，而他在《易經》中找到救正的依據。

⓳ 朱子與慈湖在不同的哲學根據下，同樣表現了政治的理想主義。朱子以為三代與漢唐君主的用心，是天理與人欲的相對，漢唐君主用心不出人欲，故人道不立。慈湖則以為漢唐君主立私己，不能得人心同然，故人心不服。朱子評陳同甫，參考〈答陳同甫〉，《朱子大全》（臺北：臺灣中華書局，1970 年），卷 36，頁 23 上－24 下。

⓴ 「謂治天下其最急者五，一曰謹擇左右、大臣、近臣、小臣，二曰擇賢久任中外之官，三曰罷科舉而鄉舉里選賢者能者，四曰罷說法導淫，五曰教習正兵法以備不虞。」（參考〈慈湖行狀〉，《慈湖遺書》，附錄，同注❶，頁 29 上下）

以上都是慈湖發揮三代政治理想的例子，這些地方和程朱學派的說法幾無不同，可見抱持著三代理想的政治觀而批判現實，是理學家共同的態度。但在對待小人的態度上，慈湖卻較少疾惡之意。〈泰卦·九二〉「包荒」，〈象〉曰「包荒，得尙于中行，以光大也」，釋云：

> 〈九二〉大賢，學之荒者疑在所棄，今〈九二〉則包之。何以包之也？人有常性，本善本正，因物有遷，斯昏斯亂。荒者不協于極而已，猶未罹于咎。君子當包受之，寬以教養之，則天下之善心無不興起，可以使人皆有士君子之行。……然此亦非於常性之外復有所進也。雖大聖與下愚，其常性則同。賢者智者自過之而失其中，不肖者愚者自不及而失其中。〈九二〉之道，自小賢小智觀則謂之大，自道觀之則中行而已矣。中無實體，賢者智者未能忘意，不意乎彼則意乎此，不彼不此，又意乎中，皆有所倚，非中也。中者，無思無慮，無偏無倚之虛名，非訓詁之所到。曰光大者，乃言其道心光明，如日月之光，無所思為而萬物畢照。道心無我虛明，洞照萬理。苟未至於如日月之光明，必有私有意有我，必有蔽惑。唯曰中而不曰正者，中正雖無二道，而世之乘正者未必能中虛無我也。（卷6，頁4下－6上）

主張對才智甚至人品不足的小人加以包容。這雖是處世的態度，但與其思想亦有關，慈湖主張「中無實體」，「中者無思無慮不偏不倚」，便會避免作意，而疾惡太甚似乎流於作意。慈湖又主張中包含正，而正未必得中。《易經》本身已經較贊許中道，慈湖又加上心學的解釋，〈恒·初六〉「浚恒貞凶」，〈象〉曰「浚恒之凶，始求深也」，釋云：「遽求深入，雖貞正亦凶。始求深入，多由貞正之人執正義而爲之急也。《易》之道不如此，惟時惟變，不主一說，天下之大用也。用小道者，雖正猶凶，猶無所利。故孔子止絕人之意必固我，其爲害道也。」（卷 11，頁 10 上下）慈湖並非不求導正小人惡事，而是認爲不可急切，這和他中虛無我，不立先見的主張有關，而其所謂「世之乘正者未必能中虛無我也」，「始求深入，多由貞正之人執正義而爲之急也」，容易使人聯想朱子剛腸疾惡之風。

《楊氏易傳》中又有反映宋代身分等級的材料，可以一提。當然，在慈湖心目中，這些仍然是三代理想政治的內容。首先是君臣關係，〈坤·上六〉「龍戰於野，其血玄黃。〈象〉曰：龍戰于野，其道窮也」，釋云：

> 當是時，人知有〈上六〉而已，復知有陽哉？聖人嫌惡其無陽也，故特稱龍，以著其猶有龍在，以明其猶有君在，人心終不忘其君，不可侮也。……聖人為此，皆所以折天下無君之心，所以明天下之大道。君君臣臣，道之正也，龍戰之禍，道之窮也。（卷 2，頁 11 下－12 上）

這是很清楚的君尊臣卑的觀念。這種觀念除了由於「天地之大義」，還因爲將君主視爲政治的中心。〈漸·彖辭〉「進得位，往有功也，……其位剛得中也」，釋云：「進得位而後可以有功。此位，剛得中之位也。君體剛而又中天下而立，而後可以大有爲，可以有功。若夫人臣雖進，皆不足以言位。人臣之位皆君之所命，人臣之功亦君之所用。使君不用之，臣何能爲？故臣之功皆君之功也，臣無功。臣之位皆君之位也，臣無位。」（卷 17，頁 8 下－9 上）臣的職分由於君的授與，易言之，君是臣的權力來源，那麼地位與功業皆是爲君而成立，本身沒有獨立的地位。

除了君臣，另一個重要的等級是男女關係。〈家人·卦辭〉「家人，利女貞」，〈彖辭〉「家人，女正位乎內，男正位乎外。男女正，天地之大義也」，釋云：

〈卦辭〉唯言利女貞，深明家道之亂多由女禍，此萬世之通患，治家者不可不念，不可不謹。謹之之道莫尚乎禮。女正位乎內，男正位乎外。女不可遊庭，出必擁面。牝雞無晨，牝雞之晨，惟家之索。男女之正，天地之大義也。男陽為天，女陰為地，斯義豈不昭然！（卷 12，頁 15 下－16 上）

這是從職分上區別男女，如果女從事於外庭，就造成女禍。〈歸妹·上六〉「女承筐，無實，士刲羊，無血。無攸利。〈象〉曰：上六無實，承虛筐也」，釋云：

歸妹所以承祭祀，而〈上六〉居外居上，故不言婦。承筐無實，徒有承祭之名而無承祭之實。士刲羊無血，不能制狼壯之妻也。羊有狼壯之象，不能制婦，不成為夫，故不言夫。（卷 17，頁 17 下）

此解中，女承虛筐，是不能安其職分，但除此之外，又有夫不能制其婦的意思，因此婦女的謙恭柔順也是齊家的必備道德。當然，現在這些都是過時的東西了。

四、《楊氏易傳》對易例的討論

㈠ 三才一道

《楊氏易傳》是義理的淵藪，每每長篇大論地發揮自己思想，在哲學史或易學史上有其地位，但對於《易》本身的研究恐怕貢獻不大。但書中對《易》的意義及體例的說明，對研究慈湖思想仍有相當意義，本節略加整理，以便讀者參考。

慈湖論《易》，基本的立足點是將《易》作爲人道之書。如〈乾·彖〉「大哉乾元，萬物資始」一段，講的是天道發育萬物，慈湖解云：

> 孔子欲使為君為父為夫者，或進於聖人之道者觀之，曰：吾得斯卦果大乎？果元乎？果萬物之所資始乎？果能統天乎？雲行雨施品物流形果吾之道乎？終始六位、乘龍變化、物物皆正性命、合太和，果吾之所有乎？天乾即吾之剛健正者也，豈獨天有之，吾無之？（《楊氏易傳》，卷 1，頁 9 上）

慈湖將這段文字解爲我是否爲大？是否爲萬物所資始？等等。也就是將討論天道、天人之際的《易經》解釋爲討論人道之書。又解「大哉乾元，萬物資始」二句云：

> 夫三才混然一而已矣，何為乎必推言其本始也？……人惟知氣而不知道，……人惟見事而不見道，聖人於是乎不得不推窮其始而有元之名，且天行之所以剛健運化而無息者，其行其化何從而始乎？始吾不得而知也，始吾不得而思也。無聲無臭，不識不知，無思無為，我自有之。其曰大哉乾元，所以指學者明道之路也。（卷 1，頁 10 上下）

推原本始，是追究萬物未生以前，當然也在人生以前，從討論人道的立場而言是不適當的。其所以必須推原本始，乃由於人執著於枝末，故不得不推窮本始之道。慈湖並不作宇宙論的溯原，可見其世界觀是本體論，這本體是與氣、事相對的道，因而也是我的心性（形上心）。萬事萬物皆從我開始，莫知其始而始，因而皆在人道範圍之內。

慈湖又解〈乾・大象〉云：

> 君子之所以自強不息者。即天行之健也，非天行之健在彼，而君子倣之於此也。天人未始不一也。孔子發憤忘食，學而不厭，孔子非取之外也。

> 發憤乃孔子自發憤，學乃孔子自學，忘食不厭，即孔子之自強不息。此不可以言語解也，不可以思慮得也。故孔子曰：「天下何思何慮。」孟子亦曰：「人之所不學而能者，其良能也；所不慮而知者，其良知也。孩提之童，無不知愛其親者；及其長也，無不知敬其兄者。」今夫人之良心，愛親敬兄、事君事長、惻隱羞惡、恭敬是非、仁義禮智，迭出互用，變化云為，此豈學而能、慮而知哉？（卷1，頁12下－13上）

「天行健，君子以自強不息」，最有法天的意思，但慈湖解我的自強不息即天之健，不待取之於外。然後引孔子的發憤好學，孟子的良知良能，皆爲了指出不求於外。不求於外，則由於此心的自動，而這又是自然而然，不待思慮的知能。人心是自然靈妙，變化云爲的知能，這便是天之健。

慈湖又解〈觀·彖辭〉「觀天之神道而四時不忒，聖人以神道設教而天下服矣」，云：

> 天道至神，唯其神，故四時之行無差忒。聖人即天道，亦神道，無二神二道，故設教而天下自服。禮樂刑政皆聖人設教之具，可得而略言也。聖人為是父子君臣夫婦長幼朋友之禮，所以因人慈愛恭敬之心而順以導之，無敢小拂焉，無敢過焉，一循夫大中之性而左右之，使不失其所自有爾，而人之由之，冥符默契，自化自得，自不知也，非以神道設教乎？（卷8，頁12上）

〈彖辭〉之意似爲仿照天之神道以設教，慈湖解則指禮樂刑政而言，純是人事之教，然而若能一循自然之性，無過無不及，使人自化自得而不知所以然，就是神道設教。

由此言之，天人各有所司，卻有貫通處。〈賁·彖辭〉：「分剛上而文柔，故小利有攸往，天文也。文明以止，人文也。觀乎天文以察時變，觀乎人文以化成天下。」釋云：

> 舜之得益禹，周公之遇成王，非人之所得為也，天也。其君臣相遇，剛柔相遭相之，功業大小，皆天然之文，非人之所能為也。至於文明以止，一定不易之文，則人文也，人倫是也。尊有常尊，卑有常卑，禮有常序，其文甚明而萬古不易。夫君臣剛柔之所遇，時變之形，不可不觀而察之也。人文，人心之所自有，自善自正，順而導之，左之右之，使無失其所有而自化自成矣。人文如此，天文如彼，其事不同而文則一也，六十四卦，其事不同，道則一也。（卷9，頁1下－2上）

這裡的天文就人的遭際、命運而言，非人所能掌握；而人文則指人倫，乃人心所固有，順導則自然成化。天文人文都是文，因而也都是道。這樣，慈湖從自然無爲的角度，即人文而稱天道。

慈湖雖以人文的自然無爲爲天道，但並不是說隨心任意皆道。其釋〈節·大象〉「君子以制數度議德行」云：

> 凡此皆德行之品節而不可亂者也。自此心光明者行之，則與下大夫言自侃侃，與上大夫言自誾誾；升堂自屏息，出降自怡怡；去父母之國自遲遲，去他國自速，無俟乎議也。自此心未通，與雖通而未大通，未極其光明而行之，苟無議焉，不保其無差也。未至於大聖，皆不可不議，雖議而非外也，皆吾心之所安也，皆吾心之所自有也。是故聖人以五禮防萬民之偽，經禮三百，曲禮三千，皆人心之誠敬也。自外者非德行也，偽者非德行也。德者直心而出之，非由外鑠我也。（卷19，頁3上下）

原來在心地光明通達的條件下才能說「從心所欲不踰矩」，未達此境界，則須對行誼作討論，以免過差。但這類的討論使吾心安，因而仍然在本心之內，是天道而非人爲。至於禮是聖人防民之僞而安排的，行之使百姓得其誠敬，而非外鑠。因此慈湖雖然是心學派的重要人物，但他的心學離不開經學，聖賢的言論、行爲、制度仍然是不可或缺的規範，他的心學只是更恰當地詮釋而已。㉑

另外，和「三才一道」相關連的是德福一致的觀念。慈湖釋〈泰·卦辭〉「泰，小往大來，吉亨」云：

> 道之正者，為和為同為宜為治為泰為吉亨；道之不正者，為不和為不同為失宜為亂為否為凶蹇。……大抵正無不利，邪無不害，人道謹諸此而已矣。（卷 6，頁 1 下－2 上）

一般的理解，道德是人心自己的抉擇，而利害則牽涉到客觀世界的結構，因此人主體的善惡未必與客觀的吉凶一致。但慈湖以爲三才一道，則人的善惡應該貫通到客觀世界，而與利害一致，正無不利，邪無不害。這是對道德、人性的樂觀態度。

至此，慈湖提出人積極參贊天地化育的可能。〈臨·彖辭〉「至于八月有凶，消不久也」，釋云：

> 凶者，明其處之盡道，容有無凶之理。君子之道終於消，不可玩忽也。

㉑ 這不是說慈湖完全信從經典，他也以心的標準對經籍作抉擇，如謂〈乾·文言〉「元者善之長」為害道（卷 1，頁 17 下－18 上）。他對禮也不是盲從，而是仔細區分偽與去偽的不同。在〈賁·上九·小象〉「白賁無咎，上得志也」，他說：「人心本善，本純誠而不雜，禮文之興，人心未必不流而入於偽，故禮貴乎去偽，又曰防民之偽。今也白賁，則一由中心行之，無毫髮致飾之偽，故曰上得志也，正人心之本然也。周文之敝，繼周者當用忠質，亦人心之所厭也。」（卷 9，頁 5 下）

不久者，所以警之懼之，使君子毋忽毋玩也。蓋人情慢忽，以為未遽至此者，必至此也。泰艱貞亦可免咎，休否包桑致戒，皆以明警之，足以持盈守成。蓋消息盈虛，陰陽之氣數也；警戒持守，道也。陰陽生乎道，故道可以轉陰陽之氣數，特以人之盡道者寡，而消息盈虛之數鮮有能易之者。孔子曰：聖人在上，日不食。今歷家謂日月之食乃數之不可易者，而孔子云然，歷家所算亦不能盡驗，予以知氣數亦有以人道修明而潛其災者。此《易》道變化無窮之妙。陰陽變化，無一日不自道心而生者，善言足以退熒惑，孝婦可以旱東海，三才之機，一而已矣。（卷 8，頁 4 上下）

天人雖然各有所爲，但終歸一道，而人心合道即是天，因此亦有回轉天命之理。天道盛極而衰，人卻可以覺悟及此，而持盈保泰，警戒持守，而轉變氣數。慈湖又舉災異說爲證，雖然不見得有道理，但其以人事救天命的態度是可取的，而這些可在其心學上尋得根據。

㈡ 易道、大矣哉、時

〈屯·彖辭〉「屯，剛柔始交而難生，動乎險中」，慈湖釋云：

首〈乾〉次〈坤〉，反對之序也，其又次之〈屯〉者何也？六十四卦錯而置之，如《連山》、如《歸藏》，無不可者。……屯者《易》之〈屯〉也，〈乾〉〈坤〉不必專言小，〈乾〉〈坤〉不必專言先，〈屯〉〈蒙〉不必專言後，〈既濟〉〈未濟〉即〈乾〉〈坤〉也。分本與末者陋，學者為啟愚昏，或推本而言，聖言之變化也。……〈震〉者，陰陽剛柔之始交，其象甚著也。〈坎〉為險，險為難。下〈震〉上〈坎〉，其始交而未通，有屯難焉。又震為動，動乎險中，猶屯塞而未通。六畫之中，斯象著見。孔子於是發之於〈彖辭〉。嗚呼！此《易》之道也，此《易》之〈屯〉也。昧者徒見其為屯難而已，不知其為《易》之道也，則何以讀〈屯〉之卦元亨利貞與〈乾〉等也？（《楊氏易傳》，卷 3，頁 1 上－2 上）

慈湖的用意是打破各卦間價值的差異。〈乾〉〈坤〉爲首，是《周易》的次序，但〈乾〉〈坤〉並不比其他各卦爲大。聖人欲以健與形說明萬物之本始，故將〈乾〉〈坤〉置於篇首。萬物即天地之萬物，本身有健有形，爲了說明的方便，才推本而言天地。然而並非天地在前，萬物生之於後，換言之，慈湖取本體論立場，而非宇宙生成論立場，因此任何事物，本身皆有完足的價值。於是每一卦、每一爻皆是《易》之道，屯難也是《易》之道。與此相關連的是大與時的觀念。

〈蹇·彖辭〉：「蹇，難也，險在前也。見險而能止，知矣哉。蹇利西南，往得中也。不利東北，其道窮也。利見大人，往有功也。當位貞吉，以正邦也。蹇之時用大矣哉。」釋云：

凡眾之心即聖智之心，眾人因物有遷，意動而昏，動於利而昏，動於害而昏，愈動愈昏，則雖有險而莫之見，安其危而利其災。而聖智則不然，意未嘗動，故事未嘗昏。眾人於是有愚之名，智者於是有智之名。非智者之特明，乃眾人之昏爾。孔子因東南西北之象而發其義曰：自春之始於東，而中於西南，窮於東北，則西南有中之象，東北有窮之象。惟道為中，失道則窮，無意無必無固無我則中，作好作惡有意必固我則窮。有意必固我則有所倚，則有所偏，非中。無意必固我則無所倚，則無所偏，故名之曰中。微起意焉，即昏即不中，則不能見險而止，則蹇而愈蹇，則窮。……〈坎〉〈睽〉〈蹇〉皆非善吉之卦，凡眾於此，往往礙於險難，勤於憂思，汩於事情，安知為至大之道哉？故聖人特明之，使天下後世知如〈坎〉如〈睽〉如〈蹇〉之類無非大《易》之妙，不可以為險難憂思事情也。不特此，凡曰時曰時義，與其餘不言之卦皆一也，皆大也，皆《易》之妙也。（卷 13，頁 8 上－9 上）

〈坎〉、〈睽〉以及此處的〈蹇〉，爲險、離、難行之象，皆非善吉之卦，然而〈彖辭〉皆有「大矣哉」之言。其緣由即上文已解釋過的，每一卦、每一爻皆是《易》道，有完足的價值，都可以說「大矣哉」。選這幾個艱困的卦來說明，只爲了彰顯《易》道之妙無所不在。但假如每一卦爻皆是「大矣哉」，那麼艱困與順適在價值上是否毫無差別？慈湖之意似即如此，他以爲無法度過艱困，而以艱困爲艱困，是人自己造成的。所以說眾人因物而遷，意動於利害而昏，於是無法對艱困的情況做出適宜的處置。慈湖釋〈坎·彖辭〉「險之時用大矣哉」又有一說：「《易》未始不一，人心自不一。人心亦未始不一，人心無體，自神自明，自無所不一，有體則不一，無體則無不一。意動則昏，昏則亂，亂則自不一，而紛紛矣。自不昏者觀之，重險之時大矣哉！有孚心亨大矣哉！行有尙大矣哉！六十四卦之用皆大矣哉！」（卷 10，頁 18 上下）就是除了一切情境同有價值外，「大矣哉」又是從人心無體神明來看的。唯有人心之一之大，才能看到《易》道之一之大。因此「大矣哉」又是和不起意之教息息相關的。

「大矣哉」又有神妙的意思。〈豫·彖辭〉：「天地以順動，故日月不過而四時不忒；聖人以順動，則刑罰清而民服。豫之時義大矣哉。」釋云：

道一而已矣，而乃有如是云云曲折之狀者，道固有如是曲折萬變也，此其所以名之曰《易》，《易》有變易之道也。是道不離乎人心，人之道心自剛，自無不應，自能順動，諸卦彖辭多言曲折變異之狀，聖人所以明大《易》之道也。或者往往溺諸人情事狀，不悟其即天下何思何慮之妙也。……順動，天地之道也，天地豈曰吾以順動哉？自變自化，人自謂之順動。日月自不過而有常度，四時自不忒而有常序。聖人之順動即天之順動，聖人雖曰順動，而實不能自言順動之狀，故曰言不盡意，又曰予欲無言，又曰吾有知乎哉無知也，又《詩》稱文王不識不知，順帝之則。使有知有識，則不足以言順矣，而刑罰自清而不繁，民心自服而化。……大矣哉之《易》義，大《易》之義也，六十四卦之義也，三才之義也，順動之義也。順動之義可言也，而亦不可索其狀也，孰順孰動，其機不可得而知也，其狀不可得而執也。民之所以悅者此也，日月之所以不過，四時之所以不忒者此也，《易．卦》之所以為六十四卦者此也。（卷7，頁8上－9下）

這裡引用的三小段話中，第一段言千變萬化即何思何慮。第二段言言語追趕自然的變化，故言不盡意。第三段言知順動而不知所以順動，亦自然之意。前文對慈湖思想的解釋較偏重其無思無爲和有思有爲的結合，這種結合使其心思不執不滯、周流變通，因而能發爲經世等等事業。但這段話更有一種意思，天地的變化以及人心的順動都有一種不知其所以然而然的本領。如何發用？何以有常度？因何而恰恰中節、無過不及？皆不可得而探究。而凡用思慮計度去模倣比擬的，無論如何工苦，皆不能如自然發用的巧妙。六十四卦三百八十四爻是天地人的自然流行，每一卦爻都使人贊歎，不可思議。而這也是「大矣哉」又一個意思。

諸彖辭的「大矣哉」前常有「時」、「時用」、「時義」等語，慈湖也屢加解釋。如〈頤．彖辭〉：「頤，貞吉，養正則吉也。觀頤，觀其所養也。自求口實，觀其自養也。天地養萬物，聖人養賢以及萬民。頤之時大矣哉。」其解釋如下：

> 頤者養而已。頤以口實奉養，不可得而索也。養有所脩治，義亦不可得而索也。養無所脩治，義亦不可得而索也。天地養萬物，義亦不得而索也。聖人雖養賢以及萬民，然亦如斯而已，義亦不可得而索也。無義可索，故唯曰：大矣哉頤之時乎！大矣哉六十四卦之時乎！其曰時義，亦非有義之可索也，姑曰義，亦無義之可狀也。究義之始，莫得厥始，究義之終，莫得厥終。曰義曰時，皆不可索，未始不同，是謂帝則。不知不識，是謂大《易》，無思無為，變化云為，不可度思，矧可射思。六十四卦亦如之，三百八十四爻亦如之。（卷 10，頁 7 上下）

《周易》是變化之書，因此卦爻須講求臨機性、適用性，這應該是「時」、「時用」、「時義」的原義。然而慈湖的解釋卻是每一卦爻皆有獨自的絕對性，反而取消了時的觀念。以此處所舉〈頤卦〉而言，〈頤卦〉和其他所有的卦一般，都是大《易》妙道流行，則其卦其爻皆不能用言語思慮來掌握。對於〈頤卦〉及〈彖辭〉固然可以理解其意思，但進一步追究所以然，則自然如此，已是如此。只能當下承認，更無意義可索。於是「義」變成姑且言之，實無義可狀。至於時，〈頤卦〉和其他各卦皆須肯定其時，既然無時不肯定，也就沒有所謂時效性。於是「時」和「大矣哉」一樣，都是說明各卦爻都有完足的價值，都是《易》道流行之妙。

五、結　語

本文以〈己易〉與《楊氏易傳》爲素材討論慈湖《易》學，〈己易〉將天地與變化皆收歸一己，建立形上心的概念，而《楊氏易傳》更清楚地指陳心無體說，無體之心是至靈至神的知能，能涵蓋天地萬物，達到道德結果，並有健動的性質。由此，慈湖心學成爲經世之學的基礎，《楊氏易傳》中常討論寂然與感通的關係，也隨處發揮經世的理想。本文對這些主題皆選擇有代表性的段落，並略加申釋。

本文目的在介紹慈湖的《易》學，這是一個新題目，因此本文在引用資料以供參考之外，不過探索慈湖《易》學發展的途徑，指陳其經世的傾向，並歸納他對《易》例的見解而已。然而本文所獲致的結論，放在現今的慈湖研究中，也未嘗無一得之愚。茲略加點出，以供進一步研究的參考。

㈠朱子學派一向攻擊慈湖的援釋入儒，這說法一直影響到今。筆者以爲慈湖的用語與方法確多近禪，然而慈湖不僅矜細行，其學說中亦有道德實踐的位置，及容納傳統儒學的工夫論。因此，慈湖與禪學的異同實可重新詳細比較。

㈡島田虔次以爲，慈湖的主觀觀念論是概念的、靜的、觀想的，以維持汎自我感、萬物一體感爲目標，是莊子－僧肇式的；而王龍溪及王心齋的則是動的、社會的、實踐的，是程明道式的。牛尾弘孝指出慈湖的心一元論是動靜一如的，眞心是本來無一物的，故有一切無盡藏的融通性，能排除執著的話，物的情理就判然顯現。筆者贊同牛尾氏，慈湖心學與經世實踐密不可分的關係，與牛尾氏之說正相發明。

㈢島田氏從浙東學術的角度對慈湖發生興趣，以爲南宋中末期，浙東地方極度主觀唯心論哲學、觀想的哲學，與史學、文獻學相錯綜而盛行。島田將慈湖之學視爲瞑想靜觀的形態，故與史學文獻學並列而論。但若筆者指陳慈湖心學靈動一面爲不誤，則更可與史學文獻學結合而論。然而島田氏提出浙東學術的觀點，確有啓發性，筆者以爲慈湖的博學興趣可能受當地學風影響，而慈湖的經世傾向正使他成爲浙東傳統的一員。

《毛詩蒙引》攷辨

楊晉龍*

提　要

本文主要在辨明《毛詩蒙引》的作者，以及和《毛詩微言》的關係，並進而攷定今本《毛詩微言》的作者。

根據他人引文的例證，可知《毛詩蒙引》即《毛詩微言》。再根據師承授受、《古詩解》觀點相似、諸家引文稱名的一致和不同等證據，證明今本《毛詩微言》的作者係唐汝諤（士雅，1555－1628…），而非張以誠（君一，1576－1615），更不可能是陳子龍（1608－1647）。

馮元飂（1586－1644）和元飆（？－1645）兄弟所著《詩經狐白》引錄四十三條張君一之文，其中十三條和《毛詩微言》非常相近，可知杜信孚載唐氏《毛詩微言》係「輯」張以誠之書而成的說法為可信。惟《毛詩微言》引有何楷完成於崇禎十四年（1641）《詩經世本古義》之文，可知唐汝諤之後有人再整理過《毛詩微言》，然由改書名及竊取他人之文為己有，和無其他資料證明的前提下，整理者不可能是陳子龍，反而是書商冒名的可能性最大。再則《毛詩蒙引》應是刻於文久元年（1861），而非寬文十二年（1672）。

此文對《毛詩蒙引》書名、作者、刊刻等相關事宜，具有澄清的作用，於唐汝諤、張以誠、陳子龍學術思想的瞭解，以及詩經學史的研究，均有實質的助益焉。

關鍵詞：《毛詩蒙引》　《毛詩微言》　唐汝諤　張以誠　陳子龍

---

*　中央研究院中國文哲研究所籌備處助研究員。

一、《毛詩蒙引》的問題

清代李惇（1734－1784）在乾隆丙申（41 年，1776）手訂的《群經識小》卷三〈詩·阮共〉條中說：

> 毛以阮為周地，鄭以密距周侵阮徂共之命。朱子作《詩集傳》始以共為阮國地名，而《蒙引》以文王為方伯，密人侵阮為距大邦，可謂杜撰。蓋既未讀鄭《箋》，且並未會下節經文也。前明人解經往往如此。❶

這是李氏反對朱子於〈大雅·皇矣〉「侵阮徂共」一言的解說，惟不敢明白批判，遂借《蒙引》而洩其不滿之情緒，且以《蒙引》爲明人解經往往「杜撰」之證，可見李惇認定《蒙引》爲明人之著作。然考查朱彝尊（1629－1709）《經義考》或紀昀（1724－1805）等編著的《四庫全書總目》，以及清代諸藏書家著錄，甚至一九八五年由中國古籍善本書目編輯委員會完成的「對全國各圖書館所藏古籍善本的全面普查與總檢閱」的《中國古籍善本書目》中，亦未見著錄。❷而據筆者粗略翻閱《四庫全書》、《續修四庫全書》、《四庫全書存目叢書》所收明、清兩代《詩經》相關著作，除李惇外，亦未見有明言《蒙引》一書者，然則《蒙引》一書豈爲烏有先生乎？

經查臺灣國家圖書館和國立臺灣大學均藏有題日本寬文十二年（1672）刊的陳子龍（1608－1647）撰《毛詩蒙引》二十卷；❸日本《倭版書籍考》則著

---

❶ 〔清〕李惇：《群經識小·阮共》，《續修四庫全書·經部·群經總義類》（上海：上海古籍出版社，1995 年影印〔清〕道光六年〔1826〕李培紫刻本），卷 3/10a-b/28/冊 173；又〈凡例〉，頁 1a/2/冊 173。

❷ 參見中國古籍善本書目編輯委員會編：《中國古籍善本書目·經部·詩類》（上海：上海古籍出版社，1985 年），卷 2/1a-20b/127-166；又〈前言〉，頁 1。

❸ 見張壽平編：《公藏先秦經子注疏書目·詩類》（臺北：國立編譯館中華叢書編審委員會，1982 年），頁 72。

錄有「雲間唐士雅作」「陳子龍重訂」的《毛詩蒙引》二十一卷；❹靜嘉堂文庫藏有寬文版《毛詩蒙引》二十卷，題「明唐士雅撰」「陳子龍校」；❺中央研究院中國文哲研究所籌備處藏有攝自日本的微卷，書名作「陳臥子先生訂定」《諸名家合訂詩說蒙引》，內頁則作《毛詩蒙引》，題「雲間陳子龍臥子父重訂」「後學唐孟康伯安父參定，徐百朋元重父仝校」，惟據雲間楊萬里自邇父撰〈毛詩蒙引序〉，則此書係「唐士雅」所作。是書亦作二十卷，另有〈卷首〉一卷，又有〈毛詩蒙引例〉六條，〈採用姓氏〉及〈援引書目〉等，而李惇所引一條，正在是書〈大雅・皇矣〉第五章，卷十四，頁三十四所錄陶龍岑之論中，可知李惇所謂《蒙引》，即指此《毛詩蒙引》而言。惟此書書後另有一頁錄「文久元辛酉年三月於芝神明前和泉屋吉兵衛求之」「寬文十二年仲春吉辰」「村上平樂寺」等三段文字，則此書應刊於文久元年（1861）而非寬文十二年也。

考察前述諸著錄所題撰者，有陳子龍或唐士雅（1555－1628…）之別，惟就今所見資料，陳、唐二氏並無《毛詩蒙引》之作，然則二氏與此書關係如何？應有一探之價值。再者李惇所引《毛詩蒙引》之文，亦出現在明代張以誠（1576－1615）《毛詩微言》中，且此書前附〈毛詩微言例〉六則與〈毛詩蒙引例〉除「雲間張以誠識」和「雲間陳臥子識」的差別外，其他無論行款、字數、內容均完全相同，甚至連全書的內容，除《毛詩蒙引》多出的〈卷首〉、〈毛詩蒙引序〉及〈採用姓氏〉、〈援引書目〉外，餘二十卷皆相同，❻則此二書關

---

❹ 見《倭版書籍考》，嚴靈峰編：《書目類編》（臺北：成文出版社，1978 年影印〔日本〕大正十四年〔1925〕排印本），卷 2/417-418/46477/冊 105。

❺ 見靜嘉堂文庫編：《靜嘉堂文庫漢籍分類目錄正續・經・詩類》（臺北：大立出版社，1980 年影印版），頁 52。

❻ 見題〔明〕張以誠：《張君一先生毛詩微言》，《四庫全書存目叢書・經部》（臺南：莊嚴文化事業公司，1997 年影印〔明〕刻本），第 63 冊。王重民：《中國善本書提要・經部・詩類》（臺北：明文書局，1984 年），頁 14 所錄《張君一先生毛詩微言二十卷》即

係如何？當亦有一探之必要。《經義考》著錄有唐汝諤（即唐士雅）《毛詩微言》二十卷，所附汝諤〈自序〉之言：「《詩》有齊、魯、韓三家盡亡，……謂宋儒明理，疑無曲說，而矯枉或過」，見〈毛詩微言例〉第一則；「國朝纂修《大全》裨益後學，……聊補《大全》所未備也」，見〈毛詩微言例〉第二則；❼唐氏〈毛詩微言自序〉之言，何以和張氏〈毛詩微言例〉的內容文字相同？兩書間的關係如何？似有釐清之必要。

根據前述諸說，今本《毛詩蒙引》撰者是唐士雅或陳子龍；《毛詩蒙引》和《毛詩微言》的關係；以及今本《毛詩微言》的著者是張以誠或唐士雅，均有加以辨析的必要，分辨清楚後，對於《詩經》詮釋史的研究，當有莫大的助益焉。

二、《毛詩蒙引》與今本《毛詩微言》的關係

《毛詩蒙引》和《毛詩微言》既是內容相同的一本書，卻有兩個不同的名稱，到底那一個是正確的本名？或者兩個都是本名，只是不同時間的稱呼而已？由於資料缺乏，無法獲得直接的證據，用以辨明上述問題的是非，然而透過後代相關書籍引用的實例，應該可以作爲旁證，推論出比較可信的答案。

明代凌濛初（1580－1644）在天啓二年（1622）刊刻的《詩逆》中總共引錄《微言》之文計三十七條，除〈小雅·六月〉和〈大雅·皇矣〉等二條外，其餘三十五條均出《毛詩蒙引》中；❽刊刻於崇禎八年（1635）的鄒忠胤（萬

此本，惟此本在〈凡例〉頁一書縫下有「雲間張×刻」五字，第四字模糊。

❼ 〔清〕朱彝尊著，侯美珍等點校：《點校補正經義考·詩十七·唐氏毛詩微言》（臺北：中央研究院中國文哲研究所籌備處，1998年），第4冊，頁215-216。

❽ 〔明〕凌濛初輯：《詩逆》（影印〔明〕天啟2年〔1622〕刻本），《四庫全書存目叢書·經部》，同注❻，第66冊，頁700-815。引用《微言》條目見：〈周南·葛覃〉（二條）、〈樛木〉、〈螽斯〉、〈兔罝〉（二條）；〈召南·采蘩〉、〈殷其靁〉；〈邶風·終風〉；〈王風·大車〉；〈齊風·南山〉；〈唐風·山有樞〉、〈揚之水〉；〈豳風·東山〉；

曆41年〔1613〕進士）之《詩傳闡》在〈曹風·蜉游篇〉下的「按語」說：

《微言》云：「衣裳楚楚猶東坡云：『翅如車輪，玄衣縞裳』之謂。蜉蝣甲下有小羽，如雪之潔白，是為麻衣」是也。❾

這段引文正見《毛詩蒙引》中；再則清康熙三十年（1691）中進士的冉覲祖（1636－1718）有《詩經詳說》九十四卷，亦引有《微言》之文十三條，除〈小雅·六月〉「比物四驪」下和〈周頌·雝〉《小序》後所引二條外，其他十一條均來自《毛詩蒙引》。❿

《毛詩蒙引》之稱見於日本寬文十二年（1672）的和刻本，其後並成爲日本刊刻最多的《詩經》研究著作之一，⓫而中國學者引用則僅見乾隆四十一年（1776）李惇的引用，李氏時代後於上述三書之作者，寬文朝（1661－1672）和冉覲祖時代接近，卻後於淩濛初和鄒忠胤，即使寬文朝和刻本自中國傳入，有更早的來源，但從中國學者較早期引用稱之爲《微言》的情形，則《毛詩微

〈小雅·天保〉、〈六月〉、〈小旻〉、〈小宛〉、〈小明〉、〈鼓鐘〉、〈瞻彼洛矣〉、〈采菽〉、〈白華〉；〈大雅·緜〉、〈棫樸〉（二條）、〈皇矣〉、〈行葦〉、〈鳧鷖〉、〈卷阿〉、〈蕩〉（三條）、〈烝民〉；〈周頌·烈文〉、〈我將〉、〈酌〉等三十七條。

❾ 〔明〕鄒忠胤：《詩傳闡·曹風·蜉蝣》（影印〔明〕崇禎8年〔1635〕刻本），《四庫全書存目叢書·經部》，同注❻，卷11/8b/614/冊65。

❿ 〔清〕冉覲祖：《詩經詳說》（影印〔清〕光緒7年〔1881〕大梁書局刻《五經詳說》本），《四庫全書存目叢書·經部》，同注❻，第74冊，頁605-829、第75冊、第76冊及第77冊，頁1-173。引用《微言》諸說見：〈周南·關雎〉（卷2/21b/646/冊74）；〈唐風·山有樞〉（卷22/19b/266/冊75）、〈揚之水〉（卷22/31b/272/冊75）；〈豳風·東山〉（卷31/40a/476/冊75）；〈小雅·六月〉（卷39/26a/632/冊75）；〈大雅·緜〉（卷64/11a/321/冊76）、〈棫樸〉（卷65/5b/342/冊76）、〈鳧鷖〉（卷71/3b/481/冊76）、〈蕩〉（卷75/27a/572/冊76）、〈烝民〉（卷80/33b/675/冊76）；〈周頌·我將〉（卷85/2b/769/冊76）、〈雝〉（卷87/18a/820/冊76）、〈酌〉（卷89/30a/41/冊77）等十三處。

⓫ 見顧歆藝：〈《詩經》流傳日本考〉，北京大學中文系古典文獻事業、古文獻研究所編：《古典文獻研究論叢》（北京：北京大學出版社，1995年），頁27。

言》應是其原名，《毛詩蒙引》應是後起的名稱，因爲凌氏刊刻《詩逆》之際的天啓二年，陳子龍纔十五歲，實不可能「撰」或「重訂」，若果眞有此異事，以陳子龍之享大名，焉能不大書特書，然有關陳子龍之生平資料實未見有此記載，可見題爲陳子龍「重訂」或「撰」之《毛詩蒙引》，實是後起之稱，其原書應是《毛詩微言》。

三、今本《毛詩微言》作者攷辨

《毛詩微言》所以加「今本」，因明代以《毛詩微言》作爲書名者，除唐汝諤（士雅）、張以誠（君一）外，吳炯（晉明，萬歷 17 年〔1589〕進士）和蕭雲岡亦有《毛詩微言》之作，⓬爲示區別，故加「今本」也。

《四庫全書存目叢書》所收張以誠《毛詩微言》和題陳子龍訂，唐士雅作的《毛詩蒙引》內容完全相同，根據前文論析，《毛詩蒙引》原稱《毛詩微言》，而其作者如果是日本諸家所說的唐士雅，則今本《毛詩微言》題爲張以誠顯然是錯的；如今本《毛詩微言》確爲張以誠之作，則《毛詩蒙引》之題唐士雅撰則訛矣。以下分四點論之：

㈠受教可能性的推論

《毛詩微言》作者之判定，原可依其生平著作而考知，由於書名相同，因此無法就著作目錄區分，僅能就其內容上加以分析。今本《毛詩微言》在卷八〈小雅·采薇〉第四、五章下云：

⓬ 吳炯著《毛詩微言》，見〔清〕宋如林、孫星衍等纂：《松江府志·藝文志·經部》，《中國地方志叢書·華中地方》（臺北：成文出版社，1970 年影印〔清〕嘉慶 22 年〔1817〕刻本），卷 72/3a-b/1609/冊 10 之 3。蕭雲岡有《毛詩微言》，見〔清〕高儕鶴：《詩經圖譜慧解·詩義參詳》（揚州：江蘇廣陵古籍刻印社，1991 年影印〔清〕康熙 46 年〔1707〕刻本），上冊，頁 10。

余少從范訥齋先生受《詩》，先生論「君子之車」處，云：「方輪轅就道，而天子已望吾捷音之至矣，為之躍然」。至後「一月三捷」，人多說「戰苟不勝，非所以報天子」，先生云：「時方行師，安得出此不利之語？」當云『我行不來果何心也，而敢畏戰乎』」，其說《詩》解頤如此。⓭

由此文可知《毛詩微言》作者曾受范訥齋之教導。按范訥齋即范廷言，字伯龍，號訥齋，更號侃如，華亭（上海松江）之漕涇里人，嘉靖四十三年（1564）秀才，萬曆七年（1579）舉人，選爲廣東萬州知州，後卒於瓊州。⓮兩位可能的作者唐汝諤，字士雅，青浦（上海青浦）人，係瞽目詩人唐汝詢（1565－1618…）之兄，居華亭之白沙里，爲青浦知縣屠隆（1542－1605）所重，天啓元年（1621）歲貢生，歷常熟教諭，陞安慶府教授，因年老不果行，著有《藜丘館集》、《毛詩微言》、《四書微言》、《古詩解》、《咏物詩選》等書。⓯張以誠係張弼（1425－1487）四世孫，字君一，號瀛海，華亭人，萬曆十九年（1591）選貢，

⓭ 《毛詩微言·小雅·采薇》，同注❻，卷 8/22b/578/冊 63。

⓮ 范廷言生平參見〔明〕何三畏編著：《雲間志略·人物·范刺史侃如》，周駿富輯：《明代傳記叢刊》（臺北：明文書局，1991 年影本），卷 22/25a-28a/415-421/冊 147；〔清〕宋如林、孫星衍等修：《松江府志·選舉表·明舉人》，同注⓬，卷 45/42b/969/冊 10 之 2、〈古今人傳〉，卷 54/17a/1209/冊 10 之 2。

⓯ 唐汝諤生平參見：〔明〕唐汝詢：《編蓬後集·壽家兄士雅六十》，《四庫全書存目叢書·集部》（臺南：莊嚴文化事業公司，1997 年影印〔清〕乾隆 24 年〔1759〕唐元素重修〔明〕萬曆 36 年〔1608〕刻本），卷 9/4a/743/冊 192、〔清〕唐元素：〈重訂編蓬集略〉，頁 1a-2a/553-554/冊 192；〔清〕宋如林、孫星衍等修：《松江府志·選舉表·明貢生》，同注⓬，卷 46/16b/1001/冊 10 之 2、〈古今人物傳七〉，卷 55/24b/1237/冊 10 之 2；〔清〕陳其元、熊其英等修：《青浦縣志·選舉·科目表》（影印〔清〕光緒 5 年〔1879〕刊本），《中國地方志叢書·華中地方》，同注⓬，卷 15/35a/1012/冊 16 之 2、〈文苑傳〉，卷 19/15b/1218/冊 16 之 3；張慧劍編著：《明清江蘇文人年表》（上海：上海古籍出版社，1986 年），頁 248、315、430 等處。

萬曆二十九年（1601）進士，以制舉業稱，官至右諭德，因父卒哀毀過度而亡，其詩文書法並有名於時，著有《毛詩微言》、《酌春堂集》、《須友堂集》、《國史類記》等書。⑯范廷言之生卒年不詳，不過其弟范濂則生於嘉靖十九年（1540），⑰則范廷言至少大唐士雅十六歲以上，大張以誠三十六歲以上，若以十歲受學計，范氏必須在二十六歲後纔教到唐氏，張氏則在四十六歲以後。當張氏十歲時的萬曆十三年（1585），係范氏中舉（1579）後六年，此時范氏恐已至萬州爲官，甚至死亡了，至於出生於萬曆三十六年（1608）的陳子龍，更不可能受教於范氏了。由以上年齡時間的差距，可以推定唯一可能受教於范訥齋的就僅有唐士雅了，雖然沒有直接說明的文字爲證，然前述推論當是可以被接受的合理答案。

㈡　《古詩解》內容相似性的分析

唐士雅除《毛詩微言》外，另有《古詩解》二十四卷，⑱其中在二十處的

---

⑯ 張以誠生平見：〔明〕何三畏編著：《雲間志略·人物·張宮諭瀛海公傳》，周駿富輯：《明代傳記叢刊》，同注⑭，卷 23/33a-37b/527-536/冊 147；〔明〕卓鈿、王圻等修：《青浦縣志·官師建設》，《稀見中國地方志彙刊》（北京：中國書店，1992 年影印〔明〕萬曆 25 年〔1597〕序刻本），卷 4/18a/1059/冊 1；〔清〕宋如林、孫星衍等修：《松江府志·選舉表·明舉人》，同注⑫，卷 45/47b/972/冊 10 之 2、〈古今人傳六〉，卷 54/39a-b/1220/冊 10 之 2、〈拾遺志〉，卷 82/16b/1856/冊 10 之 3；〔清〕陳其元、熊其英等修：《青浦縣志·仕績傳》，同注⑮，卷 18/15a-b/1131-1132/冊 16 之 2；國立中央圖書館編：《明人傳記資料索引》（臺北：國立中央圖書館，1978 年），頁 519；張慧劍編著：《明清江蘇文人年表》，同注⑮，頁 434 等處所載。《雲間志略》和《青浦縣志》謂張氏為青浦人。

⑰ 范濂原名廷啟，字叔子，別號養菴，生平見〔明〕何三畏編著：《雲間志略·人物·范文學叔子傳》，同注⑭，卷 22/30a-32a/425-429/冊 147；張慧劍編著：《明清江蘇文人年表》，同注⑮，頁 210、324、374、411 等處所載。

⑱ 〔明〕唐汝諤選釋：《古詩解》（影印〔明〕李潮刻本），《四庫全書存目叢書·集部》，同注⑮，第 370 冊，頁 314-674，書前有錢龍錫崇禎王春仲之吉所撰〈唐士雅古詩解敘〉，故推斷其當完成於崇禎元年。

說解部分提到和《詩經》相關的訊息，⓳也可以用來和《毛詩微言》參照，觀察兩書在說解上是否有差異。《古詩解》約完成於崇禎元年（1628），應是晚年之作，《毛詩微言》完成於天啓元年（1621）以前，確實時間不詳，當屬早年作品，由於時間的差距，若其中有不同的觀點出現，實屬平常；若觀點一致，則其爲同一作者之證據力當更爲堅強，以下即就論點較明顯的條目加以比較。

1.〈彈鋏歌〉後的說解提到和〈權輿〉的關係云：

> 士既不得遭時遇主，至寄食權豪之門，亦足羞矣。而又彈鋏悲歌，思與劍俱去，其視〈權輿〉詩人何如哉？此亦見世變之愈趨也。（卷 1/16a/330）⓴

《毛詩微言·秦風·權輿》首引徐光啓（玄扈，1562－1633）之言云：「此詩與〈彈鋏之歌〉相似」，其後又在「《序》曰：〈權輿〉刺康公也。忘先君之舊臣與賢者，有始而無終也」的引文下評論云：

> 據《序》謂刺康公，則非詩人所自作，即朱《傳》亦然。想其托為賢者之語以諷耳，不然飢餓若爾，猶栖栖不去，彼賢者亦足羞矣。（卷 6/8a-9a/542）㉑

⓳ 唐汝諤《古詩解》的注釋文字涉及《詩經》者，見：卷一：〈彈鋏歌〉、〈扊扅歌〉；卷二：〈宋城者謳〉；卷三：〈陸璣詩疏引諺〉；卷四：漢武帝〈秋風辭〉；卷五：〈牢石歌〉；卷八：〈前緩聲歌〉、〈古歌〉；卷十：曹植〈名都篇〉；卷十一：〈前溪歌〉；卷十三：江總〈閨怨篇〉；卷十四：束晳〈補亡詩〉三首；卷十五：〈古詩〉十九首之「行行重行行」、「明月皎月光」、「生年不滿百」等三首、〈古詩〉三首之「橘柚垂華實」、〈古絕句〉四首之「日暮秋雲陰」、蘇武〈詩〉四首之「骨肉緣枝葉」；卷十六：曹植〈三良詩〉、王粲〈詠史〉等二十處。

⓴ 按此卷數頁碼係同注⓲唐汝諤《古詩解》之頁碼，下倣此。

㉑ 此係同注❻《毛詩微言》之卷數頁碼，下倣此。此本「朱《傳》」之「朱」訛作「未」，依文久版《毛詩蒙引》改正，以下凡此類訛誤逕改，不再出注。

二文均以爲士人當有「不爲五斗米折腰」之氣概，否則「亦足羞矣」，《毛詩微言》以爲此詩係「托爲賢者之語」，非詩人自述其遭遇之詩，而〈彈鋏歌〉則反之，唐汝諤故以爲視〈權輿〉詩人，乃「世變之愈趨」的表現。二文評論意見相承的關係密切，若無《毛詩微言》「托爲賢者之語以諷」的前題，恐難有《古詩解》「世變愈趨」之論斷也。

2.〈扊扅歌〉之說解云：

此百里奚妻所作。就奚微時所歷而呼之，復追言其初，烹雞言別，至炊及門關，其貧苦如此，而一旦富貴，輒爾相忘，獨不念昔時夫婦之情乎？亦如〈晨風〉言「如何如何，忘我實多」意，此可以觀秦風矣。（卷 1/19a/332）

《毛詩微言·秦風·晨風》作者的說解是：

「忘我實多」，其中含蓄意思無限，似怨似訴，初不言其所以忘之故也。彼以先貧後富為言，與謂情義不宜頓忘者，俱傷溫厚之旨，即如〈扊扅之歌〉亦出于秦，此等自是秦風，不必果有見棄之事。〈註〉云：「不在」，亦不必深求。（卷 6/5b/540）

《毛詩微言》「先貧後富」、「情義不宜頓忘」之論，即《古詩解》之意也。

3.〈宋城者謳〉後之說解云：

宋華元以喪師辱國，而國人譏之。言其體貌非不魁然也，而敗北亡歸，何以靦然民上哉！此與魏詩〈彼汾沮洳〉相似。（卷 2/9a-b/340）

《毛詩微言·魏風·汾沮洳》作者之論曰：

凡為公路、公行、公族之官者，必達禮，故借以刺之。（卷 4/29b/523）

二文皆謂在上位者不知禮法自守，故詩因而刺之。

4.漢武帝〈秋風辭〉之說解云：

漢武帝泛舟飲讌而感物興懷。言方秋風蕭瑟，鴻鴈南飛，睹此蘭菊之芬芳，而不勝佳人之慕，猶《詩》所謂「云誰之思，西方美人」者也。（卷 4/6a/363）

《毛詩微言·邶風·簡兮》作者於「云誰之思，西方美人；彼美人兮，西方之人兮」下之說解云：

「云誰之思」，重美人上；「彼美人兮」，重西方上。「美人」就鍾靈毓秀說。……（卷 2/25a/485）

〈簡兮〉之「美人」即〈秋風辭〉之「佳人」也，故《毛詩微言》引劉瑾（安成，14 世紀）之言曰：「〈秋風辭〉曰：『蘭有秀兮菊有芳，懷佳人兮不能忘』，皆與此起興之例同」（卷 2/25a/485），可見二處說解內容之相近也。

5.〈牢石歌〉之說解云：

當（漢元帝）時奄豎擅權，互相結黨，印綬之盛，充滿朝端，故其民歌之如此。《詩》稱「三百赤芾」，殆謂是邪！（卷 5/5b/376）

《毛詩微言·曹風·侯人》有「彼其之子，三百赤芾」之文，《微言》謂「『彼其之子』，輕之之辭」，又曰：「呼擁之盛，在『侯人』則宜，在『之子』則不宜」，並引顧起元（鄰初，1565－1628）之論云：「『三百赤芾』已是服之盛而寵之至」，又引徐光啓之言曰：

誦「三百赤芾」之語，可想見其恩寵之隆；誦「薈蔚朝隮」之語，可思見其氣焰之盛，自古及今，小人用事，未有不然。（卷 6/23b-24b/549-550）

二處評論均批評小人得勢，朋比結黨，氣焰熏天，意思相同。

6.〈前緩聲歌〉說解云：

此疑人心離散，不復朝王，而詩以勸諷之。言水陸異宜，勢多不便，世豈無力不從心，欲前輒阻者，然吾諒其心，非必頑然如木石荊株也。其亟欲覆蓋於天，與人同耳；當復思水向東流，魚從西上，無大無小，皆當朝王，但有朝者繼續而來，如長笛之續短笛，則同聲相應，永戴吾君於千萬世矣！與《詩》「誰將西歸，懷之好音」同意。（卷 8/6b-7a/420-421）

《毛詩微言·檜風·匪風》說解云：

……顧周道而動其思周之心，其中感慨無限，非只嘆無朝周之人也。……徐玄扈曰：「『誰將西歸，懷之好音』，所以重傷今王之不古，而重歎今人之不知有王者，何其婉而切也」。……吳文仲曰：「〈簡兮〉之詩曰：『云誰之思，西方美人』、〈匪風〉之詩曰：『誰將西歸，懷之好音』，睠宗國，思盛世，詞氣從容和婉，而憂時慨世之意，見於言表，斯其為風人之旨與！」（卷 6/21b-22b/548-549）

二處說解皆以憂時感世而言，而期待人心歸一，同朝王而復盛世也。

7.曹植〈名都篇〉解說云：

子建自負其才，思豎勛業；而為文帝所忌，抑鬱不得伸，故感憤賦此。自言日與士女游戲、鬥雞走馬以為樂，而因誇其騎射之精，宴樂之盛，若自譽而實自嘲也。至末云歲月已逝，而游戲復然，即〈清人〉詩所云：「河上乎逍遙」之意。（卷 10/13b-14a/451）

《毛詩微言・鄭風・清人》之解云：

此詩以刺文公，為主不重高克，無節制上師，眾遊戲而不得歸。總是模寫其無所聊賴之狀。（卷 4/5b/511）

又引陳推（行之）之論云：「遊戲自樂者，此時此情，進退兩難，姑且如此，以自排遣」（卷 4/6a/511），皆表達欲出力而無所，不爲所重，借遊戲以自排遣其無所聊賴之情。

8.〈古詩〉十九首之「生年不滿百」說解云：

此詩嘆世人之愚，即〈唐風・山有樞〉之意。言今人徒營營逐逐，思為千歲之計，不知人生幾何，即秉燭夜遊，猶恐其晚，而及今不樂，將待何時？生平持一錢，吝不忍費，而宛其死矣，竟何益？適足為後人所嗤笑耳，誰能俟與仙去，而久不死哉！（卷 15/12b/533）

《毛詩微言・唐風・山有樞》之說解云：

興，以有字相呼，見空有衣裳、車馬，而反為他人所樂，則眼前俱為身外之物，勤苦勞生，竟亦何用？……〈古詩〉「生年不滿百，常懷千歲

> 憂；晝短苦夜長，何不秉燭遊」、又曰「所遇惟故物，焉得不速老；人生非金石，豈能長壽考」，皆祖述此詩之意。（卷 5/3b-4a/528）

二文及時行樂之意相同，解說互相引述，亦可證兩者之關係密切。

9.〈古詩〉三首之「橘柚垂華實」解說云：

> 此抱才思有所託者，感時暮以自傷也。言橘柚生於深山，特以甘美為君所好，而重自彫飾以投君之歡，乃芳菲已過而忽然改色，其不蒙知遇之恩決矣。倘人欲我知而反借君為羽翼，亦何由自進哉！假橘柚自鳴，而人物之間自相爾汝，與〈緜蠻〉之詩絕相類。（卷 15/19a-b/536）

《毛詩微言·小雅·綿蠻》之說解引諸家說法云：

> 朱克升曰：「感慨期望之意，反覆道之」，……楊見宇曰：「『止於丘阿』，非得所止之意，乃倦飛而止，不得已而然也。『道遠』，非一蹴能到，而勞苦已自不勝，故非不欲前，實亦不能前耳，此時無可奈何，故下遂致冀望之語」，……姚承菴曰：「〈我行其野〉依婚姻而不見收，〈綿蠻〉、〈黃鳥〉思附託而不可得，其事類、其情迫，其言皆痛切而有餘悲」。（卷 13/31b-32a/664-665）

這些固然都是引錄他人的說法，但作者並無反駁之意見，故可視爲作者同意，可見《毛詩微言》作者與唐士雅之意見相似也。

10.曹植：〈三良詩〉說解云：

> 此哀三良之不得其死也。言人功名不可強為，而忠義則可自盡，故秦穆

既死，而三良皆以身從，蓋生則同榮，死則同患，理有固然，但欲捐軀，必當求其當理，則殺身正自不易耳。今三良登君之墓，而臨穴惴惴，未必出其心之所安，吾是以感〈黃鳥〉而為之哀傷也。自昔王仲宣詩云：「臨穴要之死，安得不相隨」；陶靖節詩云：「厚恩固難忘，君命安可違」，皆若以三良之死為當。夫死生之際亦重矣，三良之從死，豈其本心？子建此篇持論甚正，庶幾得風人之旨云。（卷 16/9a-b/554）

又王粲〈咏史〉之說解云：

此詩惜三良之死，而謂其迫於君命，不得不從，亦未必與其死之當也。但受君之恩，捐軀莫報，故淚雖不禁，志終不改，聊亦盡吾之心而已。然身死而名至今在，三良亦何負於死哉！呂向謂魏太祖好誅殺賢良，故仲宣託此以諷，意或近之。（卷 16/23a-b/561）

《毛詩微言・秦風・黃鳥》說解云：

三章總疊咏，以致痛惜之意。……黃氏佐曰：「黃鳥聲音、羽毛之美，人所愛惜，乃止於棘上；且桑亦人所常采；楚亦人所常刈；鳥性見人則駭，皆取以興三良之死，非其所也」。陶淵明詩云：「荊棘籠高墳，黃鳥聲正悲」，見死非其所意。……三良果自欲以身殉，則詩當言「代」，不當言「贖」，著一「贖」字，煞有迫於君命者然，故亦無可奈何耳。……夫死生之際亦重矣，三良之從死，豈能不介於懷，臨穴惴惴，非其本心也，夫亦有所迫而不獲已爾。東坡〈過秦穆公墓〉又云：「穆公生不誅孟明，豈有死之日而忍用其良」，罪康公也，蓋至此而其論始定。（卷 6/3b-5a/539-540）

兩書解說均認爲三良之殉非自願，實迫於外力，《毛詩微言》更引蘇軾（1036－1101）之論，以爲秦康公之罪，二書不但觀點相同，且「夫死生之際亦重矣，三良之從死」之文字更完全一致，可證二書出於一手。

《古詩解》的十條解說和《毛詩微言》觀點的一致，尤其〈黃鳥〉和〈三良詩〉文字的相同，可以證明《毛詩微言》的作者和《古詩解》的作者，應該是同一人，否則很難有如此相同的觀點，可知今本《毛詩微言》的作者，可能性最大的當屬唐汝諤。

(三) 諸家引用的例證

《毛詩微言》的作者，由於時代的差距，因此今日無法判明，然而較早時代的書籍，當其引用《毛詩微言》的條文時，或稱書名，或稱作者，由於時代較近最早刊刻書籍的時間，因此在引錄時的稱呼，亦有助於判別作者。以下即就明代萬曆以來至清代《詩經》相關研究書籍，引用《毛詩微言》條目而稱爲「唐士雅」或「唐汝諤」者，依時間先後論證之。

1.魏浣初（1580－1638）《詩經脈》。

是書有駱從宇撰於萬曆丁巳（45 年，1617）的〈詩經脈小引〉和同年魏浣初〈詩經脉自敘〉，可知該書完成於萬曆四十五年。㉒而在〈豳風·七月〉正引有兩條「唐士雅」之文，內容均見《毛詩微言》。

2.凌濛初《孔門兩弟子言詩翼》。

是書係凌濛初依據《合刻二賢詩傳小序》增補而成，根據凌氏〈孔門兩弟子言詩翼凡例〉所言，則書成於《詩逆》之後，《詩逆》刻於天啓二年（1622），

㉒ 〔明〕魏浣初：《詩經脈》，書藏於日本，中央研究院中國文哲研究所籌備處有微捲。又《四庫全書存目叢書·經部》，同注❻，第 66 冊收有〔明〕鄒之麟增補的《鼎鐫鄒臣虎增補魏仲雪先生詩經脈講意》為上下二欄之式，下欄即《詩經脈》，惟缺瞿汝說〈魏仲初詩經脈序〉、駱從宇〈詩經脈小引〉、魏浣初〈詩經脈自敘〉、及〈詩經脈凡例〉、〈援引書目〉等。

今有崇禎（1628－1644）刻本。書內引錄「唐汝諤」之文共六十六條，㉓除〈魯頌·閟宮〉一條外，餘六十五條皆出《毛詩微言》。

3.題黃道周（1585－1646）編著《詩經琅玕》。

這是上下二欄的坊刻本，據鄭尚玄〈序〉，此書係在黃道周死後，由熊九岳和鄭尚玄編成，因熊氏係道周門生，所述多有聞自道周者，故題黃道周之名，因之文中引錄有查繼佐（1601－1676）之論（如〈邶風·日月〉上欄「剖明」）。由於「玄」字不避諱，書當刻於順治四年（1647）以後，康熙元年（1662）以前。此書在〈鄘風·柏舟〉和〈載馳〉上欄「剖明」等二處各引一條「唐士雅」之文，㉔該文均出自《毛詩微言》。

4.張次仲（1589－1676）《待軒詩記》。

依張次仲〈詩軒詩記自序〉，書成於康熙十五年（1676），全書共引錄「唐士雅」之文十二條，㉕除〈小雅·六月〉一條外，另外十一條均來自《毛詩微

㉓ 〔明〕凌濛初：《孔門兩弟子言詩翼》（影印〔明〕崇禎〔1628－1644〕刻本），《四庫全書存目叢書·經部》，，同注❻，第 66 冊，頁 523-699。引錄六十六條見：〈周南·卷耳〉、〈汝墳〉；〈召南·采蘩〉、〈野有死麕〉；〈邶風·柏舟〉（二條）、〈終風〉、〈式微〉；〈鄘風·君子偕老〉、〈相鼠〉；〈衛風·碩人〉（二條）、〈氓〉、〈有狐〉；〈王風·兔爰〉、〈采葛〉；〈鄭風·有女同車〉、〈風雨〉；〈齊風·猗嗟〉；〈魏風·陟岵〉、〈碩鼠〉；〈唐風·綢繆〉、〈葛生〉；〈秦風〉、〈秦風·終南〉、〈黃鳥〉；〈陳風·東門之池〉；〈檜風·匪風〉（二條）；〈小雅·常棣〉、〈伐木〉、〈采薇〉、〈魚麗〉、〈沔水〉、〈鶴鳴〉、〈白駒〉、〈小宛〉、〈巧言〉、〈蓼莪〉（二條）、〈四月〉、〈大田〉、〈采菽〉、〈菀柳〉、〈白華〉；〈大雅·文王〉、〈文王有聲〉、〈鳧鷖〉、〈卷阿〉、〈蕩〉（三條）、〈桑柔〉（二條）、〈雲漢〉（五條）；〈周頌·清廟〉、〈天作〉、〈時邁〉；〈魯頌·有駜〉、〈泮水〉、〈閟宮〉（二條）等處。

㉔ 題〔明〕黃道周編著，熊九岳訂閱、鄭尚玄參較：《新刻黃石齋先生詩經琅玕》十卷，原書藏日本，中央研究院中國文哲研究所籌備處有微捲。

㉕ 〔明〕張次仲：《待軒詩記》（臺北：臺灣商務印書館，1986 年影印文淵閣《四庫全書》本），第 82 冊，頁 1-336。引錄唐士雅之文見：〈周南〉；〈邶風·旄丘〉；〈齊風·雞鳴〉；〈秦風〉；〈檜風〉、〈檜風·匪風〉；〈豳風〉；〈小雅·六月〉、〈角弓〉（誤作「唐士諤」）；〈大雅·旱麓〉、〈鳧鷖〉、〈泂酌〉等處。

言》。

5.朱朝瑛（1605－1670）《讀詩略記》。

朱朝瑛和張次仲是朋友，因此二書多互相引用對方之論，《待軒詩記》引用朱朝瑛（朱康流）之說共四十六條，《讀詩略記》引張次仲（張元岵）之說有四十二條，可知兩書成書時間應當相差不遠，《讀詩略記》僅在〈小雅·角弓〉錄有一條「唐士雅」之文，㉖且和《待軒詩記》一樣，訛作「唐士諤」，蓋混唐汝諤與唐士雅爲一，故誤也。此文亦見《毛詩微言》。

6.王夢白和陳曾編輯《詩經廣大全》。

是書有王、陳二氏康熙壬戌（21 年，1682）〈序〉，知是書以援引諸家有益《詩傳大全》者增補之爲旨，書中〈曹風·蜉蝣〉與〈小雅·雨無正〉二處，引「唐汝諤」之說，㉗皆見於《毛詩微言》。

7.朱彝尊《經義考》。

《經義考》固然非《詩經》研究之著作，惟以朱氏藏書之富，及注重經學文獻之專，其言當值得信賴，查《經義考》實成於康熙三十八年（1699），㉘其中〈詩十五〉在陶其情《詩經注疏大全纂》下，引有「唐汝諤曰：『其情，字逸則。』」之文，㉙此言正見於《毛詩蒙引·採用姓氏》中，可證今本《毛詩微言》非全本，亦可證《毛詩蒙引》確爲唐汝諤之作，非陳子龍或張以誠之書。

㉖ 〔明〕朱朝瑛：《讀詩略記》（《四庫全書》本），同前注，第 82 冊，頁 337-572，引文見〈小雅·角弓〉，卷 4/53b-54a/487-488。

㉗ 〔清〕王夢白、陳曾：《詩經廣大全》（影印〔清〕康熙 21 年〔1682〕刻本），《四庫全書存目叢書·經部》，同注❻，第 77 冊，頁 341-769。標題訛「王夢白」為「黃夢白」。

㉘ 參見吳正上：〈經義考提要及版本介紹〉，《經義考索引·附錄》（臺北：漢學研究中心，1992 年），頁 2 所論。

㉙ 〔清〕朱彝尊著，侯美珍等點校：《點校補正經義考·詩·詩經注疏大全纂》，同注❼，第 4 冊，頁 209。

8.高儕鶴《詩經圖譜慧解》。

是書完成於康熙四十六年（1707），在其〈大雅·泂酌〉中引有一條「唐士雅」之論，㉚此條見於《毛詩微言》。

9.王鴻緒（1644－1723）等《詩經傳說彙纂》。

此書完成於雍正五年（1727），係官方用爲科舉考試作答時的標準本，書中共引有「唐汝諤」之文三十九條，㉛全部條文均出《毛詩微言》中，無一例外。

10.徐鐸《詩經提要錄》。

徐氏係楊名時（1660－1736）弟子，書中屢有《詩經傳說彙纂》之名出現，可知其書完成於雍正五年以後。在〈小雅·庭燎〉和〈周頌·敬之〉二處，均引有「唐汝諤」之文，㉜內容亦見《毛詩微言》。不過其書多引《彙纂》之論，

㉚ 〔清〕高儕鶴：《詩經圖譜慧解·大雅·泂酌》，同注⑫，卷 8/49a/931/下冊。

㉛ 〔清〕王鴻緒等：《詩經傳說彙纂》（臺北：維新書局，1978 年影印〔清〕同治 7 年〔1868〕馬新貽刊本），有關該書內容用意，清高宗乾隆帝之〈御賜《詩經傳說彙纂》恭紀十韻〉所謂：「學古初循壁，承恩尚面墻；〈二南〉風化首，六義詠歌長。邦國由閭閻，聲音叶紀綱；孔門傳卜氏，漢代著毛萇。考訂憑先哲，要歸守紫陽；膠庠遵注釋，藝苑藉翱翔。秉一先生訓，排諸博士場；群書難約達，萃美得微臧。纂定遵皇祖，裝潢出上方；趨庭慚寡昧，雒誦敢遺忘。」之文可供參考，見〔清〕蔣溥等編：《樂善堂全集定本·今體詩·御賜詩經傳說彙纂恭紀十韻》，《清高宗御製詩文全集》（臺北：國立故宮博物院，1976 年影印〔清〕乾隆 2 年〔1737〕刻本），卷 24/7a-b/冊 1。引用唐汝諤之論見：〈周南·兔罝〉；〈邶風·終風〉、〈擊鼓〉；〈鄭風·蘀兮〉、〈狡童〉、〈褰裳〉；〈唐風·綢繆〉、〈葛生〉；〈陳風·東門之池〉、〈墓門〉（三條）；〈檜風·隰有萇楚〉；〈豳風·九罭〉；〈小雅·南有嘉魚〉、〈蓼蕭〉、〈庭燎〉、〈正月〉、〈鴛鴦〉、〈采菽〉、〈桑扈〉、〈緜蠻〉；〈大雅·旱麓〉、〈文王有聲〉（二條）、〈民勞〉、〈蕩〉、〈抑〉、〈桑柔〉、〈韓奕〉（二條）；〈周頌·烈文〉（二條）、〈思文〉、〈訪落〉、〈敬之〉（二條）；〈商頌·那〉、〈烈祖〉等處，惟〈鄭風·褰裳〉係唐士雅引「楊見宇」之說、〈小雅·緜蠻〉亦同；〈小雅·蓼蕭〉係引「郝鹿野」之論，「增寵」當作「增重」；〈小雅·抑〉則引「何確齋」之言，當據正。

㉜ 〔清〕徐鐸：《詩經提要錄》（影印〔清〕鈔本），《四庫全書存目叢書·經部》，同注❻，第 78 冊，頁 336-722。

這二條可能抄自《彙纂》，而非直接來自《毛詩微言》。

11.傅恒等《御纂詩義折中》。

此書名義上是乾隆帝（1711－1799）的著作，實際上是他「授以大指，命之疏次其義」的編修諸臣的集體創作，是書編著起意於乾隆辛未秋間（16 年，1751），成書於乾隆二十年（1755），在〈大雅·抑〉中引有一條「唐汝諤」之文，㉝文出《毛詩微言》。

12.姜炳璋《詩序補義》。

因該書引及《詩義折中》（如〈邶風·泉水〉等）之文，故知其書完成於乾隆二十年以後，書內〈小雅·采薇〉和〈角弓〉等二處各引一條「唐汝諤」之文，㉞均見《毛詩微言》內。

根據上述十二本書引錄稱名之條文，均出自《毛詩微言》之例證，以及時間長達一百多年而無異論的事據，恐怕很難否認今本《毛詩微言》的作者是唐汝諤（士雅）的事實。雖然其中有很少數不見於今本《毛詩微言》，然根據《四庫全書總目》的說法，唐氏曾「刪汰贅詞」，易《毛詩微言》爲《詩經微言合參》，㉟這些極少數條文有可能是「刪汰」的條文，甚至是引錄者張冠李戴的結果，固不足以推翻今本《毛詩微言》爲唐汝諤著作之其他絕大多數之明證也。

(四) 諸家引錄的反證

稱名引錄固然可證該被引錄書籍作者，然因張以誠和唐汝諤之著作書名相同，或有誤認之可能，因之可借引錄之文不同於今本《毛詩微言》之例證，以

㉝ 〔清〕傅恒等奉敕撰：《御纂詩義折中》（《四庫全書》本），同注㉕，第 84 冊，頁 1-394。乾隆之言見〈御纂詩義折中序〉，頁 1a-b/1/冊 84。

㉞ 〔清〕姜炳璋：《詩序補義》（《四庫全書》本），同注㉕，第 89 冊，頁 1-369。〈小雅·角弓〉訛作「唐士諤」，當改正之。

㉟ 〔清〕紀昀等：《四庫全書總目·詩經微言合參》（北京：中華書局，1992 年斷句本），卷 17/142 下/上冊。

反證今本《毛詩微言》非該氏之作也。《毛詩蒙引》今有題陳子龍撰者，而《毛詩蒙引》實《毛詩微言》，而《毛詩微言》則題張以誠著，以下即舉出他書引錄之陳子龍及張以誠之文，不同於今本《毛詩微言》或《毛詩蒙引》者，以證二人非《毛詩微言》之撰者。

1.引錄張以誠之文

張以誠在明末既是狀元，又是孝子，因之享有大名，然於學界，尤其《詩經》研究界之聲名，恐大不如唐汝諤，故引錄其說者不多，今以三書之引錄言之：

⑴馮元颺（1586－1644）、馮元飆（？－1645）仝著《詩經狐白》。

是書有馮元颺天啓三年（1623）所撰的〈序〉，知此書完成於該年，書中共引錄有「張君一」（張以誠）之文四十三條，[36]其中有些條文雖近似今本《毛詩微言》，但差異性更大，因此張以誠之說或與今本《毛詩微言》相關（詳下文），但卻非抄錄自《微言》。爲比較清楚的瞭解其間差別，及方便後文討論，故不避繁瑣的抄錄十三條較明顯的例證以說明之：

㈠〈召南·騶虞〉引張君一曰：

> 草木鳥獸之盛，只舉一葭與豝以概之，見太和在宇宙，即此群生之物，猶然若其性，而蕃其生，中即含有仁民意在，直有形容不盡處。所以只言動植者，為他不識不知，非仁恩浸灌，安得至此。葭，澤草。蓬，陸

---

[36] 〔明〕馮元颺、馮元飆著：《詩經狐白》（〔明〕天啟3年〔1623〕躍劍山房刻本），原書藏日本，中央研究院中國文哲研究所籌備處有微捲。引錄張以誠之文見：〈周南·關雎〉；〈召南·采蘋〉、〈江有汜〉、〈騶虞〉；〈邶風·柏舟〉、〈終風〉、〈雄雉〉、〈谷風〉、〈式微〉、〈簡兮〉（二條）、〈靜女〉；〈衛風·碩人〉（三條）；〈王風·君子陽陽〉；〈鄭風·清人〉、〈出其東門〉；〈魏風·十畝之間〉、〈伐檀〉；〈秦風·晨風〉（二條）；〈小雅·皇皇者華〉、〈采薇〉（三條）、〈出車〉（三條）、〈鶴鳴〉、〈小旻〉（四條）、〈都人士〉（五條）；〈周頌·載見〉（三條）、〈武〉等處。

草。騶虞是仁物，不是瑞物，一發四矢而中五豝，知其必有疊雙者矣。此只見得獸之多，不在矢無虛發上。（卷 1，頁 22a）

今本《毛詩微言》之文云：

徐儆弦（常吉，士彰）曰：「二章一意，見太和所育，雖一草木、一鳥獸之微，無不若其性而蕃其生也。王道以及物為終，故以此為王道之成。」黄氏佐曰：「仁恩及物，只是樽節愛養，非以和召和之謂，仁心自然即含蓄其中，故下直以騶虞指而嘆之，勿作推原說。」草木禽獸之盛，只舉一葭與豝以概之，見太和在宇宙間，即此群生之物，猶然至此，其仁民之恩，隱然寓言意之表，直有形容不盡處。蓋百姓有知，或聲音笑貌尚可傾動；若草木鳥獸則固不識不知，非仁恩浸灌，安得有此。葭，澤草。蓬，陸草。騶虞是仁物，不是瑞物，一發五豝，言一發四矢而中五豝，是其間必有疊雙者在，若說矢無虛發，只是善射，不見得獸之多。（卷 1/36a-b/473）

比較二文，可見其內容、文字相似性甚高，然亦可見二處文字確有不同處，而《毛詩微言》之說也比較清楚。

㈡〈邶風·柏舟〉第四章引張君一曰：

夫不以我為妻，則妾不以我為嫡。「覯閔」、「受侮」，正慍于群小處，或進而謗毀之，或因而媟慢之。「既多不少」，有無數難堪，思其至此，惟有椎胸而已。纔寤便爾拊心，見其無時不切切于是也。（卷 2，頁 2b）

今本《毛詩微言》云：

四五章言夫不以我為妻，則妾不以我為嫡。「覯閔」、「受侮」，正慍於群小處，或進而媒孽其短，或因而媟慢其施。曰「既多不少」，有無數難堪，思其所由至此，惟有椎胸而已。雖歸重不得於夫，實有自怨自艾之意。（卷 2/3a-b/474）

二文內容文字，幾乎完全一樣，不過今本《毛詩微言》明確表達出「自怨自艾之意」自較「無時不切切于是」的說法清楚。

㈣〈邶風·谷風〉第二章引張君一之言曰：

二章舉足欲前，而行行且止，形容不忍相違之意，極是可憐。「薄送我畿」，非真送也，夫已棄之，何送之有？特詩人忠厚之詞。以荼之苦甘於薺，比己之苦甚于荼，甘苦即就荼說，而隱隱以見棄之苦相形。言人惟不知天下之苦有甚焉者，則荼為苦；如知天下之苦有甚焉者，則荼為甘。以我而觀，誰謂荼苦哉？言外見如我所遭，乃可言真苦也。須將夫之待己與待新婚相軒輊處形之，方有情趣，然甘如兄弟者，亦復知此苦否？（卷 2，頁 13b）

今本《毛詩微言》第二章之文為：

二章舉足欲前，而行行且止，形容不忍相違之意，極是可憐。「薄送我畿」，非真送也，夫已棄之，何送之有？特詩人忠厚之詞。呂東萊曰：「韓退之詩：『白石為門畿』，蓋以畿為門閫也」。以荼之苦甘於薺，比己之苦甚於荼，甘苦只就荼說，而隱隱以見棄之苦相形，言人惟不知天下之苦有甚焉者，則荼為苦；如知天下之苦有甚焉者，則荼為甘。以我而觀，誰謂荼苦哉？言外見如我所遭，乃可言真苦也。若直說正意，則幾於賦矣。（卷 2/18a-b/482）

二處文字除最後一小段不同外，其文字內容完全一致，惟因有最後一小段之別，而知張君一之文雖和今本《毛詩微言》相近似，然非抄錄《微言》者，否則最後一段當不至於如此差異，捨《微言》文字而另再發揮，亦不符抄書引錄之習慣。

(丁)〈鄭風・清人〉第一章錄張君一之論曰：

> 各首句提起，駟與矛相對，末句緊連上。「旁旁」「麃麃」，有無事不得歸，自馳驅于彼意。「重英」「重喬」，有虛備故事意，重英而又重喬，正見師之久留也。遊戲自樂，須認東萊「姑」字意，蓋此時此情，進退兩難，姑且如此，以自排遣耳。（卷 3，頁 5a）

今本《毛詩微言》引陳行之（推）之言曰：

> 「在彭」「在消」「在軸」，有遷徙無常，爰居爰處之意。「旁旁」「麃麃」「陶陶」，俱指乘駟介之人言，有無事不歸，自為馳驅之意。「重英」「重喬」，有師久英敝而虛備故事之意。遊戲自樂者，此時此情，進退兩難，姑且如此，以自排遣。若曰行枚勿事，鋒鏑無虞，則非無聊之謂矣。（卷 4/6a/511）

明代的陳推有《毛詩正宗》一書，《毛詩微言》引錄當即出自該書，陳推生存年代在徐常吉和徐光啓之前，故只有張以誠引錄抄襲他，而不會是陳推抄錄張以誠之文，可見《微言》和張以誠的意見來源相同，《微言》則稱名抄錄，張以誠則抄襲之外，另出己意，故隱沒其來源，此亦可證張以誠之文雖和《微言》相關，然非出自《微言》也。

(戊)〈鄭風・出其東門〉引張君一之言曰：

「如雲」，美且眾，重美上，兼服飾容貌。縞，白色。是縞繒不染，故色白也。綦，蒼艾色。謂青而微白，色如艾也。「茹藘」，絳色，衣服之色也，不必茹藘所染也。聊者有自足于己意；「我員」是自樂其樂也；「與娛」，夫婦同其樂也。「匪我思存」者，見其守之定；「我員」「與娛」者，見其分之安。（卷 3，頁 13a）

今本《毛詩微言》云：

通章只重不慕非禮之色上，其言自樂於己者，正見不動心於彼也。「匪我」、「樂我」，語相呼應。縞衣，服之白色者；茹藘，服之絳色者。「聊樂」，自樂其樂也；「與娛」，夫婦同樂其樂也。聊有姑且自足之意。……陳行之曰：「茹藘可以染絳，故即以名衣服之色，不必云茹藘所染也」。（卷 4/14b-15a/515）

雖有部分相同之文字，也可看出兩文觀點有相近之處，然張君一之文，當非引錄《微言》之文亦可知也。

㈢〈小雅．皇皇者華〉第一章引張君一曰：

此以草木之華，無地不行，與使臣之心，無時不然。「征夫」，註云：「使臣與其使」，還重使臣，率其屬上。或說使臣此心，其屬亦此心，以應上「原」下「隰」之意，殊欠輕重。「每懷」者，每每常懷惟恐不及耳。宣德達情，言九重之德意無窮，下民之情隱萬狀，至難及也，一靡及何以稱上意？何以慰下情？此所以其心歉然，常恐付託不效也。昆湖云：「宣德達情，俱就出使時說，非謂出則宣，入則達也。」（卷 4，頁 4b-5a）

今本《毛詩微言》云：

首章以草木之華，無地不有，興使臣之心，無時不然。〈註〉中「常」字，正於「每」字上看出。徐玄扈曰：「『每懷』者，常常有此念，提起就來也」。朱豐城曰：「為使臣者，惟恐無以副君之意，而為其屬者，又惟恐無以為使臣之助，庶可以稱斯職矣」。（卷 8/7a/570）

除前面一小段總說相同外，其他分析文字皆不同，可見張君一者非全抄自《毛詩微言》，否則不會有如此差異。

㈥〈小雅·采薇〉第六章引張君一之論云：

上既人懷敵愾之心，則玁狁可平，而歸期可卜，故末章遂預道其事。「往」「來」二字不平，蓋因來而追言往也。「楊柳依依」即采薇時，乃今歲始去之二月；「雨雪霏霏」即歲暮時，乃來歲得歸之十二月。「行道」二句，俱根雨雪來，言當此而道路又遠，飲食不充，其可哀何如者！天階九重，惟見代戍既至，以為畢戍者可樂矣，而孰知歸塗之苦有如是乎。君勞其臣，而曰：「莫知我哀」，其知之蓋亦深矣。方遣戍之時，而終之以此，見征夫一段傷哀勞苦，我皆知之，爾行可無復顧慮也。（卷 4，頁 16b）

今本《毛詩微言》云：

末章孔氏曰：「此遣戍後預敘得還之日，總述往返之詞」。上既人懷敵愾之心，則玁狁可平，而歸期可卜，故此預道此事。程子曰：「春往冬旋，行遠而時久，言行道遲，則見思歸之切」。薛方山曰：「『昔我往矣』四句，重雨雪之勞上。蓋〈出車〉起下懷歸，故所重在久；此起下傷悲，故所重在勞」。……九重之上，惟見昔之遣戍而往，今已畢戍而還，以為歸塗信可樂矣，而孰知夫雨雪之交馳，又益以周道之回遠，重以飢渴之艱辛，有如是乎！君門萬里，詎識邊情；千里歸塗，轉成傷恨，所謂「莫知我哀」者也。徐玄扈曰：「君勞其臣，而曰：『莫知我哀』，其知之也不亦深乎？味此一言，真足使人肝腦塗中原，膏血潤野草而不悔也。章法神品」。姚承菴曰：「方遣戍之時，直說到言旋之日，而終之以『我心傷悲，莫知我哀』，見征夫一段悲傷勞苦，我皆知之，而皆能為爾道之，爾行可無復顧慮也。」（卷 8/23a-b/578）

二文相同之處雖不少，然可見《微言》標明出處，而張君一隱沒他人之論，故知張君一之言，非全抄自今本《毛詩微言》也。

㈦〈小雅·鶴鳴〉引張君一曰：

此章只疊咏一番，又推深一步，興趣自覺無限，益信乎天下之物，皆王之藥石、箴規矣。朱《註》「穀」言惡木，「檀」不言美材，自有玅解。（卷 5，頁 17a）

今本《毛詩微言》云：

……後章只疊咏一番，興趣無限，蓋信乎天下之物，皆王（天）之藥石、箴規也。……朱《傳》「穀」言惡木，「檀」不言美才，自有妙解。（卷 9/29a-b/597）

二文幾乎全同，惟張君一之文稍有增益之文字，故《微言》與張君一之論固相關，然謂張氏之論抄錄《微言》之文，恐較難說明其增益文字之故。

㈤〈小雅·小旻〉共引錄四條張君一之論，分別在第一至第四章，其第一章引張君一曰：

首章王之邪僻，若天使之，亦無使歸咎之詞。「謀猶」之謀屬王，「謀臧」之謀屬臣。「臧」「不臧」以成事、僨事說。謀之善者不從，而不善者反用，此又推其回遹之由也。善惡不分，便從違莫決，此人主莫大之患，故詩人視之，知其國事大壞，而禍幾已伏，所謂「亦孔之邛」耳，照下「伊于胡底」，不得主憂之甚病言。此章大旨已盡，下三章又從此闡發之。（卷 5，頁 44b-45a）

今本《毛詩微言》曰：

徐儆弦曰：「首章言王惑於邪謀；二章言小人惑君以邪謀；三章言謀之無得於道；四章承上而哀其謀之難底於成；五章言非無善謀者，而王不能用，所以謀之不成；末章則言禍之隱伏而深憂之也。」……通詩刺王，而不露一王字，即「疾威」之布，亦託之乎天，此其立言渾厚處。首章，朱克升曰：「違善從惡，所以為邪僻之謀，而『謀猶』若此，則喪國亡家之禍必至，故視之使人甚病也。」陳行之曰：「『謀猶』之猶屬王，『謀臧』之謀屬臣。」鄒嶧山曰：「『臧』『不臧』，主成事、僨事言」，姚承菴曰：「議論曰謀，由是見之施為曰猶，二字有辯」、又曰：「善惡不分，便從違莫決，此人君第一事。《註》下一『惑』字、『斷』字，極妙」、又曰：「『亦孔之邛』，病在國也，即所謂『淪胥以敗』也」。（卷 11/1a-b/616）

《詩經狐白》第二章引張君一云：

> 次章承上，言朝廷之上，潝潝然阿附以相悅，訿訿然誹謗以相傾。只形容他同而不和的情狀如此，尚未說到為謀上。國家有此小人，定然誤國，豈不可哀。謀之臧者，群然違之，而不知天下有公是；謀之不臧者，群然依之，而不知天下有公非。王之謀臧不從，不臧覆用，正由此小人蠱惑之也。夫誰秉朝綱，而使小人變亂其是非，簧鼓其耳目，則王之謀猶，我殆不知其如何究竟矣！臧否不分，則折衷無定，故曰「伊于胡底」。（卷 5，頁 45a-b）

今本《毛詩微言》云：

> 二章，朱克升曰：「潝潝訿訿，面相和而背相詆，陽與而陰排之，深為自全之計也」。同聲附和，反脣詆毀，只形容他同而不和，其處心積慮如此，還未說到為謀上，國家有此小人，定然至於誤國，豈不可哀。群然違之，而不知天下有公是；群然依之，而不知天下有公非。王之謀臧不從，不臧覆用，正由此小人蠱惑之也。夫以朝廷之上，而使小人變亂其是非，簧鼓其耳目，則王之謀猶，我殆不知其如何究竟矣。……薛希之曰：「臧否不分，則折衷無定，故曰：『伊于胡底』」。（卷 11/1b-2a/616）

《詩經狐白》第三章錄張君一之論曰：

> 三章承上言，王既惑于邪謀，則謀而無成，雖謀何益？語意歸重「謀夫」上，「我龜」二句，特借以引起下意耳。「發言盈庭」，是謂「孔多」；而「誰敢執其咎」，固謀所以不集也。議論不關利害，則人得各進一說；

事後期當成敗，則人皆互相推諉，倘以一人獨斷，而事或不成，則咎有所歸矣。自古持兩端者，惟恐成則眾冒其功；敗則獨當其罪，故其謀往往如此。謀而不行，徒作一場說話，如訪問路途雖熟，而非身親走過，終是茫然，竟何得之有。不斷無成，正意即在「如」字內。（卷 5，頁 45a-46b）

今本《毛詩微言》第三章云：

三章，謀神只借來引起，歸重「謀夫」上。「發言盈庭」，是謂「孔多」；而「誰敢執其咎」，則謀之所以不集也。議論不關利害，則人各得進一說，事後期當成敗，則人皆互相推諉，此謀國之常態也。議論多而成功少，宋之天下所以卒至大壞。徐玄扈曰：「……凡謀出於正，則同心以濟國是，必有畫一之說。惟曰『邪謀』，則眾言淆亂，是非蠭起，人人各逞其胸臆，而不顧國家之利害，故迄無成功」、又曰：「一人獨斷，成則任其功；敗則任其罪，所謂『執其咎』也。……」。嚴華谷曰：「謂事若不成，則咎各有所歸，故皆持兩端也」。……謀欲其行之也，謀而不行，徒作一場話說，如路程圖雖熟，走去輒已茫然，竟何得之有。（卷 11/2a-3a/616-617）

《詩經狐白》第四章引張君一曰：

四章，因上謀之莫定，而又嘆其為謀之謬也。謀必酌古準今，以成一代之遠猷，而今之為猶，則不以古先聖王之成憲為法，不以仁義禮樂之大道為常。其上之所聽，與下之所爭者，惟是淺謀末計，不關社稷生民。而聽則昏然已眩，爭則鬩然不決，其相持不斷之意，已可想見矣。「不潰于成」，就「築室」說。上根是非相奪來，故以謀於無得於道；此根

爭聽邇言來，故以為與行道之人謀之，語各有屬。（卷5，頁46a）

今本《毛詩微言》第四章云：

姚承菴曰：「上只說得謀之莫（莫）定，尚未及所以為謀者，此復承上，而傷其為謀之謬也」；鄒嶧山曰：「『先民』即古聖賢，謀猶所自出也。大道如仁義禮樂等，即謀猶所在也。聽則惑，爭則不決，想見相持之意」；嚴華谷曰：「『邇言』者，所見止於目前，無遠圖也」；徐儆弦曰：「『維邇言是聽』，是爭言，上之所聽與下之所爭者，皆邪謀也」；……「不潰于成」，就「築室」說。上根是非相奪來，故以謀為無得於道；此根爭聽邇言來，故以為與行道之人謀之，意各有屬。（卷11/3a-b/617）

〈小旻〉四章的引文加以比較分析，可以得到和上文同樣的結果，張氏之文與《微言》關係密切，但可肯定非出自《微言》；而《微言》多指出引文作者，而張氏引文則隱沒來源，變成是自己的意見，這是值得注意的差別。

㈸〈周頌·載見〉第一章引張君一曰：

諸侯來朝，供常職爾。而「辟王」之受朝者，乃愴然有感于先生，故率之以供祭。是因其「載見辟王」，所以「率見昭考」也。首節只是喚起之語，「厥章」如禮樂刑政之屬，必曰「求」者，典章雖曰一定，而其間因革損益，隨時互異，故求稟而受之，以為遵守計耳。要見奉「辟王」之命，正以欽「昭考」之靈，隱隱含下意在。於車之所建，則有龍旂而陽陽乎文明之象；於車旂之所綴，則有和鈴而央央乎節奏之宣；於馬之所御，則有鞗革而鶬鶬乎和鳴之應，直作三項看。「休有烈光」，總承見其等威物采，足以增輝上國也。（卷8，頁17b-18a）

今本《毛詩微言》云：

> 首二節，朱克升曰：「〈清廟〉祭文王、〈載見〉祭武王，皆因朝諸侯，而率以祭也。諸侯來朝，供常職爾，而受朝之君，愴然有感於先王，故率之以供祭，是因其『載見辟王』，所以『率見昭考』也」；唐荊川曰：「『章』乃朝廷典章，即禮樂刑政之屬；必曰『求』者，典章雖曰一定，及來朝時，必申飭之，以嚴遵守也」；徐儆弦曰：「『龍旂』三句，不得分車馬、見聞對看，只照本文說去。言於車之所建，則見其龍旂陽陽乎文明之象也；於車旂之所綴，則見其和鈴央央乎節奏之宣也；於馬之所御，則見其鞗革鶬鶬乎和鳴之聲也，自見渾融」；……鄒嶧山曰：「車旂、服物之有光采，自足增輝上國，故曰：『烈光』」。一代法度，皆「昭考」所定，則奉「辟王」之命，正以欽「昭考」之靈也。（卷19/30a-b/765）

《詩經狐白》所引張君一之文和《微言》相較，不但次序不同，且《微言》多指出作者，即使引錄之際漏掉作者之名，亦不至於有如此之差異，何況引錄他人之文再將原文加以改寫者，雖有可能，亦極少見，即就此十多條最相近之文分析，亦難推得所引張氏之文全抄自今本《毛詩微言》之結論，更何況還有為數更多而內容完全不同的條文呢。

《詩經狐白》共引錄張氏之文四十三條，其中較近似的幾條已抄列於上，至其他三十條則多不相同，因此，今本《毛詩微言》當非張氏之書，否則不至有如此高比例的差異。

⑵陳組綬（？－1637）《詩經副墨》。

此書著成年代不詳，惟〈凡例．集解〉有「馮留仙敘古今說《詩》者，無慮數百家」之言。馮留仙即馮元飂，故此書當在《詩經狐白》後出版。這書在

〈讀書二十四觀〉內第十五、十六兩條，均爲「張君一」之言，㊲惟兩條內容均不見於今本《毛詩微言》或《毛詩蒙引·卷首》。

⑶范王孫（？－1643）《詩志》。

書在范氏死後纔出版，當完成於崇禎十六年（1643）以前。此書在〈小雅·伐木〉引張君一之文曰：

> 獨恐政治不修，而滛湎日開，大為我兄弟懼。有「迨暇」之一言，所以終日飲而朝不廢朝、暮不廢夕也。君子觀于〈伐木〉之卒章，知周王之貴而能下，樂而有制。「暇」亦朋友之所開，然則「迨暇」而飲非飲也，正其急遑于天下之故。（卷 10，頁 25b-26a）

又〈大雅·抑〉第二章亦引張君一之言云：

> 此四方之所以訓，而四國之所以順者乎。（卷 21，頁 106a）㊳

所引二條均不見今本《毛詩微言》。

⑷題黃道周編《詩經琅玕》。

書成於康熙元年（1662）以前，在〈學詩總論·折衷〉中引一條張君一之文云：

> 《詩》原本性情，如孩笑谷音，自然成節。而《箋》《疏》師承，耑事

㊲ 〔明〕陳組綬：《詩經副墨》（〔明末〕光啟堂刻本），《四庫全書存目叢書·經部》，同注❻，第 71 冊，頁 1-343。〈凡例·集解〉見頁 7；張君一引文見頁 4a-b/11/冊 71。

㊳ 〔明〕范王孫：《詩志》（〔明〕萬曆程定之刊本），原書藏日本，中央研究院中國文哲研究所籌備處有微捲。

> 訓什；《集傳》一繩諸理，余不識「敬止」果屬助語、「素絇」無關禮教否也。篇什之外，吟味有餘；字句之間，尋索彌遠。《詩》之難言，視他解倍。㊴

此文不見今本《毛詩微言》或《毛詩蒙引・卷首》。

根據上述引文之比較，今本《毛詩微言》當非張以誠之作，惟《詩經狐白》所引有十多條相近似之文，依常理推斷，兩書當有某種關係，此將於下文論之。

2.引錄陳子龍之文

陳子龍字臥子，一字懋中，又字人中，號鐵符，晚號大樽。爲明末「復社」和「幾社」的中堅分子、領袖，文名頗著。㊵在科舉界更是備受推崇，因此清代的趙燦英在《詩經集成・例言》中，特別提到科舉講義的文章，要「次不失乎東崖、臥子之興致」。㊶東崖即成化二十年(1484)的狀元李旻(?－1509)，㊷趙氏居然將陳子龍與他並列，可知陳氏在科舉界聲名之盛。以陳氏之人名，若《毛詩蒙引》果爲其失收之作品，則當時引錄其言者，當有一二可尋之跡，今據所見之書，引錄陳子龍之文的情況論之：

⑴范王孫《詩志》。

此書引「陳臥子」之文九條，另有題「陳臥龍」之文四條，應是誤合陳子

㊴ 題〔明〕黃道周編著：《詩經琅玕》，同注㉔，〈總論〉，頁 7b。此條亦見於《詩經副墨》。

㊵ 陳子龍生平參見朱東潤：《陳子龍及其時代》（上海：上海古籍出版社，1984 年）及蔣秋華：〈陳子龍《詩問略》初探〉，中國詩經學會編：《詩經國際學術研討會論文集》（保定：河北大學出版社，1994 年），頁 626。

㊶ 〔清〕趙燦英：《詩經集成・例言》（〔清〕康熙 29 年〔1690〕金陵陳君美刻本），《四庫全書存目叢書・經部》，同注❻，頁 2b/5/冊 74。

㊷ 李旻生平見佚名撰：〈南京吏部左侍郎李公旻傳〉，〔明〕焦竑編：《獻徵錄》（上海：上海書店，1987 年影印〔明〕萬曆曼山堂刊本），卷 27/53a-b/1163/冊 1。

龍和陳臥子二名而成，故可知此書共計引陳子龍之文十三條，㊸沒有一條和今本《毛詩微言》相同或相近者。

⑵題黃道周編《詩經琅玕》。

此書在〈秦風・無衣〉和〈小雅・車攻〉兩處「剖明」，各引一條「陳臥子」之言，查考今本《毛詩微言》並未見所引之文。

⑶王鴻緒等《詩經傳說彙纂》。

此書在〈卷首・引用姓氏〉中，雖未列出陳子龍之名，實際在書中則引有八條「陳氏子龍」之文，㊹考查此八條條文，絕無一條與今本《毛詩微言》或《毛詩蒙引・卷首》相近似者。

⑷戴君恩（萬曆41年〔1613〕進士）著，陳繼揆補《讀風臆補》。

戴氏原書成於萬曆戊午年（46年，1618），陳氏補輯於咸豐三年（1853），故在〈秦風・蒹葭〉「補輯」云：

> 「所謂伊人」二語，與「彼美人兮，西方之人兮」，同心周調。陳臥子謂此時為追懷西周而作，大為有見。㊺

所引陳氏之論，並未見於今本《毛詩微言》。

由上述諸書引文判斷，則今本《毛詩微言》或《毛詩蒙引》絕非出自陳子

㊸ 〔明〕范王孫：《詩志》，同注㊳，引文見〈周南・桃夭〉；〈鄘風・定之方中〉、〈蝃蝀〉；〈衛風・木瓜〉；〈鄭風・羔裘〉；〈曹風・鳲鳩〉；〈小雅・出車〉、〈采芑〉；〈大雅・文王有聲〉（二條）、〈公劉〉（二條）；〈周頌・賚〉等處。

㊹ 〔清〕王鴻緒等：《詩經傳說彙纂》，同注㉛，引「陳氏子龍」之文見：〈邶風・匏有苦葉〉（二條）、〈谷風〉；〈鄘風・定之方中〉；〈衛風・伯兮〉；〈王風・兔爰〉；〈鄭風・羔裘〉；〈齊風・雞鳴〉等處。

㊺ 〔明〕戴君恩著、〔清〕陳繼揆補：《讀風臆補・秦風・蒹葭》（影印〔清〕光緒6年〔1880〕拜經館刻本），《續修四庫全書・經部・詩類》，同注❶，卷11/4b/213/冊58。

龍，否則不至於無一條近似之文。

經由上述師承、引文和《古詩解》等各項正反資料的分析，可肯定今本《毛詩微言》和《毛詩蒙引》是同一本書，而作者則是唐汝諤（士雅）。且《毛詩蒙引》應該是和收藏於復旦大學圖書館所藏俞秀山刊本唐汝諤《毛詩微言》二十卷，卷首一卷相同的完本；至於另外收藏於河北保定市圖書館二十卷本的張以誠《毛詩微言》，㊻應該也是和《四庫全書存目叢書》所收北京大學所藏的書一樣，誤題作者的作品，張以誠的《毛詩微言》原本恐早已佚失，或化入他人著作中了。

《四庫全書總目》曾謂唐汝諤刪汰《毛詩微言》贅詞，而成八卷本的《詩經微言合參》，㊼然此書似已佚失，內容和《毛詩微言》差異如何，亦無從判斷，惟冉覲祖《詩經詳說·周南·關雎》確引有一條「《微言合參》」之文（卷2/21b/646），根據冉氏引用的體例，其後引文稱「《微言》」者，均應是《微言合參》之文，然《詩經詳說》所引十三條條文中，有二條未見，其餘十一條內容、文字完全和《毛詩微言》一致，故二書內容應不致有太大差別。再則凌濛初《孔門兩弟子言詩翼·採取諸家姓氏》列有唐汝諤，謂其所著有《微言》（頁 526），可見《微言合參》問世，其《毛詩微言》依然流行，不瞭解者遂以爲流行之書即張以誠同名之著作；又或因二氏之書關係密切，故刊者遂逕題張氏之名了。

四、張、陳二氏與今本《毛詩微言》的關係

唐汝諤《毛詩微言》的內容，根據前引《詩經狐白》十三條的條文，可見其說和張以誠之論，有部分內容的相似性甚高，何以產生此種現象？可能的原

㊻ 見《中國古籍善本書目·經部·詩類》，同注❷，卷 2/8a/141。

㊼ 〔清〕紀昀等：《四庫全書總目》，同注㉟，卷 17/142 下/上冊。

因有三：或者兩書參考的來源相同、或者張氏參考了唐氏之書、或者唐氏參考了張氏之書。根據杜信孚所見明代天啓年間（1621－1627）書林俞秀山刊的《毛詩微言》，正作張以誠撰，唐汝諤輯，㊽如若杜氏所言屬實，則今本《毛詩微言》當是唐氏參考張氏之書而成，故其中有部分內容近似，自是合理。而這也就可以解釋《毛詩微言》既有題張以誠作，又有題唐汝諤作，且多數視爲唐汝諤之作的原因了。再則從「合參」之意，也可知唐汝諤之作係「輯」爲主，所謂「合參」即「合諸家之解釋，而參以己意者」，㊾考今本《毛詩微言》正是參合諸家之說又出以己意者，前引《詩經狐白》對照之文可證；再者〈毛詩蒙引例〉中謂當時「講解諸家，互相剿襲，然多沒其姓氏，余據耳目所及，標而出之」的說法，可印證《詩經狐白》中相同文字，《毛詩微言》多標明作者，而所引張君一之文則隱沒其名的不同作法之緣故。以此觀之，則杜信孚所載唐汝諤《毛詩微言》係輯張以誠撰《毛詩微言》的說法，應屬可信，故兩者書名不但一致，甚至連部分引文內容也非常相近。至於唐氏所以取張氏之書爲底本，大約和明代社會崇重科舉考試，對有科舉身分的人特別推崇，而張以誠正是萬曆二十九年（1601）的狀元，唐氏則不過是個貢生而已，借重張氏的身分名聲，自有助於書籍的傳播推廣。

陳子龍爲唐、張二氏同鄉後輩，根據前文所引之說，可知《毛詩微言》絕不可能是其「撰著」，但卻有「重訂」的可能，然是否眞的重訂過《毛詩微言》？現今並無積極證據，惟今本《毛詩微言·大雅·鳧鷖》所引諸家說法中有一條：

> 何氏曰：「昨日配先祖食，不忍輒忘，故因以復祭」。（卷 15/26a-b/698）

㊽ 杜信孚：《明代版刻綜錄》（揚州：江蘇廣陵古籍刻印社，1983 年），卷 3/38a/冊 3。

㊾ 見〔清〕姜文燦、吳荃撰：《詩經正解·凡例》（〔清〕康熙 23 年〔1684〕深柳堂刻本），《四庫全書存目叢書·經部》，同注❻，頁 1b/5/冊 80。

按此條實出何楷《詩經世本古義》中，㊿何氏之書完成於崇禎十四年（1641），唐汝諤、張以誠絕無法見到，而陳子龍自有可能見到該書，惟並無確證表明陳氏整理過《毛詩微言》，更可能是坊間書商借用陳子龍在科舉界之盛名，而冒題之名。因此這條引文僅能證明在唐汝諤之後，還有人整理過《毛詩微言》，並易名《毛詩蒙引》，且題陳子龍重訂，然並無積極可信之資料，足以證明陳氏曾做過此事，因之無法判定其是非。不過從改〈毛詩蒙引例〉著者的行爲來看，則書商冒名的成分較大。

五、結　論

《毛詩蒙引》的作者，以及和《毛詩微言》的關係，經由上文之論析，可得下列數點結論：

1.臺灣和日本所藏的《毛詩蒙引》就是《毛詩微言》。

2.《毛詩微言》的作者有二，今本《毛詩微言》的作者應該是唐汝諤，而不是張以誠，更不會是陳子龍。

3.根據《毛詩微言》中曾受范廷言教導，及和《古詩解》內容觀點相近；加上諸《詩經》研究書籍所引錄的正反資料，可證北京大學和河北保定市所藏的張以誠《毛詩微言》是誤題撰者，今本《毛詩微言》的作者是唐汝諤。

4.根據《詩經狐白》所引四十三條張以誠之論條文中有十三條內容，和今本《毛詩微言》非常近似的例證，可以相信杜信孚所記《毛詩微言》係唐汝諤參考張以誠之書而成的記載，這也就是同一本《毛詩微言》會題兩個不同作者的原因，但其作者應以唐汝諤爲是，因《毛詩微言》雖參考張以誠之著作，但卻另下己意，故《詩經狐白》的引文中，不同文字和意見者有三十條，超過相

㊿　〔明〕何楷：《詩經世本古義·斗部·般帝辛之世詩·鳧鷖》（《四庫全書》本），同注㉕，卷 8/61b/158/冊 81。

似的十三條。

5.《毛詩微言》引有一條何楷完成於崇禎十四年（1641）的《詩經世本古義》的條文，且這條是列在諸多引用的條文之中，因此可證在唐汝諤之後，確有人重新整理過《毛詩微言》，以時間先後觀之，陳子龍確有機會進行此事，但因無明白可信之其他資料爲證，故只能存疑。蓋若爲陳子龍重訂，當不至於泯沒他人之名，更改原書名稱，且竊他人之文爲己有，故有可能是書商冒名之舉。

6.題陳子龍重訂的《毛詩蒙引》，應該是刊刻於日本孝明天皇時的文久元年（清咸豐 11 年，1861），其書則源自日本後西院天皇寬文十二年（清康熙 11 年，1672）平樂寺本，故寬文十二年非刊刻時間。

7.本文透過《毛詩蒙引》和《毛詩微言》比對而內容一致，及諸家引用稱《微言》而不稱《蒙引》的例證，證明《毛詩蒙引》即《毛詩微言》。再根據師承、內容和諸家引用稱名等例證，證明今本題張以誠著的《毛詩微言》，實是唐汝諤的《毛詩微言》，又據書中引有何楷之文的事實，證明在唐氏之後猶有人整理過《毛詩微言》。這些成果對《毛詩微言》版本流傳、唐氏詩經學和明清詩經學史的研究，均具有澄清及提供可靠資料的作用。

感謝吾　師近二十年提攜照顧之恩情，謹以此文敬祝吾　師壽。

（1998 年 9 月 10 日完稿）

乾嘉學術小記

陳鴻森*

一、《字林考逸》作者辨誣

江藩《漢學師承記》卷六〈任大椿傳〉云：

> 任大椿，字幼植，一字子田，興化人。……乾隆壬午科舉人；三十四年己丑，二甲第一名進士。……子田與東原同舉於鄉，於是習聞其論說，究心漢儒之學。著有《弁服釋例》十卷、《深衣釋例》三卷、《字林考逸》八卷、《小學鉤沈》二十卷、《子田詩集》四卷。同時有歸安丁小雅名杰者，謂曾著《字林考逸》一書，稿本存子田處，子田竊其書而署其名，作書偏告同人，一時傳以為笑。然子田似非竊人書者。❶

支偉成《清代樸學大師列傳》卷六〈任大椿傳〉則云：

> 《考逸》有傳為丁小雅作而遭先生剽竊者，當係各輯此書，文人相輕，藉成隙末。此與戴（震）、趙（一清）兩家《水經》同一疑案，要非事實耳。❷

---

* 中央研究院歷史語言研究所副研究員。

❶ 〔清〕江藩著：《漢學師承記》（《玲瓏山館叢書》本），卷 6，頁 10。

❷ 支偉成：《清代樸學大師列傳》（臺北：藝文印書館，1970 年影印上海：泰東圖書局，1924 年本），頁 159。

支氏雖意主調停，無如任、丁二家同時各輯《字林》，云云之說，當時諸家絕無言之者，此支氏臆說耳，要難依據。余反覆考之，知此爲江氏誣言。李詳《媿生叢錄》云：

> 案小雅游京師，與子田交最熟，《考逸》後附小雅之說，姓氏粲然；子田輯《考逸》時，廣閱群籍，遂得從容撰集《小學鉤沈》，其勢自易，亦何藉於小雅而為郭象盜莊之舉？……不知鄭堂當日厚誣兩君何意？余疑有愛憎之見也。❸

此說是也，然尚有可徵者：

一、阮元〈與友人書〉，有云：「今時天下學術以江南爲最。江南凡分三處，一安徽，二揚、鎭，三蘇、常。徽州有金榜、程瑤田二三子，不致墜東原先生之緒；蘇、常一帶，則惟錢辛楣先生極精，其餘若王鳴盛、江艮庭（聲），皆拘墟不通；江鄭堂（藩）後起，亦染株守之習，而將來若一變，則迥出諸君之上；其餘若孫星衍、洪亮吉、錢坫、錢塘，氣魄皆可，不能大成。鎭江、揚州號爲極盛，若江都汪容甫之博聞強記、高郵王懷祖之公正通達，寶應劉端臨之潔淨精核、興化任子田之細密詳贍、金壇段若膺之精銳明暢，皆非外間所可及也。」❹阮氏此札論人綦嚴，而於子田推重如此，知其學固無庸假手他人以成名者。阮氏〈任子田侍御弁服釋例序〉言：「丁未、戊申間（按：乾隆五二、五三年），元在京師，見任侍御，相問難爲尤多。……侍御早年以詞學名世，繼乃專研經史，與修《四庫》書，書之提要，多出其手。所輯呂忱《字林》、

---

❸ 〔清〕李詳：《媿生叢錄》（〔清〕宣統元年〔1909〕江寧刊本），卷1，頁1。

❹ 按此為阮氏佚文，見劉師培：《左盦題跋·跋阮芸臺答友人書三通》（1936 年寧武南氏《劉申叔先生遺書》本），頁10。

《深衣釋例》諸書已付刻」云云。❺按阮元以鄉里後進，與子田往來甚密，熟知其事，其以《字林》爲子田所輯，宜可信據。阮氏〈擬儒林傳稿〉，有任、丁二君傳，亦以《字林考逸》爲子田之書。❻

二、翁方綱與丁杰交最密，其〈丁小雅傳〉云：「予爲君題北學齋扁，在京師宣南坊金氏家，與予對門而居。乾隆戊戌、己亥（四三、四四）數年間，無日不相過從。共几展卷，審正罅漏，如對古人。……予在〔四庫〕館中校讎數年，所時資取益者，盧抱經精校讎，王石臞、桂未谷精訓詁。而君兼有之，每竟一編，校籤細字壓粘，倍其原書。……所定《鄭氏易》、《大戴禮記》、《尚書大傳》，皆將次第刊布。」❼按丁氏精校勘、故訓之學，頗負時望，然生前並未有書梓行，翁氏表彰其學，苟丁氏輯有《字林》之書，此自不當遺之。而翁氏〈字林考逸序〉固明明言：「呂氏《字林》，據諸家著錄，皆言七卷；今禮部主事任君爲之《考逸》，凡八卷。……予故於任君用心之勤，與其編次之慎，並著於卷首」云云，❽然則《考逸》爲子田所輯，明矣。

三、陳鱣輯《埤倉拾存・自序》云：「鱣著《說文解字正義》，思盡讀倉、雅字書，每于古訓遺文，單詞片語，零行依附，獲則取之，以資左證。……比來京師，幸得親炙于當世賢豪，有若邵二雲編修之于《爾雅》、王懷祖侍御之于《廣雅》、孫淵如編修之于《倉頡篇》、任子田禮部之于《字林》，具有成書。小學之興，于今爲盛。」❾子田研精小學，與諸家齊名，此當時學人所共

---

❺ 〔清〕阮元：《揅經室集》（北京：中華書局，1992 年點校本），頁 243。

❻ 《揅經室集》，同前注，頁 1031、32。

❼ 〔清〕翁方綱：《復初齋文集》（臺北：文海出版社，1974 年影印〔清〕道光 16 年〔1836〕刊本），卷 13，頁 4、5。按趙爾巽等撰：《清史稿・丁杰傳》（北京：中華書局，1977 年點校本），卷 481，頁 13223 言：「杰為學長於校讎，與盧文弨最相似。得一書必審定句讀，博稽他本同異。於《大戴禮》用功尤深，著有《大戴禮記繹》」，又輯《周易鄭注後定》十二卷，及校定《方言》云云，亦不言小雅嘗輯《字林》。

❽ 《復初齋文集》，同前注，卷 2，頁 1。

❾ 〔清〕陳鱣：《簡莊文鈔》（〔清〕光緒 14 年〔1888〕羊氏粵東刊本），卷 2，頁 7、8。

稱者；仲魚與丁小雅亦故交，渠爲謝啓昆輯修《小學考》，⑩於所聞見諸家未刊之書並備錄之，今檢是書，卷十三第著錄「任氏大椿《字林考逸》八卷，存」，⑪不言丁氏亦輯《字林》；又仲魚〈丁杰墓誌銘〉但言「所著有《周易鄭注後定》、《大戴禮記繹》、《小西山房文集》。」⑫亦不及《字林》。

四、章學誠〈任幼植別傳〉云：「乙未，余復至京師，君已徵爲四庫書館纂修。……校理之暇，借窺中秘儲藏，四方奏上遺書，人間所希覯者，從而證定向所業編，得以益信。余訪君，屬疾，延見臥所，則君方輯呂忱《字林》，逸文散見，蒐獵橫博，楮墨紛挐，狼藉枕席間。君呻吟謂病不可堪，賴此消長日耳。」⑬按乙未爲乾隆四十年，時子田三十八歲，⑭其書〈自序〉末繫乾隆四十七年四月，⑮則多歷年所始克定稿。其輯《字林》稿草既爲實齋眼目親見者，得此，可爲子田止謗矣。⑯

---

⑩ 按謝氏：《小學考·自序》（臺北：藝文印書館，1974 年影印〔清〕光緒 15 年〔1889〕烏程蔣氏石印本）末云：「助為輯錄者，桐城胡徵君虔及海寧陳鱣。鱣，余所舉士也。」蓋其書實成於二君之手。

⑪ 〔清〕謝啟昆：《小學考》，同前注，卷 13，頁 5。

⑫ 按此文今佚，茲據阮元〈擬儒林傳稿〉丁杰傳引仲魚〈墓誌銘〉及許宗彥〈丁杰傳〉（同注❻）。

⑬ 〔清〕章學誠：《章學誠遺書》（北京：文物出版社，1985 年影印本），卷 18，頁 178。按章氏言渠依朱石君（筠）時，見子田曾託人以所著《儀禮經傳考訂》請質。諸家敘子田所著書，俱未及此，當據補。

⑭ 按章氏〈任幼植別傳〉云：「君與余同乾隆三年戊午生。」

⑮ 〔清〕任大椿：《字林考逸》（〔清〕光緒 16 年〔1890〕江蘇書局校刊本），卷 1，頁 2。

⑯ 按楊晨：《瀛洲咫聞》（1936 年《崇雅堂叢書》本），頁 8 云：

> 大抵文人好名，每多假借，如《皇清經解》之阮福《孝經義疏》，相傳為許宗彥所著（元注：福同治初湖北知府，計刻書時尚少也。）杜文瀾《古謠諺》，乃儀徵劉毓崧手編。如傅澤《行水金鑑》，出鄭元慶；王履泰《畿輔安瀾志》出戴東原（元注：見全榭山、段懋堂集）；納蘭性德《禮記集說補正》出陸元輔（方望溪集）；秦嘉謨《世本輯補》出洪飴孫；黃汝成《日知錄集釋》出李兆洛（《申耆年譜》）。潘尚書言：林昌彝《三禮通釋》乃林一桂著，采近人桂〔文〕燦等說以掩其蹤。任大椿《字林考逸》出丁杰；梁章鉅《文選旁證》出陳壽祺。

此所記並依傳聞，多不足據。其言「任大椿《字林考逸》出丁杰」，正本江氏語云：「俗說不實，流為丹青。」此之謂也。

二、江藩〈經師經義目錄〉春秋家辨正

江氏《漢學師承記》卷後附〈經師經義目錄〉，其春秋家言：

> 國朝為左氏之學者，吳江朱氏、無錫顧氏。而鶴齡雜取邵寶、王樵之說，而不採賈、服。震滄之《大事表》雖精，然實以宛斯之書為藍本，且不知著書之體，有不必表者亦表之；甚至如江湖術士之書，以七言為歌括，不值一噱矣。⓱

按朱鶴齡《讀左日鈔》，「薈粹眾長，斷以新義」，時具特見，亦讀《左氏》者所不可廢，《四庫總目》言之詳矣；⓲周中孚亦極稱其書，以為「如愚菴者，斯為善讀左者矣」。⓳江氏責其「不採賈服」，此故為高論耳，蓋朱書意在正補杜預之訛闕，而賈、服舊注久亡，遺說多見於孔氏《正義》，孔書「久列學官，斷無讀注而不見疏者」（《總目》語），朱氏不采賈、服，要不足為其書病也。

至江氏謂顧棟高《大事表》以馬驌《左傳事緯》為藍本，尤失輕脫，錢泰吉《曝書雜記》嘗辨之：

> 《左傳事類始末》五卷、附錄一卷，宋章沖茂深所撰。……〔章氏此書〕，實鄒平馬氏《左傳事緯》之權輿也。馬氏書之精核，非茂深所及，而體例則大略相同，其所撰〈左傳辨例〉、〈左傳圖說〉、〈列國年表〉、

⓱ 《漢學師承記》附〈經師經義目錄〉，同注❶，頁 13。

⓲ 〔清〕紀昀總纂：《四庫全書總目》（臺北：藝文印書館，1979 年影本），卷 29，頁 11、12。

⓳ 〔清〕周中孚：《鄭堂讀書記》（北京：中華書局，1993 年《清人書目題跋叢刊》本），頁 216。按鶴齡字長孺，愚菴其號。

〈晉楚職官表〉、〈覽左隨筆〉、〈春秋名氏譜〉、〈左傳字釋〉，固不若章氏〈附錄〉之寥寥數葉，而以視顧氏《大事表》，則亦猶章氏之於馬氏矣。或謂顧氏以此為藍本，此論未公，我不憑也。⑳

又一條云：

顧震滄先生《春秋大事表》，……華君希閔〈序〉，謂自有《春秋》以來所絕無僅有之書，非虛譽也。近見甘泉江氏《漢學師承記》，謂以宛斯之書為藍本，蓋指鄒平馬氏《左傳事緯》也。《事緯》誠精核，然是宋章氏《事類始末》之類，與《大事表》實不相同，不知江氏何以言之？㉑

按顧、馬二書體例本自不同，而江氏云云者，余意此江氏剿襲《四庫總目》而誤記其說耳。《總目》卷二十九顧氏《大事表》〈提要〉云：

考宋程公說作《春秋分紀》，以傳文類聚區分，極為精密，刊版久佚，鈔本流傳亦罕，棟高蓋未見其書，故體例之間往往互相出入。又表之為體，昉於《周譜》，旁行斜上，經緯成文，使參錯者歸於條貫；若其首尾一事，可以循次而書者，原可無庸立表，棟高事事表之，亦未免繁碎。至參以七言歌括，於著書之體亦乖。㉒

江氏蓋本此說，而誤以程公說《春秋分紀》爲馬氏《事緯》，耳食之談，本非

---

⑳　〔清〕錢泰吉：《曝書雜記》（臺北：廣文書局，1989 年影印〔清〕同治 7 年〔1868〕杜氏重刊本），卷中，頁 31。

㉑　《曝書雜記》，同前注，卷中，頁 29。

㉒　《四庫全書總目》，同注⑱，卷 29，頁 29。

心得，致誤憶耳。然《總目》下文固明言：顧《表》「條理詳明，考證典核，較公說書實爲過之；其辨論諸篇，皆引據博洽，議論精確，多發前人所未發，亦非公說所可及。」卷二十七又言：公說《分紀》，「明以來其書罕傳，故朱彝尊《經義考》注曰『未見』；顧棟高作《春秋大事表》，體例多與公說相同，棟高非剽竊著書之人，知其亦未見也。」㉓蓋震滄之爲此書，「泛濫者三十年，覃思者十年，執筆爲之者又十五年」，㉔其專精畢力如此，江氏輕率立說，乃謂其書「實以宛斯之書爲藍本」，不免厚誣前學矣。

三、《清史列傳・焦循傳》訂誤

《清史列傳》卷六十九〈焦循傳〉，言里堂著《易通釋》二十卷，「既復提其要，爲《圖略》八卷，又成《章句》十二卷，總名《易學三書》。」又云：

> 初，循以《易》學質王引之，引之以為鑿破混沌。㉕年四十七，病危，以書未成為憾；後乃誓於先聖先師，盡屏他務，凡四易稿乃成。㉖

按里堂生於乾隆二十八年（1763）二月，四十七歲當嘉慶十四年己巳（1809）；據焦廷琥〈先府君事略〉所記，是年里堂佐姚秋農、白小山修葺《揚州府志》，分纂〈山川〉、〈忠義〉、〈孝友〉、〈篤行〉、〈隱逸〉、〈術藝〉、〈釋老〉、〈職官〉諸門，㉗更以修志所得修脯構雕菰樓，並無《列傳》所言「病

㉓ 《四庫全書總目》，同注⑱，卷 27，頁 23。

㉔ 見顧氏《春秋大事表・總敘》，《續經解》卷 67，頁 3。

㉕ 按劉師培《左盦題跋》，錄王引之〈與焦里堂書〉：「日者奉手書，示以說《易》諸條，鑿破混沌，掃除雲霧，可謂精銳之兵矣，一一推求，皆至精至實，要其法則『比例』二字盡之。所謂比例者，固不在他書而在本書也」云云，同注❹，頁 3，蓋即此傳所云者。

㉖ 〔清〕繆荃孫等：《清史列傳》（北京：中華書局，1987 年點校本），卷 69，頁 5586-5587。

㉗ 〔清〕焦廷琥〈先府君事略〉（《焦氏遺書》本），頁 28。按里堂《易通釋・自序》亦云：「己巳，佐歸安姚先生秋農、通州白先生小山修葺郡志，稍輟業。」

危」情事。據里堂《易通釋·自序》云：「丁卯（嘉慶十二年）春三月，遘寒疾，垂絕者七日，昏瞀無所知，惟〈雜卦傳〉一篇往來胸中。既甦，遂一意於《易》。」㉘本集卷七〈申戴〉一文亦言：

> 余丁卯春三月，病劇，昏臥七日，他事不復知，惟《周易·雜卦》一篇往來胸中，明白了析，曲折畢著。㉙

則所謂「病危」者當為嘉慶十二年三月事，《列傳》誤耳。

至里堂自誓於先聖先師之年，王永祥《焦里堂年譜》繫於嘉慶十七年，蓋以本集卷二十四〈告先聖先師文〉有云：

> 循幸生聖世，沐享大平，自料才薄，不勝簿書，惟鈍而好思，不苦艱蹇，庶幾闡明此經。……特循年已五十，脾病時發，每一冥索，僅及五六，神氣遂竭。㉚

嘉慶十七年，里堂年五十，故王《譜》次於是年。然《易通釋·自序》固明言：「辛未（嘉慶十六年）春正月，誓於先聖先師，盡屏他務，專理此經。」㉛又焦廷琥〈先府君事略〉：「辛未春正月，誓於先聖先師」云云，㉜是此當在十

㉘ 〔清〕焦循：《雕菰集》（臺北：鼎文書局，1977年影印本），卷16，頁264。

㉙ 《雕菰集》，同前注，卷7，頁95。按此事焦氏數數言之，本集〈告先聖先師文〉亦言：「四十五歲時，三月八日病寒，十八日昏絕，至二十四日復甦。妻子啼泣，戚友唁問，一無所知，惟〈雜卦傳〉一篇，朗朗於心。既甦，默思此傳實為贊《易》至精至要之處，二千年說《易》之人置之不論，或且疑之，是固我孔子神爽聿昭，以循有志於此經，所以昏瞀之中，開牖其心，陰示厥意」云（卷24，頁391）。又〈寄朱休承學士書〉云：「循丁卯春，病絕七日乃甦，用是諸念悉屏，專心學《易》。」（卷13，頁202）

㉚ 《雕菰集》，同注㉘，卷24，頁391。

㉛ 《雕菰集》，同注㉘，卷16，頁264。

㉜ 〈先府君事略〉，同注㉗，頁20。

六年春正甚明，〈告文〉所言「循年已五十」者，舉其成數耳。㉝比閱賴貴三君《焦循年譜新編》，於此二事俱未能辨正，乃將自誓於先聖先師事分次於嘉慶十四年、十六年、十七年，一事凡三見，㉞誕矣。

又按《列傳》言里堂《易》學「凡四易稿乃成」，此亦未核。據《易通釋·自序》言：「初有所得，即就正於高郵王君伯申。伯申以爲精鋭，鑿破混沌。用是憤勉，遂成《通釋》一書。丙寅（嘉慶十一年），以質歙縣汪君孝嬰、南城王君實齋，均蒙許可。」此一稿也。又「丁卯春三月，遘寒疾云云。既甦，遂一意於《易》。明年，以訟事伺候對簿，改訂一度。」此二稿也。又云「庚午，又改訂一度。」此三稿也。又「辛未春正月，誓於先聖先師，盡屏他務，專理此經。日坐一室，終夜不寐，又易稿者兩度。」此四、五稿也；又云「癸酉二月，自立一簿，以稽考其業，歷夏迄冬，庶有所就，訂爲二十卷。」然則其書凡六易稿而後成。惟按〈告先聖先師文〉所記，與此略異：

> 二十歲，從事於王弼、韓康伯《注》。二十五歲後，進而求諸漢魏，研究於鄭、馬、荀、虞諸家者，凡十五年。年四十一，始盡屏眾說，一空己見，專以〈十翼〉與上下兩經，思其參互融合，脈絡緯度，凡五年，三易其稿。
>
> 四十五歲時，三月八日病寒，十八日昏絕，至二十四日復甦。……於是科第仕宦之心盡廢，不憚寒暑，不與世酬接，甫於參伍錯綜中，引申觸類。……盡改舊稿，著為三書，一曰《通釋》、二曰《圖略》、三曰《章

㉝ 按閔爾昌氏：《焦理堂年譜》（1927 年刊本），頁 28，繫此於十六年，不誤。

㉞ 賴貴三：《焦循年譜新編》（臺北：里仁書局，1994 年）嘉慶十四年條下云：「年四十七，病危，以《易學三書》未成為憾，乃誓於先聖先師，盡摒他業，專致力於《易》。」（頁 278）十六年條下復言：「春正月，誓於先聖先師，盡屏他務，專理《易經》。」（頁 291）又十七年條下：「先生至五十歲，始確然不移，漸成《易學》定稿，故有誓告於先聖先師之舉。」（頁 303）

句》，鎔貫零散，比櫛凝鬱，索之三年，稍識其指，隨加增損塗乙；既盈，更寫清本。（森按：此第四稿也）

去年（嘉慶十五年庚午）悟得「時」字、「利」字之義，不畏煩複，自三月以來，未出村中，將前此所脫之稿重加刪改，則又十去六七。（森按：此五稿也）

據〈告文〉所言，則嘉慶十二年丁卯春以前已三易其稿；四十五歲春病後，「索之三年」，即十二年春至十四年，所訂定者爲第四稿；十五年三月後，復重加刪改，爲第五稿；合之上引《通釋·自序》所言「辛未（十六年）春正月，誓於先聖先師」後，「又易稿者兩度」；及癸酉（十八）年重加訂定，則凡八易其稿矣。二者互異者，蓋事後追憶未盡符也；或增刪改易，事有繁省，所計者不一耳。余檢李盛鐸《木樨軒書錄》著錄有里堂《注易日記》，云：「焦里堂先生手寫稿本，前有缺葉。始於嘉慶十八年三月五日，訖於二十年三月十日，尙非完書。」㉟蓋焦氏癸酉所成者僅《易通釋》及《圖略》二種耳。㊱其後，里堂於二書仍增改不輟，《注易日記》所記者是，其書余未之見，然觀台北國家圖書館所藏《雕菰樓易學》二書卷頁所記年月，尙歷歷可考也。另按里堂嘉慶二十年乙亥除夕《易章句·自序》云：

歲癸酉，所為《易通釋》、《圖略》兩稿初就，而足疾時發，意殊倦。

㉟ 見〔清〕李盛鐸著，張玉範整理：《木樨軒藏書題記及書錄》（北京：北京大學出版社，1985年），頁211。按《書錄》著錄里堂《注易日記》凡二部，一為手稿本，不分卷；一傳鈔本，凡三卷。二本現並藏北京大學圖書館。

㊱ 按焦廷琥：〈先府君事略〉云：「癸酉二月，自立一簿，以稽考所業，乃成《通釋》二十卷。……《易通釋》既成，復提其要，為《圖略》八卷，凡圖五篇、原八篇，發明旁通、相錯、時行之義；論十篇，破舊說之非。府君素患足疾，至此連月疊發，意殊倦。」（同注㉗，頁20、21）並參下引里堂《易章句·自序》。

《章句》一編，未及整理之也。甲戌夏，宮保芸臺阮公自漕帥移節江西，過里中，問循所為《易》何如？因節錄其大略，郵寄請教。宮保今歲書來，極承過許，且言質之張古愚太守，亦詫為奇，索見完本。於是五月間，令門人子弟寫《通釋》、《圖略》共二十八卷。既畢，因取《章句》草稿手葺之，凡五閱月始就，用為初稿，俟更審正之也。㊲

據此，知《易章句》一編，至二十年冬始寫就。本集卷十三〈上座師英尚書書〉亦云：「循自壬戌歸家，即留心於《易》，越十二年，至乙亥，成《易學》四十卷。」㊳是《易學三書》四十卷，迄嘉慶二十年冬全書始成。焦廷琥〈事略〉言：「乙亥，〔阮芸臺〕先生有書來，索見完本。府君因取《章句》草稿手葺之，凡五閱月，成《章句》十二卷。是書（森按：指《易學三書》）之成，凡數十年，專力於此者，亦十餘年，然而府君心血已耗矣。」㊴觀此，可見前儒一藝之成，數十年於茲，數易其稿然後差敢自信，視今人之急於成書者，其矜慎如何也。

四、《清史列傳·嚴元照傳》訂誤

《清史列傳》卷六十九〈嚴元照傳〉云：

嚴元照，字九能，浙江歸安人。諸生。治經務實學，尤熟於《爾雅》、《說文》。……著《爾雅匡名》八卷，旁羅異文佚訓，鈎稽而疏證之。又有《悔菴文鈔》八卷、《詩鈔》、《詞鈔》、《娛親雅言》等。嘉慶二十二年卒，年三十五。㊵

㊲ 見《焦氏叢書》本《易章句》卷首；《經解》本《易章句》闕此〈序〉。

㊳ 《雕菰集》，同注㉘，卷 13，頁 199。

㊴ 〈先府君事略〉，同注㉗，頁 22。

㊵ 《清史列傳》，同注㉖，卷 69，頁 5585。

九能，一字修能，《清史稿》卷四八二有傳，不記其年歲。㊶余閱九能所鈔《東萊書說》，其卷五末有嚴氏識語：

> 生年卅七，未嘗作嘉禾之游，昨因嘉興郡尊鄦齋李公喪其母夫人，往弔之，始得游煙雨樓茶禪寺。寺中有至正十一年黃文獻所撰碑，周伯琦書，書法工整，石亦完好可熹。寺本名景德寺，門前有小浮圖三座，俗呼其處為三塔灣云。往返三日，得詩六首。〔三月〕廿八日，修能書。㊷

據此，則《列傳》言九能卒年三十五者，殊有未合。另考九能《柯家山館詞》卷二〈金縷曲·小序〉言：「壬申三月廿四日，僕四十初度」云云，㊸按壬申爲嘉慶十七年（1812），九能年四十，則當生於乾隆三十八年（1773）癸巳。

至嚴氏卒年，《列傳》云在嘉慶二十二年；許宗彥〈三文學合傳〉則言：「嘉慶二十二年，〔汪〕家禧自閩中歸，得疾而歿，無子。其次年，元照亦歿。」㊹如其說，則九能卒於嘉慶二十三年，許氏與九能爲內外兄弟，其言宜若可信。惟據姚椿〈汪家禧別傳〉言汪氏「嘉慶二十一年卒，年四十二。」㊺又趙坦〈汪漢郊墓誌銘〉亦言：「嘉慶二十一年十月十八日，仁和汪君家禧卒。」㊻則九能應卒於二十二年，恐許氏誤記耳。徐球序九能《柯家山館遺詩》，言「辛未（嘉慶十六年）之秋，悔菴居士屬球序其詩，越一年而居士病，㊼病五年而竟

㊶ 《清史稿》，同注❼，卷 482，頁 13256。

㊷ 〔宋〕呂祖謙：《東萊書說》（中社 1928 年影印嚴元照抄宋本），卷 5，頁 12。

㊸ 〔清〕嚴元照：《柯家山館詞》（《湖州叢書》本），卷 2，頁 15。

㊹ 見閔爾昌編：《碑傳集補》（北平：燕京大學國學研究所，1932 年），卷 48，頁 18。按三君者，汪家禧、楊鳳苞、嚴元照也。

㊺ 《碑傳集補》，同前注，卷 48，頁 19。

㊻ 〔清〕趙坦：《保甓齋文錄》（北平：燕京大學圖書館，1938 年），卷下，頁 18。

㊼ 〔清〕嚴元照：《柯家山館遺詩·病榻讀書漫述》小引：「僕自壬申（嘉慶十七年）仲秋患腸澼之疾，久而弗瘉。去冬重以痃癧右脅生瘕，兩乳作痛，夏間又患腹脹，侵尋歲月，九死一生」云云（《湖州叢書》本，卷 5，頁 5），可相參證。

不起。」其編年詩稿亦至二十二年丁丑而止，則九能卒於二十二年無疑，是其得年當爲四十五。錢林《文獻徵存錄》，謂九能「卒年僅三十餘」，支偉成《列傳》同；㊽近袁行雲氏《清人詩集敘錄》卷五十四言九能「卒於嘉慶二十二年，年五十五」，㊾並誤。

五、桂馥卒年考

姜亮夫氏《歷代人物年里碑傳綜表》桂馥條，載桂氏生於雍正十一年癸丑（1733），嘉慶七年壬戌（1802）卒，年七十。㊿姜氏此說不知何所本。《清史列傳》卷六十九〈桂馥傳〉則言：「乾隆五十五年進士，選雲南永平縣知縣，居官多善政。嘉慶十年（1805）卒於任，年七十。」(51)蓋本蔣祥墀〈桂君未谷傳〉，(52)如其說，則桂氏當生於乾隆元年丙辰（1736），《清儒學案》卷九十二、張舜徽氏《清人文集別錄》並從此說。(53)

然按李宏信〈札樸跋〉云：

㊽ 〔清〕錢林：《文獻徵存錄》（〔清〕咸豐8年〔1858〕有嘉樹軒刊本），卷9，頁69；《清代樸學大師列傳》，同注❷，頁276。

㊾ 袁行雲：《清人詩集敘錄》（北京：文化藝術出版社，1994年），頁1898。

㊿ 姜亮夫編：《歷代人物年里碑傳綜表》（北京：中華書局，1959年），頁610。

(51) 《清史列傳》，同注㉖，卷69，頁5562。

(52) 桂氏《晚學集》附蔣氏〈桂君未谷傳〉，云：「乾隆庚戌進士，出宰滇南永平令。……自諸生以至通籍四十年間，日取許氏《說文》，與諸經之義相疏證，為《說文義證》五十卷。又繪許祭酒以下至二徐、張有、吾邱衍之屬，為《說文統系圖》。……其他有《札樸》十卷、《繆篆分韻》五卷、《晚學集》八卷、《詩集》四卷。嘉慶十年卒，年七十。其子常豐扶柩歸葬，未抵家，亦卒于途。」

(53) 徐世昌編：《清儒學案》（臺北：世界書局，1979年影本），卷92，頁1；張舜徽：《清人文集別錄》（北京：中華書局，1963年），頁230。按《清史稿》，同注❼，卷481、《漢學師承記》，同注❶，卷6、錢林：《文獻徵存錄》，同注㊽，卷9、李元度：《國朝先正事略》（長沙：嶽麓書社，1991年點校本），卷36，第言未谷知永平縣，卒於官，不記卒年。

> 歲甲子，信自滇將東裝歸，大令未谷先生手所著《札樸》十卷，屬就江浙間刻之，曰：「滇南無工剞劂者，願以付君。」而先生以是年沕於官所。信竭於資釜，又遲之一年，乃果東歸。[54]

據此，則桂氏當卒於嘉慶九年甲子。未谷以所著《札樸》鄭重付託，卒時，李君尚在滇南，所記當自不誤，可據之以正史傳及姜氏《綜表》之訛也。其明年，李氏歸江左；十八年，醵資屬鮑淥飲（廷博）校刻其書，可謂敦氣誼，能踐宿諾矣。

六、張氏《明清江蘇文人年表》

張慧劍氏《明清江蘇文人年表》一書，載錄明洪武元年（1368）起，至鴉片戰爭一八四〇年止，江蘇一帶文人活動事蹟，共四千三百七十九人，引用載籍文獻達一千五百種，可謂夥頤。頃得其書，稍翻閱之，見雍正六年條末記「嘉定錢大昕（辛楣）生」，引《春融堂集》五五，[55]心異之，蓋竹汀纂有自定年譜，其書尋常易見，此不之引，反引王昶文集，何也。因將書內所記竹汀行實五、六十事核閱一過，知張氏所據多本錢東壁、東塾昆仲〈府君行述〉，與《年譜》時有出入。然〈行述〉倉卒間所撰，莫如竹汀自定《年譜》爲信也。

一、乾隆九年條下記「嘉定錢大昕在紀王廟顧家教讀，讀所藏書，作箚記。」[56]然按《年譜》乾隆十年條云：「始授徒塢城顧氏，其家頗藏書，案頭有《資治通鑑》及不全《二十一史》，晨夕披覽，始有尙論千古之志」云云，[57]

---

[54] 〔清〕桂馥：《札樸》（北京：中華書局，1992年點校本），頁435。

[55] 張慧劍編：《明清江蘇文人年表》（上海：上海古籍出版社，1986年），頁1024。

[56] 《明清江蘇文人年表》，同前注，頁1074。

[57] 〔清〕錢大昕纂，錢慶曾補：《竹汀居士年譜》，附見《十駕齋養新錄》（臺北：鼎文書局，1979年影本）卷前，頁17。森按：〔清〕秦鑑：《淞南志》（〔清〕嘉慶10年刊本）卷首有竹汀嘉慶六年〈序〉，中有云：「大昕弱冠，授徒於淞南塢城顧氏，往還必由紀王廟，忽忽五十餘年矣。」此言「弱冠」者，舉其成數耳。

是此爲乾隆十年事，張氏據〈行述〉系於甲子年，未確。

二、乾隆十七年條下據〈行述〉記「長洲褚寅亮、嘉定錢大昕、安徽吳烺同在內閣票簽房辦事，始同研習算術。」㊽按《年譜》十八年條云：「在中書任職，與吳杉亭、褚鶴侶兩同年講習算術。得宣城梅氏書讀之，寢食幾廢」云云，㊾則此當改次於乾隆十八年。

三、乾隆二十四年條下記「嘉定錢大昕作〈網師園記〉。」㊿按此文見道光《蘇州府志》卷四十七，[61]《潛研堂文集》未收。錢慶曾《竹汀年譜續編》則系此文於乾隆六十年，二者不合。余按光緒《蘇州府志》卷一四一〈金石二〉著錄：「〈網師園記〉，錢大昕撰并書，乾隆六十年。」曹氏《吳縣志》卷六十一〈金石考四〉同，[62]二家蓋據見存碑刻著錄，則此文當改系於乾隆六十年爲是。

四、乾隆三十四年條下記「嘉定錢大昕此際爲黃文蓮跋華山碑拓。」[63]按黃氏所藏華山碑拓，即世所稱華陰本，乾隆三十一年，黃氏爲徽州學官，得之於歙，三十八年歸朱竹君。[64]竹汀跋文見《文集》卷三十二，不記撰作年月，余檢《華山碑》影印本卷後竹汀原跋，末繫「重光單閼歲四月廿二日」，則乾隆三十六年四月所撰，張氏次於三十四年，未確。

五、乾隆四十五年條下記「嘉定錢大昕著《二十二史考異》，陸續得一百

㊽ 《明清江蘇文人年表》，同注㊺，頁 1102。

㊾ 錢氏《年譜》，同注㊼，頁 21。

㊿ 《明清江蘇文人年表》頁 1132。

[61] 〔清〕石韞玉總纂：道光《蘇州府志》（〔清〕道光四年〔1824〕刊本），卷 47，頁 24；又〔清〕馮桂芬等纂：光緒《蘇州府志》（〔清〕光緒 9 年〔1883 年〕刊本），卷 46，頁 17；又曹允源等纂：《吳縣志》（蘇州：文新公司，1933 年），卷 39 中，頁 14。

[62] 光緒《蘇州府志》，同上注，卷 141，頁 47；又曹允源等纂：《吳縣志》，卷 61 下，頁 26。

[63] 《明清江蘇文人年表》，同注㊺，頁 1168。

[64] 見影印《西嶽華山廟碑》（上海：有正書局影本）華陰本卷後朱竹君〈跋〉文。

卷。」㊺按竹汀《年譜》四十七年條云：「居憂，足跡不出戶，撰次《二十二史考異》成，凡百卷。」㊻是此當改在四十七年。

六、乾隆四十五年條下記「嘉慶錢大昕、陽湖孫星衍遊茅山，大昕作〈遊茅山記〉。」㊼按竹汀《年譜》四十四年條云：「其冬，與孫季仇秀才游茅山。」㊽又本集卷二十〈游茅山記〉言：「予在金陵兩載，往來句容道中，屢欲爲茅山之游，輒以它阻不果。今冬陽湖孫淵如約予同游，乃以十一月五日晨出通濟門」云云，㊾則此爲四十四年十一月事也。

七、乾隆五十三年條下記「嘉定錢大昕主講蘇州紫陽書院。」又云：「元和陳鍾麟、陳鶴等先後在紫陽書院從錢大昕學。」㊿據竹汀《年譜》五十四年條云：「正月，到紫陽書院。」⑪則此二條當改次於明年。

此數事張氏所定年歲略有未審，並當改正。

余另檢書中所記陳鱣（仲魚）行實，凡十六則。乾隆五十四年條下記：「浙江陳鱣到北京，高郵王念孫示以所著《廣雅疏證》，鱣與共剖析。」⑫按仲魚《簡莊文鈔》卷三〈廣雅疏證跋〉言：「憶初入京師，與給諫王懷祖先生交最深。時先生方著《廣雅疏證》，而鱣亦撰《說文正義》。每相見時，必剖析字形，稽求聲義，娓娓忘倦」云云，⑬張氏蓋據此而言。惟考仲魚於乾隆五十一年九月抵京，⑭則此當系於五十二年爲近。

㊺ 《明清江蘇文人年表》，同注㊰，頁 1211。
㊻ 錢氏《年譜》，同注㊷，頁 38。
㊼ 《明清江蘇文人年表》，同注㊰，頁 1211。
㊽ 錢氏《年譜》，同注㊷，頁 37。
㊾ 〔清〕錢大昕：《潛研堂集》（上海：上海古籍出版社，1989 年點校本），頁 335。
㊿ 《明清江蘇文人年表》，同注㊰，頁 1244。
⑪ 錢氏《年譜》，同注㊷，頁 42。
⑫ 《明清江蘇文人年表》，同注㊰，頁 1248。
⑬ 《簡莊文鈔》，同注⑨，卷 3，頁 6。
⑭ 拙作〈清儒陳鱣年譜〉有考，《史語所集刊》第 62 本第 1 分（1993 年），頁 163。

又五十九年條下記：「浙江陳鱣於震澤旅次著《論語古訓》十卷。」⑮按此蓋據仲魚《論語古訓·自序》末系「乾隆五十有九年冬十有二月甲寅朔，海寧陳鱣書于震澤旅次」故爾。⑯然此特其〈序〉文撰於五十九年冬耳，非其書即著於是年震澤旅次也。段玉裁序仲魚《簡莊綴文》，言：「壬子（乾隆五十七年）、癸丑間，余始僑居蘇之閶門外。……而仲魚十餘年間爲人作計，常往來揚、鎮、常、蘇數郡間，每歲亦必相見數回，見則各言所學，互相賞奇析疑」云云，⑰知仲魚此十數年間本旅食無定；另據嘉慶元年阮元《論語古訓·序》言：「海寧陳君鱣，撰《論語古訓》十卷。……元在京師，獲見稿本，今來浙而是書付刻初成」云云，⑱按仲魚乾隆五十一年九月客北京，五十五年夏南歸，⑲蓋仲魚在京時《古訓》已有稿本，非五十九年始著之也。此二事亦當改正。

七、楊守敬誤記錢竹汀說

楊守敬《日本訪書志》卷三北宋刊本《廣韻·跋》云：

> 此即張氏澤存堂刊本所從出也。……張氏校改撲塵之功誠不可沒，然亦有本不誤而以為誤者；有顯然訛誤而未校出者；有宜存〔疑〕而徑改者，⑳如「官」字下原本「并」作「井」，㉑尚是形近之誤，張氏據謬

---

⑮ 《明清江蘇文人年表》，同注55，頁1270。

⑯ 〔清〕陳鱣：《論語古訓·敘》（〔清〕光緒9年〔1883〕浙江書局刊本），頁2。

⑰ 〔清〕段玉裁著，劉盼遂輯：《經韻樓文集補編》（北平：來薰閣，1936年《段王學五種》），卷上，頁13。

⑱ 《論語古訓》，同注⑯，卷首，阮〈序〉，頁1。

⑲ 詳見拙作〈陳鱣年譜〉，同注74，頁163-166。

⑳ 按楊氏此本後歸潘祖蔭滂喜齋，潘氏《藏書志》錄楊氏此跋，「存」下有「疑」字，今據補。

㉑ 潘氏《藏書志》錄此跋，「并作井」三字，原跋作「引『孔子妻并官氏』作『井官氏』」，文意較明。

說改為「豣」，[82]錢竹汀未見原本，遂謂誤「并」為「豣」始於《廣韻》，而不知原本不如是也。[83]

按楊氏謂竹汀以「并官氏」之誤作「幵官」，始於《廣韻》，此說不知何據。今考竹汀跋元至順〈加封孔子父母及夫人并官氏詔〉云：

> 《家語》「孔子年十九，娶於宋丌官氏之女。」今考漢韓敕〈禮器碑〉本作「并官」；宋祥符追封及此詔亦皆作「并官」，文字明白，可證《家語》傳寫之誤。《廣韻》引《魯先賢傳》「孔子妻并官氏」，今本亦誤為「亓」。蓋流俗相傳，失其本真，惟石刻出於千載以前者，信而有徵也。[84]

詳審此文，並無所謂「誤『并』爲『幵』始於《廣韻》」之說。另按《宋史·禮志八》「伯魚母幵官氏」，竹汀《廿二史考異》卷七十云：

> 「豣」，當作「并」，……今曲阜孔廟石刻追封敕，文字完好可證。〈漢禮器碑〉「并官聖妃，在安樂里」；元至順元年，加封文宣王妻并官氏為大成至聖文宣王夫人詔，今句容縣有石刻，亦作「并」，與宋碑正同。世俗稱孔子娶豣官氏，本于《家語》，《家語》近代刊本多訛字，考漢、宋、元石刻俱是「并」字，殆明以來轉寫之誤耳。[85]

---

[82] 按張氏澤存堂本實作「亓」字（上平，頁 59），不作「豣」，惺吾此說未核。

[83] 〔清〕楊守敬：《日本訪書志》（〔清〕光緒 23 年〔1897〕刊本），卷 3，頁 25。

[84] 〔清〕錢大昕：《潛研堂金石文跋尾》（〔清〕光緒 10 年〔1884〕長沙龍氏重刊《潛研堂全書》本），卷 19，頁 25。

[85] 〔清〕錢大昕：《廿二史考異》（臺北：鼎文書局，1979 年《錢大昕讀書筆記廿九種》影本），頁 1155。

此言明以來始誤「并」爲「开」，不言由《廣韻》誤之也。復按《養新錄》卷十二「并官」條云：

孔子娶并官氏，今人以為「幵官」，其誤蓋自明始。按漢韓敕〈造禮器碑〉云：「并官聖妃，在安樂里」；宋祥符中封鄆國夫人制詞，亦作「并官氏」，此二碑皆在曲阜孔廟。予嘗至句容廟學，見元至順元年加封號制石刻，亦作「并官」；又見宋板《東家雜記》、元板《孔庭廣記》，書「并官」字未有作「幵」者，自明人刊《家語》，誤「并」為「幵」，後來刊《宋史》者，轉依誤本校改，沿訛者三百餘年，良可怪也。[86]

同書卷十三「孔氏祖庭廣記」條，亦云：

予嘗據漢、宋、元諸石刻，證聖妃當為并官氏，今檢《東家雜記》及此書，「并官氏」屢見，無有作「幵」字者，乃知宋、元刻本之可寶。自明人刻《家語》，妄改為「幵」，沿訛三百餘載，良可喟也。[87]

據此，則竹汀謂誤「并官氏」爲「开」者，自明人刻《家語》始，不言始於《廣韻》也，然則惺吾此說，殆近於誣。惟余檢宋刊蜀本《家語》，作「至十九，娶于宋之上官氏」，[88]是《家語》此文之誤，宋刻已然，不自明始。然按《左傳》桓公六年《正義》引「《家語·本姓篇》云：孔子年十九，娶於宋

---

[86] 《十駕齋養新錄》，同注[57]，頁 266。

[87] 《十駕齋養新錄》，同注[57]，頁 306。按〔清〕黃丕烈：《蕘圃藏書題識》（南京：金陵書局，1911 年），卷 2，頁 20，元刻《孔氏祖庭廣記》條下，錄竹汀嘉慶六年五月五日〈跋〉，與《養新錄》此文同；《儀顧堂題跋》卷四亦載竹汀此〈跋〉。

[88] 〔魏〕王肅注：《影宋蜀本孔子家語》（臺北：臺灣中華書局，1985 年影印毛氏汲古閣舊藏宋刊本），卷 9，頁 10。

并官氏。」[89]阮氏《校勘記》云：「監本、毛本『并』作『幵』，宋本作『并』。」知宋越刻八行本、阮刻所據十行本《左傳注疏》，其引《家語》尚作「并」字，明監本、毛氏汲古閣本乃據流俗所改《家語》改其字作「幵」耳。周祖謨氏《廣韻校勘記》引傅增湘雙鑑樓所藏北宋本《廣韻》亦作「并官氏」，[90]凡此，並可為竹汀之說增一據證矣。

八、錢氏三鳳孟子學

《清史稿》卷四八一〈錢東垣傳〉云：

> 東垣與弟繹、侗，皆潛研經史金石，時稱「三鳳」。嘗與繹、侗及同縣秦鑒勘訂《鄭志》；又與繹、侗、鑒及桐鄉金錫鬯輯釋《崇文總目》，世稱善本。
>
> 東垣為學沉博而知要，以世傳《孟子》注、疏，繆舛特甚，乃輯劉熙、綦毋邃、陸善經諸儒古注，及顧炎武、閻若璩、同時師友之論，附以己見，並正其音讀，考其異同，為《孟子解誼》十四卷。[91]

東垣字既勤，竹汀猶子，可廬（大昭）長子也，次繹（初名東墉）、季侗（初名東野）。一門昆仲，承其家學，篤好著述。《解誼》一書，今不見傳本，惟按支偉成《清代樸學大師列傳》東垣本傳言：

> 以《孟子》紹六經之絕緒，傳周、孔之淵源，詞約而義精，意深而旨遠。

---

[89] 〔晉〕杜預注，〔唐〕孔穎達正義：《左傳注疏》（臺北：藝文印書館，1981 年影印阮氏南昌府學本），卷 6，頁 23。

[90] 周祖謨：《廣韻校勘記》（北京：中華書局，1960 年），卷 1，頁 63。

[91] 《清史稿》，同注[7]，卷 481，頁 13236。

> 而世傳《注》、《疏》，繆舛特甚，俗說流行，經義寖晦，乃作《孟子解誼》，共分七例：一曰正刊誤、二曰正舊注、三曰集眾說、四曰存鄙見、五曰正音讀、六曰輯古注、七曰考異本，成書十四卷。不妄立議論以亂經，不空談義理以媚世。制度則準之禮經，都邑則測其地望，訓故則本之《爾雅》、《說文》暨漢儒傳注，折衷群言，惟歸一是。92

其書大旨梗概可見。光緒《嘉定縣志》卷二十四〈藝文志〉經學類，錢東垣《孟子解誼》十四卷條下，節錄程瑤田〈跋〉云：「近儒恥空疏，好考訂，往往貪多務得，昧於取舍，博聞強識，終歸皮附，由不能貫穿而無心得也。既勤此書，足爲士夫楷式」云云，93知東垣此書當時已有成稿，惜今不可見耳。

另按桂文燦《經學博采錄》言錢繹「年將八十，耄猶好學，著有《十三經漢學句讀》、《孟子義疏》」，94支偉成《列傳》同。95而《清儒學案》卷八十四〈錢侗傳〉則載侗著有《孟子正義》一書，96《嘉定縣志》二十四〈藝文志〉著錄：

---

92 《清代樸學大師列傳》，同注2，頁 69。按〔清〕程其玨纂：光緒《嘉定縣志·藝文志》(〔清〕光緒 7 年〔1881〕刊本)，卷 25，頁 21 目錄類著錄錢大昭〈可廬著述十種敘例〉，附〈既勤七種敘例〉，云：「大昭子東垣輯。七種者，《孟子解誼》、《小爾雅校證》、《列代建元表》、《建元類聚考》、《補經義考稿》、《稽古錄辨訛》、《青華閣帖考異》也。」支氏此傳所述蓋本其〈敘例〉。

93 光緒《嘉定縣志》，同前注，卷 24，頁 10。

94 〔清〕桂文燦：《經學博采錄》(《辛巳叢編》本)，卷 1，頁 5。按《清史列傳·錢繹傳》言：「少承家學，嘗以諸經句讀，徵引家互有異同，據武億原本參稽群籍，折中至是，為《十三經斷句考》。」同注26，卷 68，頁 5504，與此所言《漢學句讀》，當同一書。孫殿起：《販書偶記》(北京：中華書局，1959 年)，卷 3，頁 74，著錄錢繹《十三經斷句考》十三卷，傳鈔本，今不知歸何所矣。《中國古籍善本書目·經部》(上海：上海古籍出版社，1985 年)，卷 3，頁 364，著錄嘉定縣博物館藏一殘稿本，存卷一、卷二、卷十二、卷十三凡四卷。

95 《清代樸學大師列傳》，同注2，頁 70。

96 《清儒學案》，同注53，卷 84，頁 47。

《孟子正義》十四卷，錢侗著。世傳孫奭《疏》，出自僞作，舛訛殊甚，因取曲阜孔氏所刊趙注對勘《疏》本，並援引經傳，仿唐人疏例撰此。❾❼

據此，似錢氏昆仲三人，各撰有《孟子》之書。

余疑錢繹《義疏》，與侗之《正義》當是一書，二者異名而同實。按《清史列傳·錢繹傳》云：「又著《方言箋疏》十三卷，五方之民，言語不通，循聲譯字，字雖無定而音理可推。是書於展轉互異處，尋其音變之原，古人以聲釋文之旨，於斯大啓。」❾❽〈錢侗傳〉則載侗著《方言義證》六卷。❾❾然據錢繹《方言箋疏·序》云云，❿⓿知侗治《方言》，未竟而卒，繹爲之增補釐正以成書。史於二君傳中俱不及此，而一稱《箋疏》十三卷，一稱《義證》六卷，一若二人各自爲書。意二君之疏釋《孟子》，殆猶是與。

按乾隆朝以來，漢學勃興，諸儒多病唐、宋人所爲群經義疏專守一家，別擇未精，是非淆亂。乾隆四十年，邵晉涵撰《爾雅正義》，以郭璞《注》爲主，繹其義蘊，匡其違失，並采舍人、劉歆、樊光、李巡、孫炎等漢魏舊注，分疏於下，十年而書成，⓫一時論者咸謂其書遠在邢《疏》之上。⓬自是而後，欲

---

❾❼ 光緒《嘉定縣志》，同注❾❷，卷24，頁10。

❾❽ 《清史列傳》，同注㉖，頁5504。

❾❾ 《清史列傳》，同注㉖，頁5505。

❿⓿ 〔清〕錢繹：《方言箋疏·序》（《積學齋叢書》本）云：「《方言箋疏》之作也，余弟同人（侗字）實首創之，未及成而即世，其本藏之篋笥者十有餘年，及賦梅侄弱冠後始出以示余。余閱其本，簡眉牘尾，如黑蟻攢集，相雜於白蟫趁趁之中，幾不可復辨。余憫其用力之勤，而懼其久而散佚也，乃取而件繫之，條錄之。凡未及者補之，複出者刪之，未盡者詳之，未安者辨之；或因此而及彼者，則觸類而引伸之。……竭數年心力，始得脫稿，自後時加釐正，而塗乙纂改者又十之六。」

⓫ 按邵氏《爾雅正義·自序》云：「歲在旃蒙協洽（乙未），始具簡編。舟車南北，恒用自隨。意有省會，仍多點竄。十年於兹，未敢自信。」（見《經解》，卷504，頁3）則發軔於乾隆四十年乙未，迄五十年乙巳而書成。

重爲諸經新疏者迭有其人。其欲爲《孟子疏》者，除焦循外，另如阮元〈與友人書〉云：

《孟子疏》因到京後，見邵二雲先生有此作，已將脫稿，是以元為之輟筆。[103]

知阮元早年亦嘗思爲《孟子》作疏，後見邵晉涵已有意乎此，[104]故輟筆不爲耳。錢氏之爲《正義》，蓋亦其比，皆一時風會所趨耳。

《嘉定縣志》於錢東垣《孟子解誼》十四卷、錢侗《孟子正義》十四卷，二者分別列目，蓋各自爲書。[105]惟余頗疑此二者亦同屬一書。如上引《清史稿・錢東垣傳》所記者，錢氏昆仲極友愛，嘗同勘訂《鄭志》、輯釋《崇文總目》，

---

[102] 錢大昭：《爾雅釋文補・自序》云：「歲戊申（乾隆五十三年）之仲秋，餘姚邵太史晉涵《爾雅正義》刻成，郵寄示余。歎其書之精博，不特與邢氏優劣判若天淵，即較之唐人《詩》、《禮》正義，亦有過之，無不及。」（見《小學考》，同注[10]，卷 3，頁 7）段玉裁：〈與邵二雲書〉云：「《爾雅正義》高於邢氏萬萬，此有目所共見也。」（見《經韻樓文集補編》，同注[77]，卷下，頁 22）又阮元：〈南江邵氏遺書序〉云：「覃精訓詁，病邢昺《爾雅疏》之陋，為《爾雅正義》二十卷，發明叔然、景純之義，遠勝邢書，可以立於學官。」見〔清〕邵晉涵：《南江札記》卷首（〔清〕嘉慶 8 年〔1803〕邵氏面水層軒刊本）。

[103] 見劉師培：《左盦題跋》，同注[4]，頁 10。

[104] 按錢大昕：〈侍講學士邵君墓誌銘〉（見《潛研堂文集》卷 43）、江藩《漢學師承記》，卷 6，並言邵氏著有《孟子述義》，當即此所言之《孟子疏》。惟按阮元：〈南江邵氏遺書序〉云：「先生曾語元云：『《孟子疏》偽而陋，今亦再為之（森按：指繼《爾雅正義》之後，復為此疏）；《宋史》列傳多訛，欲刪傳若干、增傳若干。』顧皆未見其書。」阮元此〈序〉撰於嘉慶九年，距邵氏之卒僅八年耳，邵秉華刊行其父遺書，於《孟子疏》已稱未見，疑未成也。今《南江札記》卷三為《孟子》札記，殆即上引阮元〈與友人書〉所言「見邵二雲先生有此作，已將脫稿」者。蓋邵氏《爾雅正義》撰成後，本有意續撰《孟子疏》及《南都事略》（即阮元〈遺書序〉所稱之《宋史》），後因寒疾，醫者誤投藥遽卒，故所著書多不及成。

[105] 光緒《嘉定縣志》，同注[92]，卷 24，頁 10。按錢侗之子師璟，著有《錢氏藝文志》二卷，又竹汀曾孫慶曾著《嘉定藝文錄》四卷（並《縣志》，卷 25，頁 22 著錄），此《志》所載，蓋本二家之書。

然則東垣及侗殆無二人各著一書以相高下之理？抑《解誼》、《正義》二名雖異，然細繹前引《解誼》七例，正義疏之體也：「正刊誤」者，刊正經、注文字之訛誤也；「考異本」者，錄存群籍徵引異文及板本之異；「正音讀」者，辨正諸家音讀之疑誤也；「輯古注」者，蒐輯群籍所引劉熙諸家舊注佚文，以存古義；「正舊注」者，趙《注》義有未是者訂正之；「集眾說」者，集顧、閻以下近儒時賢之說，以觀其會通；「存鄙見」者，諸家義有未安者別下己意爲說也。焦氏《正義》，綜其大體，亦不出此數端。余故疑《解誼》即《正義》，蓋其書或錢氏昆仲共成之，各有其稿；或本錢侗所著，未竟，卒後東垣續成之耳。《縣志》卷二十四〈藝文志〉小學類著錄錢繹《方言箋疏》十三卷，復出錢侗《方言義證》六卷，[106]其例正與此同。其後焦氏《正義》梓行，東垣因易名《解誼》耳。

九、翁方綱群經《附記》

《清史列傳》卷六十八〈翁方綱傳〉云：「方綱讀群經，有《書、禮、論語、孟子·附記》。……晚居馬蘭峪，猶溫肄《三禮》、《三傳》，其精勤如此。」[107]《清儒學案》卷九十〈蘇齋學案〉所記諸經《附記》，除上列四種外，另有《詩附記》一種。[108]按覃谿《翁氏家事略記》嘉慶九年條下記：

> 二月十七日，奉命以原品休致回籍。……四月初八日，馬蘭峪挈眷起程，初十日回京。……在馬蘭峪三年，惟每月朔望，暨恭逢忌辰節候上陵行禮外，其餘月日，無酬應，併無唱酬題詠之件，專心將數十年來溫肄諸

---

[106] 光緒《嘉定縣志》，同注[92]，卷24，頁17。

[107] 《清史列傳》，同注[26]，頁5495。按《清史稿》，同注[7]，卷485，頁13395，載翁氏所為諸經《附記》，同。

[108] 《清儒學案》，同注[53]，卷90，頁1。

經所記條件，分卷寫稿，共得《易附記》十六卷、《書附記》十四卷、《詩附記》十卷、《春秋附記》十五卷、《禮記附記》十卷、《大戴禮附記》一卷、《儀禮附記》一卷、《周官禮附記》一卷、《論語附記》二卷、《孟子附記》二卷、《孝經附記》一卷、《爾雅附記》一卷。[109]

據此，則覃谿於諸經並撰有《附記》，非特史傳、《學案》所記諸種耳。按《家事略記》，嘉慶六年二月，翁氏因年老體衰，奉旨以原品前往裕陵守護；三月十五日到馬蘭峪，時年六十九。[110]至九年四月返京，正滿三年。此群經《附記》即覃谿於馬蘭峪守陵時，就歷年來研經所作之札記分卷寫錄者。

惟此書當時並未寫定，覃谿晚年仍增改不輟，殆將藉之以見平生所學。近閱藤塚鄰氏《清朝文化東傳の研究》一書，書中錄有覃谿暮年寄朝鮮友人金秋史札四通，極見其晚境之艱及撰著諸經《附記》之苦心，讀後低迴者久之，迄不能忘。嘉慶二十年十月十一日覃谿與金氏書，述及諸經《附記》，云：

鄙人之說，雖積成卷帙，但鈔出副稿者止此一本，其原底則艸艸，塗改過甚，須再謄一本乃可全寄；然亦頗欲商諸知好，謀所以次第付梓者，未知果此願否。[111]

蓋金氏嚮慕古學，知覃谿著有諸經《附記》，因求迻寫副本讀之，不果。二十一年正月二十五日手札云：

---

[109] 〔清〕翁方綱纂：《翁氏家事略記》（《蘇齋叢書》本），頁 55。按梁廷燦：《年譜考略》云：「此翁方綱自撰年譜，從覃谿上溯明洪武二年翁洪中式順天鄉試舉人起，按年粗記大略。蓋翁氏本莆田人，自洪武中順天鄉試，即入籍大興。是書體例與年譜同，但不名年譜耳。」

[110] 《翁氏家事略記》，同前注，頁 54。

[111] 轉錄自〔日本〕藤塚鄰氏：《清朝文化東傳の研究》（日本：國書刊行會，1975 年），頁 201。

承雅愛，欲看拙著諸條，非敢吝秘也。愚今年衰齒八十有四，眼昏不能多看，而嗜學之心什倍於往昔，每日卯刻起床，即取舊草稿輪流覆看，竟往往有自己脫誤字句處，又或引繹未詳審處，即於架上抽查。今又無人代查，每一條費幾許功夫，每日清晨，必有改增、改刪之一二處，此則焉能遽借出，與友共商乎？家中無識字相助之人，亦思欲就其略可自信者，先就近覓一人寫出，而其事尚未易就緒。112

按其時覃谿諸子多已前卒，113門祚零丁，覃谿雖有心改訂舊稿，無如乏人佐助，久久難以就緒。同年又有寄金氏札：

拙撰《讀經附記》積有七十四卷，深承雅志索觀，而一時未能即以奉寄者，老年無他功課，每日晨起，借此以為日課，從頭輪流覆看。然每覆看時，輒時時有增改、刪動之處，雖不敢課功加日進，而學問不厭再回尋繹，所以一時猝急不敢即以質諸友朋者，非自謙吝，實亦不得已耳。114

又嘉慶二十二年十月二十七日手札云：

自去年秋間已來，覆加檢核，大半於行間自用小字刪改塗竄，若再不付友求寫淨本，誠恐久久自己亦有看不明白之處。年來老眼日加昏瞀，左

112 《清朝文化東傳の研究》，同前注，頁205。

113 按覃谿諸子，長芸、次穎，並幼殤。三男樹端，乾隆五十三年卒，年二十七。四男樹培，字宜泉，乾隆丁未進士，博雅好古，能傳家學，尤明古泉貨布，所著《古泉匯考》，向有「古泉學總匯」之譽，惜迄未付刻。一九九四年新華書店據山東圖書館藏劉喜海校錄本影印。宜泉嘉慶十六年卒，覃谿哭之甚慟，《碑傳集三編》卷三十六有傳。六男樹崑，字星原，亦能金石考證之學，先覃谿於嘉慶二十年八月卒。

114 《清朝文化東傳の研究》，同注111，頁217。

腳又難以展舒，每檢取一草稿，皆奴輩不識字之人，上下次第時時倒置非小。齋中時來談藝，如梁生莅鄉、李生彥章、鄧生傳安，此三君於拙撰最所篤好，自諸經《附記》至《筆記》，皆此三君子分去，借至其寓齋雇人抄寫，有抽換屢次者，又有未校對者。⑮

又云：

拙撰《附記》，《易》十六卷，中間參差塗改，最難抄寫，友人處昨送來者，抄至中間，認識塗抹不清楚，竟有一連誤寫十餘頁處，已駁回令其換寫，所以《易經》且尚未能抄淨本也。《書經》梁生處寫手較明白，亦經抽換多頁；《詩經》、《春秋》、《禮記》，皆鄧生雇人寫。恐鄧生明年選得補知縣之缺，一出京則更難矣。大約各經每抄數頁，即乘暇連草底送來覆閱，每送來必有抽換改寫，實是草底塗抹過甚，亦無怪其難寫耳。似乎看光景，今冬底或來年新正，若得《書經》三冊能寫校淨迄，則正月間之緘內，可將《書經附記》先寄上，求尊兄為我詳看，實墨緣也。⑯

此時覃谿校理諸經《附記》，因得梁章鉅諸君之助，稍有進展。不意覃谿旋於翌年正月二十七日去世，⑰距十月二十七日與金氏書僅三閱月耳。據藤塚氏言，覃谿後來曾以《易經附記》十六卷、《書經附記》十四卷、《詩經附記》十卷寄金秋史，⑱以踐宿諾。蓋此諸種當日先經改定者，其書現藏日本平沼氏無窮會文庫。

---

⑮ 《清朝文化東傳の研究》，同注⑪，頁 209。

⑯ 《清朝文化東傳の研究》，同注⑪，頁 213。

⑰ 據《翁氏家事略記》，同注⑩，頁 60，英和〈跋識〉。

⑱ 《清朝文化東傳の研究》，同注⑪，頁 213。

覃谿身後蕭條，書稿零落，良可浩歎。⑲諸經《附記》梓刻者，僅《詩附記》四卷、《禮記附記》六卷、《論語附記》二卷、《孟子附記》二卷四種耳，今有《畿輔叢書》本及商務《叢書集成初編》排印本。其稿本、傳鈔本散在四處，今就謭陋所知，分記之如次：

一、《易附記》，日本無窮會文庫藏寫定本十六卷；美國柏克萊加州大學東亞圖書館藏不全稿本十一卷；⑳又孫殿起《販書偶記續編》卷一著錄一傳鈔本七卷，闕首二卷，㉑其分卷與《家事略記》所載者異，此本今不知歸於何所矣。

二、《書附記》，日本無窮會文庫藏寫定本十四卷；柏克萊加州大學東亞圖書館藏手稿本，卷數同。《販書偶記續編》卷一著錄一傳鈔本，㉒卷數亦同。

三、《詩附記》，日本無窮會文庫藏寫定本十卷，與《家事略記》所記卷數合；遼寧省圖書館藏覃谿稿本四卷，㉓今刊本同，蓋後來改依國風、小雅、大雅、三頌分卷耳。

四、《禮記附記》，北京大學圖書館藏手稿本，凡六卷，刊本同。北京圖書館、遼寧省圖書館各藏一不全稿本，㉔存四卷（卷七至十），據《家事略記》所記，蓋本作十卷，後來改併作六卷耳。

---

⑲ 按〔清〕繆荃孫：《雲自在龕隨筆》（臺北：世界書局，1963 年影本），卷 4，頁 171 云：「杭州孫侍御烺，休寧人，為徽之巨商，僑居杭。在京師，與覃谿善，覃谿歿後，孫賻五千金。其子宜泉早沒，故蘇齋金石書畫半歸侍御，宋拓〈公房碑〉、〈化度寺碑〉、〈嵩陽帖〉、〈雪浪帖〉、詩文雜著手稿四十巨冊均在焉。手稿後歸魏稼孫。稼孫沒，歸於吳門書肆，並稼孫《金石類稿》均歸雲自在龕，詩稿為鈔出未刻詩二十四卷。」其詩文手稿現藏臺北國家圖書館，余曾屬從游陳純適君就其遺稿年月纂成《翁方綱年譜》一書。其諸經《附記》稿本今則散佚各處矣（詳下）。

⑳ 見金榮華：〈未刊寫本經眼錄〉，《大陸雜誌》第 45 卷第 5 期（1972 年）。下同此。

㉑ 孫殿起編：《販書偶記續編》（上海：上海古籍出版社，1980 年），頁 4。

㉒ 《販書偶記續編》，同前注，頁 8。

㉓ 《中國古籍善本書目·經部》，同注㉔，卷 2，頁 13 著錄。

㉔ 《中國古籍善本書目·經部》，同注㉔，卷 2，頁 39。

五、《春秋附記》，柏克萊加州大學東亞圖書館藏不全稿本十三卷；浙江圖書館藏手稿本，存卷九一卷。[125]又《販書偶記續編》卷二著錄《春秋附記》五卷，傳抄本，孫氏云：「首有嘉慶辛酉六月朔自題」。[126]

六、《孟子附記》，北京大學圖書館藏一清鈔本，二卷。[127]

另檢《販書偶記續編》著錄《大戴禮記附記》、《孝經附記》、《爾雅附記》各一卷，傳鈔本。[128]此三種今不知流落何所，無可問矣。潘景鄭氏《著硯樓書跋》錄容庚一九五一年四月跋鈔本《覃溪碎墨》，有云：「翁覃溪先生書名滿天下，著作甚富。除刊行者外，繆小山得其詩文手稿百二十冊；劉翰怡得其《四庫提要稿》千餘種。[129]余為燕京大學得其《易》、《詩》、《禮記》、《大戴禮》、《春秋》五種《附記》，乃其子樹培手鈔而覃溪自校者」云云，[130]則此數種當猶可蹤跡。

又按：《販書偶記》卷十三著錄覃谿稿本《杜詩附記》二卷，孫氏云：「後有道光三年癸未秋日門人梁章鉅跋。」[131]北京圖書館另藏一稿本凡二十卷，二十冊，亦有梁氏跋文；[132]台灣師範大學圖書館亦藏一二十卷本。然則群經之外，工部詩亦有《附記》矣。又繆氏《雲自在龕隨筆》卷四，其一條云：「覃谿庚子闈中，欲作《春秋大事表補正》、《六經測原》（又注「應改作《說文附記》」）、

---

[125] 《中國古籍善本書目·經部》，同注[94]，卷3，頁26。

[126] 《販書偶記續編》，同注[121]，頁17。

[127] 《中國古籍善本書目·經部》，同注[94]，卷3，頁40。

[128] 《販書偶記續編》，同注[121]，頁14；又頁27；又頁28。

[129] 按翁氏《四庫總目提要稿》稿本凡一百五十冊，現藏澳門何東圖書館。此書劉翰怡曾倩人迻寫副本，其本後由王大隆氏得之，現藏復旦大學圖書館。據潘際安氏〈翁方綱《四庫提要稿》述略〉所記，復旦大學所藏《提要稿》副本共收經部提要稿百八十篇、史部提要稿二二一篇、子部提要稿一七七篇、集部提要稿四一八篇，共九百九十六篇。

[130] 潘景鄭：《著硯樓書跋》（北京：古典文學出版社，1957年），頁153。

[131] 《販書偶記》，同注[94]，頁320。

[132] 《北京圖書館古籍善本書目》（北京：書目文獻出版社，1987年），頁2036著錄。

《石經考補》、《石鼓考》、《定武蘭亭考》、《古文尚書考》。」[133]蓋自所藏翁氏遺稿載錄者。其《說文附記》不知生前有成稿否。

十、焦氏《孟子正義》所據趙注底本考

友人林慶彰教授論焦氏《孟子正義》，有云：「焦氏所據以作《正義》之趙《注》，雖不知何代何人所刻，但絕非根據僞孫奭《疏》一系之版本。」[134]所見甚是，惟余疑焦氏所據趙岐《注》蓋出孔氏微波榭本，知者，按〈孟子題辭〉言《孟子》書凡「二百六十一章，三萬四千六百八十五字」，陳士元《孟子雜記》云：「趙氏謂三萬四千六百八十五字，今計字數，……實有三萬五千四百一十字，較趙說多七百二十五字。詳考趙注《孟子》文，與今本不差，趙蓋誤算也。」焦氏《正義》則言：

> 今以孔本經文計之，〈梁惠王〉共五千二百六十四字，〈公孫丑〉共五千一百四十二字，〈滕文公〉共四千九百八十字，〈離婁〉共四千七百八十九字，〈萬章〉共五千一百五十四字，〈告子〉共五千二百二十三字，〈盡心〉共四千六百七十四字，七篇共三萬五千二百二十六字，校趙氏所云，實多五百四十一字。[135]

據此，則焦氏《正義》所據趙岐《注》，宜爲孔繼涵本，即乾隆壬辰（三十七年）孔氏微波榭刊本。

復按卷二篇題下，《正義》引周廣業〈孟子古注考〉云：「山井鼎《考文》

---

[133] 《雲自在龕隨筆》，同注[119]，頁167。

[134] 見〈焦循孟子正義及其在孟子學之地位〉，收於黃俊傑主編：《孟子思想的歷史發展》（臺北：中央研究院中國文哲研究所籌備處，1995年）一書。

[135] 〔清〕焦循：《孟子正義》（北京：中華書局，1987年點校本），頁12、13。

詳說古本、足利篇題：古本首行『孟子卷第一』，次行『梁惠王章句上』……；足利本前二行同古本，第三行低一格夾注『梁惠王』云云，……與今孔氏、韓氏新刻本不同。」焦氏言：

> 按今孔氏刻本，首行以「梁惠王章句上」六字頂格，而此行之下，繫之以「孟子卷第一」五字，次行「趙氏注」。今依古本，提「孟子卷第一」在前。[136]

此焦氏據孔繼涵本，與山井鼎《七經孟子考文》所述古本、足利本參校，以孔本篇題非舊式，因改從古本。

另考〈告子下〉「白圭曰吾欲二十而取一」章，宋刻大字本、[137]南宋音注本、[138]元盱郡翻宋廖氏世綵堂本[139]此章〈章指〉並作：

> 先王典禮，萬世可遵，什一供貢，下富上尊。裔土簡惰，二十而稅，夷狄有君，不足為貴。圭欲法之，孟子斥之以王制也。

此文「夷狄有君」句，蓋恐違犯清廷忌諱，韓氏刊本將此並下「不足爲貴」二句逕削去之；[140]孔繼涵本則改此句作「貉道有然」；[141]今檢焦氏《正義》，此文正作「貉道有然」。[142]凡此，並可證焦氏所據趙《注》，實以孔氏刻本爲主。

---

[136] 《孟子正義》，同前注，頁 31。

[137] 〔漢〕趙岐注：《孟子趙注》（宋刻大字本），卷 12，頁 14。按此即阮氏《校勘記》所云「北宋蜀大字本」，原藏清內府，《四部叢刊》、《續古逸叢書》並有影印本。惟此本是否果北宋蜀刻，尚有可議。

[138] 《音注孟子》（《吉石盦叢書》本），卷 12，頁 8。

[139] 《孟子趙注》（元覆宋世綵堂本），卷 12，頁 15。

[140] 《孟子趙氏注》（〔清〕乾隆 46 年〔1781〕安邱韓岱雲刊本），卷 12，頁 14。

[141] 《孟子趙注》（微波榭本），卷 12，頁 14。

[142] 《孟子正義》，同注[135]，頁 858。

按孔、韓二本源出戴東原傳校本，阮元《孟子校勘記·序》云：

自明以來，學官所貯，《注疏》本而已，《疏》之悠繆不待言，而經、注之訛舛闕逸，莫能諟正。吳中舊有北宋蜀大字本、宋劉氏丹桂堂巾箱本、相州岳氏本、盱郡重刊廖瑩中世綵堂本，皆經、注善本也。賴吳寬、毛扆、何焯、何煌、朱奐、余蕭客先後傳校，迄休寧戴震授曲阜孔繼涵、安邱韓岱雲鋟板，於是經注訛可正，闕可補。[143]

孔、韓二刻同出戴本，故二本大體皆同。然戴東原並未親見宋板，僅依朱文游（奐）所藏毛扆、何焯、何煌昆仲校本傳錄耳，[144]其中復多東原以意校改者，故孔、韓二刻與宋大字本、音注本、廖本時或歧互，今按阮氏《校勘記》所記孔、韓二本相同，而其文與諸本違異者，類皆出於戴氏臆改，故其本非盡可據。而阮氏《校勘記》曾據何焯校宋本所錄蜀本、巾箱本、岳本，及何煌所校廖本，訂正是非，視戴東原校改者爲善，故焦氏《正義》雖以孔本爲據，實則其書所載趙《注》文字，多依《校勘記》之說校改，[145]已非孔本之舊矣。其中不乏《校勘記》誤斷，焦氏沿之而誤改者；亦有焦氏據誤本以改孔本之是者，今各舉一例以見之：〈滕文公上〉「有爲神農之言者」章：「是率天下而路也」，焦本

[143] 〔清〕阮元：《孟子校勘記》，《經解》，卷 1039 上，頁 1。

[144] 按戴氏傳校本源流，見《戴東原集·孟子趙注跋》（1936 年《安徽叢書》本），卷 10，頁 15、16。

[145] 按焦氏《正義》卷後記其書所引清人著作凡六十五家（同注[135]，頁 1051-1052）。余通計之，就中引阮元之說一百二十九見為最多（《校勘記》一二五見，其餘四見），蓋於阮《校》辨正經、注文字之訛誤者，多依用之。

又按：余檢《正義》全書，有溢出焦氏所記六十五家之外者，凡八家，附記於此：吳玉搢《別雅》（頁 47）、謝身山《黃河圖說》（頁 377）、楊椿〈與顧棟高書〉（頁 573）、方觀承《五禮通考》（頁 590）、焦袁熹《此木軒四書說》（頁 703）、陳大章《詩名物集覽》（頁 733）、宋翔鳳《小爾雅訓纂》（頁 780）、劉始興《詩益》（頁 820），蓋里堂偶遺之耳。

趙氏此《注》作「是率導天下之人以羸路也」，《正義》云：

> 各本作「是率天下之人以羸困之路也」。阮元《校勘記》云：「《音義》出『羸路』，則宣公所見本無『困之』二字。『路』與『露』古通用，『露羸』見於古書者多矣。〈大雅〉『串夷載路』，鄭《箋》以『瘠』釋『路』，俗人乃改『瘠』為『應』；此添『困之』二字，其謬同也。」羸路，謂瘦瘠暴露也。[146]

此說非是。按宋刻大字本此注作「是率導天下人以羸路之困也」，[147]當以此爲正。蓋趙《注》以「羸路」釋經文「路」字，並增「之困」二字足成其義耳。後人不明「羸路」之義，妄易其文作「羸困之路」，宋越刊八行本、音注本、廖本俱然，[148]是南宋時已誤之矣。孫奭《音義》出「羸路」者，正爲《注》文「羸路之困」作音。阮氏不知此〈注〉原作「羸路之困」，不作「羸困之路」，乃據《音義》而謂「困之」二字爲後人所添，誤矣。焦氏因其說，逕刪「困之」二字，[149]益失其本眞。

又如〈盡心上〉：「孟子曰：待文王而後興者，凡民也。」焦本此〈注〉作：「凡民，無自知者也。故須文王之大化，乃能自興起以趨善道。」此文「無自知者」乃焦氏所改，《正義》云：

> 宋本、孔本作「無異知者也」；閩、監、毛三本作「自知」。按「自知」

---

[146] 《孟子正義》，同注[135]，頁 372、373。

[147] 《孟子趙注》（《四部叢刊》本），卷 5，頁 11。

[148] 臺北國立故宮博物院藏南宋越刊八行本《孟子注疏解經》，卷 5 下，頁 3；又《吉石盦叢書》本，卷 5，頁 7；又元覆宋廖氏世綵堂本，卷 5，頁 12。（按越刊八行本為《孟子》注、疏薈刊之始。）

[149] 按孔本此〈注〉作「羸困之路」（卷 5，頁 14），韓本同（卷 5，頁 14）。

是也，不能自知，故必待文王之化而興起也。⑮⓪

此說不然。檢宋刻大字本、音注本、廖本並作「異」字。⑮①「無異知」者，無特異之智也，故爲凡民；「無異知」正解「凡」字。宋板越刻八行本作「無知者也」，⑮②蓋脫「異」字，十行本、閩、監、毛本改「無自知者」，非其旨矣；焦氏反據之以改孔、韓本之不誤者，未之思耳。

如上所考，可知《正義》所據趙《注》雖以孔氏微波榭本爲主，惟焦氏多所改易，已非孔本之舊矣，宜乎後之人無以考知其所據究出何本。

一九八一年，余遊學日京，無所遇合。以仁師知我困頓彼邦，亟勸余返國，以余習作呈陳槃庵、王叔岷、李孝定諸先生，為之延譽，並薦之使入史語所，俾得從諸先生問業。明年春，余自東京歸，迄今忽忽十七年。余得以肆力于學，吾師所賜者多矣。雖時移勢變，舊學零落，余猶枯然自守師說，不以世故移其志者，亦所以報諸先生當日高誼也。惟恨中年衰病，未盡所學，不足以副　吾師之望耳。近值　吾師七十壽辰，同學諸君擬刊行論文集以為賀，甚盛事也。吾師長於《春秋》內外傳、故訓音聲之學，日者嘗錄所肄舊業為〈郝氏爾雅義疏商兌〉一文，將刊於《史語所集刊》第七十本，出刊之日，正　吾師榮退之際也，請即以之為餞。另錄舊札有關清代學術者如干事以為此稿，用代稱觴。《詩》云：「樂只君子，遐不眉壽。樂只君子，德音是茂。」

一九九八年九月十日鴻森謹識

---

⑮⓪　《孟子正義》，同注⑬⑤，頁 891。阮氏《校勘記》第云：「『無自知者也』，閩、監、毛三本、足利本同。宋本、孔本、韓本、《考文》古本『自』作『異』。」未加按斷。按阮校所云「宋本」，指何焯校本所據劉氏丹桂堂巾箱本，實則宋大字本（蜀本）、廖本此文並作「異」字，未審何義門兄弟失校與，抑阮校遺之也。

⑮①　《四部叢刊》本，卷 13，頁 4；又《吉石盦叢書》本，卷 13，頁 3；又元覆廖氏世綵堂本，卷 13，頁 4。

⑮②　南宋越刊《孟子注疏解經》，卷 13 上，頁 9。

大田錦城和清初考證學家

林慶彰*

一、問題的提出

大田錦城（1765－1825）是日本江戶時代後期著名的考證學家。❶今存著作有五十餘種，涵蓋經、史、子、集四部。經部的著作有三十多種，約佔全部著作之大半。❷

在所有著作中，流傳最廣，最受學界注目的應該是《九經談》。❸《九經談》給大田錦城帶來了很高的聲名，如海保漁村說：「大田錦城師以所撰《九經談》十卷付之梨棗，學者喧傳，名成一時。」❹又豬飼敬所也說：「識見正

---

* 中央研究院中國文哲研究所籌備處研究員。

❶ 有關大田錦城的研究成果還不太多，較值得注意的有：⑴井上善雄：《大田錦城傳考》（加賀：加賀市文化財專門委員會、江沼地方史研究會。上冊，1959 年；下冊，1973 年）。⑵岸田知子等：《大田錦城》（東京：明德出版社，1986 年，《叢書日本の思想家》第 26 冊）；⑶金谷治：〈日本考證學派の成立——大田錦城を中心として—〉，《江戶後期の比較文化研究》（東京：ぺりかん社，1990 年），頁 38－88。

❷ 見岸田知子等：〈大田錦城著述目錄〉，《大田錦城》，同前注，頁 292－294。

❸ 《九經談》的版本有：⑴文化元年（1804）刊本；⑵文化 12 年（1815）刊本；⑶文政 6 年（1823）刊本；⑷文政 7 年（1824）刊本；⑸昭和 2 年（1927）《日本儒林叢書》本。此外，明治 42 年（1909）有長谷川昭道著《九經談總論評說》，評論《九經談》的「總論」部分。

❹ 見海保竹逕：《漁村海保府君年譜》，《日本儒林叢書》（東京：鳳出版，1971 年），第 14 卷。

大，援引宏博，竊謂海內無二，不意今日有斯人。」❺但他引來很多的批評。各種批評都指出《九經談》抄襲明、清人之說，其中，最具體的，如山本積善說：

> 大田錦城著《九經談》，郝京山、顧寧人、朱竹垞、毛西河、閻若璩、王西莊，凡有奇說者，皆竊之以為己說，以欺天下人。然有目讀書者，皆知其盜，是暗合之譏所以起也。❻

山本氏的這段話是說，大田錦城的《九經談》將郝敬（郝京山）、顧炎武（顧寧人）、朱彝尊（朱竹垞）、毛西河（毛奇齡）、閻若璩、王鳴盛（王西莊）等人的說法，竊以爲己有，因此學界有所謂「暗合」的批評。這種批評，如果眞有其事，那大田錦城一定是聲名掃地。如果是惡意中傷，對大田錦城也產生不少困擾。這點從大田錦城在所著《梧窓漫筆三編》所作的辨解，即可窺知一二。大田氏說：

> 余初年著《九經談》，引用宋、元諸儒之著述，《黄氏日抄》、《困學紀聞》之類；清朝朱錫鬯、顧寧人之說。或有出其姓名，或有未出者。本《九經》之談話，此體裁可也。近時，雖聞余剽掠先儒說之誚，不辨知著書本意之徒，則不足憎、不足咎也。❼

❺ 見《九經談》（東京：東洋圖書刊行會，1927 年《日本儒林叢書》本），卷 1，豬飼敬所之眉批。

❻ 見《拙堂文話》（東京：六合館，1927 年《日本藝林叢書》本），卷首，山本積善評。

❼ 見大田錦城：《梧窓漫筆三編》（東京：國民圖書刊行會，1927 年《日本隨筆全集》本），卷下。

大田氏以為他的《九經談》是談話的體裁，此種著書的體裁，引前人之說，或加注前人姓名，或是沒有，體例並沒有那麼嚴格。所以，他的《九經談》，應該不能說剽竊。

大田氏的澄清，因為太過於簡單，且有自我原諒的意思，學界對《九經談》剽竊的疑惑，還是無法消除。近年研究大田錦城的論著，如井上善雄的《大田錦城傳考》、岸田知子等著的《大田錦城》、金谷治先生的〈日本考證學派の成立——大田錦城を中心として——〉，對此一問題雖略有涉及，但都未作較深入的論述。本文撰述的目的，主要是從《九經談》一書中所引用的清初人著作，來看出大田氏和清初儒者的關係。從他們之間的關係，也許可以澄清大田氏是否有剽竊清儒的嫌疑。

二、《九經談》的著書體例

要了解大田氏《九經談》是否有剽竊清儒的嫌疑，就得先了解《九經談》的內容和著書體例。

《九經談》沒有序文，大田氏撰作本書的意圖也不太容易窺知。但在當時學者崇尚博雅的風氣下，對儒家經典作全面性的考證研究，也是可以理解的事。《九經談》共十卷，各卷的內容是：

卷一總論（42 條）

卷二《孝經》（30 條）

卷三《大學》（90 條）

卷四《中庸》（82 條）

卷五《論語》（77 條）

卷六《孟子》（113 條）

卷七《尚書》（〈梅本增多小辨〉）

卷八《詩》（35 條）

卷九《春秋左氏》（10 條）

卷十《周易》（15 條）

每卷各條之後，有豬飼敬所的評語，有的贊同引申大田錦城的說法，有的則提出匡正批評。

〈總論〉部分，綜論中國經學和日本儒學。在中國方面，對清代考據學有褒有貶，以爲字句考證之學，爲清人之所長，「得明人之書百卷，不如清人之書一卷。」（卷 1，頁 15）又批評清人之學說：「近世清人考據之學行焉，人好獺祭，學問之博，過絕前古。然不論義理當否，而唯欲援據之多，書名、人名充牣卷帙，而義理之學荒矣。予名之曰書肆學焉。」（同上）這是批評清儒不重視義理之學。

在日本儒學方面，特別指出古學派的伊藤仁齋，「其學本出于吳廷翰《吉齋漫錄》，所見不博，不長考證。」（卷 1，頁 16）又批評狄生徂徠說：「其學出于楊用脩，虛驕之氣，頗相肖似，經義道學，固非其所長，欲出新奇以炫耀耳目，故其說淺薄無味。」（卷 1，頁 17）

除批評古學派伊藤仁齋、狄生徂徠二大家之外，有些條目，雖未指名道姓，但一看就知道，是在批評古學派。。

分論《九經》的部分，各經的條目多寡不一，多者如《孟子》部分有一一三條，少者如《春秋左氏》部分僅十條。較特殊者爲卷七《尚書》部分，僅僅在考辨梅本《尚書》之眞僞，稱爲〈梅本增多小辨〉。除卷七《尚書》部分外，各卷大抵先論辨該經的來歷、版本、眞僞，再摘錄有必要考釋的字詞，加以考證解釋。如卷二《孝經》部分，有三〇條，第一至三條，論《孝經》章名來歷；第四至七條《古文孝經孔傳》；第八、九條論《孝經》鄭《注》；第十至十三條論《孝經》之流傳；第十四條以後爲解釋《孝經》各章之字詞。從條目的分布來看，辨僞的條目僅五、六條而已，而考證字詞的條目，則佔大半以上的篇幅。其他各卷的情況，大抵和卷二《孝經》部分相似。

各卷各條，往往引中國漢、魏以來，至清中葉各家之說，或作爲佐證，或對各家之說加以駁斥。其中，引用較多的是明末至清初各考證家的說法，如《九經談》卷一論〈先天圖〉、〈河圖洛書〉、〈太極圖〉等圖書之學，皆出於道家，大田氏說：

〈河圖洛書〉、〈先天〉、〈太極〉諸圖，於經義無用。〈河圖〉原于《大戴》盧辨《注》（〈明堂〉）、鄭玄《易經》（天一地二）；〈洛書〉原于太一行九官法；〈先天圖〉，誤解〈說卦〉（天地定位）而造之；〈太極圖〉乃唐時《道藏》，〈上方大洞真玄妙經品〉太極、先天合一之圖，而原于魏伯陽《參同契》、〈水火匡郭圖〉、〈三五至精圖〉、華山道士陳希夷（摶）刊石于華山，則非周茂叔特得之妙。南宋偏安，晦庵不得見之，故誤為茂叔之作耳。凡此諸圖，皆出于陳希夷，則是道家之物。於儒者無用，則歸之於其家可矣。先天之誤，黃震已辨之（《日抄》）；〈河洛〉、〈太極〉之妄，毛奇齡《河洛原舛編》、《太極遺議》，朱彝尊《經義考》，辨之具矣。（卷1，頁11）

大田氏這段話所論〈河圖〉、〈洛書〉、〈先天圖〉、〈太極圖〉的來源，毛奇齡、朱彝尊等人都已說過。大田氏所作的判斷，大概根據毛奇齡、朱彝尊的說法而來，雖在文末，有「先天之誤，黃震已辨之；〈河洛〉、〈太極〉之妄，毛奇齡《河洛原舛編》、《太極遺議》，朱彝尊《經義考》，辨之具矣」的話，但大田氏並沒有表明他的判斷是出於毛奇齡、朱彝尊等人。所以，免不了被疑爲剽竊。

三、博引清初學者之說

前文已說過，《九經談》作論辨時引用中國漢、魏以迄清中葉諸家之說法甚多，其中，最值得注意的是對清初諸家的引用和批評。

如將《九經談》加以統計，書中提到的清初學者和他們的著作，大概有下列諸家：

1.顧炎武：《日知錄》、《左傳杜解補正》。

2.方以智：《通雅》。

3.黃宗炎：《圖書辨》。

4.毛奇齡：《河洛原舛編》、《太極遺議》、《推易始末》、《古文尚書冤詞》、《詩傳詩說駁議》、《白鷺洲說詩》、《四書賸言》、《論語稽求篇》。

5.朱彝尊：《經義考》、《古文尚書考》。

6.閻若璩：《四書釋地》、《毛朱詩說》、《尙書古文疏證》。

7.徐乾學：《古文尚書考》、《淡園集》。

8.全祖望：《經史答問》。

9.王鳴盛：《尙書後案》。

如果把同一作者的書被述及的，都算作一次，被提及最多次的，應該是毛奇齡，約有二十次。其中，有一大部分是在反駁毛氏。其次，是朱彝尊，約有十次。三是顧炎武，約有六、七次。其他各家，次數較少，都在二、三次左右。

所引各家資料，形態相當不一致，有肯定其考辨之功者，有批駁其考辨之誤者，有補充資料不足者。爲能更深入了解大田氏《九經談》與清初儒學家的關係，茲再深入討論如次。

㈠ 肯定考辨之功者

1.《九經談》卷一，大田氏以為〈河圖〉、〈洛書〉、〈先天〉、〈太極〉諸圖，出於佛、道，於儒者無用，然後說：「〈先天〉之誤，黃震已辨之（《日抄》）、〈河洛〉、〈太極〉之妄，毛奇齡《河洛原舛編》、《太極遺議》，朱彝尊《經義考》辨之具矣。」（卷 1，頁 11）這段話是說，毛奇齡、朱彝尊考辨〈河圖〉、〈洛書〉、〈太極圖〉，已相當完備。

2.《九經談》卷四，以爲《石經大學》爲明豐坊僞作，鄭曉、劉宗周受《石經大學》影響，以《大學》爲子思所作，然後說：「《石經大學》之僞，陳龍正、吳應賓、陸元輔、許孚遠、毛奇齡、毛先舒等既辨之矣。」（卷 4，頁 76）這是肯定明末清初學者考辨《石經大學》的貢獻。其中，陸元輔、毛奇齡、毛先舒爲清初學者。

3.《九經談》卷六，大田氏以爲孟子生卒履歷，《史記》本傳所述甚爲簡略，接著說：「都穆《聽雨記談》，何孟春《餘冬序錄》，及《孟誌》、《孟子譜》，朱彝尊《經義考》、閻若璩《四書釋地》附載年月考，並辨之極詳，可并考焉。」（卷 6，頁 137）這段話是肯定都穆等人的考辨之功。其中，朱彝尊、閻若璩是清初學者。

㈡ 批評考證之失者

1.《九經談》卷八，論《詩》有神用、形迹二義，大田氏以爲：「古之學者，賦《詩》引《詩》，不拘作者之原意，而取義變化無方。予故於作者之本意謂之形迹。於學者取義謂之神用也。」（卷 8，頁 204）解《詩》者當知形迹和神用之別。大田氏接著說：「近世毛奇齡《白鷺洲說詩》、閻若璩《毛朱詩說》，並以《左傳》所引論鄭、衛雅淫，要之皆五里霧中之人也。」（卷 8，頁 204）這是批評毛奇齡、閻若璩不知形迹、神用之別，以《左傳》所引《詩》來論〈鄭〉、〈衛〉之詩的性質，有如「五里霧中之人」。

2.《九經談》卷九，引顧炎武《日知錄》，論《周易》、《春秋》名義。顧氏以爲「易」爲周人占卜之書，「春秋」爲魯國之史書。大田氏則以爲，《大傳》所說的「易」，有指伏羲畫卦，可見「易」之名非創於文王。接著說：「顧氏既錯認《春秋》名義，又推而誤解《周易》之名義矣。若果以《春秋》爲魯史之名，則《左傳》所謂「魯春秋」，「魯」字，殊屬蛇足矣。「易」如為周人占卜之書，則《周官》所謂「周易」，「周」字亦為旁枝矣。顧氏近世之善稽古者，然其誤猶如此，其他何足論乎！」（卷 9，頁 208）這是批評顧炎武誤解「易」和「春秋」二字之義。

㈢ 補充資料不足者

1.《九經談》卷八，論《詩序》之作者，大田氏以為，以《詩序》為子夏所作，世人皆知出於《家語注》及《文選》。其實，是出於鄭小同的《鄭志·張逸答問》。接著說：「朱彝尊《經義考》載論《詩序》者，網羅古今，然未及引之，何乎？」（卷 8，頁 197）這是批評朱彝尊的《經義考》引錄資料有所闕漏。

2.《九經談》卷八，論辨《子貢詩傳》、《申培詩說》二書，以為「朱彝尊《經義考》、毛奇齡《詩傳詩說駁議》，辨斥明快，無復遺憾。」（卷 8，頁 198）大田氏雖讚賞二家之論辨非常明快，但對二家不能明舉二書之作偽者，似不無遺憾，接著引《海鹽縣圖經》中的說法，以為二書出於王文祿之手。然後說：「朱、毛二家博究群書，而不考及之，古今之事，豈一人之所得盡乎！」（卷 8，頁 198）這是對朱彝尊、毛奇齡未能引《海鹽縣圖經》，來證明《子貢詩傳》、《申培詩說》二書之作者，感到遺憾。

就上述三點來看，大田錦城所提到的清初學者雖不少，但並非一味的引用他們的論點和資料，有些條目則在批評清儒的缺失，有些則在補充清儒資料的不足。情況相當複雜，不可以「剽竊」抹殺《九經談》一書在經學研究的價值。

四、論辨《古文尚書》與清初學者的關係

《古文尚書》眞偽的論辨，是清初經學研究最重要的課題之一。當時，有名的學者幾乎都參加了這一學術公案的論辨。以《古文尚書》為偽書者，有顧

炎武、黃宗羲、閻若璩、朱彝尊、馬驌、胡渭、馮景諸家；護衛《古文尚書》，以爲是眞經者，則有毛奇齡、陸隴其、李光地、李塨等人。

大田錦城是日本學者中，下最多功夫研究《古文尚書》者。❽他對《古文尚書》的考辨，和清初儒者的關係如何，是很值得研究的事。在討論大田氏與清初儒者的關係前，應先了解大田氏研究《古文尚書》的經過。《九經談》卷七云：

> 予曾作《壁經辨正》十二卷，《梅本增多原》十二卷，詳辨今本增多之僞，又具載其所原。初予十七八歲在越前，與伊藤良弼者論《古文尚書》，往覆爭辯，當時既悟其僞。其後學經十年，益知其非。既而讀毛奇齡《古文冤詞》，惡其強辯奪理，遂著此二編，以斥其妄焉。至其精微盤錯，則非此書之所得盡也。學者宜并考二編焉。（卷 7，頁 185）

金谷治先生根據大田氏這段話和相關資料，將大田氏研究《古文尚書》的過程，區分爲三個階段：⑴十七、八歲時，在越前，與伊藤良弼論《古文尚書》，已確知其僞。⑵學經十年，益知《古文尚書》之僞。又讀毛奇齡《古文尚書冤詞》，惡其強辯奪理，乃作《壁經辨正》和《梅本增多原》二書。二書的識語，分別是「寬政戊午六月」、和「寬政戊午秋八月」，即寬政十年（1798）六月、八月。⑶因二書之份量太多，難以刊行，乃將其要點編爲〈梅本增多小辨〉，收入《九經談》卷七中。❾

---

❽ 專門討論大田錦城《尚書》學的論文有：⑴石田公道：〈（大田錦城の尚書學(一)〉，《學藝》第 1 部第 3 卷 1 期（1951 年），頁 39－45。⑵石田公道：〈大田錦城の尚書學(二)〉，《北海道學藝大學紀要》第 1 部 A 人文科學編，第 16 卷 1 期（1966 年），頁 45－53。⑶松崎覺本：〈大田錦城の古文尚書に關する見解についての評論〉，《斯文》第 27 編 4、5、6 合併號（1945 年 6 月），頁 8－18。讀者可參考。

❾ 見金谷治先生：〈日本考證學派の成立——大田錦城を中心として——〉，同注❶。

可見，大田氏是因爲毛奇齡的《古文尚書冤詞》，才作《壁經辨正》、《梅本增多原》二書。這點從《九經談》卷七的〈梅本增多小辨〉也可以得到印證。〈梅本增多小辨〉，有一部分的篇幅都在反駁毛奇齡的錯誤，如《隋書·經籍志》說：「晉世秘府所存，有《古文尚書》經文，今無有傳者。」毛奇齡根據這幾句話，遂說：「古文經文，秘府舊有，梅氏所上，只是孔《傳》。」（《古文尚書冤詞》，卷 2，頁 14）大田氏根據《尚書正義》所引之《晉書》：「晉太保鄭沖以古文授扶風蘇愉，汝南梅賾字仲眞，又爲豫章內史，遂於前晉奏上其書而施行焉。」乃下結論說：

> 是不言孔《傳》，直言古文，則梅賾所奏上，乃今之僞古文經傳，而不特上孔《傳》，豈不明白乎？（卷 7，頁 172－173）

這是批評毛奇齡誤將梅賾所奏上的《古文尚書》經傳，解釋爲僅獻上孔《傳》。

除了批評毛奇齡的錯誤外，大田氏對清初各考證學家的考證成果，在引用時並不敢掠美，大都能說明出處。如孔安國獻《古文尚書》，遭巫蠱事，未列於學官一事，本出於劉歆〈移書讓太常博士書〉和《漢書·藝文志》。對於此事，大田氏曾加以辨證。辨證時引用荀悅《漢紀》云：「武帝末孔安國家獻之，會巫蠱事，未列于學官。」下面註明：「朱彝尊《古文尚書考》」，表示轉引自朱彝尊的《古文尚書考》。又引宋版《文選》中劉歆的〈移書讓太常博士書〉說：「天漢之後，孔安國家獻之。遭巫蠱倉卒之難，未及施行。」下面註明：「王鳴盛《尚書後案》」，表示轉引自王鳴盛的《尚書後案》。可見，大田氏對清初考證家的研究成果，並無掠美之意。

清初考辨《古文尚書》諸家，應該以閻若璩爲最重要。大田錦城是什麼時候見到閻若璩的《尚書古文疏證》？《九經談》卷七的〈梅本增多小辨〉，是否有採用《尚書古文疏證》的地方？根據大田錦城的說法，因不滿毛奇齡《古文尚書冤詞》「強辯奪理」，作《壁經辨正》、《梅本增多原》二書，後來得到王鳴盛的《尚書後案》，最後才得到閻若璩的《尚書古文疏證》。所以最慢才得到閻若璩的書，是因爲「海船載來最晚。」（卷 7，頁 186）

大田錦城的話是否可以從其他地方得到佐證？根據大庭脩所著《江戶時代における唐船持渡書の研究》❿，在〈寶曆己卯（9 年，1759）齎來書目〉中，有《經義考》、《毛西河集》、《音學五書》等書。〈寬政三年（1791）載來書目〉中有王鳴盛的《尚書後案》。在〈享和三年（1803）載來書目〉中有閻若璩《尚書古文疏證》。從這些書目的記載，可看出前引大田氏的說法，並無隱瞞作假的地方。唯一要討論的是，大田氏得到王鳴盛的《尚書後案》是寬政三年（1791），而《九經談》是刊行於文化元年（1804），其間隔了十三年。得到閻若璩的《尚書古文疏證》是享和三年（1803），比《九經談》刊行的文化元年（1804）要早一年。大田氏是否將王鳴盛和閻若璩的說法，採入自己的〈梅本增多小辨〉中，而據爲己說？

關於這個問題，金谷治先生曾舉出《九經談》中三個與閻若璩、王鳴盛的考證相類似的例子：一是《九經談》中論《古文尚書》出土的時間，是景帝時代，而非武帝末。這條論辨，與閻若璩的《尚書古文疏證》所論相似。二是討論《尚書·洪範》中的驛字，和王鳴盛《尚書後案》卷十二討論「驛」字有相類似的地方。三是論辨孔穎達、陸德明、劉知幾，和王鳴盛的《尚書後案》相類似。金谷治先生將這些條目作比較，認爲兩者考證的形態並不完全相同。但金先生也有大田錦城見了王鳴盛《尚書後案》後，修改〈梅本增多小辨〉的懷疑。⓫

---

❿ 該書是關西大學東西學術研究所，於昭和 42 年（1967）出版。

⓫ 見金谷治先生：〈日本考證學派の成立——大田錦城を中心として——〉，同注❶。

筆者以為在沒有更充分的證據之前，我們應該相信大田錦城「暗合」的話：

> 講經之士，精細考古，則其所見不期而暗合昔人者，往往而有之。予辨駁《尚書》梅本，著《壁經辨正》、《增多原》二書。後數年，得王鳴盛《尚書後案》讀之，其中往往有暗合愚說者。（《九經談》，卷5，頁128）

這裏的「暗合」，當然是指不期而相合。把大田氏考辨《古文尚書》的條目，與王鳴盛、閻若璩等相似的地方，認為是一種不期而相合，應該是一種較持平的研究態度。

五、結　論

從前文的論述，可以得到以下兩點結論：

其一，大田錦城的《九經談》，引用清初儒者的說法時，或標作者名、或標書名，並不像山本積善所說：「凡有奇說者，皆竊之以為己說，以欺天下人。」當時人對大田錦城的批評，並非就《九經談》的內容作深入分析後所得的結論，而僅僅是沒有事實根據的市井流言。且大田錦城引用清初學者之說法時，有些是直接引用，有些則加以批評或補正，並非單向的接納而已。這點祇要詳讀《九經談》，即可得到印證。

其二，大田錦城因不滿毛奇齡《古文尚書冤詞》強詞奪理，遂作《壁經辨正》、《梅本增多原》二書加以反駁。又因二書卷帙繁多，不容易出版，乃將主要論點編成〈梅本增多小辨〉一書，收入《九經談》卷七中。從〈梅本增多小辨〉的內容，可以看出一大部分之篇幅在反駁毛奇齡的《古文尚書冤詞》。此外，大田氏並論斷《古文尚書》為魏、晉間王肅之徒所偽作。〈梅本增多小辨〉中雖有部分條目和王鳴盛的《尚書後案》、閻若璩的《尚書古文疏證》結論相類似，但考證的形態和資料的多寡並不一致，僅能視為暗合。

最後，我們要強調的是，清初學者的考證形態是經書辨僞，幾乎所有學者的著作都以辨僞爲第一要務，而大田錦城的《九經談》各卷的內容大都由辨僞和字義考證所構成，而辨僞的條目僅佔其中一部分而已。如就辨僞的部分來說，已和清初學者的觀點頗有出入，字義考證的部分，更爲清初學者所忽略。兩者差別如此之大，怎能說大田錦城的《九經談》全剽自清初學者？

訓詁學與訓詁實踐
——訓詁學教學中有關「實踐」問題的一些淺見

洪國樑*

一、前　言

自清末以來，訓詁學已漸走上學科化的道路。西元一九二〇年，沈兼士曾提出「訓詁學」的構想；❶一九二八年，黃侃在中央大學講授「訓詁學」課程，初步建立訓詁學的理論體系；❷此後各大學也都紛紛開設此課程。但迄至三、四十年代，學者對訓詁學的性質如何？對象為何？仍多模糊不清。是以當時大學中所開設的訓詁學課程，其講授內容，可以說「人各一見」，至有以訓詁之學在《爾雅》，「遂以《爾雅》之書為教本」者；而任課教師中，也有「開設訓詁學課程，彼時全未自知所以為教」，「十年之間，於訓詁學之講授才一再試，而又復不敢更試」者。❸教者既猶疑不定，學者當然也就茫不知所云。此中教、學情形，確有如楊樹達所說的：

任教者不能與學者以條理、系統之知識，致令彼等對於汪洋浩瀚之訓詁，

---

*　國立臺灣大學中國文學系教授。

❶　沈兼士：〈研究文字形和義的幾個方法〉，《北京大學月刊》第 1 卷第 8 號（1920 年 8 月）。

❷　見潘重規先生記：〈訓詁述略〉，《制言》第 7 期（1935 年 12 月）。

❸　以上諸語，並見任銘善：〈我如何講訓詁學〉，《國文月刊》第 49 期（1946 年 11 月）。

在校時已有望洋之嘆，出校後更無線索可尋。❹

至於今日，無論在訓詁學的理論研究或具體實踐上，都有很大的進展與成果，教、學情況亦不至如當年任、楊二氏所說，但仍存在一些問題。特藉此機會，就「訓詁學與訓詁實踐」主題，提出教學上的一些淺見，以就教碩學方家。

二、論「訓詁學」的性質

何謂訓詁學？其性質如何？對象爲何？這是討論訓詁學任何相關問題必先解決的前提，尤其對「訓詁學與訓詁實踐」這一主題來說，更無可迴避。因爲訓詁學的性質、對象若不明，則不知要實踐什麼，更不知該如何實踐；就教、學來說，教者既無從著力，學者亦無方向可循。雖然一般訓詁學教材或相關著述，對此類問題，無不開宗明義先作闡釋，但意見頗爲懸殊。以下，我們著眼於訓詁之發生、發展、訓詁體式之演變、傳統訓詁實踐之內容及當代學科意義等端，對「訓詁學」名義試作解釋，並對兩種影響較大的不同說法，略作評述。

顧名思義，所謂「訓詁學」，乃研究「訓詁」之學，是因「訓詁」而發展出來的現代學科。所謂「訓詁」，作動詞用，是指對古代文獻語言的意義作解釋；作名詞用，則是解釋古代文獻語言意義的工作或實踐成果。所謂「學」，是指「有系統、條理，而可以因簡馭繁之法」「明其理而得其法，雖字不能徧識，義不能徧曉，亦得謂之學；不得其理與法，雖字書羅胸，亦不得名學。」❺如此說來，「訓詁學」就是研究解釋古漢語文獻語言意義方法的一種學問。這種學問，有系統，有條理，有理論，能提供指導訓詁實踐的有效方法。

---

❹ 楊樹達：《積微居小學金石論叢·形聲字聲中有義略證》（臺北：大通書局，1971年），卷2。

❺ 以上均黃侃語，見黃焯筆記：《文字聲韻訓詁筆記·文字學筆記〈一〉》（臺北：木鐸出版社，1983年）。

當今訓詁學界，論「訓詁學」名義，有說法頗異但各具影響力的兩派主張——「語言」派和「解釋」派。這兩派意見，大體分別從孔穎達和黃侃之說發展而來。孔穎達釋「詁訓」的意義說：

> 詁訓者，通古今之異辭，辨物之形貌，則解釋之義盡歸於此。❻

這段文字，本來是用以解釋《毛詩詁訓傳》的名義，所以順書名「詁訓」爲說，其意義與「訓詁」無別。他雖然指出訓詁的對象是「古今之異辭、物之形貌」，但更強調「解釋」的功能意義，所以說「解釋之義盡歸於此」。黃侃說：

> 訓詁者，用語言解釋語言之謂。……真正之訓詁學，即以語言解釋語言，初無時地之限域，且論其法式，明其義例，以求語言文字之系統與根源是也。❼

雖然也指出訓詁的功能在「解釋」，但又強調其對象在「語言」，並從學科意義，爲「訓詁學」下定義，是孔穎達說的進一步發展。❽今人論「訓詁學」名義，或從「對象」的「語言」申發，或就「解釋」的「功能」立說，雖都觸及到訓詁學的某些特點，但又各有所偏。

---

❻ 〔唐〕孔穎達等：《毛詩正義·周南·關雎》（臺北：新文豐出版公司，1977年影印〔清〕嘉慶20年〔1815〕南昌府學重刊《毛詩注疏》本），卷1：1，頁1b。

❼ 黃焯筆記：《文字聲韻訓詁筆記·訓詁筆記》，同注❺，卷上。

❽ 黃侃的意見，近承章太炎。章氏以為：傳統小學（文字、聲韻、訓詁），「其實當名語言文字之學，方為確切。」見〈論語言文字之學〉，《國粹學報》2卷12、13號。揭示以「語言文字」為小學研究對象之觀念，其《文始》即本此觀念而著。黃氏強調訓詁的對象在「語言」，又以「求語言文字之系統與根源」為訓詁之最高標的，為「完全之訓詁」，見黃焯筆記：《文字聲韻訓詁筆記·訓詁筆記》，同注❺，卷上，實承章氏一脈而來。

討論現代學術，難免受現代學科分類的影響。可是對一門由傳統發展而來的學術，固不能故步自封，不思擷取他人之長，以豐富營養、充實生命；但更重要的是，不能不顧該學術的傳統精神與特質，否則就不是方法的革新，而是根本的釜底抽薪。

「語言」派學者，認爲訓詁學就是語義學，或詞義學。❾這種主張，基本上是著眼於訓詁學的發展前景，認爲訓詁學與西方語義學（或詞義學）近似，惟有往此方向發展，才能擺脫經學（或古籍）附庸地位，成爲獨立學科，而躋身現代學術之林；且訓詁學既主「義」，亦與傳統小學之文字學主「形」、音韻學主「音」之形、音、義三分語言特色相合。其學術方法，大體注重運用語言要素，以探討詞義的源流，並歸納規律，形成理論。

從訓詁的發生來看，其起因固然很多，而「語言」問題確是其首要因素，是各類古書的共同問題；能掌握語言，即掌握通讀古書的紐帶。這點，清人戴震、陳澧等人都已有精要的說明。❿再從漢人的訓詁實踐來看，《毛詩故訓傳》

---

❾ 茲略舉數家說法，如：

齊佩瑢：「訓詁學是研究我國古代語言和文字的意義的一種專門學術，……訓詁學也可以叫做古語義學。」見《訓詁學概論》（臺北：華正書局，1983 年），〈什麼是訓詁學〉。

陸宗達：「訓詁學……它偏重在語義的研究，研究的語言單位更偏重於詞。……事實上，從漢代把《毛詩詁訓傳》的「詁訓」變為「訓詁」以後，「訓詁」二字已經成為語義學的專有名稱，不需要也不能夠分開解釋了。」見《訓詁學簡論》（即《訓詁簡論》）（臺北：新文豐出版公司，1984 年），一、〈什麼是訓詁〉。

陸宗達、王寧：「訓詁學……它實際上就是古漢語詞義學，……就是歷史語義學，也就是科學的漢語詞義學的前身。」見《訓詁與訓詁學》（太原：山西教育出版社，1994 年），甲編〈訓詁方法論〉。

周大璞：「訓詁學是語言學的一種，……訓詁學研究語義，訓詁學也就是語義學。」見《訓詁學要略》（臺北：新文豐出版公司，1984 年），一（一）〈什麼是訓詁學〉。

❿ 戴震說：「古故訓之書，其傳者莫先於《爾雅》。六藝之賴是以明也，所以通古今之異言，然後能諷誦乎章句，以求適於至道。」見《戴震文集·爾雅文字考序》（臺北：河洛圖書出版社，1975 年），卷 3。

又說：「夫今人讀書，尚未識字，輒目故訓之學不足為。其究也，文字之鮮能通，妄謂通共四千八百餘條，其中解釋詞義者三千九百條，佔總數的百分之八十以上；⓫而《爾雅》、《方言》、《說文》及《釋名》四書，也都是通釋語義的專著。「語言」派學者是掌握到訓詁的主要對象——語言（語言中的語詞），道出訓詁實踐的核心內容。不過，語言並不止於詞，聯詞以成句，聯句以成段，聯段以成篇，句、段、篇與詞是一種有機組合，藉此以表達完整意義。從傳統訓詁實踐來看，雖以訓釋詞義爲核心內容，但句、段、篇也都是訓詁的對象。「訓詁學」是在「訓詁」的基礎上而產生、發展的，解釋「訓詁學」名義，不能無視於這種事實。再從訓詁材料看，大體可別爲「隨文釋義的注疏」和「通釋語義的專著」兩類，⓬這兩類大體不離乎「解釋」的功能。「通釋語義的專著」有些是探討語源問題，較接近語言學著作（如章太炎的《文始》），其他多半是歸納「隨文釋義的注疏」而來。「隨文釋義的注疏」，在注釋方法上，特別注重上下文關係的語言環境，是爲解決實際問題而落實在古文獻上的語義解釋，是「言語義」（具體義），而非「語言義」（概括義），是動態的「使用義」，而非靜態的「貯存義」。「語言」派學者，似乎忽略了訓詁學的「解釋」功能、「隨文釋義」的訓釋特質及訓詁對象（詞語）所賴以依存的「古文獻」這一母體。語義學（詞義學）固可用來充實、改進傳統訓詁學語義分析的觀念

其語言；語言之鮮能通，妄謂通其心志，而曰傅合不謬，吾不敢知也。」見《戴震文集·爾雅注疏箋補序》，卷3。

陳澧說：「詁者古也，古今異言，通之使人知也。蓋時有古今，猶地有東西有南北，相隔遠則言語不通矣。地遠則有翻譯，時遠則有訓詁；有翻譯則能使別國如鄉鄰，有訓詁則能使古今如旦暮，所謂通之也。訓詁之功大矣哉！」見《東塾讀書記·小學》（臺北：臺灣商務印書館，1970 年），卷 11。上引三段文字大意：訓詁的目的，是為溝通古今語言的隔閡，能通古人語言，才能進而通古人心志。

⓫ 參趙振鐸：《訓詁學史略·毛傳的內容》（鄭州：中州古籍出版社，1988 年），第二編第三章第二節。

⓬ 有學者將《讀書雜志》、《經義述聞》、《群經平議》等札記類著述列入「通釋語義的專著」，（如周大璞《訓詁學要略》）恐不妥，因為這些只是「隨文釋義的注疏」的補充和修正。

和方法，但不能改變訓詁學的基本屬性。訓詁學本來就是一門應用的工具之學，離開古文獻，就脫離它的歷史本質與基本精神。有人諱談訓詁學的「附庸地位」問題，其實，如果它眞是一把解讀古文獻的鑰匙，成爲中文系的看家本領，不也是一門值得驕傲的學術嗎？

「解釋」派學者，有見於傳統注疏所解釋的語言內容不只是詞，還包括句、段、篇；所解釋的對象，也不只是語言，還包括其他非語言學範疇的內容；它是一種實際的注釋工作，其注釋內容極爲廣泛。他們有人認爲「訓詁」的意義就是「解釋」，所以訓詁學就是解釋學或闡釋學、注釋學（傳注學）。⓭也有人認爲「訓」、「詁」二字只是兩種訓詁體式的名稱，不足以涵蓋全體，不應以二字對言時的含義來理解「訓詁學」的學科意義，而應以「訓詁」的一般意

⓭ 張世祿：「依據中國訓詁學的性質看來，與其說是字義學，不如說它是解釋學；中國訓詁學過去並非純粹屬於字義的理論研究，而是大部份偏於實用的研究，實際上，可以認為是讀書識字或辨認詞語的一種工具之學。」見〈訓詁學與文法學〉，《學術》1940 年第 3 輯。轉引自楊端志：《訓詁學·訓詁與訓詁學》（濟南：山東文藝出版社，1992 年），第一章第二節。

申小龍對張氏說法至為激賞，認為：「這種對於訓詁學的解釋學價值的認定，將使我們對訓詁和訓詁學傳統的研究打開一個全新的視界。作為解釋學的訓詁學，將既是一種文化哲學，又是一種跨學科的研究方法。」見《語文的闡釋·漢語語義研究傳統之現代轉型》（臺北：洪業文化事業公司，1994 年），第十三章。按：從張氏所說「讀書識字或辨認詞語的一種工具之學」的話看來，恐未必有申氏所說的內容；申氏以與西方「解釋學」相提並論，恐非張氏原意。

洪誠：「訓詁學是研究怎樣正確地理解語言，解釋語言，也就是講清楚怎樣注釋的道理。」見氏著：《訓詁學》，轉引自陳煥良：《訓詁學概要·訓詁和訓詁學》（廣州：中山大學出版社，1995 年），第一章。

陳煥良：「訓詁學是我國傳統語文學科之一，當今或稱注釋學。它研究古書注釋的學問。……既然訓詁通俗的說法稱為解釋，那麼訓詁學未嘗不可通俗地稱為解釋（原注：或注釋）學。」見《訓詁學概要·訓詁和訓詁學》，第一章。

朱星：「其實今日所講訓詁，即注釋學。要注釋一切古書，既不限於經學，兼及史學、文學、哲學、醫學、農學等各種古代文化遺產；也不限於先秦，凡五四以前用文言文寫的須作注釋的書，都是其服務的對象。」見《朱星古漢語論文選集·試談新訓詁學》（臺北：洪業文化事業公司，1996 年），第一章。

義來理解；「訓詁」合稱，概指各種有關的注解工作，是以循名責實，訓詁學就是注釋學或注解學。⓮雖然他們對理解「訓詁」一語的出發點有所不同，但都歸於「解釋」的意義，也都認爲訓詁學就是解釋學（注釋學），是一門具綜合性與實用性的工具之學。其學術方法，大體是綜合前人的注釋經驗，並歸納條例，形成體系，以指導注釋工作，或闡釋文化意義。

「解釋」派學者著眼於過去的事實，並認爲傳統注疏的範圍既極爲廣泛，所以不該從「對象」去定義「訓詁學」的意義，而應從「功能」求解。這種討論傳統學術不離歷史事實的原則，是可取的。不過，若如所說，則各種典籍的注釋，都成爲訓詁學的範圍；古代文化的廣泛內容，都是訓詁實踐的對象；圖解、作序、發凡起例、人物及史事評論、小說批注、義理闡發、古人讀書法等，無不可形成訓詁條例。⓯如此，訓詁學範圍既漫無涯涘，則教師確將「不自知所以爲教」，學子亦必有河漢無極之惑，而訓詁實踐更不知從何下手了。

「解釋」派的根本偏失，即在於把「解釋」（注釋）和「訓詁」畫上等號。訓詁雖是一種解釋的工作，但解釋未即是訓詁；訓詁學雖具有指導解釋的功能，但並非指導所有的解釋工作；從事訓詁實踐固然需要相關知識與學科工具，但無法將所有知識與學科都納入訓詁學的範疇。古人往往沒有明確的學科觀念，因此有可能把「解釋」（注釋）和「訓詁」的觀念混同。今人欲定明確的學科意義，自不宜一如古人的籠統含混，否則牛溲馬勃兼收並蓄，上下古今無所不包，就不成其爲「學」了。⓰其實，古人中也有對「訓詁」一語有較明確認識

⓮ 此馮浩菲說，見所著：《中國訓詁學·訓詁和訓詁學》（濟南：山東大學出版社，1995年），第一章第一節。又見〈不能把訓詁學等同於語義學——關於訓詁學名義及學科分類問題的意見〉，《中國文哲研究通訊》第7卷第1期（1997年3月）。

⓯ 今人確有以此原則而編寫訓詁學教材者，毛舉細故，瑣碎支離。

⓰ 有學者主張分別從廣義和狹義去定義「訓詁學」的意義，如楊端志說：「我們認為訓詁學應當有廣義和狹義之分。廣義的訓詁學，內容極為繁庶，包括解釋某詞某語、典制名物，直至給某部書作出注釋，或者編成字典詞典等。甚至後代的文獻學、校勘學也是它研究的

的，如朱子就曾說：

> 漢儒可謂善說經者，不過只說訓詁，使人以此訓詁玩索經文，訓詁、經文不相離異，只作一道看了，直是意味深長也。⑰

既說「只說訓詁」，又說「訓詁、經文不相離異」，則所謂「訓詁」自是針對文本所作的解釋。又說：

> 教小兒讀書，如訓詁，則當依古注。⑱

對象。實在說，它的涵義與『訓詁』差不多，包括一切解釋現象……，我們所說的『傳統訓詁學』當屬於這一種。狹義的訓詁學，則是研究解釋的一般規律和方法的科學。……它解釋的主要對象是詞義，與語義學相仿，當是漢語史研究的一個部門。」見《訓詁學・訓詁與訓詁學》，第一章第二節。這種以廣義、狹義為分，將「解釋」派和「語言」派的說法均行納入，表面看來似乎周延，事實上是徘徊於兩派間的兩難說法。因為所謂廣義、狹義，基本上是立於同一時空層次上的概念比較或區分，楊氏以「傳統」和「現代」作為廣義和狹義的分界，似乎混淆時空觀念。如果從「史」的觀點去看一門學術，應只有萌芽、發展、成熟、創新，或與主流的分合、變化，不當有所謂的廣義與狹義。否則我們不免要問：「訓詁學的發展是廣義還是狹義？或是從廣義到狹義？」楊氏的說法，基本上仍如上述的「把解釋和訓詁畫上等號」，闌入非訓詁之內容。且若如楊說，則訓詁學教學內容究應采「廣義訓詁學」還是「狹義訓詁學」？楊氏說：「我們這部書（樑按：楊著《訓詁學》）中所講的訓詁學，實在是二者兼而有之，既有傳統訓詁學的介紹，又有一些站在比較新的角度的評論。」（同上）楊著《訓詁學》雖然內容豐富，論見亦有足取，但因依其定義原則，所以在介紹「訓詁的內容」時，多側重「傳統」的「廣義訓詁學」，而介紹「訓詁學的方法」時，則側重「現代」的「狹義訓詁學」，「內容」與「方法」兩不相應，即因二者並非立於統一的定義標準。

⑰ 〔宋〕朱熹：《朱文公文集・答張敬夫》（臺北：臺灣商務印書館，1965 年《四部叢刊初編》本），卷 31。

⑱ 〔宋〕朱熹：《朱子語類》（臺北：漢京文化事業公司，1980 年《四部善本新刊》本），卷 7。

「如訓詁，則當依古注」，正說明古注所體現的「訓詁、經文不相離異」的注釋方式與內容。又說：

> 傳注惟古注不作文，卻好看，只隨經句分說，不離經義，最好。疏亦然。今人解書，且圖要作文，又加解說，百般生疑；故其文雖可讀，而經意殊遠。程子《易傳》亦成作文，說了又說；故今人觀者，更不看本經，只讀《傳》，亦非所以使人思也。⓳

古注（疏）的特色在訓詁，且「如訓詁，則當依古注」，那麼訓詁的正確表現方式如何？應即是針對文本語言作解的「只隨經句分說，不離經義」，而不是闡發義理的「作文」。根據朱子的了解，「訓詁」是「注釋」，但「注釋」不即是「訓詁」，意思非常清楚。古人的注釋著作，體式繁多、內容龐雜，但往往以疏通文本語言為根本要務，然後再依個人所理解的事實需要及著述宗旨，加以發揮，擴大了注釋的範圍。我們只能說它們是訓詁工作的進一步延伸，但不能認為這也是訓詁，甚至用它們來談訓詁學。舉例說，如《荀子·性惡》：「不可學、不可事而在天者，謂之性；可學而能、可事而成之在人者，謂之僞。」訓詁工作只需運用文字及語境等知識，從語言角度解釋與「性」相對的「僞」字意義，而不必擴大到荀子「性惡說」的義理發揮。至如文字學、音韻學、語法學、修辭學等，都是治訓詁的基本工具，但訓詁工作也只是運用這些工具（據形索義、因聲求義、藉語法以解義、資修辭以明義），以說明語言意義，沒必要藉以大肆發揮文字、音韻或語法、修辭理論，否則就是主從不分；訓詁學強調的，是這些工具在解釋古代文獻語言的方法運用，而不是工具本身。這是談訓詁學問題首需辨明的基本觀念。

⓳ 〔宋〕朱熹：《朱子語類》，同前注，卷11。

從以上的論述，或許有人會認為：以解釋古文獻語言為主的訓詁學，是「貴古賤今」的「舊訓詁學」。⑳其實，對於一門學術，本不必有「古今貴賤」的價值成見，主要看該學術的性質是什麼？所要解決的問題又是什麼？而這些，自然影響到它主體對象的內容。訓詁的發生，既然主要是因為語言問題，而古語較今語為難解，這是事實，因此，訓詁實踐以古文獻語言為主，是基於閱讀和研究的實際需要。當然，我們並不排斥今語，因為文化是延續的，是發展、變化的，很多今語是沿自古語，或從古語發展、變化而來，在理解上或許也有需要解釋的地方。我們之所以強調「古文獻語言」，也是為了避免主從不分，致將訓詁學的範圍無限擴大。

三、訓詁學教學中的「實踐」問題

㈠ 「理論」與「實踐」的關係

訓詁系統理論之形成，是從大量前人實踐成果中，總結經驗、概括規律而得；既形成系統理論後，反過來指導實踐；又經實踐的驗證、修正，而得到進一步的發展：這是實用性學科發展、成熟的必然途徑。在發展、成熟的過程中，理論和實踐的關係，是虛和實的關係，也是學和術、說和做的關係，它們是互動的，循環不已的。

訓詁實踐是實事求是的工作，所以古人多落實在注疏的實踐工作上，較少作理論的探討。然而古人非無理論，因為沒有理論，就難以從事實踐，他

⑳ 王力以為：傳統的訓詁學為「舊訓詁學」，「舊訓詁學的弊病，最大的一點乃是崇古。小學本是經學的附庸，最初的目的在乎明經，後來範圍較大，也不過限於明古。……尊經與崇古，就是要維持封建制度和否認社會的進化。」因此，他提出以「語義學」為內容與方向的「新訓詁學」，主張破除時代的界域，「漢以前的古義固然值得研究，千百年後新起的意義，也同樣值得研究。……我們必須打破小學為經學附庸的舊觀念，然後新訓詁學才真正成為語史學的一個部門。」見《王力文集·新訓詁學》（濟南：山東教育出版社，1990年），第19卷。按：王力說亦屬「語言」派，本文為敘述之便，將其說移置於此。

們是把理論直接運用、融入到實踐之中。如《毛傳》之解釋《詩經》，往往運用音訓方法以推求語源，㉑必然認識到「音近義通」的語源推求原則，也必然有其判斷音同、音近的語音標準，《毛傳》雖未明說，但不可謂其無理論。再如歷代較嚴謹的訓詁學家，從他們的研究成果來看，也可以證明他們的理論是有效的。當然，前人的訓詁實踐，確也有如今人所批評的，往往缺乏理論的自覺或嚴格的理論或系統的歸納，此所以有待於後人的續予闡發。

㈡ 教學與學習的方向

訓詁固是一種專門事業，但也是一種普及知識，從事一般文化活動都有可能用到訓詁知識，以解決語言上的意義問題。因此，大學訓詁學教學，應兼顧專業基礎及實用的雙重目標。

訓詁學在應用上有何實用價值？歸納今人的訓詁學教材所述，大約不出以下幾項：古書閱讀、古籍整理、辭書編纂、語文教學、研究語言學的其他分支、研究古代社會與文化等。在這幾項中，古書閱讀（含古注閱讀、解決古書語言問題之疑難、訓詁工具書之運用等）自當列爲大學訓詁學的施教重點，以切合專業基礎及實用的雙重目標。

教學方向及施教內容，應針對學習需要而設計。「講學習問題，就包括教學問題」，「應該怎麼學，就應該怎麼教。」㉒學習訓詁學，既以閱讀古書、解決疑難的實用目的爲其方向，在教學上就不能不落實「實踐」的課題。有些訓詁學教學，幾乎把「訓詁學」和「訓詁」截爲兩節，因此學生雖接觸到一些知識，但沒有解決問題的基本能力，甚至「人們學習過那類訓詁學著作之後，

㉑ 如〈召南·行露〉：「何以速我獄。」《毛傳》：「獄，埆也。」同注❻，卷1：4，頁11a。又如〈小雅·巧言〉：「君子信盜。」《毛傳》：「盜，逃也。」同注❻，卷12：3，頁11b。均其例。

㉒ 王力語，見《王力文集·關於古漢語的學習和教學》，同注⑳，第19卷。

既看不懂歷代群籍舊注，也不大會自作新注。」㉓

有些學生對訓詁學課程的反映是：晦澀難懂、枯燥無趣、條例繁瑣。因此往往望而卻步，降低學習意願。針對這種學習障礙，首需落實實踐，使體知訓詁學的實用價值及學習意義，以提高學習意願。其次，訓詁理論有可能較抽象，一般例句也可能較艱深（訓詁工作既以解決古書疑難爲其目的之一，訓詁學教學即不可避免常多舉經傳難解之例）；訓詁學教學宜兼顧趣味性及學術性，先藉具體、有趣的事例以理解理論，再由淺入深、由易入難，如此，自不至爲其艱深晦澀所苦，而能興致盎然。復次，講授訓詁條例如果纖悉必舉，當然就過爲苛細而難於把握，自宜將其組織、貫串，使能得其條貫、以簡馭繁。以上或許是破除學習障礙、提高學習效果所當考慮的一些具體作爲。

每一門學科都有其學科發展史，從中可以了解發展的脈絡、各時期的研究特色及成果，具有傳承經驗、銓衡得失及指引發展方向的多重意義。不過，就教學來說，專科與專史的目的究有不同。有些訓詁學教材，以極大篇幅（甚或佔及一半）介紹訓詁學史，似可適度翦裁，述其要略。不然，教師亦宜就其中某些部分，指令學生自習，以免耗費太多教學時間，致影響「實踐」的教學方向。

㈢ 「實踐」的意義與方式

「大匠能與人以規矩，不能使人巧。」（李東陽《懷麓堂詩話》語）訓詁學教學，不僅要「與人以規矩」，還要「使人巧」。如何使人「巧」？需多藉例句，落實「實踐」。或先分析例句，後概括原理（歸納法）；或先述原理，後實以例句（演繹法）。據說丹麥語言學家葉斯丕森的名著《近代英語語法》

㉓ 馮浩菲語，見〈不能把訓詁學等同於語義學——關於訓詁學名義及學科分類問題的意見〉，同注⑭。

七大本，正文三千四百多頁，每頁例句平均二十個，全書近七萬個例句。㉔當然，例句並不是以多爲貴，還需愼選，考慮其是否具示範性與啓發性。但從葉斯丕森這個例子，讓我們在訓詁學教學上得到一些啓示：理論的理解需多藉實踐，經由實踐而學到的理論知識，其得之也深，不經由實踐而學到的理論知識，其得之也淺；經由實踐，才能訓練出方法的自覺；方法的訓練，是一種不斷提升的工作，惟「熟」才能生「巧」。這是學習、研究訓詁學的主要途徑。

一般訓詁學教材，在舉事例時，往往分析、說明不足，不易使讀者從中領悟解決問題的實際方法。教學中的實踐訓練，應兼顧指導發現問題、分析問題及解決問題三方面的能力。前人的實踐成果中，不乏兼及此三方面的佳例，如王念孫《讀書雜志》、王引之《經義述聞》等書中的許多事例，大致符合這種要求。訓詁方法是實踐的問題，而解決疑難又需藉各種知識、工具與方法的綜合運用，藉由這些事例，可體會前人綜合運用之妙。學問的功力靠積累，但學問的方法，可在教師的安排、設計中作短期有效的吸收。我們很難像古人一樣，皓首窮經靡所不究，但可以盡取古人的經驗爲我們所用。因此，教師於講授事例或指導學生思考問題時，當強調解決問題的途徑和方法，「明其理而得其法，雖字不能徧識、義不能徧曉，亦得謂之學；不得其理與法，雖字書羅胸，亦不得名學。」（前引黃侃語）

我們從前人的訓詁實踐中，累積可觀的寶貴經驗，但也看到一些弊病，如增字解經、望文生訓、濫用通假等。其實，這些弊病並沒有時代性，不只存在前人的著作中，也存在今人的著述裡。以「增字解經」爲例，無人不知它是訓詁的大忌，訓詁學教材中亦無不極力告誡此弊，然而各類注釋中的此種現象卻往往而見。爲什麼？因不知何種狀況屬「增字解經」，又不知何種狀況雖增字

㉔ 參見呂叔湘：《呂叔湘語文論集·把我國語言科學推向前進》（北京：商務印書館，1983年）。

而非「增字解經」，其中分界難以掌握。一般訓詁學教材，於此亦多語焉不詳，只說增某字所以爲「增字解經」。其實「增字解經」就是「增義解經」，有各種不同的具體情況。且不只「增字解經」是訓詁的大忌，「減字解經」（減字減義）也一樣不合訓詁法則。訓詁學教學中的實踐訓練，不僅要吸取前人的經驗，也要記取前人的教訓；所選取的事例，不僅包括「經驗」的正面教材，也應包括「教訓」的反面教材，找出致誤的原因，如此才能刺激對理論的檢討與方法的反省，而避免重蹈前人的覆轍。如此，學生所學得的，就不止是一種知識，而且是一種方法，一種思辨的訓練；而訓詁原則、條例之建立，也正是通過這類「經驗」與「教訓」的檢討、淬煉，而漸趨完善。「增字解經」只是一例，其他如「望文生訓」、「濫用通假」等，也都應藉用「教訓」，分析得失，找出致誤原因。㉕

㈣ 「實踐」與邏輯思維的關係

有人從事訓詁實踐，雖運用正確的理論與方法，但未即得正確的結果，其關鍵往往在實踐過程中的思維邏輯。因爲訓詁實踐是一種思維活動，當然離不開邏輯法則。如據「因果引申」律，「因」可以引申出「果」，而「果」則不能引申出「因」，這是一種簡單的思維邏輯，可是注釋家偶亦會犯錯。又如王力論及注釋家所易犯的弊病之一——偷換概念，混淆一詞多義的不同義位，基本上亦屬思維邏輯的問題。如《廣雅・釋詁》：「翫、俗，習也。」「翫」與「習」是同義詞，「俗」與「習」是同義詞，但「翫」和「俗」不是同義詞，因爲「習」是多義詞，兼有「狎習」和「習俗」等義，如果把「翫」字解作「習俗」的意義，那就大錯特錯了。㉖《廣雅》這種「二義不嫌同條」（王引之《經

㉕ 如「濫用通假」例，即可就郝懿行《爾雅義疏》中若干事例，使學生據音韻離合以判斷正誤，並指出郝氏致誤原因。

㉖ 參《王力文集・訓詁學上的一些問題》，同注⑳，第19卷。

義述聞》語）的體例，是仿自《爾雅》，如果不了解古書體例或邏輯觀念不清，就容易「偷換概念」而不自知。如俞樾之治學方法，頗受王氏父子影響，但其訓詁實踐中之「偷換概念」事例，就屢見不鮮。㉗像這種「偷換概念」的邏輯錯誤，尚不難發現，至於較曲折的推論過程，則不易察覺。訓詁學講求科學方法，所以學習訓詁學，除要求邏輯思維的基本訓練外，教師在解說事例時，亦應指導尋繹作者的思維方式，而不是只停留在表面現象的分析。

㈤ 古注（疏）閱讀與句讀標點

古注是否正確，是一回事；而正確了解古注，又是一回事。要批評古注的是非，需先正確了解古注，然而古注實不易讀。舉例說，如《詩經·周南·桃夭》：「桃之夭夭，灼灼其華。之子于歸，宜其室家。」《毛傳》：「之子，嫁子也。」有人批評說：

> 我們不能墨守前人故訓，對於前人粗糙的乃至錯誤的注解，必須加以補正。例如《詩經·周南·桃夭》：「之子于歸，宜其室家。」《毛傳》把「之」釋為「嫁」，認為「之子」就是「嫁子」。其實「之」在這兒是指示代詞，當「這」講，「之子」就是「這個女子」；「歸」才是「出嫁」的意思，《毛傳》顯然是講錯了。㉘

前人的注解，確實有很多需要「補正」；《毛傳》的訓釋，是否合乎今人所要求的精確原則，也尚可討論。不過，要批評《毛傳》之前，不能不先究心《毛

㉗ 王力曾舉俞氏訓《詩經·魏風·伐檀》「不稼不穡，胡取禾三百億」之例為說，見同前注。除外尚多，茲省略。

㉘ 顧義生：〈應該怎樣正確對待前人的訓詁〉，陳必祥主編：《古代漢語三百題》（上海：上海古籍出版社，1993 年）。

傳》的訓釋體例，而妄發議論。《毛傳》何嘗不了解「之子」就是「這個女子」的意思？又何嘗不了解「歸」才是「出嫁」的意思？如果我們比較〈小雅·鴻鴈〉「之子于征，劬勞于野」的《毛傳》「之子，侯伯卿士也」，就知道《毛傳》解〈桃夭〉的「之子」為「嫁子」，正是明白指出「之子」在這首（句）詩中的特殊身分。這種隨文釋義的訓釋方法，後人亦多所承用，如〈離騷〉：「惟草木之零落兮，恐美人之遲暮。」王逸《注》：「美人，謂懷王也。」正是此意。可是類似上述的不當批評，卻充塞在今人的《詩經》注釋或訓詁論著中，可見古注確實不易讀。

上文提到，有人認為「人們學習過那類訓詁學著作之後，既看不懂歷代群籍舊注，又不太會自作新注。」其實，既看不懂舊注，就沒資格作新注。而學生之中，又豈只看不懂舊注，連刻本舊注面貌亦未嘗寓目者，也大有人在。

訓詁實踐是一種扎實的工作，古注閱讀是訓詁實踐的基本工夫。訓詁學教學中，重視古注閱讀訓練，能提高語文基本能力，培養閱讀原典、掌握原始資料的主動精神，避免因新注的誤引、誤釋而沿訛踵謬，或盲目信從。

訓詁學教材中，無不介紹注疏的體式、內容、術語及讀法等。既然如此，又為何看不懂古注？其基本原因大概有：一、不習慣古注的版刻形式；二、不了解古注的注釋體例；三、看不懂注疏語言；四、不易分辨術語的具體所指（古代注釋家對術語的用法並不一致，常因個人之理解或習慣性用法而別有所指）；五、不會斷句標點；六、不會判斷引文起訖；七、其他相關知識不足。以阮元江西南昌府學刻本《毛詩注疏》為例，在讀注過程中可能遭遇下列問題：《序》下的注釋是何人所注？《傳》、《箋》之解釋詞義，在何種情況下是連讀為義？當《傳》、《箋》未釋詞義而只串講經文時，當如何對照經文，以推尋其對某詞語之解釋？《正義》部份，何處是解釋《序》、經、《傳》、《箋》？《傳》、《箋》有異同時，《正義》如何處理，贊同何人意見，有無誤解《傳》、《箋》之意？《正義》的引書習慣如何？其所謂「彼」、「此」、「仿此」、「後皆仿此」、「易傳者」等語，當如何前後關照？《經典釋文》的原來款式如何？其釋《序》、經、《傳》、《箋》的體例如何？其引二音或多音時，用意爲何，陸氏意見又如何？阮刻本所錄《經典釋文》有無刪節或脫訛？《校勘記》當如何利用？有無刪節或脫訛？以上只是略舉讀《毛詩注疏》初步所可能遭遇的一些問題，在實際閱讀中，所遭遇的疑難可能還要更多，不易在教材中解說清楚，必須落實在實際的閱讀指導中。

閱讀古注所遭遇的問題固多，但最基本的，還是「離經辨志」的句讀標點問題。句讀標點是以理解內容爲前提，所以黃侃就曾說：

> 古人訓詁之作，即為欲通句讀。蓋一字之義不憭，即一句之義不明，此所以先訓故於句讀也。㉙

而句讀標點既明，意義自亦了然，所以《宋史·何基傳》說：

> 凡所讀，無不加標點，義顯意明，有不待論說而自見者。㉚

句讀標點也是語言問題，因爲它涉及詞與詞的組合，以及詞與非詞的界線，如果誤斷、誤標，即爲「不詞」，影響文本的正確解釋，自然也是「實踐」的內容之一。

句讀標點之訓練，除當揭示一般容易致誤的原因外，尚可與古注閱讀合一。教學時，可就不同體式的古注，選印若干，發予學生閱讀，並作新式標點（教

㉙ 黃焯筆記：《文字聲韻訓詁筆記·訓詁筆記》，同注❺，卷上。

㉚ 〔元〕脫脫等：《宋史·何基傳》（臺北：鼎文書局，1994年點校本），卷438。所謂「標點」，指標抹圈點，與今「標點」之義不全同，但藉「標點」以使「義顯意明」，其效果則「有不待論說而自見者」，與今「標點」之目的相同，因借此段文字為說。

師先標點一篇作爲示範，並於眉批欄提示要點及相關注意事項）；再由教師酌取數篇，逐字講解，並討論問題、訂正訛誤；其他各篇，可就容易致誤處作重點訂正。如此，對古注閱讀能力的提升，當有實際助益。

㈥ 訓詁工具書之運用

一般訓詁學教材所列《爾雅》、《方言》、《釋名》等「通釋語義的專著」，不下數十種。這類著述，可作爲了解「訓詁體式」之用，也可用來說明訓詁學發展史。若從訓詁實踐的立場來看，這些都是可貴的訓詁資料集，爲閱讀古書、解決疑難所常取資的訓詁工具書。

有些學生以爲：遇到疑難，只需翻檢一般辭書即可。一般辭書固然有其功能，但也有局限，很多疑難需檢閱原典及這類「訓詁資料集」，才能解決。然而，多數學生往往只接觸到這類著述的一般性知識（作者、源流、體例等），不曾見過原書，更談不上運用。

對這幾十種「訓詁資料集」，教學時不可能逐一講授、面面俱到，自當擇取其要。大體可別爲二類：一、漢魏著述，如《爾雅》（此書時代尚無定論，姑列於此）、《方言》、《說文》、《釋名》、《廣雅》等；二、清人著述，如《經籍纂詁》、《說文通訓定聲》、《經傳釋詞》等。這些，是讀中國古書所必備的最基本訓詁工具書。

《爾雅》歸納詞語，類聚群分，以今語釋古語（亦有方言），主以義訓；《方言》以通語釋方言（亦有古語），發明音轉；《說文》主以形訓；《釋名》推求語源。這四書，初步奠立「通釋語義專著」之體式及訓詁方法之途徑。《廣雅》則增廣《爾雅》，對《爾雅》有補苴作用。這些書，雖具有多方面的價值（如歷史詞匯、典章制度、社會文化等），可作深入的專題研究，但訓詁學教學的重點，則作爲工具書之用，查檢各書說法，並比較各說異同。

上述五書，都有清人新注或疏證，既保存舊注，又別有闡發。而《經籍纂詁》、《說文通訓定聲》、《經傳釋詞》等書，則是清人別開生面之作。《經籍纂詁》蒐羅唐前經史子集訓詁，爲唐前各種訓詁資料的總匯編；《說文通訓定聲》講本義（說文）、引申義、假借義（通訓）、明古音（定聲），爲詞義之系統、綜合研究；《經傳釋詞》則於虛詞的研究別闢蹊徑。

上列各書，都有其特殊體例（如《爾雅》的「二義不嫌同條」、《經籍纂詁》的義位與義位變體不分），也各有優劣得失（如《釋名》的推求語源多主觀、《說文通訓定聲》的論省聲多有不當），教學時應先揭示，使知所取捨。以這些最低限度的訓詁工具書做基礎，學生遇到疑難時，就可能根據實際需要，更擴及其他工具書；如果連這些都付之闕如，就談不上做學問了。

四、結　語

訓詁學來自訓詁實踐，又用諸訓詁實踐。訓詁學教學，自應把握二者的關係，才能體現訓詁學的精神與特質，也才能使所學成爲有用之學。尤其大學階段的訓詁學教育，更應著眼於此。以上所提各項擬議，是在此一前提下的初步構想。

以前林尹先生曾主張「文字、聲韻二課，同時都開在二年級，三年級修訓詁學。」[31]林先生是基於何種理由而作此主張，不得而知。「文字、聲韻二課，同時都開在二年級」，是否適當，仍可斟酌。（或可考慮將文字學開在一年級。）但主張學過文字、聲韻二課後，才修習訓詁學，正說明從事訓詁實踐需以文字、聲韻二學爲基礎，其先後有序，不可躐等。至「三年級修訓詁學」，也應是可行且理想的設計。因訓詁學是實用的工具之學，也是中文系治學的基礎科目，重實踐及不斷磨鍊技巧，以理解理論，進而把握理論。若三年級修訓詁學，則

[31] 見王靜芝先生：〈「小學」在大學〉引，見中國訓詁學會主編：《訓詁論叢》（第一屆中國訓詁學會學術討論會論文集）（臺北：文史哲出版社，1994年）。

四年級或可考慮開設「訓詁學實習」，作爲前一課程的延伸；不然，也可藉三年級所學的知識與方法，以印證或應用到四年級的其他課程中，以免在第四年學過之後匆匆畢業，失去許多練習的機會。惟這種構想是否確當，仍不敢自信，尚請專家學者指教。

本文初稿，曾於民國八十七年五月三日教育部顧問室委託臺灣大學中國文學系主辦「中國語文學課程規畫會議」中提出報告。會場討論中，東吳大學林炯陽教授發言指出：「早年，東吳大學即將文字學開在一年級，二年級修聲韻學，三年級修訓詁學，四年級開《廣韻》、《釋名》等選修課，效果極佳，畢業學生考取各校研究所者至多。後因學生因素，一年級修文字學、二年級修聲韻學，都覺太難，聲韻學且被視為最困難的科目，學習效果不彰，因此各延後一年修習。」靜宜大學朱歧祥教授發言：「靜宜大學亦曾將文字學開在一年級，後來也因學生因素，於是改開在二年級。」臺灣師大張文彬教授發言：「林尹先生主張文字、聲韻二課都開在二年級，他認為文字中的形聲字需用及聲韻知識。」會後，又承林炯陽教授賜告：「當年東吳大學成立中文系，即林尹先生之規畫。其主張將訓詁學開在三年級的理由，與此文中所說的，完全一模一樣。」三位教授的指教，使本文末段所持的若干疑惑頓然消釋，謹此致謝。

猶憶二十餘年前，從　以仁師受訓詁學，自慚魯鈍，未窺堂奧。今奉命承乏此課，戰戰兢兢，恐負　師教。謹感念此受　教因緣，敬以此文，恭祝　吾師福壽康寧。

民國八十七年九月十日國樑謹識

試論上古漢語方言異讀的音韻對應❶

林英津*

提 要

本文試圖經由漢語文獻紀錄、與原始藏緬語的構擬，檢討上古漢語方言異讀所可能呈現的音韻對應。主要利用「蛇」之與「閩」，「蠅」（及「繩」）之與「虻、蝱」，「留」之與「畔」三組方塊字，檢討彼此音義之間的關聯。我的構想是：「留 *rəgw＞*liǒu 從田卯聲 *mrəgw＞*mau ~ *rəgw＞*liǒu（~ PTB *mrak）」與「畔 *ban 從田半聲 *pan」，聲符的「卯」之與「半」初皆為「剖分」義。而「蠅 *ləŋ＞*rəŋ」之與「虻、蝱 *mraŋ＞*mɐŋ」（~ PTB *(s-) b / mraŋ，及「繩 *djəŋ＞*dźjəŋ」（~ PTB *(s-)mraŋ）），正如「蛇 *djar＞*dźja」之與「閩 *mrjul＞*mrjən＞*mjěn」（~ PTB *b / m-rul）。同樣是上古漢語並存方言異讀，書寫形體故從不同聲符的例證。附論「周人之言‘璞 *phruk＞*phåk’，與鄭人之言‘鼠 *hrjag＞*śjwo’」，則為異方言詞同稱「鼠」類，而見載文獻者。我以為，自原始漢語以下，上古漢語應該也有不同的方言；同源的語詞可能已有異讀。同源異讀的語詞在古漢語內部，自成一套音韻對應的規則。那些異讀的同源語詞，最初也由方塊文字紀錄下來了；雖然文獻間或有闕，我們還可以在與親屬語言的比較觀察中，見到一些有意義的音韻對應關係。

關鍵詞：上古漢語　方言異讀　同源異形詞

---

* 中央研究院語言學研究所籌備處副研究員。

❶ 本文構思之初，曾經在加州柏克萊大學東亞系薛鳳生先生的課上做過口頭報告。後來先在Matisoff、Handel兩位先生的協助下寫成英文初稿〈On the Sound Correspondences among the Various Dialects of Old Chinese, as Seen through the Words ‘Fly (蠅)’ and ‘Rope (繩)’〉，提交第十屆北美漢語語言學研討會上宣讀（Stanford, 1998, 06/26-28）；得與鄭再發、畢鶚、及貝羅貝先生交換意見。返國後將中文稿先在中研院語言所籌備處八八年度第一次講論會（09/14）上宣讀，得再與同事切磋改進。而中文稿增加的詞例「卯、半」，先有黃秀燕女士相與論難，又得林清源先生之印證。宜在此一併表示由衷的謝意。當然本文的推論如有任何不當處，純係我個人的疏失。

一、緒　論

從來論證上古漢語的音韻系統，與今人論漢語中古音系有本質上的差異。不僅是由《詩經》押韻和諧聲偏旁得出的聲韻類，並非已經系統化的音類結構；還由於基本語料的顯然非同質性。因爲先秦兩漢的文獻還有許多例外的押韻、諧聲、和文字通假，又凡古籍故訓、及甲骨金文的材料，也都是上古漢語的內涵，是構擬上古音系不能不處理的對象。上古漢語還不能不論源頭；近人構擬原始藏緬語的成果，便成爲檢驗漢語上古音系的又一指標。而且隨著漢藏語比較研究的進展，我們已經可以開始討論若干因爲不入韻、或缺乏明確諧聲線索，但理論上應該存在於古漢語中的音韻現象了。

本文偏重觀察聲母的對應關係。但我無意將這種現象，作爲構擬複聲母的考慮；即便「蠅、繩、澠、黽」應該是一組諧聲字。雖然，我同意廿世紀末葉的古漢語是有複聲母的古漢語。不過由諧聲關係所反應的、可能係複聲母的現象，很多目前還得不到好的解釋；而且本文所討論的主要詞例，形體上並不具備諧聲的關係。我並且有意略去自文字形體延伸出來的若干辯論。相對的，我傾向於延伸漢藏語的比較研究，將上古漢語視爲多元並存的語系；嘗試將文獻中的某些語文現象，作爲建構同源詞族的根據之一。我所提出來討論的詞例——「蛇、蠅、繩、鼠」，皆屬指稱名物的基本詞彙，原則上不假移借。他們的另一個共同特徵是，音韻上看來似不相干的語詞，卻有相同或相近的語義。語義上的同近，是否意謂著彼此的音韻形式原有若干關連？換言之，我想追究的不是書寫形式本身；而是這些不同的書寫形式，是否共有某種音韻上的條件。

而「留、畔」若從初文初義著眼，「（剖）分田」也應該是基本詞彙之屬。雖然該小節爲了追索初文初義，不得不做一些文字形體的分疏。我終極的關懷仍然是語言本身的問題——相同的概念指稱，以其不同的聯想，寫畫成異趣的形狀；從而對應異方言的不同讀音。即使純就文獻資料要推論「留」和「畔」

的初文初義，目前仍留有若干無法以實證銜接的環節。因為我始終的關懷都是語言，才能試著推論若干已被遺忘的音義關係。

二、例證與討論

這一節我將經由檢查「蛇」之與「閩」、「蠅」（及「繩」）之與「虿、蝱」、「留」之與「畔」的上古音形式，論證這三組方塊字雖無文獻的實證，最初可能是同源而異讀的方言詞。另外徵引一則訓詁學的語料——「鼠未腊者為'璞'」，以為類比的文獻紀錄。儘管我所稱規則的音韻對應，實際上還是相當寬泛的、大範圍的音類的平行關係；也許還很難建構出足夠縝密的形式規則。目前我也還沒有一個像漢語「上古音系」一樣的、原始漢語的音系架構，我個人在這方面的探索只是一個開始。❷不過，如果我所做的推演並不太離譜的話；應該還有很多古典語文的資料，等著我們賦予新的詮釋。一旦積蓄足夠充分，我們離原始漢語音系的理想就不會太遠了。

㈠　「蛇」之與「閩」

1.　本節討論的基本前提是：根據比較藏緬語的研究，原始藏緬語（PTB）的'蛇'應該是 *b/m-rul 'snake'（Handel, 1997）。❸龔煌城先生擬測原始漢藏語（PST）的'蛇'為 *mrjul，上古漢語（OC）讀為 *mrjən，方塊字寫為「閩」（1995、1997）。❹但是方塊字「蛇」 *djar＞dźja 也指稱'蛇'。而且根據漢語的文獻紀錄，方塊字「蛇」之為'蛇'，絕對可以上溯甲骨文的時代（西元前

---

❷　當然原始漢藏語的構擬，已經有不少學者從事這方面的嘗試，並且已經累積了一定的成果。龔煌城先生正是這方面的傑出者。

❸　這裡用的是 Handel 廣泛檢查當代藏緬語之後，做出的構擬形式。Benedict, 1972 擬測 PTB 的'蛇'有兩種形式：*b-ru l (p.111)、*buw~*bəw (p.19)。可參考。

❹　本文上古漢語的擬音，採用龔煌城先生所修飾過的、李方桂先生（1971）的系統。

十四世紀至西元前十一世紀)。方塊字「蛇」可能與 PTB 的 *b/m-rul ‘snake’同源嗎?

我想嘗試解明的問題是:如果方塊字「蛇」是 PTB *b/m-rul ‘snake’的同源詞。則「閩」 *mrjən 與 *b/m-rul ‘snake’的形成對應,只是巧合嗎?「蛇」之爲‘蛇’,與「閩」只是同義異詞?或者「閩」*mrjən 也還是和 *b/m-rul ‘snake’同源?而如果「蛇」和「閩」都是*b/m-rul ‘snake’的同源詞,就漢語內部而言,兩者音韻形式的相遠應該如何解釋?

2. 說「閩」。

根據《說文》的紀錄——「閩,東南越,蛇種。从虫門聲」,要認定「閩」就是‘蛇’,確實有點勉強。不過比較漢藏語的研究,《說文》並不是唯一的權威。事實上我以爲龔先生將 PST 的‘蛇’擬測爲 *mrjul,顯然深受書面藏緬語的啓發。因爲書面藏語(WT)的‘蛇’作 sbrul<*smrul,書面緬語(WB)的‘蛇’作 mrwe<*mruy(1995: 54,1997:208);❺乃至西夏語的[illegible] ‘蛇’擬音爲 *phio<*b-。因此合理的推斷是,PST 的‘蛇’應該有個雙唇鼻音聲母 *m-;或者至少是雙唇濁塞音 *b-。選擇方塊字的「閩」爲漢藏語‘蛇’的同源詞,這應該是主要的理由之一。另一方面,上古漢語「閩」屬於文部韻;《廣韻》眞韻武巾切,又音文韻無分切。韻母的 *-ul ~ *ən,也是有規則的音韻對應。❻至於詞義的問題,認爲方塊字寫成「閩」的語詞,最初讀爲 *mrjul>*mrjən>*mjěn,指稱一種叫作‘蛇’或類‘蛇’的動物;後來由於這個語詞沒有取得通語的地位,僅成爲民族種系的專稱。這樣的語義變遷,在漢語內部原是很平常的。

---

❺ Benedict, 1972 作*mrul,可參考。

❻ 今音「閩」讀 min,應該源自眞韻武巾切,正好是重紐三等韻字;而又音文韻無分切,則是純三等韻字。因此介音是個問題,雖然問題不大。我們不太明白的是上古同樣是*mrjən 的語音,後來何以分途演變:1. *mrjən>*mjěn…>min(變入眞諄韻重紐三等。可比較眞部韻的 *mrjin>*mjěn…>min,變入眞韻重紐三等),2. *mrjən>*mjən…>wən(變入欣文韻純三等)。不過本文暫時不打算涉入這個問題。

基於以上的理由，以漢語方塊字的「閩」*mrjul＞ *mrjən＞*mjěn，對 PTB 的 *b/m-rul 'snake'是合理的、可以接受的推論。也許有人還是要質疑，上述音韻形式的推求有可能只是偶然的巧合。我的回答是，的確，我們都要冒一點風險。貌相似的語音形式，確實有可能只是巧合。❼不過在歷史比較語言學的研究中，我們也有些辦法盡量排除巧合與移借的因素。下文我將會針對此一問題繼續加以討論。

3.　「蛇」 *djar＞dźja 與 PTB 的 *b/m-rul 'snake'。

Handel, 1997 認爲方塊字的「蛇」就是'蛇'，與 PTB 的 *b/m-rul 'snake'同源。上古漢語「蛇」是歌部韻的字，《廣韻》麻韻食遮切，又音「它」；「它」歌韻託何切。船三母歌部韻的「蛇」，怎麼會是 PTB 具有雙唇音聲母、和*u 元音韻母的 *b/m-rul 的同源詞？因此，Handel 的提法是高難度的挑戰。他從比較漢藏語的角度，檢討上古漢語的船母字；採用 Baxter 的建議，認爲有一部份船母字的聲母原來可能是 *ml-＞*ź-。❽因此將方塊字的「蛇」改寫爲 *mljar。*mljar 對 *b/m-rul，看來就比較容易接受了。不過，他還需要解釋兩個問題：首先，PTB 的 *u，照理該對應 OC 的 *ə，而不是 *a。其次，站在漢語音韻史的立場，我們實在不容易接受像 *ml-＞*ź- 的音變。當然，Handel 分別有他的解決之道。而且他的一部分解釋可以找到實證，也可以接受。

我以爲，這兩個問題實際上都可以從漢語內部求解。

第一個問題爲類似上古漢語歌 *a、微 *ə 通轉的現象。❾實證之一是，「滑」從微部韻的'骨' *g-rus ~ *k-rwət＞*kwət 得聲，今讀 xua^2。今讀的 xua^2，

---

❼ 承蒙龔煌城先生提醒：事實上，即就「閩」*mrjən＞*mjěn 與 PTB *b/m-rul 的關係看，應當不是巧合。其中的音韻對應，是近一個世紀以來由許多學者共同建立起來的；背後還有其他平行的例證。

❽ Handel 基本上使用 Baxter 的擬音，與本文略有不同。本文的船母擬音作 *d-＞*dź-。Yakhontov 論〈上古漢語的開頭輔音 L 和 R〉，將漢語的「繩」作 źiəŋ2＜*liəŋ。可參考。

❾ Handel 也這麼設想。

若上溯古音應該歸歌部韻。因為與「滑」音韻地位相當的字，如「家、駕、沙、差、瓦、化」都屬於上古歌部韻。另一方面，甲骨文'骨頭'的「骨」寫作「冎」，從「冎」得聲的字，如「禍、剮」等，也歸歌部韻。因此我認為上古漢語的「骨、滑」，原來就並存歌部韻與微部韻兩讀。歌部韻的「骨、滑」擬音可作 *gwrat ＞ɣwat＞… xua[2]。換言之，*gwrat ~ *kwət，是現代漢語還看得到的，上古漢語歌 *a、微 *ə 通轉的例證（林，1997）。因此我個人認為，歌部韻與微部韻通轉的現象基本上業經確立；古漢語內部確實存在，*a 元音與 *ə 元音接觸的平行事例。第一個問題自然可算消解了。

第二個問題似乎比較困難。因為，如果我們接受 *ml-＞*ź- 的音變，就意味著上古漢語的船母又多出一個來源。但是既然船母和禪母從來就沒有清楚的界限，要將上古漢語的船母再拆分出另一類，實在找不到明確分類的條件。❿不過比較重要的是，這樣的音變是不是實存的音變。Handel 的辦法是，找找看，除了「蛇」之外，是不是還有其他平行的例子。我以為比較精確的提法可能是，*ml-/*mr- ~ *ź-/*dź- 互相轉換，古漢語是否有其他平行的例證？Handel 提到「繩」是船母字，從明母的「黽」得聲；正是平行的例子。這是訴諸諧聲偏旁的關係。我仍然質疑諧聲偏旁的關係，是否可以用來印證 *ml-＞*ź- 的音變？而究其實，從《廣韻》與「繩」相關的資料看，「繩」除了蒸韻食陵切之外，還有'泯、緬'二音。⓫從這一點看，「繩」有一個雙唇鼻音聲母的讀法，應該已經沒有問題。也就是說，古漢語的「繩」可能原來實有 *m(r)jiəŋ＞*mjəŋ

❿ 根據諧聲的關係，照三系的聲母本來就有兩個來源。我並不清楚在 Baxter 的系統裡，像 *ml- 的複聲母源出哪一系，或者別有源頭？

⓫ 按《廣韻》蒸韻食陵切「繩」，下同音字群收「澠：水名，在齊。《左傳》云：有酒如澠。又泯、緬二音」。軫韻武盡切「泯」，下收同音字「黽，黽池縣。在河南府。……又音澠」、「澠，上同。又音繩」。獮韻彌兗切「緬」，下收同音字「黽，黽池，縣名，在河南府。俗作澠。……」。

一讀；而且在後代的文獻中還殘留著不完全的紀錄。⓬讀如 *m(r)jiəŋ＞*mjəŋ 的「繩」，想來正對得上 PTB 的 *(s-)mraŋ ‘cord、rope、string’；因爲 PST *jə ~ OC *jə ~ WT a，是爲規則對應。既然「繩」的古讀有 *m(r)jiəŋ＞*mjəŋ 的可能，我們不用將部分船母改寫爲 *ml-＞*ź-，便可以看到如下的聲母平行對應關係：

「繩」*djəŋ＞*dźjəŋ ~ *m(r)jiəŋ＞*mjəŋ：PTB *(s-)mraŋ ‘cord、rope、string’。
「蛇」*djar＞*dźja ~「閩」*mrjən＞*mjĕn：PTB *b / m-rul ‘snake’。

此時再回頭看，古漢語‘蛇’的方塊字寫成「蛇」，讀如*djar＞*dźja；一讀寫成方塊字「閩」，讀如*mrjən＞*mjĕn。同時對當原始藏緬語的 *b / m-rul ‘snake’，就不像是偶然的了。‘蛇’寫成「蛇」或「閩」，在我看來，正是古漢語並存方言異讀，書寫形體故從不同聲符的例證。‘繩’之有‘泯、緬’二讀，亦可作如是解。只不過文獻上除了「繩」 *djəŋ＞*dźjəŋ，並沒有另一個讀如 *m(r)jiəŋ＞*mjəŋ 的方塊字而已。⓭

以上簡單歸結本小節對「蛇」與「閩」的觀察：我認爲這兩個方塊字是同源詞，同時對當 PTB 的*b / m-rul ‘snake’。就漢語本身而言，兩個方塊字的同源關係涉及古漢語 *a 元音與 *ə 元音的通轉，及船母和雙唇鼻音聲母的轉換。像這樣的音韻對應，應該不是巧合。

⓬ 暫時，*m(r)jiəŋ＞*mjəŋ 純粹是虛擬的音韻形式。根據本文的擬音系統，「泯」當作 *m(r)jən＞*mjən（文部韻），或 *mjin＞*mjĕn （真部韻）；「緬」當作 *mjian＞*mjiän（元部韻）。而 *m(r)jiəŋ＞*mjəŋ 是模擬蒸部三等韻字虛構的結果。

⓭ 也許不是沒有，而是沒有必要。不過，漢語的「繩」有一個同義、義近詞「索」，「繩索」連言也是「繩子」的意思。「索」古音讀 *sak＞*sâk ~ *srak＞*ṣɐk，可參考。

(二)「蠅」之與「䖟、䗈」

本小節延伸自前述對「繩」的討論。我既質疑「繩」與「黽」的諧聲關係，是否足以印證 *ml->*ź- 的音變；於「繩」之有 *m(r)jiəŋ>*mjəŋ 一讀，也只是憑藉《廣韻》正俗字體、與又音的連鎖關係虛構的音韻形式。整個推演的過程，實際上存有不小的漏洞。我直覺的認為與「繩」同韻部的「蠅」，有助於把現象看得更清楚。

「蠅」《廣韻》蒸韻余陵切，上古歸蒸部韻喻四字，擬音作 *ləŋ>*rəŋ>*jiəŋ。由於「喻四古歸定」，「蠅」*ləŋ>*rəŋ>*jiəŋ 與「繩」 *djəŋ>*dźjəŋ 諧聲可算正例——《說文》：「繩，繩索也。从糸蠅省聲」。「繩」對當 PTB 的 *(s-)mraŋ，既然言之成理；「蠅」對當 PTB 的 *(s-)b/mraŋ 'fly'，似乎也可謂持之有故。只是，這樣的推論仍有乞貸論證之嫌。值得注意得是，龔煌城先生始以方塊字「蠅 * rəŋ」，對當書面藏語的 sbraŋ 'fly and similar insects without a sting'、和書面緬語的 yaŋ 'the common house fly'（1980）。繼後改為以方塊字的「䖟、䗈 *mraŋ>*mɐŋ」，對書面藏語的 sbraŋ（1995）。於是我們看到一端是：

(1).「蠅」*ləŋ>*rəŋ>*jiəŋ：WT sbraŋ、WB yaŋ（<PTB*(s-)b/mraŋ 'fly'）

另一端是：

(2).「䖟、䗈 *mraŋ>*mɐŋ」：WT sbraŋ（<PTB*(s-)b/mraŋ 'fly'）

(1)、(2)兩則對當關係，如果併為一則，可以改寫如下：

「蠅」*ləŋ>*rəŋ>*jiəŋ～「䖟、䗈」*mraŋ>*mɐŋ：PTB*(s-)b/mraŋ 'fly'。

正好與前面我對「繩」的推演結果，呈現近乎完美的平行關係。我們果然自「蠅」證成對「繩」的推論，從而可以補強最初對「蛇」之與「閩」的推論——「蠅」

之與「虻、蝱」，正是又一對記錄同源異形詞的方塊字。

「蠅」*ləŋ＞*rəŋ＞*jiəŋ ~ 「虻、蝱」*mraŋ＞*mɐŋ：PTB *(s-)b/mraŋ 'fly'。

「繩」*djəŋ＞*dźjəŋ ~ *m(r)jiəŋ＞*mjəŋ：PTB *(s-)mraŋ 'cord、rope、string'。

「蛇」*djar＞*dźja ~「閩」*mrjən＞*mjěn：PTB *b / m-rul 'snake'。

當然，例證愈多，單就漢語內部音韻通轉的跨類行為就愈趨複雜。聲母方面，一邊是船母、喻四，一邊是明母。韻母方面，則多了蒸部韻與陽部韻的通轉。如果這樣的關係只是單一語言的內容，實在很難理解。唯有將古漢語視為多元並存的語系，則上述複雜的音韻對應，反映的只是後代文獻記錄有限的、不同時地交揉的語言。執簡御繁的辦法為：從源頭看——論韻母元音，前文已經說過，PST *-ul ~ OC *-ən ~ WT -ul，和 PST *jə ~ OC *jə ~ WT a，都算是已知的、有規則的音韻對應；論聲母輔音，則單純是舌尖音對雙唇音。像這樣舌尖音對雙唇音聲母，平行的詞例至少還有兩則：⓮

「竹」*trjəkw＞*ṭjuk ~「笆」*prar：PTB *g-pa 'bamboo'。

「豬」*trjag＞*ṭjwo ~「豝」*prar：PTB *pwak 'pig'。

因此古漢語舌尖輔音和雙脣輔音之間的轉換，應該作為規則的音韻對應關係看待。

㈢ 「留」之與「畔」

現代漢語的「留」和「畔」基本上毫無關聯。本節根據兩字所從聲符——一為「卯」象形、一為「半」會意，推論兩者最初當為同源異形詞。

⓮ 參看 Benedict, 1972: 188-189。但本文對漢語「笆、豝」的擬音，用的並不是 Benedict 的構擬。又「笆」*prar 對 PTB *g-pa 'bamboo'、「豝」*prar 對 PTB *pwak 'pig'，是否為合格的同源詞，本文暫時存疑。我無意考本字。

1.　「留」根據字書的記載是「畱」的俗寫。⑮根據《說文》田部，「畱，止也，從田丣聲」。不論寫作「留」或「畱」，都表示這是個形聲字。我要問的是：何以用一個「從田丣聲」的方塊字，書寫語言中表示「止」的詞？這個字的《段注》爲：「稽下曰，稽，畱止也。田所止也。猶坐从土也。力求切，三部」。段玉裁的解釋很有意思。它說的是：《說文》的「稽」訓「畱止也」，「坐」訓「止也，从畱省从土，土所止也，此與畱同意」；所以「留」便是「田所止也」。無論如何，他似乎以「留」爲會意字，至少是聲符兼義。因爲「田」的字義很明白了，我的問題就變成：「丣」有沒有「止」的意思？或者說，「丣」究竟書寫什麼意義的語詞？仍然覆按《說文》，「酉，就也。……丣，古文酉从丣。戼爲春門，萬物已出。丣爲秋門，萬物已入。一，閉門象也」。我們實際上知道，許慎以「丣」爲「酉」的古文，不見於甲骨金文（李孝定，1992:320）。至於分別「丣、戼」二字，清儒已辨其非。金文的「留」作「⿰卯田」（見於〈留鐘〉）。「卯」就是被許慎隸定爲「丣」的「卯」。無論是「丣爲春門」，或是「丣爲秋門」，應該都和「止」無關。倒是根據〈留鐘〉，我以爲甲骨金文的「卯」值得仔細推敲。

直捷的說，我認爲「留」應當是「從田卯會意，卯亦聲」。「卯」甲骨文作「卯」，與金文的「卯」同。甲骨文的「卯」，除用爲地支名之外，多爲用牲之法。地支的「卯」讀 *mrəgw＞*mau，作爲律曆的專名，意義上與「從田卯會意」的「留」不易聯想。卜辭用牲，以「卯」與「燎、薶」同列。王國維先生讀爲「劉 *rəgw＞*liŏu」、訓「殺」。李孝定先生認爲「其說似可從」（1992:317），但「至卯之本義，則不可知。諸家所說，並無確證」（《甲骨文字集釋》：4343-4347）。我以爲甲骨金文的「卯」，是大寫意的圖文，象

---

⑮　與其說「留」是俗寫，不如說「畱」是有問題的隸定。可詳下文討論。又下文除引文，不得已用「畱」；否則只寫為「留」。

將祭祀用的動物宰殺、剖分成兩半之形。王先生訓「殺」，可謂相當接近本義。那麼「從田卯會意」的「留」，本義當作「分田」。也就是說，「卯」書寫的是語言中表示「剖分」結果的靜態動詞。不過，更重要的問題是：「留」究竟應該讀爲明母的「卯」 *mrəgw＞*mau，還是來母的「柳」 *rəgw＞*liŏu？這也是歷來文字學家辯論不休的問題。本文不擬加入論戰，因爲答案很清楚：一旦將方塊字代換爲音標，*mrəgw＞*mau 與 *rəgw＞*liŏu 顯然是同源異形詞——屬於規則的、上古漢語來母字和二等韻字的交替。所以我的結論很簡單：「留」最初可能是「分田」的意思，最早的時候本來就至少有兩種不同方言的讀音。

2. 我以爲，上古漢語表示「分田」義的語詞，還不僅「留 *mrəgw＞*mau ~ *rəgw＞*liŏu 」；至少還有「畔 *ban」。《說文》「畔，田界也，从田半聲」，大致可信。方塊字的「半」本身是會意字，《說文》「半，物中分也，从八牛。牛爲物大，可目分也」。值得注意的是，甲骨文找不到與「」銜接的字形；「」似乎要到春秋時代的金文才看得到。[16]然則「物中分也」這樣的概念，似乎不應該等到春秋時代才有。而所謂「物中分也」，不正是「剖分成兩半」？所以如果不拘泥形體，我以爲甲骨文中相當於「半」的字眼，就是「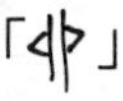」。[17]亦即我們面對的是：相同的概念指稱，以其不同的聯想，寫畫成異趣的形狀；從而對應異方言的不同讀音。就這一點而言，論上古漢語表達「分田」的概念，方塊字「留」與「畔」分明也是同源異形詞；如果「留」是「從田卯會意，卯亦聲」，則「畔」便是「從田半會意，半亦聲」。若就語音的觀察而言，「留」讀如*mrəgw＞*mau ~ *rəgw＞*liŏu，已如上述，是我們已經了解的規則對應。

---

[16] 此得林清源先生之印證。林先生並告以甲骨文有「折」與「析」，均為強調切割、斷裂之意。而無有如「半」者，「半」似為強調切分成兩半的結果。

[17] 黃秀燕女士研究卜辭，早有這樣的看法；我不敢略美。事實上我們對「卯」之與「半」的推求，從九六年底一直延續至今。我希望本節所論能給黃女士一個交代。

如果將「畔」*ban 從「半」*pan 聲一起考慮，還需處理韻尾的關係。⓲就目前對上古音的了解，幽部韻和元部韻不算一般性的陰陽通轉。暫時我也無意強做解人。不過，原始藏緬語的 *mrak 'cut keenly、tear、maul'（Benedict, 1972: 43），⓳也許與古漢語的「留」*mrəgw＞*mau～*rəgw＞*liŏu 與「畔」*ban～「半」*pan 有同源的關係。⓴因此若比照前面的辦法，則「留」與「畔」的音韻對應可以改寫如下：

「留」*rəgw＞*liŏu～*mrəgw＞*mau～「畔」*ban（＜「半」*pan）
：PTB *mrak 'cut keenly、tear、maul'。

(四)「鼠未臘者為'璞'」試解

前面三小節的討論，各組不同書寫形體之間音義關係的設想，並無文獻紀錄爲實徵。下面以一則訓詁學的語料爲例，旁證古漢語實有方言異讀，而且同源異形詞以不同的方塊字表示。

> 尹文子：「鄭人謂玉未琢者為璞，周人謂鼠未臘者為璞。周人遇鄭賈人曰：『欲買璞乎？』鄭賈曰：『欲之。』出璞視，乃鼠也。因謝不取。」
> （《後漢書·應劭傳注》引。又見於《戰國策·秦策》）

根據傳統訓詁學的辦法，這一則語料記錄了語義的變遷：「鄭人謂玉未琢者爲

⓲ 「卯」與「半」沒有諧聲的關係，我們可以不考慮「唇塞音互諧，不常跟鼻音（明）相諧」（李方桂，1971）。

⓳ 又 Bodman 認為書面藏語的 'bral 和 'phral，無疑是同源詞；而且正好和漢語的「畔」「半」對當（1980:147）。可參考。

⓴ 龔煌城先生研究漢藏緬語元音對應的關係，有一則結論：「漢藏語的*ɔ只有漢語保存。在藏、緬語裡都變成 a，在圓唇舌根音韻尾前變成 u」（1980、1995），可參考。

『璞』，周人所稱的『璞』卻是指沒有製爲乾肉的老鼠」（張 1981:8）。意思是說，「璞」本義專指未經加工處理的玉石；引申可指未經加工處理的老鼠(肉)。針對目治的語料，賦予方塊字「璞」語義的變遷，本爲合理的解釋之一。

然而周人與鄭賈的談話，分明是出口入耳的聲音；我們應該可以從音義的關聯重新詮釋這一則語料。我以爲誤會的產生，源於同音或音近而指稱不同。因爲在鄭人的語言裡'璞'這個聲音，指稱未琢之玉；在周人的語言裡同樣的（或近似的）聲音，指稱未臘之鼠（活的老鼠？）。換言之，同樣用來指稱「鼠」，鄭人和周人用語有別；而周人之言'璞'與鄭人之言'鼠'，應爲同義或義近詞。透過這樣的理解，對周人的語言而言，方塊字「璞」所表記的語音與「璞玉」無關；只是任取一個聲音相同或相近的字，用以書寫周人口語（相當于鄭賈）稱「鼠」的語詞而已。進一步，我們可以試爲此一推論尋求形式上的根據；因此我們應該檢查方塊字「璞、鼠」的上古音形式。

方塊字「璞」是侯部字：《廣韻》屬覺韻滂母匹角切，*phruk＞*phåk。方塊字「鼠」是魚部字：《廣韻》屬語韻書母舒呂切，*hrjag＞*śjwo。㉑嚴格的說，魚、侯旁轉不算是常例。但是從聲母的類著眼，我們又看到照三系聲母和雙唇音聲母的對應關係；此與「蛇」之與「閩」、及「繩」有'泯、緬'二音等，隱然有平行的關係。另外值得注意的是，根據 Benedict，原始藏緬語表示鼠或齧齒類動物的詞根作 *bwiy（~ WT bji-ba；1972:32。又可參考 Matisoff, 1978）。而西夏文獻中指稱鼠或鼠類動物，至少有兩種辦法：「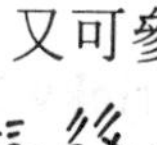 tsej¯siwə²」、「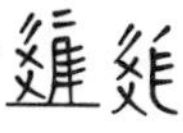 pia¹no²」。結合兩端，上古漢語照三系聲母和雙唇音聲母之間的平行對應，我以爲不應該視爲偶然的巧合。而這一則語料音韻對應的關係可以寫成：

㉑ 此據李先生〈幾個上古聲母問題〉，將與舌根音諧聲的審三改訂為自*hrj- 而來。又董同龢先生以「鼠」與「癙」同列，〈附註〉曰：「『處』從『虍』聲。《呂氏春秋·愛士篇》『陽城胥漂處』，《注》：『病也』，假借為『癙』。」（1944:157）

「鼠」*hrjag＞*śjwo～「璞」*phruk＞*phåk ： PTB *bwiy 'rat、rodent'。

這一則語料的寫定，想來應該是「書同文」以後的事；亦即事當漢語史上書寫的語言轉趨定型的時代。那時候文字和語詞的關係尙未完全定型，記錄者利用假借的辦法，以同音字爲我們記述了一則市集上的逸聞。

㈤ 小結

總結本節討論的例證，文字的推論與敘述可能還是不免枝蔓。因此下面單以音標的形式，排比七組例詞的音韻對應。可以更明確的看出七組例詞的共通性。

1. 「閩」*mrjul＞*mrjən＞*mjěn ：PTB *b/m-rul 'snake'

「蛇」*djar＞*dźja

2. 「寅、蝱」*mraŋ＞*mɐŋ ：PTB*(s-)b/mraŋ 'fly'

「蠅」*ləŋ＞*rəŋ＞*jiəŋ

「雟」*ləd＞*rəd＞*jwi ㉒

3. 「？」*m(r)jiəŋ＞*mjəŋ ：PTB *(s-)mraŋ 'cord、rope、string'

「繩」*djəŋ＞*dźjəŋ

4. 「笆」*prar ：PTB *g-pa 'bamboo'

「竹」*trjəkw＞*ṭjuk

5. 「豝」*prar ：PTB *pwak 'pig'

「豬」*trjag＞*ṭjwo

6. 「留」*mrəgw＞*mau（丣） ：PTB *mrak 'cut keenly、tear、maul'

「留」*rəgw＞*liəu

㉒ 關於「雟」*ləd＞*rəd＞*jwi 的說明，可詳下文第二小節。

「畔」*ban（＜「半」*pan）

7. 「璞」*phruk＞*phåk : PTB *bwiy 'rat、rodent'

「鼠」*hrjag＞*śjwo

音標之爲用，就在這裡見出來了。我們可以暫時拋開古韻分部的格局，直接觀察各組詞例元音的關係。可以看出元音的對應，雖然還談不上嚴謹；卻不再那麼複雜了。也可以拋開由三十六字母投射的上古聲類，看到聲母輔音尤其明確的對應關係：古漢語這邊，總是有一個雙唇音對舌齒音；共同對應原始藏緬語的雙唇音。雖然「例不十不立法」。對於古漢語而言，排比這些詞例的另一作用便是說明「不是偶然的巧合」。

三、再論三個基本觀點

前文重在檢討詞例。爲免於行文枝蔓，對推論的方法和背景觀念並未多作說明；有些且逕直援引傳統的術語。爲了避免爭議，這一節將集中討論申明，個人思考古漢語的基本觀點。其中㈡、㈢兩小節，同時可以用來回應鄭再發、畢鶚兩位先生對本文初稿的提問。而且我要指出，像這樣的重新詮釋，並不是自我作古；而是近人治漢語方言音韻史，每每操弄的理路。

㈠ 關於陰陽對轉、旁轉

傳統指稱例外的古韻語和諧聲現象，喜言陰陽「對轉」——一方面是陰聲或入聲、另一方面是陽聲的合韻，或「旁轉」——凡陰聲韻之間或陽聲韻之間的合韻。究竟何以爲「轉」？我曾經採用董同龢先生的辦法（1944:54-55），給「對轉」一個簡單的形式定義；並說，論語言的事實，「旁轉」反映了上古漢語方言分歧的現象（林，1997）。現在我以爲，所謂例外的押韻、諧聲，包括文字通假等現象，至少有一部份應該被重新理解爲：上古漢語並存方言異讀的音韻對應（sound correspondences），而不是偶然的例外。則傳統的術語「（通）

轉」應給予擴大解釋，令其涵蓋面不僅爲韻母，而及於聲母、介音等；也不僅是清儒依例外押韻排列各韻部的格局。更不僅限於單一語音系統內部的觀察，而視之爲異方言之間規則的音韻對應關係。另一方面，我們應該重新檢討最初以爲是例外的語料，是否應予重新詮釋。也就是說，除了相對理想的上古音系——一個系統足夠謹嚴、對稱，並且可以合理解釋音韻變化歷程——的音系構擬之外。對於上古、遠古漢語的討論，正如第二節所檢討的實例，我們仍擁有相當開闊的空間。前文提到的，諸如歌：微（/文），幽：元，蒸：文：元：眞，蒸：陽（，魚：侯）；及雙唇音聲母與舌齒音聲母等的對應關係。我們的推論，直接在漢藏比較研究中同源詞族的建構上著力，並不特別仰賴《詩經》押韻或諧聲字群的支持。而一如預期，其中正有些現象是與押韻、諧聲彼此符應的。

其實，近人處理《廣韻》《集韻》的又音、又切，明言或不明言的根本質疑亦莫非是。爲什麼同一個方塊字所代表的語詞，存在不同的發音；而且不同的發音，往往呈現跨類——即「轉」的音韻形式。另一方面，當代方言的研究，對於常用俗語詞循音覓字，又音、又切常常便是溯源的重要根據之一。例如：

> "水"是書母字，……另有章母一讀，寫作"沝"。《集韻》旨韻："沝，之誄切，閩人謂水曰沝。"這個讀音至今仍通行於相鄰的閩語中。㉓

兩端似不合轍。卻可相當眞實的擠出一個可以會通的理念：近代方言研究的設想，是書寫的語言定型之後，又音、又切的辦法可能並存方言異讀。就本節所討論的詞例而言，則我所以擴大解釋的上古漢語的「轉」，無非是書寫的語言未定型以前，以不同的方塊字轉寫不同的語音。換句話說，古今雖然有別，漢

㉓ 語出鄭張尚芳：〈浙西南方言的tɕ聲母脫落現象〉，《吳語和閩語的比較研究》（1995: 50-74）。

語音韻史「古今通塞，南北是非」的考慮，乃是一致的。只不過，我並不以為印證古方言，非罕僻的書寫形體不為功。事實上，離現在愈遠的方言口語，流傳下來的機率愈小而殘缺；我們正應該在常用的、基本的詞語上多下功夫。

㈡ 異讀並存還是借詞

漢學家看待古漢語，沒有經義訓詁的包袱，多從非漢語的經驗看問題。他們對古漢語的研究成績，比之清儒毫不遜色；本文的寫作便從中得到了許多啓發。而針對我所討論的詞例，還有一個無可迴避的問題是：焉知那些同源異形詞不是移借的結果？例如 Bodman 就傾向於將一部份漢語的同源異形詞，認為是來自先藏語（Pre-Tibetan）的借詞。他並大量引用南亞語的語料，作為該文論證的憑藉。他就認為古漢語的‘蠅’是南亞語的借詞；並說該詞南亞語的聲母構擬為 *r-，漢人借入的時候將 r- 調整為本語言的 *l-（1980）。

前文已經指出，我所討論的詞例均屬基本詞彙，原則上不假移借。我將他們視為同源異形詞、視為古漢語並存的方言異讀，除了「鼠：璞」之外，固然缺乏實徵；卻是合理的推論。相對的，若認為其中一個有可能是借詞。除非能提出明確的移借來源，否則也僅是理由並不充分的「有此可能」而已。針對「蠅」這個問題，Bodman 似乎確實提出了移借來源，而且有所說。因此有必要在這裡提出我的看法：

1. Bodman 認為方塊字的「蠵」*rùy 或 *lùy＞*ljwɨj- / jwi- 是‘蠅(fly, gnat)’，可對越南語 rùôy、高棉語 ruy、孟語 rùy，為借自原始南亞語的 *ruwaj ‘蠅’（1980:92）。「蠵」雖是個罕僻字，指稱‘蠅’或類‘蠅’的生物，倒是見諸文獻；而且和「蠅、蝱」義近是沒有問題的。㉔不過，古漢語本來就有 *r- 聲母，有

㉔ 《說文通訓定聲》「蠅」下引「《方言》：蠅，東齊謂之羊」，謂「蠅、羊一聲之轉也」。又「蠵」下曰：「《廣雅・釋蟲》：蠵，蛘也。《楚語》：蝱蠵之既多。〈注〉：大曰蝱，小曰蠵」。

什麼必要將源語的 r- 改為 l-？更有意思的是，按「䕫」《廣韻》至韻以醉切，正也是喻四字；上古音多歸微部韻。用本文的擬音可以作：*ləd＞*rəd＞*jwi。相對於「蠅」的 *ləŋ＞*rəŋ＞*jiəŋ，最初的形式明顯是陰陽對轉。也就說，「䕫」與「蠅」的音義關係，漢語本身就可以有滿意的解釋；而且可以納入前文推演的音韻對應關係裡。我以為，將這些意義相同或相近，但書寫形體不同而有明確音韻對應的語詞，做方言異讀看待，可能更接近事實。

2.　其實，遠古茫昧。我所說上古漢語方言異讀，正是鑑於當代藏緬語中許多語言的差異極大；故將上古漢語作多元並存的語系看待，而非一開始就將問題複雜化。用 Bodman 自己的話說，欲分辨漢語大量的同源異形詞，哪些是來自先藏語的借詞、哪些眞的是共同漢藏語的同源詞、哪些是後來方言混雜的結果，眞是艱鉅的工程。我也不太明白他所謂「先藏語」該如何界定？操先藏語的民族，和古代居住在漢族周圍的非漢族——操南亞語的民族，是什麼關係？這個問題直到現在，無論是歷史學或考古學都還不能提供任何證明。語言學方面的證據，一樣也不能提供什麼論斷。如果引用南亞語的資料，就像引用漢越語一樣，由越南語早期的漢語借詞，可以將古老的漢語看的更清楚。這樣的彼此印證，不妨多多益善。卻不宜遽下斷語，便說像「䕫」*ləd＞*rəd＞*jwi（*rùy～*lùy＞*ljwɨj- / jwi-）這樣的語詞，是借入漢語的原始南亞語詞彙。

㈢　諧聲字組：蠅、繩、與黽（/澠）

根據隸定後的字形，按常識性的判斷，「繩、蠅、黽（/澠）」應該是一組諧聲字。其中「黽」是主諧字，象大頭大腹四隻腳的生物。「蠅」可以考慮為分別文，加「虫」是為了別嫌之故；「黽」不論是「青蛙」（如《說文》「黽，黽也，从它象形。頭與它頭同，凡之屬皆从籀文黽」）還是「蜘蛛」，㉕總是某種生物的形象。否則「蠅」若解爲形聲字，便是聲符兼義。「繩」則無疑是形聲字，聲符沒有意義；「从糸蠅省聲」，也可以說是從「黽」聲了。「澠」作爲水名或地名，可以視爲後起的形聲字；㉖聲符「黽」只取其音，沒有意義。然而前文曾質疑雖然方塊字「繩」從「黽」得聲，不敢便肯定「繩」當有一讀如「黽」之爲雙唇鼻音聲母者。反而寧願由《廣韻》正俗字體、與又音的連鎖關係，虛構「繩」之有 *m(r)jiəŋ＞*mjəŋ 一讀。後來轉由「蠅」*ləŋ＞*rəŋ＞*jiəŋ 與「虻、蝱」*mraŋ＞*mɐŋ：PTB＜*(s-)b/mraŋ ‘fly’ 的平行關係，再印證「繩」之有 *m(r)jiəŋ＞*mjəŋ 一讀。我的顧慮並不在於《說文》釋形，「蠅」僅爲「从虫黽」；而不是「从虫黽聲」。主要的考慮之一是，如果「黽」與「繩、蠅」沒有諧聲的關係，我就無法決定他們是否屬於同一個聲母的類。而從來治《說文》者率將「黽」與「繩、蠅」分歸不同部。如段玉裁「黽」在第十部，「繩、蠅」在第六部；朱駿聲「黽」繫梗韻，「繩、蠅」繫蒸韻。㉗也就是說，「黽、繩、蠅」如果是一組諧聲字，則諧聲字群與押韻系統不合轍。不論是否諧聲系統可能比押韻系統更古老，我終歸得別尋解釋之道。

另一個主要的考慮是：即便「蠅、繩、澠、黽」確實是一組諧聲字，他們原來屬於同一個聲母的類。我們將如何解釋後來「蠅、繩」歸喻四和船母，而「澠、黽」歸明母？像這樣聲母不同發音部位而諧聲的字例，我們是否能因爲諧聲的關係，便說古漢語有些喻四和船母是從更早的明母變來的？更早的明母是一個什麼輔音，因爲什麼條件有些會變入喻四和船母？如是逼問，彷彿勢必

㉕ 李孝定先生根據甲骨文釋「」為《說文》的「黽」，以「黽」部下的「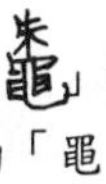」對當甲骨文的「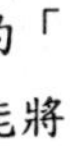、」等（《甲骨文字集釋》1965:3937-3964）。是《說文》的「黽」部，有可能將當初截然不同的兩個象形文「、」隸定為一。

㉖ 《說文》不錄「澠」字。

㉗ 但是似乎也無人以為「繩」與「蠅」為不同部。此外《廣韻》耿韻武幸切「黽，蛙屬」，此一讀的上古音可作 *mrjiŋ。

得從複聲母的辦法加以解決。因爲主諧字與被諧字屬於不同發音部位的現象，是構擬複聲母的重要基礎，也是複聲母的構想來源。然而一旦構擬一個新的複聲母，該複聲母所承載的斷非兩個或兩個以上的輔音序列而已。因此暫時我寧願將這樣的例外存疑，而不設想他們更早的時候是另一個聲母。

存疑畢竟是一種遺憾。一旦繼續從事古漢語的研究，勢必得面對原始漢語、原始漢藏語，我們會追問原始語言的音系架構。本文所討論的各組詞例，如其確實存在於古漢語裡；我們勢必要追問——不論「蠅、繩、澠、黽」是否爲一組諧聲字，像這樣舌齒音與雙唇音聲母的對應關係，最初的源頭是什麼？其實，漢語音韻史上還有一個相當類似的困惑：中古時期的安南譯音裡，漢語重紐唇音字三等仍爲唇音之 b-、f-、m-，四等則一致爲舌齒音之 t-、t'-、z-。究竟有什麼音韻的理由，當時漢語的重紐四等唇音字，引入安南時會用舌齒音聲母來譯寫？廿年前的困惑，至今無解。唯一的不同只是，此刻再看同樣的現象，心裡想的不再是制式的答案。

四、結束語——不是「考本字」

如果執著於是「蛇」還是「閩」，才是唯一對當原始藏緬語 *b/m-rul 'snake' 的同源詞。很像「考本字」——當代漢語方言的研究，碰到有些嘴裡說的方言詞，不知道怎麼寫、有音無字的情形；通常會去字書、韻書尋找本字，曰「考本字」。本字怎麼找，怎樣才算找到本字？大致有下列三個要件：[28]

第一、要找到一個漢字 X。

第二、要說出一套音韻演變規律，能使 X 的中古音或上古音在那個方言裡變成方言詞 Y 的現在語音。

---

[28] 語出梅祖麟先生：〈方言本字研究的兩種方法〉，《吳語和閩語的比較研究》（1995:1-12）。

第三、X和Y的意義要相同或相近。

其實不然，語言無論如何先於文字的存在；必然先有指稱‘蛇’的語詞，然後有書寫該語詞的文字。本文最初檢討「閩」與「蛇」的關係，因爲看到這兩個漢字意義相近，音韻形式卻似毫不相干。於是設想語義上的同近，是否意謂著彼此的音韻形式原有若干關連？換言之，我想追究的不是書寫形式本身；而是這些不同的書寫形式，是否共有某種音韻上的條件。如果答案是肯定的，表示不同的書寫形式原來書寫的可能是同源詞。

當然文字也有初文初形。就前文討論過的詞例而言，除了「竹、鼠、（黽）」勉強可能爲初形之外，原則上都算後起的形聲字或分別文；而我之看待他們，都是承載語音的符號。誠然，在漢語史上書寫的語言定型之後，有所謂「正字、正音」——人爲的欲正定哪個書寫形式，才是正確的表記某個語詞的音義。究竟用哪個字，不同的書寫形式可能形成競爭。從這個觀點看，我們也可以說指稱‘蛇’這個名物，方塊字「蛇」取得通語的地位，而「閩」落敗了；方塊字「璞」再不用來書寫‘鼠’，只剩書面語用爲「璞玉」。然而，這和語言本身可以是不相干的。不論後來是否其中一個書寫形體眞的淪爲敗部，應該都不影響最初不同的形體紀錄了不同讀音的事實。

參考書目

丁福保 編

1932 《說文解字詁林》上海：詁林精舍。

白一平

1994 〈關於上古音的四個假設〉《中國境內語言暨語言學》2: 41-60.

包擬古（Bodman, Nicholas C.）著，潘悟雲、馮蒸譯

1995 《原始漢語與漢藏語》北京：中華書局。

李方桂

1971　〈上古音研究〉《清華學報》新 9.1: 1-16.

1976　〈幾個上古聲母問題〉《總統　蔣公逝世紀念論文集》: 1143-1150.

李孝定

1965《甲骨文字集釋》臺北：中研院史語所專刊之五十。

1992《讀說文記》臺北：中研院史語所專刊之九二。

林英津

1979　《廣韻「重紐」問題之檢討》臺中：東海大學中研所碩士論文。

1990〈論上古漢語'談'：'宵'對轉的可能性——讀〈訓詁資料所顯示的幾個音韻現象〉書後〉香港：「第一屆中國聲韻學國際研討會」。

1995　〈上古漢語'釁'、'沬'同源再論〉（手稿）。

1997〈論上古漢語歌、祭與微部的相對關係〉《梅祖麟先生祝壽論文集》（排印中）。

竺家寧

1995　《音韻探索》臺北：臺灣學生書局。

張以仁

1981　《中國語文學論集》臺北：東昇出版事業公司。

畢　鶚（Behr, Wolfgang）

1997　〈甲骨文所見若干上古漢語複聲母問題蠡測〉《聲韻學論叢》第六輯：471-530.

董同龢

1944　《上古音韻表稿》中研院史語所單刊之廿一。臺北：台聯國風出版社。

楊秀芳

1997　〈方言本字研究的探義法〉《梅祖麟先生祝壽論文集》（排印中）。

陽春霖

1997 〈試論上古聲母的通轉問題〉《古漢語論集》II: 259-265.

薛鳳生

1996 〈試論《切韻》音系的元音音位與“重紐、重韻”等現象〉《語言研究》30.1: 46-56.

謝・葉・雅洪托夫（Yakhontov, S. E.）著，唐作藩、胡雙寶選編

1986 《漢語史論集》北京：北京大學出版社。

龔煌城

1990 〈從漢藏語的比較看上古漢語若干聲母的擬測〉《西藏研究論文集》3: 1-18.

1993 〈從漢藏語的比較看上古漢語流音韻尾的擬測〉《西藏研究論文集》4: 1-18.

1997 〈從漢藏語的比較看重紐問題（兼論上古*-rj-介音對中古韻母演變的影響）〉《聲韻學論叢》第六輯：195-243.

Baxter, William H.（白一平）

1992 “A Handbook of Old Chinese Phonology” Berlin: Mouton de Gruyter.

1995 ‘ ‘A Stronger Affinity ... than could have been Produced by Accident’ : A Probabilistic Comparison of Old Chinese and Tibeto-Burman’. JCL Monograph Series 8: 1-39.

Benedict, Paul K.

1972 “Sino-Tibetan: A conspectus”. Contributing editor: James A. Matisoff. New York: Cambridge University Press.

Bodman, Nicholas C.（包擬古）

1980 ‘Proto-Chinese and Sino-Tibetan: Data Towards Establishing the Nature of the Relationship’. in “Contributions to Historical Linguistics”, pp. 34-199. Edited by Frans van Coetsem and Linda R. Waugh, Leiden, E. J. Brill.

Gong, Hwang-cherng.（龔煌城）

1980 ‘A Comparative Study of the Chinese, Tibetan, and Burmese Vowel Systems’. BIHP 51:455-490.

1995 ‘The system of finals in Proto-Sino-Tibetan’. JCL Monograph Series 8: 41-92.

Handel, Zev.

1997 ‘A Snake in the Grass－An exploration of a slippery Sino-Tibetan etymon’. Paper presented at ICSTLL 30, Beijing, August 24-28, 1997.

Lin, Ying-chin（林英津）

1998 ‘On the Sound Correspondences among the Various Dialects of Old Chinese, as Seen through the Words ‘Fly(蠅)’ and ‘Rope(繩)’ ’. Paper presented at NACCL-10, Stanford, June 26-28,1998.

Matisoff, James A.

1972 “The Loloish Tonal Split Revisited”. Research Monograph No. 7, Center for South and Southeast Asia Studies, University of California, Berkeley.

1978 “Veriational Semantics in Tibeto-Burman: the ‘Organic’ Approach to Linguistic Comparison”. Philadelphia: Institute for the Study of Human Issues.

1998 ‘An Extrusional Approach to *p/w Variation in Sino-Tibetan’ (manuscript).

Pulleyblank, E. G.（浦立本）

1995 ‘The Historical and Prehistorical Relationship of Chinese’. JCL

Monograph Series 8: 145-192.

Wang, William S-Y. （王士元） edited

1995 "The Ancestry of the Chinese Language". JCL Monograph Series 8.

郭店楚簡識字札記

周鳳五*

《郭店楚墓竹簡》（以下簡稱《郭簡》）出版迄今已經三個月，值暑假稍暇，快讀一過，於竹簡文字偶有所得，輒隨手記之。茲撮錄有關〈緇衣〉〈窮達以時〉〈成之聞之〉〈尊德義〉〈性自命出〉五篇者於此，用就教於方家，不賢識小，幸指正之。

一、則民臧㐌而刑不屯（〈緇衣〉簡一）：《郭簡》隸定如此，注云：「㐌，疑爲『它』字異體，亦屢見於包山簡。《禮記·檀弓》『或敢有他志』注：『謂私心』。屯，似讀作『蠢』。《爾雅·釋詁》：『動也』，『作也』。此句今本作『則爵不瀆而民願，刑不試而民咸服』。」又引裘錫圭說，以爲㐌字似當釋「㧑」。❶按，「臧㐌」費解。臧，當是「咸」之訛；㧑，从力从攴，會意，爲「以力服人」的專字。此字甲骨文作 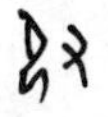（《粹》四四七）、西周金文作 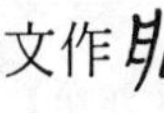（大盂鼎），❷皆取象於以力服人而形構更爲明白。屯，當爲「弋」之訛，讀作「忒」，差也，過也。今本作「試」，疑其字古本作「弋」，漢代經師或讀爲「試」。簡文此處較今本少一句，且句式不同，似各秉所傳，其來有自，既唯無害於宗旨，不必強定其是非也。

二、有  德行，四方順之（〈緇衣〉簡一二）：此字《郭簡》不識，依

---

*　國立臺灣大學中國文學系教授。

❶　荊門市博物館編：《郭店楚墓竹簡》（北京：文物出版社，1998年），頁131，注4。

❷　參考高明：《古文字類編》（北京：中華書局，1980年），頁335。

形摹寫，注：「今本作『梏』。」❸按，字从璧，象形，从廾，廾亦聲，蓋取「拱璧」意以造字，音拱。《左傳·襄公二八年》：「與我其拱璧」杜《注》：「崔氏大璧。」❹簡文此字正象兩手拱抱玉璧之形，則其璧之大可知。所引詩句見《詩經·大雅·抑》：「有覺德行，四國順之。」毛《傳》：「覺，直。」鄭《箋》：「有大德行，則天下順從其政。」❺二說不同。今本《緇衣》引《詩》字作「梏」，鄭《注》：「梏，大也，直也。」❻知鄭不欲破毛而意仍主「大」爲訓也。參照簡文此字，鄭說得之。拱，古音見母東部；覺、梏並見母覺部，楚國方言幽部與東部通，❼覺爲幽部入聲，故三字可以通假也。

復按，簡文用字取象玉器之形者，尚有本篇簡一七「其容不改，出言有」一例。今本作「出言有章」，《郭簡》以「疑爲字之未寫全者。」❽按，此蓋玉璋省體之形。《詩經·小雅·斯干》：「載衣之裳，載弄之璋。」毛《傳》：「半圭曰璋」。❾《說文》：「剡上爲圭，半圭爲璋。」❿簡文此字，正象半圭即璋之右側外廓也。⓫省體象形，奇詭如此，乍見之幾不知其爲何物也。

三、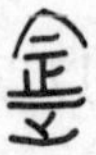容有常（〈緇衣〉簡一六）：《郭簡》不識，依形摹寫，注云：

---

❸ 《郭簡》，同注❶，頁133，注37。

❹ 〔晉〕杜預注，〔唐〕孔穎達等正義：《春秋左傳正義》（臺北：宏業書局，1970 年影印阮刻本），第5冊，頁4342。

❺ 〔漢〕毛公傳、鄭玄箋，〔唐〕孔穎達等正義：《毛詩正義》（臺北：宏業書局，1970 年影印阮刻本），第2冊，頁1195。

❻ 〔漢〕鄭玄注，〔唐〕孔穎達等正義：《禮記正義》（臺北：宏業書局，1970 年影印阮刻本），第4冊，頁3574。

❼ 參考劉寶俊：〈冬部歸部的時代和地域特點與上古楚方音〉，《（武漢）中南民族學院學報（哲社版）》，1990 年第5期。

❽ 《郭簡》，同注❶，頁134，注50。

❾ 《毛詩正義》，同注❺，第2冊，頁937。

❿ 〔清〕段玉裁：《說文解字注·玉部·璋》（臺北：藝文印書館，1989 年影印經韻樓本），1篇上，頁12。

⓫ 此從遊陳高志君之說，附記於此。

「今本作『從容有常』」⓬按，字从止，从，即《說文》「倉」之古文，又見《汗簡》與《古文四聲韻》。⓭唯簡文形構較繁，不易辨識。「從」，古音清母東部；「倉」，清母陽部，楚國方言東、陽二部互通，故從字得以「倉」爲聲符。

四、教此以遊（〈緇衣〉簡一六）：遊字《老子》屢見，《郭簡》據以釋作「失」。按，此字見於子彈庫帛書與包山楚簡，當釋爲「佚」，包山楚簡別有「失」字，見簡一四○與簡一四○反：「登人所斬木四百，失於鄴君之地蘘溪之中；其百又八十，失於畢地郑中。」⓮字作，同於《說文》篆體，爲楚文字「失」之本字，其作遊者乃「佚」字，讀作失。詳拙文《說遊》。⓯

五、舜耕於鬲山（〈窮達以時〉簡二）：耕，簡文作，《郭簡》不識，依形摹寫而無說。《郭簡》不識，依形摹寫而無說。裘錫圭疑爲「耕」之異構。⓰按，裘疑是也。此字从力从又从田，會意，當爲「耕」字較早期的形構。《說文》：「耕，犂也，从耒井，古者井田，故从井。」許慎以「井田」爲說，但段玉裁指出，从井乃「會意包形聲」。⓱其說可從。此字又見於〈成之聞之〉簡一三，字从田，加聲。詳下。

六、卲繇衣胎蓋冒絰蒙巾（〈窮達以時〉簡三）：胎蓋，《郭簡》依形隸定而無說。按，當讀作「枲褐」。胎、枲二字古音同屬之部，可通。蓋古音見母月部；褐，匣母月部，可通。《說文》：「枲，麻也。」⓲又：「褐，編枲

⓬ 《郭簡》，同注❶，頁 133，注 48。

⓭ 《汗簡》，《古文四聲韻》（合刊本）（北京：中華書局，1983 年影本），總頁 2、13、28。

⓮ 《包山楚簡》（北京：文物出版社，1991 年），圖版 63、圖版 64。

⓯ 稿本，待刊。

⓰ 《郭簡》，同注❶，頁 146，注 3。

⓱ 段玉裁：《說文解字注·耒部·耕》，同注❿，4 篇下，頁 186。

⓲ 段玉裁：《說文解字注·木部·枲》，同注❿，7 篇下，頁 335。

韉也。一曰粗衣。」⓳是枲褐即粗麻之衣，爲賤者或居喪者所服。冒，《說文》：「蒙而前也。」⓴絰，《說文》：「喪首戴也。」㉑此以喪服施諸罪人、刑徒者，先秦時代有此習俗。如《左傳》記魯昭公出亡，晉侯責讓季氏，季孫意如朝晉，「練冠，麻衣，跣行」，承認逐君之罪。孔穎達《正義》以練冠「蓋如喪服斬衰既練之後布冠。」㉒又引《禮記·問喪》「親始死，徒跣」爲說，凡此皆以居喪所服示其有罪。㉓蒙巾，謂以巾蒙頭不冠，亦罪人、刑徒所服。《荀子·正論》載象刑之說，有「墨黥慅嬰」一語，楊《注》引或說：「墨黥，當爲『墨幪』，但以墨巾幪其頭而已。」㉔《尚書大傳·唐傳》載唐虞之象刑：「上刑赭衣不純，中刑雜屨，下刑冒幪，以居州里而民恥之。」《注》：「純，緣也。時人尚德義，犯刑者但易之衣服，自爲大恥。屨，履也。幪，巾也，使不得冠飾。」㉕此即以衣冠之辱取代肉刑之說，雖出於秦漢經師託古，然亦有其眞實的時代背景。雲夢秦簡〈司空〉云：「城旦，舂，衣赤衣，冒赤幢。」㉖可以爲證。簡文記卲繇（傅說）、呂望、管仲、百里奚、孫叔敖等人窮達遇合之事，與孟子、屈原所述大抵雷同，知其爲當時「尚賢」思想之產物，而爲人所豔稱者。

七、初滔酭後名揚（〈窮達以時〉簡九）：滔酭，《郭簡》依形隸定而無

⓳ 段玉裁：《說文解字注·衣部·褐》，同注❿，8篇上，頁396。

⓴ 段玉裁：《說文解字注·曰部·冒》，同注❿，7篇下，頁354。

㉑ 段玉裁：《說文解字注·糸部·絰》，同注❿，13篇上，頁661。

㉒ 《春秋左傳正義》，同注❹，第5冊，頁4615。

㉓ 參考杜正勝：《讀史札記》二：「刑喪小考」，《古代社會與國家》（臺北：允晨文化公司，1992年），頁929。

㉔ 〔清〕王先謙著，沈嘯寰、王星賢點校：《荀子集解》（北京：中華書局，1988年），卷12，頁326。

㉕ 〔清〕陳壽祺：《尚書大傳定本》，〔清〕鍾謙鈞等輯：《古經解彙函》（臺北：鼎文書局，1974年影本），冊2，卷1，頁588。

㉖ 《睡虎地秦墓竹簡》（北京：文物出版社，1978年），頁53。

說，「滔」下加問號存疑。按，隸定不誤。「滔」从水，臽聲，古音匣母談部；「酭」从酉，有聲，匣母之部。以聲韻求之，當讀作顑頷。「顑」，古音溪母談部，「頷」，匣母侯部，可以通假。《楚辭・離騷》：「苟余情其信姱以練要兮，長顑頷亦何傷。」王逸《章句》：「顑頷，不飽貌。」㉗二字爲聯綿詞，書寫形式不一，見於《楚辭》如「坎傺」、「坎廩」（〈九辯〉），「埳軻」（〈七諫〉），「欿憾」（〈哀時命〉），「坎壈」（〈九歎〉）等，㉘蓋楚國方言。本篇既有楚國方言特色，作者可能爲楚人，即郭店一號楚墓的墓主，其人身爲楚懷王時「東宮之師」，或以爲即陳良，《孟子・滕文公上》：「陳良，楚產也，悅周公、仲尼之道，北學於中國。北方之學者，未能或之先也。」㉙楚人寫作夾雜雅言與楚國方言，屈原作品往往如此，不足爲奇。然亦可能是外國學者遊歷楚國，或其作品流傳楚地，傳寫之際，浸染楚風，襲用楚語所致，如荀子嘗西入秦，故其書偶亦出現秦國方言辭彙。㉚茲事體大，姑發端於此，以俟詳考。

八、驥馰（〈窮達以時〉簡一〇）：驥，簡文从馬，幾聲，《郭簡》讀作「驥」，可從。馰，《郭簡》依形隸定而無說。按，字从勺聲，古音禪母藥部，當讀作疑母宵部的「驁」，二字可以通假。《呂氏春秋・察今》：「良劍期乎斷，不期乎鏌鋣；良馬期乎千里，不期乎驥驁。」高《注》：「驁，千里馬名也，王者乘之遊驁，因名曰驥驁也。」㉛又，〈士容〉：「夫驥驁之氣，鴻鵠之志，有諭乎人心者，誠也。」㉜簡文此句文意不明，參照下文「窮四海，至

㉗ 〔宋〕洪興祖：《楚辭補註》（臺北：藝文印書館，1965 年），頁 26。

㉘ 參考姜亮夫：《楚辭通故》（濟南：齊魯書社，1985 年），第 4 冊，頁 721-726。

㉙ 姜廣輝：〈郭店一號墓墓主是誰〉，《中國哲學》第 20 輯（郭店楚簡研究專號）。

㉚ 參考周鳳五：〈從雲夢簡牘談秦國文學〉，《古典文學》第七輯（臺北：臺灣學生書局，1985 年），上冊。

㉛ 〔秦〕呂不韋：《呂氏春秋》（臺北：藝文印書館，1972 年），卷 15，頁 402。

㉜ 《呂氏春秋》，同前注，卷 26，頁 729。

千里，遇造父也」，知其借千里馬立說，則讀作「驥驁」當無大誤。

九、農夫務食不強耕，糧弗足矣（〈成之聞之〉簡一三）：《郭簡》於「強」下斷句，注引裘錫圭說，讀作：「農夫務食不強，加糧弗足矣。」裘氏指出：「『糧』上一字左側似有『田』字，也許不當釋爲『加』，待考。」㉝加，古音見母歌部；耕，見母耕部，春秋戰國時期，徐、楚一帶方言，歌、支二部可通，如〈徐王義楚耑〉，器自名爲「耑」，實即一般通稱爲「觶」者；耑，古音端母元部；觶，照母支部。㉞又如馬王堆帛書《老子》以「呵」爲「兮」。何，古音曉母歌部，兮，匣母支部。㉟耕爲支部的陽聲韻，用歌部的「加」爲聲符，正歌、支二部相通又一例證。「耕」字在簡文又作（〈緇衣〉簡一一），从禾从力（耒形）會意，讀作「爭」，〈緇衣〉云：「上好仁，則下之爲仁也爭先。」其字如此。「爭」字或从「耕」省聲，从青聲，如〈成之聞之〉簡三五：「津梁爭舟」，作，左旁所从之「力」即耕字省形之餘。其不省者作，見〈尊德義〉簡一四：「教以藝，則民野以爭。」其右下易「又」爲「攴」，尤見「力田」爲耕之意，從而知「爭」、「靜」二字實皆以「耕」爲聲符。靜字雖加注「青」聲，但西周金文班簋「三年靜東國」，字作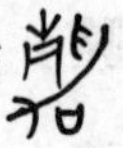，以「加」爲聲符，音讀爲「耕」，明白無疑。

《郭簡》不識耕字，故句讀有誤，簡文此處闡述窮源反本之旨，上句殘存「君上鄉城不唯本工」八字，文意無法完全復原，疑讀作「君上營城不維本，工」。鄉，古音曉母陽部；營，餘母耕部，楚國方言陽、耕二部頗有接觸，可通。營，治也，見《詩經·小雅·黍苗》鄭《箋》。㊱唯，讀作維，度也，念

㉝　《郭簡》，同注❶，頁 169，注 15。

㉞　參考馬承源主編：《商周青銅器銘文選》（北京：文物出版社，1986 年），冊 4，頁 383、384。徐王義楚見《左傳·昭公六年》。

㉟　參考王輝：《古文字通假釋例》（臺北：藝文印書館，1993 年），頁 58、59。

㊱　《毛詩正義》，同注❾，第 2 冊，頁 1064。

也，見《史記·三王世家》。㊲本，基也，見《論語集解·學而》。㊳簡文此句似謂君上營造城邑，若不注意基礎，則城邑不固。《左傳·僖公五年》載晉獻公使士蔿爲二公子築城「不愼，寘薪焉」可以移作本句注腳。下句作「士成言不行，名弗得矣。」意指士與人期約而不履行，則名聲必無以成。知本句當讀作「農務食不強耕，糧弗足矣」，意謂農夫求食而不力耕，則糧食必不足。

十、唯丕單稱德（〈成之聞之〉簡二二）：此字《郭簡》不識，依形摹寫而無說，僅引《尙書·君奭》文以資參考。㊴按，字雖奇詭，然既有經典可以對照，不妨依理析形，循音求義以考之。楚簡文字「鳥」作，見於合體字之偏旁如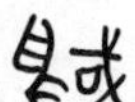（《包山楚簡》七〇）、（《曾侯乙簡》一三八），此字省去左上筆畫，即得簡文奇詭之形。鳥，古音端母幽部；冒，明母幽部，二字可通。楚簡文字形構有省聲而不易辨識者，除此「冒」字从「鳥」省聲外，尙有「僉」字省作（詳下文），讀作「儉」；安字省作，讀作「焉」，㊵凡此均省變無方。必依理析形，循音求義以考之，否則往往大費周章而無從得其正詁矣。

十一、允師淒德（〈成之聞之〉簡二五）：允師，簡文下句以「信於眾」說之，而於「淒德」未加訓解。《郭簡》注引裘錫圭以爲淒「似當讀爲『濟』。濟，成也。」㊶按，裘說可從。淒，古音清母脂部；濟，精母脂部，可通。《禮記·樂記》：「分夾而進，事蚤濟也。」《注》：「濟，成也。」㊷餘詳下。

十二、聖人之性與中人之性，其生而未有非也，節於而也，則猶是也（〈成

㊲ 〔日本〕瀧川龜太郎：《史記會注考證》（臺北：洪氏出版社，1981 年），卷 60/14/840。

㊳ 《論語集解義疏》，《古經解彙函》，同注㉕，册 4，卷 1，頁 1848。

㊴ 《郭簡》，同注❶，頁 169，注 22。

㊵ 參考周鳳五：〈包山楚簡文字初考〉，《王叔岷先生八十壽慶論文集》（臺北：大安出版社，1993 年）。

㊶ 《郭簡》，同注❶，頁 170，注 25。

㊷ 《禮記正義》，同注❻，第 4 册，頁 3342。

之聞之〉簡二六、二七）：《郭簡》「之節」連讀，於「而也」斷句，注引裘錫圭曰：「『於』下『而』字疑是誤字。」㊸按，裘說可商。簡文「非」讀作「分」，《周禮·地官·廩人》：「掌九穀之數，以待國之匪頒。」《注》：「匪，讀爲分。」㊹按，匪從非聲，非，古音幫母微部；分，並母文部，二字對轉可通。分，分別，區別；節，指時命。《荀子·天論》：「楚王後車千乘，非智也；君子啜菽飲水，非愚也；是節然也。」楊倞《注》：「節，所遇之時命也。」㊺而，讀爲「爾」，此也。㊻簡文全句謂聖人之性與中人之性生而無別，偶然如此，即如此也，至於後來之成聖成賢，全視個人自我努力而定。

十三、亦非有譯婁以多也（〈成之聞之〉簡二七）：譯婁，《郭簡》依形隸定而無說。按，當讀作「澤藪」。譯，古音餘母鐸部；澤，定母鐸部，二字可以通假。婁，古音來母侯部；藪，心母侯部，二字亦可通。《周禮·夏官·職方氏》：「其澤藪曰具區」《注》：「大澤曰藪」。㊼是澤藪即廣袤的沼澤地帶，爲鳥獸草木蟲魚滋生繁殖之所，如楚之雲夢是。㊽簡文此句謂聖人之成就，非依賴外在有利之環境如澤藪之孕育萬卉群生，而在不斷的自我要求，自我提升，以「信於眾乃可以成德」自勵，終爲成德之君子。

十四、正欽，所以攻□□（〈尊德義〉簡二、簡三）：正欽，《郭簡》依形隸定而無說。按，疑當讀爲「征擒」，征从正聲；欽，古音溪母侵部；擒，群母侵部，可通。簡文此處論賞與刑，依序爲爵位、正欽、刑□、殺戮，缺字可意補「罰」。若正欽讀作「征擒」，則爵位爲賞，征擒、刑罰、殺戮爲刑，

㊸ 《郭簡》，同注❶，頁 170，注 26。

㊹ 〔漢〕鄭玄注，〔唐〕賈公彥疏：《周禮注疏》（臺北：宏業書局，1970 年影印阮刻本），第 3 冊，頁 1613。

㊺ 王先謙：《荀子集解》，同注㉔，頁 535。

㊻ 參考〔清〕王引之：《經傳釋詞》（北京：中華書局，1985 年），卷 7，頁 108。

㊼ 《周禮注疏》，同注㊹，第 3 冊，頁 1860。

㊽ 參考郭仁成：《楚國經濟史稿》（長沙：湖南教育出版社，1990 年），第 4 章。

文意分明。征而擒之，刑而罰之，殺而戮之，先後次第井然。

十五、教以樂，則民德清酒（〈尊德義〉簡一三）：此字《郭簡》不識，依形摹寫而無說。按，當是「弗」之異構，《老子》甲種「民弗厚也」（簡四）、「果而弗驕」、「果而弗矜」（簡七）字作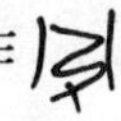，與此形近似，可以參看。《說文》：「弗，矯也。」[49]其意不明白，以音求之，當讀作「弼」，《說文》：「弼，輔也。」段《注》引《士喪禮·注》以爲即弓檠，「弛則縛之於弓裏備損傷，以竹爲之。……縛之於弛弓以定其體也。弓必有輔而後正，人亦然，故輔謂之弼。」[50]是矯、輔同義，而弗、弼一事也。此字經典又作「拂」，《孟子·告子下》「入則無法家拂士」《注》：「輔弼之士」。[51]簡文「弗德」讀作「弼德」，謂以德自輔，以德自正也。清，讀作「靖」，安也；[52]《尚書·微子》：「自靖人自獻于先王」《經典釋文》云：「靖，馬本作『清』。」是清、靖二字古通。[53]酒，讀作「莊」，敬也。[54]簡文此句謂教民以樂，則民以德自輔，安且敬也。

十六、教以，則民少以吝（〈尊德義〉簡一四）：此字《郭簡》不識，依形摹寫而無說。按，當是「僉」之省體，讀作「儉」，楚簡文字有省形太甚，乍看不得其解者，此者一也。少，讀作「小」，《論語·八佾》：「管仲之器

---

[49] 段玉裁：《說文解字注·丿部》，同注❿，12篇下，頁627。

[50] 段玉裁：《說文解字注·弜部》，同注❿，12篇下，頁642。

[51] 〔漢〕趙岐著，〔宋〕孫奭疏：《孟子注疏》（臺北：宏業書局，1970年影印阮刻本），第7冊，頁6004。

[52] 《春秋左傳正義·襄公七年》：「靖共爾位」杜《注》：「靖，安也。」同注❹，第5冊，頁4204。

[53] 題〔漢〕孔安國傳，〔唐〕孔穎達等正義：《尚書正義》（臺北：宏業書局，1970年影印阮刻本），第1冊，頁377。

[54] 《禮記正義·曲禮上》：「非禮不誠不莊」《注》：「莊，敬也。」同注❻，第4冊，頁2661。

小哉！」皇《疏》：「小者，不大也。」(55)簡文此句謂教民以儉，則民器識小而吝嗇也。復按，本篇論教民之道，以禮、樂、辯說、藝、儉、言、事、權謀八者教民，除禮、樂決無流弊外，其餘皆得失互見、利弊參半，可見作者尊崇禮樂之用心，誠先秦儒家之嫡傳也。

十七、哭之初動心也，濈濷，其剌，繺繺如也，慼然以終。（《性自命出》簡三〇）：濈濷，《郭簡》依形隸定而無說。按，疑讀作「湛滯」。浸，精母侵部，湛，端母侵部；殺，山母月部，滯，定母月部，皆可通假。《呂氏春秋·愼人》：「水潦川澤之湛滯壅塞」，(56)謂深沈鬱積也。(57)剌，《郭簡》隸定而存疑。按，當讀作「央」，《說文》：「央，中也。」段《注》：「《詩·箋》云：『夜未渠央』，古樂府：『調弦未詎央』，《顏氏家訓》作『未遽央』，皆即未渠央也。渠央者，中之謂也。《詩》言未央，謂未中也。」(58)繺，《郭簡》以為即「䜌」字，「疑讀為戀」，(59)此字又見本篇簡六七：「居喪必有夫繺繺之哀」，《郭簡》亦讀作「戀戀」。按，此說可商。字从䜌聲，當讀作懣。䜌，古音來母元部；懣，明母元部，可通。《說文》：「懣，煩也。」段《注》：「煩者，熱頭痛也。引申之，凡心悶皆為煩。」(60)簡文此處論人心之哀，謂哀甚動心則哭，其始也，深沈鬱積，繼而胸懷懣悶，終而心中恆抱憂慼之思以終。至於「居喪必有夫繺繺之哀」，當讀作「懣懣之哀」，簡文言「居喪」，則與「始喪」相對而言。禮，始喪未葬則「辟踊哭泣」，既葬而返，則「心悵焉愴

---

(55) 《論語集解義疏》，《古經解彙函》，同注㉕，冊4，卷2，頁1877。

(56) 《呂氏春秋》，同注㉛，頁343。

(57) 浸字又見〈成之聞之〉簡四；「其道民也不浸，則其淳民也弗深矣。」裘錫圭以為「漸進」之意。按，字當讀作「湛」，深也；謂君子教導人民不深入，則其教化之浸漬於民者亦不深入矣。「淳」訓漬，見《廣雅·釋詁二》。

(58) 段玉裁：《說文解字注·冂部·央》，同注⑩，5篇下，頁228。

(59) 《郭簡》，同注❶，頁183，注30。

(60) 段玉裁：《說文解字注·心部》，同注⑩，10篇上，頁512。

焉惚焉愾焉，心絕志悲而已矣。」[61]乃內心一種經常憂戚的狀態。

十八、樂之動心也，濬深䁏舀；其剌，則流如也以悲，條然以思。（〈性自命出〉簡三〇、簡三一）：《郭簡》除隸定「濬」字並存疑外，未加申說。按，「濬」字形構不明，然既與「深」字複合成詞，且並从水旁，其爲同義複詞可知，字雖不能確認，而無害於文意之理解也。䁏舀，當讀作「鬱陶」，䁏从或聲，古音匣母職部；鬱，影母物部，旁轉可通。舀、陶古音同屬餘母幽部，本篇簡三四：「喜斯慆」，从心舀聲，《禮記·檀弓下》作「人喜則斯陶」，[62]是舀、陶相通之證。鬱陶之訓，向來有憂、喜二說，王念孫《廣雅疏證》則以爲當是鬱積未暢之意，不分憂喜。[63]按，王說是也。簡文「濬深鬱陶」，謂喜樂之心，其始也，蓄積胸臆，鬱而未發，繼而流如以悲，終而悠然以思矣。條，讀作「悠」，《爾雅·釋詁下》：「悠，傷、憂，思也。」[64]是悠、思皆訓「憂」。簡文本節論哀樂之性，上文開宗明義指出：「凡至樂必悲，哭亦悲，皆至其情也。哀、樂，其性相近也，是故其心不遠。」此爲其大旨所在。以下分論哀、樂，即上條與本條所述。哀、樂既然「性相近」，故下文云：「喜斯陶，陶斯奮，奮斯詠，詠斯猷，猷斯舞，舞，喜之終也。慍斯憂，憂斯戚，戚斯歎，歎斯辟，辟斯踊，踊，慍之終也。」《禮記·檀弓下》亦見此文，但少「舞，喜之終也」，而增「舞斯慍」三字，《經典釋文》於「慍斯戚」下云：「此喜慍

---

[61] 《禮記正義·問喪》：「親始死，……水漿不入口，三日不舉火。……三日而斂，……哭踊無數，……辟踊哭泣，哀以送之。……故其往送也如慕，其反也如疑。求而無所得之也，入門而弗見也，上堂又弗見也，入室又弗見也，亡矣喪矣，不可復見矣，故哭泣辟踊，盡哀而止矣。心悵焉愴焉惚焉愾焉，絕志悲而已矣。祭之宗廟，以鬼饗之，徼幸復反也。」可以參看。

[62] 《禮記正義》，同注[6]，第4冊，頁2821。

[63] 〔清〕王念孫：《廣雅疏證》（上海：上海古籍出版社，1989年《清疏四種合刊》本），卷2下，頁402-403，「鬱悠慎靖」條。

[64] 〔晉〕郭璞注，〔宋〕邢昺疏：《爾雅注疏》（臺北：宏業書局，1970年影印阮刻本），第7冊，頁5594。

哀樂相對，本或於此句上有『舞斯慍』一句，並注皆衍文。」㉟此說形式上似乎邏輯分明，然對照簡文本節「其央，則流如也以悲，悠然以思。」及上文「凡至樂必悲，哭亦悲」，而舞既爲「喜之終也」，則「舞斯慍」三字正「至樂必悲」之始也，今本如此，反而更能切合其宗旨。《淮南子·本經》云：「凡人之性，心和欲得則樂，樂斯動，動斯蹈，蹈斯蕩，蕩斯歌，歌斯舞。舞則禽獸跳矣。」㊱亦以舞爲喜樂之極，可以參看。

復按，「賊舀」二字又見本篇簡四三：「目之好色，耳之樂聲，賊舀之氣也，人不難爲之死。」此亦當讀作「鬱陶」，簡文謂人目之好色，耳之樂聲，皆出於胸臆中所蓄積之氣使然。氣極而生情，情生而動性，則人不難爲之死也。

---

65 《禮記正義》，同注❻，第4冊，頁2821。

66 張雙棣：《淮南子校釋》（北京：北京大學出版社，1997年），頁878。

《郭店楚墓竹簡·緇衣篇》部分文字隸定檢討

陳高志*

提　要

《郭店楚墓竹簡》的問世，是近年來學術界的大事之一。竹簡的內容多是儒道兩家的經典，所以深受學界的重視。由於對文字辨認的見解不一，將直接影響到文獻內涵的瞭解。今以簡本的〈緇衣篇〉為例，對其中若干文字的隸定，提出不同的看法。如，「」為璋字初文；「」應隸定作「希」其義為服飾；「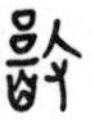」隸做「敨」讀作楷，……等。由於本篇有今本《禮記》作對比參斠，使我們在考釋時獲得不少的便利。

湖北省荊門市郭店村的戰國楚墓發掘，出土了一批竹簡，引起海內外學術界極大的震撼。因爲該批簡冊，內容多爲儒道兩家著作，其中有些篇章已有定本，有些則否，因此，在中國思想史研究領域中，不僅可供校正前說故訓之用，同時，也揭曉了許多學術發展史上難以解決的疑點。

如「散沙」般的竹簡，經過整理小組的努力，再加上學者專家的考訂，文獻的原始面貌漸漸浮現。❶但是，其中少數的文字形義分析，似乎仍有商榷餘地。因此就個人所知，對〈緇衣〉簡文部分文字的隸定，提出一己之見，以就

* 國立臺灣大學中文系兼任講師，臺北市內湖高工專任國文教師，國立臺灣大學中文研究所博士候選人。

❶ 荊門市博物館編：《郭店楚墓竹簡》（北京：文物出版社，1988年）。

教於方家焉。

第十三簡：一人有慶，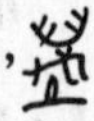民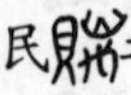之。

今　　本：一人有慶，萬人賴之。

，簡本隸定做「賺」，就字形來說，隸定無誤。但簡文形構，是出於字形的訛誤。此字的聲符，正確的寫法應做「蠆」才是。《說文·厂部》：

　　䖏，旱石也。从厂蠆省聲，厲或不省，力制切。

因爲萬與蠆形似，故俗寫常生混淆，而字書載錄，也往往失察。如；《集韻》收有「贎」字，此字或省作「賺」，但《說文》：「賺，貨也，从貝，萬聲。」徐鍇說：「人所賴也，魯械反。」小徐之言極是。《說文·山部》有「𡾰」字，其義爲「巍高也」，此字今則寫作「巁」讀若厲。《詩經·大雅·思齊》：「烈假不暇」，《韓詩》作「厲瘕不瑕」。❷《說文·癘》：「惡疾也。」段玉裁《注》說：

　　按古義謂惡病，包內外言之，今義別製癩字訓為惡瘡，訓癘為癘疫，古多借厲為癘，《公羊傳》作痢

《說文·貝部》有「賺」字，義爲「貨也。」讀作「無販切。」因此；絕

---

❷　見《韓詩故》。收入〔清〕馬國翰：《玉函山房輯佚書》（揚州：江蘇廣陵古籍刻印社，1990年影印〔清〕光緒甲申〔10年，1884〕楚南湘遠堂刊本），卷下/11a/504/冊1。

不能隸作購。「萬」「蠆」兩字混用，除了形似之外，❸古音相近也是原因之一，因二字古韻分屬元部和祭部。祭、歌、元三部字在音理上有旁轉，陰陽對轉的可能。而聲母部分，萬屬明母，蠆為來母，兩者是 ML－結構的複聲母關係。所以，在語音上也有通叚的可能。

第十七簡：其頌不改，出言又。

今　　本：其容不改，出言有章。

《毛詩序》說：「頌者美盛德之形容，以其成功告於神明者也。」頌與容假借通用，由來已久，今不必贅述。但「」字怪異，是字書所不載者。故《郭店楚墓竹簡》整理小組說，此字「疑為字之未寫全者。」出土竹書之可貴，往往能糾正傳本的錯誤；而今本的內容，對古本的釋讀以及文字的辨認，也有佐助之功。《三禮圖》所載，❹凡名為「璋」之物，其上方一側均作斜角狀（如文後附圖）。《詩經·小雅·斯干》：「載衣之裳，載弄之璋。」毛《傳》說：

半圭曰璋。

《周禮·考工記·玉人》說：「璋邸射素功，以祀山川。」鄭玄《注》：

邸射剡而出也。……

---

❸ 甲骨文有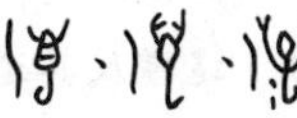……等字，學者將之隸定作濿和砅。羅振玉說：「勉勵之勵，粗糲之糲，蚌蠣之蠣，許書皆从萬作勱，糲，蠣，以此例之，知濿即濿矣。」見徐中舒：《甲骨文字典》（成都：四川辭書出版社，1989 年），頁 1200。

❹ 圖片影自：〔明〕劉績：《三禮圖》（臺北：臺灣商務印書館，1986 年影印文淵閣《四庫全書》本），第 129 冊。

賈公彥《疏》：

向上謂之出，半圭曰璋，其璋首邪卻之，今從下自邸向上總邪卻之名為剡而出也。

《說文》也說：

璋，剡上為圭，半圭為璋。

由圖形並結合傳統訓詁說解，可知「」是「璋」字初文。此字或許是書寫者爲求便捷的手法，將「戰國時玉璋大爲盛行」之物，信手繪畫而出。❺漢字的性質是繪形見義的方塊字，戰國時代早已越過了圖畫文字的階段。❻但是以今本對校，簡文字形，幾乎是「璋」的「畫成其物，隨體詰詘」的象形文字。將之讀作「章」應屬合理的推測，何況金文「章」字末筆多作彎曲狀，❼此現象或可作「半圭邪角」的輔助說明。

第二十二簡：公之顏命之。

---

❺ 何賢武、王秋等：《中國文物考古辭典》（瀋陽：遼寧科學技術出版社，1993 年），頁 676。

❻ 在漢字中有許多器物的專「名」，是直接繪製實物而來的。如、磬之作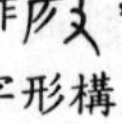，几之作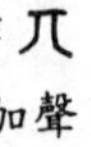，「象腹交文，三足」的鬲，是由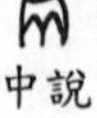、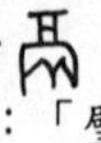、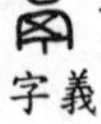一路演變而來的。璧字形構是象形加聲。龍師宇純先生在《中國文字學》中說：「璧字義為環玉，其字如僅書作『○』，則環形之物多，難以辨識，於是加注聲符作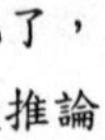。」「章」字金文常有，在戰國楚系文字中也並不罕見，何以在其他文字都已線條化了，而「章」字卻有字不用！這種反其道而行的現象，真令人百思不解，所以只好作如是推論。

❼ 容庚：《金文編》（北京：中華書局，1985 年），頁 153，其中收章字共計十三器十七字，末筆直豎者有四器六字，其餘皆呈邪曲狀。如：（〈頌鼎〉），（〈陳章壺〉）……等。

，簡本不作隸定。今本作「葉」，孫希旦《禮記集解》說：「葉是祭之誤」。考索《逸周書·祭公解》之內容，可知孫氏之言不虛。《祭公解》說：

> 汝無以嬖御固莊后，汝無以小謀敗大作，汝無以嬖御士疾大夫卿士。

就字形來說，簡本應隸作「晉」。在上古韻部中，晉在真部，與祭懸遠，唯聲母同近。晉，《廣韻》音即刃切，中古屬精紐。祭，《廣韻》音子列切，又側界切。一在精紐，一屬莊系，上古精莊互用。因此、祭，晉可謂雙聲通叚。

又，第二十六簡：呂刑員：非用臸……。簡本注 70 說：本句今本引作「苗民匪用命。」《尚書·呂刑》作「苗民弗用靈。」臸此處不知用作何義。

臸，《說文·至部》：「到也，从二至。」此字與晉字結構應屬「同意」。《說文·至》：「鳥飛從高下至地也。」此說出於許君之主觀想像。至的古文作 ，，像箭矢著地之狀，故字有「前進」之義。《說文·孨部》收有奇字，許君說：「盛貌，……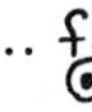，籀文从二子，一曰即奇字晉。」此字或是晉字別構。《信陽》簡有「縉」字，其字偏旁即作 ，故 應隸做「晉」而讀作「命」，因命、令，晉古韻同在真部，只是聲母有些許距離。在《郭店竹簡》中有不少的通叚字是脫離既有的假借律則，此就是其中一例。

> 第四十簡：句又車，必見其。句又衣，必見其。人句又言，必䎽其聖。句又行，必見其成。
>
> 今　　本：苟有車，必見其軾。苟有衣，必見其敝。人苟或言之，必聞其聲。苟或行之，必見其成。

，裘錫圭先生據朱德熙之說，將之隸定爲䡅，此地讀作「彌」，字也通作「笰」，由語音關係，「疑可讀作『蓋』。」❽此字也見於《楚帛書》，饒宗頤先生釋之為「」，「當是弼字。」❾仔細查看簡文，「酉」字上方二筆，並作迴轉倒曲狀，此字應隸作「䤀」，甲金文「酋」字未見，楚系文字多見从酉之字群，❿此字所从實是尊字上半的「酋」，字隸作「䤀」而讀作「楢」。从攴之字幾乎都有敲打擊扑之義。《說文·木部》：

> 楢，柔木也。工官以為耎輪。

段玉裁《注》：「工官，若周之輪人，漢之考工室也。耎輪者，安車之輪也。郭注《山海經》云：『楢，剛木，中車材。』剛木即柔木，蓋此木堅韌，故柔剛異稱而同實耳。」段《注》之見解實難令人滿意。所謂「柔木」之說，應作「煣木為輪」解釋，柔之與揉、煣、輮皆出於語言之孳生。《周易·說卦》：「坎為水，為溝瀆，為隱伏，為矯輮。」孔《疏》：

> 使曲者直為矯，使直者曲為輮。

《急就篇》顏師古《注》說：

> 輮，車輞也。關西謂之輮，言其柔曲也。

---

❽ 朱德熙的意見載〈長沙帛書考釋五篇〉，《古文字研究》第19輯（1992年8月），頁290—297。

❾ 饒宗頤，曾憲通編：《楚帛書》（香港：中華書局，1985年），頁303。

❿ 滕壬生：《楚系簡帛文字編》（武漢：湖北教育出版社，1995年），頁767收有「猶」字，字形作「」。

將「䡅」視爲輪。簡文「苟有車必見其輪」，與今本「苟有車必見其軾」對照而讀，其文意是非常順暢的。

同簡，第二句中的「」字應隸定爲「㡀」，整理小組以今本對校，釋之爲「幣」，用作「敝」，並引鄭玄之說：「敝，敗也。」鄭玄的訓解對後人影響很大。如，《禮記·緇衣·正義》說：

> 苟有其衣必見其敝者，言人苟稱家有衣，必見其所著之衣有終。敝，破也，不虛稱有衣而無敝也。

王夢鷗先生的《禮記今注今譯》將之譯爲：

> 如果衣服真屬於那人的，一定會看到他穿到破爛。

楊天宇《禮記譯注》則用高郵王引之的說法，以爲是𧝓的假借字，指衣袂而言。⓫並且將之語譯爲：

> 假如有車，必然會看見他的車，假如有衣，必然會看見他的衣。⓬

由文句表達的義理來看，鄭玄的說解是不妥適的。今本首句爲「苟有車必見其軾」，簡本作「苟有車必見其轓。」文義順暢，不難理解。若依鄭玄之說，將幣說成「破敗」，則覺扞挌牴牾，敝字絕不能釋作「敗壞」，甲骨文有「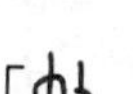」、

⓫ 〔清〕王引之：《經義述聞》（臺北：臺灣商務印書館，1968 年《國學基本叢書》本），頁 632－633。按《廣韻·屑韻》：「𧝓，袖褾袂也。」此字《說文》未見，王引之認為是「借敝為之。」就文義而言，將「敝」當作「𧝓」的假借字，較鄭玄的見解合理。

⓬ 楊天宇：《禮記譯注》（上海：上海古籍出版社，1997 年），頁 962。

「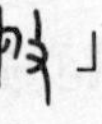」，此即敝字原始形構，从支从巾，或从，以物擊㡀以會「破敗」之意，而《說文》：

> 㡀，敗衣也。从巾象衣敗之形。

段《注》說：「此敗衣正字，自敝專行而㡀廢矣。《說文》在敝字下又說：

> 敝，帗也。一曰敗衣。从支从㡀，㡀亦聲。

兩字之字義分析說解應互易才是。

《詩經·曹風·蜉蝣》：「彼其之子，三百赤芾。」毛《傳》說：

> 芾，韠也。

《小雅·采菽》：「赤芾在股。」鄭玄《箋》云：

> 大古蔽膝之象。

孔穎達《疏》引《易乾鑿度》注說：

> 古者田漁而食，因衣其皮，先知蔽前，后知蔽後，後王易之以布帛而猶存其蔽前者，重古道不忘本。

孫希旦因而說：

敝當作「蔽」。車成則必駕之而見其軾之高，衣成則必衣之而見其蔽於體。……⓭

由此可見，《說文》對市字解釋爲：「韠也，上古衣蔽前而已，市以象之。」並非憑空而來。由文字的音義發展看來，市、帗、㡀、韠、韍……等，都是同出一源的同源字。

簡本上的「」字，上从釆下从巾，其字形雖不見於今之字書，但从巾是對字義歸屬的確認，故絲毫不影響對文字分析的結論。他是从巾釆聲的形聲字，在楚系文字中，已被辨認出來的从釆之字，如、〈緇衣〉簡文中的播字作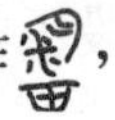，《包山楚簡》中的、。《信陽》簡中的，（此字同《說文》播字古文）都是讀雙唇音，字从釆，或許是文字與語言密切配合後文字聲化的結果。⓮因此、今本的「敝」字若視之爲名詞，訓之爲衣飾，則上下文脈一貫無礙。此是結合新出文物修正傳統經說的例證之一。⓯

第四十一簡：子曰：私惠不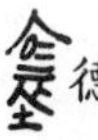德。

今　　本：子曰：私惠不歸德。

⓭　〔清〕孫希旦：《禮記集解》（北京：中華書局，1989年），頁1332。

⓮　前人講形聲字的結構，有「聲符必兼義」的說法，此說雖有商榷之處，但是對字的思考頗有助益。「朱紼斯皇，室家君王。」《齊詩傳》：「紼者蔽也，行以蔽前者爾，有事四以別尊卑，彰有德也。天子朱紼，諸侯赤紼。」見馬國翰：《玉函山房輯佚書》，同注❷。

字从釆得聲，釆字篆文作，古文作，有辨別之義。釆、㡀聲母皆為雙唇音，古韻釆在元部，㡀在祭部，二者為陰陽對轉關係。古代社會中有以衣飾辨明階級尊卑者，字出現當是以此為時空背景。

⓯　《包山楚簡》260簡有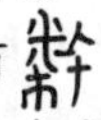辭例，可惜文字不甚清楚，滕壬生：《楚系簡帛文字編》，同注❿，將之以存疑字收在本書末尾。見該書頁1133。

，簡文隸定作「褱」然而對本字之形構卻不作說明。⑯今本則作「歸」。此字應隸定作「壞」，讀作「懷」。《說文·土部》「壞」字籀文作「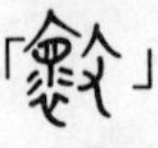」古文作「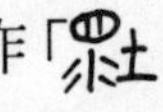」，在《睡虎地秦簡》中，「壞」字有以下諸形：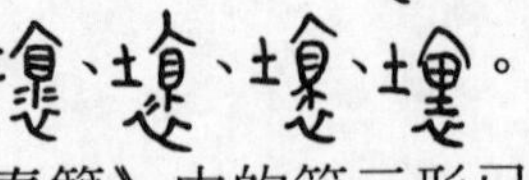。而「懷」字則作「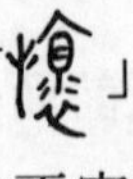」形，此字簡文从馬，在《睡虎地秦簡》中的第三形已見跡象，因此它並不突兀。《說文·衣部》：

> 褢，褎也，一曰臧也。

段玉裁《注》說：「褢之爲言回也。」又對「臧」字注說：「此義與褢近。」而《玉篇》更直接說：褢爲褱字或體。《說文·衣部》：

> 褱，俠也。

段《注》：

> 俠當作夾，轉寫之誤，亦部曰夾，盜竊褱物也，从亦有所持，……俗謂蔽人俾夾是也，腋有所持，褱藏之義也。

《周禮·秋官》：「群吏再其後，面三槐，三公位焉。」鄭玄《注》：

> 槐之言懷也，懷來人於此，欲與之謀。

---

⑯ 簡文中的字形，中間部份已訛成「馬」楚系文字中的「馬」雖也作如是狀，但它卻是「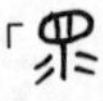」的訛變。整理小組將之隸定作「褱」。《說文·衣部》另有音「奴鳥切」的「褭」。其字義為「以組帶馬也。」此字與土字組合以後，對褱之音義更是無所憑藉。

根據漢儒解經習慣，凡是「某之言某」者，必得音義全通。⑰而《廣韻·皆》：

> 褱，俠也，苞也，歸也。

由此看來懷、褢、歸又是音義相近的同源字。⑱所謂「歸德」，「懷德」，對義理的疏解並無不通之處。

> 第四十三簡：君子之友也又。
>
> 今　　本：君子二朋友有鄉。

，整理小組隸做「向」，或許是見今本作「鄉」之故，此字或應隸做「亯」。至今所見的楚系文字中，似未見過「向」字，但是在其他古文材料中，向字絕大多作「」者。因爲有今本相校，再經上下文貫串疏讀，此自隸作「向」當無錯誤。但「亯」金文作，，，，在楚系文字中作，，…，簡文之與之形似，故將之隸作亯，比其隸作向來說，其形音義更爲貼切。

> 第四十六簡：而於人乎。

---

⑰ 段玉裁在《說文解字》祼字下注說：「〈大宗伯·玉人〉字作果或作淉，《注》兩言祼之言灌，凡云之言者，皆通其音義，以為訓詁，非如讀為之易其字，讀如之定其音。」《周禮漢讀考》說：「凡云之言者，皆就其雙聲疊韻以得其轉注假借之用。」

⑱ 王力的《同源字典》：「懷、褢、褱，實同一詞，《說文》以具體的懷抱為褱，抽象的懷念為懷。」（見頁 401）不僅如此，段玉裁既說：褢之為言「回」也。《廣韻》也說：褱，「歸」也。這些字群的上古韻部都在微部。中古時懷、褢、褱的聲母屬匣紐，「歸」為見紐，見匣二紐在上古時的關係至為密切，這些音義相近的文字，在早先語言層次上同出一源應無問題。

今　　本：而況於人乎。

，簡本隸定作「皇」，今本則作「況」。將「皇」當作「況」的通叚是合理的。但在字形上隸定作「皇」則非。

李師孝定先生說：

> 甲骨文未見皇字，金文則不少，大抵作、、、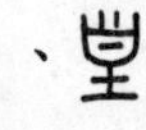諸形，皆不从自，治金文者，於皇字結構說解各殊，大抵以「日出土上」或「王者冠冕」二說較為近理。⑲

許師進雄先生說：

> 皇象裝飾有高聳羽毛之帽形。⑳

在楚系文字當中，「皇」字大致不出下列諸形，如：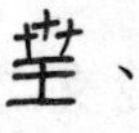、、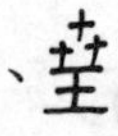……等。這些字與《郭店竹簡》的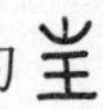字並不相似。因此，能否隸作皇，必須重新檢討。

《說文·之部》字許愼說：

> 艸木妄生也，从在土上，讀若皇，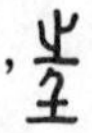古文。

此字讀「戶光切」，即「往」字的初文。由字形的分析可以知道，《說文》的

---

⑲　李師孝定先生：《讀說文記》（臺北：中央研究院歷史語言研究所，1992 年專刊之 92），卷 1，頁 8。

⑳　許師進雄先生：《中國古代社會》（臺北：臺灣商務印書館，1988 年），頁 34。第二章：中國古史的傳說（附圖）。

析解是許君傅會之說。這一個字的甲骨文作「」，从之从王，所謂「从土从壬」，是出於字形變化後的新解。本簡之應隸作㞷，讀爲「況」才是。㉑

《郭店楚墓竹簡》問世以來，不少學者專家投注心力於其中，筆者學淺，只能就字形方面，探其源流並提出管見，以說明其可能的變化而已。

㉑ 皇、㞷、況三字古音皆同近，故可通段。

圖

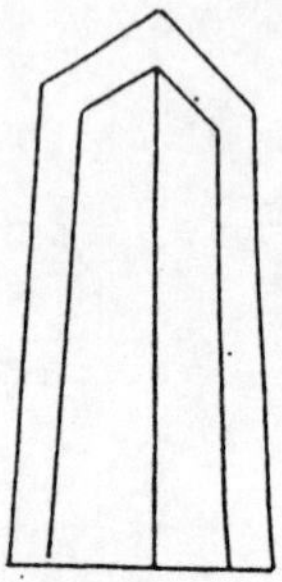

天子鎮圭尺有二寸

璋瓚

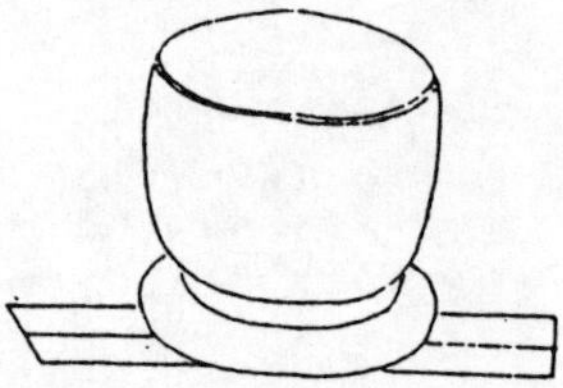

璋邸射色白

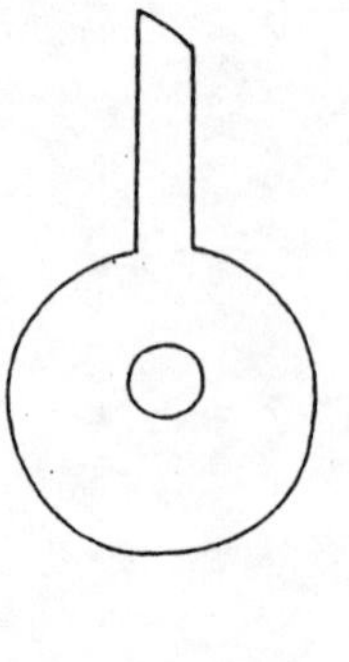

大璋

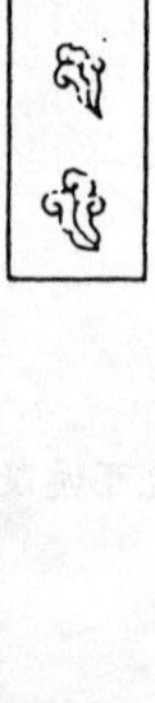

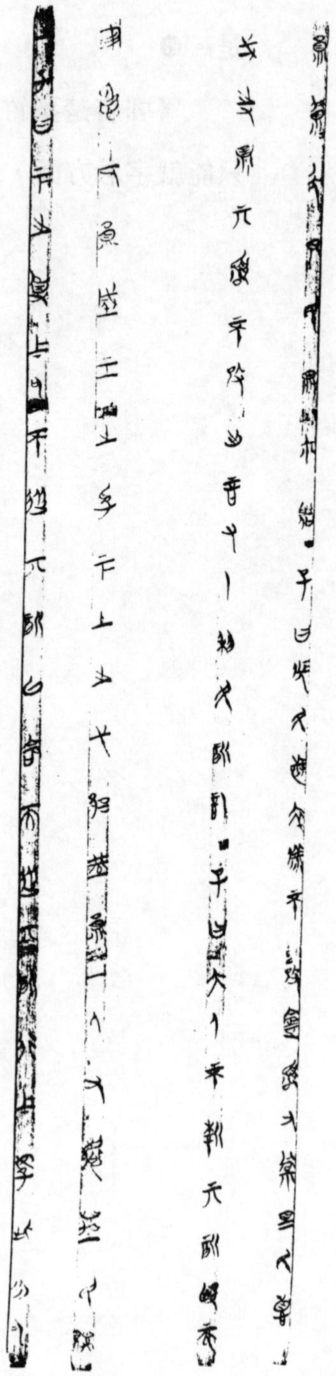

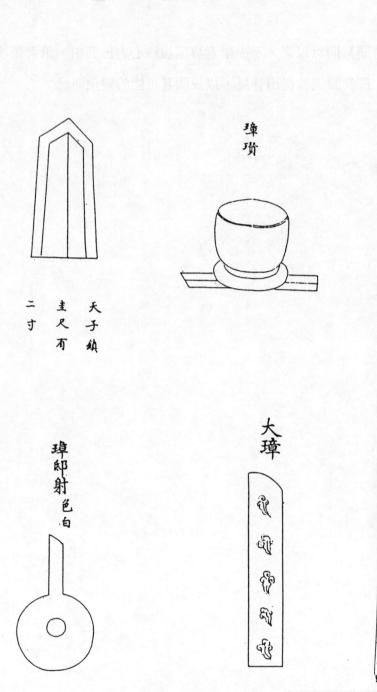

四　七　六

圖

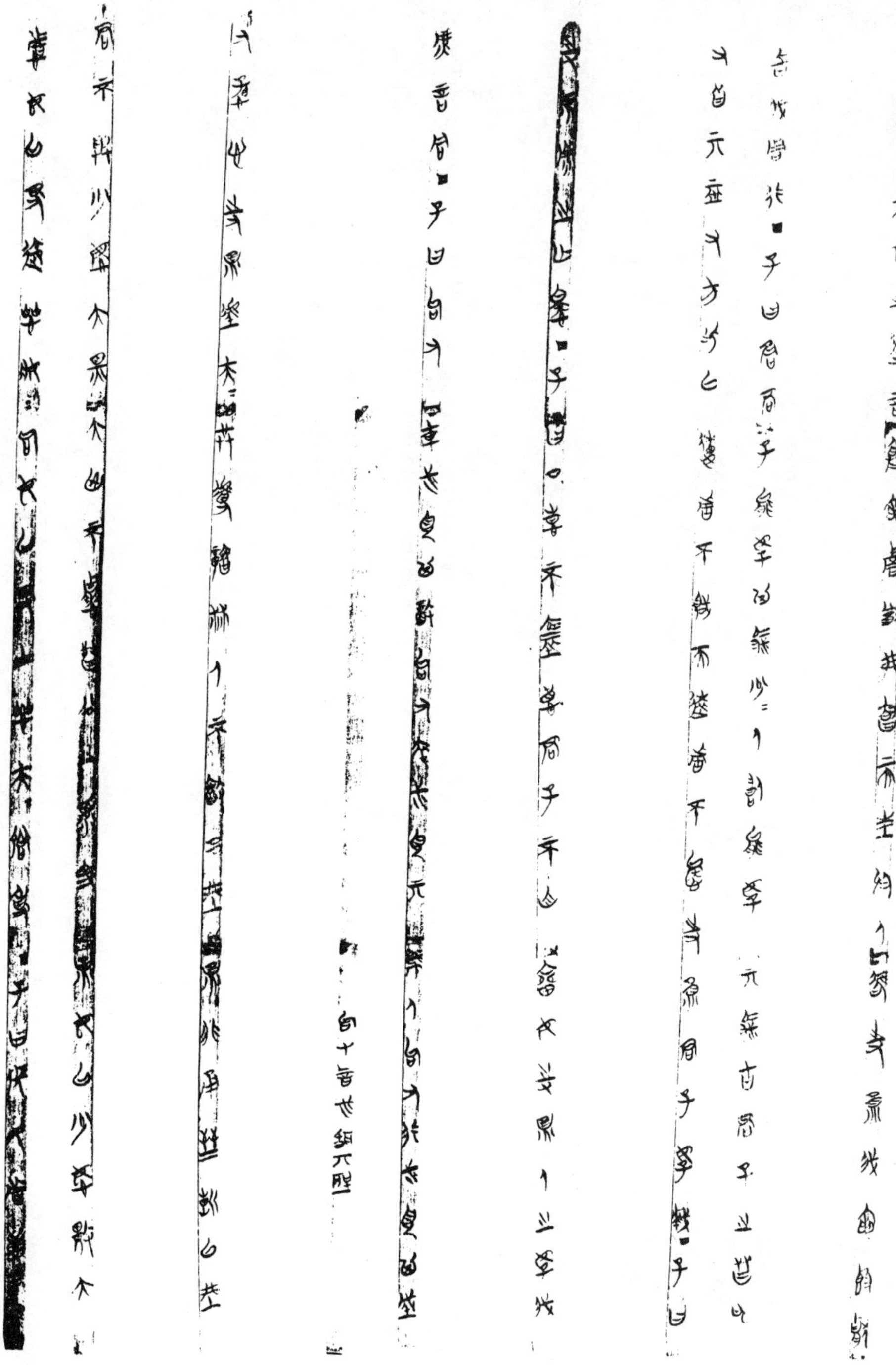

四六　四二　四三　四一　四〇　四〇背　二六　二二　二三

郭店楚簡淺釋

顏世鉉*

郭店楚簡於一九九三年冬出土於湖北省荊門市郭店一號楚墓，❶這批楚簡包括多種先秦古籍，主要爲儒、道兩家學派的著作。如何對這批材料加以正確的識讀，可說是一件艱難的工作。由於整理者的努力，以及裘錫圭先生的審訂，已在這方面做出重大的貢獻；但其中仍存在不少問題，有待進一步加以解決。以下便提出個人研讀之後所得的一些想法，以就教於先進。楚簡釋文儘可能用通行字寫出，如有討論上的需要，則依古文字形隸定。

一、閉其門，塞其兌，終身不孞（務）　〈老子乙〉簡一三

孞，王弼本作「勤」，帛書本作「堇」，❷劉信芳先生釋作「務」，❸李零先生釋作從「矜」省，讀爲「勤」。❹按，此字當釋作「務」。〈尊德義〉簡一：「爲人上者之孞（務）也」，孞從「人」，孞從「山」，均可讀作「務」。而〈老子丙〉簡一：「其即（次）孞（侮）之」，孞讀作「侮」，侮、務均爲

* 中央研究院歷史語言研究所研究助理。

❶ 《郭店楚墓竹簡》（北京：文物出版社，1998 年），以下本文簡稱《郭簡》，按，本文引用本書內容，不另加注。

❷ 高明：《帛書老子校注》（北京：中華書局，1996 年），頁 75。

❸ 劉信芳：〈楚簡《老子》釋讀二則〉（稿本）。

❹ 李零：〈讀郭店楚簡《老子》〉，「郭店老子國際研討會論文」，1998 年 5 月。

明紐侯部。❺《說文》：「務，趣也。」段《注》：「趣者，疾走也。務者，言其促疾於事也。」❻《左傳·僖公二十八年》：「非神敗令尹，令尹其不勤民，實自敗也。」杜預《注》：「盡心盡力無所愛惜爲勤。」❼務、勤義相近可通。

二、為上可望而知也，為下可頪（類）而等（等）也　〈緇衣〉三～四

今本《禮記·緇衣》作「爲上可望而知也，爲下可述而志也。」❽《郭簡》注：「頪，讀作『述』，兩字同屬物部。簡文多以『頪』作『述』。等，讀作『志』，有記識之義。裘按：簡文讀爲『可類而等之』，於義可通，似不必從今本改讀。」按，裘說是也。《說文》：「頪，難曉也。」段《注》：「謂相似難分別也，頪、類，古今字。」❾頪於《郭簡》常見作「類」義者，如〈尊德義〉簡四：「教爲可頪（類）也」，〈性自命出〉簡一六～一七：「聖人比其頪（類）而論會之」，簡四〇：「愛頪（類）七，……知頪（類）五」，〈六德〉簡三一：「仁頪（類）」、「義頪（類）」。又等字，包出楚簡簡一三、簡一二七：「大邑痒內氏等」，簡一五七反：「以此等至命」，❿等即「等」，

---

❺　按，本文古音的聲母和韻部參考郭錫良：《漢字古音手冊》（北京：北京大學出版社，1986年）。

❻　〔清〕段玉裁：《說文解字注》（上海：上海古籍出版社，1995 年影印〔清〕嘉慶二十年〔1815〕經韻樓刊本），十三篇下，五十一，頁 699。

❼　《左傳》（臺北：新文豐出版公司，1978 年影印〔清〕嘉慶二十年〔1815〕南昌學府刊《十三經注疏》本），卷 16，頁 274-275。以下《十三經注疏》引用諸書版本皆同此。

❽　《禮記》，同注❼，卷 55，頁 929。

❾　段玉裁：《說文解字注》，同注❻，九篇上，十三，頁 421。

❿　湖北省荊沙鐵路考古隊：《包山楚簡》（北京：文物出版社，1991 年），頁 17、26、29。

訓爲簡策，指文書。⓫《賈子新書·等齊》：「君臣同倫，異等同服，則上惡能不眩其下。孔子曰：長民者，衣服不貳，從容有常，以齊其民，則民德一。《詩》云：彼都人士，狐裘黃裳，行歸於周，萬民之望。孔子曰：爲上可望而知也，爲下可類而志也，則君不疑其臣，而臣不惑於其君。」⓬此「爲下可類而志也」之「類」，正可爲《郭簡》之「粨」釋爲「類」之證，今本〈緇衣〉作「述」，疑因兩字從「米」、從「朮」形近，⓭今本轉寫成從「朮」之「述」字。其次，〈等齊〉之作「志」，又與今本〈緇衣〉同，志爲章紐之部，等爲端紐蒸部，之蒸陰陽對轉，音近可通；從賈誼於〈等齊〉中引孔子之言來強調上下尊卑等級有別的主旨看，亦可與「類而等」之義相合。總之，將《郭簡》釋讀爲「爲下可類而等也」，不但於文義上可通，也符合楚簡材料的用字情況。《左傳·昭公七年》：「天有十日，人有十等，下所以事上，上所以共神也。故王臣公，公臣大夫，大夫臣士，士臣皁，皁臣輿，輿臣隸，隸臣僚，僚臣僕，僕臣臺。」〈襄公九年〉：「晉君類能而使之，舉不失選，官不易方。其卿讓於善，其大夫不失守，其士競於教，其庶人力於農穡，商、工、皁、隸不知遷業。」⓮此可爲「爲下可類而等」之注腳。

⓫ 參《包山楚簡·考釋》，同前注，(37)，頁 41。湯餘惠：〈包山楚簡讀後記〉，《考古與文物》1993 年第 2 期。陳偉：《包山楚簡初探》（武漢：武漢大學出版社，1996 年），頁 62。

⓬ 按，《賈子新書》所引兩段「孔子曰」之言，可見今本《禮記·緇衣》第九、十兩章，亦可見《郭簡》簡三～四及簡一六～一七。文互有差異。〔漢〕賈誼：《賈子新書》（臺北：廣文書局，1991 年《子書二十八種》影印〔清〕乾隆盧文弨刻《抱經堂叢書》本），卷 1，頁 5。

⓭ 述字古文字多有作從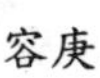之形，見高明：《古文字類編》（北京：中華書局，1991 年），頁 101；容庚編著，張振林、馬國權摹補：《金文編》（北京：中華書局，1996 年），頁 102。

⓮ 《左傳》，同前注❼，卷 44、30，頁 759、527。

三、執我𢧵（仇）𢧵（仇），亦不我力　〈緇衣〉一八～一九

《詩》云：「君子好𢧵（逑）」　〈緇衣〉四三

𢧵字作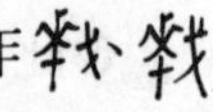，《郭簡》釋作𢦏，注云：「𢦏，从『戈』『考』聲，在簡文中借作『仇』。包山楚簡第一三八號反面有此字，其文如下：『𢦏敘於𦚤之所誁（證）。與其𢦏，又悁不可誁（證）。』文中之『𢦏』讀作『考』。《廣雅·釋詁二》：『考，問也。』裘按：此字似不从『考』，待考。」按，裘說是也。從簡文來看，此字可讀作仇、逑，可能是個幽部字。包山二號楚墓竹笥簽牌有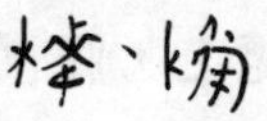，笥內裝棗，⓯劉信芳釋作「棗」字，⓰以實物證之，此說可信。此外，〈老子乙〉簡一：「夫唯嗇，是以杲（早），是以杲（早）備（服）是謂……。」早作；〈語叢四〉簡一二：「㬰（早）與賢人」，簡一三：「㬰（早）與智謀」，早字作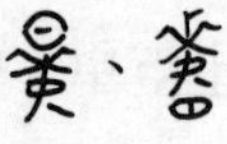，《郭簡》均釋爲「早」，〈老子乙〉注云:「『杲』當是『㬰』之異體，从『日』『棗』聲。『棗』、『早』同音。」〈語叢四〉注云：「㬰，簡文下部作『棗』字複體。中山王嚳鼎有『㬰』字，與簡文形似。讀作『早』。」此四字均當釋作「㬰」，讀作「早」，棗、早，均爲精紐幽部。故〈緇衣〉簡二字當釋作「𢧵」，通「棗」，逑、仇，群紐幽部，音近可通。

包山簡一三八反的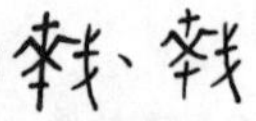，當釋作「𢦟」，讀作「來」，⓱此字與〈緇衣〉簡的𢧵字左半上部稍有不同。不過「棗」字和「來」字所從的偏旁往往因形近會有混同的情形。楚簡的來（逨）字，天星觀簡作，包山簡一三二反

⓯ 《包山楚墓》（北京：文物出版社，1991年），下冊，圖版四六，2：46-2，2：47-2；《包山楚墓》，上冊，頁151、155-156。

⓰ 劉信芳：〈从之字匯釋〉，《容庚先生百年誕辰紀念文集》（韶關：廣東人民出版社，1998年），頁617。

⓱ 《包山楚簡》，同注⓾，頁49，〈考釋〉（245），圖版六一。

作，⓲郭店簡作（〈老子乙〉簡一三）、（〈成之聞之〉簡三六），天星觀的來字上半所從偏旁就和〈緇衣〉簡的戲字所從相同。而睡虎地秦簡〈日書甲〉簡一四：「利棗（早）不利莫（暮）。」〈日書乙〉簡六七：「甲乙榆，丙丁棗，戊己桑，庚辛李……」⓳棗字作、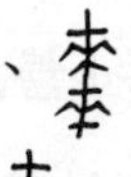，⓴所從偏旁和〈秦律〉簡一八五來字作，〈秦律〉簡四三的麥字作，㉑其所從相同。

四、《呂刑》云：「非用臸，折以型（刑）……」　〈緇衣〉簡二六

《郭簡》注云：「本句今本引作『苗民匪用命』，《尚書·呂刑》作『苗民弗用靈』。臸，此處不知用爲何義。」按，作靈、命，均訓爲「善」，《廣雅·釋詁》：「靈，善也。」㉒，《爾雅·釋詁上》：「令，善也。」㉓令同命。《詩·鄘風·定之方中》：「靈雨既零，命彼倌人。」鄭《箋》：「靈，善也。」㉔《尚書·多方》：「不克靈承于旅」，孔《傳》：「言桀不能善奉於人眾。」㉕孫星衍《尚書今古文注疏·呂刑》：「《詩箋》云：『靈，善也』，與令通義。『弗用靈』，當是弗用善以治姦民，即下文云『報虐以威』也。」㉖而「至」亦可訓「善」義，《詩·小雅·節南山》：「不弔昊天。」毛《傳》：

⓲ 滕壬生：《楚系簡帛文字編》（武漢：湖北教育出版社，1995年），頁423。
⓳ 睡虎地秦墓竹簡整理小組編：《睡虎地秦墓竹簡》（北京：文物出版社，1990年），頁183、235。
⓴ 張守中：《睡虎地秦簡文字編》（北京：文物出版社，1994年），頁107。
㉑ 張守中：《睡虎地秦簡文字編》，同前注，頁81。
㉒ 〔清〕王念孫：《廣雅疏證》（北京：中華書局，1983年影印〔清〕嘉慶元年〔1796〕王氏家刻本），卷1上，頁9。
㉓ 《爾雅》，同注❼，卷1，頁8。
㉔ 《毛詩》，同注❼，卷3：1，頁117。
㉕ 《尚書》，同注❼，卷17，頁255。
㉖ 〔清〕孫星衍：《尚書今古文注疏》（北京：中華書局，1986年，《十三經清人注疏》本），下冊，卷27，頁521。

「弔，至。」鄭《箋》：「至猶善也。」㉗《周禮·考工記·弓人》：「覆之而角至，謂之句弓。」鄭《注》：「至，猶善也。」㉘銍字亦見《說文》，云：「銍，到也。」「到，至也。」㉙銍可通至，故《郭簡》「非用銍」即「弗用善」之義。而「至」何以訓「善」？《說文》：「至，鳥飛從高下至地也。」段《注》：「凡云來至者，皆於此義引申叚借，引申之爲懇至，爲極至。許云：到，至也；臻，至也；假，至也；此本義之引申也。又云：親，至也；竊，至也，此餘義之引申也。」㉚至之訓善，可能即段氏所言「餘義之引申」一類也。

簡文「折以型」，今本〈緇衣〉、〈呂刑〉均作「制以刑」，㉛《墨子·尚同中》引〈呂刑〉文作「折則刑」。㉜折，《郭簡》隸作「折」，釋爲「制」。復按，《說文》：「斲，斷也。从斤斷艸，譚長說。……折，篆文斲从手。」「制，裁也，从刀未，未，物成有滋味，可裁斷。」㉝折字即訓「斷」義，與「制」義相通，古字「制」與「折」通用，《論語·顏淵》：「子曰：『片言可以折獄者，其由也與？』」㉞唐陸德明《經典釋文》引鄭玄注云：「《魯》讀『折』爲『制』，今從《古》。」㉟可知古文本作「折」，清陳鱣《論語古

㉗ 《毛詩》，同注❼，卷 12：1，頁 394。

㉘ 《周禮》，同注❼，卷 42，頁 663。

㉙ 段玉裁：《說文解字注》，同注❻，十二篇上，三，頁 585。

㉚ 段玉裁：《說文解字注》，同注❻，十二篇上，二，頁 584。李師孝定說：「（至），甲骨金文亦多見，……均象矢著地形，無鳥飛下來之象。」此說極是。《讀說文記》（臺北：中央研究院歷史語言研究所，1992 年），頁 260。

㉛ 《禮記》，同注❼，卷 55，頁 927。《尚書》，同注❼，卷 19，頁 296。

㉜ 吳毓江：《墨子校注》（北京：中華書局，1993 年《新編諸子集成》本）上冊，卷 3，頁 118。

㉝ 段玉裁：《說文解字注》，同注❻，一篇下，四十七，頁 44；四篇下，四十九，頁 182。

㉞ 《論語》，同注❼，卷 12，頁 109。

㉟ 〔唐〕陸德明：《經典釋文·論語音義》（上海：上海書店，1989 年影印上海商務印書館 1926 年《四部叢刊》本），卷 24。

訓》引臧在東之說云：「鄭以『折』訓爲斷，義益明，是以從《古》。」㊱簡文可直接釋「折」。《易·豐卦·象傳》：「君子以折獄致刑。」㊲折，意爲裁斷。

五、子曰：「君子言有物，行有逨（格），……精知，逨（略）而行之……。」

〈緇衣〉簡三七～三九

逨，《郭簡》注：「逨，从『丯』聲，從今本讀作『格』。」「逨，從今本讀作『略』。」於字形無說。按，此字作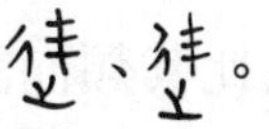。曾侯乙墓出土兵器上有銘文作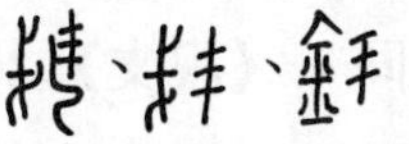，竹簡有「一」（簡三），此爲「戟」字異體；㊳包山楚簡也有戟字，簡六一：「戟戟」，簡二六九：「車戟」，簡二七三：「二戟」，作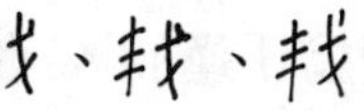。㊴《汗簡》有「格」字作敋，黃錫全先生說：「按兵器戟上有字作（蔡□□戟），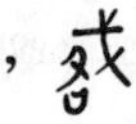（滕侯昊戟），形與此全同，應釋爲敋（格），假爲戟。格（敋）、戟同屬見母鐸部。敋字《說文》失收。」㊵楊樹達〈滕侯戟跋〉則說：「按戟爲會意字，銘文作敋，从戈，各聲，爲形聲字，戟之或作也。从各聲者，各與戟古音相同故也。」㊶可知戟爲戟字異體，而敋（格）則可讀作戟。《說文》：「戟，有枝兵也。」「䂞，枝䂞也，从丯各

㊱ 程樹德：《論語集釋》（北京：中華書局，1992 年，《新編諸子集成》本），第三冊，卷 25，頁 857。

㊲ 《周易》，同注❼，卷 6，頁 126。

㊳ 湖北省博物館：《曾侯乙墓》（北京：文物出版社，1989 年），上冊，頁 269、275、278、490。張光裕、黃錫全、滕壬生主編：《曾侯乙墓竹簡文字編》（臺北：藝文印書館，1997 年），頁 250。裘錫圭：〈談談隨縣曾侯乙墓文字資料〉，《文物》1979 年 7 期。

㊴ 《包山楚簡》，同注❿，頁 20、38，圖版二七、一一六、一一八。

㊵ 黃錫全：《汗簡注釋》（武漢：武漢大學出版社，1993 年），頁 428。

㊶ 楊樹達：《積微居金文說》（北京：中華書局，1997 年增訂本），卷 4，頁 92-93。

聲。」㊷《釋名·釋兵》：「戟，格也，旁有枝格也。」㊸戟和格除音近可通外，似乎也有意義引申的關係。而格又有「來」、「至」之義，《詩·大雅·抑》：「神之格思」，毛《傳》：「格，至也。」《禮記·大學》：「致知在格物」，鄭《注》：「格，來也。」㊹疑《郭簡》的「逩」是從「辵」、從「戟（戟）」省所造之「格」字，從「辵」表「格」有「來」、「至」之義；亦即「逩」釋作「格」，又可讀爲「略」。

其次，〈性自命出〉簡九～一一：「凡性，或動之，或逹（逢）之，或交之，或厲之，或出之，或養之，或長之。凡動性者，物也；逹（逢）性者，悅也。」簡一七：「聖人比其類而論會之，觀其先後而逹（逢）訓之。」此逹字作、、，所從之、與〈緇衣〉簡作丯不同，《說文》：「丯，艸蔡也，象艸生之散亂也。……讀若介。」「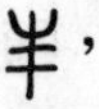，艸盛丰丰也。」㊺〈性自命出〉「逹」所從之「丰」即《說文》「」字，逹讀爲「逢」。〈語叢一〉簡一〇三：「禮不同，不奉（丰）、不杀（殺）」㊻，奉字作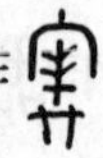，所從也是「」字。〈唐虞之道〉簡一四：「聖以遇命，仁以時。」也當如裘先生在《郭簡》注中所言，讀爲「逢」。

又〈成之聞之〉簡三九：「言不霏大常者，文王之刑莫厚安（焉）。」霏作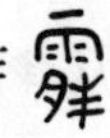，此字也從「」，讀作「奉」，「奉大常」猶簡四〇之「祀天常」，亦猶「奉天時」、「奉天命」之意，《易·乾文言》：「後天而奉天時。」㊼

㊷ 段玉裁：《說文解字注》，同注❻，十二篇下，三十六，頁 629；四篇下，五十二，頁 183。

㊸ 〔清〕王先謙：《釋名疏證補·釋兵》（上海：上海古籍出版社，1989 年，《爾雅·廣雅·方言·釋名清疏四種合刊》本），總頁 1087。

㊹ 《毛詩》，同注❼，卷 18：1，頁 647。《禮記》，同注❼，卷 60，頁 983。

㊺ 段玉裁：《說文解字注》，同注❻，四篇下，五十二，頁 183；六篇下，四，頁 274。

㊻ 奉、殺兩字據陳偉：〈郭店楚簡別釋〉（稿本）所說，《禮記·禮器》引孔子語云：「禮不同，不豐，不殺。」

㊼ 《周易》，同注❼，卷 1，頁 17。

《尚書·盤庚上》：「先王有服，恪謹天命。」[48]

〈成之聞之〉簡三二～三三：「是故小人亂天常以逹大道，君子治人倫以川（順）天德。」逹，作，《郭簡》隸作「逆」。按，此字從上下文意來看，當釋為「逆」無可疑；不過從字形看，當是「逹（逢）」字。《說文》：「逆，迎也。……關東曰逆，關西曰迎。」段《注》：「《方言》：逢、逆，迎也。自關而西，或曰迎，或曰逢；自關而東曰逆。」《說文》：「逢，遇也，从辵夆聲。」段《注》：「按，夆，啎也；啎，逆也。此形聲包會意，各本改為峯省聲，誤。」[49]《說文》：「啎，屰也。」段《注》：「屰，各本作逆，今正。逆，迎也；屰，不順也。今逆行而屰廢矣，相迎者必相屰，古亦通用逆為屰。」[50]故「逢」亦可訓為「逆」（不順也）。簡文此字當隸作「逹」（逢）字，在簡文中訓為「逆」（屰，不順也）。

六、窮達以時，幽明不再。故君子惇（惇）於反己　〈窮達以時〉簡一五

惇，讀作「惇」，《說文》：「憞（惇），厚也。从心辜聲。」[51]朱駿聲《說文通訓定聲》云：「經傳皆以敦為之，《左僖廿七傳》：『說禮、樂而敦《詩》、《書》』，……《漢書·鮑宣傳》：『敦外親小童』，注謂『厚重也』。」[52]又《漢書·成帝紀》詔曰：「惇任仁人，退遠殘賊。」顏師古《注》：

---

[48] 《尚書》，同注[7]，卷9，頁126-127。

[49] 段玉裁：《說文解字注》，同注[6]，二篇下，五，頁71。

[50] 段玉裁：《說文解字注》，同注[6]，十四篇下，三十一，頁746。

[51] 段玉裁：《說文解字注》，十篇下，二十六，頁503。

[52] 〔清〕朱駿聲：《說文通訓定聲》（臺北：藝文印書館，1975年影印〔清〕道光二十八年〔1848〕刊本），頁810。

「惇，厚也。遠，離也。」[53]惇有崇尚、重視之意，簡文「君子惇於反己」，意爲：君子特別著重內在自我反省的工夫。《論語·學而》載曾子曰：「吾日三省吾身：爲人謀而不忠乎？與朋友交而不信乎？傳不習乎？」[54]此即曾子「反己」的工夫。《易·蹇卦·象傳》：「山上有水蹇，君子以反身修德。」王弼《注》：「山上有水，蹇難之象。」「除難莫若反身修德。」[55]境有順、逆，人有遇與不遇之時，身處逆境，更當反身修德以待時。

〈六德〉簡二一～二二：「會㙯長材以事上，謂之宜（義）。」㙯通㙯，讀作「敦」，敦有會聚之義。《詩·大雅·行葦》：「敦彼行葦，牛羊勿踐。」毛《傳》：「敦，聚貌。」[56]簡文此謂會聚長材以事其長上，謂之義，此乃爲人子之道。

〈成之聞之〉簡四：「君子之於教也，其道民也不寖，則其淳也弗深矣。」《郭簡》注：「裘按：『寖』疑當讀爲『浸』。《易·遯》象傳『浸而長也』《正義》：『浸者，漸進之名』。其下一字或可釋『淳』。」按，裘先生將淳釋爲淳，是也。周師鳳五釋此則簡文云：「字『寖』當讀作『湛』，深也；謂君子教導人民不深入，其教化浸漬於民者亦不深入矣。『淳』訓漬，見《廣雅·釋詁二》。」[57]班固《漢書·地理志下》感歎齊地民風之變，就說：「道民之道，可不愼哉！」[58]

七、耳目鼻口手足六者，心之𣪠（役）也。　〈五行〉簡四五

---

[53] 〔漢〕班固：《漢書》（北京，中華書局，1992年點校本），卷10，頁309。
[54] 《論語》，同注[7]，卷1，頁6。
[55] 《周易》，同注[7]，卷4，頁92。
[56] 《毛詩》，同注[7]，卷17：2，頁600。
[57] 周師鳳五：〈郭店楚簡釋字札記〉，札記第十七則之注。收入本《論文集》。
[58] 班固：《漢書》，同注[53]，卷28下，頁1661。

没，《郭簡》作返，注云：「返，帛書本作『役』。」按，此字作，右上所從疑爲「殳」字，《汗簡》役字作，殺字有作；[59]《說文》殺字古文作、。右邊所從與簡文近似。簡文此字釋作「没」，應即「役」字。

八、六帝興於古，咸(由)此也　〈唐虞之道〉簡八

咎(繇)內用五刑　〈唐虞之道〉簡一二

君子弗(由)也　〈忠信之道〉簡六

《郭簡》將以上三則未隸定之字釋作「采」，注〈唐虞之道〉簡之二字云：「裘按，……采，讀爲『由』，《說文》『袖』字正篆即以之爲聲旁。」「裘按，『采』音『由』，與『繇』通。」按，裘先生的說法仍待確證，以上三字的釋讀似存有兩種可能性：

(一)作「采」。《說文》：「褎，袂也，从衣采聲。袖，俗褎从由。」「采，禾成秀人收者也，从爪禾。穗，俗从禾惠聲。」段《注》：「采與秀古互訓，如〈月令〉注『黍秀舒散』，即謂黍秀也。」「（从爪禾）會意，小徐作爪聲，非。此與采同意。」[60]由、褎，余紐幽部；繇，余紐宵部，幽宵旁轉。均音近可通。采，古璽文作、古陶文作、古幣文作，睡虎地秦簡〈日書乙〉簡四七作，[61]與《郭簡》之字形近。

(二)作「㮚」。包山楚簡簡三四有人名「周」，簡二七八反「脰尹」

---

[59] 〔宋〕郭忠恕：《汗簡》（北京：中華書局，1983年《汗簡古文四聲韻》合刊本），頁8、21。

[60] 段玉裁：《說文解字注》，同注[6]，八篇上，五十五，頁392；七篇上，四十五，頁324。

[61] 羅福頤編：《古璽文編》（北京：文物出版社，1994年），頁197。高明、葛英會編：《古陶文字徵》（北京：中華書局，1991年），頁127。張頜編：《古幣文編》（北京：中華書局，1986年），頁134。張守中：《睡虎地秦簡文字編》，同注[20]，頁109。

（按，首字爲地名），(62)「者減鐘」有「自乍鐘」，所從「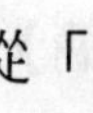」之形，何琳儀釋爲「從木，肉聲」之字，此字似爲「柔」或「腜」之異文。他說：「《說文》『脜，面和也。從百，從肉。讀若柔。』朱駿聲《說文通訓定聲》『按，肉聲，讀若柔，字亦作腜。《詩·抑》輯柔爾顏，《禮記·內則》柔色以溫之，《國語》戚施面柔，皆以柔爲之。』舊說可信。凡此說明，從『木』、『矛』聲的『柔』，與從『百』（或從『頁』）、『肉』聲的『腜』，乃至從『木』、『肉』聲的『夈』，均爲一字之變。『矛』與『肉』均屬幽部。這類互換音符的現象，……。」包山的地名夈讀爲「鄾」，者減鐘的「鴸鐘」即「鵰鐘」，讀爲「調鐘」。(63)上面所討論《郭簡》三字也有可能是「夈」字的訛變。《郭簡》中常見「繇」字，或作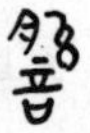（〈窮達以時〉簡三「卲繇」），或作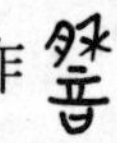（〈尊德義〉簡九、一〇），或加「辵」部作（〈語叢一〉簡二〇），上部或從肉、從糸，或從肉、從木（或禾），均從肉聲。〈窮達以時〉之「卲繇」即〈唐虞之道〉的「咎」，也就是「皐陶」。(64)《說文》：「繇，隨從也。从系䍃聲。由，或繇字。」段《注》：「古繇由通用一字也。各本無此篆，全書由聲之字皆無根柢，今補。」(65)（按，段氏補「由」字）。〈性自命出〉簡二四：「聞歌謠（謠）」，謠字即從「夈」聲。

總之，《郭簡》的、、三字與「夈」和「采」的關係，在字形方面近似，而聲音方面也相近，可通假。故該釋作「夈」或「采」，皆有可能，在此兩說並陳，以待進一步證明。

---

(62) 《包山楚簡》，同注⑩，頁19、39，圖版16、120。

(63) 何琳儀：〈吳越徐舒金文選釋〉，《中國文字》新19期（1994年9月）。

(64) 《尚書·皐陶謨》：「皐陶」，《尚書》，同注⑦，卷4。《楚辭·離騷》作「咎繇」，〔宋〕洪興祖：《楚辭補註》（臺北：藝文印書館，1986年影印《惜陰軒叢書》本），卷1，頁68。

(65) 段玉裁：《說文解字注》，同注⑥，十二篇下，六十三，頁643。

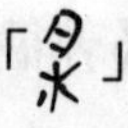

九、故君子之立（莅）民也，身備（服）善以先之，敬慎以付（撫）之〈成之聞之〉簡三

付，原作，此字疑當從手從人，包山楚簡一七五「郘易君之人」的「人」字作，[66]即與「付」字所從的「人」相同。付字金文作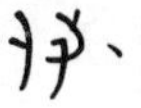、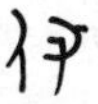（散盤）、（鬲攸比鼎）。[67]包山楚簡付字作（簡九一），郙字作（簡三四），笸字作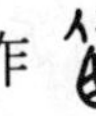（簡四九）。[68]付通拊，《詩經·小雅·蓼莪》：「父兮生我，母兮鞠我，拊我畜我，長我育我。」[69]《後漢書·梁竦傳》引此詩之「拊」字作「撫」。[70]簡文「付」字象人以手撫人，即愛撫、存恤之意。《左傳·定公四年》：「若以君靈撫之，世以事君。」杜預《注》：「撫，存恤也。」[71]

《論語·憲問》：「子路問君子。子曰『脩己以敬。』曰：『如斯而已乎？』曰：『脩己以安人。』曰：『如斯而已乎？』曰：『脩己以安百姓。脩己以安百姓，堯舜其猶病諸！』」〈顏淵〉：「季康子問政於孔子，孔子對曰：『子帥以正，孰敢不正？』」「季康子問政於孔子曰：『如殺無道，以就有道，何如？』孔子對曰：『爲政焉用殺，子欲善而民善矣。君子之德風，小人之德草，草上之風必偃。』」[72]孔子強調君子爲政之道，當以身作則，治民以德、以禮，且愼用刑罰，[73]此即西周初《尚書·康誥》所言「明德愼罰」[74]的思想。簡文

[66] 《包山楚簡》，同注[10]，圖版七九。另參滕壬生：《楚系簡帛文字編》，同注[18]，頁 648-656 所列楚簡「人」字之形。

[67] 容庚編著，張振林、馬國權摹補：《金文編》（北京：中華書局，1996 年），頁 563、206。

[68] 滕壬生：《楚系簡帛文字編》，同注[18]，頁 661、257。

[69] 《毛詩》，同注[7]，卷 13：1，頁 437。

[70] 〔南朝宋〕范曄：《後漢書》（北京：中華書局，1993 年，點校本），卷 47，頁 1174。

[71] 《左傳》，同注[7]，卷 54，頁 953。

[72] 《論語》，同注[7]，卷 14，頁 131；卷 12，頁 109。

[73] 《論語·為政》：「子曰：『道之以政，齊之以刑，民免而無恥；道之以德，齊之以禮，有恥且格。』」《論語》，同注[7]，卷 2，頁 16。

之意爲君子治理人民，當躬身行善，爲人民的表率；且以敬謹戒愼之心來愛撫百姓，而不濫施刑罰。

十、小人不経（逞）人於刃，君子不経（逞）人於禮　〈成之聞之〉簡三四～三五

《郭簡》注引裘先生之說將経讀爲逞，「逞人」與「求逞於人」意近；將刃讀爲仁，謂「此文之意蓋謂小人不求在仁義方面勝過人，君子不求在禮儀方面勝過人。」按，裘先生將刃讀爲仁，此說待商榷。〈成之聞之〉在此段所講的是謙讓之道。就「君子不逞人於禮」而言，在古代，禮儀主要是爲士階級以上的貴族而制定，也爲其所熟習，《禮記·曲禮上》：「禮不下庶人。」(75)可以說習禮儀是古代貴族的專利。簡文當是說君子（相對於平民而言）不以其嫻熟禮儀而向人逞強。因此，再就「小人不逞人於刃」來說，若說是小人不以其行仁義來向人逞強，文意上並不通；《論語·八佾》：「人而不仁，如禮何？人而不仁，如樂何？」(76)仁本而禮末，禮的儀節易習而仁之境界難至，要求君子「不逞人於禮」，卻要求小人「不逞人於仁」，似乎不好解釋。陳偉先生就認爲「刃」讀爲「恩」，簡文是說：「小人不以恩情而對他人逞強，君子不以禮儀而對他人逞強。」(77)劉信芳先生也持相同的看法，他說：「小人不求在恩情方面炫耀自己，君子不求在禮儀方面炫耀自己。」(78)本文則認爲簡文所言「君子」、「小人」當指貴族和平民而言，「小人不逞人於刃」是說：小人不以其

---

(74)　《尚書》，同注❼，卷14，頁201。

(75)　《禮記》，同注❼，卷3，頁55。

(76)　《論語》，同注❼，卷3，頁26。

(77)　陳偉：〈郭店楚簡別釋〉（稿本）。

(78)　劉信芳：〈郭店竹簡文字考釋拾遺〉，紀念徐中舒先生誕辰一百周年暨國際漢語古文字學研討會論文，1998年10月。

持有刀刃之兵器而向人逞強。《韓非子·五蠹》：「儒以文亂法，俠以武犯禁」，「人主尊貞廉之行，而忘犯禁之罪，故民程於勇而吏不能勝也。」(79)

十一、滙（推）忿繺（懣），改惎（忌）勳（勝），為人上者之務也。〈尊德義〉簡一

滙，讀作摧或推，《說文》：「推，排也。」(80)《易·晉卦初六》：「晉如摧如，貞吉。」孔穎達《疏》引何氏（妥）云：「摧，退也。」(81)繺，讀作「懣」。〈性自命出〉簡三〇：「繺繺如也，戚然以終。」簡六七：「居喪必有夫繺繺之哀。」周師鳳五將此二簡之「繺」讀作「懣」，(82)《說文》：「懣，煩也。」段《注》：「煩者，熱頭痛也。引申之，凡心悶皆爲煩。」《說文》：「憤，懣也。」「悶，懣也。」(83)簡文「推忿懣」就是說：排除內心忿懣的情緒。

惎通「忌」，《說文》：「忌，憎惡也。」(84)《詩·召南·小星》毛《序》：「夫人無妒忌之行」，鄭《箋》：「以色曰妒，以行曰忌。」(85)《楚辭·離騷》：「羌內恕己以量人兮，各興心而嫉妒。」王逸《注》：「害賢爲嫉，害色爲妒。」(86)嫉之義通忌。勳讀作勝，《郭簡》多有此例，如〈老子乙〉簡一五：「燥勳（勝）蒼（滄），清勳（勝）熱。」簡文「改忌勝」謂改正忌惡他人道

---

(79) 陳奇猷：《韓非子集釋》（臺北：華正書局，1987年），卷19，頁1057。
(80) 段玉裁：《說文解字注》，同注❻，十二篇上，二十五，頁596。
(81) 《周易》，同注❼，卷4，頁87。
(82) 周師鳳五：〈郭店楚簡識字札記〉，收入本《論文集》。
(83) 段玉裁：《說文解字注》，同注❻，十篇下，四十四，頁512。
(84) 段玉裁：《說文解字注》，同注❻，十篇下，四十二，頁511。
(85) 《毛詩》，同注❼，卷1：5，頁63。
(86) 洪興祖：《楚辭補註》，同注(64)，卷1，頁26。

德才能勝於己的個性，亦即爲人上者不要忌惡屬下道德才能勝於己。〈語叢二〉簡二五～二七：「惡生於性，怒生於惡，乘生於怒，惎生於輮（乘），惻（賊）生於惎。」惎通忌，「忌生於乘」謂人之忌惡之心起於人有好勝之心。《荀子·成相》：「主忌苟勝，羣臣莫諫必逢災。」楊倞注：「主既猜忌，又苟欲勝人也。」[87]

十二、門內之治，欲其𠌯（弇）也。門外之治，欲其折也　〈性自命出〉簡五八～五九

〈六德〉簡三〇～三一：「門內之治紉弇宜（義），門外之治宜（義）斬紉。」陳偉、劉信芳兩位先生均據《禮記·喪服四制》「門內之治恩揜義，門外之治義斷恩」來將「紉」讀作「恩」，[88]此說極是。這兩條材料將有助於對此則〈性自命出〉簡的理解。

朋字《郭簡》隸作𠌯，圖版不清，不過〈六德〉簡三三有「䋤其志，求養新（親）之志。」䋤字作，《郭簡》隸作䋤。此字左偏旁下部所從當是「▽」，可能是《說文》之「㕣」字，古文作；[89]右邊偏旁疑是「肙」字，包山楚簡二七三有「牛之韆」，[90]首字所從與簡文同，李家浩先生釋作「鞙」。[91]從「㕣」及從「肙」之字古音皆在元部。此字可能讀作「弇」，弇是影紐談

[87] 〔清〕王先謙：《荀子集解》（北京：中華書局，1992年《新編諸子集成》本），下冊，卷18，頁457-458。

[88] 陳偉：〈郭店楚簡別釋〉（稿本），劉信芳：〈郭店竹簡文字考釋拾遺〉，同注[78]。

[89] 段玉裁：《說文解字注》，同注[6]，二篇上，二十八～二十九，頁62。

[90] 《包山楚簡》，同注[10]；頁38，圖版一一八。

[91] 李家浩：〈包山楚簡研究（五篇）〉，頁 22、26,「香港第二屆國際中國古文字學研討會論文」，1993年10月。

部，[92]談元旁轉。〈性自命出〉的朋當讀作弇；而折字，《郭簡》釋文作「折（制）」，折字即有「斷」義，不必再釋作「制」。[93]

十三、六者各行其職而狃（訕）奢（誇）亡繇（由）作也　〈六德〉簡二三～二四

此六者各行其職而狃（訕）奢（誇）蔑繇（由）作也　〈六德〉簡三五～三六

狃，讀作訕，《說文》：「訕，謗也。」[94]《論語・陽貨》：「惡居下流而訕上者。」[95]奢字作、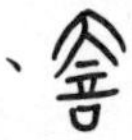，《古文四聲韻》有誇字作，[96]與後一字形相近，《說文》：「誇，譀也。」「譀，誕也。」[97]簡文「訕奢」即是誇大不實的誹謗言論。劉信芳先生則認為簡二四「奢」字上當從「文」而不從「大」，此字當釋作「彥」，即「諺」字，簡三六之「奢」乃「彥」之誤書，他並引曾侯乙編鐘 C.53.9 上之字為證。[98]按，此說有待商榷。曾侯乙編鐘銘文作[99]，與簡二四之「奢」字在字形上並不相近；其次簡三六「奢」字，上部即從「大」，簡文僅止兩字，很難說此字為錯字。

十四、父亡惡，君猷（猶）父也，其弗惡也，猷（猶）三軍之旃（旌）也，

---

[92] 弇字，《漢字古音手冊》標影紐侵部。王力：《同源字典》，《王力文集》（濟南：山東教育出版社，1992 年），第 8 卷，頁 807 則標影紐談部。

[93] 參本文第四則所釋。

[94] 段玉裁：《說文解字注》，同注[6]，三篇上，二十一，頁 96。

[95] 《論語》，同注[7]，卷 17，頁 159。

[96] 〔宋〕夏竦：《古文四聲韻》（《汗簡古文四聲韻》合刊本），同注[59]，頁 25。

[97] 段玉裁：《說文解字注》，同注[6]，三篇上，二十五，頁 98。

[98] 劉信芳：〈郭店竹簡文字考釋拾遺〉，同注[78]。

[99] 《曾侯乙墓》，同注[38]，上冊，頁 581。

正也。　〈語叢三〉簡二

旝字《郭簡》隸作旌。按，其形作，從㫃從井，字當讀作「旌」。曾侯乙墓竹簡從「㫃」之字，「㫃」多作之形。[100]旌、井均為精紐耕部，生為山紐耕部。《說文》：「旌，游車載旌，析羽注旄首也，所以精進士卒也。」[101]《周禮·春官·司常》：「凡軍事，建旌旗。」[102]《楚辭·九歌·國殤》：「旌蔽日兮敵若雲，矢交墜兮士爭先。」[103]曾侯乙墓竹簡六五有「朱旝（旌）」，[104]望山二號墓竹簡一三有「秦高（縞）之巠䍐（旌）。」[105]青為清紐耕部，青、生、井古音相近，做為聲符，可互換。

後記：本文寫作過程中，承周師鳳五、林師素清兩位先生指導，陳偉先生和袁國華先生提供寶貴意見，謹致謝忱。

1998年10月30日初稿

1998年11月29日修訂

---

[100] 滕壬生：《楚系簡帛文字編》，同注[18]，頁570-574。

[101] 段玉裁：《說文解字注》，同注[6]，七篇上，十六，頁309。

[102] 《周禮》，同注[7]，卷27，頁422。

[103] 洪興祖：《楚辭補註》，同注[64]，卷2，頁141。

[104] 《曾侯乙墓》，同注[38]，上冊，頁493。

[105] 湖北省文物考古研究所、北京大學中文系編：《望山楚簡》（北京：中華書局，1995年），頁55、108。

郭店楚簡〈魯穆公問子思〉考釋

黃人二*

〈魯穆公問子思〉共八枚一百四十六字（包括殘文二、合文二），❶其中當有缺文，故字數不止此數。因篇幅極短，又較無困難之處，故易爲人輕忽，今就一己之見書之於後，以就教於碩學君子。

一、釋　文

魯穆公昏（問）於子思曰：「可（何）女（如）而可胃（謂）忠臣？」子思曰：「恆（亟）爯（稱）其君之亞（惡）者，可胃（謂）忠臣矣。」公不敓（悅），咠（揖）而退之。成孫弋見，公曰：「向（鄉）者虗（吾）昏（問）忠臣於子思，子思曰：『亙（亟）爯（稱）其君之亞（惡）者可胃（謂）忠臣矣。』㝈（寡）人惑安（焉），而未之得也。」成孫弋曰：「悇（嘻），善才（哉）言虖（乎）！夫爲其君之古（故）殺其身者，嘗又（有）之矣。亙（亟）爯（稱）其君之亞（惡）者，未之又（有）也。夫爲其〔君〕之古（故）殺其身者，效（要）彔（祿）雀（爵）者也。亙（亟）〔爯〕（稱）〔其〕〔君〕之亞（惡）〔者〕，〔遠〕彔（祿）雀（爵）者〔也〕，〔爲〕義而遠彔（祿）雀（爵），非（微）子思，虗（吾）亞（烏）昏（聞）之矣。」

---

*　國立臺灣大學中文研究所碩士。

❶　荊門市博物館編：《郭店楚墓竹簡》（北京：文物出版社，1988年），頁23圖版、頁141釋文。

二、注　釋

(一)(亟)、亙(亟):整理小組釋文作「恆」、「亙」,無說,意爲「常也」。按:此誤,應讀爲「亟」。楚國簡牘「恆」字有兩讀,陳偉先生云:先秦古書有「亟(或作極)稱」、「亟(或作極)言」的用例。《穀梁傳·文公十三年》:「大室屋壞。…極稱之,志不敏也。」《孟子·離婁下》:「仲尼亟稱于水曰:『水哉!水哉!』」孫奭《疏》解「亟稱」爲「數數稱道」。《左傳·昭公二十一年》:「宋華費遂生華貙、華多僚、華登。貙爲少司馬,多僚爲御士,與貙相惡,乃譖諸公曰:『貙將納亡人。』亟言之。」孔穎達《疏》云:「服虔云:『亟,疾也。疾言之,欲使信。』則服虔讀爲亟也。或當爲亟,亟,數也,數言之。」依此,簡文「亟稱」存在兩種可能,一是「屢次稱述」,一是「急切指出」。❷蓋「亟稱」指「直言極諫」。好的君王,錯誤少;不好的君王,錯誤多,但都需要嚴色正辭地「亟稱其惡」,義之所在,諫必往之。好的君王會改正他的錯誤,不好的君王則會討厭「亟稱其君之惡」的臣子,故下云「亟稱其君之惡者,遠祿爵也」。《孝經·諫諍章》云:「父有爭子,則身陷於不義。故當不義,則子不可以不爭於父,臣不可以不爭於君。故當不義則爭之,從父之令,又焉得爲孝乎?」可爲此註腳。一字二音情況,本篇就有「昏」、「亞」、「亙」多例,詳後。

(二)公不攸(悅):「攸」字楚簡中常見,有多種讀音,此讀爲「悅」。❸

(三)咠(揖)而退之:指子思揖而退之。

(四)亯(鄉):此字字形「」,疑「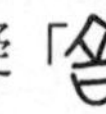」之省,讀爲「享」,即「鄉」。或

❷　陳偉先生:《郭店楚簡別釋》(稿本),頁2,待刊。

❸　拙作:《戰國包山卜筮祝禱簡研究》(臺北:國立臺灣大學中文研究所碩士論文,1996年),頁16,一九九六年臺灣大學碩士論文。

爲之形訛。簡本〈老子乙〉：「以向（鄉）觀向（鄉）」，鄉作。「向」字本義爲「北出牖」。不管正解爲何，「向」、「鄉」音同義通，王力先生舉《禮記·明堂位》、《儀禮·士虞禮》證之，❹可參看。指子思揖而退之，過了一下子（鄉者），成孫弋就來見。《荀子·宥坐》「子貢觀於魯廟之北堂，出而問於孔子曰：『鄉者，賜觀廟於太廟之北堂』」，❺義同。

(五)安（焉）：包山簡此字多見，多指地名，眾皆不識，鳳五師釋爲「焉」。❻

(六)悏（嘻），善哉言唇（乎）：悏，讀爲「嘻」，與《大戴禮記·四代》：「嘻，美哉！子道廣矣。」用法相同。又「善才（哉）言唇（乎）」要連讀，釋文讀法可商。

(七)夫爲其君之古（故）殺其身者：「夫」，「凡」也。「夫」、「凡」二字古音音近可通。《韓非子·解老》：「凡兵革者，所以備害也。」《呂氏春秋·蕩兵》：「凡兵也者，威也；威也者，力也。」古書上或作「夫」、或作「凡」，皆不誤也。

(八)效（要）：裘錫圭先生據文義於缺文有補，注釋（二）：「夫爲其君之古（故）殺其身者，嘗又（有）之矣。亙（亟）爯（稱）其君之亞（惡）者，未之又（有）也。夫爲其〔君〕之古（故）殺其身者，效（要）彔（祿）雀（爵）者也。亙（亟）〔稱〕〔其〕〔君〕之亞（惡）〔者〕，〔遠〕彔（祿）雀（爵）者〔也〕，〔爲〕義而遠彔（祿）雀（爵），非（微）子思，虗（吾）亞（烏）昏（聞）之矣。」❼效，要也。「要」在《論語·

---

❹ 王力：《中國語言學史》，《王力文集》（濟南：山東教育出版社，1991 年），第 12 卷，頁 48。

❺ 〔清〕王先謙：《荀子集解》（北京：中華書局，1992 年《新編諸子集成》本），頁 527。

❻ 周鳳五師：《包山楚簡文字初考》，《王叔岷先生八十壽慶論文集》（臺北：大安出版社，1993 年），頁 11。

❼ 《郭店楚墓竹簡》，同注❶，頁 141。

憲問》「見利思義，見危授命，久要不忘平生之言，亦可以爲成人矣。」❽中作「約」講，義同〈唐虞之道〉「約而不慍」之「約」；❾《論語·憲問》「雖曰不要君，吾不信也」，❿「要」，干求也。簡文意思同後者。《孟子·公孫丑上》：「非所以內交於孺子之父母也，非所以要譽於鄉黨朋友也，非惡其聲而然也。」⓫一要譽，一要祿爵也。

(九)彔(祿)雀(爵)：戰國楚國簡牘卜筮祝禱類常出現卜問「要祿爵」者，包山簡二〇二「占之，恆貞吉，少有憂於躬身，叡雀(爵)立(位)遲踐」，⓬《左傳·閔公元年》「畢萬筮仕於晉」，蓋亦卜筮中言祿命者。⓭

(十)〔爲〕義而遠彔（祿）雀（爵）：蓋講「義」乃思孟學派本色，此更證之。

(十一)非（微）子思，虐（吾）亞（烏）昏（聞）之矣：釋文和裘錫圭先生之補文同作「非子思，吾亞（惡）聞之矣。」按：應讀爲「微子思，吾烏聞之矣。」「非」、「微」古音近通假，「亞」一音二讀，此讀爲「烏」。「惡（烏）」、「非（微）」的用法請看楊樹達先生《詞詮》卷八。⓮這種古代漢語的句法類似《論語·憲問》「微管仲，吾其被髮左衽矣。」⓯《說苑·君道》「微孔子，吾焉聞斯言也哉。」⓰黃生《字詁》云：「烏、於本一字，其借爲歎辭者，『於乎』古用於，後用烏。又有單言於者，《書》用於，《孟子》用惡。然詳其意，於之聲急，此歎美、驚歎之別，然無用

---

❽ 《論語注疏》（臺北：藝文印書館，1989年影印〔清〕嘉慶20年〔1815〕南昌學府刊《十三經注疏》本），卷14，頁125。以下《十三經注疏》之版本皆同。

❾ 《郭店楚墓竹簡》，同注❶，頁157。

❿ 《論語注疏》，同注❽，頁125。

⓫ 《孟子注疏》，同注❽，卷3下，頁65

⓬ 湖北省荊沙鐵路考古隊：《包山楚簡》（北京：文物出版社，1991年），頁33。

⓭ 《左傳注疏》，同注❽，卷11，頁181。

⓮ 楊樹達：《詞詮》（臺北：臺灣商務印書館，1987年），卷8，頁3、30。

⓯ 《論語注疏》，同注❽，卷14，頁127。

⓰ 盧元駿：《說苑今註今譯》（臺北：臺灣商務印書館，1988年），頁6。

烏者。其借爲焉、安之轉者，《孟子》用惡，《史》、《漢》多用烏，亦無用於者。蓋于借同于，因借音既專，遂與烏不相通。是以古多用於，後多用烏，以於別占一音故也。」⑰「微子思，吾烏（惡）聞之矣。」的意思是「要不是子思，我哪能聽聞呢？」

三、說　明

本篇在文字上完全是楚國風格，篇中有很多莫以名之的同字異構，如「者」作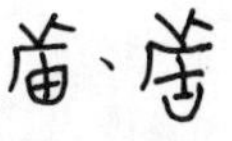，「忠」作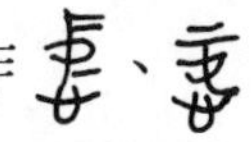，「思」作，「亟」作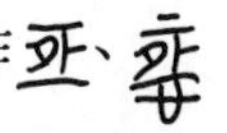，「惡」作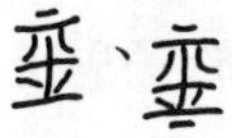，「之」作，「爵」作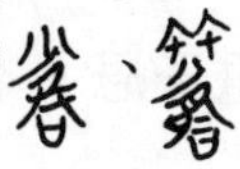。出于一人之手，而變化莫測若此，完全不能以理性掌握其規律。

《荀子·非十二子》云：

> 略法先王而不知其統，猶然而材劇志大，聞見雜博，案往舊造說，謂之五行；甚僻違而無類，幽隱而無說，閉約而無解，案飾其辭而祇敬之曰：「此真先君子之言也。」子思唱之，孟軻和之，世俗之溝猶瞀儒，嚾嚾然不知其非也，遂受而傳之，以為仲尼、子游為茲厚於後世，是則子思、孟軻之罪也。⑱

荀子之詆子思、孟子，雖不必當其罪，然八儒傳孔子之學說，取捨不同，故相攻也。子思爲孔鯉之子，傳受業於曾子，而孟子受業於子思弟子，對其說加以繼承發展，荀子復並批思、孟，後人稱之爲思孟學派。《漢書·藝文志》記有

---

⑰ 黃承吉按：「嗚、於、嗚、惡，皆以同聲通用，一也。即焉、安亦是一聲，所以惡之義即是焉、安。〔清〕黃生：《字詁》（北京：中華書局，1984年），頁37。

⑱ 王先謙：《荀子集解》，同注❺，頁94。

《子思子》二十三篇，班固〈注〉：「名伋，孔子孫，爲魯繆公師。」⑲知子思爲魯穆公之師。

《孟子·公孫丑下》云：

> (孟子) 坐！我明語子。昔者魯繆公無人乎子思之側，則不能安子思；泄柳、申詳無人乎繆公之側，則不能安其身。子為長者慮，而不及子思；子絕長者乎？長者絕子乎？⑳

從之可見魯穆公非常看重子思。本篇應爲魯繆公尙未即位時，請教於子思之實錄，而爲北學於中國的楚國儒者錄之，用以教育太子、貴族。

魯穆公和子思事見於《孟子·公孫丑下》、《禮記·檀弓下》、《說苑·雜言》、《韓非子·難三》、《論衡·非韓》、《孔叢子》等諸書。先秦諸子中之古事古言者，或其人平日所誦習，弟子熟聞而筆記之，或讀書時之箚記，後人錄之以爲書。故義有衍成，辭有往復，常設故事以證其義，假問答以盡其辭，雖不必實有其人，但亦不必眞有此問，不過儒家典籍應不致虛構情事以說理，需要辯證的看待。

鳳五師云：

> 再如〈魯穆公問子思〉一篇，正色極言，批國君之逆鱗，較諸《孟子·梁惠王》亦不遑多讓。凡此皆可見孟子深受子思學風的浸染。㉑

---

⑲ 〔清〕王先謙：《漢書補注》(臺北：新文豐出版社，1988 年影印長沙王氏虛受堂校刊本)，頁 861。

⑳ 《孟子注疏》，同注❽，卷 4 下，頁 83。

㉑ 周鳳五師：〈郭店楚簡〈唐虞之道〉考釋〉，頁 8，待刊。

先秦古書皆不書撰人，欲知人論事，誠屬不易。然則師師相授，或出于本人之手，或出于門弟子之手，或後人附益，都不失其家法，知其學出于某學派，推本原而言之也。孔子主張「事父母幾諫，見志不從，又敬不違，勞而不怨。」㉒曾子也主張「微諫不倦，聽從而不怠」，「一出言不敢忘父母，是故惡言不出於口，忿言不及於己」，「父母之行，若中道則從，若不中道則諫，諫而不用，行之如由己。從而不諫，非孝也；諫而不從，亦非孝也。」㉓完全不同本篇和《孝經·諫爭章》的風格：

> 故當不義，則子不可以不爭於父，臣不可以不爭於君。故當不義，則爭之，從父之令，又焉得為孝乎。㉔

雖託爲「孔子曰」，實與孔子思想不符，或應出於思孟學派之所爲。《隋書·音樂志》沈約曰：「漢初典章簡略，諸儒摭拾遺簡與禮事相關者，篇次編帙，〈中庸〉、〈表記〉、〈坊記〉、〈緇衣〉皆取《子思子》」，從文獻上得知爲《子思子》的篇章者大約僅此，《漢書·藝文志》著錄《子思》二十三篇，《隋書·經籍志》作《子思子》七卷，今有黃以周輯解本七卷。現在郭店楚墓竹簡出土，廖名春先生將《老子》甲乙丙本、〈太一生水〉、〈語叢〉一二三四外之簡文分爲三類：一爲孔子所作，有〈窮達以時〉、〈唐虞之道〉、〈尊德義〉；二爲孔子弟子所作，子張作〈忠信〉、子游作〈性情〉、縣成作〈成之聞之〉和〈六德〉；三爲子思及其弟子所作，有〈緇衣〉、〈五行〉、〈魯

㉒ 《論語注疏》，同注❽，卷4，頁37。

㉓ 以上三條參見〔清〕王聘珍：《大戴禮記解詁》（北京：中華書局，1992年《十三經清人注疏》本），頁81、85、86三處。

㉔ 《孝經注疏》，同注❽，卷7，頁48。

穆公問子思〉。㉕姜廣輝先生認爲〈緇衣〉、〈五行〉、〈唐虞之道〉、〈忠信之道〉、〈性自命出〉、〈窮達以時〉、〈成之聞之〉前半、〈魯穆公問子思〉、〈六德〉皆出於子思。㉖我認爲除了部份篇章尚待充足證據證明外，絕大多數應屬思孟學派所作。《禮記·儒行》「魯哀公問孔子：『儒有席上之珍以待聘，夙夜強學以待問，懷忠信以待舉，力行以待取。其自立有如此者。』」㉗說明了儒者的特質，但思孟學派更多了一份「正色極言，理直氣壯」的風格。

㉕ 廖名春：《荊門郭店楚簡與先秦儒學》，《中國哲學》第 20 輯（郭店楚簡研究專號）。

㉖ 姜廣輝：《郭店楚簡與子思子等兼談郭店楚簡的思想史意義》，《中國哲學》第 20 輯（郭店楚簡研究專號）。

㉗ 《禮記注疏》，同注❽，卷 59，頁 974。

從帛書《戰國縱橫家書》來看今本《戰國策》和《史記》的關係

王靖宇*

一九七三年長沙馬王堆三號漢墓中發現了大批帛書，其中有一部與《戰國策》性質相似，但未標明書名。後來經過馬王堆漢墓帛書整理小組的整理和編輯，定名爲《戰國縱橫家書》，並於一九七六年交由北京文物出版社出版，除了正文之外，還有釋文、注釋，書末並附錄了唐蘭、楊寬、馬雍等三位學者有關論文，對學術界是一大貢獻。

有關帛書《戰國策縱橫家書》（以下有時簡稱帛書）的命名、內容和價值，其實在文物出版社的「出版說明」中已有扼要而精確的說明：

> 《戰國策縱橫家書》這個名稱是帛書整理小組定的，全書共二十七章，三百二十五行，一萬一千多字。其中十一章的內容見於《戰國策》和《史記》，文字大體相同（按《史記》、《戰國策》重出部分亦附錄於有關章節之後）。另外十六章，是久已失傳的佚書。把它們和《戰國策》、《史記》的有關篇章相對照，可以校正後者的一些錯誤，並補充其不足。這部《戰國縱橫家書》，特別是其中十六章古佚書的發現，為進一步研究戰國歷史，提供了珍貴的重要資料。

* 美國史丹福大學東亞系教授，兼主任。

馬王堆三號漢墓封墓時間爲西元前一六八年，因此墓中所發現的各類書籍在時間上應較《史記》和《戰國策》的成書時間爲早；而既然帛書中有相當部分內容與後二者相似，則司馬遷和劉向曾參考過帛書中一部分材料的可能性即不能排除。遺憾的是，帛書後所附唐蘭先生的論文題爲〈司馬遷所沒有見過的珍貴史料〉，言下之意，帛書中所載內容司馬遷全沒有見到過。後來錢存訓先生在一篇介紹《戰國策》的文章中也說：「……完全看不出司馬談（約於西元前 101 年去世）或司馬遷（約於西元前 145－86 年在世）曾看到過它們（按指帛書內材料而言）的本文……」（"...there is nothing to show that their text had been seen by Ssu-ma T'an (d.c. 110 B.C.) or Ssu-ma Ch'ien (?145-?86 B.C.)"）❶事實上，我們只要將帛書、《史記》二書中相同篇章拿來加以比對，就會發現，帛書中有相當一部分材料司馬遷不但見過，而且在寫《史記》時還曾大量採用過（詳見下文有關二書以及《戰國策》之比勘）。根據帛書後所附三位學者的分析和研究，所謂《戰國縱橫家書》，也許應當說是墓主人自己或請人抄錄一些不同來源的材料雜湊而成，不能稱爲一本真正首尾聯貫、內容一致的書。所以我們固然可以說司馬遷未曾見過墓中此一特定帛書，但帛書中的一些材料他肯定是見過的。

更有意思的是，《史記》和帛書重出部分，有七章也見於今本《戰國策》。如將三書中這些相同篇章拿來仔細比對，則不難發現，劉向（西元前 78－8）或後人在編訂或輯補《戰國策》一書時，並不只限於材料的彙集和整理，他們對所彙集的材料至少在文句上也曾有所增删和修飾。更值得注意的是，他們在對所彙集的原材料進行加工時，似乎有參考過《史記》有關部分的可能。爲了說明三書間相同部分的這種密切關係，我們不妨選擇七章中的一章來對三書加

❶ *Early Chinese Texts: A Bibliographical Guide*, ed. Michael Loewe (Berkeley: The Society for the Study of Early China and The Institute of East Asian Studies, University of California, Berkeley, 1993, p.9.

以比勘。因爲七章中大部分以記言爲主，我們就選擇了兼帶少量敘事而且也是大家比較熟悉的〈觸龍見趙太后章〉（今本《戰國策》作〈趙太后新用事〉）一篇爲例。爲了看得清楚，我們可以將全篇分爲十八小段，然後在每一段之後再作一簡單分析和說明。

（一）

帛書《戰國縱横家書》（以下簡稱帛書）❷

趙大（太）后規用事，秦急攻之，求救於齊。

《史記》（以下有時簡稱爲《史》）❸

孝成王元年，秦伐我，拔三城。趙王新立，太后用事，秦急攻之，趙氏求救於齊。

今本《戰國策》（以下有時簡稱爲《策》）❹

趙太后新用事，秦急攻之，趙氏求救於齊。

此處《戰國策》基本上與帛書相同，只是在末句開端加了「趙氏」二字，也許是爲了行文的清晰。據帛書注釋，第一句「規」字可能爲「親」字之誤。《史記》本節爲〈趙世家〉之一部分，所以多了一些相關事件的背景文字。正因爲如此，我們對何以「趙太后新（親）用事」就比較容易理解：趙太后之所以「用事」，乃是因爲「趙王新立」，可能不諳朝廷事務的緣故。值得注意的

❷ 以下帛書引文見《戰國縱横家書》（北京：文物出版社，1976 年），頁 74-77。為求三書一致，標點略有變動。

❸ 以下《史記》引文見《史記》（北京：中華書局，1959 年點校本），第 6 冊，頁 1822-24。

❹ 以下《戰國策》引文見張清常、王延棟：《戰國策箋注》（天津：南開大學出版社，1993 年），頁 546-550。標點略有變動。

是，《史記》在末句開端也多了「趙氏」二字，正與《戰國策》同。但《史記》在時間上較劉向的《戰國策》爲早，如果二書的編著者曾參考過對方的成品時，那麼當是劉向（或後人），而不是司馬遷。

（二）

帛書

齊曰：「必〔以〕大（太）后少子長安君來質，兵乃出。」

《史》

齊曰：「必以長安君為質，兵乃出。」

《策》

齊曰：「必以長安君為質，兵乃出。」

此處《史》《策》二書用字完全相同，如果不是偶合，則劉向或劉向之後曾整編過《戰國策》的人有可能參考過《史記》。純粹從敘事角度來看，帛書在「長安君」三字前多出「（太）后少子」四字很有道理，因爲一般來說，年長父母往往對最小的兒女最爲溺愛，這是何以下文太后反應極爲強烈之故，這也是何以後來左師觸龍必須藉荐舉自己少子而逐漸改變太后初衷的理由。換言之，《史》《策》將「（太）后少子」四字刪去並不明智。

（三）

帛書

大（太）后不肯，大臣強之。

《史》

太后不肯，大臣彊諫。

《策》

太后不肯，大臣強諫。

此處《史》《策》二書在用字上又是完全相同，均將帛書中最末「強之」二字改爲「強諫」。衡量當時情況，大臣們恐怕只能努力去規勸太后，而不能強迫她改變看法，所以《史》《策》此處改得合理而得體。同樣地，由於《史記》在前，所以《戰國策》也改「之」爲「諫」，如果不是偶合，就是曾參考過前者。

（四）

帛書

大（太）后明胃（謂）左右曰：「有復言令長安君質者，老婦必唾亓（其）面。」

《史》

太后明謂左右曰：「復言長安君為質者，老婦必唾其面。」

《策》

太后明謂左右：「有復言令長安君為質者，老婦必唾其面。」

帛書太后說話的前半句，「質」前少了動詞「爲」，文法欠完整，所以《史記》加了一個「爲」字（當然帛書所根據之原件可能本來有個「爲」字，只是被帛書的抄寫者遺漏了），但卻省去「有」和「令」二字，句子基本意思沒有大改變。再看《戰國策》有關部分，則似乎綜合了前二書的句法而成。當然，如果帛書原有「爲」字，則帛書和《戰國策》在此處即完全相同。

（五）

帛書

左師觸龍言願見，大（太）后盛氣而胥之。

《史》

左師觸龍言願見太后，太后盛氣而胥之。

《策》

左師觸讋願見太后，太后盛氣而揖之。

《史記》此處與帛書基本相同，只是帛書第一句末可能漏抄了「太后」二字。今本《戰國策》第一句裡少了一個「言」字，而左師的名字卻變爲觸讋，顯然是把龍和言誤寫成了一個字。此外，第二句裡的「揖」字也有問題，因爲此時左師尚未進來，太后何必向之行禮。帛書和《史記》裡的「胥」字通「須」，有等待的意思。根據王念孫的判斷，這可能是當時抄寫的人將隸書「胥」錯寫成「咠」，而後人又加「手」旁的結果。❺除了這兩處錯誤之外，《史》《策》二書又是完全相同。

（六）

帛書

---

❺　《戰國策箋注》，同前注，頁547。

入而徐趨，至而自〔謝〕曰：「老臣病足，曾不能疾走，不得見久矣。竊自□老，輿（與）恐玉膿（體）之有所郄（郄）也，故願望見大（太）后。」曰：「老婦持（恃）連（輦）而睘（還）。」

《史》

入，徐趨而坐，自謝曰：「老臣病足，曾不能疾走，不得見久矣。竊自恕，而恐太后體之有所苦也，故願望見太后。」太后曰：「老婦恃輦而行耳。」

《策》

入而徐趨，至而自謝曰：「老臣病足，曾不能疾走，不得見久矣。竊自恕，而恐太后玉體之有所郄也，故願望見太后。」太后曰：「老婦恃輦而行。」

此處《戰國策》與帛書基本相同，因爲根據帛書的注釋，帛書第六行□可能爲「赦」字，而赦與恕音義俱近；此外，第七行的「輿」字古時與「而」通用。如此則《戰國策》只是把帛書最後一個不常用的「還」字改爲「行」而已。反觀《史記》，文字上的變動就大一些。司馬遷也許認爲，左師既然腳有毛病，年紀又大，行動不方便，所以忖度形勢，在他見到太后之後就讓他「坐」（第二行）了下來；其次是把一個不常見的「郄」字改爲「苦」字（第八行）；最後也是把「還」改爲「行」，並在句末加了一個加強語氣的「耳」字。總的來說，《史記》的文字比較明曉、合情而傳神。《史記》第八行「體」字前缺一「玉」字，可能是漏抄。帛書最後「曰」字前缺「太后」二字，也可能是因重文符號而漏抄。

（七）

帛書

曰：「食飮（飲）得毋衰乎？」曰：「侍（恃）鬻鬻（粥）耳。」

《史》

曰：「食得毋衰乎？」曰：「恃粥耳。」

《策》

曰：「日食飲得無衰乎？」曰：「恃鬻耳。」

《史記》和帛書此處基本相同，只是前者在第一個曰內省去了一個「飲」字，文句簡短一些。《戰國策》的編著者不但沒有照做，而且在「食」字前還多加了一個其他二書都沒有的「日」字。

（八）

帛書

曰：「老臣間者殊不欲食，乃自強步，日三四里，少益者（嗜）食，䎽（智）于身。」曰：「老婦不能。」大（太）后之色少解。

《史》

曰：「老臣閒者殊不欲食，乃彊步，日三四里，少益嗜食，和於身也。」太后曰：「老婦不能。」太后不和之色少解。

《策》

曰：「老臣今者殊不欲食，乃自強步，日三四里，少益耆食，和於身也。」

太后曰：「老婦不能。」太后之色少解。

《史記》和帛書此處也基本相同。帛書左師說話的最後一句是「智於身」，但《史》《策》二書都把「智」字改爲「和」字。據帛書的注釋，這可能是字形之誤，因爲智通知，有「有益身體」的意思。此外，《史記》把左師說話的第二句中的「自」字除去，可能覺得那是多餘，但在本段最後一句「太后之色」中間加了「不和」二字，想來也是爲了使語意清晰的關係。再看《戰國策》的文字，則似乎是前二書的折中，只是將第一個曰內第三個字「間」（「閒」）改爲「今」。

（九）

帛書

左師觸龍曰：「老臣賤息訏（舒）旗最少，不宵（肖），而衰，竊愛憐之，願令得補黑衣之數，以衛〔衞〕王宮，昧死以聞。」

《史》

左師公曰：「老臣賤息舒祺最少，不肖，而臣衰，竊憐愛之，願得補黑衣之缺以衞王宮，昧死以聞。」

《策》

左師公曰：「老臣賤息舒祺最少，不肖，而臣衰，竊愛憐之，願令得補黑衣之數以衞王官，沒死以聞。」

除了個別單字相異之外，三書此處基本相同。帛書稱「左師觸龍」，把左師的名字說了出來，而《史》《策》則僅稱「左師公」。帛書第四行可能抄漏了一個「臣」字。第五行「愛憐」一詞帛書和《戰國策》同，《史記》則改爲「憐愛」，詞意並未變。第六行《史記》省去一個「令」字，然後將「數」字改爲更明確的「缺」字。最後一行第一個字帛書和《史記》都作「昧」，而《戰國策》則改爲「沒」。換言之，從文字上看，《戰國策》又是帛書和《史記》的折中。

（十）

帛書

> 大（太）后曰：「敬若（諾）。年几（幾）何矣？」曰：「十五歲矣。雖少，願及未寘（塡）㰲（壑）谷而託之。」。

《史》

> 太后曰：「敬諾。年幾何矣？」對曰：「十五歲矣。雖少，願及未塡溝壑而託之。」。

《策》

> 太后曰：「敬諾。年幾何矣？」對曰：「十五歲矣。雖少，願及未塡溝壑而託之。」。

《史》《策》二書此處全同，均在第二個曰前加了一個「對」字，清楚顯出當時二人談話是在你問我答的情況下進行。不知這是巧合，還是後者參考了前者？

（十一）

帛書

曰：「丈夫亦愛憐少子乎？」曰：「甚於婦人。」

《史》

太后曰：「丈夫亦愛憐少子乎？」對曰：「甚於婦人。」

《策》

太后曰：「丈夫亦愛憐其少子乎？」對曰：「甚於婦人。」

三書此處基本相同。《史》《策》二書只是在第一個曰前加了「太后」二字，在第二個曰前加了一個「對」字。此外，《戰國策》在太后說的話中並多了一個事實上並無關緊要的「其」字。也許我們可以說，《戰國策》編著者在編寫這一段時，既參考了帛書和《史記》，也表現了自己的看法。

（十二）

帛書

曰：「婦人異甚。」曰：「老臣竊以為媼之愛燕后賢長安君。」

《史》

太后笑曰：「婦人異甚。」對曰：「老臣竊以為媼之愛燕后賢於長安君。」

《策》

太后笑曰：「婦人異甚。」對曰：「老臣竊以為媼之愛燕后賢於長安君。」

《史》《策》二書在此處完全相同，而且也最容易看出劉向或後人在編訂《戰國策》時極可能曾參考過《史記》。在第二個曰前，二書亦如以往，都很自然地加了一個「對」字，還看不出什麼特別之處。但值得注意的是二書在第一個曰前所加的「太后笑」三個字，尤其是三個字中最後的「笑」字。我們知道，司馬遷在採用前人材料時，爲了敘事的生動，往往根據事件發展的情況，在行文中加一些諸如怒、悅、笑等形容詞或副詞。《戰國策》的編訂者在這裡不但心同此理，而且更妙的是也選定了「笑」這個形容詞兼副詞，巧合到簡直令人難以置信的程度。如果不是巧合，那就只有一個可能，就是《戰國策》的編訂者不但看到過《史記》這一段的記載，而且還採用了其中的文字。

帛書此段最後一句「賢」字後面可能漏了一個「於」字。

（十三）

帛書

曰：「君過矣，不若長安君甚。」左師觸龍曰：「父母愛子則為之計深遠。媪之送燕后也，攀亓（其）𡑞（踵），為之泣，念亓（其）遠也，亦哀矣。已行，非弗思也，祭祀則祝之曰『必勿使反（返）』，剴（豈）非計長久，子孫相繼為王也𢦏（哉）？」大（太）后曰：「然。」

《史》

太后曰：「君過矣，不若長安君之甚。」左師公曰：「父母愛子則為之計深遠。媪之送燕后也，持其踵，為之泣，念其遠也，亦哀之矣。已行，非不思也，祭祀則祝之曰『必勿使反』，豈非計長久，為子孫相繼為王也哉？」太后曰：「然。」

《策》

「君過矣，不若長安君之甚。」左師公曰：「父母之愛子，則為之計深遠。媪之送燕后也，持其踵，為之泣，念悲其遠也，亦哀之矣。已行，非弗思也，祭祀則祝之，祝曰『必勿使反』，豈非計久長，有子孫相繼為王也哉？」太后曰：「然。」

《史記》此段也可以說是完全抄錄自帛書，只在個別用字上略有變動而已。如在第一個曰內第二句的「君」後加了個「之」字；左師觸龍的名字，亦如已往，簡化爲左師公；左師公說話的第三行第一個字「攣」變成了「持」，第六行「哀」字後面加了一個「之」字，第八行的「弗」改爲「不」，第十一行（最後一行）前方多了一個「爲」字。

《戰國策》在文字上對帛書亦有所修訂，而修訂部分則多與《史記》同，只有兩處多加了些字：左師公說話的第五行第一個字「念」的後面多了一個「悲」字；第九行「祭祀則祝之曰……」變成了「祭祀必祝之，祝曰……」，等於多了一行；最後一行的前一行改「長久」爲「久長」；最後一行第一個字「爲」改爲「有」。

（十四）

帛書

左師觸龍曰：「今三世以前，至於趙之為趙，趙主之子侯者，亓（其）繼有在者乎？」曰：「無有。」

《史》

左師公曰：「今三世以前，至於趙主之子孫為侯者，其繼有在者乎？」曰：「無有。」

《策》

左師公曰：「今三世以前，至於趙之為趙，趙主之子孫侯者，其繼有在者乎？」曰：「無有。」

此處《戰國策》主要部分與帛書比較接近，第二行之後多了「至於趙之爲趙」一句，但在個別文字方面，則又和《史記》接近，如「左師觸龍」的名字仍然簡化爲「左師公」，第四行「子」字後面多了一個「孫」字等。

（十五）

帛書

曰：「微獨趙，諸侯有在者乎？」曰：「老婦弗聞。」

《史》

曰：「微獨趙，諸侯有在者乎？」曰：「老婦不聞也。」

《策》

曰：「微獨趙，諸侯有在者乎？」曰：「老婦不聞也。」

《史》《策》二書此處又完全相同，都把帛書最後一句的「弗」字改爲「不」字，然後都在句末加了一個「也」字。

（十六）

帛書

曰：「此亓（其）近者禍及亓（其）身，遠者及亓（其）孫。剀（豈）人主之子侯則必不善戋（哉）？位尊而無功，奉厚而無勞，而挟重器多也。今媪尊長安之位，而封之膏腴之地，多予之重器，而不汲（及）今令有功於國，山陵堋（崩），長安君何以自託於趙？老臣以媪為長安君計之短也，故以為亓（其）愛也不若燕后。」大（太）后曰：「若（諾），次（恣）君之所使之。」

《史》

曰：「此其近者禍及其身，遠者及其子孫。豈人主之子侯則不善哉？位尊而無功，奉厚而無勞，而挾重器多也。今媼尊長安君之位，而封之以膏腴之地，多與之重器，而不及今令有功於國，一旦山陵崩，長安君何以自託於趙？老臣以媼為長安君之計短也，故以為愛之不若燕后。」太后曰：「諾，恣君之所使之。」

《策》

「此其近者禍及身，遠者及其子孫。豈人主之子孫則必不善哉？位尊而無功，奉厚而無勞，而挾重器多也。今媼尊長安君之位，而封之以膏腴之地，多予之重器，而不及今令有功於國，一旦山陵崩，長安君何以自託於趙？老臣以媼為長安君計短也，故以為其愛不若燕后。」太后曰：「諾，恣君之所使之。」

此處《史記》與帛書基本相同，只是在個別文字上有所更動，使全段語氣讀起來更爲通暢，如在帛書第一個曰內第二行「孫」前加一「子」字，第七行「長安」之後加一「君」字，第八行「封之」之後加一「以」字，第十一行前加「一旦」一詞，第十三行「計之」次序調動爲「之計」，第十四行「其愛」改爲「愛之」等等。但帛書第三行「必」字被刪除則不一定有助於語氣的改善，第九行「予」字改爲「與」字並無關緊要。

《戰國策》對帛書的個別文字也有所更動，而更動處則幾乎與《史記》全同，不同處只是將第一個「曰」字以及曰內第一行「身」前的「其」字刪除。

《史記》有所改動而《戰國策》仍維持帛書原文不變的，有第一個日內第三行的「必」字以及第十四行的「其愛」二字。換言之，《戰國策》編訂者在編寫此段時基本上是根據了帛書，但似乎也參照了《史記》。

（十七）

帛書

於氏（是）為長安君約車百乘，質於齊，兵乃出。

《史》

於是為長安君約車百乘，質於齊，齊兵乃出。

《策》

於是為長安君約車百乘，質於齊，齊兵乃出。

《史記》此處只在帛書最後一行的「兵」字前加一「齊」字，使文句更加清晰。另一可能是，帛書於抄寫時遺漏了重文符號。《戰國策》與《史記》全同。

（十八）

帛書

子義聞之，曰：「人主子也，骨肉之親也，猷（猶）不能持無功之尊，不勞之奉，而守金玉之重也，然兄（況）人臣乎。」

《史》

子義聞之，曰：「人主之子，骨肉之親也，猶不能持無功之尊，無勞之奉，而守金玉之重也，而況於予乎？」

《策》

子義聞之，曰：「人主之子也，骨肉之親也，猶不能恃無功之尊，無勞之奉，而守金玉之重也，而況人臣乎？」

《史記》與帛書相對照，把曰內第一行最後的「也」字刪除，使原來平行的兩句（「人主之子也，骨肉之親也」）變成了一句話（「人主之子，骨肉之親也」）。人主之子也就是骨肉之親，帛書此處稍嫌重複，《史記》改得有理。此外，《史記》還把曰內第四行「不」字改爲「無」字，使和前一句平行；把最後一行「然況」一詞改爲「而況」，並在其後加一「於」字。《史記》改動得大的地方是帛書曰內最後一行的「人臣」二字。這兩個字在《史記》裡變成了「予」，很清楚是指說話的子義本人。不過，「人臣」固然可以解釋爲子義本人，但也可以指任何做人臣的。如此，則子義此處是在作一般評論，而非單就他個人而言。《戰國策》編訂者在此處似乎更同意帛書作者，仍舊保持了「人臣」二字；曰內第一行的「也」字也維持不變，但第四行的「不」字則仿效《史記》，改爲「無」字，最後一行的「然況」改爲「而況」。此外，帛書和《史記》曰內第三行的「持」字《國策》改爲「恃」。

從上面對三書的比勘中，我們可以清楚看出，《史記·趙世家》中有關趙太后最終同意長安君出質齊國的敘述與帛書《戰國縱橫家書》中所載十分相似，司馬遷只是在個別文字上略加修飾，使全段文義更清晰，讀起來文氣更通暢而已。同樣地，今本《戰國策》有關此一事件的敘述也與帛書《戰國縱橫家書》中所載十分相似，編訂者也只是在個別文字或文句上略加修飾而已。但值得注意的是，《戰國策》在文句上有所修飾時，絕大部分與《史記》相同，實在太巧合了。因此，更大的可能是，《戰國策》編訂者在文字修飾時曾參考過《史記》。

我們知道，劉向當初編訂的《戰國策》後來佚失嚴重，我們今天所看到的《戰國策》是經過不同後人輯補而成的，所以其中修飾部分究竟有多少出自劉向之手，如今已無法斷定。雖然如此，劉向本人在編訂《戰國策》時曾參考過《史記》的可能性的確是存在的。班固（32－92）在《漢書·司馬遷傳》中說：

> 然自劉向、揚雄博極群書，皆稱遷有良史之材，服其善序事理，辨而不華，質而不俚，其文直，其事核，不虛美，不隱惡，故謂之實錄。❻

可見劉向不但讀過《史記》，而且對司馬遷的敘事才能十分佩服。唐朝的劉知幾（661－721）在他的《史通·外篇·古今正史第二》中更說：

> 《史記》所書，年止漢武，太初已後，闕而不錄。其後劉向、向子歆及諸好事者若馮商、衛衡、揚雄、史岑、梁審、肆仁、晉馮、段肅、金丹、馮衍、韋融、蕭奮、劉恂等相次撰續，迄於哀、平間，猶名《史記》。❼

劉向果眞續過《史記》，當然就會對《史記》很熟悉，再加上他對司馬遷文筆的欽服，因此在編訂《戰國策》時，拿《史記》來參考應當是很自然的。

其實，利用《史記》上有關戰國時期的材料來寫類似《戰國策》一類書的作法由來已久。晉代人孔衍的《春秋後語》似乎就是根據《史記》和《戰國策》寫成的。劉知幾在《史通·內篇·六家第一》中說：

---

❻ 《漢書》（北京：中華書局，1962年點校本），第9冊，頁2738。

❼ 見〔清〕浦起龍：《史通通釋》（上海：上海古籍出版社，1978年），下冊，頁338。

> 至孔衍，又以《戰國策》所書，未為盡善。及引太史公所記，參其異同，刪彼二家（原小字注：謂《國策》、遷《史》。）聚為一錄，號為《春秋後語》。除二周及宋、衛、中山，其所留者，七國而已。始自秦孝公，終於楚、漢之際，比於《春秋》，亦盡二百三十餘年行事。始衍撰《春秋時國語》，（原小字注：因述其《後語》，并標其前作。）復撰《春秋後語》，勒成二書，各為十卷。今行於世者，唯《後語》存焉。❽

只可惜《春秋後語》後來也亡佚了，無法拿來與《史記》和《戰國策》核對。不過，這樣看來，劉向編訂的《戰國策》殘闕以後，後人在進行輯補工作時曾採用過《史記》有關戰國部分的敘事不但可能，而且也是可以理解的。但今本《戰國策》到底何章何節轉錄自《史記》，則眾說紛云，難有定論。我們且以《史記·刺客列傳》中的〈荊軻傳〉爲例，來說明問題的複雜性。

《史記·刺客列傳·荊軻傳》的主要部分也見於今本《戰國策·燕策三》，題爲〈燕太子丹質於秦〉，二者在用字、措辭和內容上十分相似。根據我們上面就〈觸龍見趙太后章〉（〈趙太后新用事〉）對帛書《戰國縱橫家書》、《史記》和今本《戰國策》三書的比對，這種情況本可以理解，並沒有什麼特殊之處。司馬遷和劉向可能使用了同一篇原始材料，而劉向在採用此一原材料時曾參考過《史記》有關部分。但清代有學者就此提出質疑，認爲〈燕太子丹質於秦〉在敘事風格上更接近《史記》，而既然劉向當初編訂的《戰國策》早已殘闕不全，那麼這一篇一定轉錄自《史記·刺客列傳》有關部分無疑。方苞（1668－1749）在〈書刺客傳後〉一文中說：

> 余少讀〈燕策〉荊軻刺秦王篇，怪其序事類太史公，秦以前無此。及見

❽ 見《史通通釋》，同前注，上冊，頁15。

〈刺客傳贊〉，乃知果太史公文也。彼自稱得之公孫季功、董生所口道，則非《國策》之舊文決矣。蓋荊軻之事雖奇，而於策則疏。意《國策》本無是文，或以《史記》之文入焉。❾

後來吳汝綸（1840－1903）也持有類似的看法，甚至認爲今本《戰國策》中還有更多的篇章轉錄自《史記》：

昔者，常怪子長能竄易《尚書》及《五帝德帝繫姓》之文，成一家言；獨至《戰國策》，則一因仍舊文，多至九十餘事，何至乖異如是？及細察《國策》中若趙武靈王、平原君、春申君、范雎、蔡澤、魯仲達、蘇秦、荊軻諸篇，皆取太史公敘論之語而並載之，而曾子固亦稱「《崇文總目》有高誘注者僅八篇」，乃知劉向所校《戰國策》亡久矣！後之人反取《太史公書》充入之，非史公盡取材於《戰國策》決也。❿

如此一來，《史記·刺客列傳·荊軻傳》和《戰國策·燕策三·燕太子丹質於秦》之間的關係到底如何？便成了學者們爭論不休的問題。

現代學者有不少人贊同方苞和吳汝綸的看法。繆文遠教授在他的《戰國策考辨》中引用了前段方苞的話，然後加按語：「方苞說是也，此篇蓋自《史記》

---

❾ 〔清〕方苞：《方望溪全集》（香港：廣智書局，1959 年），頁 27。其實，早在明代，鄧以讚（1542－1599）即曾提出類似質疑，甚至認為轉錄者可能即劉向本人：「此則荊軻事皆公孫、董生二人所述者。乃今《國策》所載與此略不甚異，何也？豈劉子政校《國策》，摭此傳以附益之耶？」只是鄧的此一看法，未能如後來方苞的看法一樣，在學界引起廣泛注意。鄧語見〔明〕凌稚隆輯校、〔明〕李光縉增補、〔日本〕有井範平補標：《補標史記評林》（臺北：蘭臺書局，1968 年影印本），第 4 冊，卷 86，頁 13。

❿ 引自鄭良樹：《戰國策研究》（臺北：臺灣學生書局，1986 年增訂三版），頁 101。

抄入。」⓫後來在他的《戰國策新校注》中他進一步說明：「此章(按指〈燕太子丹質於秦〉章)爲敘事體，與《策》文不類；且荊軻刺秦王事之委曲，乃太史公得之公孫季功、董生所口道，是此章蓋自《史記·刺客列傳》抄入。」⓬諸祖耿教授在他的《戰國策集注彙考》〈燕太子丹質於秦〉章後第一個注中說：「此章見《史記·刺客列傳》。《史記》較此爲詳，荊軻高漸離始末具備，此無之。蓋此采司馬遷作，而去其首尾也。」⓭本論文所使用的張清常、王延棟二位教授合編的《戰國策箋注》在此章注釋開始也特別說明：「本章爲敘事體，蓋自《史記·刺客傳》抄入，而刪去首尾。」⓮韓兆琦教授在他的《史記評議賞析》中有一篇〈荊軻列傳賞析〉，篇末他還特別談到作品「著作權」的問題，把歷來對此一問題正反兩面的看法作了一個簡單扼要的介紹，最後則表示贊同方苞一派的看法：「但我們通觀《戰國策》的整個文章，似乎很少這樣詳細地敘述描寫，唯有這一篇顯得比較特殊，而這篇的風格筆法與《史記》文章倒是特別相合。全面衡量，疑以前說（按指方苞等人的說法）爲是。」⓯

但也有學者不同意方、吳等人的說法。他們認爲《戰國策》中的〈燕太子丹質於秦〉本來就有，並非轉錄自《史記》。王叔岷先生在他的鉅著《史記斠證》卷八十六對〈刺客列傳〉中荊軻部分作校證時的重要參考資料之一即爲《戰國策·燕策三》的〈燕太子丹質於秦〉章，可見他不認爲後者轉錄自前者。不但如此，〈刺客列傳·荊軻傳〉中有如下一段文字：「其後秦日出兵山東，以伐齊、楚、三晉，稍蠶食諸侯，且至於燕。」⓰而當瀧川龜太郎在《史記會注考證》中認爲這是「史公以意補」時，王先生還特別引用〈燕太子丹質於秦〉

⓫ 繆文遠：《戰國策考辨》（北京：中華書局，1984年），頁313。

⓬ 繆文遠：《戰國策新校注》（成都：巴蜀書社，1992年），下冊，頁112。

⓭ 諸祖耿：《戰國策集注彙考》（揚州：江蘇古籍出版社，1985年），下冊，頁1654。

⓮ 見《戰國策箋注》，同注❹，頁834。

⓯ 韓兆琦：《史記評議賞析》（呼和浩特：內蒙古人民出版社，1985年），頁258。

⓰ 見《史記》，同注❸，第8冊，頁2528。

中兩句加以反駁：

案〈燕策三〉，稱太子丹質於秦，亡歸，「見秦且滅六國，兵以臨易水。」(亦見〈燕世家〉。)與此所述，文異而意同。史公固非以意補矣。撰史豈可以意補哉！⑰

但現代學者中，反對方苞和吳汝綸看法最力的恐怕要算鄭良樹教授兄了。他在名著《戰國策研究》裡批評他們這種「罔顧證據」的作風，是因爲他們桐城派人是「有所爲而爲」的，並且舉出三個「證據」來說明他們的錯誤。⑱爲了避免歪曲鄭教授的意思，現在就把他所舉的三個「證據」照錄如下：

第一、「燕太子丹質於秦」章見於今本《戰國策》卷三十一〈燕策三〉，約二千三、四百字，佔全卷三份之二的份量；假如說這三份之二的文字是轉錄進去的，其他三份之一的文字即使不是轉錄者所「編」入的，也很可能「去古已遠」，失去了原本的面貌。樓蘭出土漢代書帛裏，有《戰國策》殘缺的章節（見日本出版之「《書の時代》」，〈中國篇〉第五十三頁），自〈燕策三〉首章之中間部份，至第二章末了，除了幾個虛字不同外，其他文字、章節都一樣。這證明了卷三十一並沒有如方苞、吳汝綸所說的，變動得那麼驚人。此外，這兩段文字不見於《史記》及其他古籍，這證明了卷三十一並沒有如方苞、吳汝綸所說的，被後人

---

⑰ 王叔岷先生：《史記斠證》（南港：中央研究院歷史語言研究所，1983 年），第 8 冊，頁 2599-2600。就〈荊軻傳〉和〈燕太子丹質於秦〉的主從問題，我曾私下向王先生請教，王先生仍認為後者在時間上應較前者為早，但也不排斥其他的可能性。〔日本〕瀧川龜太郎語見氏著：《史記會注考證》（臺北：宏業書局，1973 年翻印本），頁 1002。

⑱ 此處以及以下引文均見《戰國策研究》，同注⑩，頁 102-106。

從其他的古籍「冒充」了一些文字進去。

第二、太史公記載荊軻刺秦王（見〈刺客列傳〉）的故事，其文字比《戰國策》詳細得多了！文章的開始，就敘述荊軻的為人和交遊等等……（《史記》引文從略）其次，又敘述燕太子丹如何與秦王政歡好，秦王又如何善遇太子丹，以及太子丹何以亡歸……（《史記》引文從略）這些，都是《戰國策》所沒有的。不但如此，在整個故事裏，《史記》敘述得也比《戰國策》詳細，例如，在「秦地徧（遍）天下，威脅韓、魏、趙氏」之下，《史記》有這麼一節四十七字：

> 北有甘泉、谷口之固，南有涇、渭之沃，擅巴、漢之饒，右隴、蜀之山，左關、殽之險，民眾而士厲，兵革有餘。意有所出，則長城之南，

假如說，後人把《史記》抄入《戰國策》，為甚麼要刪減去前面兩節文字呢？即使那兩節文字被刪省，他也沒有理由把後面這四十七字刪減去！根據祖本加以改編或敘述的文字，絕大部份是比祖本詳細和完整；這種道理，是用不著贅言的。很顯然，太史公據《戰國策》加以補充，絕非後人據《史記》補《戰國策》。

第三、方苞唯一算得上（的）證據是「彼自稱得之公孫季功、董生所口道」，實際上，方苞會錯了太史公的意思。《史記》這節文字是如此的：

> 世言荊軻其稱太子丹之命，天雨粟，馬生角也，太過；又言荊軻傷秦王；皆非也（良樹案：「皆」字指前後二事）。始公孫季功、董生與夏無且游，具知其事，為余道之如是。

公孫季功、董生和太史公說的話，從這段文字來看，很顯然的，是說荊軻並沒有刺傷秦王（這裏撇開另一件「天雨粟、馬生角」不談）！夏無且當時侍立在殿上，曾經以藥囊提荊軻，他看得最清楚，秦王並沒有受

傷。公孫季功、董生從夏無且聽到的，正是此事；太史公所聽到的，也正是此事；所以他說「非也」。夏無且深居秦宮，何由知道燕太子丹遣派荊軻的事？更何由知道荊軻赴秦的前後經過？太史公採用荊軻的故事，其資料來源難道只局限於夏無且嗎？很明顯的，其答案一定是否定的。所謂「為余道之如是」，一定是別有所指，一定是一件宮外的人很難知道的事！除了「天雨粟、馬生角」及「荊軻傷秦王」兩件諱莫如深的事外，還有甚麼呢？

鄭教授上面的一番話頗能發人深省。只是在未發現司馬遷和劉向都曾見到過的關於荊軻刺秦王的原材料前，這裡所謂的「證據」嚴格說恐怕不能成為證據，只能說是推論，而正因為是推論，所以還有可以討論的餘地。

首先，我覺得不能說因為方苞和吳汝綸都是桐城派的人，所以他們的話就是「有所為而為」的。事實上，在上引〈書刺客傳後〉一文中，方苞還接著說：

〈楚世家〉載弋者說頃襄王，真戰國之文也，而《國策》無之。蓋古書遭秦火，雜出於漢世，其本文散軼與非其所有而誤入焉者多矣。不獨是篇為然也。⓳

可見他也承認《史記》中有採自古《戰國策》的地方，並未一味「偏袒」前者。他上面這段話基本上是一個客觀為學的學者所說的話。

再看鄭教授所舉的三項「證據」。第一，古書的殘闕過程並無一定規律可循，不能說如果其中大部分為後人所補，另外小部分就一定也「『去古已遠』，失去了原本的面貌。」同樣地，我們也不能說，因為〈燕策三〉的前部分為原

⓳　《方望溪全集》，同注❾，頁27。

本，最後第五章（即〈燕太子丹質於秦〉章）也就一定爲原本。我們更不能說，因爲樓蘭出土的漢代帛書《戰國策·燕策三》部分不見於《史記》及其他古籍，所以〈燕策三〉（即《戰國策》卷三十一）就不可能「被後人從其他的古籍『冒充』了一些文字進去。」這其間並沒有必然的因果關係，因爲司馬遷不可能把他所有看到過的原材料都收集到《史記》中來，而我們沒有看到過的早已失傳的古籍爲數一定不少。

第二，「根據祖本加以改編或敘述的文字」並不一定「絕大部份是比祖本詳細和完整」。張以仁教授兄就曾說過，古書之間如有彼此轉抄情況發生時，「……就一般情形來說，多半是由繁刪簡易，由簡增繁難。」⑳我想這是可以理解的，因爲古時書寫條件困難，除非有特殊原因，不會隨便由簡增繁的。事實上，據我自己的觀察，司馬遷在使用原材料時，多半是加以刪減，或在個別文字上略加修飾或整理而已。就拿〈刺客列傳〉來說，在〈荊軻傳〉之前，還有〈豫讓傳〉和〈聶政傳〉，而二者也都出現於《戰國策》。〈豫讓傳〉基本上和〈晉畢陽之孫豫讓〉（趙策一）相同，長短也相當；〈聶政傳〉則基本上和〈韓傀相韓〉（韓策二）相同，長短也是相當。換言之，司馬遷在這兩處並沒有像在〈荊軻傳〉中那樣還補充了許多細節。其實，鄭教授後來在書中討論到《戰國策》原始本的問題時也曾說過：「……太史公用『《戰國策》』文字，絕少有改動這麼厲害的。」否則就是另有所本。㉑那麼，我們是否也就可以說，司馬遷在撰寫〈荊軻傳〉時所使用的原材料和劉向所使用的不一樣，所以才出現了二者長短很不相稱的情況，而不是因爲司馬遷特意補充並加長了劉向也曾使用過的材料呢？瀧川龜太郎似乎也已注意到這一點，他在《史記會注考證》中考證到高漸離的故事時，特別引用了《戰國策》上有關高漸離的三十個字，

---

⑳ 張以仁：《春秋史論集》（臺北：聯經出版事業公司，1990 年），頁 24。

㉑ 見《戰國策研究》，同注⑩，頁 212。

然後接著說：「本傳（按指〈刺客列傳〉中有關高漸離部分，共二百一十六個字）錄其顚末甚詳，蓋亦得之公孫季功、董生也。」㉒高漸離刺秦始皇的細節是否也得之於司馬遷在論贊裡提到的公孫季功和董生，我們無法知道，但從這裡至少可以看出，瀧川本人並不認爲〈刺客列傳〉裡有關高漸離的情節乃是根據今本《戰國策》上三十個字增繁而來的。

第三，夏無且固然無法知道太子丹派遣荊軻行刺秦王的全部過程，但至少荊軻和秦王在殿上作生死搏鬥的那一幕他是完全看到的，因爲他還以藥囊提荊軻呢。《史記》中這一段既然是司馬遷根據事件見證人的口述而寫的，那麼今本《戰國策》有關這一段的描述如果不是轉錄自《史記》，則又是來自何處呢？這一段的篇幅不短。如果從荊軻到秦國就算起，則全段至少有五百字以上。如果從荊軻朝見秦王開始算起，全篇也至少有四百字左右。如果這樣長的一段敘述完全轉錄自《史記》，我們又如何能保證〈燕太子丹質於秦〉的其他部分不會轉錄自《史記》呢？其實，我們如果把這兩篇拿來仔細比對，也可以從文字和敘事上看出一些〈燕太子丹質於秦〉的其他部分也很可能是轉錄自〈荊軻傳〉的蛛絲馬跡。爲了節省篇幅，我們就只以〈燕太子丹質於秦〉的開始部分爲例，對二者相應部分對比如下：㉓

《史記》

居頃之，會燕太子丹質秦，亡歸燕。燕太子丹者，故嘗質於趙，而秦王政生於趙，其少時與丹驩。及政立為秦王，而丹質於秦，秦王之遇燕太子丹不善，故丹怨而亡歸。歸而求為報秦王者，國小，力不能。

其後，秦日出兵山東，以伐齊、楚、三晉，稍蠶食諸侯，且至於燕。

㉒　見《史記會注考證》，同注⑰，頁 1006。

㉓　以下引文之標點與分段悉依楊家駱：《燕丹子注》，《新編諸子集成》（臺北：世界書局，1972 年），第 8 冊，頁 2-6。

燕君臣皆恐禍之至。太子丹患之，問其傅鞠武。

武對曰：「秦地遍天下，威脅韓、魏、趙氏，北有甘泉、谷口之固，南有涇、渭之沃，擅巴、漢之饒，右隴、蜀之山，左關、殽之險；民眾而士厲，兵革有餘。意有所出，則長城之南，易水以北，未有所定也。奈何以見陵之怨，欲批其逆鱗哉？」丹曰：「然則何由？」對曰：「請入圖之。」

《戰國策》

燕太子丹質於秦，亡歸。

見秦且滅六國，兵以臨易水，恐其禍至，太子丹患之。謂其太傅鞠武曰：「燕、秦不兩立，願太傅幸而圖之！」

武對曰：「秦地遍天下，威脅韓、魏、趙氏，則易水以北，未有所定也。奈何以見陵之怨，欲批其逆鱗哉？」太子曰：「然則何由？」太傅曰：「請入圖之。」

從上面的對比，我們可以清楚看出，《戰國策》裡的這段敘述（共九十九字）要比《史記》裡的（共二百一十字）簡短許多。我們因此也許可以設想，想要把殘闕不全的《戰國策》補全的人喜歡《史記》裡的荊軻傳，決定加以採用，但又嫌篇幅太長，於是就只用了傳記的主要部分，而將故事的首尾大大刪減濃縮了。但他在刪減過程中有些粗心大意，因爲在故事開始時，沒有像《史記》一樣，說明太子丹在秦爲質時秦王對他「不善」，所以才「怨而亡歸」，而他的師傅鞠武後來卻說：「奈何以見陵之怨，欲批其逆鱗哉？」令讀者如入五里霧中，不知何指。當然，我們也可以設想，司馬遷在寫〈荊軻傳〉時採用了《戰國策》上這一段材料，但又發現了上面所說的毛病，所以就在前面交代了一下太子丹何以亡歸的原因，使全段敘述前後有照應。果眞如此，則他只要在一開始交代一下太子丹亡歸的原因也就夠了，何必還要花不少心思去增加許多其他無關緊要的細節。

上面我們雖然對鄭良樹教授兄的推論提出了一些不同的看法，但我們並不能因此就完全否定他最基本的論點，那就是：司馬遷在撰寫〈荊軻傳〉時極有可能曾使用過一些後來劉向也曾使用過的材料。事實上，早在八世紀初葉，唐代爲《史記》作注的司馬貞就曾看過《戰國策》中荊軻刺秦王的記載，而且認爲這就是〈荊軻傳〉材料來源之一。他在《史記索隱》中說：「按：贊論稱『公孫季功、董生爲余道之』，則此傳雖約《戰國策》而亦別記異聞。」㉔《戰國策》大量亡佚大概是從宋代開始，司馬貞看到的《戰國策》應當還很接近劉向的編訂本。如此看來，當初劉向編訂的《戰國策》中極可能也有荊軻刺秦王的敘述（雖然沒有《史記》那麼詳盡），但後來此章亡佚，後人在從事輯補工作時就轉而採用了《史記》中有關部分。果眞如此，則鄭教授對〈荊軻傳〉和〈燕太子丹質於秦〉二篇主從問題的看法原則上固然可以成立，方苞等人的說法也就不能算錯。但事情眞相到底如何，恐怕只有等司馬遷和劉向都曾使用過的原材料發現以後才能徹底澄清了。

附記

拙文初稿曾於一九九七年八月廿二至廿三日在韓國漢城召開之第十七次中國學國際學術大會上宣讀，其後並刊登於（韓國）《中國學報》第三十八輯（1998年6月）中；而拙文結束部分，亦於修訂並擴充之後，以〈也談《史記·刺客列傳·荊軻傳》與今本《戰國策·燕策三·燕太子丹質於秦》的關係〉為題，於一九九七年十二月十至十二日在香港大學中文系七十週年紀念國際學術研討會上宣讀。此文則為全文修定稿。

㉔　見《史記會注考證》，同注⑰，頁1001。

西周王權與諸侯權的關係

葉達雄*

一、諸侯權的來源

諸侯權是指諸侯在她的封國內的權力。其來源當然是由王室所賦予的。我們都知道，西周王朝是實行分封制度的。這種分封制度，從武王開始見於記載的，如：

1.封武庚、祿父以繼承殷祀。❶

2.封太公望於呂。❷

---

* 國立臺灣大學歷史系教授。

❶ 武庚、祿父，貝塚茂樹與白川靜二氏認為是兩個人。貝塚氏說：「伏生の《尚書大傳》には『武王殺紂。立武庚而繼公子祿父』。（〈邶鄘衛譜正義〉引による）とあり、鄭玄は之に注して、繼者以武庚為爾後也として武庚と祿父を一人の異名としてねるが，《論衡·恢國篇》には『尊重父祖。復存其祀。立武庚之義。繼祿父之恩』とあ，て二人としてねる樣にも見える」。見〈殷末周初の東方經略に就いて〉，《中國古代史學の發展》，頁417。白川氏認為武庚之亂與管蔡一起，而祿父之亂與奄君薄姑有關。氏說：「思うに武庚と祿父の亂はもより相關聯するものであるけれども叛そのものは別個に起されたもので，武庚の亂は二叔を引き入れてのとてであり、祿父の亂は《尚書大傳》によると奄君薄姑の勸めるところであつた。それで祿父の亂後，引きつづいて殘奄の役の役が行われたのである。」見《詩經稿》第一章〈國風の地域性と詩篇の特質〉，頁74。

❷ 傅斯年氏說：「武王伐紂，『致天之居，于牧之野。』其結果誅紂而已，猶不能平其國。封子祿父仍為商君焉，東土之宋大定可知也。武王克殷後二年即卒，周公攝政，武庚以奄商淮夷畔，管蔡流言，周室事業之不墜若線。周公東征，三年然後滅奄。〈多士〉〈多方〉諸辭，其于殷人之撫柔蓋致全力焉。營成周以制東國，其于守防蓋其慎焉。猶不能不封微子以奉殷社，而緩和殷之遺民，其成功蓋如此之難且遲也。乃成王初立，魯燕齊諸國即可越殷商故城而建都于海表之營丘，近淮之曲阜，越在北狄之薊丘，此理之不可能也。今以

3.封周公旦於魯，地在今河南魯山。❸

4.封召公奭於燕，地在今河南偃師縣。❹

5.封管叔鮮於管，地在今河南鄭縣外城。❺

6.封叔度於蔡，地在今河南上蔡。❻

7.封康叔封於康，地在今河南省萬縣西北。❼

8.封叔繡於滕，地在今河南輝縣。❽

9.封叔虞於唐，地在今山西翼城縣。❾

此較可信之事實訂之，則知此三國者，初皆封于成周東南，魯之至曲阜，燕之薊丘，齊之至營丘，皆後來事也。」所以傅氏認為：太公望實封于呂，呂之地望在宛西。周公封于魯，即今河南魯山縣。召公奭封於燕，燕即郾，在今河南之郾城。見〈大東小東說〉，《傅孟真先生集》（臺北：國立臺灣大學，1952年），第4冊。

❸ 〈大東小東說〉，同前註。

❹ 〈大東小東說〉，同註❷。

❺ 陳槃氏說：「案武王已克殷紂，於是封叔鮮於管，今河南鄭縣外城，即管國城也。」見《春秋大事表列國爵姓及存滅表譔異》（臺北：中央研究院歷史語言研究所，1969年增訂本），第1冊，頁62。下簡稱《譔異》。

❻ 《譔異》，同前註，冊1，頁25-26。

❼ 見〈大東小東說〉，同註❷，註5及屈萬里：《書經釋義》（臺北：華岡出版部，1972年增訂版），頁76說：「本篇題曰康誥，而時王稱康叔曰弟。是知王乃武王；而本篇實康叔被封於康時之誥也。」

❽ 滕，《春秋經》隱公七年：「滕侯卒」，孔穎達《正義》說：「『滕，姬姓，文王子錯叔繡之後，武王封之，居滕。今沛郡公丘縣是也。』……〈地理志〉云：沛郡公丘縣，故滕國也。周文王子錯叔繡所封。」程發軔氏云：「《續山東考古錄》：『今山東滕縣西南十四里，有古滕城。』」見《春秋左氏傳地名圖考》。（臺北：廣文書局，1969年），頁110，以下簡稱《圖考》。楊伯峻氏亦說：「滕，國名，周文王子錯叔繡，武王封之，居滕，今山東省滕縣西南十四里有古滕城，即滕國也。」見《春秋左傳注》（北京：中華書局，1981年），第1冊，頁52。而陳槃氏說：「衛邑亦有以『滕』名者。閔二年《左傳》：『狄人遂滅衛。……衛之遺民，男女七百有三人；益之以共、滕之民，為五千人』。杜《解》：『共及滕，衛別邑』。此一滕邑，豈滕國舊居，而今滕縣之滕乃其遷地歟？」《譔異》，同注❺，冊1，頁33。

❾ 關於「唐」的地望，歷來說法紛紜。參見《譔異》，同注❺，冊1，頁38-46。大約有：①晉陽說：即太原；②平陽縣說：即山西臨汾縣；③昌寧縣說：即山西鄉寧縣；④永安縣說；⑤翼城縣說；⑥河東蒲州（山西永濟縣）。以上是從文獻上的記載立論。從考古發掘來說，鄒衡氏：〈論早期晉都〉，《文物》1994年第1期，頁29-32則認為翼城、曲沃

10.封虞仲於虞，地在今山西解縣。❿

11.封原公豐於原，地在今山西沁水縣。⓫

12.封畢公高於畢，地在陝西長安縣西北。⓬

13.封酆侯於酆，地在今陝西鄠縣。⓭

14.封芮伯於芮，其地在今山西芮城縣。⓮

15.封郕叔武於郕，地在今陝西岐山。⓯

16.封霍叔處於霍，地在今山西霍縣。⓰

二縣交界處之天馬—曲村遺址為晉故都絳地，也是晉始封之唐地。李伯謙氏認為天馬—曲村遺址既不是「穆侯遷絳」之絳，也不是「成侯遷曲沃」之曲沃和所謂燮父徙居之晉，而只能是西周初年叔虞所封之唐，也就是春秋時期屢見于傳的晉都翼。李氏並認為從唐叔虞始封一直到晉獻公始都絳以前，晉國並未遷都。見氏著：〈晉國始封地考略〉，《中國文物報》1993 年 12 月 12 日。天馬—曲村考古隊：〈天馬—曲村遺址晉侯墓地及相關問題〉引。

❿ 屈萬里：《詩經釋義》（臺北：中華文化出版事業委員會，1959 年），頁 210，註 43 云：「虞，在今山西解縣。」。下簡稱《詩義》。

⓫ 《譔異》，同注❺，冊 3，頁 260-261。

⓬ 《譔異》，同注❺，冊 4，頁 330。

⓭ 《左傳》僖公二十四年：「管、蔡、郕、霍、魯、衛、毛、聃、郜、雍、曹、滕、畢、原、酆、郇，文之昭也。」所以，酆是文王之子，《今本竹書紀年》云：「成王十九年……黜豐侯。」可見酆侯是武王時所封。《譔異》，同注❺，冊 4，頁 332 云：「復次文王『既伐于、崇，作邑于豐。』書史往往豐、鎬並稱，或岐、豐並稱，則姬姓之豐，謂在今陝西鄠縣者，當近是。」

⓮ 《譔異》，同注❺，冊 3，頁 201-203。《詩義》，同注❿，頁 210，註 43。

⓯ 楊伯峻氏云：「郕，國名。傳世器〈伯多父簋〉銘云：『成姬多母』，成姬即郕姬。鮑鼎《春秋國名考釋》亦云：『泉文「成」不從邑。郕者，後起之字也。』……據〈管蔡世家〉，初受封者成叔武為文王之子，武王與周公之弟。孔《疏》云：『後世無所見，既無世家，不知其君號謚。』一九七五年于陝西岐山董村發現成伯孫父鬲，或疑郕本封于西周畿內，東遷後改封于山東。《方輿紀要》及顧棟高《大事表》謂古郕國當在今山東省汶上縣西北二十里，然恐離衛太遠。《元和郡縣志》十二，《太平寰宇記》十四，《路史·國名記》五，王應麟《詩地理考》六，並云東漢郕陽縣為古郕伯國，則郕故城當在今山東濮縣廢縣治（濮縣已併入范縣，移治英桃園）東南」，可信。見《春秋左傳注》，同注❽，第 1 冊，頁 39-40。

⓰ 《譔異》，同注❺，冊 3，頁 282-283。

17.封叔振鐸於曹，地在今山東定陶縣。⓱

其他還有郜、毛、郇、雍等諸侯國，雖然舊籍未載何時所封，但是因爲他們都是文王之子，⓲所以可能是在武王時受封的。

成王時代分封的，如：

1.封周公子伯禽於魯，地在今山東曲阜。⓳

2.封蔡叔度之子胡（字仲）於蔡，地在今河南上蔡。⓴

3.封康叔封之子康侯啚於衛，地在今河南淇縣。㉑

4.封叔繡之子於滕，地在今山東滕縣。㉒

5.封爕父於晉，地在汾水下游，汾、澮之間，今山西翼城、曲沃之地。㉓

6.封召公奭之子於燕，地在今河北玉田之燕山。㉔

7.封太公望之子呂伋於齊，地在今山東臨淄。㉕

8.封熊繹於楚，地在今湖北丹陽。㉖

⓱ 《譔異》，同注❺，冊1，頁27-28。

⓲ 見《左傳》僖公二十四年：「管、蔡、郕、霍、魯、衛、毛、聃、郜、雍、曹、滕、畢、原、酆、郇，文之昭也。」可見郜、毛、雍、郇等諸侯國都是文王之子。

⓳ 〈魯頌·閟宮〉：「王曰：『叔父，建爾元子，俾侯于魯，大啟爾宇，為周室輔』。乃命魯公，俾侯于東；錫之山川，土田附庸。……」。

⓴ 俞樾說：「蔡之為蔡，自在上蔡。蔡叔之蔡，蔡仲之蔡，無二地也。《史記》云：武王已克殷紂，平天下，封叔度於蔡；又云：於是周公言於成王，復封胡於蔡。曰復封，則所封之蔡即蔡叔之封國可知矣。」見《譔異》，同注❺，冊1，頁25-26。

㉑ 葉達雄：〈論徙封於衛者非康叔封〉，《大陸雜誌》第43卷第4期，頁28-30。

㉒ 《春秋左傳注》，同注❽，第1冊，頁52。

㉓ 鄒衡氏認為爕父雖曾改國號為晉，但并無較早有關的文獻記載，所以晉侯爕父與其父唐叔虞同居一地。既然晉侯爕父墓在天馬—曲村遺址內，唐叔虞的墓也應該在此。見〈論早期晉都〉。但是，田建文氏認為翼與故絳是同一地，而唐與故絳是兩地。天馬—曲村、葦溝—北壽城若可解決晉國早期都邑的問題，也就是翼與故絳的所在，但晉都「唐」仍是處在虛無飄渺中。見氏著：〈晉國早期都邑探索〉，《三晉考古》（太原：山西人民出版社，1994年），第1集，頁27-29

㉔ 《譔異》，同注❺，冊1，頁80。

㉕ 《譔異》，同注❺，冊1，頁87。

㉖ 《譔異》，同注❺，冊2，頁112。

9.封周公子靖淵於邢，地在今河南溫縣。㉗

10.封微子啓於宋，地在今河南商邱縣。㉘

康王時代，文獻上雖未見有關分封諸侯之事，但在金文裡卻有，如：《宜侯夨毁》說：

> 隹四月辰在丁未，□□武王成王伐商圖，徣省東國圖。王立于宜宗土，南嚮。王令虞侯夨曰：「繇，侯于宜。錫秬鬯一卣、商鬲一枚、彤弓一、彤矢百、旅弓十、旅矢千；錫土：厥川三百□、厥□百又□、厥□邑卅又五、厥□百又卅；錫在宜王人□又七生；錫奠七白、厥□□又五十夫；錫宜庶人六百又□六夫。」宜侯揚王休，作虎公父丁隮彝。㉙

這是康王改封虞侯夨於宜，所以器銘稱爲宜侯夨毁。

康王以後，昭王、穆王、恭王、懿王、孝王、夷王、厲王、宣王、幽王等在文獻上少見其分封諸侯之事。僅宣王時曾封其弟友於鄭，是爲鄭桓公。㉚

西周王朝分封的諸侯國到底有多少？確切的數目不清楚。顧棟高氏在《春秋大事表·列國爵姓及存滅》中，列了二〇九個。㉛傅孟眞氏又從金文中列出

㉗ 《譔異》，同注❺，册 2，頁 182-184。

㉘ 《譔異》，同注❺，册 2，頁 116-121。

㉙ 宜侯夨毁，陳夢家氏，郭沫若氏以為是成王時器；唐蘭氏以為是康王時器。銘文說：□□武王成王伐商圖，徣省東國圖。□□，郭、唐二氏認為是王省。既為王省，則器銘說「王省武王成王伐商圖」，那麼，王當然是康王應是毫無疑問的。關於〈宜侯夨毁〉的解釋及其相關問題，可參見拙著：〈西周土地制度探研〉，《國立臺灣大學歷史學系學報》第 14 期（1988 年 7 月）。

㉚ 《譔異》，同注❺，册 1，頁 52-56。陳氏贊成雷學淇《竹書紀年義證》的說法，認為鄭桓公是宣王之子而非厲王之子。而張師以仁則認為鄭桓公是厲王之子。其得國是由其兄宣王所封。見〈鄭桓公非厲王之子說述辨〉，《春秋史論集》（臺北：聯經出版社，1990 年），頁 365-409。

㉛ 《皇清經解續編·春秋類第十二》（臺北：漢京文化事業公司），卷 74，頁 8817-8824。

十個，這十個是顧《表》中所無。㉜程發軔氏認爲春秋時代的諸侯國共有一百五十四國。㉝陳槃庵氏認爲顧《表》所列的二〇九個中，實際上可說是春秋方國的應是一百五十六個。由於顧《表》所根據的只限於《春秋經》、《傳》，所以春秋時代的方國當不止於一百五十六國，因而陳氏又列了伍拾柒個不見於《大事表》所列的春秋方國。㉞

諸侯國的領土到底有多大？確切的範圍也很難劃定。《左傳》襄公二十五年說：「且昔天子之地一圻，列國一同，自是以衰。」杜預《注》解說：「一圻，方千里」、「一同，方百里」。㉟陳槃庵氏亦認爲周代之封建諸侯，國土初不甚廣，「列國一同」，不過百里。㊱比較具體地敘述封國的範圍的，只有《左傳》定公四年所說的衛國。《左傳》說：「分康叔以大路、少帛、綪茷、旃旌、大呂，殷民七族，陶氏、施氏、繁氏、錡氏、樊氏、饑氏、終葵氏；封畛土略，自武父以南及圃田之北竟、取以有閻之土以共王職；取於相土之東都以會王之東蒐。……命以康誥而封於殷虛。」武父以南，程發軔氏疑爲大名以北。㊲圃田以北，楊伯峻氏以爲即鄭國之原圃，鄭、衛交界處。㊳相土之東都，鄭杰祥氏認爲在古濮陽。鄭氏說：

> 東都所在，杜預無注，孔穎達《疏》云：「蓋近泰山也」，以為在今山東省泰山附近。近世唐蘭《西周青銅器銘文分代史徵》卷一以為「宋在商丘，即相土之東都，所以也可以稱為東。」這裡所說的商丘即指今河

㉜ 傅斯年：〈論所謂五等爵〉，《傅孟真先生集》，同注❷，第4冊，頁97-129。

㉝ 《圖考》，同注❽，頁26-27。

㉞ 陳槃：《不見于春秋大事表之春秋方國稿》（臺北：中央研究院歷史語言研究所，1970年），第1、2冊。

㉟ 《不見于春秋大事表之春秋方國稿》，同前注，冊1，頁4。

㊱ 同前注。

㊲ 《圖考》，同注❽，，頁246。

㊳ 《春秋左傳注》，同注❽，冊4，頁1538。

南省商丘縣。岑仲勉《黃河變遷史》則以為相土的東都當在古濮陽城。今按當以岑說為是。因為《左傳・定公四年》的這段話，主要是介紹周王分封康叔於衛國的大致領土範圍，所以康叔會合周王東搜的東都，當在衛國境內。周初的衛國東界，如上文所述，東至「究州桑土之野」，即今山東省西部和河南省東北部一帶，而泰山卻在此地以東數百里，位於當時魯國境內，衛康叔是不可能跑到魯國境內的泰山去會同周王舉行「東搜」活動的。另外，今河南商丘一地在周初已是宋國國都，衛、宋之間還隔著曹杞等國，衛康叔也同樣不可能跑到宋國國都去會同周王舉行「東搜」活動的。再者，我們早就認為古老的商族自從山西黃土高原進入華北大平原之後，其主要活動地區當在太行山以東今河南省北部和河北省南部地區，即周初的衛國領土以內，而泰山周圍則是東夷部族活動的中心，今河南商丘也是當時東夷和夏人活動的交界地區，商族祖先相土不可能在那裡建立「東都」，而古濮陽正是商族活動的東部地帶，這和文獻記載正相符合。因此，正如岑仲勉先生所說，商部族祖先相土的「東都」位於古濮陽一帶應當說是正確的。㊴

二、諸侯權的範圍

諸侯在他的封土之內，有用人的權利，也就是所謂的人事權。此由金文可以得知，例如：

五祀衛鼎：「……厲有嗣䵼季、慶癸、燹口、荊人敱、井人陽屖、衛小子者其鄉飤。……」這裡的䵼季、慶癸、燹口、荊人敱、井人陽屖等都是邦君厲的家臣；衛小子是裘衛的家臣。㊵

㊴ 鄭杰祥：《商代地理概論》（鄭州：中州古籍出版社，1994 年），頁 172-173。

㊵ 〈西周土地制度探研〉五〈五祀衛鼎〉，同注㉙。

公臣段：「虢仲令公臣，嗣朕百工，易女馬乘，鐘五，金，用事。公臣拜䭫首，敢對揚天尹不顯休，用作隣段，公臣其萬年，用寶茲休。」公臣是虢仲的家臣。[41]

堇鼎：「匽侯令堇飴太保于宗周。庚申，太保賞堇貝，用作太子癸寶鬻[illegible]。」堇是燕侯的家臣。[42]

栩簋：「太保錫厥臣栩金，用作父丁隣彝。」栩是太保的家臣。[43]

麥方尊：「在八月乙亥，辟邢侯光厥正吏䣄于麥宮，錫金，用作隣彝。……」正吏，就是正卿；光，寵也。意思是邢侯光寵他的正卿。[44]

諸侯在他的封土之內，是否有權處理他封國之內的土地？關於這一問題，可以分爲兩方面來加以說明。一方面是封國的種類；一方面是時代的變遷，其情況也不同。

封國有兩種類別：一種是由周王直接分封而來的，如：①兄弟同姓之親的管、蔡、郕、霍、魯、衛、毛、聃、郜、雍、曹、滕、畢、原、酆、郇、邗、晉、應、韓、凡、蔣、邢、茅、胙、祭等均是；②謀士功勳之臣，如師尙父；③先聖先王之后裔，如：焦（神農之後）、祝（黃帝之後）、薊（帝堯之後）、陳（帝舜之後）、杞（帝禹之後）等均是。另外一種是古代諸侯之襲封，也就是原是夏、商時代的諸侯國，後來歸附周王室而受封的，如：薛、許、任、宿、須句、顓臾、郯、鄫、鄅、莒、紀、郭、向、江、黃、道、柏、貳、軫、絞、蓼、葛、徐、鐘吾、鮮虞、肥、鼓等均是。[45]

---

[41] 岐山縣文化館龐懷清、陝西省文管會吳鎮烽、雒忠恕、尚志儒：〈陝西省岐山縣董家村西周銅器窖穴發掘簡報〉，《文物》1976年5期。

[42] 唐蘭：《西周青銅器銘文分代史徵》（北京：中華書局，1986年），頁96-98。下簡稱《史徵》。

[43] 《史徵》，同前注，頁143。

[44] 《史徵》，同注[42]，頁254-255。

[45] 《圖考》，同注[8]，頁25-26。

上述兩種封國，第一種是由周王分封而來的，其土地的所有者，名義上是屬於周王室，事實上要看周王室的力量強弱來決定。如果周王室力量強大的時候，她是可以支配諸侯的封地的；如果力量薄弱的話，這種支配的權力就減低了。換句話說，也就是依據時代而定。至於第二種歸附周王朝的古代諸侯之襲封的，她們是有自主的支配權力，她們只要向王室納貢就可以了。

大抵上，在西周初期，也就是康王時代以前，周王室是可以調動諸侯，這就是所謂的「改封」或「徙封」。而且，諸侯在其封國內是沒有再分封的權力的。但是，到了西周中期，就產生了諸侯貴族間的土地交換轉讓的現象，這種現象，在恭王時代及其以後出現的事例較多。例如：三年衛盉、五祀衛鼎均有記載。只不過這種土地交換、轉讓必須經過執政大臣的認可才可以成立。同時，在西周中期也發生諸侯貴族將土地賜予臣下的事例，例如：卯毀即是。而且並不需要經過王室執政大臣的認可。㊻

從祭祀方面來說，諸侯只能祭祀封土內的山川，不能祭天，也就是說諸侯沒有祭天的權利。《禮記・王制》說：「天子祭天地，諸侯祭社稷，大夫祭五祀。天子祭天下名山大川，五嶽視三公，四瀆視諸侯。諸侯祭名山大川之在其地者。」㊼《左傳》襄公十八年記載：

> 晉侯伐齊，將濟河。獻子以朱絲繫玉二竑，而禱曰：「齊環怙恃其險，負其眾庶，棄好背盟，陵虐神主。曾臣彪將率諸侯以討焉。其官臣偃實先後之。苟捷有功，無作神羞，官臣偃無敢復濟。唯爾有神裁之。」沈玉而濟。㊽

㊻ 《西周土地制度探研》，同注㉙。

㊼ 《禮記正義・王制》（臺北：藝文印書館，1981 年影印〔清〕嘉慶 20 年〔1815〕江西南昌府學刊《十三經注疏》本），卷 12，頁 242。

㊽ 《春秋左傳注》，同注❽，冊 3，頁 1036-1037。

這是晉國要去攻打齊國的時候，祭祀其境內的黃河。再如《論語·八佾》：

季氏旅於泰山，子謂冉有曰：「女弗能救與？」對曰：「不能。」子曰：「嗚呼！曾謂泰山不如林放乎？」

馬融《注》：「旅，祭名也。禮，諸侯祭山川在其封內者，今陪臣祭泰山，非禮也。」季氏是魯國大夫，要去祭祀泰山，孔子認為非禮。又如《左傳》僖公三十一年：

夏四月，四卜郊，不從，乃免牲，非禮也。猶三望，亦非禮也。禮不卜常祀，而卜其牲、日。牛卜日曰牲。牲成而卜郊，上怠慢也。望，郊之細也。不郊，亦無望可也。㊾

這是郊祀之禮。郊祀，只有天子才能舉行。據《孝經》說：「昔者周公郊祀后稷以配天，宗祀文王於明堂以配上帝。」《禮記·郊特牲》說：「萬物本乎天，人本乎祖，此所以配上帝也。郊之祭也，大報本反始也。」可知郊祀是祭天之禮而以始祖后稷配饗。郊祀之禮，也就是禘祀。這種禮，雖然只有天子才能舉行，但成王曾因為周公對周朝有過莫大的功勳，所以特別准許他舉行禘祭。《論語·八佾》說：「子曰：『禘自既灌而往者，吾不欲觀之矣。』」楊伯峻氏注釋：

禘——這一種禘禮是指古代一種極為隆重的大祭之禮，只有天子才能舉行。不過周成王曾因為周公對周朝有過莫大的功勳，特許他舉行禘祭。

㊾ 《春秋左傳注》，同注❽，冊1，頁486-487。

以後魯國之君都沿此慣例，「僭」用這一禘禮，因此孔子不想看。[50]

《左傳》哀公十三年：景伯……謂大宰曰：「魯將以十月上辛有事於上帝、先王，……」可見魯國是有祭祀上帝之禮。

望，是山川之祭祀。《左傳》哀公六年說：

> 初，昭王有疾，卜曰：「河為祟。」王弗祭。大夫請祭諸郊。王曰：「三代命祀，祭不越望。江、漢、睢、漳，楚之望也。禍福之至，不是過也。不穀雖不德，河非所獲罪也。」遂弗祭。

這是說，楚昭王有病，占卜的結果說是黃河之神在作祟，所以楚國大夫請在郊野祭祀黃河之神。但是，楚昭王說：「三代命祀，祭不越望。」楚的望是江、漢、睢、漳。可見江、漢、睢、漳都是楚國境內的河川，所以楚昭王認爲他不會獲罪於黃河之神，因而不祭祀。

另外，從墓、葬制也可以看出諸侯的權限。周王的墓到目前還未發現。但如果從殷王的墓來看，應該是東、西、南、北方都有四條墓道的大墓才是。[51]到目前爲止，西周諸侯的墓最大的應該是〈北京琉璃河 1193 號大墓〉。[52]此墓有四條墓道，不過四條墓道都是在墓的四角，而非中央。雖然如此，確已是罕見的了。據報導，此墓是屬於西周早期康王或成康時代的墓。也許西周早期墓葬制度還未臻於嚴謹，還留有商王朝時代的遺風。因爲商王朝的諸侯君長也有四條墓道的大墓。例如：在山東益都蘇埠屯所發現的一號墓，據山東省博物

---

[50] 楊伯峻：《論語譯注》（北京：中華書局，1962 年），頁 28-29。

[51] 北京大學歷史系考古教研室商周組編著：〈早商時期的墓葬〉，《商周考古》（北京：文物出版社，1979 年），頁 86。

[52] 琉璃河考古隊：〈北京琉璃河 1193 號大墓發掘簡報〉，《考古》1990 年第 1 期。

館說：「蘇埠屯一號的規模之大，殉葬奴隸之多，和河南安陽武官村所發掘的商代大墓相似。據目前的資料，除了河南安陽商代『王陵』之外，這還是屬於最大的商代墓葬。我們推斷，這個墓裡的奴隸主的身份，應是僅次于商王的方伯一類的人物。」[53]另外，也有可能周王特別允許燕侯可以有四條墓道，但不能在中央，只能在四角。

除了 M1193 號大墓的四角有四條墓道之外，其餘的燕國墓最大的是中字形墓與甲字形墓。[54]其他地區的諸侯墓也都是中字形墓或甲字形墓。如：陝西灃西張家坡發掘出的 M157 墓，[55]河南浚縣辛村的衛國墓等等均是。[56]

與墓道相關連的，如《左傳》僖公廿五年說：「戊午，晉侯朝王。王享醴，命之宥。請隧，弗許，曰：『王章也。未有代德，而有二王，亦叔父之所惡也。』與之陽樊、溫、原、欑茅之田。」這是記載周襄王時，晉文公勤王平定王子帶之亂，迎接襄王於鄭，襄王得以回成周王城。之後，晉文公入朝。向周王「請隧」。隧，有二義，楊伯峻氏說：

> 隧有二義。韋昭注〈晉語四〉以為六隧，六隧即六遂，周天子有六鄉六遂，百里內分置六鄉，六鄉外置為六遂。然諸侯亦有三遂，《尚書·費誓》「魯人三郊三遂」是也。以《左傳》證之，襄七年叔仲昭伯為隧正，則魯有遂矣；九年令隧正納郊保，則宋有遂矣。諸侯已有遂，何乃復請乎？若云晉文不以三遂為足，而請六遂，參以〈周語中〉「晉文公既定襄王於郟，王勞之以地。辭，請隧焉。王不許，曰：『昔我先王之有天

---

[53] 山東省博物館：〈山東益都蘇埠屯第一號奴隸殉葬墓〉，《文物》1972 年第 8 期。

[54] 北京文物研究所：《琉璃河西周燕國墓地 1973～1977》（北京：文物出版社，1995 年）。

[55] 文物編輯委員會：《文物考古工作十年 1979～1989》（北京：文物出版社，1991 年），頁 298。

[56] 《商周考古》，同注[51]，頁 197。

> 下也，規方千里以為甸服，以供上帝、山川、百神之祀。』」云云，似亦有據。然請六遂省曰請遂，於事理終難通。杜預用賈逵義，謂「闕地通路曰隧，王之葬禮也」。《賈子·審微篇》敘此事云，『文公辭南陽，即死，得以隧下』」云云，亦解「隧」為葬禮。(57)

隧，解釋爲六鄉六遂，於事理終難通，但解釋爲闕地通路是否可通？孔穎達《疏》云：

> 隱元年《傳》曰闕地及泉，隧而相見，是闕地通路曰隧也。天子之葬，棺重、禮大，尤須謹慎，去壙遠而闕地通路，從遠地而漸邪下之。諸侯以下，棺輕、禮小，臨壙上而直縣下之。故隧為王之葬禮，諸侯皆縣柩而下，故不得用隧。(58)

按照孔氏的說法，隧只有天子才有。諸侯以下無隧，臨墓室時，將棺木用繩索直懸而下。好像有理。可是，我們在前面曾提過，諸侯也有墓道，所以孔氏的解釋值得商榷。既然天子、諸侯都有隧（即墓道），那爲什麼晉文公還要「請隧」？這有幾個可能：①春秋時代，諸侯不能有「隧」（墓道）；②晉文公要求的「隧」，就是王室的東、西、南、北那樣的墓道。③天子的墓道，就是如現在的隧道，而諸侯的墓道，上面是空的，這叫做「羨」。以上三個可能，應以第③較爲合理。因爲，春秋時代的諸侯墓，從考古挖掘來說，還是有墓道的。例如：一九八四～一九八六年在山東辛店發掘了四座東周大墓，其中四號墓，就有墓道。(59)又，陝西鳳翔所挖掘的秦公一號墓是呈中字形的大墓。(60)不過在

---

(57) 《春秋左傳注》，同注❽，冊 1，頁 432-433。

(58) 《春秋左傳正義》（《十三經注疏》本），卷 16，頁 263。

(59) 《文物考古工作十年》，同注(55)，頁 170。

山西至目前所挖掘出的春秋墓中，還未發現有墓道的，即使如趙卿墓，亦無墓道。(61)但照理說，應該是有墓道才是。所以第①點恐怕很難站住腳。關於第②點，晉文公「請隧」，要求有四條墓道，就是楊氏解釋晉文公請求六遂一樣，於理難通。所以，還是以第③點，較有可能。《周禮·冢人》：「以度爲丘、隧」。賈公彥《疏》云：「案僖公二十五年《左傳》云：『晉文公請隧，不許，王曰：未有代德而有二王。』則天子有隧，諸侯已下有羨道。隧與羨異者，隧道則上有負土，謂若鄭莊公與母掘地隧而相見也。羨道上無負土。若然，隧與羨別。」(62)楊伯峻氏也說：「古代天子葬禮有隧，諸侯以下有羨道。隧有負，即全係地下道，羨道無負土，雖是地道，猶露出地面。請隧者，晉文請天子允許於其死後得以天子禮葬己耳。」(63)

除了墓道的限制之外，諸侯的陪葬品也有所規範。俞偉超、高明二氏所著〈周代用鼎制度研究〉裡說：「概括地說，這時期（恭王時期以前）周王室自有一套天子九鼎，卿七鼎，大夫五鼎，士二鼎或一鼎的制度，而又有一套公、侯七鼎，伯五鼎，子、男三鼎或一鼎的制度。」(64)

三、王權與諸侯權的關係

我們在前面〈諸侯權的來源〉中曾提到過，周王朝是實行分封制度的，所以諸侯權是來自周王。例如：成王封周公子伯禽於魯的時候，就說：「叔父，建爾元子，俾侯于魯。大啓爾宇，爲周室輔。乃命魯公，俾侯于東，錫之山川，土田附庸。」(65)既然周王可以分封諸侯，當然也可以改封他們。例如，前舉之

---

(60) 《文物考古工作十年》，同注(55)，頁 300。

(61) 山西省考古研究所：《山西考古四十年》（太原：山西人民出版社，1994 年），頁 170。

(62) 《周禮注疏》（《十三經注疏》本），卷 22，頁 335。

(63) 《春秋左傳注》，同注❽，冊 1，頁 432-433。

(64) 俞偉超、高明：〈周代用鼎制度研究〉上、中、下。

(65) 見〈魯頌·閟宮〉，《詩義》，同注❿，頁 284。

〈宜侯夨段〉中所說的康王改封虞侯夨於宜即是。

周王既然可以分封諸侯，當然可以命令諸侯率諸侯本族的人去討伐他族。例如：〈明公段〉說：

唯王命明公遣三族伐東國，在簋。魯侯有囗工，用作肇彝。(66)

這是周王命令明公率領他本族人共三族去討伐東國的事。再如〈班段〉說：「王命毛公以邦冢君、徒馭、職人伐東國痟戎。」(67)

周王甚至可以將諸侯滅掉。譬如：密康公因不獻美女給恭王，恭王竟將他滅掉。《國語·周語》說：

恭王遊於徑上，密康公從，有三女奔之。其母曰：「必致於王，夫獸三為群，人三為眾，女三為粲，王田不敢群，公行下眾。王御不參一族。夫粲，美之物也。眾以美物歸女，而何德以堪之。王猶不堪，況爾小醜乎。小醜備物必亡。」康公不獻，一年王滅密。

由此可見王權之大。

不過，王權之所以能夠駕馭侯權，在於周王的國勢強大。如果周王國勢不強，那諸侯就有不尊崇王室的命令了。所以《史記·楚世家》說：

熊渠生子三人。當周夷王之時，王衰微，諸侯或不朝，相伐。熊渠甚得江漢間民和，乃興兵伐庸、楊粵、至于鄂。熊渠曰：「我蠻夷也，不與

---

(66) 郭沫若：《兩周金文辭大系考釋》，頁 10。下簡稱《大系》。

(67) 《大系》，同前注，頁 20。

中國之號謚。」乃立其長子康為句亶王，中子紅為鄂王，少子執疵為越章王，皆在江上楚蠻之地。及周厲王之時，暴虐，熊渠畏其伐楚，亦去其王。

可見，周夷王時，國勢衰微，楚熊渠都敢稱王，但到了厲王時，國勢強盛，他就自動去其王號。

因此，王室的強弱與諸侯權的消長有莫大的關連性。當王室強大的時候，諸侯權就有所局限，非但諸侯國境內的土地，王室可以封削，連諸侯的任命大臣，也要受到王室的干預。例如：〈師晨鼎〉說：

隹三年三月初吉甲戌，王在周師彔宮。旦，王各太室，即位。司馬共右師晨入門立中廷，王乎作冊尹冊命師晨足師俗父嗣邑人隹小臣，善夫，守□，官犬眾奠人、善夫、官守友，易赤舄。晨拜頓首，敢對揚天子丕顯休令，用作朕文祖辛公尊鼎。晨其□□世子子孫孫其永用。[68]

這是周厲王命令師晨輔佐師俗父管理邑人等職事。不僅如此，甚至於諸侯的繼承人也會受到王室的干預。《國語·周語》說：

魯武公以括與戲見王，王立戲。樊仲山父諫曰：「不可立也！不順必犯，犯王命必誅，故出令不可不順也。令之不行，政之不立，行而不順，民將棄上。夫下事上，少事長，所以順也。今天子立諸侯而建少，其教逆

---

[68] 白川靜：《金文通釋》二二〈一二五師晨鼎〉。此器陳夢家、唐蘭二氏以為作于懿王；而郭沫若、容庚、董作賓、魯師實先諸氏皆以為是厲王時器。魯師說：

考師晨鼎所記年月日名，及「王在周師彔宮，旦王各太室，即位，司馬共右」之文，並與師艅簋同，師艅簋之文句又與諫段相同，故劉、吳、郭、容四氏並以師晨鼎、師艅簋、諫段三器同屬厲王時，其說甚是。

也。若魯從之而諸侯效之，王命將有所壅，若不從而誅之，是自誅王命也。是事也，誅亦失，不誅亦失，天子其圖之！」王卒立之。魯侯歸而卒，及魯人殺懿公而立伯御。……三十二年春，宣王伐魯，立孝公，諸侯從是而不睦。

這是周宣王因爲立魯武公的少子戲，而引起魯國的內爭。戲就是魯懿公。魯國殺了魯懿公而立伯御。伯御就是魯武公長子。因此，周宣王派兵討伐魯國而立了孝公。孝公就是魯懿公的弟弟名叫稱的，可見宣王干涉魯國的內政。

但是，如果王室衰弱，諸侯不但不聽從王室的命令，甚至於還把周王放逐的或殺了周王的事。例如：周厲王被放逐於彘，幽王被犬戎所殺就是最好的例子。

厲王在位，據《史記》記載有三十七年。前三十年，《史記》無所稱述，至第三十年，厲王好利，近榮夷公。因此芮良夫進諫，厲王不聽，終於以榮夷公爲卿士。榮夷公是個好利而不知大難的人，與民爭利，搜括民財。因而引起國人的誹謗，可是厲王採取高壓的手段，用衛巫專司情報，凡是誹謗朝政的人，一經舉發，便被處死。因此，到了第三十四年，終於無人敢批評。可是到了三十七年，就被驅逐於彘了。關於厲王用榮夷公好專利而與民爭利。學者解釋其原因，但議論紛紜，其中以童書業氏的解釋較爲中肯。童氏說：

周厲王時實是王權和霸權交替的關鍵，正和晉厲公時是君權和卿權相交替的關鍵一樣。厲王行專制政治，厲公也行專制政治；厲公時，晉勢極盛，厲王時周勢極盛；厲公之後，尚有悼公的一度興盛，厲王之後也尚有宣王的一度興盛；厲王失位而「諸侯釋位以間王室」，厲公被殺而晉卿族遂強，前後如出一轍。[69]

---

[69] 童書業：《春秋史》（臺北：臺灣開明書店），頁 11-12。

幽王是因爲寵愛褒姒因而欲以褒姒爲王后，以褒姒所生的王子伯服爲太子，所以引起申后與太子宜臼的不滿。申后的母方申侯遂聯合繒戎攻殺幽王於驪山之下。

由以上的說明，王權與諸侯權的關係，是一體兩面的。王權伸張則諸侯權便縮小，王權勢弱則諸侯權便伸張。因此，所謂「溥天之下，莫非王土；率土之濱，莫非王臣。」[70]要看王室權力的強弱而定。

---

[70] 《詩經·小雅·北山》，《詩義》，同注[10]，頁175。

〈觀射父論絕地天通〉探義

張素卿*

一、引　言

《國語》這部書，以「國」區分，以「語」爲主，彙集了包括周與魯、齊、晉、鄭、楚、吳、越諸國君臣對話謀議的記錄，屬「記言」體。這些集結成編的「嘉言善語」，內容廣泛地涉及「邦國成敗」、「陰陽律呂」、「天時人事」、「逆順之數」等，❶甚至有人說「其論古今天道人事，備矣」。❷所謂概括「古今天道人事」，主要是指《國語》的言語內容不僅陳說當時，還追述遠古；不僅有種種關於「人」的事蹟，還常常提稱「天」。

〈觀射父論絕地天通〉就是一篇典型的「嘉言善語」。就形式而言，它是楚昭王和觀射父君臣之間的問答對話；就內容而言，它通古今、論天人，啓導君主「明其德」。這在《國語》二百四十餘篇「語」當中，相當具有代表性。❸

---

*　國立臺灣大學中國文學系講師。

❶　說本韋昭：〈國語解序〉，《國語韋昭註》（臺北：藝文印書館，1974 年影嘉慶庚申讀未見書齋重雕天聖明道本），頁 5；並參張師以仁闡述，說見〈國語辨名〉，《國語左傳論集》（臺北：東昇出版公司，1980 年），頁 11。以下凡引述《國語》本文及韋昭語，均根據明道本《國語韋昭註》。

❷　王世貞曰：「〔《國語》〕商略帝王，包括宇宙，該治亂、蹟善敗，按籍而索之，班班詳覈，奚翅二百四十二年之行事？其論古今天道人事，備矣！」語見〔清〕朱彝尊：《經義考》（臺北：臺灣中華書局，1966 年），卷 209，頁 3 上。一部書的內容自然不能窮盡無遺，所謂備錄「古今天道人事」，當指《國語》的內容能概括這些議題。

❸　〈觀射父論絕地天通〉的篇名標題，以及全書篇數統計，參考點校本《國語》（上海：上海古籍出版社，1988 年）。

它的價值很早就受到經、史學者重視，不僅《史記》、《漢書》等史籍先後徵引，鄭玄、孔穎達等注疏經典也參考援用（參見下文）。由於涉及「絕地天通」的神話傳說，這篇「語」在當代仍引起學者極大的關注，舉凡討論古代宗教、神話、巫術或史職，乃至探究中國上古文明的性質，以及古代思想的理性化進程等議題，它都往往佔有一席之地。

然而，當代學者所關注的僅僅是觀射父言語所涉及的史料價值，往往偏執一端，各憑所需地擷取局部資料用以組織己說。推究其原因，則是沒有眞正掌握《國語》的本質，未能通觀全篇對話，從「語」的層面探索它本身的義涵。

張師以仁曾經明確指陳：《國語》以記言爲主，旨在明德，著重說理（見下文引述）。本論文的旨趣，即根據《國語》的本質，整體地論述楚昭王和觀射父的對話，由此探察〈觀射父論絕地天通〉的文化義涵，略以闡發師說。

以下，第二節先分析本文結構，點明對話主題；其次，第三節針對問答所涉及的觀念背景，追索「登天」和「絕地天通」的古代神話，指出觀射父的論說要點及意義指向；第四節，從「語」體的本質在說理、明德，深一層探討觀射父言辭的宗旨；第五節進而結合相關資料，由他對祀典的陳述以及昭王如何遵行「三代命祀」的規範，考察觀射父進說陳辭的影響和義涵；第六節爲結語，綜述這篇「語」在文化思想上的價值。

二、「絕地天通」——君臣問答的主題

〈觀射父論絕地天通〉收錄於《國語·楚語下》，全篇由問與答兩部分組成，「絕地天通」則是對話的主題。

對話的第一部分是提出問題：

昭王問於觀射父，曰：「周書所謂重、黎寔使天地不通者，何也？若無

然，民將能登天乎？」❹

楚昭王（熊軫，西元前 515－前 489 年在位）向大夫觀射父提出一個問題，問題的直接典據出自「周書」，依韋昭的注解，這就是指《尚書·呂刑》，「重、黎寔使天地不通」即轉述「乃命重、黎，絕地天通」一語。❺依此，天、地懸隔似乎是重、黎「絕地天通」的結果，昭王於是疑惑地詢問：這是什麼意思呢？如果沒有重、黎「絕地天通」的話，地上的人就能夠「登天」嗎？問題當中引出了對話的主題：什麼是「絕地天通」？而且，由昭王進一步追問的言語可以推知，他初步以爲這跟人能否「登天」有關。

對話的第二部分，係觀射父針對問題予以回應，這是全篇的主要部分，迻錄如下：

對曰：「非此之謂也。古者民神不雜，民之精爽不攜貳者，而又能齊肅衷正，其智能上下比義，其聖能光遠宣朗，其明能光照之，其聰能聽徹之，如是，則明神降之，在男曰覡，在女曰巫，是使制神之處位次主，而為之牲器時服。而後使先聖之後之有光烈，而能知山川之號、高祖之主、宗廟之事、昭穆之世、齊敬之勤、禮節之宜、威儀之則、容貌之崇、忠信之質、禋絜之服而敬恭明神者，以為之祝。使名姓之後，能知四時之生、犧牲之物、玉帛之類、采服之儀、彝器之量、次主之度、屏攝之位、壇場之所、上下之神、氏姓之出而心率舊典者，為之宗。於是乎有天地神民類物之官，是謂五官；各司其序，不相亂也。民是以能有忠信，神是以能有明德，民神異業，敬而不瀆。故神降之嘉生，民以物享，禍

❹ 《國語韋昭註》，卷 18，頁 401。

❺ 同前注。

災不至，求用不匱。及少皞之衰也，九黎亂德，民神雜糅，不可方物。夫人作享，家為巫史，無有要質，民匱于祀而不知其福。烝享無度，民神同位，民瀆齊盟，無有嚴威。神狎民則不蠲其為，嘉生不降，無物以享，禍災荐臻，莫盡其氣。顓頊受之，乃命南正重司天以屬神，命火正黎司地以屬民，使復舊常，無相侵瀆：是謂『絕地天通』。其後三苗復九黎之德，堯復育重、黎之後不忘舊者，使復典之；以至于夏、商，故重黎氏世敘天地，而別其分主者也。其在周，程伯休父其後也。當宣王時，失其官守而為司馬氏，寵神其祖以取威于民，曰：『重寔上天，黎寔下地。』遭世之亂，而莫之能禦也。不然，夫天地成而不變，何比之有？」❻

針對昭王「若無然，民將能登天乎」的疑問，觀射父一開始便斬釘截鐵地回答：「非此之謂也。」然後，他娓娓細述，逐次申說，依其論點可分爲三個層面。第一層解說，旨在陳述史跡，他說：古代「民神不雜」，後來「民神雜糅」，到了顓頊時代，乃任命重「司天以屬神」、任命黎「司地以屬民」，復使天地神民各有官守，是所謂「絕地天通」。他完全是從人事、歷史的角度來解釋「絕地天通」。然而，分司天、地的歷史事蹟，爲什麼會說成「絕地天通」呢？觀射父於是提出進一步的解說。第二層解說，即針對導致後人疑惑的緣故加以說明，他認爲：這是由於司馬氏——程伯休父的子孫，重、黎的後裔——將分司天、地的事件說成：「重寔上天，黎寔下地」，用以「寵神其祖以取威于民」。

---

❻ 《國語韋昭註》，卷 18，頁 401-404。案：「是之使制神之處位次主，而為之牲器時服」二句，點校本《國語》屬下讀（同注❸，頁 559），值得商榷。鄭玄曾引述此文以論古代之「巫」，以為上自「古者民之精爽不攜貳者」，下訖「在男曰覡，在女曰巫，是之使制神之處位次主，而為之牲器時服」，都屬「巫」之職能。鄭玄的引述，見《周禮注疏》（臺北：藝文印書館，1982 年影嘉慶 20 年南昌府學刊《十三經注疏》本），卷 27，頁 22 下。

由於司馬氏用夸飾的言辭來傳述，藉以神化先祖的事蹟，於是乎，一次職官變革的歷史事件染上了神話色彩。第三層解說，觀射父直接訴諸經驗常識，他反問昭王：「夫天地成而不變，何比之有？」謂天、地之間上下懸隔，從來不曾相比鄰、相接近，言下之意是：地上的人怎麼可能「登天」呢？以上三層解說，一、二兩層觀射父都明確回應了「絕地天通」的主題，第三層同樣是關於「絕地天通」的，只不過特別針對昭王「登天」的歧思誤解予以反駁。

藉由以上的分析，可以初步了解全篇對話的組成結構，以及觀射父的論述層次，而問、答的主題都不離乎「絕地天通」。「絕地天通」典出《尚書·呂刑》，楚昭王由載籍的傳述引發人能否「登天」的疑問，觀射父明確嚴正地駁斥了這樣的想法，並詳細予以解說，長篇大論何謂「絕地天通」。他分三層解說，有立有破，相輔而相成。第一層解說屬正面積極立說，詳細陳述了所謂「絕地天通」是怎麼一回事。第二、三兩層則屬消極的破解反詰，既釐清後人如何爲了「寵神其祖」而夸飾其辭，致使一個職司官守的歷史事件染上了神話色彩；並以「天地成而不變」來說明：自古及今，「登天」都是不可能的。

相形之下，第一層解說實佔有顯著的分量——不僅篇幅長，而且是解說釋疑最具關鍵的部分，是積極立說的旨意所在。的確，觀射父的解說中，第一層顯得有些舖張，似乎刻意地將議題漫衍開來，反倒不是直接針對問題來回答。仔細分析這部分顯得舖張漫衍的言辭，實包含了三個變遷階段，形成一段古今史跡的敘述：第一階段是遙遠的上古時代，當時「民神不雜」，有巫、祝、宗等專司祭祀儀典，而「神降之嘉生，民以物享，禍災不至，求用不匱」；第二階段時當少皞時代，由於「九黎亂德」，演變成「民神雜糅」，「夫人作享，家爲巫史」的情況下，巫史不再是專職，結果「嘉生不降，無物以享，禍災荐臻，莫盡其氣」；第三階段爲顓頊之時，他因應先前的亂象，進行官守職司的改造，分別任命重和黎司天、司地，使天地神民「無相侵瀆」，恢復了古代「民神不雜」的「舊常」。敘述了祭祀職官變遷的三個階段，觀射父才回扣主題，總結說：「是謂『絕地天通』」。然則，舖張漫衍的一段敘事，其旨意就是解釋何謂「絕地天通」。

長篇幅的一段敘事當中，關於巫、祝、宗的職能，觀射父述說得尤其詳明。依他所言，巫覡須具備精神專一虔敬等個人特質，在智、聖、聰、明各方面條件優越，超乎常人，而能使「明神降之」；祭祀時，神的「處位次主」以及「牲器時服」，即由巫覡主持。祝，有「先聖之後」的先決條件，而且須具備各種歷史地理、宗族世系和宗廟禮儀等知識；祭祀時，祝的角色功能是「敬恭明神」。宗由誰擔任也有先決條件，他們得是「名姓之後」，而且必須熟悉各項祭典制度：包括祭品的時令、祭器的數量種類、祭壇的安置、祭祀的對象等；「心率舊典」，使祭祀依循著既定的規範如常進行，正是宗的責任。然則，刻意將議題漫衍開來，如此詳細地述說祭祀的官守職司，究竟用意何在？這其實涉及「語」的特點。

依張師以仁考察，《國語》記錄的言語，其言辭的舖張、史事的敘述，「皆無非是增加其說理的效果而已」。❼誠然，觀射父針對「登天」以及「絕地天通」所具有的神話色彩，除了以「天地成而不變」和司馬氏「寵神其祖」的說法解惑袪疑，更詳述古今官職的變遷，其用意無非是以具體信實的論據，增強說理的成效，俾能導正昭王，促使他從歷史、人事的觀點來理解何謂「絕地天通」。

如上所述，針對昭王提出的問題，觀射父分三個層面逐次解說，予以回應。其中，第一層解說詳陳官守職司，敘述歷史沿革，雖顯得舖張漫衍，卻是增強說理的信實論據，尤能表徵他積極立說的旨意。毋怪乎歷來學者多對此一段落特別關注，《史記·曆書》、《漢書·律曆志》援引它來說明古代曆數與官制

❼ 張師以仁：〈從國語與左傳本質上的差異試論後人對國語的批評〉，《春秋史論集》（臺北：聯經出版事業公司，1990年），頁109。

的沿革，❽《漢書·郊祀志》則用以說明古代祀典的起源，❾後來的史志言及曆數、祀典及相關官制的沿革時，也往往相沿引述其說。雖然如此，觀射父如此不憚詞費，舖陳史實，爲的是解釋「絕地天通」，輔助說理成效，用以導正昭王「登天」的歧思，增強歷史、人事的意識。這才是觀射父進說陳辭的眞正意向。❿

三、「登天」和「絕地天通」的神話

楚昭王和觀射父環繞「絕地天通」的主題展開對話，不論問或答，都涉及古代的神話傳說。昭王問題中提及的「登天」固然超乎人力所能，觀射父的第二層解說也直指「絕地天通」的措辭具有神話色彩，他認爲這是司馬氏「寵神其祖以取威于民」所採用的夸飾之辭。無論如何，觀射父的說法代表春秋時代楚國人對此神話的一種理解，是「絕地天通」的一種解釋。

---

❽ 見〔漢〕司馬遷：《史記·曆書》（北京：中華書局，1985 年點校本），頁 1256-1257；以及〔漢〕班固：《漢書·律曆志》（北京：中華書局，1987 年點校本），頁 973。案：《史記·曆書》曰：「神農以前尚矣，蓋黃帝考定星曆，建立五行，起消息、正閏餘，於是有天地神祇物類之官，是謂五官」云云，又曰：「堯復遂重、黎之後，不忘舊者，使復典之，而立羲和之官。」推定建立五官使民神異業者為黃帝，並指堯復重、黎之後即立羲和之官，其說和《尚書》孔《傳》等舊注或同或異，可以互參。

❾ 見〔漢〕班固：《漢書·郊祀志》，頁 1189-1190。

❿ 司馬遷《史記·太史公自序》曾據此敘述司馬氏的氏族源流（頁 3285），司馬氏是史官世家，因此，觀射父的論述也是考察史官沿革的重要資料。李零：《中國方術考》（北京：人民中國出版社，1993 年）曰：「現在人多以為這是講巫術起源，但我們理解，這一故事的主題是講職官的起源，特別是史官的起源。」（頁 12）案：李零對張光直關於「絕地天通」的「人類學解釋」頗有微詞，強調觀射父講的不是巫術的起源，而是史官的起源。然而，依本論文的分析，觀射父的論說主旨，既無關巫術起源，也不是講述職官（史官）的起源；他的論說內容誠然可以提供後人了解古代巫祝活動，以及相關的職官，但不能說這一段文字的主題就是如此，猶如不能從〈太史公自序〉據此敘述司馬氏的氏族源流，就斷言它的主題在此。當代學者論及此段言辭的主題，莫衷一是，而普遍的缺失則是不能貫通上下文脈，整體觀之。

依觀射父的解釋，「絕地天通」的神話意義是「重寔上天，黎寔下地」。那麼，「重寔上天，黎寔下地」又是什麼意思呢？對此，韋昭注解說：

言重能舉上天，黎能抑下地，令相遠，故不復通也。⓫

然則，「上天」、「下地」是往上舉高、往下壓低，使天、地的距離擴大而斷絕了相通的可能。這樣「上天」、「下地」所形成的「絕地天通」，當然不是人力所能達成的，司馬氏謂重、黎能如此，即是「寵神其祖」。韋昭的注解似乎參考了《山海經》，〈大荒西經〉云：

帝令重獻上天，令黎邛下地。⓬

郭璞注解〈大荒西經〉時，也引述〈楚語〉作爲參照。⓭韋氏、郭氏已經注意到兩段記載的關聯，因而援引互注。近人袁珂同樣將兩者結合起來詮釋，曰：

「獻、邛」之義殆即「舉、抑」乎？重舉黎抑，而天地遠睽，正神話中「絕地天通」之形象描寫也。⓮

他又分析說：

⓫ 《國語韋昭註》，卷18，頁404。

⓬ 引文據袁珂：《山海經校注》（上海：上海古籍出版社，1991年1版4刷），頁402。

⓭ 見〔晉〕郭璞注、〔清〕畢沅校《山海經》（上海：上海古籍出版社，1989年影浙江書局校刻本），卷16，頁112。

⓮ 袁珂：《山海經校注》，頁403。案：袁氏將「黎邛下地」之「邛」訓為「抑」，他懷疑「邛」本作「印」，「殆後『印』字一訛而為『卬』，再訛而為『邛』。」（頁404）

「古者民神不雜」，歷史家之飾詞也；「民神雜糅，不可方物」，原始時代人類群居之真實寫照也：故昭王乃有「民能登天」之問。⓯

依人類學或宗教史的觀點而言，比較合乎原始時代初民信仰情況的是「民神雜糅」，而非「民神不雜」，所以袁珂說「古者民神不雜」是「歷史家的飾詞」。然而，就〈觀射父論絕地天通〉一文而言，與其說這是「歷史家的飾詞」，不如說是觀射父的歷史知識，或者說是他用來教導昭王的歷史知識。如上文所述，觀射父意在導正昭王，針砭他關於「登天」的歧思，而非以歷史家的身分來陳述。至於昭王的問題意識，則誠如袁珂的分析，頗與古代流傳的神話有關，並非空穴來風。

《山海經》載有一些古代的「登天」神話。如〈大荒西經〉曰：

有互人之國。炎帝之孫名曰靈契，靈契生互人，是能上下于天。⓰

明言互人能「上下于天」。〈大荒西經〉又曰：

西南海之外，赤水之南，流沙之西，有人珥兩青蛇、乘兩龍，名曰夏后開。開上三嬪于天，得〈九辯〉與〈九歌〉以下。此天穆之野，高二千仞，開焉得始歌〈九招〉。⓱

夏后開即夏啓，他是個歷史人物，在神話傳述裡，他曾經獻美女於天而「得〈九

⓯ 同前注，頁 403。

⓰ 同注⓮，頁 415。

⓱ 同注⓮，頁 414。

辯〉、〈九歌〉以下」，據郭璞的注解，此乃「登天而竊以下用之也」。⑱換言之，他曾經「登天」，取得〈九辯〉、〈九歌〉後才又下至人間。此外，〈海內經〉記述說：

> 華山青水之東，有山名曰肇山，有人名曰柏高，柏高上下于此，至於天。⑲

謂柏高其人能上下肇山而「至於天」——這也是人能「登天」的傳述。袁珂指出：肇山能上達於天，是神話中所謂的「天梯」，自然物中可以憑藉而上達於天的「天梯」有兩種：一是山，二是樹；以山為天梯者，肇山之外，還有著名的崑崙山，以樹為天梯者，如建木。⑳《淮南子·墬形訓》有關於崑崙山和建木的記載，曰：

> 昆侖之丘，或上倍之，是謂涼風之山，登之而不死；或上倍之，是謂懸圃，登之乃靈，能使風雨；或上倍之，乃維上天，登之乃神，是謂太帝之居。㉑

又曰：

> 建木在都廣，眾帝所自上下。㉒

---

⑱ 《山海經》，同注⑬，卷16，頁113。
⑲ 《山海經校注》，同注⑫，頁444。
⑳ 同前注，頁445，及頁450。
㉑ 引文據劉文典：《淮南鴻烈集解》（北京：中華書局，1989年），頁135。據高誘注，太帝即天帝；倍，孫詒讓曰：「乘也，登也。」（同上）故袁珂曰：「是緣昆侖以登天也。」（《山海經校注》，頁450）
㉒ 《淮南鴻烈集解》，頁136。

參考《淮南子》的傳述，則昆崙山不僅可以憑藉著上達於天，並且「登之乃神」，而帝也依緣建木，上天下地。根據《淮南子·墬形訓》以及前引三則《山海經》看來，上古神話裡的天地神民乃可以經由「天梯」，上下相通。這就是古代關於人能「登天」的一些傳述。

春秋時代已經不是神話的時代，但上古的說法當時可能還在流傳，何況，楚地風俗向以「信巫鬼，重淫祀」著稱。㉓當楚昭王追詢人能否「登天」時，其問題意識大概就是淵源於上述神話傳說或宗教習俗的背景。

當然，我們也不能忽略，昭王引發問題的直接緣由畢竟來自「周書」。《尚書·呂刑》是這樣說的：

> ……苗民弗用靈，制以刑，惟作五虐之刑曰法，殺戮無辜。爰始淫為劓、刵、椓、黥，越茲麗刑并制，罔差有辭。民興胥漸，泯泯棼棼，罔中于信，以覆詛盟。虐威庶戮，方告無辜于上。上帝監民，罔有馨香德，刑發聞惟腥。皇帝哀矜庶戮之不辜，報虐以威，遏絕苗民，無世在下。乃命重、黎，絕地天通，罔有降格。㉔

由於苗民「弗用靈」，虐刑殺戮，又「罔中于信，以覆詛盟」，終導致「皇帝」命重、黎「絕地天通」。依上下文意，命重、黎的「皇帝」當如屈萬里先生所

㉓ 語見《漢書·地理志》，頁1666。案：鄭玄以為：「苗民即九黎之後。」（據孔穎達引，見《尚書注疏》〔臺北：藝文印書館，1982年影嘉慶20年南昌府學刊《十三經注疏》本〕，卷19，頁20上）韋昭注亦云：「三苗，九黎之後。」（《國語韋昭註》，卷18，頁403）涂漢光：《楚國哲學史》（武漢：湖北教育出版社，1995年）依據《史記》〈五帝本紀〉、〈孫子吳起列傳〉等推論：「三苗故土，是後來楚國腹地。三苗是江漢地區土著。」（頁22）然則，所謂「九黎亂德」、「三苗復九黎之德」這種「民神雜糅」的現象，很可能是楚國江漢地區長期流傳於民間的宗教習俗。

㉔ 引文據〔舊題漢〕孔安國傳、〔唐〕孔穎達疏：《尚書注疏》（臺北：藝文印書館，1982年影嘉慶20年南昌府學刊《十三經注疏》本），卷19，頁18下-21下。

言：「謂上帝也」。㉕換言之，使重、黎斷絕天地相通之道的，不是人王，而是具有神格的皇天上帝。唯其具有神格，才能如〔舊題〕孔安國《傳》所說：「使人神不擾，各得其序，是謂『絕地天通』，言天神無有降地，地祇〔民〕不至於天。」㉖孔穎達《疏》不僅引述〈觀射父論絕地天通〉以解經，謂「彼言主說此事」，並且說：「民神不擾，是謂絕地天通，〈楚語〉文也，孔惟加『各得其序』一句耳」，㉗明指孔《傳》參考了〈楚語〉。依孔《傳》，則「絕地天通」是指天神、地民不復上下相通，而能「人神不擾，各得其序」。

孔《傳》參考〈楚語〉之文，但他認爲命重、黎者爲堯，㉘這便與觀射父的說法歧異。依觀射父，命重、黎分司天地者爲顓頊，鄭玄即採這一說法㉙。如上所述，孔《傳》、鄭玄以及孔穎達等注疏者，他們在解釋《尚書·呂刑》都未嘗忽略〈觀射父論絕地天通〉一文的參考價值。那麼，這不僅是「絕地天通」神話的一種說明，從問答主題的典故直接出自《尚書》而言，這也是春秋時代關於〈呂刑〉的一種解釋，並對注疏學者有相當的影響。

然而，依〈呂刑〉上下文意，命重、黎者應該是具有神格的上帝；觀射父卻說是人間的、歷史的帝王——顓頊。此外，苗民「罔中于信，以覆詛盟」，這跟觀射父描述「民神雜糅」時「無有要質」、「民瀆齊盟」的情景類似，只是「絕地天通」的措施究竟是針對苗民，還是九黎，觀射父的說法和〈呂刑〉卻明顯不同。就解釋〈呂刑〉所謂「絕地天通」而言，觀射父的說法雖古，其

㉕ 屈萬里先生：《尚書釋義》（臺北：中國文化大學出版部，1980年），頁193。

㉖ 《尚書注疏》，卷19，頁20下。「地祇」當依孔《疏》作「地民」，孔穎達云：「地民，或作地祇，學者多聞神祇，又民字似祇，因妄改使謬耳。」（《尚書注疏》，卷19，頁21下）

㉗ 《尚書注疏》，卷19，頁21上-下。

㉘ 《尚書注疏》，卷19，頁20下。

㉙ 據孔穎達引述，「鄭玄以『皇帝哀矜庶戮之不辜』至『罔有降格』皆說顓頊之事。」（見《尚書注疏》，卷19，頁21下）鄭玄指「絕地天通」為「顓頊之事」，此說與觀射父相合。

實未必符合經文語意，他的目的畢竟是說明何謂「絕地天通」以導正昭王的想法，並非爲了解釋經典。而且，屈萬里先生依據舊說，認爲〈呂刑〉係周穆王命呂侯語，㉚周穆王所言的重、黎「絕地天通」，屬西周時期的傳述；觀射父則認爲「重寔上天，黎寔下地」的神話傳自程伯休父的後人——司馬氏，這代表春秋楚人的另一種理解。㉛如上一節所陳，觀射父的解說凸顯了歷史、人事的意識。後來學者解經，如孔《傳》或鄭玄、孔穎達等，他們雖然或依觀射父，或否，卻同樣依循此一解釋進路——神話色彩逐漸淡化，轉從歷史、人事的觀點來理解何謂「絕地天通」。㉜孟子曾云：「盡信書，則不如無書。吾於〈武成〉，取二三策而已矣。」㉝先秦人研習經典，首重紬繹義理，不拘拘緊守上下文，何況觀射父本不以釋經爲目的（另參下文討論）。準此而言，其說雖不合乎〈呂刑〉文意，但是，結合歷史、人事來理解的進路還是值得注意的——這是一個凸顯其歷史意識的解釋。

綜合而言，觀射父說「絕地天通」具有神話意味，其說有三項要點：一則，「絕地天通」的神話意義是「重寔上天，黎寔下地」；二則，這神話傳自重、黎的後裔司馬氏；三則，司馬氏如此傳述的目的是爲了「寵神其祖以取威于民」。

㉚ 說詳屈萬里：《尚書釋義》，頁 190-191。

㉛ 《詩・大雅・常武》曰：「王謂尹氏，命程伯休父。」謂周宣王時命程伯休父為大司馬，說見毛亨傳、鄭玄箋、孔穎達疏：《詩經注疏》（影嘉慶二十年南昌府學刊十三經注疏本；臺北：藝文印書館，1982 年），卷 18 之 5 頁 1 下-3 上。案：程伯休父任大司馬，其後人為司馬氏，若「絕地天通」的神話傳自司馬氏，則此說必不早於周宣王（西元前 827－前 782 年在位）時，這跟〈呂刑〉為周穆王（西元前 1001－前 947 年在位）語，二說不同。

㉜ 觀射父和孔安國、鄭玄等解經家的說法互有歧異，可參考孔穎達疏釋辨析（《尚書注疏》，卷 19 頁 18 下-21 下），不贅述。其實，諸家說法的紛歧，歸根究柢，恐怕就是肇因於古代傳述原具有神話色彩，解說者卻轉從歷史、人事的觀點加以詮釋，於是基於會通古今的要求而試圖將相關資料作成一致的、體系的說明。然而，神話傳說淵源於上古初民，隨著民族、文化的摶聚，逐漸雜糅錯綜，其初未必屬於同一體系。因此，以上略示〈觀射父論絕地天通〉與〈呂刑〉說法的差異，不擬較論是非。

㉝ 《孟子・盡心下》，引文據《孟子注疏》（影嘉慶二十年南昌府學刊十三經注疏本；臺北：藝文印書館，1982 年），卷 14 上頁 3 上。

所謂「重寔上天，黎寔下地」，這跟〈大荒西經〉重獻、黎抑的描寫相通，指帝令兩人使天、地遠隔。他對「絕地天通」神話的陳述，須呼應第一、第三層解說整體觀之。上一節已經指出，觀射父認爲這實際上是官職演變的歷史事件，經由言辭夸飾才成爲神話；命重、黎的是顓頊，他是堯以前的一個人間帝王；而且，「天地成而不變」，既然亙古不變，又何須兩人來舉上、抑下？三個層面相輔相成，這樣的整體解說又跟他力斥「登天」之思的態度相互關聯。仔細玩索觀射父的答辭，他一開口便說「非此之謂也」，然後分三層進說，不論從它是歷史事件而言，還是從司馬氏夸飾其辭而言，或者從天地亙古不變而言，無不明確表明：「絕地天通」跟「登天」根本毫無關係。這應當是顧慮到當時「登天」神話的民俗背景，故針對昭王的問題意識，有所爲而發。觀射父苦心孤詣，無非是想引導昭王遠離「登天」神話的影響，這跟他彰顯歷史意識的用心，正好呼應。一言以蔽之，他的意旨是要將昭王從神話的歧途導入歷史的正軌。

四、由「語」體本質論觀射父言辭的宗旨

第二節分析〈觀射父論絕地天通〉的本文結構，已指出它由君臣的問答所構成，這屬於「語」體。《國語》所錄諸「語」，跟《尙書》的誥、誓略有不同，前者多側重大臣的對答、勸誡或外交辭令，〈觀射父論絕地天通〉便是如此。觀射父對應昭王的問題，詳細加以解說，其內容通古今、論天人，旨在撥除神話迷思而彰顯歷史意識，促使昭王關注於人事。以韋昭的用語來說，這是一篇「嘉言善語」。

顧名思義，「語」的體式以言辭記錄爲主。至於言辭的內容，它也有特定的性質或宗旨，在古代自成一個科目。依《國語·楚語上》之記載，楚莊王（西元前 613－前 591 年在位）時，申叔時曾提出一套教育太子的規劃，他說：

> 教之春秋，而為之聳善而抑惡焉，以戒勸其心。教之世，而為之昭明德而廢幽昏焉，以休懼其動。教之詩，而為之導廣顯德，以耀明其志。教之禮，使知上下之則。教之樂，以疏其穢而鎮其浮。教之令，使訪物官。教之語，使明其德，而知先王之務用明德於民也。教之故志，使知廢興者而戒懼焉。教之訓典，使知族類，行比義焉。㉞

以上，列舉了九種科目，包括「春秋」、「世」、「詩」、「禮」、「樂」、「令」、「語」、「故志」以及「訓典」，並一一陳述它們的內容性質或宗旨，各科的教育功能即由此決定。這可以反映春秋時楚國對於載籍的科目類別的一種區分。㉟依申叔時，「語」是用來「使明其德，而知先王之務用明德於民」，韋昭進一步注解說：「語，治國之善語。」㊱然則，「明其德」或「明德於民」，基本上屬於為政治國的範疇；「語」的教育功能在此。九種科目當中，除了「語」著重「明德」，還有「世」用以「昭明德」，「詩」用以「導廣顯德」，當時對「明德」之教的重視，可以由此略窺一斑。不過，「昭明德」或「導廣顯德」都還只是「明其德」，也就是啓發受教者本身之「德」；「語」則更藉由先王之「明德於民」，教導太子等貴冑修明己「德」，並將「德」廣施於民人百姓。

《國語》收錄的就是諸國之「語」。張師以仁曾根據申叔時的陳述闡釋說：

> 從歷史淵源探究《國語》本質，知其旨在明德，使習者因而以知修齊治

㉞ 《國語韋昭註》，卷 17，頁 379-380。

㉟ 由《國語》一書可以窺見，諸國皆有「語」，又如，「詩」、「春秋」、「志」等都不限於楚國，然則，申叔時所言，也可能是當時諸國共通的區分。說參張師以仁：〈從國語與左傳本質上的差異試論後人對國語的批評〉，《春秋史論集》，頁 107。

㊱ 《國語韋昭註》，卷 17，頁 380。

平之要在明德於民；其表現方式在託於言辭；而重點在說理。㊲

又云：

《國語》既不釋經，也不敘史，它用記言的方式，希求達到明德的目的。這就是它的本質。㊳

兩漢以來，《國語》或稱為「春秋外傳」，㊴但是，《國語》「不釋經」。所謂「不釋經」，係指《國語》，非為解釋《春秋》而作，這跟《左傳》解經的撰作性質並不相同。㊵就〈觀射父論絕地天通〉而言，雖然對話的主題——「絕地天通」——直接典出《尚書·呂刑》，解釋〈呂刑〉並非觀射父立論的主旨，而是如張師以仁所強調的，旨在「明德」，偏重「說理」。申叔時列舉的載籍類別中沒有提到「書」，不知道《尚書》屬於那一種科目領域？或者，在九種科目之外？無論如何，昭王和觀射父的問答，誠然是春秋晚期楚國君臣閱讀《尚書》、解說經典的一個具體例證。就內容而言，它提供了這樣的事例，可以作為述史——經學史或學術史——的資料，但是，它本身「不敘史」，只是記錄

㊲ 張師以仁：〈從國語與左傳本質上的差異試論後人對國語的批評〉，《春秋史論集》，頁106。

㊳ 同前注，頁 153-154。

㊴ 東漢儒者屢稱《國語》為「外傳」或「春秋外傳」，如王充稱《國語》為「左氏之外傳」，《漢書·律曆志》引述《國語》逕稱為「春秋外傳」，而賈逵、鄭玄等也往往稱其書為「外傳」。以上，說詳張師以仁：〈國語辨名〉，《國語左傳論集》，頁 2-3。案：漢哀帝初即位，群臣議毀武帝廟，而太僕王舜和中壘校尉劉歆上議主張「不宜毀」，劉歆以為：「禮，去事有殺。故《春秋外傳》曰：『日祭，月祀，時享，歲貢，終王。』……」（見《漢書·韋賢傳》，頁 3129）據此，西漢哀帝時，劉歆已稱《國語》為「春秋外傳」，比王、賈、班、鄭諸儒更早。錄此以補充師說。

㊵ 《左傳》以「論說經義」和「敘事解經」兩大類型，相輔相成以解繹《春秋》，詳參拙著：《敘事與解釋——左傳經解研究》（臺北：書林出版公司，1998 年）第一章〈解釋：解經的層面與方式〉，頁 35-69。書中對《左傳》以敘事解經的意義尤多論述，此處不贅。

問答的「語」。至於第一層解說中，觀射父詳述職官、舖陳史實，這部分雖可視爲是一段敘事，而敘事的旨意在解釋何謂「絕地天通」，用以增強論據，輔助說理。

關於說理的層次，以及如何說理的特色，上文業已分析論述。以下將專就「語」以「明德」爲宗旨這項特質，再作探討。

依觀射父，「古者民神不雜」，五官各有職司，當時，「神降之嘉生，民以物享，禍災不至，求用不匱」；然而，「九黎亂德」之後，「民匱于祀而不知福」、「嘉生不降，無物以享，禍災荐臻，莫盡其氣」。災禍接連不斷是「亂德」的結果，相對的，「禍災不至，求用不匱」就是「德」未亂的景象了。顓頊命南正重和火正黎分司天地，正是對治九黎之「亂德」，用意在「使復舊常」。所謂「舊常」，固然是恢復「民神異業」的秩序，但若非同時消弭了災禍，又如何能眞正獲得改革成效？南正和火正都是古代的官職名稱，重、黎分司天地，建立明確的官職系統，將主持祭祀的人專職化，納入政治的統御之下。這可以說是政治系統將祭祀活動正式納編的一次改造。

張光直曾經注意到：「絕地天通」的實質是「巫術與政治的結合」，這頗具有啓發性；但他強調此乃「表明通天地的手段逐漸成爲一種獨占的現象」，[41]則不無商榷的餘地。掌理祭祀的人專職化並納入政治系統，這是否眞能「獨占」通天地的管道呢？近人陳來便不認爲這是神權的集中和壟斷，他注意到：這一敘述恐怕不是上古巫覡社會的原生情景，亦非宗教自然演化的歷程，其中多少反映了觀射父的觀念，而將其理想賦予上古，其實，顓頊時代還未達到宗廟昭穆、禮節威儀燦然大備的程度，古代較大的邦國或是更具統一性的王朝之中，也根本不可能只有一二大巫壟斷祭祀權，各個部落、氏族的巫覡也不可能由於

---

[41] 張光直：〈中國古代史在世界史上的重要性〉，《考古學專題六講》（北京：文物出版社，1992 年），頁 10。

顓頊一聲令下便完全取消。❹❷葛兆光進而對比《禮記》所描述的祭祀儀式，以此作爲參照，益見將此文明變革定位在傳說中的顓頊時代並不適合。❹❸陳、葛二氏的說法值得注意，可惜仍然沒有尋察觀射父如此陳述本身所具有的意義。

本論文認爲，觀射父不是以歷史家的身分敘述史跡，只要明瞭他的目的本不在此，而是藉以輔助說理，那麼便不必過於苛求。既然他意在解釋和說明，與其專注於他說了什麼、所言是否正確無誤，不如留意他如何表述，以及在如此表述中傳達了什麼觀念，這毋寧更有價值。

在觀射父的表述中，顓頊所代表的是命重、黎分司天地的「先王」，三階段變遷的敘述則傳達出他的政治史觀，而「德」是他描述歷史變革的關鍵用語。

顓頊命重、黎分司天地這樣的「絕地天通」，與其說是對祭祀權的「獨占」，不如說是「納編」，也就是將祭祀活動納入政治的領域，依政治典常予以規範。細繹觀射父的言辭，他稱九黎「民神雜糅」的現象是「亂德」，並刻意對比「亂德」前後的情景，然則，「絕地天通」的措施在他眼中乃是先王平息亂象、恢復「舊常」的一項德政。

「德」在周初始成爲重要的觀念，陳來考察《詩》、《書》等文獻，以及西周的銘文，他指出：早期的「德」大都體現於政治領域，或者說與政治道德有關；政治道德首先是君主個人的品行和規範，而君主個人的品行則在政治實踐中展現爲道德。❹❹「德」是君主應備的品格操行，而且須實踐於政治作爲之中，這莫過於施惠於民。因此，學習如何擔任爲政者，既要「明其德」，也要懂得「明德於民」。理論上，前者應當是後者的前提。「語」的教育功能就是習知「先王之務用明德於民」，這是使未來的君主或爲政者「明其德」的一個

---

❹❷ 陳來：《古代宗教與倫理——儒家思想的根源》（北京：三聯書店，1996年），頁26-27。

❹❸ 葛兆光：《七世紀前中國的知識、思想與信仰世界——中國思想史第一卷》（上海：復旦大學出版社，1998年），頁126-127。

❹❹ 陳來：《古代宗教與倫理——儒家思想的根源》，頁296。

方式，「明其德」然後能「明德於民」。藉由先王「明德於民」的作爲，指引爲政者「明其德」，進而施之於民，所以說「語」的宗旨是「明德」。明瞭「語」體「明德」的本質，庶幾乎可以深一層探得觀射父措辭的義涵，通曉其言辭的旨歸。

大體而言，他敘述官職的古今變遷時，凸顯出以「德」爲主的觀念，由此觀點，他將「亂德」及其前、後劃分爲三個階段。然則，「絕地天通」的歷史事件便可以視爲是顓頊「明德於民」的事例。依他的見解，「絕地天通」的措施將祭祀活動納入政治的官職系統之中，使天地神人之事各有職司，各安其序。將祭祀活動納入政治領域予以規範，如此，天地神人相通的管道並沒有斷絕，而是歸復於「舊常」。合乎「舊常」的祭祀活動，如林安梧所言，這才是人神溝通的恰當管道、經常管道，藉此，神人之際仍可以感通爲一；這樣的感通，隱含有道德實踐的色彩，且道德實踐比儀式更爲根本。㊺應再予強調的是，觀射父所凸顯的「德」，主要還是落實於政治領域的道德，如顓頊對治九黎之「亂德」，便具有消弭災禍、厚生惠民的意義；從弭禍惠民而言，「絕地天通」可以說是一項「明德於民」的措施。推想觀射父如此陳述措辭的用意，無非是用以啓導昭王，祭祀活動自有專職官守典司其事，而君主爲政之道，則當使司神、司民之官各安其序，貴能「明其德」進而「明德於民」。

然則，觀射父進說的成效究竟如何？昭王能否「明其德」，並在政治實踐中展現「德」的品格呢？下一節將結合其它資料，就此再作申論。

㊺ 林安梧：〈「絕地天之通」與「巴別塔」——中西宗教的一個對比切入點之展開〉，《鵝湖學誌》4期（1990年），頁5及頁7。

五、「三代命祀」：以「禮」規範的祀典及其歷史性

觀射父的費心陳辭是否對昭王產生什麼影響，這是本節考察、申論的要點。

首應強調的是，觀射父力斥「登天」之思，辨正何謂「絕地天通」，這並不意味他重人而忽天。他只是表陳天地人神之間的溝通須藉由巫、祝、宗等專職主持，而且，既說司天、司地各有官守，不相混雜，正表示人事也應當由相關的職官來負責，這樣，才能「各司其序，不相亂也」。就「信巫鬼，重淫祀」的楚國社會來說，主張天神、人事各有官守職掌，恐怕不是要完全免除鬼神信仰的活動，積極的意義或在敦促昭王勿因此荒廢了人事。神話中的「登天」、或「上下于天」，如徐昶炳所言：這在初民的心目中「是一種具體事實，不只是一種抽象的觀念」。[46]所謂「具體事實」是指在初民的意識、感受裡眞實無妄，不僅不是抽象觀念，也不是一種在特定地點、由專職人員擔任的典禮儀式。觀射父非駁「登天」神話，意在增強歷史、人事的意識，卻不排斥敬神、祀天地山川，以及禮拜祖先，相反的，他對祀典十分重視。

有一回，昭王不明白祀牲、祭禮而詢問觀射父，他甚至問說：「祀不可以已乎？」觀射父於是陳述了祀典的意義，對祭祀的進行以及作用，也一一詳細說明。他說：

> 祀，所以昭孝、息民，撫國家、定百姓也，不可以已。夫民氣縱則底，底則滯，滯久而不振，生乃不殖。其用不從，其生不殖，不可以封。是以古者先王日祭、月享、時類、歲祀，諸侯舍日，卿、大夫舍月，士、庶人舍時。天子遍祀群神品物，諸侯祀天地、三辰及其土之山川，卿大

---

[46] 徐炳昶：《中國古史的傳說時代》《民國叢書第二編》第 73 冊（上海：上海書店，1990 年據 1946 年中國文化服務社版影印），頁 68。

> 夫祀其禮，士庶人不過其祖。日月會于龍�，土氣含收，天明昌作，百嘉備舍，群神頻行。國於是乎烝嘗，家於是乎嘗祀。百姓夫婦擇其令辰，奉其犧牲，敬其粢盛，潔其糞除，慎其采服，禋其酒醴，帥其子姓，從其時享，虔其祝宗，道其順辭，以昭祀其先祖，肅肅濟濟，如或臨之。於是乎合其州鄉朋友婚姻，比爾兄弟親戚。於是乎弭其百苛，殄其讒慝，合其嘉好，結其親暱，億其上下，以申固其姓。上所以教民虔也，下所以昭事上也。天子禘郊之事，必自射其牲，王后必自舂其粢；諸侯宗廟之事，必自射牛、刲羊、擊豕，夫人必自舂其盛。況其下之人其誰敢不戰戰兢兢以事百神！天子親舂禘郊之盛，王后親繰其服，自公以下至于庶人，其誰敢不齊肅恭敬致力於神！民所以攝固者也，若之何其舍之也！㊼

觀射父依天子、諸侯、卿、大夫或士、庶人的名分尊卑，列舉其祭祀名稱、時序、對象以及種種儀節，上下有序，各有規範，庶使民氣毋放縱廢滯而有害生長，綜括而言，「祀，所以昭孝、息民，撫國家、定百姓也」。因此，觀射父認為傳自古代先王的祀典「不可以已」。

春秋時人仍相當普遍地認為「國之大事，在祀與戎」，㊽魯人展禽就曾經說：「夫祀，國之大節也；而節，政之所成也。」㊾祀，一方面事先祖百神，一方面攝固民人，所以安邦定國，屬大政要務，不僅不可以廢止，自天子以至庶人，又豈能不戰戰兢兢、齋肅恭敬地致力於神？當然，觀射父也強調：敬天事神，須要依循祀典的節度規範，「從其時享，虔其祝宗」。有節度、依時程，

㊼ 《國語韋昭註》，卷18，頁406-408。

㊽ 見成公十三年《左傳》，引文據《左傳注疏》（臺北：藝文印書館，1982年影嘉慶20年南昌府學刊《十三經注疏》本），卷27，頁10下。

㊾ 《國語韋昭註》，卷4，頁117。

由祝、宗虔司其事，這接近「民神異業」，迴異於「夫人作享，家爲巫史」而「烝享無度」的景況。春秋時代作爲國之大節的祀典，雖接近「民神異業」，卻也不是單純地恢復「舊常」而已，由觀射父的陳述看來，能「昭孝、息民，撫國家、定百姓」的祭祀活動是納入儀節規範的活動。此一規範依天子、諸侯、卿、大夫或士、庶人的名分，尊卑有序地區別祭祀的對象和儀節，正是依準於政治倫常，已經納編入政治的秩序。陳來的研究指出：中國古代文明的進展軌跡，由巫覡活動轉變爲祈禱奉獻，由祈禱奉獻的規範而產生「禮」，而後才發展爲儒家理性化的規範體系，這是中國文化的理性化進程。㊿觀射父陳述的種種規範，可以作爲通名的「禮」來概括之。㊿以「禮」規範的祀典，政治意義凌駕於宗教意義。從理性化進程的觀點看，觀射父雖沒有發展成一以貫之的思想體系，也沒有如孔子一般指點出「仁」的價值根源，他的陳述還是饒有意義的。

經過觀射父幾番進說引導，上述觀念還影響了昭王的行事，使他遵循先王祀典，敬鬼神而不迷，展現出開明理性的作風。《左傳》裡有下列一則記載，足以表徵他的觀念和作風。哀公六年《左傳》曰：

> 秋七月，楚子在城父，將救陳。卜戰，不吉；卜退，不吉。王曰：「然則死也。再敗楚師，不如死；棄盟逃讎，亦不如死。死一也，其死讎乎！」命公子申〔子西〕為王，不可；則命公子結〔子期〕，亦不可；則命公子啟〔子閭〕，五辭而後許。將戰，王有疾。庚寅，昭王攻大冥，卒于

㊿ 陳來：《古代宗教與倫理——儒家思想的根源》，頁 11。

51 依上述引文而言，觀射父的用語裡是以「祀」概括「禮」——所謂「卿大夫祀其禮」。不過，學術思想史上通行的用語，則是以「禮」來概括包括祭祀儀式的種種規範，如章炳麟：《檢論》，《章太炎全集本第三冊》（上海：上海人民出版社，1984 年）曰：「禮者，法度之通名，大別則官制、刑法、儀式是也。」（頁 399）故本論文以「禮」為通名，強調其規範義。

城父。子閭退，曰：「君王舍其子而讓，群臣敢忘君乎？從君之命，順也；立君之子，亦順也。二順不可失也。」與子西、子期謀，潛師閉塗，逆越女之子章，立之，而後還。

是歲也，有雲如眾赤鳥，夾日以飛三日。楚子使問諸周大史。周大史曰：「其當王身乎！若禜之，移於令尹、司馬。」王曰：「除腹心之疾，而寘諸股肱，何益？不穀不有大過，天其夭諸？有罪受罰，又焉移之？」遂弗禜。

初，昭王有疾，卜曰：「河為祟。」王弗祭。大夫請祭諸郊。王曰：「三代命祀，祭不越望。江、漢、睢、漳，楚之望也。禍福之至，不是過也。不穀雖不德，河非所獲罪也。」遂弗祭。

孔子曰：「楚昭王知大道矣，其不失國也，宜哉！《夏書》曰：『惟彼陶唐，帥彼天常，有此冀方。今失其行，亂其紀綱，乃滅而亡。』又曰：『允出茲在茲。』由己率常，可矣。」[52]

魯哀公六（西元前 489）年，即楚昭王二十七年，當時，昭王抱病率兵救陳，戰況不利，最後死在城父。雖然昭王執意立長，「舍其子而讓」，先後命子西、子期和子閭在他死後繼位爲王，最後，三位公子還是感念君心，共同迎立昭王之子章即位——他就是後來的楚惠王（西元前 488－前 432 年在位），成就讓而不失國的一段佳話。這則敘事以救陳卜戰爲主要情節，繼又追述二事以爲輔助情節，饒有深意地將昭王如何面對卜禱祭祀的三個事件集中載述，最後並引述「孔子曰」以肯定其「由己率常」，盛讚：「楚昭王知大道矣，其不失國也，宜哉！」對於敘事的章法文理，清人王源分析說：「知死不避，非知大道，其孰能之？楚昭賢矣，乃不待其救陳始然也。前此，赤烏之氛弗禜，河之祟弗祭，

---

[52] 《左傳注疏》，卷 58，頁 2 下-4 下。

平日之知道者，久矣。故城父雖正傳，而兩段追敘，不早見其生平乎！」[53]誠然，追述前情，以弗禜、弗祭呼應卜戰之事，從而輔證主要情節，前後貫串呼應的主軸，乃烘托出昭王平生的賢明形象。姜炳璋指陳昭王見識的可貴之處，他說：「自知將死，以時方多難，國賴長君，舍子立弟，至五命必從後已，楚君罕有其匹者。若其不忍移疾股肱，而慨然於三代命祀，不禜、不祀，眞絕大識見，絕大學問。春秋賢君，當以昭爲第一人也。」[54]卜兆不吉，昭王便謀立嗣君然後從容赴死，毫不怯懦退縮。而且，一旦決計捨子立弟，子西不從則命子期，子期不可，又命子閭，「至五命必從後已」，可見他意定志堅，並非猶豫嘗試之舉。對於卜祀，可謂戒愼而不迷，考量利害以國家社稷爲重，平日即視大臣如股肱，遵守「三代命祀」，不倚賴禜、祭以避禍求福，不苟求一己的安危。昭王能有如此開明的見識，在當時誠屬難得的賢君，正唯如此，乃推許他「知大道」。竹添光鴻曰：「由己率常，而不黷禱祀，是知大道也」，又說：「由己，應後引書，言盡己心而不黷鬼巫；率常，應前引書，人君率其典常，乃所以敬天事鬼神也，又何祈福？」[55]不輕信巫祝卜史之言，不黷禱祀，善盡人事而遵循典常，秉持這樣的態度敬天事神，是所謂「知大道」。

由上述行事觀之，昭王能盡其在己，重人事而不違典常，料想觀射父幾番陳辭必定發揮不少導正匡輔的影響力。例如，觀射父告訴昭王：「諸侯祀天地、三辰及其土之山川。」當卜者指黃河爲祟，大夫們建議祭之於郊時，昭王弗禜、弗祭，他的理由正是「三代命祀，祭不越望」。昭王身爲諸侯，不祭楚境之外的黃河，並說：「不穀雖不德，河非所獲罪也。」以「德」或「不德」自省，

---

[53] 〔清〕王源：《左傳評》（臺北：新文豐出版公司，1979 年），卷 10，頁 18 下。

[54] 〔清〕姜炳璋：《讀左補義》（臺北：文海出版社，1968 年影乾隆 33 年同文堂藏板），卷 47，頁 22 上。

[55] 〔日本〕竹添光鴻：《左傳會箋》（臺北：新文豐出版公司，1978 年影日本漢文大系本），卷 29，頁 38-39。

依據「三代命祀」來推斷，昭王以爲自身的疾病非關黃河之神。這意味河神或君主的作爲都應當合乎祀典的規範，天神的賞罰自有其原則，不是隨意舉行儀式可以禳除的，所以他說：「不穀不有大過，天其夭諸？有罪受罰，又焉移之？」天神賞罰禍福乃相應於人自身的作爲，也就是以能否合乎「德」爲原則。

所謂：「鬼神非人實親，唯德是依」，56或說：「其德足以昭其馨香，其惠足以同其民人」而後神饗之，57春秋時代，許多開明之士繼承西周以來的敬德思想，常標舉「德」作爲祭祀鬼神的精神涵養，強調其重要性超過犧牲玉帛等祭品，以此勸諫君主。楚昭王身當其時，尤其經觀射父費心啓導之後，能以「德」自省，「盡己心而不黷鬼巫」，可謂能「明其德」；「明其德」並遵循祀典規範，就是「由己率常」。昭王「由己率常」，不輕信卜史之言而移疾於股肱大臣，面臨死難而念茲在茲者厥爲「時方多難，國賴長君」，處處以社稷臣民的利害爲優先考量，諸如此類的作爲，豈不是不僅能「明其德」，還能「明德於民」？

昭王不迷信禱祀而「由己率常」，推尋「孔子曰」之意，所謂「常」上承唐堯之「帥彼天常」，指源於天道的常則。前代聖王「帥彼天常」，先王相繼遵循，於是綿延爲傳統，形成政治道德的普遍規範，成爲典常。典常固然緣於天——所謂「天常」，經過自古及今相續遵行而形成傳統，就傳統而言，典常具有歷史性。觀射父謂「不可以已」的祀典流傳自古代先王，昭王更以「三代命祀」來指稱，凡此，都凸顯出以「禮」規範的祀典的歷史性。

依葛兆光的考察，春秋時人理性的思索大約集中在三個方面：第一，人們

---

56 僖公五年《左傳》宮之奇曰：「鬼神非人實親，唯德是依。故周書曰：『皇天無親，惟德是輔。』又曰：『黍稷非馨，明德惟馨。』又曰：『民不緊物，惟德緊物。』如是，則非德，民不和，神不享矣。神所憑依，將在德矣」云云（《左傳注疏》，卷12，頁23下）。

57 《國語·周語上》內史過曰：「國之將興，其君齊明衷正，精潔惠和，其德足以昭其馨香，其惠足以同其民人。神饗而民聽，民神無怨，故明神降之，觀其政德而均布福焉」云云（《國語韋昭註》，卷1，頁25）。

開始思辨「儀」和「禮」差別，積極審視儀式及其所象徵意義的合理性依據或價值根源；第二，對於理性和價值源自「天」或是「人」，人們常常追溯到「德」；第三，追問的進路常常是回首歷史，遺訓或故實常常成為是否合理的依據。[58]就考察中國文化的理性化進程而言，觀射父對巫覡活動的陳述，對「絕地天通」的解說，以及強調祀典的規範義、歷史性，以「明德」為宗旨，凡此，都是相當具有指標作用的言語，在文化、思想的研究上自有其重要價值。不僅如此，他撥除神話迷思，轉從歷史的演變進行理解，這樣的言語及其思路，透露出明德思想和歷史意識在理性化進程中的地位的重要訊息。

六、結語：〈觀射父論絕地天通〉的價值

《國語》集錄諸國之「語」，以「明德」為宗旨，著重於「說理」。〈觀射父論絕地天通〉就是一篇典型的「語」。這篇「語」由楚昭王和觀射父的問答所構成，對話的主題是「絕地天通」，背後還涉及「登天」的神話。其中，無論從篇幅長短、解說「絕地天通」的內容，還是從「明德」、「說理」的本質而言，答辭都可說是主要部分。觀射父的答辭分三層解說主題，第一層敘述巫、祝、宗的官守職司及其三階段變遷，指明「絕地天通」是重、黎分司天、地的歷史事件；第二層進而指陳：重、黎的後裔——司馬氏夸飾其辭，而將此歷史事件說成舉天、抑地的神話；第三層從天地懸隔、亙古不變，反詰人豈能「登天」？總之，觀射父一方面解釋何謂「絕地天通」，一方面詳述了巫史等官職的沿革，用意在於導正昭王，使他從神話的歧途歸入歷史的正軌。透過對話引導，這些想法確實對昭王產生影響，使他能以「德」自省，不黷禱祀而「由己率常」，成為一位賢明的君主。

綜理以上各節所述，〈觀射父論絕地天通〉這篇「語」的價值，大略可由

---

[58] 葛兆光：《七世紀前中國的知識、思想與信仰世界——中國思想史第一卷》，頁166-170。

下述三方面論說之。

首先，它是了解古代巫、祝、宗以及史之職司與變革的一篇重要文獻。觀射父相當詳細地說明巫、祝、宗的職能，由此可知，他們擁有天地神人的廣博知識，是古代社會裡「舊典」的執掌者，曾經在文化傳承上扮演重要的角色。傳統的經、史學者遂徵引以說明曆數、祀典及其官職的起源，甚至當代學者探討中國古代文明時，也常常加以援用，據以推演。

其次，這篇「語」是春秋時代楚國君臣習讀《尚書》的具體例證，觀射父的說法更提供對此經典的一種解釋。《尚書·呂刑》云：「乃命重、黎，絕地天通」，楚昭王由此提出問題，觀射父對應問題，詳細予以解說，這不僅是對「絕地天通」神話的一種說明，也是解釋《尚書》的早期文獻。其實，諸如命重、黎者是天上的帝還是人間君王，「絕地天通」的措施是針對苗民還是針對九黎，以及此一神話是否傳自司馬氏等，觀射父的解說未必符合〈呂刑〉的文意。然而，他依循歷史、人事的理解進路，還是值得重視。後來，孔《傳》、鄭玄和孔穎達等經學注疏者，不僅參考了他的說法，而且也繼續沿著這一進路來解釋經典。

第三，觀射父依循歷史、人事的理解進路，是「絕地天通」此一傳述由神話轉向歷史的具體展示。觀射父的三層解說之中，第一層尤能表徵他積極立說的意旨，顯示他以「德」界分的史觀和陳述道理的特色。他刻意舖陳官職，敘述其沿革，著重的其實不是官職制度本身，而是藉著敘述史跡來輔助說理。敘事以說理，這是觀射父言辭的一大特色。關注人事的古今變遷，從而彰顯其歷史意識，如此展示的理性，乃是人發乎歷史意識的理性。依此，上承先王以來的典常規範，惠施於民人，才合於「德」；否則，便屬「亂德」。以歷史、人事的理解為準，「絕地天通」的神話在他看來，不過是司馬氏為了「寵神其祖以取威于民」而衍生的夸飾之辭。觀射父說：「夫天地成而不變，何比之有？」言下之意，他認為歷史上從來沒有「登天」這回事。對於「登天」和「絕地天通」神話而言，觀射父的陳述正表徵了一種歷史的轉向。這樣的言語及其思路，可說是明德思想和歷史意識之萌發，並朝向理性化進展的一個具體而微的展示。

春秋戰國至魏晉南北朝時期蘇北淮南地區與楚方言有關的楚文化問題

徐芳敏*

提　要

蘇北淮南位於中國南、北方的交界，自古即為南北文化匯合的地區。有關此地區在古代操何種方言的問題，本文於原先的「吳方言」說以外，又提出「楚方言」說。

本文嘗試從楚文化的各個方面：考古學的證據、民俗、民風、以及方言本身等，討論楚文化、方言在此地區的傳播與盛行。其中「二、春秋戰國時期淮南地區的徐、楚文化」探索春秋初葉以下，徐先滅於吳，吳、越、楚相繼統治淮南。由於華夏是透過楚文化，影響了東方一帶。吳越雖帶來吳越文化，也無法取代徐楚文化。「三、秦、西漢時期蘇北的楚文化、楚方言」，§3.1 談秦末群雄起義，淮河流域南極揚州廣大區域裡的「楚人亡秦」之志。§3.2、§3.3 談戰國至秦末漢初，楚文化、民俗、方言等在淮河中下游流域南北的散布。合§3.1 至§3.3，得出「單就長江北岸而論，由江漢地區東沿淮河流域南北擴散，為楚文化、方言區」的結論。§3.4 主要討論淮南南段可能有楚、吳越文化、方言的混合。§3.5 指出《方言》中代表淮南地區的揚州，同時接受楚、吳越方言詞彙。「四、魏晉南北朝時期蘇北的楚人、楚方言」，根據史家的研究以及本文的解釋，魏晉南北朝蘇北、皖北居住操楚方言的楚人。

另外，從現代方言的分布看，假設官話方言及前身北方話隨北方移民南下，壓縮了江淮方言及前身某個方言的流行範圍；又假設江淮方言原分布長江以北的湖北、皖北、蘇北，正好與秦漢時期江北楚文化、方言的地域相當。則江淮方言的前身是楚方言？

關鍵詞：漢語方言　江淮官話　下江官話　淮南　楚文化　楚方言　吳方言

---

*　國立臺灣大學中國文學系副教授。

一、緒　言

§1.1　在現代漢語方言中，官話方言的分支江淮官話「即下江官話，分布于安徽江蘇兩省的長江以北地區（徐州蚌埠一帶屬北方方言區，除外）和長江以南九江以東鎮江以西沿江地帶」（袁家驊等 1989：24），另外還包括湖北省東北部十幾個縣市（賀巍 1985：165）、江西九江地區三個縣市（顏森 1986：24）。其下分爲洪巢片、泰如片、黃孝片。洪巢片約相當於蘇北——靠近河南、山東的徐州一帶、邳、宿遷、東海（部分）等縣市（賀巍，同上；鮑明煒、顏景常 1985：106）、泰如片（詳下文）的縣市均除外；蘇南——南京附近（賀巍，同上）；皖北——限於南段，而西南角不計（賀巍，同上）。著名縣市如連雲港、淮陰、淮安、洪澤、盱眙、鹽城、高郵、揚州、南京、鎮江、合肥、巢、天長、滁、廬江、桐城、安慶。泰如片在蘇北的南段偏東，南界可達長江，有興化、泰州、大豐、東台、如皋、海安、南通等縣市（賀巍，同上）。黃孝片即湖北的應山、安陸、雲夢、孝感、黃陂、麻城、黃岡、蘄春一帶（賀巍，同上），加上江西的九江、瑞昌等縣市（顏森，同上）。（以上又參考中國社會科學院等編 1987：B3「官話之三」、B11「江西省與湖南省的漢語方言」圖及說明。）

§1.2　江蘇長江以北、淮河以南地區兼具洪巢、泰如兩片，在古代操何種方言的問題，前輩學者已有過一些討論。以筆者淺聞，如丁師邦新先生將如皋話與吳語、下江官話作比較，「如皋方言是以吳語爲基本，加上下江官話的部分影響而成的，所以吳語的色彩較濃，下江官話的色彩較淡，成爲這兩個方言區域之間的中間方言」（丁 1966：630）。魯國堯先生〈泰州方音史與通泰方言史研究〉一文，主要針對通泰方言（即泰如片）進行研究。此文「上」、「中」、「下」三部分中，「下」部分專門探索「通泰方言史」，內容大要即見於「下」之「壹」標題「試說通泰方言爲三、四世紀漢語北方方言的『後裔』而具有吳方言的底層」、「貳」標題「通泰、贛、客方言同源論」（魯 1988：149）。

丁師、魯先生均談到淮南一帶和吳方言的關係。按理，蘇北尤其淮南與蘇南吳方言區僅一江之隔，吳方言之久遠、吳地之富庶，向爲學界所共識，蘇北宜久沐吳風。

§1.3 然而，另外一種看法縱或誤解前人之意、或語焉不詳，卻似乎有意將蘇北置於楚的影響之下。如淮南北之交有阜寧縣，現今析爲阜寧、濱海二縣，均屬鹽城市管轄。《鹽城市志・方言篇》「概論」述及濱海縣方言：

> 由……龐友蘭氏……主纂的《阜寧縣新志》中稱，本地「跨淮瀕海，古屬揚州」，而「淮南多楚語」，故楚語是淮揚語的發展基礎，淮揚語遂成縣境土著居民的語言。嗣後，因有大批姑蘇移民遷居本地（遷入年代相傳爲西元十四世紀明朝之初的「洪武趕散期間」），……「遂合淮揚蘇語而一」，逐步形成現今之本縣方言。……但本地歷史上的外來移民，並非僅限蘇州一地，……所以應該說，濱海話是在楚州官話的基礎上，不斷吸收和融彙南北方言的部分語音和詞彙，經過長期發展、演化而成的地方語言。（鶴立 1991：99）

作者鶴立實誤解龐氏，龐氏原文爲：

> 《公羊》多齊言、《淮南》多楚語，聞人著述，不免鄉音。……本縣跨淮瀕海，古屬揚州，境內民族土著而外，遷自姑蘇者多。……遂合淮揚、蘇語而一之，……（《阜寧縣新志・社會志・方言》）

詳其語，並未特別標明淮揚與楚語的淵源。不過，作者提出「楚州官話」，楚州之稱，始見《隋書・地理志下》「江都郡」「山陽」縣《注》：「舊置山陽郡，開皇初郡廢。十二年置楚州，大業初州廢。……開皇元年改郡爲淮陰，并立楚州，尋廢郡，更改縣日淮陰。大業初州廢，縣併入焉。」據《舊唐書·地理志三》，唐仍置楚州，領山陽、鹽城、盱眙、寶應、淮陰五縣；彼時阜寧縣大部分地區還浸在海裡未浮起，所以不計（鄒逸麟 1993：214、圖 6-3「蘇北海岸歷史變遷圖」）。「楚州」的得名，當由漢初淮陰人韓信封於楚國（下文§3.3）。

此外，民國二十四年（1935 年）出版的《江蘇省鑑》，約略敘及全省方言與吳、楚的關係，可惜所言甚簡：

> 依吾人考察，大抵徐海一帶，語似北京官話，與楚音混合而成，同時又與南京官話相類，淮揚一帶，則通行揚州話，江寧一帶，通行南京官話；過鎮江至丹陽，則語有大異；……考之本省言語，以鎮江為最大關鍵，蓋鎮江乃吳楚相交之地也。（《江蘇省鑑》第八章第四節第二目〈語言〉，191-192）

考鎮江（含）以西、以北過江，爲江淮官話；以東、以南爲吳方言區。既然此處「乃吳楚相交之地」，是把官話區計入楚地。

事實上，從春秋戰國以下，蘇北淮南地區固然「久沐吳風」，也的確深受楚文化的薰陶。魯國堯先生探索通泰與吳的往來歷史，本文又稍事爬梳淮南與楚的往來歷史，或許均有助於釐清淮南方言的過去、和其他方言的關係。

§1.4 在步入正文之前，先把眼光放到考古學上。依筆者涉獵所及，蘇北地區於新石器時代有沒有獨立產生過文化，學界似乎眾說紛紜。以下略舉數則以作說明。

⑴張之恒《中國新石器時代文化》「按我國考古界多數研究者的意見」，將長江下游地區「新石器時代文化分爲四個小的文化區系：㈠寧鎮地區；㈡太湖流域；㈢寧紹地區；㈣江淮地區」；江淮地區因海安青墩遺址而稱爲「青墩

文化」（張 1988：196-197, 232-233, 237）。蘇秉琦〈略論我國東南沿海地區的新石器時代考古〉指出：

> 如果把山東的西南一角、河南的東北一塊、安徽的淮北一塊與江蘇的北部連在一起，這個地區出土的新石器時代遺存確有特色，這可能與徐夷、淮夷有關。古人說「江淮河漢，謂之四瀆」。不能把黃河流域、長江流域的範圍擴大到淮河流域來，很可能在這個地區存在著一個或多個重要的原始文化。現在，我們在這個地區做的工作還不多，……有如在海面上還只露出了一點的冰山，……（蘇 1978：41）

⑵據任式楠〈長江黃河中下游新石器文化的交流〉，以淮安青蓮崗遺址命名的青蓮崗文化，有人徑屬之黃河下游的北辛文化，也有人曾經將江蘇全省算入青蓮崗分布的範圍（任 1989：75；又參見南京博物院 1990：101）。另一方面，「似應將蘇北江淮之間分成東西兩部分，……東部……應與太湖流域同屬一個文化區。……西部……應與寧鎮地區視爲一個文化區」（南京博物院，同上：104）、「就文化性質來說，寧鎮、太湖和江蘇境內的江淮之間的新石器時代文化遺存，應屬同一文化系統」（紀仲慶、車廣錦 1984：42-43）。二文又反其道而行，強調蘇北對蘇南的向心力。

從以上資料，我們很容易得出一個印象：即使遙遠的新石器時代，文化和文化間的相互交流、作用，❶使得彼此面貌總有或多或少的相似相同。蘇北正處於黃河、長江下游兩（？）大文化區域間的三岔路上，其自身文化既可能隨固有形態而獨立，也可能隨相似、相同而被歸類成或南或北。

---

❶ 關於新石器時代形成的「中國相互作用圈」（sphere of interaction），以及圈內各區域文化間的相互作用，參看張光直〈中國相互作用圈與文明的形成〉（張 1989）一文所論。

這種「橫看成嶺側成峰」的特質，不僅顯示於考古學上，恐怕也體現於方言學裡。漢語方言學將蘇北絕大部分地區劃在官話方言，此係人所習見北方文化、移民南遷的結果，毋庸多論。§1.2 談到幾位學者指出吳方言與江淮方言的關係，這是南方來的影響。本文將大致勾勒楚文化、方言在江淮間的傳播，這就是西面來的影響。當然，還有一個可能爲江淮間方言即使承受各路影響，仍不失其獨立的地位（鮑明煒 1993：76, 85 談到的「問題」）。筆者相信：無論考古學、方言學，從不同角度觀察蘇北的文化、方言，羅列各種情形，均有助於吾人掌握這片土地的歷史，未來並且可能得到最後的答案。

二、春秋戰國時期淮南地區的徐、楚文化

§2.1 魯國堯先生在〈泰州方音史與通泰方言史研究〉「下」之「壹」「試說通泰方言爲三、四世紀漢語北方方言的『後裔』而具有吳方言的底層」的第一點「江淮之間和江南古爲一體」，引用曾昭燏、尹煥章一九六〇年左右的文章，認爲由二氏所討論的「吳國主要是由湖熟文化的荊蠻族建立的」，及一九五四年丹徒出土的宜侯夨毀，可以相信「吳最初本在長江南岸，而後向南發展至太湖地區，當然也就必然越江而北伸展其勢力，江淮之間特別其南部最初的居民是吳人則是有較大可能的」（魯 1988：200）。

此說有兩點值得考慮。第一，據近人的報導，湖熟文化年代約爲商代早期至戰國中晚期，「主要分布地區在寧鎭地區和皖南東部，即東至茅山山脈，西至九華山脈，南至黃山、天目山脈，北至長江。」另外長江以北，還有揚州附近的蜀崗一帶、稍往西的滁河下游（以上均見南京博物院 1990：106）。即局限於蘇南西部和長江北岸西側，實未能東進、北上。

其次，即使以「目前沒有找出遺址，不代表將來也沒有」爲解，吾人仍致疑於當時居民操何種語或方言？蕭師璠先生曾指出：宜侯夨毀所記錄的錫命之禮在宜地舉行，「可見周人在成王時勢力已達到了東國之鄙，所謂東國包括了

淮水以南的地區」（蕭 1973：61）。不過，「周人在周初既已拓殖吳地，……但從考古發現上來看，……如果宜地即是丹徒，則可以看出周成王時周人只是在這裡立下了據點，但是對據點以外的地區並沒有作什麼明顯的改變。」蕭師並結合《史記》，解釋這批殖民者「蠻夷化」的過程：

> 《史記》所載到周武王時尚封仲雍曾孫周章為諸侯於吳。但似乎在成王以後吳就斷絕了與周室、諸夏的往來。周章的父、祖兩代還是用季、叔等諸夏的命名方式，到周章之子熊遂時他的名字已有學者疑其不類華夏之名，到曾孫彊鳩夷以下吳君之名已蠻夷化了。（以上見蕭，同上：62-63）

直至「前五七六年吳國第一次載于史籍中出現在中原的國際政治舞台上，與晉、齊、魯、宋、衛、鄭相會於鐘離」（蕭，同上：64），這時已經步入春秋晚期。

筆者猜想：吳在君王名字都隨當地習慣的情形下，中原華夏言音即使未斷，至少「不絕如縷」，也許僅存於少數統治階級口中。等到春秋中葉以後，由於吳銳意進取，華言恐怕才擴大使用範圍到一般民眾間。因此，假設江北地區有吳國前來的移民，其使用華夏語言中的吳越方言，❷推測上限將不超過西元前六五〇年左右（以前五七六年再回溯近百年計）。❸

§2.2　另一方面，商或周時皖、蘇北淮河流域已有淮夷、徐夷民族。§1.4 引蘇秉琦先生語，也指出淮夷、徐夷與此地區可能存在的原始文化的關聯。江蘇境內的徐「族源起自山東」，經西周初年的王室東征，「退走淮水之濱，即今江蘇洪澤湖北岸一帶」（李世源 1990：23, 27）。《後漢書・東夷傳》記載周

---

❷　《呂氏春秋・知化》伍子胥曰：吳越「接土鄰境，壤交通屬，習俗同、言語通。」無論原住民語言或華夏語言，兩地均可能連成一片（又參見蕭璠，同上：57-58）所論。

❸　當然，江北距中原、齊魯較近，也可能在更早的年代裡就輸入華言。不過這就不算吳越方言了。

穆王時，「徐夷僭號，乃率九夷以伐宗周，西至河上。穆王畏其方熾，乃分東方諸侯，命徐偃王主之。偃王處潢池東，地方五百里，行仁義，陸地而朝者三十有六國。」章懷太子於「潢池東，地方五百里」注云：「《水經注》曰：黃水一名汪水，與泡水合，至沛入泗。自山陽以東、海陵以北，其地當之也。」山陽今屬淮安縣，海陵約當今泰州市、泰縣；等於說全盛時幾乎擁有整個蘇北江淮間的地域（但揚州附近除外，詳下文）。即使到了春秋時代，如此疆域「徐只要實力允許，應該是當仁不讓的」。不過春秋之際徐「主要分布在今山東、江蘇、安徽接壤處爲主。其政治中心，大多學者都贊同在今淮河下游的洪澤湖周圍，西至安徽東北部，北達山東南部之說」（李世源，同上：50, 41）。由於當時蘇北海岸線約在今灌雲、漣水、鹽城以迄海安一線（鄒逸麟 1993：214、圖 6-3「蘇北海岸歷史變遷圖」）。因此徐就算勢衰力微，洪澤湖附近一帶仍相當於淮南北部的一半左右。《左傳·昭公三十年》（前 512 年），徐王章禹亡於吳王闔廬。

徐的文化水準頗高。李白鳳《東夷雜考·徐夷考》稱：

> ……在青銅文字中，它的風格也有其特殊性，它不僅發展成為春秋以後的吳、越文化，甚至荊楚文化也受到它極大的影響，這種纖細柔媚的文字風格甚至對于田齊文字也有些影響。……另外，……徐夷族似乎在音樂方面有著特殊的愛好，僅從出土的樂器來看，徐夷在樂器制作方面是起著革新作用的。……因而，我甚至懷疑在我國文化傳統方面，東南方面所表現在「南風不竟」的風格方面也和徐夷的文化傳統有關。（李 1981：97）

李學勤《東周與秦代文明》也指出：「春秋中、晚期是徐國文化發展的極盛時代，所作青銅器鑄造精良，銘文字體秀麗，紋飾細致優美，與楚國的風格接近」

（李 1991：151）。徐器「王孫遺諸鐘」以古韻之部入聲「趩德飤」、上聲「喜友」、入聲「德國」、平聲「趩諆之」相迭成韻，「徐王義楚鍴」第一句「天」與第三句「身」韻、第二句「孜」與第四句「寶」韻；楊樹達先生贊以「用韻特精」，「此知徐之文治殆欲跨越中原諸國而上之」（楊 1974：39）。

李學勤先生據鐘鼎彝器考訂徐王年代，目前所知最早的「糧」，約當魯僖、文公時期；「義楚」即上述亡國之君「章禹」的前任，約當昭公時期（李 1990：266-267）。魯僖、文公於春秋中葉前六五九至六〇九年在位，此五十年間也是「糧」掌權的上下限。§2.1 推測華夏語吳越方言在吳國的普及，上限不早於前六五〇年左右。是徐文化盛時，吳越方言也慢慢傳入江北。

徐以南還有邗國，約當江淮間（饒宗頤 1969：614-615），都城大概在邗（今屬揚州）。關於邗國，現在知道的似乎不多。其爲吳所滅後，夫差十年（前486年）城邗、鑿邗溝，通濟江、淮（饒宗頤，同上；陳達祚、朱江 1973：45-47）。這也表示吳自壽夢（前 585 年即位）以下始逐漸強大（舒大剛 1994：293），在此之前，恐怕尚無足夠能力北伐。

§2.3 我們可以說：春秋晚期以前，淮南地區爲徐、邗人民的生活場所。吳民大約分布沿江附近或略北，也許會和徐、邗民雜處；不過數量可能有限。兩國亡於吳，後者乃成淮南宗主國。吳又極欲爭霸中原，所以「封其民江淮間」（吳必虎 1996：54、表 3.4.1「蘇北平原歷史移民簡表」引《國語·吳語》）。筆者以爲：如果討論「吳越方言在淮南的流行」，當與「吳滅徐、邗」脫離不了關係。

此後戰國時代才開始，越滅吳（前 473 年），「句踐……乃以兵北渡淮，……致貢於周。周元王使人賜句踐胙，命爲伯。句踐已去，渡淮南，以淮上地與楚。……當是時，越兵橫行於江淮東」（《史記·越王句踐世家》），越人也帶來吳越方言。

戰國的下半段，「楚威王興兵而伐之，大敗越，殺王無彊，盡取故吳地，至浙江。」（《史記·越世家》）此爲前三三三年，眞正亡越在前三〇六年（李學勤 1989：249-250）。而「盡取故吳地」——包括淮南——的過程，也不平順。董楚平〈楚敗越過程考略〉臚列古籍所載，敗越後越國活動的記錄。其中前三一一年（案：應作三一二，當係筆誤），越王派人獻給魏王大量戰略物資。蒙文通推測越仍由邗溝出發，表示路還暢通（董 1990：196，蒙先生意見也轉引自董）。然而《史記·六國年表》楚懷王十年（前 319 年）楚曾「城廣陵」（今揚州，邗溝起點），似與蒙先生的看法相左。無論如何，前三〇六年亡越的同時，楚「南塞厲門而郡江東」（李學勤，同上：250；董楚平，同上：197, 204）。「郡江東」即以江東爲楚郡；倘若邗溝之路仍在越人手上，楚懷王勢必趁此機會奪下江北。既然沒有，恐怕表示在越獻魏物之年稍後，整個淮南地區均歸楚統治。

綜上所述，楚最遲約於前三一〇年左右，取得淮南的控制權。由前三一〇至前二二三年楚自身亡於秦，共八十八年。吳據淮南四十年（前 512－473 年）、越一六四年（前 473－310 年左右），共二〇四年。楚還要加上較前的徐（§2.2），兩者一早一晚，搭配中間的吳越；這是春秋前期以來，❹蘇北淮南地區的大致狀況。

§2.4 現在來看看楚文化的傳播。§2.2 引李學勤先生語，謂徐器「與楚國的風格接近」。不僅如此，「徐人的制度受到楚國的很大影響」（李 1990：267）。再把視野放大：

> 長江下游的青銅器……西周以後逐漸創造出自己獨特的傳統，並與長江

❹ 徐只列春秋前期（含）以下，乃因目前所知時代最早的有銘徐器，就屬於前期，如〈余大子鼎〉（董楚平 1992：250-251 著錄），頁 250-251 著錄；所以暫時這麼區分。更早雖有徐偃王，然「行仁義」可以說成夷人也重仁義；來朝者「三十六國」，可以僅限於夷族各國（「行仁義」等事，見§2.2 引《後漢書》）。其文治如何，是不是同於中原，已茫然矣。

> 中游漸行接近。到春秋末年，比較統一的南方系的青銅器型式，可以說已經形成了。（李，同上：262）
>
> 華夏對東南地區的文化影響，是通過楚文化作為橋梁而實現的。……戰國……因楚的疆域向南擴展，增強了對東南的影響。楚威王滅越，更把長江下游的廣大地帶納入楚文化的範圍。（李 1991：158）

長江中下游南北地帶，楚文化所以展現了強大的力量，當歸因於西周末年以來，王室衰微，對南方鞭長莫及。楚於春秋初葉適時崛起，正好逐步往周的南土——南陽盆地、淮河上中游開拓。至春秋戰國之交，這些地區大致都成爲楚的領土（徐少華 1994：275）。與國勢的飛揚同步，「楚文化形成和發展的過程，也就是融各種文化于一爐的過程」（馬世之 1995：246）。何浩先生曾經指出：

> 楚人……不單改寫了先秦時期的政治格局，而且引起了所至地區以及楚國自身在文化、經濟等方面產生了一系列連鎖性變化。在滅國擴疆的同時，楚人進一步吸取了北方諸夏的文化傳統，反過來又大面積地向南方擴大了華夏文化的影響，而且不斷地融合了蠻、夷、巴、濮、百越諸族的文化精華，並在此基礎上形成了光輝燦爛的楚文化。考古發掘表明，凡楚人所至之處，不僅當地土著的器物滲入了楚器的一些特徵，楚器也同樣熔入了對方器物的某些風格。（何 1989：9）

楚文化在「春秋中期後段和中晚之際逐漸形成」（徐少華 1994：311），於是被楚翦滅的國家往往也被吸收進楚文化圈。徐雖然未亡於楚，和楚或敵或友，但處在淮河下游附近，與上中游好些方國、部族同爲夷人，必然感受且親歷到楚風，徐文化對楚也有重大影響（§2.2 引李白鳳語）。兩者互相交流、作用之下，造成「文化面貌區別不大」（劉和惠 1995：72），有學者即以「荊

舒文化」名之（李家和、劉詩中 1992：167-168）。❺

這裡順便說明江南吳越的情形。楚自春秋以來經略江淮（主要在淮上中游）始能「東出漢東，順淮東下，南逾江淮之間，……東渡江東」（陳懷荃 1987：277）。也就是在春秋的後半葉，由於勢力東進，楚得以貫穿由淮而江而達江南的交通，並與吳越有文化的交流。因此，「春秋晚期，江南地區墓葬原來中原和當地兩個文化系統器物並存的特點基本上已不復存在，爲楚文化因素所取代。但土著文化因素仍占較大比重，還不能與曾、蔡以及江淮地區相提並論」（劉和惠 1995：81）。等到「戰國前中期，以江漢平原爲中心的楚國，……東迄江東，……此時，在大江幹流及其南北的主要川流上，都有暢通的舟楫。順江東下，就成了主要的航路之一」（陳懷荃，同上）。與之相應的，是中晚期吳、越地相繼淪於楚。「到戰國中晚期，隨著東方政治形勢的改觀，江南地區才完全融合于楚文化的大圈圈」（劉和惠，同上）。

不過，在「楚文化的大圈圈」中，長江作爲天險，即使舟楫互望，吳越和楚密切的程度必定不比地理上聯成一氣的淮河流域。加上楚統治兩地的時日尚淺，錢塘江（即§2.3《史記·越世家》的「浙江」）以北的「故吳地」（並見§2.3 引〈越世家〉）還有叛亂；以南的原越地實際爲獨立性大的政治實體，眞正完全臣服要靠前二二二年秦軍的攻打佔領（董楚平 1990：195-199, 204；又可參考何浩 1989：306-311）——此年的早一年，楚失去社稷。因此吳越「楚化」的程度可能較淺。

相形之下，蘇北淮南地區徐楚文化大概始終持續發展，並未因吳越統治而

---

❺ 此「舒」兼指徐及群舒。「荊舒」二字原取自《詩經》，姜亮夫釋之曰：「有荊與舒連稱者，謂之荊舒，亦楚也。如《詩·魯頌·閟宮》，『戎狄是膺，荊舒是懲。』《毛詩·小雅·漸漸之石序》：『荊舒不至。』蓋古舒屬於楚也。舒有群舒、舒鳩……，皆在今江南、安徽，先後併於楚，故得曰荊舒也。」（姜 1984：199）。徐在文化上情形相似，所以連類及之。

中斷。徐楚、吳越文化——包括方言——恐怕彼此共存，又慢慢有過融合。至於詳細情形，已不得而知了。

三、秦、西漢時期蘇北的楚文化、楚方言

§3.1　春秋戰國時代，關於淮南風俗民情的文獻似乎不多見；§2.4 只好經常根據地下發掘的分析討論。秦漢以來，典籍上的記錄稍有增加，可以多利用。現在從秦說起。

在秦末群雄逐鹿的過程中，最令人注目、爲人熟悉的史實之一，是許多出身東方的豪傑與楚極有關聯；試摘舉與本文有關者。《史記·陳涉世家》：

> 陳勝曰：天下苦秦久矣。吾聞……當立者乃公子扶蘇。……百姓多聞其賢，未知其死也。項燕為楚將，數有功、愛士卒。楚人憐之，或以為死、或以為亡。今誠以吾眾詐自稱公子扶蘇、項燕，為天下唱，宜多應者。……乃詐稱公子扶蘇、項燕，從民欲也。袒右，稱大楚，……攻陳。……〔陳〕三老豪傑皆曰：將軍……復立楚國之社稷，功宜為王。陳涉乃立為王，號為張楚。……當此時，楚兵數千人為聚者不可勝數。〔勝部屬〕葛嬰……立襄彊為楚王。……陳王初立時，陵人秦嘉、銍人董緤、符離人朱離石、取慮人鄭布、徐人丁疾等皆特起，……秦嘉等聞陳王軍破，出走，乃立景駒為楚王，……〔案：〈項羽本紀〉「秦嘉已立景駒爲楚王」，《集解》「〈陳涉世家〉曰秦嘉，廣陵人」，是別本作「廣陵」。〕❻

〈項羽本紀〉：

---

❻　為使文意順暢可讀，筆者於前後不相續處，加上「〔　〕」號、內實少許文字。如此處三老豪傑即陳地者，所以加上「〔陳〕」。有時又加上「〔案：……〕」，以解釋前文有疑義的地方。以下皆同。

項籍者，……其季父項梁，梁父即楚將項燕，為秦將王翦所戮者也。項氏世世為楚將，……項梁殺人，與籍避仇於吳中。吳中賢士大夫皆出項梁下。每吳中有大繇役及喪，項梁常為主辦。……籍……才氣過人，雖吳中子弟，皆已憚籍矣。……廣陵人召平，於是為陳王徇廣陵，未能下。……乃渡江矯陳王命，拜梁為楚王上柱國。……項梁聞陳王定死，……居鄛人范增，……往說項梁曰：夫秦滅六國，楚最無罪。自懷王入秦不反，楚人憐之至今。故楚南公曰：楚雖三戶，亡秦必楚也。……今君起江東，楚蠭午之將皆爭附君者，以君世世楚將，為能復立楚之後也。於是項梁……乃求楚懷王孫心，……立以為楚懷王，從民所望也。……懷王都盱台。……

以上引文限於秦二世元年（前209年）秋陳勝、吳廣起義，及稍後各地響應等事，由之可見兵初興時民心的向背。「楚懷王」、「項燕」成了百姓心中故國的象徵，欲有事必以爲名目。不濟如陳勝，也要「自立爲楚王」（《史記·秦始皇本紀》）；或如襄彊、景駒，被人立爲楚王。另外陳勝還曾以「扶蘇」作號召，等各地「楚兵數千人爲聚者不可勝數」，後繼者完全把「扶蘇」丟開了。

此中尤堪玩味者，乃「吳中賢士大夫」、「吳中子弟」的態度。「吳中」或係吳地的泛稱，或指秦會稽郡治吳縣（王恢 1990：378）；即戰國楚滅越後，叛服無常的「故吳地」、原越地（§2.4）或其首府。若以秦平定江東的前二二二年爲界，之前吳越視楚殆如仇敵；之後，嬴政暴虐，吳中人士即使不自居爲「楚人」，至少對楚更覺親近。所以項梁、籍叔侄渡江避禍，以「楚將世家」、「項燕子孫」，仍能傾動當地。有名的「江東子弟八千人」便由梁、籍帶領，北上打天下。後數年籍敗烏江，臨終發八千人「無一人還」、「無面目見江東父老」的感慨，是江東子弟追隨項氏始終不渝。

江南如此，江北更不必論。像陳勝所在之陳（今河南淮陽縣），原屬春秋末葉楚所滅的陳國，地處淮河上游向北的汝穎地區（徐少華 1994：192-194）。陵（或作廣陵）人秦嘉，雖未能確定「陵」、「廣陵」何者爲是；但〈項羽本紀〉還有「廣陵人召平」。廣陵即揚州，§2.3 已言。徐人丁疾之「徐」、懷王所都之「盱台」，前者位於洪澤湖以北「今泗縣東南」、後者相當於湖以南今盱眙縣附近（王恢 1990：230, 382）。據《古徐國小史》，「徐在春秋晚期的活動，應該是以江蘇盱眙爲主，泗洪、泗縣一帶亦是其活動的中心」（李世源 1990：46）。則「徐」之得名，必由徐國——《漢書·地理志上》「臨淮郡」「徐」縣《注》：「故國，盈姓」；「盱眙」且曾作爲「徐的國都」（李世源，同上：45）。

總之，由淮河上游至下游，南極江岸的廣陵，百姓同仇敵愾，一以「楚人亡秦」爲志。

§3.2 再往淮河中下游的北面，有項羽自封西楚霸王時的首都彭城，今江蘇徐州。劉邦係沛縣豐鄉中陽里人（王恢 1990：425-426）；今徐州西北，臨山東邊境有沛縣、豐縣。這一帶的「泗水中下游以西地區」，❼本由宋統治。戰國後期（前 286 年），齊滅宋。兩年後，楚再從齊手中奪來（徐少華 1994：352-354，369）。據清人及近人研究，戰國楚擁有今蘇北駱馬湖至皖北靈壁一線以南，其北即徐州附近。等徐州併入楚，前二六一年起不到九年，楚又「攫取了泗、沂之間的今蘇北、魯南廣大地區」（何浩 1989：83,8）東境到了沂水以東的郯（今山東郯城西南）、邳（滕縣西南）（何浩，同上：12,316 註 140；參見楊寬 1997：282「泗上十二諸侯國」圖）。再往東即越都琅邪的江蘇贛榆、山東

❼ 檢《中國歷史地圖集》第一冊戰國「楚越」圖，泗水上游發源於今山東曲阜附近，於今洪澤湖處注淮水（洪澤湖係後世形成，彼時未見）。彭城約當流程的一半左右，即中游（譚其驤 1982a：45-46）。沛、豐更在彭城東北，只能算流域的上游。所以原文應作「泗水上中游以西地區」，作者殆筆誤。

日照一帶濱海之地（錢穆 1956 上冊：110-112），有學者認爲琅邪一隅未曾賓服於楚（何浩，同上：306-307）；也有學者持肯定的看法（蒙文通 1993：436；關於琅邪，另見§3.4 末段）。

上述戰國時期淮北及魯南的情形，稍嫌簡略且不夠完整；某些史事學者間還有異說；本文均無法詳列。然而，只要不屬於齊魯文化區，淮北這些地區即使歸楚日淺，與楚淵源卻頗深厚。像陳勝首義，劉邦起沛以應之；又喜楚服裝（《史記·叔孫通列傳》通脫儒服、換楚服以悅劉邦）、楚歌舞（《史記·留侯世家》戚夫人楚舞、劉邦楚歌，《漢書·禮樂志》「高祖樂楚聲」）。是無論以他郡縣人視之、或劉邦（以及諸同鄉兼一起打天下的侍從屬吏如蕭何、曹參等）自視，沛人均爲楚人❽——否則起兵就該打著別國的旗幟了。再者，項羽擇彭城立國，彭城也應爲楚地。按照一般的慣例，政治上某地由甲國劃成乙國——戰爭、割讓……，較易；心理上或生活習慣上其居民自認或被認作乙國人，由於需要時間，較難。而沛、彭城的情形，則與楚文化的傳播有關。

春秋中晚期楚文化於江漢、江淮地區形成，因爲擅長吸收華夏以及其他民族文化的精華，釀造出多采多姿的物質或精神文化（§2.4 引何浩先生語）。且似乎形成時尚，迅速向南北散佈開來。以宋而言，正位居楚淮河中至下游流域的北方，宜受楚文化的影響。這一點我們有很好的證據，即莊子與楚的關係。莊子蒙人（《史記·老子韓非列傳》），蒙在今河南「商邱縣東北」（錢穆 1968：85），與宋（即宋國首都）今河南商丘（王恢 1990：146；「商邱」即「商丘」）比鄰。蒙古人或以屬宋、或以屬梁，錢穆先生考定莊子於前三六五至二九〇年

❽ 歷代征服者於征服某地後，率移民以防反側。劉邦、蕭、曹之為楚人，另一可能的原因是楚移民的子孫。然而楚據沛等地，大約不過數十年。設劉邦等人父祖係移民，史傳不能無徵。今《史》、《漢》皆無記載。相形之下，像《史記·絳侯周勃世家》明言「絳侯周勃者，沛人也，其先卷人」，《集解》引徐廣「卷縣在滎陽」。可證劉邦等人乃本地居民，且至少居住了好幾代。

在世（錢 1956 下冊：618），「莊子居邑，本在梁宋間，其遊蹤所及，應亦以兩國爲多耳」，「乃終老於蒙者」（錢，同上上冊：270,271）。死後的前二八四年之前不久，魏（即梁）從齊奪得後者才剛攻佔的宋地的一部分（楊寬 1997：386,676〈附錄一：戰國郡表〉魏國「大宋郡」），其中應包括蒙。因此莊子一生未曾由楚國統治，然而關於《莊子》書，王國維先生〈屈子文學之精神〉已指出《莊子》與屈子文學的關係：

> 然就屈子文學之形式言之，則所負於南方學派者，抑又不少。彼之豐富之想像力，實與莊、列為近。〈天問〉、〈遠游〉鑿空之談、求女謬悠之語，莊語之不足，而繼之以諧，於是思想之游戲更尤自由矣。（王 1996：638）

尤有進者，莊子故鄉距老子故鄉「楚苦縣厲鄉曲仁里」（《老子韓非列傳》；今河南「鹿邑縣東十里」，見錢穆 1968：533-534）又甚近。由古代歷史地圖或今地圖觀之，商邱幾乎正對鹿邑北方不遠；鹿邑向西是淮陽，後者即陳勝爲楚王所都的「陳」（§3.1）。羅常培、周祖謨先生已注意到《老》《莊》具有楚方言的特點：

> 陽東相押，《詩經》中沒有例子；耕真相押《詩經》中例子也不多。這兩種現象，從戰國以後才多起來。《老子》中陽東相押的較多，《莊子》、《楚辭》中耕真相押的較多。這都說明了陽東相押、耕真相押這兩種現象是楚方言的特點。（羅、周 1958：81）

另一方面，商邱往東入江蘇境，偏北有豐、沛，偏南有徐州。無怪劉邦以楚爲尚、項羽以徐州爲都了。

§3.1 末了談到的「楚人亡秦」之志，在淮北地區也同樣活躍；並且成爲催化劑，使楚文化於秦統治下繼續發展。張正明即認爲：「秦末人民起義的主力是楚人，他們憤於秦朝對楚文化的排斥和摧殘，一時掀起了復楚文化之古的狂熱。」除了本文也提過的楚服裝、歌舞，張先生還列舉如劉邦定十月作歲首、項羽鴻門宴時依楚習慣安排座位等（張 1987：315-316）。

§3.3 楚漢相爭之際及漢初，還有兩件彼此相關的史實值得注意，一爲韓信王楚、一爲劉肥王齊。《漢書．高帝紀》：

> 五年冬十月，漢王……與齊王信、魏相國越期會擊楚，至固陵，不會。……漢王……謂張良曰：「諸侯不從，奈何？」良對曰：「……君王能與共天下，可立致也。……今能取……從陳以東傅海，與齊王信。信家在楚，其意欲復得故邑。……」十二月，圍羽垓下。……春正月，……下令曰：「楚地已定，……欲存恤楚眾，以定其主。齊王信習楚風俗，更立為楚王。……」

次年劉邦廢韓信爲淮陰侯，「分其地爲二國」——「立劉賈爲荊王，王淮東……」；「高祖弟交爲楚王，王淮西……」（《史記．荊燕世家》）。《漢書．高帝紀》詳載經過，今節錄如下：

> 〔六年十二月〕詔曰：「齊，古之建國也，今為郡縣，其復以為諸侯。將軍劉賈數有大功，及擇寬惠脩絜者，王齊、荊地。」春正月……以故東陽郡、鄣郡、吳郡五十三縣立劉賈為荊王，以碭郡、薛郡、郯郡三十六縣立弟文信君交為楚王。……以膠東、膠西、臨淄、濟北、博陽、城陽郡七十三縣立子肥為齊王，……

立齊王的同時，採取了一個措施：「民能齊言者皆屬齊」（《史記．高祖本紀》）。

劉邦立韓信作楚王，乃緣於張良的建議，並非自願。詔令所言「楚地已定，……以定其主」，即張良所稱「信家在楚，其意欲復得故邑」。不過，此係政治上的楚地。詔令又云「信習楚風俗」，文化、風俗上的楚地應小於政治上的楚地。例如韓信的封地——也是荊王劉賈加上楚王劉交的封地——有薛郡。薛郡在今「山東南部」，郡治曲阜（王恢 1990：34），即周公封於魯國的首都（《史記·周本紀》）。曲阜附近一帶均應屬魯。戰國末造（前 256 年）楚滅魯；秦末項羽據之，此刻復賜與韓信。魯俗與楚俗異，原因甚明。因此「楚風俗」流行的範圍和實際封地並非完全吻合。

另一方面，《史記·貨殖列傳》討論楚的風俗：

> 越、楚則有三俗。夫自淮北沛、陳、汝南、南郡，此西楚也。其俗剽輕，易發怒。……徐、僮、取慮，則清刻矜己諾。彭城以東東海、吳、廣陵，此東楚也。其俗類徐、僮。朐、繒以北，俗則齊；浙江南則越。……衡山、九江、江南豫章、長沙，是南楚也，其俗大類西楚。……與閩中于越雜俗，故南楚好辭巧說少信。江南卑溼，丈夫早夭。……

將韓信封地與〈貨殖列傳〉「三楚」中的「東楚」合看。❾一，秦時郯郡即東海郡（見《漢書·高帝紀》顏《注》引文穎曰），若據《中國歷史地圖集》第二冊「秦山東南部諸郡」（譚其驤 1982b：7-8），東海郡當今蘇北大部分，唯西北角突出於山東、河南、安徽間的沛、彭城等地除外；西與今蘇、皖界，

---

❾ 據姜亮夫先生的考證，劉項相爭之際已有「三楚」舊說，即《漢書·高帝紀》「羽自立為西楚霸王」下孟康注：「舊名江陵為南楚，吳為東楚，彭城為西楚」。史公〈貨殖列傳〉所載係漢人新說。二者惟彭城（舊屬西楚、新屬東楚）、九江（舊東楚、新南楚）、江陵（舊南楚、新西楚）三郡有異，餘全同（姜 1984：208-211）。但彭城郡即秦泗水郡，劉邦更名沛郡（周振鶴 1982：276）；所以無論新舊，均屬西楚。

北與今蘇、魯界均有參差。二，廣陵即楚漢之際東陽郡，乃分東海南部置，地介於江淮間（譚其驤 1987a：21）。三，吳郡即會稽郡（王恢 1984：31）。四，鄣郡於秦末或楚漢間析自會稽西部，原會稽郡東部或稱吳、或仍稱會稽（譚其驤，同上：17，周振鶴 1982：283）。

簡言之，韓信的領地中，今江蘇境內的大江南北，加上會稽、鄣郡的錢塘江以北，正好是〈貨殖列傳〉的「東楚」。何況韓信老家淮陰位居淮濱之南（觀「淮陰」名便知），屬東陽郡（參見周振鶴 1982：282、圖 2「荊國及吳國封域示意圖」）。韓信欲王包括老家在內的地區，當然有「富貴歸故鄉」的意思。倘若江北尤其淮河流域非楚風俗分布的地區，那封詔令就不必如此書寫了。

再者，劉邦立子劉肥爲齊王，「民能齊言者皆屬齊」；《集解》引孟康《漢書音義》「此言時民流移，故使齊言者還齊也」，《正義》「近齊城邑能齊言者，咸割屬齊，親子故大其都也」。此事又見〈齊悼惠王世家〉，《正義》「諸齊民言語，與楚魏燕趙異者，隨地割屬齊也」。《集解》引孟說，謂齊有封疆，然後使齊言者自他處還以實之；《正義》則認爲凡齊言者，其現居地一併劃入齊。兩說以前說較長，蓋漢初齊疆域已異於六國。例如田齊西境「秦自昭襄王以來，已稍蠶食之，後分隸于東、薛二郡」（譚其驤 1987a：19）。考東郡有部分應係魏（梁）地（譚 1987b：95）；薛郡還包括原魯國土地，見上文。然二郡總不致於全無「能齊言者」，卻不在劉氏齊範圍內。是劉氏齊先立國境，再徵能齊言的人民。⑩此齊國既然小於原齊國，戰國時與他國雜廁的地區如東、薛郡又已劃出，則境內齊言者應占極大多數；所以詔令以能齊言而流離者回鄉爲號召。假使齊地不止齊言，詔令這麼說，也有點奇怪。

秦統一天下，曾於田齊東南面設琅邪郡（關於琅邪，另見§3.4 末段）；

---

⑩ 《史記·高祖本紀》「子肥為齊王，王七十餘城，民能齊言者皆屬齊」，原文似乎也有「王七十餘城」、「民能齊言者屬之」的先後關係。

劉邦復分琅邪以置城陽、膠西郡。《漢書》數劉肥封地，漏列琅邪（周振鶴 1982：182,165；周作「琅琊」，「邪」「琊」通用）。所以漢初琅邪、城陽、膠西三郡實當秦琅邪一郡；劉肥即南以秦的琅邪郡與楚同樣是秦的東海郡（包括東陽郡）接壤，郡界大致在魯南、蘇北今省界附近。〈貨殖列傳〉明言「朐、繒以北，俗則齊」，朐今江蘇東海縣南、繒今山東嶧縣東（錢穆 1968：244-245,160）。兩地屬東海郡，恰恰鄰北邊郡界（譚其驤《中國歷史地圖集》第二冊「秦山東南部諸郡」1982b：7-8）。所以，琅邪郡齊俗、東海郡楚俗；且由琅邪郡齊言，推測東海郡楚言。甚至推測秦於朐、繒北橫列郡界，應有故齊地、故楚地風俗、語言方面的考慮；秦末或漢初承其餘緒，不過再將兩郡細分而已。

從§3.1 至本節的討論，我們可以設想：單就長江北岸而論，由楚國的「老根據地」江漢地區開始，東沿淮河及支流的流域南北擴散，今湖北、皖北、蘇北，大致均爲楚文化盛行的區域，同時可能也是楚方言通行的區域。

§3.4　西漢時期記載風俗的史料，還有《漢書·地理志下》。根據〈地理志下〉一段類似〈序〉的文字，班固將劉向談「地分」——即與上界天文相對的各國地理的分野、朱贛談「風俗」合在一起；另外或許還參考了《史記·貨殖列傳》。然而，地分、天文的安排，有時不一定反映人事。更重要的是：政治的疆域和風俗流行的範圍也不一定完全吻合，我們在§3.3 敘述韓信封地時已經約略提過。

以楚、吳、粵（即越）而言，《漢書·地理志下》云：

> 楚地，翼、軫之分壄也。今之南郡、江夏、零陵、桂陽、武陵、長沙及漢中、汝南郡，盡楚分也。……吳地，斗分壄也。今之會稽、九江、丹陽、豫章、廬江、廣陵、六安、臨淮郡，盡吳分也。……粵地，牽牛、婺女之分壄也。今之蒼梧、鬱林、合浦、交阯、九真、南海、日南，皆粵分也。……

楚地限於長江中游今湖北、湖南一帶，完全不見它對東方的經營。例如楚曾滅陳（§3.1），但「陳雖屬楚，於天文自若其故」，所以〈地理志下〉仍有陳國。至於吳、粵，吳恐怕以全盛時計之，因此包括淮南和會稽。筆者不懂天文，但揣測吳地包含粵地，還與上應天文的分野有關。粵被「奪」走了會稽，只好「擁有」蒼梧等地。但「皆粵分也」下，立刻接以：「其君禹後，帝少康之庶子云，封於會稽」。眾所熟知，粵與百越民族即使族源相同或相近，前者也未曾統治到後者的原居地。如此扞格的組合，大概仍為了上應天文。

再看風俗。楚地無大問題；吳地除「吳、粵之君皆好勇，故其民至今好用劍，輕死易發」外，另一大段多半談《楚辭》這種文體在吳、淮南地區的發展與興盛（見下文）。而「其失巧而少信」、「江南卑溼，丈夫多夭」明明規摹史公對「南楚」的觀察（§3.3）。所以班固雖不言「三楚」，蘇北、皖北一帶又歸屬吳地，但仍脫離不了楚的影響。〈地理志下〉也說：「本吳粵與楚接比，數相并兼，故民俗略同」。

總之，針對楚、吳越地區風俗所作的描寫，《漢書》的價值似稍遜《史記》。何況「三楚」之說先已有之（§3.3 註❾），班固又未能跳開天文、地文相應的束縛。不過，《漢書》以廣陵國、臨淮郡為吳地，仍然提醒我們思索蘇北淮南地區與吳文化的聯繫。

按照〈貨殖列傳〉的記載，東楚南以「浙江」（錢塘江）為界，「浙江南則越」（§3.3）。尋史公意，吳、越相比，吳沾楚化較多、越保留舊俗較夥；因此吳併入東楚。另外§2.4 結語稱淮南或許有徐楚、吳越文化、方言共存，並且慢慢混合。西漢的情形又如何？

首先，除了東南地區通過楚文化以接受華夏文化（§2.4 引李學勤先生語）的古老背景外，當時的政治、社會氣氛也有助於楚文化的傳播。§3.1 談到秦時吳中人士對楚的親近之意。等到劉邦取得政權以後，定都關中，當然要尊重北方的文化、制度。但在東南一帶，由於歆羨楚文化，甚至仍然「流行」楚剽悍的民風。《史記·吳王濞列傳》：

> 荊王劉賈為〔黥〕布所殺，無後。上患吳、會稽輕悍，……乃立濞於沛為吳王，……孝文時，吳太子入見，得侍皇太子飲博。吳太子師傅皆楚人，輕悍、又素驕。……

考楚人久富剽悍（輕悍）之名：《荀子·議兵》「楚人……輕利僄遬，卒如飄風」，《史記·高祖本紀》「懷王諸老將皆曰：項羽爲人僄悍猾賊。……獨沛公素寬大長者」，〈留侯世家〉「漢十一年，黥布反。……留侯……見上曰：……楚人剽疾，願上無與楚人爭鋒」。項羽、黥布皆楚人，所以沒有例外；例外的是「寬大長者」的劉邦。〈貨殖列傳〉也稱三楚「剽輕」；⓫吳、會稽「輕悍」，當然受楚影響。劉濞都廣陵（周振鶴 1982：282、圖 2「荊國及吳國封域示意圖」），他爲兒子揀選師傅，仍傾向輕悍的楚人，這些楚人可能來自廣陵或附近地區。上有好者，下必甚焉。在劉濞統治下，廣陵、吳、會稽或許還一起「流行」剽悍民風外的其他楚式事物。如上文提到的《漢書·地理志下》：

> 始楚賢臣屈原被讒放流，作〈離騷〉諸賦以自傷悼。……漢興，高祖王兄子濞於吳，招致天下之娛游子弟，枚乘、鄒陽、嚴夫子之徒興於文、景之際。……而吳有嚴助、朱買臣，貴顯漢朝，文辭並發，故世傳《楚辭》。

另一方面，吳越本身原來的習俗，並未因此而消失。在江南北頻繁的交流下，《漢書》恰好記錄了兩個故事，使我們得以看到廣陵由於地理位置的特殊，

⓫ 史公云西楚「剽輕」；西楚之中的徐、僮、取慮，除了「剽輕」，還「清刻矜已諾」。東楚類徐、僮；南楚類一般的西楚。所以，三楚以「剽輕」為共同特質（§3.3 引〈貨殖傳〉）。

所以兼容並蓄的情形。〈景十三王傳〉：

> 〔江都易王非子〕建恐誅，心內不安，與其后成光共使越婢下神，祝詛上〔案：指武帝〕。

〈武五子傳〉：

> 始昭帝時，〔廣陵厲王〕胥見上年少無子，有覬欲心。而楚地巫鬼，胥迎女巫李女須，使下神祝詛。……胥多賜女須錢，使禱巫山。

〈地理志下〉「廣陵國」條云：江都、廣陵國均都廣陵。劉建的越婢大概兼爲越巫，所以能下神祝詛。這雖然是越俗，不妨猜想某些吳俗也渡江流衍到廣陵。同時，楚巫伴隨著楚人的宗教信仰，也在廣陵一帶活動。他們顯靈驗的傳說，劉胥應頗有耳聞。正如今人回福建湄州恭迎媽祖本尊，劉胥特地從楚地（當爲楚人祖居地江漢地區或南陽盆地）聘請女巫，以禱巫山。⓬

由宗教信仰的共存，可以推測方言的共存。越巫、楚巫牽涉靈驗與否，以及不同的源流、儀式，彼此各行其道。方言則不然；淮南地區愈往南，吳越方言的因素恐怕愈多。例如韓信故鄉淮陰，可能通行楚方言，但不排除借入吳越方言的詞彙。至於廣陵附近，或許是楚、吳越方言的混合？

最後附帶說明一點。《後漢書·東夷列傳》云：「秦并六國，其淮、泗夷皆散爲民戶」，顯示淮、泗流域仍居住著不少夷人，秦的統治使他們隨所居地屬齊文化或楚文化，而分別「齊化」、「楚化」（若雜有吳越文化，也同樣「吳

⓬ 據錢穆先生：〈楚辭地名考〉第七「宋玉賦巫山高唐在南陽說」，巫山非世人習見的「巫夔之巫」，而應在「今隨縣西南百二十里之大洪山」（錢：1982：113-114）。無論巫山地望如何，其為楚人祖居地的神山殆可斷言。

越化」）。又越曾北都琅邪，此地區屬秦琅邪郡（§3.3）。越都無論被齊（楊寬 1997：685〈附錄一：戰國郡表〉秦「琅琊郡」）、楚、秦（後二說見§3.2）所攻佔，其原居民和越的移民在秦及秦以後，也應該逐漸「齊化」。於是齊、楚、吳越方言都可能有原住民族語言遺留的「底層」問題，然而淮泗夷語言如何，今日恐已茫然。本文限於篇幅，也無法討論。

§3.5　西漢末葉，直接記錄方言的文獻就屬《方言》了。關於此書，前賢作過不止一次的整理，期求出西漢的方言區域。以下僅就蘇北淮南地區的情形略綴數言。

首先需確定《方言》對淮南地區的稱呼。《揚雄方言研究》已指出「《方言》中使用的是古代的州名，而不是漢代行政區的州名」（劉君惠等 1992：126）。「古代的州名」，當即根據《禹貢》。《禹貢》揚州「從淮水以南直到東海，跨今蘇、皖兩省的南部以及江西省的東部、河南和湖北兩省的東邊一角」（顧頡剛 1959：1）；等於包括淮南一帶。⓭因此，想要勾勒淮南方言的輪廓，可能得從「揚州」開始。

根據各家的歸納，大致以陳汝穎江淮爲楚方言區（此江淮偏於淮河上中游）；南楚即使獨立，仍與楚關係密切，一般的辦法是納入楚。吳越（甌）爲吳越方言區（林語堂 1933：41-44，Serruys 1959：99〔Coblin 1983：20 據 Serruys 而略作修正〕，嚴耕望 1975：43，丁啓陣 1991：35，劉君惠等 1992：106）。至於淮南，多數人隨著「揚州」或《史記》「東楚」算成吳越方言區（除上述嚴耕望、丁啓陣、劉君惠等；還加上袁家驊等 1989：58，周振鶴、游汝杰 1986：書末附圖 4-2「漢代方言區劃擬測圖」，李裕民 1986：65）。也有學者將淮南併於東齊海岱青徐（林語堂，同上：22「前漢方言區域圖」，41；Coblin，同上：20,21、Map 1）。Serruys 在楚方言下列出“Ch-H”（即江淮；Serruys，

⓭ 《方言》中古國名、《禹貢》州名、山川名等指涉的地域，各家或有不同的解釋，此處不能具論。

同上）；對於代表淮南地區的淮，⓮他表示：“……Huai can be considered as a transition area between Ch'u and others”（Serruys，同上：95，“Huai”即「淮」、“Ch'u”即「楚」）。不過在 Map 4（Serruys，同上：206）以及 endpaper，「江淮」與「淮」似乎都畫成比鄰，看起來屬楚方言區。上述各家的不同處置，正好顯示此地區「橫看成嶺側成峰」的特質（§1.4）。現在先以揚州作中心，觀察它和楚、吳越、東齊青徐同時出現的情形。⓯

⑴揚州與楚方言	出現次數
楚揚	2
揚楚	1
荊揚之間	2
荊揚之鄙	1
陳楚荊揚	1

⑵揚州與吳方言	出現次數
吳揚	3
吳揚之間	3
吳揚江淮南楚五湖之間*	1

揚州與楚、吳越方言	出現次數
荊吳揚甌之郊	1

揚州與越方言	出現次數
揚越	1
揚越之郊	1
東越揚州之間	1

⑶揚州與東齊青徐方言	出現次數
徐揚之間	1

⑷揚州與楚、吳方言	出現次數
吳揚江淮之間	1
荊揚江湖之間*	1

⑸揚州與楚、東齊青徐方言	出現次數
荊揚青徐之間	1

⑹揚州與吳、東齊青徐方言	出現次數
東齊吳揚之間	1

* 郭《注》「五湖，今吳興太湖也」，「江湖之間」的「湖」或許也是五湖；今並歸之吳地。

⓮ 關於「淮」代表淮南地區的問題，筆者暫時持保留態度。此因《方言》中所稱如「青徐淮楚之間」、「荊吳淮汭之間」等，「淮」指整個淮河流域？其中一部分？實難判斷。

⓯ 下面⑴⑵⑶……中，第一行左側（如⑴「揚州與楚方言」）標明揚州與那一或那些方言同時出現；橫線以下，亦即第二行、第三行……的左側（如⑴第二行左側「楚揚」）為《方言》原文。至於第一行右側「出現次數」，指以下第二行、第三行……左側《方言》原文的出現次數，如⑴第二行「楚揚」在《方言》中共出現兩次。另外，凡《方言》原文，均據嚴耕望先生的「方言所記地理區素材表」（嚴 1975：48-56）；惟已取《方言》覆核過，嚴有誤植者正之、未列者補之，出現次數也重新統計。⑴⑵⑶……這些表格，也是筆者自行製作。

從(1)到(6)，有幾個問題値得考慮：一，如果(2)的九次可以證明揚州在吳越方言區，則(1)的七次也可以證明揚州在楚方言區。二，尤有進者，(2)分成兩部分，「揚州與吳」、「揚州與越」各據一方；卻未見「揚州與吳越」並舉——《方言》另外著錄「揚州會稽」、「東南丹陽會稽之間」，是否意謂「揚州與吳越」，不敢說。三，有(4)「揚州與楚、吳」三次、(5)「揚州與楚、東齊青徐」一次、(6)「揚州與吳、東齊青徐」一次；越也加入者，只在(4)「揚州與楚、吳越」一次。這表示：揚州和楚、吳越的關係，除了(2)「揚、越」，一般常見的組合限於(1)「揚、楚」、(2)「揚、吳」、(4)「揚、楚、吳」，(4)「揚、楚、吳越」罕見。如果與北方東齊青徐相連，也止於(5)「揚、楚、東齊青徐」、(6)「揚、吳、東齊青徐」，越不與焉。筆者懷疑(2)「揚、吳」似指吳及揚州北段的淮南；(3)「揚、越」則偏向越及近越的揚州南段如皖南、贛東？否則難以解釋當楚、吳在的時候，越何以常常缺席？這也令人想到〈貨殖列傳〉的吳屬東楚、「浙江南則越」（§3.3）。吳越本身構成「吳越文化」，但若考慮楚，吳受楚的影響就比較多。甚至東齊青徐方言可能也首先傳布於揚州北段及吳——雖然數量少。

上述假設成立與否，還不知道。然而我們可以相信揚既與楚並舉、也分別與吳、越並舉，它顯然同時接受來自楚、吳、越的詞彙；(4)「揚、楚、吳」或許是楚、吳在揚州交會。

另外，(3)(5)(6)都提到東齊青徐方言。「河南省的東北角、河北省的南部、山東省的西部，這個區域喚做兗州……。從兗州往東南，現在稱爲山東半島的，喚作青州。青州南面，從泰山起，南到淮水，現在是魯南、蘇北、皖北地方，喚作徐州。」（顧頡剛 1959：1）而§3.3 引用《史記》，推測琅邪郡、東海郡各自擁有齊、楚風俗、方言。從《禹貢》來說，琅邪郡在青州的範圍內、東海郡在徐州的範圍內；那麼《史記》的資料、本文的推測正好與《方言》「東齊青徐」相左。不過，《方言》「青徐」的「徐」，或許僅包括地近青州的魯南，最多加上傍靠魯南的淮北北側（由於地近，容或通行齊方言的若干詞彙）。揚雄曾經記錄過「徐土邳沂之間」，⑯才是今淮北一帶。淮北直到魏晉時期，仍使用楚方言，詳下文§4.3。

此處附帶提出一點：《方言》地名紛雜，如何看待它們——像「揚州」果然北達淮、南至江南，這麼大的區域不管北段、南段，方言完全一致？「青徐」的「徐」是靠近青州的徐州某一部分、或整個徐州？恐怕未來還可以進行研究。

四、魏晉南北朝時期蘇北的楚人、楚方言

§4.1 經過兩漢數百年的發展，東漢末吳越地區已擁有相當的實力，孫氏據此而與中原抗衡。大概就在三國前後的年代裡，「漢人」（即中原附近一帶人）與「吳人」形成對稱：

> 漢人有適吳，吳人設筍。問是何物，語曰：「竹也」。歸煮其床簀而不熟，乃謂其妻曰：「吳人轣轆，欺我如此。」（《古小說鉤沈》所輯《笑林》，《注》原出「《筍譜》下、《紺珠集》十一」）

《笑林》舊題邯鄲淳撰，唐長孺先生以爲係「晉滅吳後北人所寫」；由於南北風俗、語言、習慣不同，北人常嘲笑南人（唐 1955：358）。余嘉錫先生以爲陸機弟陸雲所著，乃吳人厭惡北俗（余 1997：211，此即〈釋傖楚〉中的意見；〈釋傖楚〉詳下文）。

此外還有稱呼「傖楚」。余先生〈釋傖楚〉登錄慧琳《一切經音義》卷六十五引《晉陽秋》「吳人謂中國人爲傖人，又總謂江淮間雜楚爲傖」、《漢書·賈誼傳》《注》引晉灼「吳人罵楚人曰傖」等史料（余，同上：210）。案：《晉陽秋》記晉武帝「太康末，陸機入洛，聞左思作〈三都賦〉。與弟書曰：

---

⑯ 見《方言校箋》卷4第44條；「沂」原作「圻」，據校語引《御覽》改。

『此間有傖父，欲作〈三都賦〉。』吳人以（原注：一作謂）中州（原注：一作國）人爲『傖』。（《世說注》四、《玉篇·人部》）」（清湯球輯晉孫盛《晉陽秋》，見《眾家編年體晉史》：128-129）。慧琳引又較《世說注》完整，⑰湯球失收。

關於「傖楚」的涵義，余先生分成六點說明，今撮舉與本文有關者。其二，「自三國鼎峙，南北相輕。吳人……自命風流，尤以陸氏爲之眉目。及歸命銜璧，機、雲入洛，厭北人之厚重少文，……輒目之爲傖父。……此《晉陽秋》所謂『吳人謂中國人爲傖』也，……」三，永嘉亂後，「北方士大夫，紛紛過江，吳人猶呼爲傖父，……然中原舊族，居吳既久，習其土風，輒效吳人口吻，目後來南渡者爲傖，忘其己亦傖人也。」四，三國孫權初都武昌，後定建業（即南京）；孫皓也曾遷都武昌，不久便回。「吳人以上國自居，鄙楚人爲荒陋，亦被以此目。……晉灼著書于典午中朝（見〈漢書序例〉）。而云『吳人罵楚人爲傖』，是未渡江以前語也，……」五，「揚、徐之地，江、淮之間，本屬楚境。永嘉喪亂，幽、冀、青、并、兗州及徐州之淮北流民，相率過淮，亦有過江者，于是僑立郡縣以司牧之。（見《宋書·州郡志》。）其地多中原村鄙之民，與楚人雜處，謂之『雜楚』。吳人薄之，亦呼『傖楚』，……而于荊州之楚，以其與揚州唇齒，爲上游重鎮，獨不受輕視，無所指目，……」（余，同上：211-213）所論多精當。惟《晉陽秋》明載「吳人……總謂江淮間雜楚爲傖」，與晉灼「吳人罵楚人曰傖」恐係一事，並非指武昌荊州的楚人。且武昌於孫氏時的重要性應不下東晉以後，否則孫權、孫皓何必屬意，吳人始則謾嘲、繼之束口，當無是理。

筆者懷疑吳人開始鄙視中國人及「江淮間雜楚」的年代，和漢人、吳人互

---

⑰ 查《世說注》，《晉陽秋》語在卷六、非卷四，參見余嘉錫《世說新語箋疏·雅量第六》第18條。又，此條余先生《箋疏》之「二」所言與〈釋傖楚〉所論絕似。

相輕蔑的年代大概差不多。余先生以永嘉南渡解釋江淮間有中原村鄙的移民與原來的楚人雜處，形成「雜楚」。然而東漢末迄三國的戰亂，北人已來到淮河流域及江南，淮河流域居民也大批過江（葛劍雄 1997：271-273, 277-281），所以此時江淮間已經是「雜楚」。江淮又密邇江南，吳人薄之，正如近代江南人罵蘇北人爲「江北豬頭三」。⓲另一方面，吳人初次大規模接觸南渡中國人（北人、漢人）及楚人，其以主人自居，又「自命風流」，宜賤待客人。等到晉室播遷，流民蜂擁而至，北人「傖父」、楚人或雜楚「傖楚」之名更加盛行。這使人回想秦末項梁叔侄起義，吳人傾服的歷史（§3.1），眞可謂「前恭後倨」。

不過，我們有興趣的問題還在「江淮間雜楚」，以及他們與漢代江淮間楚人的關係上。

§4.2 陳寅恪先生曾著〈魏書司馬叡傳江東民族條釋證及推論〉，就《魏書·司馬叡傳》所記江東民族「中原冠帶呼江東之人皆爲貉子，若狐貉類云：巴、蜀、蠻、獠、谿、俚、楚、越，鳥呼禽聲，言語不同，……」，逐項進行討論。其中「楚」指「今江北淮徐地域之人，在南朝史乘往往稱爲江西或淮南，亦與太史公書貨殖傳所言西楚之一部相當也。」「又北朝之人詆諆南朝，凡中原之人流徙南來者，俱以楚目之，……」「又楚爲民族之名」（陳 1977a : 547-549）。

其第三義楚爲民族名者，南朝史乘以「傖楚」、「楚人」、「楚子」呼之。據陳先生所錄史料，約活動於接近蘇省西北角沛、豐、徐州一帶的魯西南今滋陽、曲阜附近，以及第一義所舉江西、淮南（相當今皖北淮南，蘇北淮南西北部洪澤湖以南盱眙一帶）（以上俱見陳，同上：547-551；但陳先生引史籍原文，地名均古稱，筆者換成今稱和今範域）。另外第一義、第三義至少還必須

⓲ 家母即江南人氏，生於民國初葉。據家母回憶：小時便聽到「江北豬頭三」一語，然似罕聞對其他地區人民的詈詞。

包括蘇北淮南寶應縣以東附近（陳，同上：556、1997c：11 討論南齊王敬則祖先本居「楚」地「臨淮射陽」，⑲係「避難過江之傖楚」）。

所以，第一義「楚」之得名，固然由於「與太史公書貨殖傳所言西楚之一部相當」；也與其地多居第三義「傖楚」，兩者人地略相當。如果再把第一義楚地的範圍，擴張到§4.1 余先生第五義「揚、徐之地，江淮之間」，就可以大致符合陳先生第三義傖楚的活動範圍——不僅原第一義的江西、淮南，還有蘇境淮南、淮北（淮北詳§4.3），和緊鄰的魯西南。就蘇境而言，§3.1 至§3.3 討論過淮南北的楚人，因此我們可以說：魏晉六朝經本文增補後第一義的楚地、楚人、第三義的傖楚，或許均與秦末西漢以來江北的楚密切相關。（第一義楚地上的楚人與第三義傖楚的聯繫，詳下文§4.3。）至於魯西南，或爲楚移民遷徙而來，或原本即由地緣而雜居楚人；以無預本文主旨，暫置不論。

§4.3 接下來的問題是：當時吳人、中原人氏，究竟用什麼條件區別他們？

第一個條件應屬陳先生指出的「楚民族……勇武善戰，足勝兵將之任」（陳 1977a：551）。除陳文所舉諸「傖楚」的例子（陳，同上：549-551）；又如宋武帝劉裕本彭城人，齊高帝蕭道成與梁武帝蕭衍同族，本蘭陵人。此二地均在淮北，彭城即徐州，見§3.2。蘭陵今山東嶧縣附近，若參考《中國歷史地圖集》第二冊「秦山東南部諸郡」或第三冊「魏青州徐州」（譚其驤 1982b：7-8；1982c：9-10，魏指三國曹魏），其地均位於繒縣正南——後者即§3.3 中與齊地琅邪郡接壤的楚地東海郡最北兩縣之一。彭城、蘭陵且接近§4.2 傖楚活動的魯西南曲阜、滋陽一帶，是均可劃歸本文增補後第一義的楚地。陳先生稱劉裕、蕭氏等爲「北人中善戰之武裝寒族」（陳，同上：554-555）。則

---

⑲ 《後漢書・郡國志三》「廣陵郡」下有「射陽，故屬臨淮」語，又「下邳國，武帝置為臨淮郡，永平十五年更為下邳國。」《晉書・地理志下》「廣陵郡」也有射陽縣，是「臨淮射陽」乃沿西漢舊稱。《中國歷史地圖集》第二冊「西漢徐州刺史部」（譚其驤 1982b：19-20），射陽當今寶應、鹽城縣中間。

劉、蕭諸人即使本身非傖楚，陣營中必多「勇武善戰」的傖楚（楚民族）。所以，筆者推測第三義的傖楚、楚民族即包括於第一義楚人中，「傖楚」乃特別標舉其好武——從吳人眼中觀之，適成特別寒傖。楚人或楚民族好武，是不是又追溯自秦末漢初楚剽悍的民風（§3.4）呢？

這裡還有一事必須說明。譚其驤先生統計永嘉亂後，北人僑寓的情形。其結論謂中原遺黎南渡，尤以冠冕縉紳之流爲盛。今江蘇接受移民最多，主要來自山東及蘇北、皖北，又集中安頓於江兩岸——尤其南岸（譚 1987c：220,200-201）。因此，以帝都所在的江蘇而言，「移民」即指正北方山東、蘇北、西北方皖北的人民。這三處地方合計，自魯西南以下，多屬本文擴充解釋第一義的楚地。是傖楚確實可能由冠冕縉紳之流以外脫穎而出，成爲史籍中的善戰軍人。甚至小說中也有蹤跡，《稗海》本《搜神記》卷七第三十五條：

> 李楚賓，楚人也。性剛傲，以畋獵為志，凡所出獵，無不大獲。時有董元範，家住青山，母常染患。晝日安靜，夜間卻發，背如刀刺，兼毆打相似，不堪其苦。……時〔南齊〕永明中，……範具說母疾，……楚賓即往，便坐，範具酒饌飲之。飲訖，安楚賓於東房宿。……賓至二更以來，乃出房門徐行，忽見空中有一大鳥飛來，向母房上，將嘴便啄，忽聞堂中痛楚難忍。賓……乃入房中取弓箭便射之，連中數箭。其鳥飛入，堂中痛聲即止。及旦，……範……忽見碓桯上有兩隻箭，所中處皆流血。範以火焚之，精怪乃除，母患自此平復如故。……（《搜神後記》附《搜神記異本：稗海本》107-108）

這位李楚賓係「楚人」，又神射奇準；必爲陳先生第三義的楚民族。若投身行伍，不免建立勛業。可惜居「青山」附近，「青山」之名今數省均見，未能詳究地望。

第二個條件自非「語言」——楚方言莫屬。蓋「勇武善戰」多施於傖楚，一般第一義的楚人如老弱婦孺不一定合適；語言則不然。《洛陽伽藍記》卷二，北魏中大夫楊元慎對蕭衍大將陳慶之說：

> 江左假息，僻居一隅。……雖復秦餘漢罪，雜以華音；復閩楚難言，不可改變。

乍看之下，§4.2《魏書·司馬叡傳》「江東之人……鳥呼禽聲，言語不同」和此處「閩楚難言，不可改變」，似乎形容江東民族還操原來異於漢語的原住民語言。實則此爲不盡可信之辭，尤其楚地自春秋戰國以來「華夏化」已久（§2.4），南北朝時楚人應使用帶有淮夷、徐夷（或加上吳越民族）語言底層的楚方言。閩地情形類似，縱使有少數閩越族未漢化，大部分人通行閩方言當無問題。所以楊元慎之說恐怕要解釋成：北人尤其洛陽一帶人不習慣閩、楚方言，由於南北對峙，遂大肆醜化。（附帶一句，《洛陽伽藍記》提到「閩」，這是早期典籍中少見的閩方言的記載之一。）

此外，陳寅恪先生於第一義舉王敦伯祖王祥漢末避地廬江，⑳廬江屬楚地，敦「語音遂亦漸染楚化」，以說明《世說》所載敦「年少時舊有田舍名，語音亦楚」（陳 1977a：548）。又《宋書·庾悅等傳》「史臣曰：高祖〔指劉裕〕雖累葉江南，楚言未變。雅道風流，無聞焉爾」，〈長沙景王道鄰傳〉「道鄰（案：劉裕之弟）素無才能，言音甚楚，舉止施爲，多諸鄙拙」（余嘉錫〈釋傖楚〉1997：214 轉引《日知錄》卷二十九〈方音〉條，筆者已覆檢過《宋書》原文）。均顯示當時楚地流行楚方言。

---

⑳ 《後漢書·郡國志四》有廬江郡。據《中國歷史地圖集》第二冊「東漢揚州刺史部」（譚其驤 1982b：51-52），此郡約當今皖北偏西，加上湖北東邊、河南東南一角。

另一方面，陳先生〈東晉南朝之吳語〉曾指出江南通用「洛陽方言」之「北語」及本地吳語（陳 1977b）。何師大安先生再分爲江東庶民層的土著吳語、江東文讀層的士大夫吳語、北方士庶層的南渡北語（何 1993；還有「非漢語層」，此處暫不計）。由於方音不同，吳地士民也覺得楚人俗不可耐。

當然，隨著移民南遷，蘇北也無法避免出現北語與楚方言混雜的現象，這是此後江淮話被歸入官話方言的遠因之一。以下各朝代移民越來越多，楚方言的色彩可能就越來越少（§5.2）。

五、結　語

§5.1　本文陸續討論了春秋戰國、秦西漢、魏晉南北朝各時代裡，蘇北淮南地區若干文化問題，包括考古學的證據、政治、社會上的心態、民俗、民風、宗教信仰，以及方言本身。筆者著重於探索楚文化、方言對這個地區的影響或傳播，期與吳文化、方言作對照。然而文化、方言等的交流常爲雙方面同時進行，所以江北若屬楚，必有吳的滲透（反過來說就是江北若屬吳，必有楚的滲透）。下迨魏晉南北朝，江南北都加上北方山東等地的因素。

另一方面，從現代漢語方言的分布來看，如果不計西南官話，江淮官話恰好位於官話區的最南，與吳、贛、湘方言隔江相望。根據漢語方言地理上的「定律」：「由於北方移民南遷，官話方言及其前身北方話的勢力也不斷南侵」，能不能回頭推測江淮方言及其前身某個方言，原來涵蓋的範圍遠較今日爲大？今日不過是被官話方言或北方話攻城掠地的結果？今日和官話方言的貌似也是被長期蝕刻的結果？假設江淮方言的前身確曾擁有現今湖北全部、安徽及江蘇北部，[21]便和秦漢時期的楚文化、方言在大江以北的流行區域（§3.3 末段）

---

[21] 不再向北推進，原因很簡單：河南除南部某些地區（如§3.2 莊子老家蒙）也可以劃歸楚，往北就屬中原文化、方言區；山東則屬齊魯文化、方言區。

差不多。然則江淮方言的前身就是楚方言嗎？若以蘇北來說，在歷史上吳方言必定隨著吳越兩國、吳越文化而北上。即使蘇北歸於楚方言區，但尤其南段，吳方言的浸潤絕不容小覷。今日蘇北的江淮方言，那些算楚方言的成分？那些算吳方言的成分？

此外，假使楚方言確實作過江淮方言的前身，它和湘方言的聯繫如何？和吳方言的關係又如何？甚至和贛、客方言有沒有交集？

§5.2 不過，本文的討論僅止於南北朝，也沒有特別談到南北朝以前外來移民的問題；南北朝以後的變化又更甚以往。根據現代學者的看法，西漢武帝滅東甌、閩越，徙其民江淮間，總數大約十多萬人（石方 1990：138,151），這些越人對江淮話有什麼影響？除了漢末三國以及南北朝民戶的遷移，北宋靖康之難「金兵南侵，江淮民爭濟江而去，江淮一空」，「有宋一代，蘇北平原屢次遷出人口，幾乎使江淮之間變成一片荒蕪之地」（吳必虎 1996：54,57）；「明初蘇北平原人口之少確是令人吃驚的。……另一份材料也說明，『明初…江都僅存……十八姓，淮安僅存……七家，其時它縣情形可以推見，……』」（吳，同上：60）。如此翻天覆地的變化，實在讓人懷疑無論原爲吳方言或楚方言，早先的江淮話還能保存多少？明初伴隨地廣人稀的，是江南蘇州一帶北上的移民（可參見§1.3 引《鹽城市志·方言篇》語）。「蘇州移民方言在蘇北平原影響最大的地區是興化和三泰（泰州、泰縣和泰興）地區」（吳，同上：72），興化、三泰正巧都列於江淮官話的泰如片（通泰方言，見§1.1、§1.2），又位於淮南地區，今天通泰方言的吳語特徵會不會由明初移民帶來？

凡此，均爲日後可以繼續探索研究的方向。

八七、九、廿七完稿

引用書目

一、古籍部分（包括方志）

《左傳注疏附校勘記》　〔清〕嘉慶二十年重刊宋本，阮元撰《校勘記》。（臺北：新文豐出版公司影印）

《荀子集解》　〔唐〕楊倞注、〔清〕王先謙集解，臺北：世界書局《增訂中國學術名著》第一輯本。

《呂氏春秋集釋》　許維遹集釋，北平：清華大學，民國二十四年（1935年）。（臺北：鼎文書局影印於《呂氏春秋集釋等五書》中）

《史記會注考證》〔日本〕瀧川龜太郎考證。（臺北：宏業書局影印）

《漢書》點校本　北京：中華書局。（臺北：鼎文書局影印）

《後漢書》點校本　同上。

《晉書》點校本　同上。

《眾家編年體晉史》　喬治忠校注，天津：天津古籍出版社，1989年。

《宋書》點校本　北京：中華書局。（臺北：洪氏出版社影印）

《隋書》點校本　同上。

《舊唐書》點校本　同上。

《方言校箋（附索引）》　周祖謨校箋，北京：中華書局，1993年。

《世說新語箋疏》　余嘉錫箋疏，上海：上海古籍出版社，1993年。

《洛陽伽藍記校釋》　周祖謨校釋，北京：中華書局，1963年。

《搜神後記》　汪紹楹校注，北京：中華書局，1981年。

《古小說鈎沈》　魯迅輯，臺北：唐山出版社，1989年《魯迅全集》第二卷本。

《阜寧縣新志》　吳寶瑜修、龐友蘭纂，民國二十三年（1934年）鉛印本。（臺北：成文出版社《中國方志叢書》影印）

《江蘇省鑑》　趙如珩編輯，民國二十四年（1935 年）鉛印本。（同上）

二、專著及論文部分

丁邦新　1966　〈如皋方言的音韻〉，《史語所集刊》36 下：573-633。

丁啓陣　1991　《秦漢方言》，北京：東方出版社。

中國社會科學院、澳大利亞人文科學院合編　1987　《中國語言地圖集》，香港：朗文出版公司。

王　恢　1984　《漢王國與侯國之演變》，臺北：國立編譯館。

———　1990　《史記本紀地理圖考》，同上。

王國維　1996　〈屈子文學之精神〉，收入氏著《靜庵文集續編》（上海：上海書店影印《王國維遺書》第三冊）：632-639。

石　方　1990　《中國人口遷移史稿》，哈爾濱：黑龍江人民出版社。

任式楠　1989　〈長江黃河中下游新石器文化的交流〉，收入《慶祝蘇秉琦考古五十五年論文集》（該書編輯組編，北京：文物出版社）：65-81。

何大安　1993　〈六朝吳語的層次〉，《史語所集刊》64.4：867-875。

何　浩　1989　《楚滅國研究》，武漢：武漢出版社。

余嘉錫　1997　〈釋傖楚〉，收入氏著《余嘉錫文史論集》（長沙：岳麓書社）：210-216。

吳必虎　1996　《歷史時期蘇北平原地理系統研究》，上海：華東師範大學出版社。

李白鳳　1981　〈徐夷考〉，收入氏著《東夷雜考》（濟南：齊魯書社）：94-112。

李世源　1990　《古徐國小史》，南京：南京大學出版社。

李家和、劉詩中　1992　〈春秋徐器與徐人活動地域初探〉，《歷史地理》10：162-168。

李裕民　1986　〈楚方言初探〉，《山西大學學報》1986.2：62-67。

李學勤　1989　〈關于楚滅越的年代〉，收入氏著《李學勤集——追溯·考據·古文明》（哈爾濱：黑龍江教育出版社）：248-254。

———　1990　〈從新出青銅器看長江下游文化的發展〉，收入氏著《新出青銅器研究》（北京：文物出版社）：261-271。

———　1991　《東周與秦代文明》（增訂本），北京：文物出版社。

周振鶴　1982　〈西漢諸侯王國封域變遷考〉（上）（下），《中華文史論叢》1982.3：267-305，1982.4：133-194。

周振鶴、游汝杰　1986《方言與中國文化》，上海：上海人民出版社。

林語堂　1933　〈前漢方音區域考〉，收入氏著《語言學論叢》（上海：開明書店）：16-44。（臺北：文星書店影印）

姜亮夫　1984　〈荊楚名義及楚史地　附：三楚說〉，收入氏著《楚辭學論文集》（上海：上海古籍出版社）：197-212。

南京博物院　1991　〈近十年來江蘇考古的新成果〉，收入《文物考古工作十年1979－1989》（文物編輯委員會編，北京：文物出版社）：101-115。

案：此書封面內頁為「1990年」、版權頁為「1991年」；今從後者。

紀仲慶、車廣錦　1984　〈蘇北淮海地區新石器諸文化的再認識〉，《考古學文化論集》2：199-212。

唐長孺　1955　〈讀抱朴子推論南北學風的異同〉，收入氏著《魏晉南北朝史論叢》（北京：三聯書店）：351-381。

袁家驊等　1989　《漢語方言概要》（第二版），北京：文字改革出版社。

徐少華　1994　《周代南土歷史地理與文化》，武昌：武漢大學出版社。

馬世之　1995　《中原楚文化研究》，武漢：湖北教育出版社。

張之恒　1988　《中國新石器時代文化》，南京：南京大學出版社。

張正明　1987　《楚文化史》，上海：上海人民出版社。

張光直　1989　〈中國相互作用圈與文明的形成〉，收入《慶祝蘇秉琦考古五十五年論文集》（該書編輯組編，北京：文物出版社）：1-23。

案：據此文標題下小注，此文原爲作者 *The Archaeology of Ancient China*（1987 年第四版）第五章，今節譯，刊入集中。

陳寅恪　1977a　〈魏書司馬叡傳江東民族條釋證及推論〉，收入氏著《陳寅恪先生論文集》上冊（臺北：九思出版公司）：531-566。

———　1977b　〈東晉南朝之吳語〉，收入同上下冊（同上）：1179-1184。

———　1977c　〈述東晉王導之功業〉，收入同上補編（同上）：1-21。

陳達祚、朱江　1973　〈邗溝遺址與邗溝流經區域文化遺存的發現〉，《文物》1973.12：45-54。

陳懷荃　1987　〈東陵考釋〉，《楚文化研究論集》1：268-280。

舒大剛　1994　《春秋少數民族分佈研究》，臺北：文津出版社。

賀　巍　1985　〈河南山東皖北蘇北的官話（稿）〉，《方言》1985.3：163-170。

楊　寬　1997　《戰國史》（1997 增訂版），臺北：臺灣商務印書館。

楊樹達　1974　〈王孫遺諸鐘跋〉，收入氏著《積微居金文說·甲文說》（臺北：大通書局）：38-39。

案：此〈王孫遺諸鐘跋〉本爲《金文說》中一篇。《金文說》原 1952 年北京：中國科學院出版，1959 年又有增補本。今無法確定大通書局係據初本或增補本影印；出版年份及出版社姑繫於 1974、大通書局。

董楚平　1990　〈楚敗越過程考略〉，收入《百越民族研究》（中國百越民族史研究會編，南昌：江西教育出版社）：194-205。

———　1992　《吳越徐舒金文集釋》，杭州：浙江古籍出版社。

葛劍雄　1997　《中國移民史：先秦至魏晉南北朝時期》（爲全套第二卷），福州：福建人民出版社。

鄒逸麟（主編） 1993 《黃淮海平原歷史地理》，合肥：安徽教育出版社。

蒙文通 1993 〈《史記·越世家》補正〉，收入氏著《古族甄微》書中之《越史叢考》部分，成都；巴蜀書社。

劉君惠、李恕豪、楊鋼、華學誠 1992 《揚雄方言研究》，成都：巴蜀書社。

劉和惠 1995 《楚文化的東漸》，武漢：湖北教育出版社。

魯國堯 1988 〈泰州方音史與通泰方言史研究〉，《アジア·アフリカ語の計數研究》30：149-224。

蕭 璠 1973 《春秋至兩漢時期中國向南方的發展》，臺北：臺灣大學文學院文史叢刊之四十一。

錢 穆 1956 《先秦諸子繫年》上下冊，香港：香港大學出版社。

——— 1968 《史記地名考 附：序例、總目、索引》，香港：龍門書店。

——— 1982 〈楚辭地名考〉，收入氏著《古史地理論叢》（臺北：東大圖書公司）：96-133。

鮑明煒 1993 〈江淮方言的特點〉，《南京大學學報》1993.4：71-76, 85。

鮑明煒、顏景常 1985 〈蘇北江淮話與北方話的分界〉，《方言》1985.2：105-118。

顏 森 1986 〈江西方言的分區（稿）〉，《方言》1986.1：19-38。

羅常培、周祖謨 1958 《漢魏晉南北朝韻部演變研究》上冊，北京：科學出版社。

譚其驤（主編） 1982a 《中國歷史地圖集：原始社會·夏·商·西周·春秋·戰國時期》（爲全套第一冊），上海：地圖出版社。

———————— 1982b 《中國歷史地圖集：秦·西漢·東漢時期》（爲第二冊），同上。

———————— 1982c 《中國歷史地圖集：三國·西晉時期》（爲第三

冊），同上。

譚其驤　1987a　〈秦郡界址考〉，收入氏著《長水集》上冊（北京：人民出版社）：13-21。

———　1987b　〈西漢地理雜考〉，收入同上（同上）：91-98。

———　1987c　〈晉永嘉喪亂後之民族遷徙〉，收入同上（同上）：199-223。

嚴耕望　1975　〈揚雄所記先秦方言地理區〉，《新亞書院學術年刊》17：37-56。

蘇秉琦　1978　〈略論我國東南沿海地區的新石器時代考古——在長江下游新石器時代文化考古學術討論會上的一次發言提綱〉，《文物》1978.3：40-42。

饒宗頤　1969　〈吳越文化〉，《史語所集刊》41.4：609-636。

顧頡剛　1959　〈禹貢（全文注釋）〉，收入《中國古代地理名著選讀》1（侯仁之主編，北京：中華書局）：1-54。（香港：中華書局重印）

鶴　立　1991　〈濱海方言概述〉，《阜寧人》9：99-100。

案：據文末編著所附按語，作者爲《鹽城市志·方言篇》執筆人，此文係〈方言篇〉「概論」章，《阜寧人》刊載並冠以目前的名稱。

Coblin, W. South　1983　*A Handbook of Eastern Han Sound Glosses*, Hong Kong : The Chinese University Press.

Serruys, Paul L-M. C.I.C.M.　1959　*The Chinese Dialects of Han Time according to FANG YEN*, Berkeley and Los Angeles : University of California Press.

說「奉觴上壽」

彭美玲*

古人時有「奉觴上壽」之事，❶此事在古代禮文中嘗出以多種面目，其間並呈現古人的生活、思想，乃至親親、尊尊等政教倫理關係，實具有豐富意涵可供研討。從字面看來，「奉觴上壽」的意思是捧酒滿杯，❷祝福對方長命百歲，❸今人極可能視之爲古人的慶生祝壽儀式。然而「生日之禮，古人所無」，清顧炎武已發之；❹近人呂思勉亦論及「古人不重生日」，❺「生日稱慶，古無有也」。❻鄭土有更明指「上壽」與「做壽」的區別：

> 「獻酒上壽」是漢代以前（包含漢代）較為盛行的一種禮儀——酒宴上晚輩（或位卑者）向長輩（或位尊者）敬酒祝壽。……從史料記載看，漢代以前唯有「獻酒上壽」之舉，尚沒有做壽活動。「獻酒上壽」雖然含有祝願年長者健康長壽的意思，但不是在生日這天舉行，所以只能算是做壽禮俗的萌芽階段。❼

---

* 國立臺灣大學中文系助理教授。

❶ 如《戰國策·秦策五》「王觴將軍，將軍為壽於前」，類似事例所在多有，不煩遍舉。

❷ 《說文》：「觴，觶實曰觴，虛曰觶。」

❸ 《說文》：「壽，久也。」《釋名》、《廣雅》說同。

❹ 《日知錄》（臺北：商務印書館，1956年），卷17「生日」條。

❺ 《讀史札記》（臺北：木鐸出版社，1983年），頁264。

❻ 《讀史札記》，同前注，頁1046。

❼ 〈做壽習俗的歷史發展及其文化內涵〉，《中國民間文化》（上海：學林出版社，1992年），第7集。

此說清晰釐辨「上壽」非古人的慶生祝壽儀式，足以導正一般人可能產生的誤解。❽又按清錢大昕云：「古有上壽之禮，無慶生之禮。」❾可知「上壽」固不等於「慶生」，彼此卻稍有神似相通之處，故錢氏予以並提。宋葉氏嘗引梁元帝、唐太宗故事，云：

> 前世人主未以生日為重，而慶賀成俗已久矣。❿

所謂「慶賀成俗」，當即指「奉觴上壽」等情事而言。唐以後由皇室發展蔚爲定制的壽誕節日，⓫則確切援用了前代的「奉觴上壽」習俗，顯見上壽儀俗的歷史轉折就在初唐。李岩齡等談到：

> 初唐以前，帝王們的生日還沒有形成一個固定的節日，因此也沒有專門慶祝帝王生日的禮儀。除了在元旦、冬至這兩個節日為帝王祝壽外，還可以因各種理由，隨時為帝王祝壽，但那往往是表示歡慶的祝頌性的言行，並非生日的祝壽。中國帝王以生日為節始於唐玄宗，……不同於此前遇有喜慶事情時的「奉觴上壽」之類的活動。⓬

---

❽ 王翠君亦曾指出，慶生禮俗應同時具備「過渡性」和「循環性」，而古時「上壽」既不具備「過渡性」也不具備「循環性」，可知「上壽」並非慶生之禮。見《唐宋慶生禮俗研究》，（臺中：東海大學中國文學研究所碩士論文，1998 年葉師國良先生指導），頁 7、18。所謂「過渡性」是指世俗一年一度的慶生活動，與冠、婚、喪、祭諸禮同樣含有「過渡儀式」的性質；「循環性」則指一般慶生例以每周年或每十周年為一循環。

❾ 《十駕齋養新錄》（臺北：鼎文書局，1979 年），卷 19「生日」條。

❿ 《愛日齋叢鈔》（臺北：廣文書局，1971 年），卷 5。

⓫ 玄宗以後，唐、五代皇帝除個別例外，生辰皆置誕節，照例鋪張慶祝，此風歷宋、元、明、清而不衰。見張澤咸：〈唐代的誕節〉，《魏晉南北朝隋唐史資料》（武漢：武漢大學出版社，1991 年），第 11 期，頁 129-137。

⓬ 《中國宮廷禮俗》（天津：天津人民出版社，1991 年），頁 277。

這段陳述，指出了古人上壽的幾個特點：(1)因各種理由的，(2)隨時可行的，(3)表示歡慶的。此說差得其實。至於唐以前源遠流長的「奉觴上壽」，究竟其起源如何，以及有何演變發展，應是一項值得探討的課題。本文擬參酌相關文獻，以唐以前爲主要範圍，略事探討，期能進一步了解古人上壽的相關儀俗及其深層的文化義蘊。

壹、名義與源流的釐清

在世傳文獻中，「奉觴上壽」連言使用爲成語，似以漢初司馬遷最早。如《史記·滑稽列傳》所載淳于髡語，即以「奉觴上壽」爲言；又〈報任安書〉述及「（李）陵未沒時，使有來報，漢公卿王侯皆奉觴上壽」。續就《史記》全書觀之，或作「爲壽」、⓭「爲某人壽」，⓮或作「上壽」、⓯「奉觴上壽」。⓰因此，就名義的發展而言，可約略將「上壽」區分爲三種形式：

一、有其事而無其名

人生在世，對於生命的熱愛，長生的企求，應是與生俱來，不教而能的。這種惜年求壽的概念，不僅散見於《詩經》、金文，戰國時期著成的《尙書·洪範》提拈「五福」之說，⓱亦以壽爲首。⓲然而，以祝福爲要旨的「上壽」

⓭ 如〈留侯世家〉「項伯見沛公，沛公與飲，為壽，結賓婚」，〈呂不韋列傳〉「子楚從不韋飲，……因起為壽」。

⓮ 如〈荊燕世家〉劉澤「用金二百斤為田生壽」，〈魯仲連鄒陽列傳〉「平原君乃置酒，酒酣，起前，以千金為魯連壽」（《戰國策·趙策三》同）。

⓯ 如〈孝武本紀〉「天子從封禪還，坐明堂，臣更上壽」，〈滑稽列傳〉「秦始皇時，……殿上上壽呼萬歲」。

⓰ 除〈滑稽列傳〉淳于髡語外，〈高祖本紀〉漢九年（西元前198年）「未央宮成，置酒前殿，太上皇輦上坐，帝奉玉卮上壽」亦差近之。

⓱ 〈洪範〉「五福」：「一曰壽，二曰富，三曰康寧，四曰攸好德，五曰考終命。」

一詞，起源較晚，先秦古籍初不見其定名習稱。僅就禮書來說，今本《儀禮》十七篇固涵蓋周代貴族冠、婚、喪、祭、鄉、射、朝、聘諸禮，卻不見有關「上壽」的明文記載，至於年代稍後的《周禮》及漢儒傳述的《禮記》二書亦然。可知當時「上壽」並未能構成某項專禮，在禮文活動中似也稱不上是顯著而重要的儀節。不過，古人在會見言談之間，向對方致意而祝壽，早已蔚爲流俗；相關場面的描寫，屢見於《詩經》、金文等資料中，由於它重覆出現，情境類似，已具有一定的儀式意義。

以《詩經》爲例，對於福壽的企求想望比比皆是，其中如〈豳風·七月〉是世所傳誦的名篇，它歷述了周人一年四季的農業生產活動。値得一提的是，中以「十月穫稻，爲此春酒，以介眉壽」句爲伏筆，篇末則以「躋彼公堂，稱彼兕觥，萬壽無疆」句作結，前後對照，知此數句應即描述奉觴上壽無疑。只不過，它並不如若干論者所理解，認爲它「反映了春秋時期人們在壽筵上爲人祝壽的熱鬧場景」。[19]

另方面，雅、頌中爲數不少的頌讚詩和祭祀詩，尤經常以類似的口吻稱福稱壽[20]。粗略分析之下，可發現其中一類是祭祀孝享之時，子孫向祖先祈求福壽；另一類是歌功頌德之間，臣民對君主祝以福壽。由此觀之，古人祈求福壽的行徑，似隱含著由神道而人文的轉化歷程。最初，在祭祀詩裡，天和祖考是主要的祈求對象，賜福賜壽非上天及祖先則不能。例如：

---

[18] 時惟《莊子·天地》為表達其「不樂壽、不哀夭」的矯俗觀點，故有「封人三祝」的反諷寓言。據〈天地〉所載，堯觀乎華，華封人以「壽、富、多男」祝之，堯卻以為「多男子則多懼，富則多事，壽則多辱」，故辭。

[19] 杜家驥：《中國古代人際交往禮俗》（北京：商務印書館，1996 年），頁 149。

[20] 清毛奇齡謂古有祝壽文而無慶生日文：「若雅頌所載，則隨地稱祝，如〈棫樸〉、〈行葦〉、〈載見〉、〈江漢〉、〈閟宮〉、〈楚茨〉、〈信南山〉（所引詩句從略），並與生日無與焉。」見《西河集·古今無慶生日文》（臺北：臺灣商務印書館，1986 年影印《四庫全書》本），卷 123，頁 7。

(1)〈小雅·天保〉：「吉蠲為饎，是用孝享；禴祠烝嘗，于公先王；君曰卜爾，萬壽無疆。」㉑

(2)〈小雅·楚茨〉：「先祖是皇，神保是饗；孝孫有慶，報以介福，萬壽無疆。」「既醉既飽，小大稽首；神嗜飲食，使君壽考。」

(3)〈小雅·信南山〉：「曾孫之穡，以為酒食；畀我尸賓，壽考萬年。」㉒「（瓜）是剝是菹，獻之皇祖；曾孫壽考，受天之祜。」㉓「是烝是享，苾苾芬芬，祀事孔明；先祖是皇，報以介福，萬壽無疆。」

(4)〈大雅·行葦〉：「曾孫維主，酒醴維醹；酌以大斗，以祈黃耇。」

(5)〈周頌·雝〉：「燕及皇天，克昌厥後；綏我眉壽，介以繁祉。」

(6)〈周頌·載見〉：「率見昭考，以孝以享，以介眉壽。」

(7)〈魯頌·閟宮〉：「孝孫有慶，俾爾熾而昌，俾爾壽而臧。」

(8)〈商頌·烈祖〉：「鬷假無言，時靡有爭；綏我眉壽，黃耇無疆。」

以上各詩多描述祭祀祖考的場合，子孫是如何敬謹將事，祭品是如何豐潔，禮儀是如何莊重，以致能感動神明的降臨，使其歡喜享用祭品，並爲世間人子賜福賜壽。㉔比較特殊的是〈小雅·甫田〉：「黍稷稻粱，農夫之慶；報以介福，萬壽無疆。」此詩既言「農夫之慶」，與他篇所謂「孝孫（曾孫）有慶」不同，故鄭《箋》隨文立義而云：「年豐則勞賜農夫益厚，既有黍稷，加以稻粱。報

㉑ 鄭《箋》云：「『君曰卜爾』者，尸嘏主人，傳神辭也。」孔《疏》則云：「由王齊敬絜誠，神歆降福，先君之尸嘏予主人曰：『予爾萬年之壽，無有疆畔境界。』言民神相悅，所以能受多福也。」

㉒ 鄭《箋》云：「尊尸與賓，所以敬神也。敬神則得壽考萬年。」

㉓ 鄭《箋》云：「獻瓜菹於先祖者，孝子之心也。孝子則獲福。」

㉔ 《儀禮·少牢》亦云：「皇尸命工祝承致多福無疆于汝孝孫。」

者，爲之求福助於八蜡之神，㉕萬壽無疆竟也。」然則周人祈求福壽的對象，固以天與祖先爲主，間亦旁及家外諸神。

要之，在周代的祭祀詩篇裡，普遍可見的是祀神得福的觀念。㉖如《詩經》習見「以介眉壽」、「以介景福」的成語，鄭《箋》固皆訓「介」爲「助」，考諸金文，介當讀爲「匄」，意即求也。此顯然有別於《禮記·禮器》「祭祀不祈」及鄭《注》「祭祀不爲求福」的人文論調。

值此同時，頌讚詩裡卻可看到另一種情形，那就是在古人觀念裏，頌讚者雖沒有明白的求告對象，但只要抒以誠悃，言辭懇切，其語言就具有相當的心理效力，足使所求實現。如〈秦風·終南〉：「君子至止，黻衣繡裳；佩玉將將，壽考不忘。」〈小雅·蓼蕭〉：「既見君子，爲龍爲光；其德不爽，壽考不忘。」或形容其服飾威儀，或讚歎其氣度修養，而總以祝頌長壽終其篇章。〈大雅·江漢〉更敘及周宣王時期召穆公虎平定淮夷有功，在冊命典禮上「虎拜稽首，天子萬年」，顯即一邊下拜行禮謝主隆恩，一邊口稱萬歲加以頌揚。

復以兩周金文爲例。商、周貴族所鑄造的鐘鼎多屬禮器，具有特殊的象徵意義，甚或以之爲人神交通的媒介物。㉗所載銘文不只是歌功頌德而已，銘文之末尤不時出現祈求福壽的祝頌語，如〈康鼎銘〉「頌其萬年眉壽無疆」，〈事伯碩父鼎銘〉「用祈匄百□眉壽綰綽永命萬年無疆」，〈康鼎銘〉「其眉壽萬

㉕ 按《禮記·郊特牲》云：「天子大蜡八。伊耆氏始為蜡。蜡也者，索也；歲十二月，合聚萬物而索饗之也。」可知蜡為歲末百物之祭，其神包括先嗇、司嗇、百種、農、郵表畷、禽獸（如貓、虎）、坊、水庸，大抵皆與農作收成之豐歉有關。

㉖ 據研究，古希臘羅馬文化也有類似的情形，「在人與神之間常有一種契約，人的誠敬必望回報，神的降福必由祭享。」見古朗士著，李宗侗譯：《希臘羅馬古代社會史》（臺北：中華文化出版委員會，1955年），頁140。

㉗ 張光直先生認為：「商周的青銅禮器是為通民神，亦即通天地之用的，而使用它們的是巫覡。」見〈商周青銅器上的動物紋樣〉，《中國青銅時代》（臺北：聯經出版事業公司，1983年），頁365。

年無疆」，除「眉壽」外，㉘又有所謂「永壽」、「考壽」、「魯壽」、「萬壽」等，其意義同指年命長久，㉙此類頌辭刻諸鼎彝，除了揭示古人立功揚名的心理，亦同時流露其「壽與金石固」的想望，此等現象應即爲「奉觴上壽」習俗之濫觴。

二、「為某人壽」

約自戰國以降，經傳所見「上壽」事例有愈多愈明的趨勢。只是，當時「奉觴上壽」尚未習用爲成語，而多半以「某人以某物爲某人壽」的形式出現。按壽本訓「久」，即長命百歲之義，原屬名詞；至如「爲某人壽」之壽，則爲名詞轉化動詞用，意爲祝壽、祝福對方長命百歲。以鮑叔牙上壽於齊桓的故事爲例（參後文），其事分見《管子·小稱》、《呂氏春秋·直諫》及《新序·雜事四》等，桓公因有三種說詞：

> 闔不起為寡人壽乎？（《管子》）
>
> 何不起為壽？（呂書）
>
> 姑為寡人祝乎？（《新序》）

俱不以「上壽」爲名，由此可見上壽一詞應屬後起，初時只云「爲壽」，甚或逕以「祝」稱之，而此「祝」非僅後世觀念中的口語祝福而已，其間實暗寓某種巫術手段或宗教信仰的意念，即以善意的言語向上天神祇祝禱祈求。

而就實例看來，古人甚至逕以「爲壽」爲特殊的社交手段，若對某人有所請託，甚或彼此之間有某些利害關係時，經常以禮物相饋贈，在辭令上則藉「爲

㉘ 詳李旭昇先生：〈豳風七月眉壽古義新證〉，《詩經古義新證》（臺北：文史哲出版社，1994年），頁137-141。

㉙ 王讚源：《周金文釋例》（臺北：文史哲出版社，1980年），頁18。

壽」爲名，以傳達「謹獻上一份薄禮聊表心意，希望您添添福壽」的意思。如戰國時嚴仲子爲求勇士聶政，「具酒自觴聶政母前，酒酣，嚴仲子奉黃金百鎰，前爲聶政母壽」，㉚可見有時「爲壽」也可能發生在原本無甚關係的人物之間，成爲彼此社交的一道橋梁，促成相互間的訂盟與交易行爲。

自前一階段的「經無稱名」，到此一階段的「以『爲某人壽』爲名」，可連帶論及「奉觴上壽」的起源問題。此一習俗最早始於何時，實難確切予以解答，因爲它的雛形（或說原型）可能在原始文化時期即已產生，㉛由於年代渺遠，事跡難徵，姑且存而不論。至於學者由載籍的角度稽考其起源，或認爲春秋時即有之，或認爲戰國時始出現。如高承《事物紀原》據《史記》〈項羽本紀〉、〈淳于髡傳〉而云：

> 《通典》曰：《禮》有獻酬，無上壽。……（此上壽）皆戰國時事，蓋不自漢始也，春秋之間亦無聞焉，疑即七雄之禮云。㉜

考覈舊典，可知其說係將各處「非灼然明文，要是彷彿其事」的記載排除，故得出「上壽爲戰國時禮」的論斷。章太炎則云：

> 以酒養老，祝之，則曰「上壽」，此秦、漢語也。……《詩》曰：「為此春酒，以介眉壽。」此非起於秦、漢也。㉝

㉚ 《戰國策·韓策二》、《史記·刺客列傳》。

㉛ 「原始宗教的一些儀式，常常是或被看作是社會活動。『為某人健康乾杯』，據泰勒的解釋，這種儀式最初出現在喪禮上，飲用的是一種與喪禮有關的神秘飲料。今天已經變成了為歡慶的目的了。」見楊國章：《原始文化與語言》（北京：北京語言學院出版社，1992年），頁43。

㉜ 《事物紀原》（臺北：臺灣商務印書館，1965年影印《叢書集成簡編》本），卷1。

㉝ 《文始》（臺北：廣文書局，1970年），卷7。

章氏認爲，「上壽」此一辭彙固流行於秦、漢以後，然而「上壽」之禮卻早在豳詩年代㉞已有之。又如《左傳·哀公二十五年》「公宴於五梧，武伯爲祝」，《正義》以「祝，上壽酒」爲解㉟，據此可推，孔穎達等人亦必認爲上壽之俗非晚起於戰國，春秋時已有之。

其次，「上壽」的意義應如何界定呢？歷來不免言人人殊，有扣緊字面作解者，亦有望上下文以爲義者：

㈠　早期上壽活動泛及一般祝福

漢以前，上壽既爲上下通行的交際方式之一，較不受嚴格的套式所拘，故其意涵也較爲寬泛。按〈魯頌·閟宮〉「魯侯燕喜，令妻壽母」句，鄭玄《箋》云：

> 僖公燕飲於內寢，則善其妻，壽其母，謂為之祝慶也。

葉師國良先生許其說，並賜書教示云：

> 凡祝辭，以《莊子·天地》「封人三祝」最符人情。蓋雖云上壽，實則不只祝人壽而已，其他祝辭亦以「壽」括之耳。鄭箋〈閟宮〉，解「令妻壽母」之「壽」為「祝慶」，得之。㊱

㈡　後世上壽禮儀側重祝賀長壽

㉞　豳詩時地論者紛紛，舊儒多遵序說而目為周公之詩。傅斯年先生、屈萬里先生則以豳詩造語平易，疑其非西周初年之作，見屈著《詩經詮釋》（臺北：聯經出版事業公司，1983年），頁261-262。徐中舒亦撰文論證豳風非成於西周初年，所詠非陝西涇上之土風。

㉟　按《戰國策·齊策二》「犀首跪行，為（張）儀千秋之祝」句，亦合施用此注。

㊱　王翠君進一步發揮師說：，謂「上壽」活動並非僅限於祝頌長壽，而是泛及一般祝福的辭語。見《唐宋慶生禮俗研究》，同注❽，頁17。

據考證「『延年益壽』爲先秦兩漢人之習俗語，兩漢瓦當文尤爲普遍。」[37]這個現象生動地揭露「上壽」風習的心理基礎。而僅就簡潔的「上壽」一詞或行禮間著爲定式的「謹上千萬歲壽」一語觀之，「上壽」之「壽」，只宜作名詞解，「上壽」亦只能解爲祝壽。如唐顏師古云：

> 凡言「為壽」，謂進爵於尊者，而獻無疆之壽。[38]

唐李賢則云：

> 壽者人之所欲，故卑下奉觴進酒，皆言「上壽」。[39]

唐尹知章注《管子·小稱》「爲寡人壽」亦云：

> 奉尊者酒，祝令增壽。

三人不約而同地指陳「爲壽」、「上壽」的基本概念——⑴以祝壽爲要旨，⑵以卑行於尊爲常，其說本無不妥。惟對勘〈閟宮〉鄭《箋》細味之餘，始知鄭說雖意在解經，反能會通上下文，完整呈示「爲壽」、「上壽」此一禮儀活動在現實生活中的使用意涵；顏、李、尹俱爲唐人，注史之際或不免受到後世禮文的影響，遂對於「爲壽」、「上壽」做出較質直的詮解。

除前揭二說之外，明張自烈《正字通》另云：

---

[37] 陳直：《史記新證》（臺北：學海出版社，1980年），頁124。

[38] 《漢書·高帝紀·注》。

[39] 《後漢書·明帝紀·注》。

凡以金帛贈人曰壽。

此說則反映「爲壽」、「上壽」另一種片面的習慣。一般而言，正規的「爲壽」、「上壽」係敬酒兼祝福，禮數始稱完足，按如淳注《史記·魏其武安侯列傳》「武安起爲壽」即云：「上酒爲稱壽也，非大行酒。」原典字面止見「爲壽」，而說者卻必言「上酒」，且點明此酒旨在「稱壽」，迥異於一般酬酢性質的「行酒」，這是很值得注意的。有時未見用酒，或由於語簡文約之故；抑或不以進酒爲必要，而視事態之輕重附贈其他金帛財物。

綜言之，「爲壽」、「上壽」其初實涵蓋較寬泛的意義，不僅以祝壽爲主，每亦連及其他各項祝福；後世則因禮文演變而強調祝壽的本旨。兩者的內涵固稍有差距，大體尚可相容不悖。

三、「奉觴上壽」

如前所述，上壽風習歷經西周、春秋、戰國至秦，不僅蔚然成俗，其名義亦迭有發展，漢初更顯見其制度化、朝禮化。不過就歷史現象的全面來說，長期以來「奉觴上壽」實呈現禮俗並行的局面。除了前引經傳子史以外，文士之詩文亦提供雙面的例證。如漢揚雄〈甘泉賦〉「想西王母，欣然而上壽兮」，[40]係以想像神遊之筆向神祇獻瑞；他如魏曹植〈箜篌引〉「主稱千金壽，賓奉萬年酬」，[41]吳質〈答魏太子牋〉「置酒樂飲，賦詩稱壽」，[42]南朝宋謝惠連〈月賦〉「迺命執事，獻壽羞璧」，[43]齊王融〈三月三日曲水詩序〉「上陳景福之

---

[40] 〔南朝梁〕蕭統撰，〔唐〕李善注：《文選》（上海：上海古籍出版社，1986年點校本），卷7。

[41] 《文選》，同前注，卷27。

[42] 《文選》，同前注，卷40。

[43] 《文選》，同前注，卷46。

賜，下獻南山之壽」44，所描述的不外是當朝權貴與文士集團「憐風月、狎池苑、述恩榮、敘酣宴」45的一面；相對地，晉潘岳〈閑居賦〉「稱萬壽以獻觴，咸一懼而一喜」，46所寫的卻是個人因「太夫人在堂，有羸老之疾」的緣故，絕意寵榮，退而閑居，「或宴于林，或禊于汜」，亦時有「奉觴上壽」之事。兩相對照，可知「上壽」實爲官方、民間兼舉並存的文化活動。

㈠　漢以後官方上壽例行於各式朝禮

自漢以降，史傳時見「奉觴上壽」的明文記載，朝廷儀注亦明定「上壽」之禮。先前的「爲壽」，此後多改以「上壽」的名目出現。市井民間固仍奉行不替，至於王朝禮方面，大漢帝國初立，隨著政權轉移、天下一統，「奉觴上壽」亦正式納入官方禮典，廣爲各項喜慶節日錦上添花，顯然進入了新的發展階段。在帝王公侯的倡行運作下，它被賦予深沉典重的政教意味，其儀式益趨精緻莊嚴，更刻意凸顯君臣之序、尊卑之別。時官方上壽自有若干慣例：

1.用於朝賀

大體而言，古代所謂朝賀，例行於歲首、元旦、冬至及聖節等時令。47歲首朝賀上壽者，如漢七年（西元前200年）長樂宮新成，十月（按：即漢之歲首），群臣百官依叔孫通所訂朝儀，行朝歲之禮：

> 於是皇帝輦出房，百官執戟傳警，引諸侯王以下至吏六百石，以次奉賀。……至禮畢，復置法酒，諸侍坐殿上皆伏，抑首，以尊卑次起，上

44　《文選》，同前注，卷13。

45　《文心雕龍·明詩》。

46　《文選》，同前注，卷16。

47　關於古代朝賀的沿革，〔清〕秦蕙田嘗云：「案古者有朝覲之禮，無朝賀之文。秦改封建為郡縣，始有朝十月之禮；漢叔孫通起朝儀，其制始詳，大朝會實始於此。其冬至稱賀昉於魏、晉，千秋之節始於有唐，前明以元正、冬至、聖節為三大節，我（清）朝因之。」見《五禮通考》（臺北：聖環圖書公司，1994年影本），卷136，頁1。

壽觴，九行。㊽

值得注意的是，叔孫通新訂漢儀並非師心自用，而係「頗采古禮與秦儀雜就之」，其中「上壽觴九行」的節目亦必前有所承，極可能採自「古禮」與「秦儀」的部分。《後漢書·禮儀志》進一步詳載：

每歲首正月㊾為大朝，受賀。其儀：夜漏未盡七刻，㊿鐘鳴，受賀及贄——公侯璧，中二千石、二千石羔，千石、六百石鴈，四百石以下雉。百官賀正月，二千石以上上殿稱萬歲，舉觴御坐前。司空奉羹，大司農奉飯，奏食舉之樂；百官受賜宴饗，大作樂。51

入漢以來，「奉觴上壽」既固定爲朝賀節目之一，尤以元旦朝賀最稱隆重。不但群臣百官仿古獻贄，52奉觴上壽，口呼萬歲，典禮復舉用成套的宴享及音樂。班固〈東都賦〉嘗鋪陳描述之：

春王三朝，53會同漢京。……於是庭實千品，旨酒萬鍾；列金罍，班玉

㊽ 《史記·叔孫通列傳》。

㊾ 原作「每月朔歲首」，此據盧校從《通典》而改，見〔劉宋〕范曄：《後漢書》（臺北：鼎文書局，1991年點校本），冊5，頁3139。

㊿ 按鄭玄注《周禮·春官·雞人職》云：「夜，夜漏未盡，雞鳴時也。」此「夜漏未盡七刻」，當謂夜漏未盡七刻之前。

51 又蔡質《漢儀》亦稱：「正月旦，天子幸德陽殿，臨軒。……（眾人）位既定，上壽。」見《後漢書·禮儀志中》李賢《注》引。

52 按《禮記·曲禮下》云：「凡摯，天子鬯，諸侯圭，卿羔，大夫鴈，士雉。」此與前引禮志所載的各級贄禮，有明顯的傳承比附關係。

53 按李善《注》云：「三朝，歲首朔日也。」又《尚書大傳》云：「正月一日為歲之朝、月之朝、日之朝，故曰三朝，亦曰三始，始猶朝也。」又《玉燭寶典》云：「正月為端月，其一日為上日，亦云三元，謂歲之元、月之元、時之元也。」然則古來對於正月元旦稱呼

> 觴；嘉珍御，太牢饗。爾乃食舉雍徹，太師奏樂；陳金石，布絲竹；鐘鼓鏗鎗，管絃燁煜。……萬樂備，百禮暨；皇歡浹，群臣醉；降絪縕，調元氣。然後撞鐘告罷，百寮遂退。[54]

其儀式之典雅隆重，可見一斑。值得注意的是，朝禮音樂亦配有歌辭，由晉、宋樂志著錄所見，〈王公上壽酒〉並以篇製短小爲特點，[55]而「上壽」之後又有「食舉」一節，所用歌詩則篇製獨長，[56]可證「上壽」費時少而「食舉」費時多。若衡量前後二禮的重要性，卻不能不說前者重而後者輕。[57]當時，「奉觴上壽」儼然已成爲元旦朝賀的核心節目。如東晉成帝咸康七年（西元 341 年）詔曰：

> 今既以天下體大，禮從權宜，三正之饗，宜盡用吉禮也。至娛耳目之樂，所不忍聞，故闕之耳。事之大者，不過上壽酒、稱萬歲。已許其大，不足復闕鐘鼓之吹也。[58]

由「三正之饗，事之大者，不過上壽酒、稱萬歲」數語，可知「奉觴上壽」本身所涉的人事儀物不尚繁費，宴享、音樂起的不過是綠葉紅花的陪襯作用。在皇室心目中，「上壽」之舉實爲天子備享尊榮的重要時刻。

不一，有三朝、三始、三元等別稱。

[54] 《文選》，同注[40]，卷 1。

[55] 晉、宋之間的上壽詩歌，如晉傅玄、荀勗所造，並為一章八句 32 字，惟前者採四言、後者採三、五言；餘如張華、成公綏、宋王韶之所造，甚至只有一章四句 16 字，亦三、五言。

[56] 如晉傅玄所造十三章計 208 字，荀勗所造十二篇計 704 字，張華所造十一章計 591 字。

[57] 陳戍國也說：「禮制史上往往有這種情形：禮儀的確十分簡單，但是意義重大，不可缺少。」見《魏晉南北朝禮制研究》（長沙：湖南教育出版社，1995 年），頁 15。

[58] 《晉書·樂志上》。

2.用於皇室冠禮

自東漢起，「奉觴上壽」又與日益崇隆的天子加元服禮並舉，(59)兩相輝映。時人黃香撰天子〈冠頌〉，篇末因有「咸進酌（本作爵）於金罍，獻萬年（本作壽）之玉觴」等句。(60)晉、宋沿之，皇帝或太子冠畢，並有「太保率群臣奉觴上壽，王公以下三稱萬歲，乃退」的儀節。(61)

皇家「上壽」除前兩項例行公事外，尚用於其他喜慶諸事，(62)史傳多見，茲不贅述。

㈡ 漢以後民間上壽相沿不絕

前文述及「奉觴上壽」固爲朝廷御用的重要禮儀，此一傳統在民間亦流行不輟。如《會稽典錄》云：

> 盛憲字孝章，與孔融結為兄弟。升堂見親，憲自為壽以賀其母。(63)

所謂「爲壽以賀」，總不外敬酒、贈禮。其次，皇家元旦朝賀行「奉觴上壽」，民間節俗亦不例外。如東漢崔寔《四民月令》載：

> 正月之旦，……絜祀祖禰，……進酒降神畢，……子婦孫曾各上椒酒于

---

(59) 詳參李隆獻先生：《儀禮士冠禮研究（二）——先秦成年禮與後世成年禮的比較研究》（臺北：國科會專題計畫報告，1998 年），第 2 章，第 2 節。

(60) 《通典》卷 56〈天子加元服〉。

(61) 分見《晉書·禮志下》、《宋書·禮志一》。

(62) 如漢武帝元鼎元年（西元前 116 年）前夕，汾陰得寶鼎，群臣上壽（《漢書·吾丘壽王傳》）。漢昭帝始元元年（西元前 86 年）春二月，黃鵠下建章宮太液池中，公卿上壽（《漢書·昭帝紀》）。漢明帝永平十七年（西元 74 年），儋耳降附貢獻，公卿上壽（《後漢書·明帝紀》）。

(63) 《北堂書鈔》（臺北：文海出版社，1962 年），卷 85，頁 6 引。

其家長，稱觴舉壽，欣欣如也。[64]

南朝梁宗懍《荊楚歲時記》：[65]

正月一日，……長幼悉正衣冠，以次拜賀，進椒柏酒，飲桃湯，進屠蘇酒、膠牙餳……。凡飲酒，次第從小起。[66]

俗傳椒酒、柏葉酒等均有益於養生避邪，故用於新春祝壽最宜。唐劉禹錫、白居易交情甚篤，時以詩文唱和，二人亦嘗於元日舉酒賦詩，劉云：「與君同甲子，壽酒讓先杯。」白云：「與君同甲子，歲酒合誰先？」可見民間元旦亦有友人舉酒賀歲祝壽的美俗。

有時官方文獻出現「如家人禮」的記載，可證知王朝禮與尋常百姓「家人禮」，[67]二者本有繁略文質的不同，故有此說。如《晉書·安平獻王孚傳》：

及元會，詔孚乘輿車上殿，帝於阼階迎拜。既坐，帝親奉觴上壽，如家人禮。

《舊唐書·穆宗蕭皇后傳》：

---

[64] 《四民月令》（臺北：新文豐出版公司影印《叢書集成續編》本）。

[65] 《荊楚歲時記》（臺北：新文豐出版公司影印《叢書集成續編》本）。

[66] 陳愛平指出此飲酒次序「與我們今天的敬酒次序截然相反」，見〈漢代飲酒習俗述論〉，《民俗研究》1995年第2期，頁55-61，意指其異於一般先尊後卑之常情，似以此事殊不可曉。按《四民月令》有說：「正月飲酒先小者，以小者得歲，先酒賀之；老者失歲，故後與酒。」

[67] 《史記·滑稽列傳》載，淳于髡嘗說齊王曰：「若親有嚴客，髡帣鞲鞠卺，侍酒於前，時賜餘瀝，奉觴上壽數起，飲不過二斗，徑醉矣。」此當即家人禮的若干描寫。

> 開成中，正月望夜，帝於咸泰殿陳燈燭，奏仙韶樂；二宮太后俱集，奉觴上壽，如家人禮。

這裡說皇帝以天子之尊向太后等奉觴上壽，而所行的卻是「家人之禮」，與殿陛之間朝中大禮不同，那麼民間自有一套「奉觴上壽」的禮儀，是顯而易見的了。

「奉觴上壽」與女性相關程度又如何？一般而言，文獻所反映以朝廷大禮居多，偶見士大夫社交禮，婦女生活得以展示的機會相對有限。不過，《隋書・禮儀志四》嘗載：後齊元日，中宮朝賀，禮畢，由公主一人向皇后上壽，其餘陳樂、御酒食、賜爵諸事，一如外朝。推而論之，世家大族財力有餘者，即使是女流家眷，亦不無照章行禮的可能。

正由於「奉觴上壽」並非帝王公侯的專利，其與民間家禮亦有一定的關係，古人慣稱的「萬歲」一詞，同樣不具嚴格的使用限制。如《戰國策・齊策四》載：「（馮諼）因燒其劵，民稱萬歲。」[68]可見早期的施用範圍實較為寬泛。清王先謙云：

> 古器物銘「用蘄萬年」、「用蘄眉壽」、「萬年無疆」之類，皆自祝之詞，知所謂「萬壽無疆」者，亦頌禱常語，不為異耳。[69]

胡承珙亦云：

> 或謂「萬壽無疆」當為人臣祝君之詞，不知舉觴稱壽乃古人飲酒之常。

---

[68] 〔宋〕鮑彪《注》謂：「祝孟嘗也。」（臺北：九思出版公司，1978 年），頁 398。

[69] 《詩三家義集疏》（臺北：鼎文書局，1973 年），卷 13，頁 11。

《禮·士冠禮》祝詞有曰「眉壽萬年」，亦不盡為祝君之語。(70)

趙翼並引據諸史傳事典而論：

「萬歲」本古人慶賀之詞。……蓋古人飲酒，必上壽稱慶曰「萬歲」，其始上下通用為慶賀之詞，猶俗所云「萬福」、「萬幸」之類耳。因殿陛之間用之，後乃遂為至尊之專稱。而民間口語相沿未改，故唐末猶有以為慶賀者。久之，遂莫敢用也。(71)

然則與「奉觴上壽」情形類似者，即「萬歲」一語在古人生活中的普用性，比起今人的一般印象亦高出許多。固然在古代封建帝制的威嚴下，象徵皇權的正朔、服色、典章、制度等皆有極嚴格的規定，上自王公下至百姓，動輒因犯上僭禮的罪名而受過遭殃，不過卻也有爲數不少的禮儀活動是充滿情味、上下通用的，長久以來「奉觴上壽」保持著禮俗並行的傳統，顯爲一項例證。

㈢ 唐以後增設聖誕節亦施用之

隋、唐以下，歷朝典禮沿用「奉觴上壽」而不墜。據《隋書·禮儀志》、《唐六典》、《唐開元禮》，節目概況大致爲：皇帝出西房坐定，群官入就位，上壽訖，上下俱拜，皇帝舉酒，上下舞蹈，三稱萬歲，其儀式頗稱細密繁複。然而唐時「上壽」卻發生了歷史性的轉折。蓋由於古人本不慶生，儘管「奉觴上壽」在日常生活中相當習見，唐以前卻與慶生禮了不相涉；入唐以後由於帝王的倡導，慶生禮俗大行其道，「上壽」始與生日禮相結合，因而在禮俗史上寫下我消彼長的新頁。

---

(70) 《毛詩後箋》（臺北：藝文印書館影印《續清經解》本），卷 15。

(71) 《陔餘叢考》（臺北：世界書局），卷 21「萬歲」條。

傳統中國所謂聖誕節，主要指的是當朝皇帝（有時包括皇太后甚或太皇太后）的生日。世人特重生日之俗，先是起於齊、梁；[72]人主別置誕節，則始於唐玄宗朝，[73]「天長節（初名千秋節），百僚上壽，多獻珍異」，[74]此即帝王生日上壽之始。[75]然而，正因為唐、宋以來慶生禮俗的聲勢日見盛大，初由帝王之家流播及士大夫階層，繼而更普遍到平民百姓之間；慶祝方式亦不斷推陳出新，踵事增華，除沿用前代設齋講道的習俗之外，又新增置節、休假、宴樂等種種措施，致使社會大眾改以歡樂的氣氛過生日，幾不復見舊時的恭敬肅穆之情。[76]人心既隨風習而改，「奉觴上壽」固仍保留於繁縟的禮文宴樂之中，原本活潑靈動的情貌卻已無從展現，光采亦大不如前。換言之，時至唐朝，「奉觴上壽」不單單為朝禮的定制之一，更進一步轉換其舞臺及角色扮演，聊為後起的慶生活動妝點顏色，以下姑置而不論。

貳、儀物暨原則的探討

一、「奉觴上壽」的儀物

㈠ 酒主養生

古人上壽之際，每多配合奉觴，箇中原因，自須從古人對飲酒的觀念談起。歷史上殷人沉湎於酒，以至亡國，《尚書·周書》遂有〈酒誥〉一篇，警惕臣民不得放縱飲酒。然而在古人看來，適度的飲酒則有助於養生，[77]更何況，酒

---

[72] 《日知錄》，同注[4]，卷 17「生日」條。

[73] 〔宋〕趙彥衛：《雲麓漫鈔》（臺北：世界書局，1982 年），卷 3。

[74] 《舊唐書·張九齡傳》。

[75] 清錢大昕指出，唐開元十七年（西元 729 年）八月五日玄宗誕辰，「群臣以是日獻甘露醇酎，上萬歲壽酒」，即帝王生日上壽之始。見《十駕齋養新錄》，同注[19]，卷 19「生日」條。

[76] 參王翠君：《唐宋慶生禮俗研究》，同注[7]，頁 2、21。

[77] 據《詩·賓之初筵·傳》、《詩·七月·箋》、《禮記·射義》，酒的功效在於安體、養老、養病等。

是古代禮文生活中不可或缺的重要角色。(78)漢人嘗言：「酒者，天之美祿，帝王所以頤養天下，享祀祈福，扶衰養疾。百禮之會，非酒不行。」(79)易言之，酒實即「百藥之長，(80)嘉會之好」。(81)漢文帝前元十六年（西元前 164 年），新垣平使人獻玉杯，即刻有「人主延壽」，(82)此飲器的寓義不僅點明古人「酒以養生」的食補食療思想，與古來之「奉觴上壽」亦當有一定的關聯性。

再者，朝禮上壽飲酒的時間，似也透露了古人「酒主養生」思想之一端。據《晉書·禮志》所載，元旦晨賀舉於「夜漏未盡七刻」之時；而後有晝會，舉於「晝漏上三刻」之時，百官始奉壽酒。按鄭玄注《周禮·夏官·挈壺氏職》云：「漏之箭，晝夜共百刻，(83)冬夏之間有長短焉。」歷來諸家所說刻數參差不同者，(84)蓋緣於古之刻漏隨四時寒暑彈性調整而致，故所謂「夜漏未盡七刻」、「晝漏上三刻」，今僅能以意略事推敲。「夜漏未盡七刻」指夜漏差七刻度即滿之時，「晝漏上三刻」則指晝漏起始甫過三刻度之時。據孔氏〈月令·疏〉

---

(78) 關於某一文化、社會或族群的飲酒行為，人類學家向來寄以高度的研究興趣。在排灣族研究個案中論者嘗言：「……大小儀禮慶典或日常生活時，都少不了以酒作為各種人際關係的媒介。……酒不僅繼續著其在宗教祭儀上用為向祖靈獻酒溝通的必備物，在社會儀禮交換、日常生活中，亦發揮其送禮、酬報、謝罪、助興之功能。」見許功明：〈排灣族古樓村規律性飲酒行為、習俗與規範之探討〉，《民族學研究所資料彙編》（臺北：中央研究院民族學研究所，1990 年），第 1 期，頁 83-99，這段敘述亦不妨借用來理解酒與中國人的關係。

(79) 《漢書·食貨志》載魯匡語。

(80) 酒少量飲用，可以通經活血，令人精神興奮；大量服用，則可使人麻醉。酒通血脈，可用於止痛；酒還有殺菌作用，可作消毒之用。酒有揮發和溶媒的性能，故又是常用的溶劑，因此人們常用酒來炮製藥物，並製成各種藥酒。見史蘭華等《中國傳統醫學史》（北京：科學出版社，1992 年），頁 28。

(81) 《漢書·食貨志》載王莽詔語。

(82) 《史記·封禪書》。

(83) 清孫詒讓據鄭《注》、賈《疏》說古刻漏之制云：「蓋壺以盛水為漏，下當有槃以承之。箭刻百刻，樹之槃中；水下槃內淹箭，以定刻數。」見《周禮正義》（北京：中華書局，1987 年點校本），卷 58，頁 2417。

(84) 說參《周禮正義》，同前注，卷 58，頁 2418-2420。

引蔡邕說：「日入後三刻、日出前三刻皆屬晝。」則「晝漏上三刻」正當日初出天初明的時刻。唐白居易在一首五言長律〈卯時酒〉詩中，即曾反覆稱道晨飲的妙處：

> 佛法讚醍醐，仙方誇沆瀣；未如卯後酒，神速功力倍。

古人既以卯時（今時制爲上午 5:00～7:00）飲酒爲佳，與《晉志》「晝漏上三刻」始奉壽酒的時間恰相符合，正可獲得「神速功力倍」的養生效果。因此，爲人祝壽必舉酒對飲，不但是以酒爲人我之間的一項潤滑機制，更是順理成章地借酒增壽。

古人會飲酬酢，依禮當盛酒滿觴，並須一飲而盡，即《漢書・敘傳》所謂「引滿舉白」，以示誠悃，[85]「奉觴上壽」時亦不例外，此與禮例「凡獻酒，禮盛者則啐酒、告旨」不同，[86]表示「奉觴上壽」和一般賓主酬酢的飲酒禮並不相當。關於「奉觴上壽」的細節流程，兩漢正史未見其詳，可藉《晉書・禮志》做一說明：

> 謁者引王詣罇，酌壽酒，跪授侍中，侍中跪置御坐前，王還，王自酌，置位前。謁者跪奏：「藩王臣某等奉觴再拜，上千萬歲壽。」四廂樂作，百官再拜，已飲，又再拜。

據此朝中「奉觴上壽」之禮有三方關係人，即施禮者（通常爲人臣、人子等卑者）、受禮者（通常爲人君、人父等尊者）及中介的相禮者（在朝通常由內侍

---

[85] 《漢書・敘傳》「及趙、李諸侍中皆飲滿舉白」，孟康《注》云：「舉白者，見驗飲酒盡不也。」今日飲酒亦喜傾杯示人，以見其盡。

[86] 〔清〕凌廷堪：《禮經釋例》（臺北：藝文印書館影印《清經解》本），卷3，第9例。

長擔任）。行禮時兩造皆必飲酒，而所飲之酒必由施禮者親酌，待來人致辭祝壽（有時由旁人代行），受禮者並無異議，雙方隨即一飲而盡。

晉禮儀注既明定「上壽酒」爲儀節，[87]且有一套綿密的飲酒禮儀：

> 咸寧注：……侍中、中書令、尚書令各於殿上上壽酒。登歌，樂升，太官又行御酒。御酒升階，太官令跪授侍郎，侍郎跪進御坐前，乃行百官酒。[88]

整個飲酒過程包含三部分：上壽酒→行御酒→行百官酒，依稀彷彿襲用了《儀禮》鄉飲酒禮的基本模式。[89]惟一不同的是前段上壽酒之際，爲彰顯君王的榮顯威嚴，例由臣下對君上進獻；甚至隨著帝王心意的好惡，在上者要以發號施令的口吻回應：「敬舉（或敬不舉）君之觴。」又上壽者必須在相禮人員的導引之下，親自爲對方與己方酌酒，所營造的顯係另一種人際關係情境，相較於《儀禮》鄉飲酒禮主賓相敵往來酬酢的場面，可謂大異其趣。

然而「奉觴上壽」雙方究竟該喝幾杯酒呢？曾師永義先生指出：

> （古人）敬酒時，總要說句類似「祝您萬壽無疆」的話語，所以敬酒又叫「為壽」。普通「為壽」以三杯為度。[90]

---

[87] 如傅玄、荀勗、張華、成公綏等人相關作品，史志逕著錄為〈王公上壽酒歌〉、〈王公上壽酒詩〉。見《晉書·樂志上》、《宋書·樂志二》。

[88] 《晉書·禮志下》。

[89] 除卻笙歌音樂不論，其儀節大要可分為數段落：以賓、主二人為主的「獻酢酬」階段──→始自主人、遍及眾賓的「旅酬」階段──→不拘身分禮儀的「無算爵」階段。詳參吳師宏一先生：《鄉飲酒禮儀節簡釋》（臺北：臺灣中華書局，1985年）。

[90] 〈中國飲酒禮俗小考〉，《第三屆中國飲食文化學術研討會論文集》（臺北：中國飲食文化基金會，1994年），頁340。

「爲壽以三杯爲度」者，即一般所謂「禮飲三爵」。按《左傳·宣公二年》提彌明曰：「臣侍君，宴過三爵，非禮也。」《禮記·玉藻》亦云：「君子之飲酒也，……三爵而油油以退。」鄭玄《注》云：「禮飲過三爵則敬殺，可以去矣。」換言之，從當事人的注意力、接受度來說，無三不成禮，踰三則又嫌太過。是故，東漢趙曄《吳越春秋》寫勾踐將入臣於吳，大夫文種前爲祝曰：「臣請薦脯，行酒三觴。」唐司空曙〈和耿拾遺元日觀早朝〉詩亦有「壽酒三觴退，簫韶九奏停」句。又按《五代史》載天福四年（西元 938 年）十二月庚戌，禮官奏曰：

> 來歲正旦，王公上壽，皇帝舉酒，奏〈玄同之樂〉；再飲，奏〈文同之樂〉；三飲，奏同前。[91]

由所謂「三觴」、「三飲」，可見上壽確以三杯爲度。

㈡ 辭以祝禱

上壽除用酒之外，又以致辭爲要件。無論是一對一或多對一的場面，其辭令俱有定式，漢時已然形成。如兒寬上壽於漢宣帝，口稱：「臣寬奉觴再拜，上千萬歲壽。」制曰：「敬舉君之觴。」[92]這種應對方式，後世仍沿用不替。一般官方儀注，君臣之間不外乎請旨稱制，如《唐開元禮》所載：正旦（或冬至）朝賀訖，始行上壽，眾人就位，光祿卿跪奏稱：「臣某言：請賜群官上壽。」侍中稱制曰：「可。」時酌酒一爵，輾轉進置御前，上公北面跪稱：

> 某官臣某等稽首言：元正首祚（冬至改天正長至），臣某不勝大慶，謹上

[91] 〈晉書一·高祖本紀四〉、〈樂志上〉。

[92] 《漢書·兒寬傳》。

千萬歲壽。

於是侍中承制稱：「敬舉公等之觴。」諸如此類，可謂氣象森嚴。至於多對一的場合，通常以「群呼萬歲」的方式行之，後世更演變爲「山呼」（或稱「嵩呼」），照例喊的是「萬歲、萬歲、萬萬歲」，[93]甚至加上「舞蹈」。[94]

不只是上壽者本身的辭令攸關重要，基於「禮尚往來」的原則，受禮者亦須應對得體。如東漢趙曄寫《吳越春秋》，以其稍近於小說家的筆法，屢次描述「奉觴上壽」，正可補一般史筆的質木無文。其寫勾踐淪爲階下囚，即將入臣於吳：

> 大夫文種前為祝，其詞曰：「……臣請薦脯，行酒三觴。」越王仰天太息，舉杯垂涕，默無所言。種復前祝曰：「……觴酒既升，請稱萬歲。」

寫吳王置酒禮遇越王：

> 於是范蠡與越王俱起為吳王壽，其辭曰：「下臣勾踐從小臣范蠡，奉觴上千歲之壽。」辭曰：「……大王延壽萬歲，長保吳國；四海咸承，諸侯賓服；觴酒既升，永受萬福。」於是吳王大悅。[95]

寫越王生聚教訓將欲伐吳：

---

[93] 山呼之禮每行於君臣尊卑之間。朝中山呼，係配合皇帝近侍所唱口令「山呼、山呼、再山呼」，而應和以「萬歲、萬歲、萬萬歲」。參《元史·禮樂志一》及注。

[94] 古代朝儀時見人臣有「舞蹈」之事，通常出現於典禮某段落之末，可能是一種帶儀式意味的肢體動作，然其詳已不可得知。

[95] 〔漢〕趙曄：《吳越春秋·勾踐入臣外傳》，卷7。

> 大夫種進祝酒，其辭曰：「……觴酒二升，萬福無極。」於是越王默然無言。大夫種曰：「……觴酒二升，萬歲難極。」[96]

文中每當臣下進酒致辭，總是合乎定式，言必自稱「某某奉觴上千（萬）歲壽」，祝辭則遵守四言一句的常規；而越王適爲國仇家恨悽愴傷懷，數度緘默無語，實非合禮，此與「吳王大悅」、欣然而受的情狀剛好成一對比。從《吳越春秋》的各段描摹，正可體會出「辭令」在上壽之間的重要表現。

上壽重視辭令的表達，東漢時人疏受，即曾以「辭禮閑雅，上甚讙說」而官拜太傅。[97]言辭的優雅曼妙固爲要件，深諳人情事理尤不可缺。如齊桓公與管仲、鮑叔牙、甯戚四人飲酒方酣——

> 桓公謂鮑叔牙曰：「闔不起為寡人壽乎？」鮑叔牙奉杯而起曰：「使公毋忘出如莒時也，使管子毋忘束縛在魯也，使甯戚毋忘飯牛車下也。」[98]

叔牙所言當年往事，正是同座三人生命中極端晦暗的一刻，照理並不適合在上壽之時舊話重提，然而鮑氏此段陳辭卻顯得深衷可感，可見古人上壽非一味盛稱虛美而已，只要言者有心，一樣可借用爲勸諫諷諭之具。

古禮之中，辭令向來扮演要角，[99]竊以爲上壽之以辭頌禱，可能脫胎自古時祭禮的「祝辭」、「嘏辭」與「慶辭」——古代祭祀，人於神有祝辭，神於人有嘏辭，人於人有慶辭，其辭又不外「福壽康寧」之類。而後於君臣父子之

---

[96] 《吳越春秋·勾踐伐吳外傳》，卷10。

[97] 《漢書·疏廣傳》。

[98] 此據《管子·小稱》。其事又見《呂氏春秋·直諫》、《新序·雜事四》。

[99] 單以《儀禮·士冠》為例，就有嫡子三加的「冠辭」、施於嫡子的「醴辭」、施於庶子的「醮辭」、賓為命字的「字辭」等多項內容。

間發展出上壽禮儀，則仿前者行之，有奉觴之舉，有上壽之辭。

古時祭祀，基本上是對於神祇的一種取悅行爲，故每有祝禱，欲將人的意願上達天聽。傳說湯之時大旱七年，於是使人持三足鼎祀山川而祝禱，言未已而天大雨，[100]足見智識未開的先民時代，語言不但是人與人之間的交通工具，在特定場合更充當人與神之間重要的溝通橋樑。《禮記·禮運》「修其祝、嘏」，指的正是見於祭祀的儀式用語。[101]而在人神對話的「祝辭」、「嘏辭」之外，又有所謂「慶辭」，鄭玄以禮說《詩》之際，[102]即曾分殊「嘏辭」與「慶辭」之別。[103]如〈小雅·楚茨〉是一首描述翔實的祭祀詩，鄭《箋》隨文立解而云：

> 以黍稷為酒食，獻之以祀先祖；既又迎尸，使處神坐而食之。為其嫌不飽，祝以主人之辭勸之，所以助孝子受大福也。
>
> 孝孫甚敬矣，於禮法無過者。祝以此故，致神意告主人，使受嘏，既而以嘏之物往予主人。
>
> 女之以孝敬享祀也，神乃歆嗜女之飲食；今予女之百福，其來如有期矣，多少如有法矣。此皆嘏辭之意。
>
> 嘏之禮：祝徧取黍稷牢肉魚，擩于醢，以授尸，孝孫前就尸受之——天

---

[100] 據《荀子·大略》，其辭曰：「政不節與？使民疾與？何以不雨至斯極也！宮室榮與？婦謁盛與？何以不雨至斯極也！苞苴行與？讒夫興與？何以不雨至斯極也！」《說苑·君道》所載略同。

[101] 鄭玄《注》云：「祝，祝為主人饗神之辭也。嘏，祝為尸致福于主人之辭也。」按嘏字《說文》本訓為「大（也）、遠也」，段《注》則指出：「經傳嘏字多謂祭祀致福。」

[102] 詳拙著《鄭玄毛詩箋以禮說詩研究》（臺北：國立臺灣大學中文研究所碩士論文，1992年，張師以仁先生指導）。

[103] 鄧國光指出：「近人徐中舒《金文嘏辭釋例》，曾類聚兩周金文『用旂眉壽』、『萬年無疆』之類的祝頌套語。徐氏以這些詞語為嘏辭，是不了解嘏的意義。只有在祭祖儀式裡由祝代尸傳遞祝福的說話，才可以稱為『嘏辭』。嘏辭裡面包含了當時的祝頌套語，這些祝頌套語也可以用於其他吉慶祝禱，因此嘏辭和祝頌套語是兩回事。徐氏稱祝頌套語為嘏辭，實混淆了二者。」見《中國文化原點新探》（廣州：廣東人民出版社，1993年），頁147。

子使宰夫受之以筐——祝則釋嘏辭以敕之。

女之殺羞已行，同姓之臣無有怨者，而皆慶君。

同姓之臣燕已醉飽，皆再拜稽首曰：「神乃歆嗜君之飲食，使君壽且考。」

此其慶辭。

根據鄭玄的解說，古人祭祖典禮不僅注重儀物豐備，前後且進行各種禮辭（具儀式效果的特殊辭令），包括祭之初，主人勸侑象神者——「尸」享用祭品；祭之末，「祝」代神傳辭致嘏，報以祝福，乃至同宗與祭者一併以「使君壽考」相慶。值得注意的是，祝授嘏物，必兼釋嘏辭，祖先所賜的福報，不僅透過祭品黍稷牢肉魚等傳達到主人身上，猶須藉由祝形諸言辭口吻。然則祭末眾人慶其壽考之事，只見口頭及動作表達而未見奉觴，或只緣於經文不具，按〈楚茨〉篇末云：

既醉既飽，小大稽首；神嗜飲食，使君壽考。

言「既醉」言「稽首」，可推知其間應即有「奉觴上壽」諸事。由此觀之，早先祭禮中的「嘏辭」、「慶辭」宜與後來的「奉觴上壽」有相當程度的淵源關係：

前一階段，祭祀孝享之時，子孫向上天及祖考祈求福壽

→後一階段，歌功頌德之際，臣民對君主祝以福壽

其間甚且可感受到「神／人」、[104]「祖先／子孫」、「君主／臣民」等各組的微妙對等關係及其轉變。總之，古人認爲俗世人間的一切美好願望都有賴皇天

[104] 此處所謂的神，是以中國人的理解為意涵，而非西方文化中的 god。按古代禮書每在喪祭之間泛稱祖先為神。

祖考的賜賚，這種事例在金文中亦多佐證。然而來自神的「嘏辭」與來自人的「慶辭」時相並行，暗示人之意念終有淩駕神旨的可能。早期公侯子孫是否能絜敬孝享，以獲致神明的歆悅，乃決定其是否得福的關鍵；亦即祝福成立的要件，原繫於個人的行事作爲是否得到神的歡心。發展到後來上壽的場合，除了因應特殊節令、特殊事由之外，不容忽略的是要求當事人必須德行完備，無所虧缺，始有資格接受來者的祝福。

在古代，以言語對他人施以祝福的行徑，其效力固然來自神意，語言本身亦具有不容小覷的催化效果。據社會語言學家的研究，原始人類相信語言具有爲善爲惡的能力，相信語言與它所代表的事物是一體的，相信人類與語言有交感作用；例如咒語在巫術師看來，就是一種命令性質的語言，多次重複便能產生魔術，並立即生效。[105]「使用惡毒的詛咒來驅鬼驅邪、祓除不祥，使用祈請的祝詞來實現具體願望，這也是古老的巫術之一。」[106]西方《聖經》中也有這類的文化現象，口頭上的祝福或臨終時的遺囑被認爲有效，這類祝福是嚴肅的，並且是不容推翻的。[107]在《舊約》[108]的〈創世記〉（27：33）即曾記載，雅各喬裝成長兄以掃，藉詐術騙取父親以撒的祝福，事後——

> 以撒（對以掃）說：「我會祝福你，但我無法再給你那些已賜福你弟弟的。」因為以撒明白，賜福是上帝的承諾，無法改變。[109]

---

[105] 申小龍：《語言的文化闡釋》（上海：知識出版社，1992年），頁26-27。

[106] 葛兆光：《道教與中國文化》（上海：上海人民出版社，1987年），頁91。

[107] G·埃涅斯·賴特著，夏華、谷照凡譯：《聖經考古學》（臺南：東南亞神學院協會，1967年），頁36-37。

[108] 郭沫若以為，《尚書》和《詩經》的〈雅〉、〈頌〉具有濃厚的宗教氣息，其性質與猶太人的《舊約》全同，見《中國古代社會研究》（坊間本），頁110。此說雖稍嫌比附，卻指引出某些思考方向。

[109] 莎琳納·哈斯汀著，李淑真譯：《聖經的故事》（臺北：貓頭鷹出版社，1996年），頁48。

可見對於儀式，以及形諸儀式的口頭上的祝福，古人實頗爲鄭重其事，理解此一精神特點，才能確知「上壽」絕非流於形式的表面文章而已。

二、「奉觴上壽」的原則

㈠ 對象問題

在一般印象裡，「奉觴上壽」例由卑下行於尊者，驗諸史傳，實亦不乏平輩對平輩或是上對下的種種情形。如戰國時趙惠文王二十年（西元前 279 年）秦、趙澠池之會：

> 秦之群臣曰：「請以趙十五城為秦王壽。」藺相如亦曰：「請以秦之咸陽為趙王壽。」[110]

這是說秦、趙二王會飲之際，以互爲對方祝壽的方式折衝樽俎。又如信陵君不僅虛左以待侯嬴，「酒酣，公子起，爲壽侯生前」[111]，充分表現其禮賢下士的坦蕩胸次。漢武帝元光四年（西元前 131 年）夏，丞相田蚡娶燕王女，太后詔召列侯宗室皆往賀——

> 飲酒酣，武安起為壽，坐皆避席伏；已，魏其侯為壽，獨故人避席耳，餘半膝席。[112]

此處武安爲主人，魏其爲賓客，所謂「爲壽」，指席間二人各與眾人行酒爲禮，只不過，史遷以妙筆所點出的「一座皆避席」，正表示「爲壽」雙方若存在「角

---

[110] 《史記·廉頗藺相如列傳》。

[111] 《史記·魏公子列傳》。

[112] 《史記·魏其武安侯列傳》。

色差距」，仍以卑下行於尊長爲常；上對下行之固無不可，在下者仍不免自表謙抑不敢順受。而魏其侯面對的卻是「獨故人避席」的尷尬場面，人情冷暖殊異立見，隨之襯托出兩者公眾聲望的高下。

㈡ 情境問題

從來所謂禮者，意味人與人之間相處的必要規範，在社交互動之間，雙方往往有形無形地進行某種確認與交換——確認彼此的相對地位，交換彼此的訊息與利益。因此，古人固習以「奉觴上壽」爲禮，細繹之下，實頗講究個中的是非曲直，有著客觀情勢或主觀認知上的種種要求，不得含糊其事。上壽之際，例須尊重對方意願，必以「受者無異議」爲要件，故亦偶爲對方拒絕而不果行。

《禮記·禮器》云：「禮，時爲大。」而「上壽」事屬嘉禮，適用於喜慶，故亦須相機度時。除了邦家例行的節慶典禮之外，若干事證則反映了「不時則不行」的特殊狀況。如漢武帝女弟隆慮公主之子昭平君犯法，帝秉公論治其罪，哀不能止，東方朔因上壽於武帝。帝乃於夕時召讓之：

> 今先生上壽，時乎？[113]

所謂「時」者，意指上壽行禮，必須順乎情理，合乎時機。當其時，武帝寧可大義滅親，實則哀矜勿喜；而朔既爲弄臣，口諧辭給，臨事卻能直言切諫，遂免冠頓首謝曰：

> 銷憂者莫若酒，臣朔所以上壽者，明陛下正而不阿，因以止哀也。[114]

---

[113] 《漢書·東方朔傳》。

[114] 《漢書·東方朔傳》。

由於陳辭愷切，其上壽非時，固屬不按牌理出牌者，卻爲青史添一佳話。

又如東漢光武建武十七年（西元 41 年），皇后郭氏以「懷執怨懟，數違教令」而廢，改立陰貴人，並制詔三公曰：「異常之事，非國休福，不得上壽稱慶。」⑮此事做法之低調，適反襯出一般上壽必「爲國休福」。

發生在皇室以外的事例如，漢建安十六年（西元 211 年），馬超與關中諸將俱反，屢敗於曹操。時至正旦，其小婦弟种上壽於超，超搥胸吐血曰：

> 闔門百口，一旦同命，今二人相賀邪？⑯

長期以來，中國民間亦行元旦上壽之禮，與皇家並無二致，惟故事的主角身處危急存亡之秋，雖有親戚照章前來行禮稱賀，實則情何以堪。

㈢ 條件問題

自周人翦商以來，中國文化漸由殷商神道設教的迷信氛圍，轉趨爲人文發皇的精神境界。從此以後，古人始終斤斤於「德者壽」的觀念。如《尚書·召誥》即嘗揭示：

> 肆惟王其疾敬德，王其德之用，祈天永命。

所謂「永命」，實寓含雙重意義，一指人君年壽，一指邦國祚命，端視君主——上天之子能否「惟德馨香，祀（讀爲以）登聞于天」。⑰續以周金文爲例，王讚源曾談到：

---

⑮ 《漢書·光烈陰皇后紀》。

⑯ 《三國志·蜀書·馬超傳·注》引《典略》。

⑰ 《尚書·酒誥》。

> 與甲骨文相比，金文也有祭祀、求福，但金文的祭祀表現報恩的思想，強調修德的重要。……周人認為修德是祈求福祐的先決條件，也是報答祖先的最好方法。(118)

周人既建立了「天命在德」的思考模式，很自然地衍生爲「有德者始有壽」的概念，並深入世道人心。按《中庸》嘗發揮厥義：

> 故大德必得其位，必得其祿，必得其名，必得其壽。

「上壽」亦以「天賜有德者壽」爲思想基礎，當事者亦經常以此標準引爲惕勵。如漢武晚年巫蠱事起，宰相車千秋與御史、中二千石共上壽，既頌德美，復勸施恩緩刑。武帝則以己爲政「不德」報之：

> 朕媿之甚，何壽之有？敬不舉君之觴！謹謝丞相、二千石各就館。

又如漢光武建武三十年（西元 54 年）二月，群臣言宜封禪，而帝不僅下詔自責：「即位三十年，百姓怨氣滿腹，吾誰欺？欺天乎？」並特別叮囑：「若郡縣遠遣吏上壽，盛稱虛美，必髡，兼令屯田。」從此群臣不敢復言。(119)

由於「上壽」經常是屬下行於尊長，且以對方「有德斯有壽」爲訴求，固不免歌功頌德，揄揚褒美，然而一方面，受禮者理應表現自知之明，抱著「有則改過，無則加勉」的心態自我省察惕勵，另方面上壽者亦應謹守分際，不得過於虛美溢譽，始有資格行禮如儀，達成此間微妙的認證功能。否則，儘管是

---

(118) 《周金文釋例·敘論》，同注㉙，頁 12-13。

(119) 《漢書·郊祀志·注》引司馬彪《續漢書·祭祀志上》。

良辰好景當前，也未必能遂行此事。如《漢書·吳良傳》載：

> （吳良）初為郡吏，歲旦與掾史入賀，門下掾王望舉觴上壽，諂稱太守功德。良於下坐勃然進曰：「望佞邪之人，欺諂無狀，願勿受其觴。」太守斂容而止。

又如唐憲宗晚年銳於服餌，詔天下搜訪奇士，裴潾爲此上疏進諫，謂古來黃帝、顓頊、堯、舜、禹、湯、文、武等，「咸以功濟生靈，德配天地，故天皆報之以上壽（即高壽）」；推而論之，今皇帝若能修德積福，「天地神祇必報陛下以山岳之壽，宗廟聖靈必福陛下以億萬之齡，四海蒼生咸祈陛下以覆載之永，自然萬靈保祐，聖壽無疆」。[120]此番言論凜如夏日秋霜，直可教世間人主淪肌浹髓。然則古之獻壽於帝王，目的猶不在人主一己的蒙利，而是藉機敦促其修身明德，推行文教，以善盡安邦定國、勤政愛民的職分。

綜合前述，可知「奉觴上壽」實有數階段的歷史發展。其始於先秦，流行戰國、秦、漢之際，當時「爲壽」於某人的風習固不甚拘泥形跡，未必嚴求定時定點，卻非完全隨興所之。從各種事例之中，可以清楚看出其必緣事而作，有所爲而爲。如果施受雙方情投意合，自然是把酒言歡，虛其觴以盡其情；然而有時爲了兩造見解的分歧，感受的殊異，也難免出現上壽不果的尷尬情狀。漢以後天下一統，朝禮益趨成熟定型，從而使「上壽」日漸制度化，愈顯得踵事增華，從較早的單純的敬酒致辭，有時附贈以金帛財物，到後來演爲事關重大的君臣之禮。臣子藉以效忠表態，甚或進言舉諫；人君則藉此推恩慶賞，與

---

[120] 《舊唐書·裴潾傳》。

臣民同歡。典禮中不僅侑以酒食樂舞，並由群臣上禮，進獻財物於皇帝；[121]皇家則相對施以種種慶賜恩典。[122]禮典的進行，目的在使雙方得以「禮尚往來」，以有形的言行物質，交換彼此間無形的權責與情意。就感性而言，促進了君臣情誼的穩固；就理性而言，更確保君臣關係的建立。[123]無論各個「上壽」故事的背後，是否涉及宮廷中的明爭暗鬥，純就事件本身的情境氣氛來說，幾乎無不「對揚王休」，以歌功頌德爲能事，這就不難見出此一禮文現象的深層寓義。亦即古人認爲行事合於道德規範者，上天或祖考必降祚賜福，使之延年益壽。要之，「上壽」之所以成爲朝禮的重要節目，實有其深遠的心理背景，故能時時在現實中發揮具體的政教功能——諸如搭建君臣關係的橋樑，樹立人君自我省察的圭臬，提供人臣忠言直諫的機會等。由「上壽」事例的印證，足知中國古禮不時貫串著禮的原則，流動著禮的精神，其背後實以「道德感」爲其主要基石。

結　語

「奉觴上壽」是古人生活中常見的禮儀行爲，其起源甚早，《詩經》、金文已然確見。當時上壽之義較爲寬泛，旨在透過上壽者本人的言語，傳達對當事者的祝福；在古人心目中，此種語言實具有不容忽視的影響力，足以產生確實的效益。上壽又經常伴以奉觴，酒的運用，表現了古人以酒養生的觀念，亦

---

[121] 《晉書·武帝紀》嘗載：「先是，帝不豫，及瘳，群臣上壽。詔曰：『……諸上禮者皆絕之。』」由是可知晉時「上壽」之餘已兼行「上禮」。本來君臣相會，屬下多備禮饋獻，然而上禮名目既出，即表示蔚為定制，除非君有明令，於禮不得隨意輕省。

[122] 舉例言之，如《漢書·昭帝紀》載，始元元年春二月，公卿上壽，賜諸侯王、列侯、宗室金錢各有差。

[123] 如同論者所言：「在簡單社會中，禮物和服務的交換經常採取一種儀式，這種交換不僅用來形成夥伴間的友誼和信任連帶，而且也用於產生和鞏固高等人與低等人之間的地位差別。」見布勞 Peter Blau 著，孫非等譯：《社會生活中的交換與權力》（臺北：桂冠圖書公司，1991 年），頁 125。這段論述亦有助於理解「上壽」禮儀的社會功能。

凸顯酒在古代禮儀中的特殊地位。先秦以來，「奉觴上壽」不過是人際交誼應酬的某種習慣，既行於君臣之際，復通行於一般父子家人朋友之間。時至漢代，則被廣泛引用於朝廷諸禮，唐以後更被引用於皇家慶生禮，從而日趨制度化；民間習俗除保持古來傳統外，亦隨著社會經濟的發展而張揚光大。⑫④時至今日，國人在飲宴場合觥籌交錯之際，經常彷彿古禮而不自覺。大體而言，仍依賓主之道、尊卑之序相互酬酢，至於舉杯時多致辭問候祝福，則顯爲「奉觴上壽」的流風餘韻。

【後記】猶記得大學時代在訓詁學課堂上，初次瞻仰　以仁師的翩翩風采，內心實有說不出的敬畏之情，因為　以仁師在一般學生心目中，不僅是學養淵博的經師，更是要求嚴格的人師。後來有幸經由　老師的指導，順利完成個人的碩士學位論文，才認識到　老師親切慈愛、視學生如孺子的一面。十數年來，不僅治學上深蒙教誨，為人處世上亦時受啓發。來年欣逢　　恩師七秩華誕，小子不敏，謹撰〈說奉觴上壽〉一文，敬祝　恩師「酒興不減當年，歲月長保青春」！

彭美玲　謹誌於壬戌仲秋

---

⑫④　明、清以來民間慶壽尤蔚為風尚，如民國19年（今屬上海市）《嘉定縣續志》所云：「紳富年屆六十或七、八十者，其子若孫為之稱觴，俗稱慶壽。」

明代射圃考

簡錦松*

一、前　言

現代觀念中，把孔廟視爲單純祭祀的場所，傳統上稱孔廟爲「廟學」「儒學」「學校」的觀念，早已一掃無遺。❶在臺北市文廟遺址的紀念碑中，仍有「教授」的字樣，是指儒學中教授住宅之意，可是撰碑者仍然沒有意識到文廟稱呼的不周延性，也沒有注意到臺北儒學的歷史事實。臺南孔廟，一稱「全臺首學」，其實也不該稱文廟，而應稱儒學，《臺灣通史》把孔廟的廟、學分開，把本爲同一地點的儒學放在〈學校志〉，把文廟放在〈典禮志〉，這是不合宋明以來大多數地方志原則的。❷即使是統治臺灣的日本人，都知道孔廟的學校

---

*　國立中山大學中國文學系副教授。

❶　《隆慶臨江府志》(上海：上海古籍書店，1962年《天一閣藏明代方志選刊》本)，冊35，卷8，頁1上。秩祀之部，首列「府學先師廟」，是學與廟連稱之例，所謂「祀先聖以教民也」。文廟不單獨存在，也不能以純粹祭祀來看文廟。

❷　自南宋以來，所謂「左廟右學，規制宏麗。」即已成為常規，見《弘治徽州府志》(上海：古籍書店，1964年《天一閣藏明代方志選刊》本)，冊21，卷5，頁16上。到明代，連廟門和學門也必須不能相背，見《嘉靖惠安縣志》(上海：古籍書店，1965年《天一閣藏明代方志選刊》本)，冊32，卷9，頁3上云：「先是，文筆峰雖在學前，而廟學斜當其麓，學門與廟門異出若相背然，至是，悉辯正之。先作大成殿，次作明倫堂。」因此，明代文廟通常隨學校門記載，大成殿、明倫堂皆序列在一起，不再出現在祀典或祠廟門。或者，詳載於學校，只在祀典門刊登「文廟」二字，沒有內文。少數也有列在祠廟部門的，但也強調學校教育的功能，如山東臨朐縣即是，見《嘉靖臨朐縣志》(上海：古籍書店，1962年《天一閣藏明代方志選刊》本)，冊34，頁36上。

性質，日據初期，最早設立的公學校就曾利用孔廟現成的設施，像臺南的孔廟便是其中之一。但是，臺南市政府編印的《府城今昔》也把孔廟放在第二編第三章「時代與廟宇」中，而不放在「學校」門內。❸近年文建會出版的《臺閩地區古蹟巡禮》，也把全臺灣的孔廟都列入「寺廟」，而忽略它的學校性質。

廟學合一，是古代學校尊孔的儒學理念下的現象，孔廟並不只表現在硬體的禮堂建築，以及歲時的祭祀而已，與之俱生的學校規制，卻是長期地日常的教育場所，因而一地的廟學，是以學校為核心，不以單獨祭孔為重，這是明代廟學規制上最嚴切的一點。如要恢復孔廟生機，就不可以把孔廟列入廟宇，也必須從學校特色上去考量。不過，現代學校已經有既定的體制與運作方式，要恢復古代儒學的規制，必須斟酌古制，重新規畫，另走一條合理而有意義的新路，才能把現代教育體制和古人理想，作有意義的聯結。本文首先從明代儒學活動中，最適合現代生活，且最容易恢復的儒學「射圃」，作完整的考查，以備改革之用。

基於以上的理想，本論文的另一個寫作目的，乃是希望在高雄孔廟，恢復明代儒學規模，實施鄉射之禮。高雄孔廟左倚遙山，右傍洪湖，林木蓊鬱，規模寬敞，遠非其他市縣所及，但除了建築仍仿照臺灣其他孔廟之外，對於古代廟學遺意，也和各地其他孔廟一樣，完全沒有繼承，不免令人遺憾。現在高雄孔廟東側尚有隙地，南側泮池外，蓮池潭內，也有空地，孔廟西側隔街的公園，經營並不理想，這三個地方，都可以經營射圃，是全臺儒學中條件最優厚者，所以在討論明代射圃之後，希望以高雄孔廟作為改革目標。

至於研究射圃為何以明代為主題？其實射圃之制，自宋已有，但明代列於政府公文書中，明令興建，不論在數量上或執行程度上，都令人注意，所以本

---

❸ 見周菊香編著：《府城今昔》（臺南：臺南市政府出版），頁 95，有鄭銅銘提供孔廟作為公學校校舍的照片，但仍將孔廟列入廟宇門中。

文以明代爲討論對象。不過，和明代其他教育制度一樣，政府的規定，到了地方，未必完全落實，射圃的營建和管理，部分地區也並不十分完善，十分可惜。全文分四節，一、前言。二、明代射圃實況。三、明代射圃理想與儀節。四、結語，並對高雄孔廟作出建議。

二、明代射圃實況

㈠ 射圃的位置

明代的政治精神，特別重視學校，從地方官制上就明白顯現出來，省級最高首長是布政使、其次提刑按察使、布政司參政，接下來就是主管全省教育行政，簡稱提學副使的按察司提學副使。正因爲這樣，在各級方志中，府州縣儒學配置圖（即學宮圖）和公署配置圖，也是以同等重要的觀念，並列在卷首的圖例中，很容易得到佐證。

學宮圖中，很明確地可以了解廟學結合且不可分割的事實，不予分割，廟和學的配置，有「左廟右學」（圖上看的話是右廟左學）和「廟前學後」的兩種格式，前者如臨江府學（圖一）就是「左廟右學」的例子：圖中央的建築物，

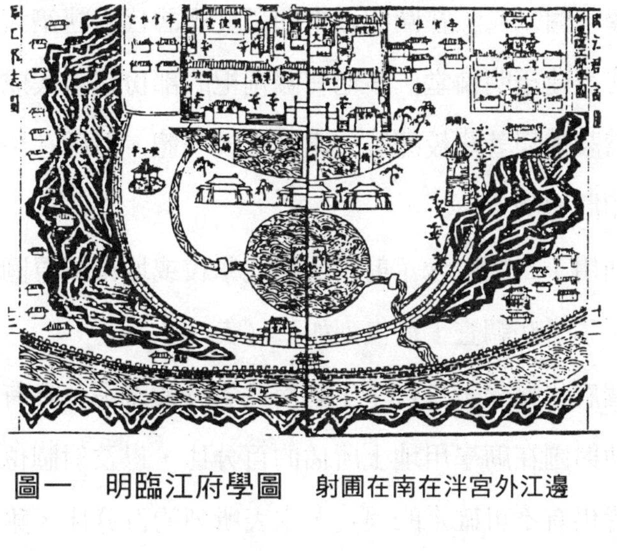

圖一　明臨江府學圖　射圃在南在泮宮外江邊

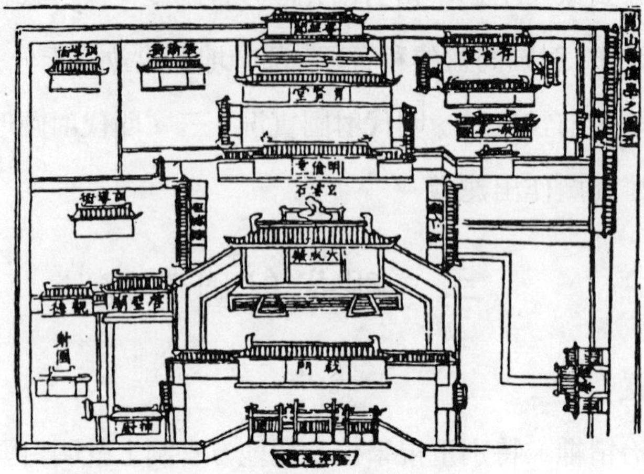

圖二　明崑山縣學圖　射圃在學西南

左右帶有兩廡的，就是文廟的主建築，在文廟的左邊，有一所明德堂，就是儒學的主建築；明德堂前，有兩道像是長廊的建物左右相向，這是學生讀書住宿的齋。學官住宅分別在文廟和明德堂的兩旁，可見廟學是不分的。其次，因爲學校用地不足，把尊經閣圖書館放在右側的臨江書院中，結成一體，這是變化的作法。本府的射圃在「泮宮」門外左側的山邊，前面就是江水，和高雄孔廟泮池外就是一片可用空地，再過去是蓮池潭的情形很相似。「廟前學後」的情形，如崑山縣學（圖二）：在圖的正中間是文廟的代表建築大成殿，大成殿後面就是學校的代表建築明倫堂，其他有關祠祀的部份隨著大成殿配置，教師和學生住宅、飲膳設備隨著學校配置，兩者結成一體。射圃在學西，很明顯可以看到射圃的門和觀德亭。

以下，我利用十二幅包含了射圃的明代學校或城市配置圖對射圃的所在位置和大小比率作了一些調查，茲表列如下（表一）。

表中十二個府州縣學，包含了中國南北省分及邊區，具有相對的代表性。本表介紹了當地射圃在廟學用地上所佔的百分比，以及射圃位置這兩個主題，由於古代繪圖者仍有不可確定的誤差，本表所列的百分比，雖然大部份可信，

表一　射圃位置比率調查表

省分	學校名稱	射圃位置	所佔百分比
南直隸	崑山縣學	學內西南	4%
浙江布政司	新昌縣學	學內西	9%
福建布政司	建陽府學	學內西	8.3%
山東布政司	淄川縣學	學內西	23%
浙江布政司	淳安縣學	學內東	7%
北直隸	威縣學	學內東南	6%❹
江西布政司	贛州府學	學內北	4%
貴州布政司	司南府學	學內東北	4%
南直隸	吳縣學	學內東北	20%
山東布政司	臨朐縣學	城內，文廟前	16%❺
江西布政司	東鄉縣學	城內，離文廟遠	8.2%❻
山東布政司	莘縣學	城內東城牆下	13%❼

爲謹愼起見，仍只可作爲參考。❽至於射圃的位置，由表中看來，應是可以在廟學內的東西南北任何位置，也可以完全獨立在廟學外(圖三、明莘縣縣城圖)，

❹ 據《威縣志》，射圃亭在嘉靖重修之後，至少兩次重要的射禮，如依此圖則場地偏狹，似非所宜。因原志無丈尺，無法確認。

❺ 《嘉靖臨朐縣志》，同注❷，頁 33 下。由於儒學總面積約十畝，射圃約佔全部面積的 16%。

❻ 見《隆慶東鄉志》（上海：古籍書店，1963 年《天一閣藏明代方志選刊》本），冊 40，卷上，頁 49 上。由於文廟儒學合計橫二十六丈三尺，直三十三丈三尺，連同對街泮池隙地，直十七丈六尺，橫二十六丈三尺，合計整個廟學的使用地有直五十丈九尺，橫二十六丈三尺。在整個縣城裡，算是最大的單位。而射圃的大小，約佔全部學校用地（廟、學、泮宮、隙地、射圃總和）的 8.2%。比起按察分司直四十四丈五尺，橫一十丈八尺來說，幾達按察分司的四分之一。若以附圖四的比例看來，十分不相稱，這是因為制圖者的比例尺沒有掌握好。

❼ 見《正德莘縣志》（上海：古籍書店，1965 年《天一閣藏明代方志選刊》本），冊 44，卷 3，頁 8 上。莘縣儒學長一百五十六步，闊七十五步，射圃在全部學校用地（廟、學、射圃總和）中所佔百分比為 13%，這樣大的用地，學校本區不能容納，所以移到城內大成街南。

❽ 本表的百分比是根據原圖測量的，由於繪圖者作圖時可能有習慣上的表現法或其他誤差，因而所得出的百分比，只能供作參考。如崑山縣學（參閱正文圖二）射圃長百步，寬十九步，屬於大型射圃，在圖上只佔了百分之四，可見圖的比率並不合理。

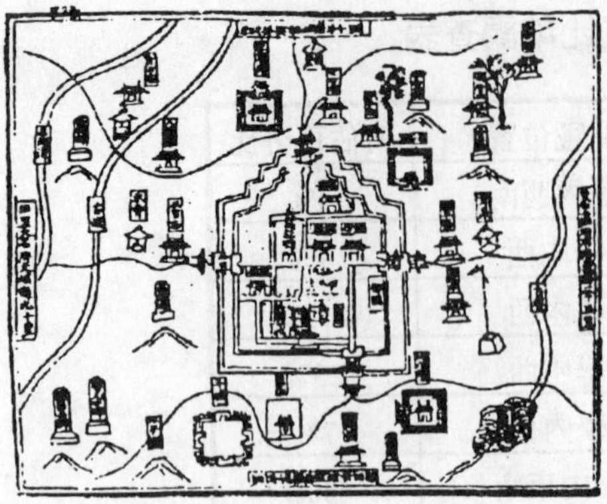

圖三　明莘縣縣城圖　射圃在城東

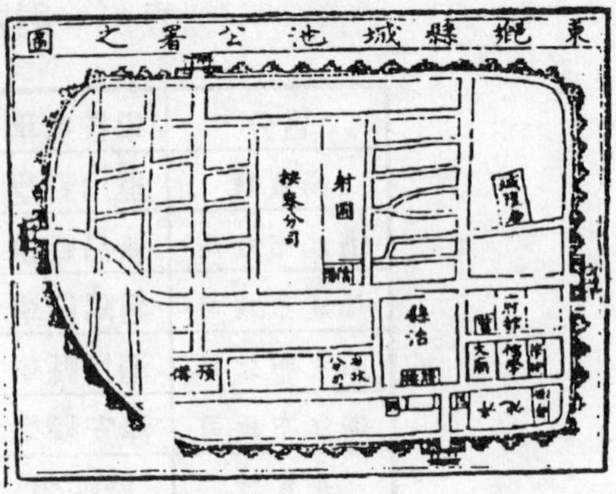

圖四　明東鄉縣城圖　射圃在城中央

甚至和廟學有些距離（圖四、明東鄉縣城圖），也沒有關係。

不過，基本上，射圃如果不在學宮內，也會選擇在學宮附近，如武康縣「武康縣學射圃，舊在進士坊西南。」❾進士坊就鄰近廟學，保定府臨江府學「射圃一所，在學西二十步，」❿都建在鄰近之處：至於臨江府則是把寺觀遷建他處，空出儒學旁邊的土地來營建射圃。

> 隆慶四年知府管大勳復葺尊經閣，移建明經書院中，最左文峰樓，最右射圃亭。（射圃亭）在泮宮坊右，原係玄妙觀址，參政陳大賓出官價買東門外民地易之，遂遷其觀，至是作射圃其上。⓫

也有本來在文廟附近，後來因為擴建不得已才移到城外，如延平府學射圃：

---

❾ 見《嘉靖武康縣志》（上海：古籍書店，1964 年《天一閣藏明代方志選刊》本），冊 20，卷 4，頁 14。

❿ 《弘治保定府志》（上海：古籍書店，1966 年《天一閣藏明代方志選刊》本），冊 4，卷 10，頁 7。

⓫ 見《隆慶臨江府志》（上海：古籍書店，1962 年《天一閣藏明代方志選刊》本），冊 35，卷 4，頁 6。

舊在文廟之西，洪武十一年同知王祺以其地為府廨舍，改建於府城南山川壇之傍，成化間知府王範復移建於帝師廟廢址，弘治間知府蘇章又移建府城西關之外。⓬

其次，射圃設在什麼位置，也不是因爲南北地域不同才有所差別，同一個府內，也可以自由設置，茲再以郴州府所屬各縣的射圃位置作個比較，

郴州府學射圃，在義帝祠右，射圃亭，今廢。⓭

郴州府永興縣學射圃，中門外之東。⓮

郴州府興寧縣學射圃，在縣城北，今為外城。⓯

郴州府宜章縣學射圃，在學宮右，今廢。⓰

郴州府桂陽縣學射圃，在學右。今立恭簡祠，特祀朱英。⓱

郴州府桂東縣學射圃，在儒學門外。⓲

郴州府共有一所府學和五所縣學，其中宜章縣、桂陽縣射圃在學宮內的右側；府學在義帝祠右，義帝祠本來就接近儒學，桂東縣在儒學門外，這兩所射圃都鄰近儒學；永興縣在城內，興寧縣更在城外，可見並沒有一定的位置。

綜觀各例，政府對射圃的位置，並沒有特別的規定，應是以師生習射的方

⓬ 見《嘉靖延平府志》（上海：古籍書店，1961年《天一閣藏明代方志選刊》本），冊29，卷12，頁10上。

⓭ 見《萬曆郴州府志》（上海：古籍書店，1962年《天一閣藏明代方志選刊》本），冊58，卷13，頁7下。

⓮ 見《萬曆郴州府志》，同前注，卷13，頁11上。

⓯ 見《萬曆郴州府志》，同注⓭，卷13，頁13上。

⓰ 見《萬曆郴州府志》，同注⓭，卷13，頁16下。

⓱ 見《萬曆郴州府志》，同注⓭，卷13，頁17上。

⓲ 見《萬曆郴州府志》，同注⓭，卷13，頁23上。

便爲主。

㈡ 射圃的規模

前文說過，射圃和儒學的大小比率，從百分之四到百分之二十三都有，沒有一定的百分比。可見射圃規模，並不受廟學整體大小的影響。

理論上，射圃的大小，應該是參考《儀禮·鄉射禮》的規制，鄉射禮的主體是「侯道五十弓」，據鄭玄《注》：「侯道長五十步」，一弓即一步，⑲一步，漢時爲六尺，所以五十弓爲漢三十丈，換算成現代米制，約爲七十四米。

但是，侯道是從射者所立的「物」到射箭目標物「侯」之間的距離，而射箭者所立的「物」，依照《儀禮》規定，是在行禮的主建築物中，所以整個射圃大小，應該是除了計算侯道之外，再加上行禮用建築的一部份，以及「侯」後方的空地，長度一定遠超過五十弓（步）。

至於明代實際的情況是怎樣呢？宋訥在〈大名府學觀德亭記〉中說：

> 府學東以射築圃，師帥諸弟子習之。其圃廣狹遠近與夫抗侯發矢之地，靡不合制。惟搆亭以為觀射之所，頗卑隘，與圃未稱。⑳

雖然宋訥有「靡不合制」之說，其他人也有「長如其步之制」的記載，顯示廣狹遠近應有制度規範，可惜他們並沒有說出「合制」與「其步之制」規定是多

---

⑲ 楊天宇：《儀禮譯注·鄉射禮第五》（上海：上海古籍出版社，1994 年），頁 215，第 52 條。「弓」為長度單位，〈鄉射禮〉篇中另用於測量兩「物」之間的距離，：「物長如笴，其間容弓。距隨長武。」據〈考工記·弓人〉云：弓的長度有六尺六寸、六尺三寸、六尺，見聞人軍：《考工記譯注》（上海：上海古籍出版社，1993 年），頁 134，此處所謂容弓，乃據下弓而言，謂兩物距離六尺。

⑳ 見《正德大名府志》（上海：古籍書店，1966 年《天一閣藏明代方志選刊》本），冊 3，卷 5，頁 7。

少。不過，據《禮部志稿》和《大明會典》都記載明代學校射儀的規定是：「一遇朔望，習射於射圃，樹鵠置射位，初三十步，加至九十步」，㉑樹侯設鵠的距離，從三十步一再提升到九十步，換言之，侯道長度最多會用到九十步。同樣的，還要加上侯道之外的部份，因此，依明代正式文書規定，射圃的標準長度應大於九十步。宋文所說的「制」，也許是指這個數目。

射圃的寬度，據《儀禮·鄉射禮》云：「乃張侯，……乏，參侯道居侯黨之一，西五步。」所以，計算的時候必須把「侯」的大小、「乏」的大小、「侯」「乏」之間的距離，從「乏」到射圃旁空地的距離等四個條件，都列入計算。談到「侯」的大小，射侯有五個部份，中長寬各一丈，上下躬各長二丈，下舌長三丈，上舌長四丈，舌外還有綱繩，以便將侯繫在植上（圖五），所以「侯」的尺寸至少在四丈以上，取其一半，也有兩丈以上，約計三步；「乏」，是計分等工作人員所立位置的遮蔽物，橫寬皆七尺，（據聶崇義：《三禮圖集注》，卷 8 引〈舊圖〉說）。至於「乏」的位置，在侯道南端三分之一處，西距侯五步。因此，從侯的中心到乏的西緣，必須計算「侯」的一半，加上「候、乏距離」，加上「乏」的尺寸，就有九步以上，乏之西還有圃地，假設需要三步，那麼以居中的侯道爲準，射圃的一半就要十二、三步，（圖六）全部射圃寬，預計要二十五步以上，換算成米制，是約三十七米。

以上的寬度算法，是假設「侯道」在整個射圃正中來考量的，如圖五的威縣學射圃中，「侯」和「侯道」很明顯地正對著觀德亭的正中，在許多現存的明代學宮圖中，都是這樣的規畫。然而，假如「侯道」不是在射圃正中，比如說，設「乏」的位置，對土地的需求比較多，不設「乏」的一邊，就不需要多留空地，就可能導致「侯道」不在正中，射圃亭也不在正中，在明代所繪的學

㉑ 見〔明〕申時行：《萬曆重修本大明會典·學規》（北京：中華書局，1576 年），卷 78，頁 452。

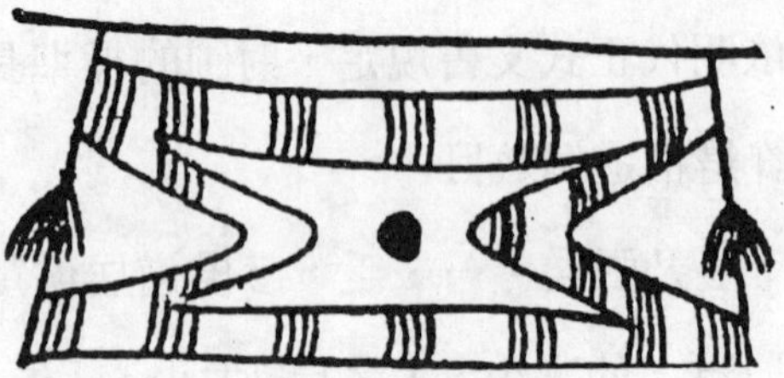

圖五　射侯

1973 山東長島王溝出土的殘鑒刻紋

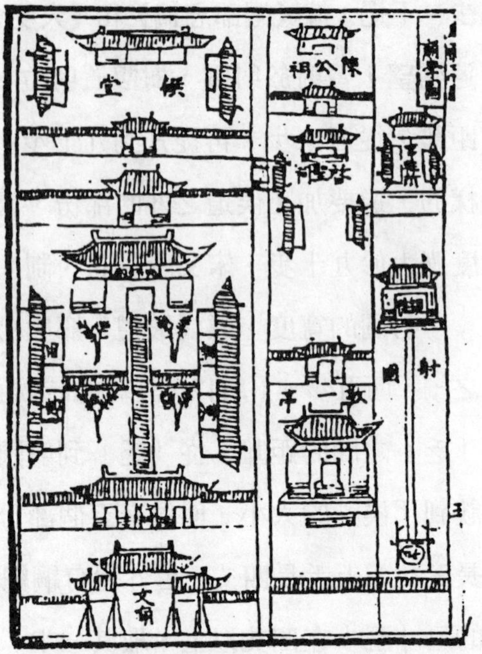

圖六　威縣縣學圖　射圃在學東

宮配置圖也有這樣的實例，如建陽縣的射圃雖然寬廣，但是觀德亭顯然偏東（圖七），又如新昌縣射圃和侯的位置也偏東不少（圖八）。㉒如果侯道不在正中，那就意味著，射圃的寬度可以減小，不必用到二十五步。在下文中，有許多實例的寬度都不到二十五步，其至有小到十二步者，這是值得注意的。

綜合《儀禮》和《禮部志稿》、《明會典》的說法，可以爲射圃訂出兩種可能的標準：高標準是以長度至少大於九十步，寬度二十五步爲原則，可以減小，低標準則長度至少大於五十步，寬度在十八步爲原則，可以減小。由於一般方志的學校卷或公署營建卷中，都會紀錄射圃，也有爲數不少的方志，記載了射圃的實際大小，所以考查上並不是全然不可能。下面就以這兩個標準來衡

㉒　見《萬曆新昌縣志》（上海：古籍書店，1964 年《天一閣藏明代方志選刊》本），冊 19，卷首。

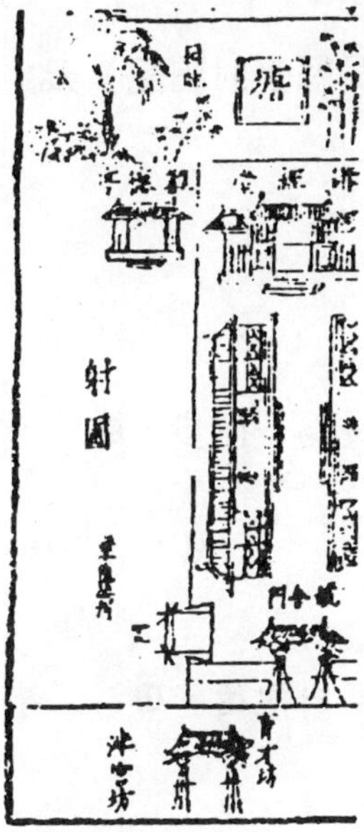

圖七　明新昌縣學西南角射圃圖

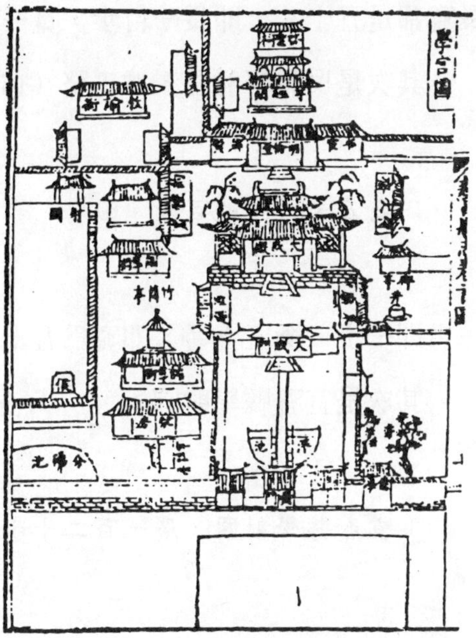

圖八　明新昌縣學圖　射圃在學西

量明代的射圃，以便得到比較明晰的知識。爲了易於比較，並減少不同時代度量衡差異的困擾，計算單位都換算成「步」。㉓

在明代射圃紀錄中，面積最大的，目前我所看到的是瑞金縣學射圃：

> 在南門外廣五十丈，袤如之。建觀德亭。㉔

㉓ 這裡的丈尺會有一些技術上的問題，由於漢尺和唐代大尺、明清量地尺的大小不同，漢尺遠比明尺為小，唐代大尺則和明尺接近，所以同樣說丈與尺，其實是有問題的，而漢代以六尺為一步，是依漢尺計算的，唐代以五尺為一步，這是依照唐代大尺而言的，明代不用漢尺，可是明代政府規定五尺為一步，見於《續通典》卷三，「明土田之制，……洪武二十六年核天下土田，……五尺為步，步二百四十為畝，百畝為頃。」和《儀禮》所用六尺為步不同。為避免古今對話上的困難，本文在計算射圃大小時採用「步」作對比單位，而不用丈尺。

㉔ 見《嘉靖贛州府志》（上海：古籍書店，1962年《天一閣藏明代方志選刊》本），冊38，卷6，頁19下。

長寬都是五十丈，即長一百步，寬一百步。大於高標準。

其次是吳縣學射圃，據王鏊（1450－1524）〈吳縣學射圃記〉云：

> 衡五十弓，縱百步。㉕

一弓即一步，衡五十弓，即寬爲五十步，縱百步，長爲一百步。㉖

其次是宜春縣學射圃：

> 宜春縣學射圃，廣一百二十步，袤三十步，亭曰觀德。㉗

寬三十步，長一百二十步，面積十五畝，符合高標準。

其次是豐潤縣學射圃，據崔銑〈豐潤縣儒學射圃記〉云：

> 豐潤縣儒學射圃，縱七十丈，橫十三丈。㉘

長七十丈，爲一百四十步，橫十三丈，爲二六步。

其次是句容縣學射圃，據陳敬宗〈句容縣射圃記〉：

㉕ 見〔明〕王鏊：《震澤集》（臺北：臺灣商務印書館，1986 年影印文淵閣《四庫全書》本），卷 15，頁 13 下。

㉖ 關於本條「弓」的計算法，仍以一弓為一步。〔明〕郎瑛《七修類稿》卷二十七〈歷代尺數〉云：「明部定官尺……五尺為步，十尺為弓，二百四十步為一畝。」似宜以二步（即十尺）為一弓，但同一射圃，在申用懋〈修吳學記〉即云：「又購民家棄地，改射圃於文廟東北隍。東西袤五十步，南北延百步，作觀射亭以表之。」則仍以一弓為一步為正。見《崇禎吳縣志》（上海：古籍書店，1964 年《天一閣藏明代方志選刊續編》本），冊 16，卷 13，頁 32 上。總頁 210－214。

㉗ 見《正德袁州府志》（上海：古籍書店，1963 年《天一閣藏明代方志選刊》本），冊 37，卷 4，頁 7 下。

㉘ 見〔明〕崔銑：《洹詞》（《四庫全書》本），卷 2，頁 24。

廣袤十有餘畝。㉙

十有餘畝，以十一畝計，有二千六百四十平方步，相當於長百步，寬二十六步有奇。

其次是崑山縣學射圃：

射圃，八畝，在啟聖廟西，內有觀德亭。㉚

南直隸蘇州府崑山縣是江南富庶的縣，其射圃以八畝面積，四倍於臨朐縣學。一畝為二百四十平方步，八畝為一千九百二十平方步，相當於長百步，寬十九步有奇。接近高標準。

再其次，是莘縣學射圃云：

射圃在縣治東北大成街南，闊十八步，長一百步。洪武三年知縣汪惟善創建。㉛

莘縣學闊十八步，長一百步，接近高標準。由於這個射圃是洪武立定規制的同一年所興建的，似可作為其他射圃的對比基礎。

至於遠在海南島的瓊州府學射圃，

出學宮門西行不百步，有舊址焉，地不滿射者之力，屋不敝風雨，階物

㉙ 見《弘治句容縣志》（上海：古籍書店，1964年《天一閣藏明代方志選刊》本），冊11，卷9，頁45上。

㉚ 見《嘉靖崑山縣志》（上海：古籍書店，1963年《天一閣藏明代方志選刊》本），冊9，卷14，頁6。

㉛ 《正德莘縣志》，同注❼，卷3，頁10上。

不度，侯楅不給，諸生病之。成化辛卯歲之春，廣東按察司副使劍江涂伯輔奉璽書來按于瓊，……。因嘆射圃之陋……於其址之北，并諸餘地而增之，總得廣十五步，袤百步有奇。㉜

瓊州府學是推行射禮較積極的府縣之一，文中說舊址太小，不滿射者之力云云，可見長度不足，新址寬十五步，長百步有奇，接近高標準。

其次，是九江府學射圃：

學外東南隅為射圃，中有觀德亭，亭前有門，圍以垣。廣四十五步，袤倍之。而規模宏敞，經制周悉，視他郡為勝焉。㉝

九江府學射圃寬四十五步，長九十步。相當於十六、七畝，其規模不小，所以當地人很有自信地說：「視他郡爲勝焉」。但長度稍不如，應屬接近高標準。

其次是雩都縣學射圃：

南關外廣七十武，袤倍之。歲久湮沒。弘治癸亥督學郡副使寶檄知縣高伯齡脩復，今廢。㉞

在射圃的記載中，有時也如雩都縣學用「武」作單位，據《國語·周語下》：「夫目之察度也，不過步武尺寸之間。」《注》：「半步爲武。」廣七十餘武，約等於三十五步。其長是廣的兩倍，一百四十武，約七十步。高於低標準。

㉜ 見《正德瓊臺志》（上海：古籍書店，1964 年《天一閣藏明代方志選刊》本），冊 60，卷 15，頁 9 上。

㉝ 見《嘉靖九江府志》（上海：古籍書店，1962 年《天一閣藏明代方志選刊》本），冊 36，卷 10，頁 11。

㉞ 見《嘉靖贛州府志》（上海：古籍書店，1962 年《天一閣藏明代方志選刊》本），冊 38，卷 6，頁 15 下。

其次是福建將樂縣學：

射圃原在學宮之東，洪武七年知縣王克剛因見四賢堂地窄，徙于水南都山川壇之西，去縣三里許，長六十步，周圍一百二十步，中建觀德亭三間于圃內。每月朔望，教官率諸生序齒習射。正統十三年燬于寇。景泰元年徒建于城隍廟之右，弘治七年知縣陳大經因見山坡逼窄，不便行射，申允上司，以水南都抄沒官地增買民基横闊一十一丈，直深三十餘丈。㉟

舊圃長六十步，周圍一百二十步，似有誤，形狀難以想像。擴建後，深三十餘丈，即長六十至七十步之間，橫闊一十一丈，即二十二步。高於低標準。

其次是潮陽縣學射圃：

宣德四年縣丞廖童作觀德亭於射圃，（射圃）在水門外教場邊，方二百四十丈，亭今廢。㊱

方二百四十丈，如長三十丈，爲六十步，寬爲八丈，即十六步，接近低標準。

其次是巴陵縣學射圃：

成化八年知府吳節鬻學前民地，闊六丈，徑三十餘丈，為射圃。㊲

此爲闊六丈，即十二步。長三十餘丈，約六十餘步。接近低標準。

㉟ 見《弘治將樂縣志》（上海：古籍書店，1964 年《天一閣藏明代方志選刊續編》本），冊 37，卷 5，頁 6。

㊱ 見《隆慶潮陽縣志》（上海：古籍書店，1963 年《天一閣藏明代方志選刊》本），冊 63，卷 9，頁 5 下。

㊲ 見《隆慶巴陵縣志·秩祀考》（上海：古籍書店，1963 年《天一閣藏明代方志選刊》本），冊 57，卷 9，頁 13 上。

其次是通州學射圃：

弘治壬戌蜀長壽黎侯希夔以戶部主事假守茲郡，敷惠梳蠹，民朋底寧。乃於政暇詣學宮將率諸生講肄射禮，以崇古勵俗，顧其廢址榛棘，無所事事，遂慨然嘆曰：……。遂闢學宮震隅隙壤，廣六丈，袤五倍焉。㊳

通州學廣六丈，即十二步。袤五倍，爲三十丈，爲六十步。接近低標準。

其次是石城縣學射圃：

西門外儒學故址，廣七十餘武，袤逾廣三十武，廢址尚存。㊴

如前所說，廣七十餘武，約等於三十五步。長度方面，比七十餘武還多出三十武，約五十步。合於低標準。

其次是東鄉縣學射圃：

射圃，在按察分司之左，橫計四丈，直計三十丈。㊵

橫計四丈，約八步，直計三十丈，即六十步。接近低標準。

其次是建平縣學射圃：

射圃在明倫堂後，正統十三年知縣李觀給價買邑民胥森地一區，三畝，

㊳ 見《萬曆通州府志》（上海：古籍書店，1963 年《天一閣藏明代方志選刊》本），冊 10，卷 3，頁 10。

㊴ 見《嘉靖贛州府志》（上海：古籍書店，1962 年《天一閣藏明代方志選刊》本），冊 38，卷 6，頁 21 下。

㊵ 見《隆慶東鄉志》，同注❻，卷上，頁 49 下。

同訓導江淳建亭，今廢。[41]

三畝，一畝爲二百四十平方步，三畝爲七百二十平方步，相當於長九十步，寬八步。或長五十餘步，寬十四步。接近低標準之間。

其次是浦江縣學射圃：

在儒學東側，塞塘為址。東五十六步，南五步，西五十八步，北六步。[42]

這是個不規則形的射圃。寬邊的大小約五～六步，長邊的大小約五十五～八步，稍遠於低標準。

其次徽州府學射圃：

射圃亭在學東，拓舊基，長二十丈，闊三丈。[43]

長二十丈，即四十步。闊三丈，即六步，遠不及低標準。[44]

至於臨朐縣學射圃，則難以計量：

在儒學前，久被民侵，且潛取土鑿為深坑。知縣王家士令人填塞，東至

---

[41] 見《嘉靖建平縣志》（上海：古籍書店，1963年《天一閣藏明代方志選刊》本），冊26，卷3，頁8上。

[42] 見《萬曆浦江縣志》（上海：古籍書店，1964年《天一閣藏明代方志選刊》本），冊19，卷6，頁2下。

[43] 《弘治徽州府志》，同注❷，卷5，頁16。

[44] 《徽州府志》特別提出了：「太祖高皇帝建立府縣廟學，悉有成式……」的誇言，（同注❷，卷5，頁15下）但是本學的射圃顯然太小，並不合式。不過，因為這個數字是寫在「射圃亭」標題下的，我懷疑它所提出的數據並不是射圃全部的丈尺，而是射圃亭這座亭子的大小，但沒有明證，無法推斷。

孟緒張田牆腳下，南至孟緒牆腳下，西至許科孟繡牆腳下，北至官街中心。西邊長拐一段，南北長九十八步，北口七步，中口八步，南口七步一尺。東邊短拐一段，南北長四十一步，東西口闊九步。二段共地二畝一分九釐二毫。㊺

臨朐儒學的射圃地形不整齊，西半長度九十八步雖然足夠，東半部長度只有四十一步，不到一半。不是優良的射圃。寬度因爲語意不明晰，無法計算。㊻規模在高低標準之間。

以上是手邊所記錄的明代射圃大小尺寸，爲使觀者易明，特製簡表於下（表二）：

表二　射圃大小比較表

序	所屬學校	長	寬	標準	序	所屬學校	長	寬	標準
1	瑞金縣學	100	100	高標	11	將樂縣學	60-70	22	高於低標
2	吳縣學	100	50	高標	12	潮陽縣學	60	16	低標
3	宜春縣學	100	35	高標	13	巴陵縣學	60-70	12	低標
4	豐潤縣學	100	26	高標	14	通州學	60	12	低標
5	句容縣學	100	26	高標	15	石城縣學	50	35	低標
6	崑山縣學	100	19	高標	16	東鄉縣學	60	8	稍遠低標
7	莘縣學	100	18	高標	17	建平縣學	50	14	稍遠低標
8	瓊州縣學	100	15	高標	18	浦江縣學	55-58	5-6	稍遠低標
9	九江府學	90	45	高標	19	徽州縣學	40	6	遠不及低標
10	雩都縣學	70	35	介於高低標準	20	臨朐縣學	98/41	7/9	地形不整齊

㊺ 見《嘉靖臨朐縣志》，同注❷，頁 33 下。

㊻ 本條的寬度無法討論，和條文中所記的畝數有關。如果照條中所提供的數字，用不規則面積法計算之後，畝數應高於三畝半以上，不應只有二畝餘。以故無法判斷其形狀。

在表二，可以很清楚看到，優良的射圃長度應在一百步左右，寬度在十八步以上。當寬度在二十五步以上時，侯道可以放在正中，當寬度在十八步時，如果侯道仍在正中，置乏的一側就會顯得擁擠。其次，長度在六十步，寬度在十二步以上的情形也很多，這種情形下，可用的射箭距離大約只適合三十步的規定，因爲射程近，置乏也可以稍近，如果侯道在正中是可能的；而如侯道不在正中，也是意料中的事。如果還在低標準以下，應該就是不合制式規定了。

㈢ 射圃的硬體建設

如依《明史》所說，射圃的軟硬體建設應有一定的標準，在《通州志》中也說：

> （射圃）……而建觀德所於其內，凡若干楹，為間者三。儀門豎於外，繚垣階序，飾然齊一。其儀物器具，咸依式創置，而以時肄射焉。㊼

既然說「咸依式創置」，就以這個標準來作個考察。射圃在硬體方面，主要建築物是「射圃亭」，隨著各學校命名的差別，出現了幾種名稱，最常見的就是「觀德亭」，又稱「無逸亭」，㊽又稱「榮觀亭」，㊾又稱「觀射亭」，㊿此外，也有像惠安縣學不稱亭而稱「觀德堂」的，或如邵武縣稱爲「興讓堂」。(51)

㊼ 見《萬曆通州府志》，同注㊳，頁 33 下。

㊽ 見《嘉靖贛州府志》，同注㊴，卷 11，頁 11 下。陳察：〈重建射圃無逸亭記〉云：亭曰「無逸，何居？」曰：「示勤也，曷謂勤？」曰：「莊敬日強者，君子之道，不忘民病者，儒行貴之。」

㊾ 見《嘉靖蘭陽縣志》（上海：古籍書店，1963 年《天一閣藏明代方志選刊》本），卷 5，頁 18。云：「射圃，舊在明倫堂東北饌堂後，今遷預備倉後。榮觀亭三間，在射圃內。」

㊿ 〔明〕王鏊：《震澤集》，同注㉕，卷 15，頁 13 下。

(51) 見《嘉靖邵武府志》（上海：古籍書店，1964 年《天一閣藏明代方志選刊續編》本），冊 21，卷 7，頁 17。

亭的大小方面，隨地方會有個別差異，但不會因爲府學、州學、縣學等級的不同而有差異。個別的射圃也有五間的，如瓊州府學的觀德亭、福建將樂縣學、[52]思南府學（圖九）、[53]皆是。一般絕大多數都是三間，如蘭陽縣學、大名府學，[54]都是三間的觀德亭。從各府州縣的射圃亭普遍都是三間來看，三間可能是一般射圃亭的標準規制，而且規模已經不爲卑小：

> 景陵縣射圃在學宮之南，蓋分學之隙地為之也。成化壬寅秋九月，縣尹姜君綰銳志復古，乃經營措置，建亭三間于其上，高敞壯麗，命材必以杉楠，甃地必以巨石。[55]

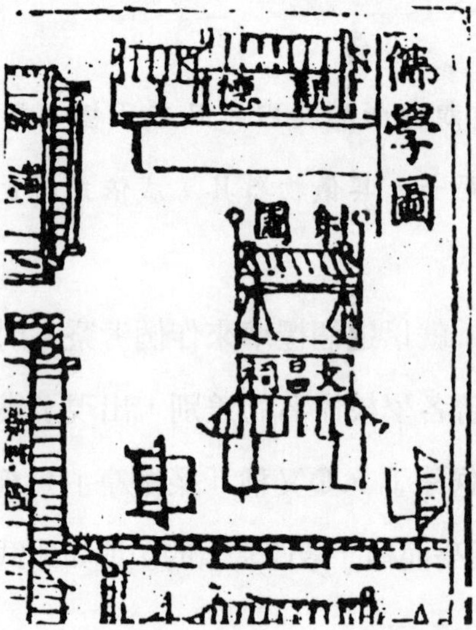

圖九　明思南府學東北角射圃圖

---

[52] 《隆慶潮陽縣志》，同注[36]，卷 9，頁 5 下。

[53] 見《嘉靖思南府志》（上海：古籍書店，1962 年《天一閣藏明代方志選刊》本），冊 67，卷首。射圃在東北角，射圃門三間，觀德亭五間，右側一部份被圖的標題遮住了。

[54] 《正德大名府志》，同注[20]，卷 5，頁 7。

[55] 見《嘉靖景陵縣志》（上海：古籍書店，1963 年《天一閣藏明代方志選刊》本），冊 54，卷 11，頁 12 下。見提學副使薛綱之〈縣學射圃亭記〉。

類似「高敞壯麗」四字的形容詞，在許多新建的射圃中常被使用，可想見標準射圃亭的規模。

此外，瓊州府學又在左右附牆各置小屋三間，惠安縣學也在建觀德堂時，拓東西二序及兩廊，福建將樂縣學中建射亭五間，左右廊房各三間，翼以兩廂。這是在亭之外，增建儲物及附屬的房舍或走廊、齋舍，算是比較講究的。

建亭的目的，是提供射禮進行時的行禮者之用，包括進行射箭前後的飲酒禮，以及行射者的站立位置，也是在亭裡面。換言之，射圃亭並不是提供與射禮無直接關係的長官或來賓觀禮休息的，在旁觀禮的客人，另有旁觀席位。(56)

射圃亭的方向，由於一般射圃多是南向，射圃通常在北，(57)而且是在最北端，所謂「盡北置亭」，這也符合《儀禮》一書的要求。不過，由於實際上的需要，當射圃門西向的時候，亭也會建到射圃東邊。(58)

在射圃亭下必須有三級台階以便揖讓行禮，亭前的中央，稱爲「侯道」，必須用巨石砌成（圖十、淄川縣學圖），(59)繞圃必須有垣牆，有圃門，射圃門通常是一間，也有建成三間的，如福建將樂縣學便是。加鎖，設守者。如：

> 甃地必以巨石。(60)
>
> ……石砌侯道，長如其步之制。其外則繚以周垣，為門鐍，設守者一人。於是學校之規制始備。(61)

---

(56) 《嘉靖邵武府志》，同注(51)，卷 7，頁 17 載：「射圃興讓堂北有水天清趣亭，大參沈暉詩：『一入樵陽未問農，滿城桃李笑春風。水天亭上觀鄉射，宛若當年魯泮宮。』」

(57) 見《嘉靖尉氏縣志》（上海：古籍書店，1963 年《天一閣藏明代方志選刊》本），卷 2，頁 40 下。「成化十七年知縣劉紹遷建射圃於儒學之東，十九年建觀德亭三間於圃之北。」

(58) 《弘治徽州府志》，同注㊸，卷 5，頁 17。此洪武八年事。

(59) 見《嘉靖淄川縣志》（上海：古籍書店，1965 年《天一閣藏明代方志選刊》本），冊 43，卷首。

(60) 見《嘉靖景陵縣志》，同注㊺，卷 11，頁 12 下。

(61) 《惠安縣志》，同注❷，卷 9，頁 3 下。

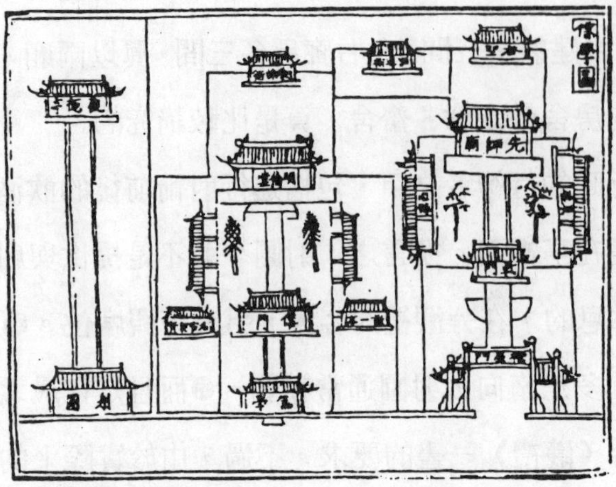

圖十　明淄川縣學圖　射圃在學西

圖十一　吳縣學射圃圖

碱階墀，經直道，恢之以埶，坦若展奠，法制備具，誠可耦進退，比禮樂，而施弧矢矣。……62

繚以崇墉，作亭其中。63

射圃，在敬一亭左，舊無設。嘉靖十三年御史中丞徐公問行府，創設觀德亭三間，圃門一座。64

有垣牆，可以維護行射時的安全，並顯示射圃的莊嚴；有門，有鎖，可以加強

62　見《正德瓊臺志》，同注32，卷15，頁9上。

63　見《正德建昌府志》（上海：古籍書店，1964年《天一閣藏明代方志選刊》本），冊34，卷7，頁10－11。

64　《嘉靖思南府志》，同注53，卷2，頁4下。

管理，減緩損壞的速度。

至於林木植被的問題，一般方志上雖沒有記載，不過，在吳縣志上有一幅圖顯示在射圃內也有林木，可供游息。（圖十一）

㈣ 射圃的軟體設備

射圃的軟體設備，主要就是射器，射器分三類，一、是射禮前段進行飲酒儀式時所必須用到的器物（表三）：二、是行射的時候所需應用的器材（表四）：三、是配合的音樂演奏所使用的樂器（表五）。如前所述，政府在立射儀的時候，應該也一併考慮了射器的規制，據《福建將樂縣志·射圃》條即說：「弘治十八年知縣何士麟重修及置射器，如制一新。」既然說如制，可見一定有原始的規制，可惜無法確認。本文中所舉用的範例，主要是來自《廣信府志》、㊺《南康府志》、㊻《瓊州府志》、㊼《威縣志》、㊽《尉氏縣志》、㊾《建陽縣志》、⑰《延平府志》、⑱《黃巖縣志》。⑲這些登錄射器的府縣，基本上都是具體實施射禮的，具有指標作用。

㊺ 見《嘉靖廣信府志》（上海：古籍書店，1964 年《天一閣藏明代方志選刊續編》本），冊 45，卷 11，頁 9 下，總頁 636。有高明：〈觀德亭記〉。

㊻ 見《正德南康府志》（上海：古籍書店，1964 年《天一閣藏明代方志選刊》本），冊 39，卷 4，頁 2 下。南康府學藏射器。

㊼ 《正德瓊臺志》，同注㉜，卷 15，頁 10 上。〈合用射器〉節。

㊽ 見《正德威縣志》（上海：古籍書店，1964 年《天一閣藏明代方志選刊續編》本），冊 2，卷 5，頁 19。總頁 795－796。熊垚〈威縣學射圃記〉。

㊾ 《嘉靖尉氏縣志》，同注㊼，卷 2，頁 41 上。

⑰ 見《嘉靖建陽縣志》（上海：古籍書店，1962 年《天一閣藏明代方志選刊》本），冊 31，卷 5，頁 32 上。

⑱ 《嘉靖延平府志》，同注⑫，卷 12，頁 10 下。

⑲ 見《萬曆黃巖縣志》（上海：古籍書店，1963 年《天一閣藏明代方志選刊》本），冊 18，卷 2，頁 23 下。

表三　射器（一）飲之部

項目	斯禁	豊	樽	罍	洗	爵	觶	篚	壺	豆	俎	卓	勺	夾
廣信府學	1	1	1	1	1	—	6	2	2	—	5	8	—	—
南康府學	1	1	1	—	—	—	1	1	—	—	—	—	—	—
瓊州府學	—	1	—	—	—	—	5	—	—	—	—	—	—	1
威縣學	1	2	2	—	1洗盆	—	2	1	—	—	—	6	1	—
尉氏縣學	1	1	—	—	1錫洗	1錫爵	1錫觶	1	1錫壺	—	1	—	1	—
建陽縣學	1	1	—	—	—	—	4錫觶	2竹篚	2錫壺	—	—	8小卓	2錫勺	—
延平府學	1	1	1	1	1	—	1	1	1	—	—	—	1	—
黃巖縣學	—	1	2	—	1洗盆	10	6	2	—	10	10	10	—	—

表四　射器（二）射之部

項目	弓	矢	決	拾	遂	算	侯	侯架	鹿中	兕中	旌	乏	楅	朴
廣信府學	20	20鏃	20	20	—	—	1	—	1	—	1	1	1	—
南康府學	16	64	16	16	—	84籌	1	—	1	—	1	1	1	1
瓊州府學	10	100	10	10	—	80	1布侯	—	1	1	18旗	1	1	—
威縣學	16	64	16	16	—	80	1布侯	1	2	—	1	1	1	1
尉氏縣學	6	60	6	—	6	80	1	1	1	—	1帛旌	1	1	2
建陽縣學	—	—	—	—	—	80	1布侯	1木架	1	—	1	—	1	—
延平府學	5	40	1	1	—	1籌	1	—	1	—	1翿旌	1	1	1
黃巖縣學	16	60	16	16	—	60	1布侯	—	1	—	1	1	1	1

表五　射器（三）樂之部

項目	琴	笙	鐘	鼓	磬	瑟	簫	其他
廣信府學	2	3	—	—	2	—	—	1和
南康府學	—	—	—	—	—	—	—	—
瓊州府學	—	—	—	—	2	—	—	
威縣學	—	4	1	1	1	—	—	—
尉氏縣學	—	—	—	1借用	1借用	—	—	1水借用
建陽縣學	—	—	1	1	—	—	—	—
延平府學	1	1	1	1鼗	1	1	1	—
黃巖縣學	2	4	—	1	2	—	—	—

在八個記錄中，廣信府的器用最爲齊備，高明〈廣信府學觀德亭記〉云：「凡宜用之器，無一不具。於戲！此禮不行於天下久矣！驟見古禮，足以來四方視效，有功風教，豈小補哉！」，至於威縣射圃亭的大小是三間，是射圃亭的一般規格，而且，《威縣志》也說：「射圃……置射器……躬率諸生講習行之，一以禮儀爲準，參之以近世名公儀節諸書。」可見是經過相當的考據工作才作成的，因而它所準備的器材，可以作爲其他學校的參考。府學和州縣學本身雖有等級差別，射器則並無差別，據《延平府志》轄下「將樂、沙、尤溪、順昌、永安五縣射器同於府」可知。

至於表中各府州縣所登載的射器不盡相同，有些可能是記載省略、遺漏或其他原因，如廣信府學竟然沒有籌算，應是遺漏，只有威縣有盆架二個，其他地方都沒有計算洗盆架，應是省略。弓的數量，以十六爲常，因爲每人使用乘矢（四支箭），所以矢是弓的四倍。射禮的侯靶只有一組，射箭時雖然是兩人同時上場，也是一人一箭，俟次行射，所以只需一組侯。這是明初儒臣依照《儀禮》而制訂的，但也顯得整個禮儀的隆重有餘而競技的熱鬧不足。

音樂方面主要是笙和磬，這是《儀禮》上特別記載的。由於標榜古樂，所使用的樂器也和當時常用的絲竹樂器不同；和同一官署其他使用的樂器也不盡相同，簡省很多。姑且不論樂器，單看人力也覺得很單薄，黃巖縣學用的樂工最多，不過才九人而已。其他若非沒有記載，就是人數很少。

三、射圃的理想與儀節

㈠ 射圃的興建

射圃成爲儒學的一體，其來源至晚在南宋時已經有了，宋光宗紹熙五（1194）年，欽州知州黃旦改建廟學於州署之東南，他所建的學校中就有射圃，顏棫所撰〈修學記〉云：「射有圃。」可證其事。⑬另如《邵武府志》曾說：

> 射圃，宋在軍學旁，元初因之，至正間學遷城中，圃廢。洪武九年築圃于熙春山麓。成化四年（戊子）守盛顒遷置城中西南隅，即舊學地，繚以周垣，堂曰興讓。⑭

這段記載也證明了從宋、元至明代，邵武射圃已由創建到改築，經過多次重大變化了。不過，由於這類記載不多，不能證明在明以前已有大量的射圃，而且，即使實行鄉射古禮，是否以射圃之名，也未可定論。

明代普遍設立射圃，並非出於復古浪漫情懷，而是制度上立下的規定，明太祖建國之初，在洪武二、三年，即著手建立學校規制，頒行天下，除了上述這條以外，還有許多重要規定，形成明代特殊的教育制度。政府既定了規約，唯恐各地執行不徹底，還要求在全國所有學校都刻石製作臥碑，對明代教育有深遠影響。當時就特別命令學校必須設立射圃。據《尉氏縣志》的〈立臥碑于學官·大明立學設科分教格式〉條云：

> 洪武二年十月二十五日尚書禮部欽錄到中書省案驗當日左丞相宣國公欽奉聖旨：今後立學設科，分教禮樂射御書數，恁每定擬來該學校合行的勾當，教秀才每用心講究著行，欽此。欽依會議定擬到各項事理。洪武二年十一月十八日中書省楊右丞等於奉天門東板房內奏奉聖旨，准教定立罪名，同這格式，各處學校都鐫在碑石上，欽此。……一、選官分科教授，禮、律、書共為一科，訓導二員，掌教禮、教律、教寫字。於

---

⑬ 見《嘉靖欽州志》（上海：古籍書店，1962 年《天一閣藏明代方志選刊》本），冊 64，卷 5，頁 2 上。

⑭ 見《嘉靖邵武府志》，同注㉛，卷 7，頁 17。

儒士有學行、通曉律令、諳習古今禮典、能書字者。射、樂、算共為一科，訓導二員，掌教樂、教數、教射，於知音律、能射弓弩算法者。上項訓導但是能一等或二等者，從各處守令考驗，各取所長，相兼教訓。……⑮

學規中關於習射這一條，就是修築射圃的法令依據。以後凡是加強射禮的學校都會提出其來源，如陳敬宗〈句容縣射圃記〉即云：

國家建學立師，訓迪賢俊，教之詩書六藝，以弘博其知識，而於射則別設圃於學宮之外寬閑之所，以便發矢。⑯

又如宋訥〈大名府學觀德亭記〉所云：

聖天子既家六合，詔天下郡縣立學宮、置訓導、設弟子員、以六藝為教、命部使者考覈之。蓋復唐虞三代之制。⑰

陳春之〈通州學觀德亭記〉也說：

我國家學校偕郡邑並置，而學必有射圃，其所以崇古聖賢立教之意以養士，法亦至矣。⑱

---

⑮ 《嘉靖尉氏縣志》，同注㊼，卷 2，頁 32。
⑯ 見《弘治句容縣志》，同注㉙，卷 9，頁 45 上。
⑰ 見《正德大明府志》，同注⑳，卷 5，頁 7。
⑱ 見《萬曆通州府志》，同注㊳，卷 3，頁 10。

何喬新〈建昌縣學觀德亭記〉也提到：

> 太祖高皇帝興學養士，肇復古先哲王之制，乃詔天下學校皆立射圃，每月朔望師儒帥諸生以從事焉。[79]

當時這項規定之下，執行得相當徹底，從現存的方志記載中可知，大量的射圃都是在這個時候建成。

政府雖下令各級學校必須習射，然而並沒有「射圃」之名，根據《明史·禮志》說：「太祖又以先王射禮久廢，弧矢之事專習於武夫，而文士多未解，乃詔國學及郡縣學生員皆令習射，頒儀式於天下。朔望則於公廨或閒地習之。」[80]本來只是在公有地或閒廢的土地上習射，並沒有射圃之名，把習射的場地冠以射圃之名，應是儒臣們根據皇帝的意旨，結合恢復古禮的理想而產生的。

射禮的根據，當然是源自《儀禮·鄉射禮》，但是，《儀禮》並沒有射圃之名，如云：「司馬出于左物之南，還其後，降自西階，遂適堂前，北面……乃設楅於中庭，……」之類，不論說堂、說階、說中庭，都沒有圃字。「射圃」一詞的來源，當是出於《禮記》「孔子射於矍相之圃」一節，[81]《蘭陽縣志》有一段話雖然主旨在詮釋「榮觀亭」命名來源，卻可用來說明「圃」字和「觀德」兩字的出處：

> 射圃，舊在明倫堂東北饌堂後，今遷預備倉後。榮觀亭三間，在射圃內，

---

[79] 見《正德建昌府志》，同注[63]，卷 7，頁 10－11。

[80] 見〔清〕張廷玉等：《明史·禮十一·軍禮·大射》（北京：中華書局，1962 年點校本），卷 57，頁 1441。

[81] 見〔清〕孫希旦：《禮記集解》（北京：中華書局，1994 年），卷 60，頁 1442。云：「孔子射於矍相之圃，蓋觀者如堵牆。」鄭氏曰：「矍相，地名也。樹菜蔬曰圃。」

> 取孔子射於矍圃，相觀者如堵，及射以觀德之意。[82]

據鄭《注》，圃本是樹菜蔬之所，宋明並不取此義，不但取締圃內盜種的菜蔬，還在地上舖設石質侯道。以「圃」為名，不過是取自典故而已。至於觀德二字，則已成為射圃的另一個代名詞了。

從明太祖下令習射到以「射圃」之名營建射圃，雖然只是同一時間的決定，但其間的文化屬性和背後的復古理想，已經有很大的變化了。

(二) 射圃的理想

明初，政府在規劃射圃時，是認眞的想推行六藝教育的，請注意〈學規〉中關於教學內容的敘述：

> 生員習學次第，侵晨講明經史學律，飯後學書、學禮、學樂、學筭，未時學習弓弩，教使器棒，舉演重石。學此數件之外，果有餘暇，願學詔、誥、表、箋、疏、議、碑、傳、記者，聽從其便。[83]

如果照這樣的規定看來，學生必須清晨到校，午飯也在學校中用餐，未時，就是午休之後，才學習弓弩等體育課程。這個規約中最重要的是到學校上課的觀念，這是過去興辦公立學校者所沒有的觀念，和這個觀念同時提出的是「社學」的規約，「社學」相當於現在的國民小學，每里必須設立一所社學，學童必須到校上課，而且是強制入學的。對課程進度、教材內容，政府也有明確的規定。由於諸多緣故，這樣的制度，事實上並沒有被認眞實行。不過，明太祖是相當認眞注意這件事的，他曾接見學生，查詢射箭的進度：

---

[82] 見《嘉靖蘭陽縣志》，同注[49]，卷5，頁18。
[83] 見《嘉靖尉氏縣志》，同注[57]，卷2，頁32。

我太祖高皇帝召國子生問曰:「爾等讀書之餘習射否?」對曰:「皆習。」曰:「習熟否?」對曰:「未。」乃諭之曰:「古之學者,文足以經邦,武足以戡亂,故能出入將相,安定社稷。今天下成平,爾等雖專務文學,豈可忘武事?《詩》曰:『文武吉甫,萬邦為憲。』惟其有文武之才,則萬邦以之為法矣。爾等宜勉之。」[84]

這段話非常有趣,由流寇出身的皇帝,當然弓馬嫻熟,他要求各級學校習射,當然沒有人敢說不,因此學生們回答說「皆習」,可是,射藝精不精,一試便知,不能作假,因此,一問到熟不熟,大家都說不熟。明太祖雖然接著講了一大段冠冕堂皇的話,他的本意很簡單,是要確實會武藝而已。對照兩段記載,我們可以發現明初設立射圃,有其實際的用意。

不僅如此,如果仔細閱讀前面所引述明太祖所訂學規的〈分教格式·選官分科教授〉條,將會發現在這段文字中,他對於六藝教育,是站在非常實際的技藝觀點上發言的,以射藝來說,他要求任用的教師必須是「能射弓弩者」,「但是能一等或二等者,……各取所長,相兼教訓。」能射者當然未必能作儒生的學問,在這條〈學規〉下,這類人才將可以擔任教職。同一時間制訂的〈大射禮〉中也有這樣的規定:

其職事設司正官三員,掌驗射暫品級尊卑人力強弱,而定耦其中否,則書于算兵部官職之,司射二員掌先以強弓射鵠誘射以鼓眾氣,以武職官充之,司射器官二員,掌辨弓力強弱分為三等,驗人力強弱而授之,工部官職之。[85]

---

[84] 《嘉靖蘭陽縣志》,同注[49],卷5,頁17。
[85] 見《萬曆重修本大明會典·大射禮》,卷51,頁336。

在《儀禮》司射選耦的條件，如鄭玄在《注》中所說：「司射選弟子之中，德道藝之高者，以爲三耦，使俟事於此。」但是，明太祖的規條中卻是分別「人力強弱」，《儀禮》中對司射誘射只是當作禮儀在進行，倚在侯上的旌都不拿掉，而明太祖的規條卻是要誘射者眞正以強弓勁弩、高明的箭法來鼓舞眾氣，提起行射的氣勢。相應的，明代大射禮也不同於宋代把它列入「嘉禮」，而是放在「軍禮」部門。

由此可知，明太祖認爲習射不忘武備，這才是他的本意。可是身掌國家大政的儒臣們卻持相反之見。從弘治名臣王鏊的一段話，就可以看到其中的矛盾點，他說：

> 學之有射，非曰不忘武備也。蓋亦學焉。而其禮久廢矣，其儀雖具于《儀禮》，顧未有舉行之者。[86]

其實，不必等到王鏊，早期儒臣們爲明太祖所訂的射禮規範，即是希望從《周禮》、《儀禮》、《禮記》等書來爲射禮定位，從射侯的規制上就運用了「射不主皮」的觀念，[87]以《儀禮》所定的布侯作爲射儀的核心，把射儀導向重禮的成分。只是初期的執行者仍以實際的射藝爲重，所以沒有被發現問題而已。

(三) 禮與射的矛盾

如上所述，明太祖提倡學校習射風氣，儒臣們將之導入學校射禮，在重禮與重射之間，其實仍然充滿了矛盾。儒臣們爲了解除這個矛盾，乃大力宣揚射

---

[86] 〔明〕王鏊：《震澤集》，同注[25]，卷 15，頁 13 下。

[87] 所謂射不主皮，就是射侯以布為之，而不使用皮料，取其易於穿透。如果是為了武事而習射，那麼，射侯就應該用皮質，能夠射透就表現射者的力量，反之，如果是用布質，就是以行禮為主，而不以武事為主。

禮與人才養成之間的關聯性，如前引的《明會典．大射禮》曾說：

古之射禮有五，國朝次第行之，詔成均博士弟子，及郡縣庠序之士，皆使習射以俟貢舉，而凡遇郊廟之祭，先期命文武官執事行大射之禮，其儀具後。

文中說到「皆使習射以俟貢舉」，事實上雖沒有眞正實施，考中進士的人乃至歲貢任官的人，誰也沒有提出射箭成績，但是由射取士的觀念，使儒臣得到現實和理想之間的統一。也由於這樣的思想，使儒臣們得安心提倡射箭，使得射禮得以成爲制度，因而推演其說的人自然不少，《蘭陽縣志》便說：

按〈學記〉云：古之教者，術有序。《孟子》謂：序者，射也，此學有射之始。《周禮》射有三：一曰大射、二曰賓射、三曰燕射。《注》謂：大射者，天子將祭，必與群臣諸侯射是也。賓射者，諸侯朝會王與之射是也。燕射者，燕勞使臣，若與群臣閒暇飲食而射是也。至於教人之禮，則有鄉射存焉。故鄉老五物之禮而射以行，蓋以射詢眾庶也。鄉大夫保氏六藝之教，而射以寓，蓋以射為藝事也。州長春秋會民，則必以禮而射于黨序，蓋以射因擇士也。至於諸子國子之考藝，必合諸射焉，其教人也以射，其取士也以射，異時得與於祭，得為諸侯，皆由此其選也。……後世……冠帶縉紳之流，類以張弓挾矢為甲胄之事，其上庠瞿圃之名，殿庭澤宮之制，亦文具而已矣，將何以觀德哉？[88]

這段文章中，他一方面反對冠帶之士輕視射藝，反對把射箭視爲甲胄之事。一

[88] 見《嘉靖蘭陽縣志》，同注[49]，卷5，頁17。

面對射藝的功用做了無限上綱的推論，特別他說：「至於諸子國子之考藝，必合諸射焉，其教人也以射，其取士也以射，異時得與於祭，得為諸侯，皆由此其選也。」這等於說只要能射，就可以得到一切成為人才的機會，得到一切進用的管道。對比前文，就可以知道，和明太祖的出發點本意是不同的。問題是，誰管明太祖的本意呢？射禮在復古的理想中，被進一步提倡起來。

具體表現在外的，就是所有的射圃亭，大多命名為「觀德亭」，這項取自於《禮記》的命名，其實是儒臣理想的一部份。這也分為幾個層面，如成化年間提學副使薛綱〈景陵縣觀德亭記〉：

> 一日，縣尹姜君綰率諸生來求予記，綰之言曰：射圃有亭矣，每公暇得與諸生演習其間，目熟神怡，恍若身遊乎孔氏之門，而親與七十子相揖讓。環橋門而觀聽者，亦皆咨嗟詠嘆，以為千載奇遇也。射畢而退，儀音影響，悠然乎人之耳目，而和敬之心，逐物萌芽。89

薛綱的理想是恢復孔門揖讓之禮，使「和敬之心」成為學子教養之門。與弘治間禮部尚書劉春的〈通州觀德亭記〉，可以參觀：

> 於是進退揖遜之容，恭敬周還之節，倏啟於曠闕之餘，一時衣冠會聚，禮樂修明，可謂知所以作士之道矣。……古者聖賢設教，非苟為繁文末節也。蓋將以養人恭敬之心於威儀慢易之際，使人由之而不知，習之而不察也。故天子有大射，諸侯、卿、大夫、士有賓射，而其射也則燕飲以明君臣之義，鄉飲以明長幼之序，而其禮之行也，則進退揖讓有義，

89 見《嘉靖景陵縣志》，同注55，卷11，頁12下。

> 升降先後有序，勝而不矜，罰而不怨，此所以觀德也。[90]

文中所指的觀德，是觀古禮而知其「進退揖讓有義，升降先後有序，勝而不矜，罰而不怨」之德。

在另一方面，從弘治正德間名相謝遷〈重建崑山縣儒學記〉就有：「憩觀德之亭，則瞿然曰：『德其有未成邪。』」[91]把德字回觀到自身的德行來。王守仁爲贛州所作〈觀德亭記〉更進一步說：

> 君子之於射也，內志正，外體直，持弓矢，審固而後可以言中，故古者射以觀德。德也者，得之於其心也。君子之學，求以得之於其心，故君子之於射，以存其心也。是故躁於其心者，其動妄；蕩於其心者，其視浮；歉於其心者，其氣餒；忽於其心者，其貌惰；傲於其心者，其色矜；五者心之不存也，不存也者，不學也。君子之學於射，以存其心也。是故心端則體正，心敬則容肅，心平則氣舒，心專則視審，心通故時而理，心純故讓而恪，心宏故勝而不張，負而不弛。七者備而君子之德成。君子無所不用其學也，於射見之矣。……鵠也者，心也，各射己之心也。各得其心而已，故曰可以觀德矣。作〈觀德亭記〉。[92]

這段話雖也是演繹《禮記》的成文，但微有不同，王守仁從修身內省的角度，寫到「君子之學於射，以存其心也。」並提出「心端則體正」等等養心之法，是王學的特殊觀點。觀德之義，到此發揮無遺。

---

[90] 見《萬曆通州府志》，同注[38]，卷 3，頁 10。
[91] 《嘉靖崑山縣志》，同注[30]，卷 14，頁 15－17。
[92] 《嘉靖贛州府志》，同注[24]，卷 11，頁 12 下。

四 射禮的執行

不論是成、弘間的看法，或者是王守仁的新主張，和明太祖最初設立射圃的本意，是有差距的。儒生們主張以禮爲重，以射爲副，而明太祖的本意明明是要學生練武，這一點矛盾，造成許多執行上的差距。

洪武初年，在儒臣們了解明太祖的本意，又不願違背儒學理想的情境下，不論在中央政府的大射禮或地方學校的射禮，都充滿了妥協和不協調的氣氛，茲記錄學校射禮的部份規定如下：

> 洪武三年定學校射儀：前期戒射定耦，選職事，充司正、副司正、司射、司射器、請射、舉爵、收矢、執旗、樹鵠、陳設訖。
>
> 至日，執事者入就位，請射者引主射正官及各官員子弟士民俊秀者各就品位，司射器者以弓矢置於各正官及司射前。
>
> 請射者詣正官前圓揖畢，引詣司射器前受弓矢，訖，復位。司正執算入，立於中後。
>
> 請射者詣司射前曰：請誘射。引司射二人耦進，各以三矢搢于腰帶之右，以一矢挾於二指間，推年齒相讓，年長者為上射，年幼者為下射。上射先詣射位，向鵠正立發矢。司正書中，投算置於中，舉旗者如所射應之，射畢，退立於傍，讓下射者詣位射。
>
> 訖，請射者俱引復位。收矢者收矢，復於射者，司正取所中算。
>
> 請射者次請士民俊秀射，次請官員子弟射，次請品卑至品高者射。其就射位發矢取算書中舉旗收矢復位，皆如前儀。
>
> 既畢，司正、副司正各持算白中於主射正官，舉爵者酌酒授中者飲之，中的者三爵，中采者二爵。
>
> 飲訖，請射者請屬官以下仍捧弓矢納於司射器，還詣主射正官前，相揖

而退。[93]

基本上，這段儀節是來自古禮的，所謂古禮，《儀禮》有完整的篇章介紹「鄉射禮」，《禮記》有〈射義〉篇，《周禮》〈大司馬〉章也有關於射禮的記載，這三部份構成了古代射禮的典範。由於篇幅關係，不能詳細引錄《儀禮》的文字，大約說來，《儀禮》「鄉射禮」分成三個部份，第一是和「鄉飲酒禮」類似的迎賓陳設禮儀。相當繁瑣。第二部份才是射箭本身，第三部份是射箭比賽以後的禮儀，也和鄉飲酒禮類似。單是射箭本身也分成三部份，首先是司射的誘射和射箭人的習射，這是不算分的。中間是正式計分的比賽，最後，是表演賽性質，一邊射箭還要演奏音樂。所以這樣的射禮，是禮儀，而不是比賽武藝。

可是，在上述學校射儀中，省略了「儀禮」許多換位、行進等許多揖讓進退的繁文縟節。不但如此，關於鄉飲酒部分儀節，都未予提示，《儀禮》中對於比賽結果，是采取勝者對不勝者罰酒的方式：

> 勝者之弟子洗觶，升酌，南面坐，奠於豐上。……不勝者進，北面坐，取豐上之觶，興，少退立，卒觶。

互相揖讓的情節宛然，但是到了明初的規條，卻變成中者飲得勝酒，並強調「中的者三爵，中采者二爵。」這一來，古代射禮的精神就完全改變，重視射藝高下的重武本意，也流露出來了。

面對這一點，看見其矛盾性的明代士大夫，就拿出《儀禮》本經，並參酌前代或當代名儒的見解，自行編著儀節：

> (知府) 謝侯士元者，政尚惇本，興學作士，又自廩南至射圃，坐觀德

---

[93] 見《萬曆重修本大明會典·學規》，同注[21]，卷 78，頁 452。

亭，諸生各執事演古鄉射禮。射已，作樂，飲觶，粲然成周彌文之具。亭中懸一圖，先是侯據朱子門人楊復所著而節擬其制，俾諸生暇時習射者也。94

公（涂裴·成化七年）又自損益〈大射〉、〈鄉射〉之禮，注為〈射儀〉一通，俾諸生習而射之。瓊士大夫觀者聽耳，莫不欣然。頌公能宣德意以翼文化。……95

予嘗諸《儀禮》、《禮記》而知其說，……聞西江康齋吳先生講明是禮，以教郡縣諸生，予遣兩生從九江學之以歸，即命有司築亭圃、置射器，俾諸生朔望肄習之。夫謂之復古，非徒持弓執爵復其儀文之末而已，亦惟復其禮樂之原。96

嘉靖二十二年知縣曾嘉誥重修，周築牆垣，設屏於南。二十四年遵提學按察副使葛守禮刊行《射禮圖注》，并節要全設射器，諸生肆習。97

禮器諸物，百爾具備，乃出《儀禮》等書，屬予與同寅王君臣、高君嶽率諸生日夕講究而行之。予惟射禮之廢久矣，……98

以上各引文所記錄的，都是實際在推行射禮者，但是他們並不直接引用政府的射儀，有的參考《儀禮》，有的引用前宋朱熹弟子楊復的說法，有的就派人到江西向吳與弼（康齋）學習，有的乾脆自訂儀節，而他們所訂儀節的方向，都與政府原訂的教育目標，多少有些差距。以後的陳鳳梧撰《射禮集要》一卷，王廷相《鄉射禮圖注》一卷，聞人佺《飲射圖解》，99林烈《鄉射禮儀節》，

---

94 《正德建昌府志》，同注63，卷 7，頁 9 上。提學副使夏寅撰：〈重修建昌府學記〉。
95 見《嘉靖蘭陽縣志》，同注49，卷 5，頁 18。
96 《嘉靖景陵縣志》，同注55，卷 11，頁 12 下。
97 《嘉靖尉氏縣志》，同注57，卷 2，頁 40 下。
98 《正德威縣志》，同注68，卷 5，頁 19，總頁 795－796。
99 見《明史·藝文志》，同注80，卷 72，頁 2358－2359。

都是想將射禮改回《儀禮》的原意上，林烈甚至還在其家鄉福州創立「嵩陽社」，也建「射圃」，擇弟子一百七十三人，每月朔望行古鄉射之禮。[100]這些意見，和政府射儀之間有所不同。

具體的差異，可以從黃巖縣學依據〈古鄉射儀略〉所實行的學校射禮範例看出來：

1.坐位安排（古燕射圖）：

主一、賓一、遵一、士眾賓二。坐賓于堂北少西，坐遵于賓席之東並南面，主席于阼階上，西面，士及眾賓席于西序，東面，以北為上，與鄉飲之席略同。遵於賓席之東，設洗於阼階東南，儐者一立于主之少南。司馬、司射、司中、釋獲、執旌、張侯各一，揚觶、設楅、設豐各二，執弓矢十，約矢四，俱于眾賓射位之後，退一二尺許。樂生在西階上，俱東面序立，以北為上。司鼓、樂正、歌生俱于阼階之下，與西班司馬等相對。司尊、洗觶、執爵者俱于洗盆之南，退後一二尺許，俱西面序立，以北為上。燕射器：（見前表三至表五）。[101]

2.射禮進行（儀節）

序立，迎賓三揖入門，又三揖升階，再拜就位，主獻賓，賓酢主人，主酬賓，賓舉旅行酬，主獻眾賓，同一起受爵，主迎遵獻酢，舉旅行酬，悉如賓禮。乃樂賓，合樂工，歌備，乃立司正行射禮。（采自《儀禮》）司射曰：「主有枉矢弱弓，聊以樂賓，使某敢請。」賓辭，又固請，乃許。司射納射器，司馬延射者于庭，揚聲曰：「奔軍之將，亡國之大夫，與為人後者不入，其餘皆入。」揚觶者升，乃揚觶曰：「幼壯孝弟，耆

---

[100] 見〔清〕永瑢等：《四庫全書總目》（北京：中華書局，1989年），卷25，頁207。

[101] 《萬曆黃巖縣志》，同注[72]，卷2，頁23下，教諭豐城熊垚：〈射圃記〉。

耋好禮，不同流俗，修身以俟死者，否，在此位也。」又一人揚曰：「好學不倦，好禮不變，耆耋稱道而不亂者，否，在此位也。」（采自《禮記》）

揚觶者退，乃比耦司射，選弟子之中，德行道藝之高者，以為三耦，請即俟位曰：「某與某子為一耦，某與某子為二耦，某與某子為三耦。」皆應曰：「諾。」乃張侯，獲者倚旌于侯中，遷樂，誘射。三耦各與其耦讓，取弓矢，即射位，行初射禮。獲者執旌負侯而俟，三耦以次升射，凡升必三揖。司馬命去侯，司射升階當耦前北面戒之曰：「無射獲，無獵獲。」乃射。上射先發一矢，下射繼發一矢，更迭發乘矢。射畢，揖降如升數。將降而二耦進，與一耦交于途中。及三耦射畢，司射告于賓曰：「三耦卒射。」初射凡有中者，則獲舉旌大言曰：「中而未。」釋筭，乃約矢執旌負侯設幅行再射禮。主賓為一耦，士遵二耦，眾賓三耦，儀如初射，第戒詞則易曰：「不貫不釋。」凡中則釋筭卒射請數，釋筭者數畢，立堂中，面賓告曰：「右賢于左幾純，左賢于右幾純。」均則曰：「左右均。」乃設豐洗觶，飲不勝者。

飲已，徹豐，行終射禮如再射儀，但增請以樂樂賓，樂奏采蘩之章，戒詞易曰：「毋失射，毋失聽，能射能聽，斯為美。」卒射，飲已，旅酬，合樂。徹俎，請賓還坐燕飲，已，徹席送賓，再拜乃出，樂止，禮畢。[102]

這段射儀中，和《儀禮》《禮記》都有所不同，卻可以說是這兩部書的混和體，我在引文中也把比較顯著重要之處特別標示出來了。整體而言，這份射儀可以代表對政府射儀不滿者的看法。像它重視行禮遠超過射藝高下的用意，以及在射後飲酒時，把政府所訂飲勝者的規定仍改回《儀禮》飲不勝者的這些點上，

[102] 《萬曆黃巖縣志》，同注[72]，卷 2，頁 23 下。

所謂恢復古禮的意義十分明顯。

㈤ 射圃的荒廢

本來，從學校教育中講究射箭教習的規約，落實到實際上建射圃行射禮的時候，已經有向禮儀偏重的偏差，試再回頭檢閱前前面「表三」至「表五」的射器，就會發現重禮與重射之間的不同觀念所影響的結果，是所有的射器看來只像是禮儀用具而已。而且，即使不談這一點，但作爲被射主體的「侯」和周邊射備「旌、乏」等只有一組的事實，卻明白地宣示了限制了行射人數的無奈性，行射人數受到限制，競技意味自然減低在行禮意義之下，競技所帶來的熱烈氣氛，也必然因而減小，這是明代學校射禮必定會和明太祖本人意志矛盾的宿命。

由於明太祖建立學校的理想，是想將射禮結合尙武精神實施，然而爲明太祖制禮作樂的儒臣們的理想，卻是恢復三代禮樂，兩者之間的矛盾，在洪武年間尙沒有重大衝突，明太祖既沒有把射藝硬往武術上推去，儒臣的定制又顯得妥協而合理，所以當時並沒有問題。

然而更嚴重的是，明代各種學校規制，表面上是沿襲唐宋，其實都是新創的。制度既是初次創舉，由於人爲因素，以及一些事實上的困難。「射圃」制度和「社學」制度，都是理想中有，而實質上都執行得不好。即使是「儒學」本身，也只成爲發放文憑的單位，沒有眞正教學之實。舉個例子，「儒學」的教育制度在明初定制時，確實是全新的好制度，但是一旦執行起來，學生員額是確定了，廩膳制度確立了，學校宿舍、餐廳都建好了，貢舉考試也確定了，而這一切制度的最根本處，也就是學生必須到校上課的規定，似乎根本沒有被執行。以學校射禮來說，我們到處可以看到「朔望行射」的記載，卻從來沒有「未時習射」的實際記錄。這種現象，其實是肇因於明代特別提高舉人和進士的地位，而學校辦學成績，教授升遷依據，乃至重修廟學看風水時，都以科舉錄取成績好壞來決定，這樣一來，除了考試以外，一切和科舉考試沒有直接關係的教育活動，完全沒有存在的理由。學生們雖然掛名在學校，讀書考試的準備，都是在自己家中進行的，這樣的學校，早已遠離了創設時的本意。[103]

因此，即使儒臣們和明太祖妥協之後所訂的射禮，仍然隨著學校制度的不落實，而無法實施。就如《通州府志》所說：

> 三代而後，學校不明，禮樂寖衰，世之奮迅於佔畢者固詵詵然，而所以本諸身心以達諸家國天下者或寡矣。其於射禮，若又非所急也。[104]

學校的士子都專心奮迅在考試，其他個人修身以至國家理想都棄之不顧，射禮當然非其所急。大量的記載，都顯示出射圃荒廢的嚴重性：

> 堂南有池，池上有橋。堂北有水天清趣亭，今皆廢。[105]
>
> 文廟東南百十武，舊有射圃，近盡鞠為蔬圖，且僻陋湫隘不足觀，久矣。[106]
>
> 射禮，唯弘治初一舉行，未久遂廢。[107]
>
> 即命有司築亭圃、置射器，俾諸生朔望肄習之。不二年間，亭圃已有鞠為蔬園者，其肄習可知已。[108]

至於部分儒學生員於號舍不足時，或借住射圃的事情，也時有所聞，[109]至於居

---

[103] 即使是社學，也有設立射圃的，如魏校社學射圃，在廣州。關於明代學校制度，請參閱簡錦松：〈明代成化嘉靖間之地方學〉，《中山大學學報》1987年第4期，頁1－31。

[104] 《萬曆通州府志》，同注[38]，卷3，頁10。

[105] 《嘉靖邵武府志》，同注[51]，卷7，頁17。

[106] 《正德威縣志》，同注[68]，卷5，頁9，總頁795－796。

[107] 《嘉靖惠安縣志》，同注[2]，卷9，頁7下。

[108] 《嘉靖景陵縣志》，同注[55]，卷11，頁12下。

[109] 見〔明〕崔銑：《洹詞・顯妣李淑人述》，同注[28]，卷5，頁39下。

人遂種蔬於堂廡間（明吳寬語）。目睹這種情形，姜綰曾發出「是豈古禮不宜於今哉？特以憚煩笑迂者眾耳。」的感歎。

總之，如果依明太祖的原意，射禮簡化之後，加入重視射箭能力高下的比賽成分，學校射禮未必不可行，但是儒臣們強調古禮，不願使射禮增加競技成分，當一面講究恢復繁瑣的儀禮時，另一方面，又投身於追逐科舉人數的辦學績效中，終於使這個與科舉成績沒有關係的射禮，變成眞的不可恢復。

四、結　語

古代廟學自唐宋興建以來，到了明初，達到極盛，制度也完全建立起來。明朝的辦法，就是一府一州一縣都有一所學校，這所學校與孔廟完全結合在一起，不予分割，廟學合一的制度，一直到清朝結束，新制教育產生，才有了根本的變化，時至今日，研究臺灣古蹟文獻者，大都忽略了這一點，以致於孔廟的意義，只剩下祭祀一途，每年祭孔典禮又不受重視，孔廟的地位雖高，實質上並沒有發揮其用。

在廟學制度中，特別受到明代重視的就是「射圃」，在以建築物為主體的廟學中，寬廣的射圃可以給人「學者於問學之餘，於是遊焉、息焉，揖讓焉，獨非學邪？」（王鏊〈吳縣射圃記〉）的感受，這還在其次，優美多姿的射禮儀節與精采的射箭競技活動，才是喚起射圃生命的重要項目。雖然，在明代實施射禮並不成功，明太祖重視射圃和射藝的教育的理念，也因為執行者重視復古與古禮甚於射藝，而受到一些改變，不過，這個廣建射圃的政策基本上仍是正確的。

中山大學為高雄市主要的國立大學，對於地方建設理宜投入更深刻的關懷，如能以本論文的研究成果，立即且有效地改造高雄孔廟，更能彰顯學術對當代社會的意義。高雄市孔廟得天獨厚的建築群，不但氣勢軒昂，造景優美，在它的東、南、西三方，都還有空地，可以營建射圃，如東邊空地長一百三十七米，寬十九米（長九十三步，寬十二步），目前尚未作有效利用。西南端在萬仞宮牆之外，蓮池潭邊的空地，目前有長八十米，寬二十一米（長五十七步，寬十三步），也形同閒置。西側隔馬路的小公園，不含溜冰場，長一百八十四米，寬六十四米（長一百二十五步，寬四十三步），目前的利用層級也不高。不論那一個地點，經過簡單的修改之後，都可以規劃成爲射圃。如此一來，孔廟的「廟」的成分，再配合現在文獻會辦公處所的建築可規劃爲「學」，再搭配上「射圃」，就成建構一所符合古代學制的完整「廟學」，爲後代子孫留下一所典範來。古蹟並不完全是保存古物，在古蹟顯然不多，文物年代都不久遠的臺灣，古典記載的再現，有時比維護一些不合規制的舊物，還更有意義。

民國五十八年，臺灣在李濟、臺靜農的提倡下，還製作了〈儀禮復原研究〉的錄影帶和研究叢刊，並由孔德成寫〈儀禮復原研究叢刊序〉，說明當時的情形，⑩可見在當時臺灣也有注意到古禮的人。而整部《儀禮》中，鄉射禮是最重要的一部份。希望在不久的一天，高雄孔廟能建成全臺灣第一所射圃，在這裡演練古禮，成爲全世界注目的焦點。

感謝　中山大學中文系李永貞同學、高雄市古典詩學會方碧鳳小姐、林素卿小姐協助

---

⑩ 見施隆民：《鄉射禮儀節簡釋》（臺北：臺灣中華書局，1985年《儀禮復原研究叢刊》），頁1。孔德成說：「《儀禮》一書，為我國先秦有關禮制、社會習俗，最重要而對於儀節敘述最詳盡的一部書。可是因為其儀節的繁複，文法的奇特，句讀的難讀，所以專門來研究它的人，愈來愈少。李濟博士有鑒於此，特倡導用復原實驗的方法，由東亞學會撥予專款，由臺灣大學中文系、考古系同學成立小組，從事集體研討。由臺靜農先生任召集人，由德成指導。」

張以仁先生七秩壽慶論文集

（下冊）

編輯委員會　編

臺灣　學生書局　印行

張以仁先生七秩壽慶論文集

目　錄

【史】

【子】

【集】

郝敬著作考

蔣秋華*

前　言

晚明學者郝敬（1558－1639）由於仕途不遂，自明神宗萬曆三十二年（1604），辭官隱居，閉門謝客，奮勉撰述，自經術及於詞章，皆有論著，其中多種曾爲明、清之際學者稱道與引用，但至清代中葉以後，其著作漸被遺忘，以致流傳不廣，知之者甚鮮。然欲考究一家之學術思想，於其著作版本之沿襲、流傳，固爲論學者所不可忽略之要務，故本文試就所見郝敬之著作及文獻所著錄者，詳予稽考，或有助於世人對其學術之瞭解，並藉此喚起學者研究之興趣。❶

明熹宗天啓四年（1624），郝敬六十七歲，於所撰〈郝氏族譜〉中說：

> 余幼守一經，罷官林居，二十有一載。懸車下帷，取《周易》、《尚書》、《毛詩》、《春秋》、《禮記》、《儀禮》、《周禮》、《論語》、《孟子》，鑽堅研微，十寒十暑，著為《九經解》，凡一百六十五卷。又著《山草堂集》，凡一百五十二卷。皆鍥之家塾，櫝而藏之，詒我子孫。❷

據此已得三百一十七卷，可見其著述之繁富。《九部經解》爲其釋經之專著，

---

*　中央研究院中國文哲研究所副研究員。

❶　傅兆寬：《明梅鷟郝敬尚書古文辨之異同》（臺北：中國文化大學中文所博士論文，1981年），頁6－8，對郝敬之著作，有極簡單之介紹。

❷　見〔明〕郝敬：《小山草》（〔明〕崇禎間刊《山草堂集》本），卷8，頁9下。

《山草堂集》則爲其談經緒論。此外，郝敬尚有不見於此處之著作。以下即就今存及見於著錄者，分《九部經解》、《山草堂集》及其他三類，逐項考證。

壹、《九部經解》

郝敬去官，閒居在家，傾全力著書，曾言：

> 今日詞賦剽竊兼并，即王勃一日草五王冊，無足多也。文不根經術，靡萍棘猴，工悉當乎？❸

可見他認爲文學創作應立基於經術，否則文章寫得再好，也是無用。因此，他先從經書著手，前後涉獵《九經》，成《九部經解》（或稱《九經解》）。此書自萬曆三十三年（1605）冬起草，四十二年（1614）春卒業，至四十七年（1619）始全部刊印完畢，❹費時將近十五年。其目爲：

《周易正解》二十卷、〈讀易〉一卷；
《尚書辨解》十卷、〈讀書〉一卷；
《毛詩原解》三十六卷、〈讀詩〉一卷；
《春秋直解》十五卷、〈讀春秋〉一卷；
《禮記通解》二十二卷、〈讀禮記〉一卷；
《周禮完解》十二卷、〈讀周禮〉一卷；
《儀禮節解》十七卷、〈讀儀禮〉一卷；

---

❸ 見〔清〕鄒漪：〈郝給事傳〉，《啟禎野乘》（臺北：明文書局，1985 年《清代傳記叢刊》本），卷 7，頁 5 上引。

❹ 參見郝敬：〈九部經解敘〉，《小山草》，卷 6，頁 4 上；〈生狀死制〉，《小山草》，卷 9，頁 13 下。

《論語詳解》二十卷、〈讀論語〉一卷；

《孟子說解》十四卷、〈讀孟子〉一卷。

合計共有一百七十五卷。其師李維楨（1547－1626）〈舊刻經解緒言跋〉謂《九部經解》「其卷一百七十有五，其言一百五十萬有餘」，❺然郝敬〈九部經解敘〉則說：「書成，通爲卷一百六十五，爲解一百六十七萬言。」❻〈郝氏族譜〉亦謂一百六十五卷，這是專指諸經注文而言，亦即扣除每部經解前面的緒言部分，所獲得的卷數與字數，不過卷數少一卷，字數反而增加，可見原書的字數後來若非改易，便是二人估量寬嚴不同。後世著錄《九部經解》者，多謂一百六十五卷，❼殆皆沿襲郝敬之〈敘〉言，實誤。《江南圖書館善本書目》著錄：「郝氏《九經解》百六十六卷，明京山郝敬，明刊本，八十本。」❽乃得其正確之數，此亦可自其師李維楨〈舊刻經解緒言跋〉益以緒言之九卷後，得一百七十五卷，獲一明證。此外，上海師範大學圖書館所藏日本衣文庫傳鈔明萬曆本，則謂郝氏《九部經解》有一百七十四卷，❾其中《尚書辨解》爲八卷，❿《孟子說解》又增〈孟子遺事〉一卷，故總卷數少一卷。何以致此？蓋

---

❺ 郝敬：《談經》（〔明〕崇禎間刊《山草堂集》本），卷末，頁3下。

❻ 見《小山草》，卷6，頁4上。

❼ 如〔清〕黃虞稷：《千頃堂書目》（上海：上海古籍出版社，1990年），卷3，總頁84；〔清〕朱彝尊：《經義考》（京都：中文出版社，1978年），卷250，頁1上－2上；《明史·藝文志》（臺北：鼎文書局，1982年），卷96，總頁2369；《四庫全書總目》（臺北：漢京文化事業有限公司，1981年），卷34，總頁192；〔清〕余廷燦：〈郝京山先生傳〉，《存吾文稿》（〔清〕嘉慶6年雲香書屋刊本），頁115上；〔清〕沈星標等：《京山縣志·儒林列傳》（〔清〕光緒8年刊本），卷13，頁2上：俱著錄為一百六十五卷。

❽ 參見《江南圖書館善本書目》（臺北：廣文書局，1970年），經12。

❾ 參見《中國館藏和刻本漢籍書目》（杭州：杭州大學出版社，1995年），頁4。按：原文脫漏「《禮記通解》二十二卷、〈讀禮記〉一卷」一條。

❿ 《中國叢書綜錄·總目》（上海：上海古籍出版社，1986年），頁597，所著錄上海師範大學圖書館藏之日本鈔本，其中《尚書辨解》作「《尚書別解》八卷」，似為誤記。

原刊本《尚書辨解》釐爲十卷，一般書目著錄均無異辭，不知日人傳抄時是否曾重予合併或有所遺漏？抑是僅存八卷？今以未見原書，難以遽斷。

郝敬撰著《九部經解》的動機，於其〈送九經解啓〉中，有所表述，其言曰：

> 經教之衰，亦無如今日者矣！三百年來，雕龍繡虎，作者實繁，而含經味道，羽翼聖真，寂乎無聞。是〈子衿〉之羞，聖代之闕典也。某一介腐儒，有志未酬，十年閉戶，揣摩粗就，而瓠落無用，抱璞求沽。蓋道有宗盟，非關私請，如百川望海，豈辭未同？⓫

據此，可見郝氏自視甚高，他完全不把明代的經學著作看在眼裡，認爲都是無法闡明聖人眞意，以致經學衰頹不振，所以才引發他撰述的意圖。其師李維楨則認爲郝敬的撰作動機，是對漢、宋儒的經說均不滿意，於〈舊刻經解緒言跋〉說：

> 病漢儒之解經，詳於博物，而失之誣；宋儒之解經，詳於說意，而失之鑿，而自為解。《易》解曰「正」，《尚書》解曰「辨」，《詩》解曰「原」，《春秋》解曰「直」，《禮記》解曰「通」，《周禮》解曰「完」，《儀禮》解曰「節」，《論語》解曰「詳」，《孟子》解曰「說」。質之理而未順，反之心而未安，即諸大儒訓詁，世所誦習尊信，必明晰其得失，要以不失聖人之心、不悖聖經之理而止。廣大精微，簡易明備。起漢、宋諸君於九京，而與之揚扢，必為心服首肯矣。豈若劉綽輩，織綜經文，詭其新見，異彼前儒，非險而更為險，無義而更生義者乎？⓬

⓫ 見《小山草》，卷7，頁19上－19下。

⓬ 郝敬：《談經》，卷首，頁2下－3上。

他指出郝敬因不滿於漢、宋學者的經解，所以自撰新解，此舉可謂不迷信權威。然其研治時，態度卻是審慎的，不會爲了刻意求新，而自創別解。這雖然是爲師者對學生所說的推崇語，難免溢美，卻也道出了郝敬著述的動機與態度。

爲何選此九部經書作解？郝敬〈九部經解敘〉有所說明：

> 三《禮》皆《禮》也，《論》、《孟》皆傳也，猶之五也，五用九，天則也。⓭

於五經之外，別加《儀禮》、《周禮》二經及《論語》、《孟子》二傳，由原本之五經，增爲九經，乃依據《易·文言》「乾元用九，乃見天則」之義。⓮關於各經先後排列的次序，〈九部經解敘〉說：

> 或問曰：「首《易》，何也？」「八卦，文始也。」「次《書》，何也？」「〈二典〉，帝始也。」「次《詩》，何也？」「〈二南〉，王始也。」「次《春秋》，何也？」「王降也。」「次《禮》，何也？」「記也，非經也。」「次《儀禮》，何也？」「儀也，非禮云也。」「次《周禮》，何也？」「非周公也。」「非周公而經，何也？」「昔人經之因也。」「次《論語》，何也？」「集大成也。」「終《孟子》，何也？」「《五經》之都護也。」⓯

對於爲各部經書作解的原由，〈九部經解敘〉也有詳細的解說：

⓭ 見《小山草》，卷6，頁4上。

⓮ 參見〔明〕章聚奎：〈詳請給事中郝敬從祀廟庭稿〉，《京山縣志·儒林列傳》，卷13，頁4上引。

⓯ 見《小山草》，卷6，頁3下－4上。

庖羲作《易》，文王演〈序〉，周公繫〈爻〉，孔子贊翼，四聖相授，道本一致，百家之說，紛然煩碎，執義者遺象，狥象者失意。邵雍圖《先天》，分《易》為二，考亭守蓍策，義主卜筮，小道可觀，致遠恐泥，緯稗亂正，《易》道旁騖矣。作《周易正解》，部第一。四代之《書》，邈茲逖矣，漢之伏生，九十記憶，太常晁錯，踵門肄習，凡得二十有八篇，真四代之弘璧已。晚出《古文》，託名孔壁，良苦真贋，夐不相襲。而二千年來，碱砆溷其良玉，不可以弗別也。作《尚書辨解》，部第二。《詩》三百五篇，授自毛公，《古序》精研，六義明通。考亭氏盡改其舊，斥為鑿空，遂使〈雅〉、〈頌〉失所，國多淫〈風〉，先進後進，吾誰適從？其毛公乎！作《毛詩原解》，部第三。孟子云：「王者迹熄而作《春秋》，五霸得罪三王。」《春秋》為五霸而脩也。世儒誣仲尼獎五霸，貶天子，退諸侯。吾聞諸夫子，直道而行，與民共由，豈其譸張名字，深文隱語，如世所求乎？作《春秋直解》，部第四。禮家之言，雜而多端，迂者或戾於俗，而亡者未覩其全，蓋記非一世一人之手，而道有所損所益之權。訓詁之士，鑿以附會，理學之家，割以別傳。辭有醇駁，義無中邊，舉一隅則矛盾，觀會通則渾圓。作《禮記通解》，部第五。《儀禮》十七篇，禮之節文耳，先儒欲引以為經，夫儀烏可以為經也？儀者損益可知，而經者百世相因，其辭繁而事瑣，或強世而違情。昔之讀者，苦於艱深，支分節解，盤錯可尋也。作《儀禮節解》，部第六。《周禮》五官，終始五行，司空考工，水藏其精，緯象之言，縱橫之心，說者謂是書周公所以致太平，六官錯簡，河間補經，世儒因加考訂，而不知本非闕文也。作《周禮完解》，部第七。天縱上聖，為斯文主，弟子問道，而作《論語》，廣大精微，包羅萬有，無行不與，誰不由戶？四時行生，日月開牖，大道忘言，默識善誘，小子何述？詳說以補。作《論語詳解》，部第八。戰國塵飛，處士橫議，周道榛蕪，文、

> 武墜地，鄒、魯相近，澤未五世，孟子願學，曰私淑艾，《七篇》之言，居仁由義，稱堯述舜，入孝出弟，守仲尼之道，以待後之學士，反約則同，詳說豈異？作《孟子說解》，部第九。[16]

至於各經撰作的先後次序，郝敬於天啓四年（1624）所撰之〈問易補小序〉說：

> 乃抽簪下帷，求自得師。首解《詩》，次解《春秋》，最後解《易》。[17]

由於《詩》爲其家學，而他又以《詩》取科第，[18]所以選擇最熟悉者，先行論撰。此處漏言《尚書》，而郝敬於天啓五年所撰之〈生狀死制〉中說：

> 餘力下帷，課兒學《詩》，家世《詩》，守師說，《古序》不講，為著《毛詩原解》。已，乃及《春秋》、《周易》、《三禮》、《論》、《孟》，各著為解，共九部。[19]

亦未敘及《尚書》。惟兩處所言一致，則解《尚書》似當在《春秋》之後。然郝敬於《毛詩原解·豳風·鴟鴞》曰：「愚于《書》〈金縢〉、〈大誥〉諸篇，詳辨之矣。」[20]於〈棠棣〉曰：「愚于《書·金縢》，辨之詳矣。」[21]據此互見之例，可知他是諸經同時進行注釋的。因此，不必過於拘泥郝敬九經論撰的先後次序。今依據各部經解書尾所署，可知諸經實際刊刻完成之時間與次第爲：

---

[16] 見《小山草》，卷 6，頁 1 下－4 上。

[17] 見郝敬：《問易補》（〔明〕崇禎間刊《山草堂集》本），卷首，頁 2 上。

[18] 郝敬：〈九部經解敘〉曰：「余蚤歲授《詩》成進士。」見《小山草》，卷 6，頁 1 下。

[19] 見《小山草》，卷 9，頁 13 上－13 下。

[20] 見郝敬：《毛詩原解》（臺北：新文豐出版公司，1984 年），卷 16，總頁 233。

[21] 見《毛詩原解》，卷 17，總頁 251。

《周易正解》：萬曆四十三年乙卯（1615）季夏刊刻；

《尚書辨解》：萬曆四十三年乙卯（1615）孟冬刊刻；

《毛詩原解》：萬曆四十四年丙辰（1616）季春刊刻；

《春秋直解》：萬曆四十四年丙辰（1616）仲夏刊刻；

《禮記通解》：萬曆四十四年丙辰（1616）季冬刊刻；

《儀禮節解》：萬曆四十五年丁巳（1617）孟夏刊刻；

《周禮完解》：萬曆四十五年丁巳（1617）季秋刊刻；

《論語詳解》：萬曆四十六年戊午（1618）仲夏刊刻；

《孟子說解》：萬曆四十七年己未（1619）孟夏刊刻。

這是先刻當時科考所用的五經，再及其餘四經，其刊刻與所述論撰的次序略有不同。

以下就九經，次第考釋。

一、《周易正解》

此爲郝敬《九部經解》之第一部，共二十卷，前有〈讀易〉一卷，由其子郝千秋（？－1619）、郝千石（？－1624）校刻，書尾有「時萬曆乙卯（1615）季夏京山郝氏家刻」一行。黃虞稷（1629－1691）《千頃堂書目》、朱彝尊（1629－1709）《經義考》、《明史·藝文志》、《四庫全書總目》均著錄。㉒

此書刊行者，僅有郝氏家刻《九部經解》本。一九九五年上海古籍出版社《續修四庫全書·經部·易類》據浙江省圖書館藏明萬曆郝千秋、郝千石校刻《九部經解》本影印。一九九七年臺南莊嚴文化事業公司《四庫全書存目·經部·易類》亦據浙江省圖書館藏明萬曆郝千秋、郝千石校刻《九部經解》本影

㉒ 分見卷1，總頁10；卷60，頁2上；卷96，總頁2349；卷8，總頁53。

印，其末附錄《四庫全書總目》「《周易正解》二十卷」提要。

章聚奎〈詳請給事中郝敬從祀廟庭稿〉述此書要義，曰：

> 其解《易》也，惡夫拂義而強象者失之苦，執義而廢象者失之疏，以故象數理俱備，自罔弗合。而四聖同一，《序卦》非強，不復邵堯夫之分先天、朱考亭之守卜筮焉。㉓

可知此書注《易》乃義理與象數兼具。《四庫全書總目》評曰：

> 《周易正解》二十卷，浙江鄭大節家藏本，明郝敬撰。……所著有《九經解》，此即其一。用王弼注本，凡上、下經十七卷，其說較詳，〈繫辭〉以下僅三卷，則少略焉。大旨以義理為主，而亦兼及於象。其言理多以《十翼》之說印正卦爻，其言象亦頗簡易。然好恃其聰明，臆為剏論，如釋〈蠱卦〉為武王之事，而以先甲、後甲為取象「甲子昧爽」。其他亦多實以文、武之事。蓋本「作《易》者其有憂患」一語而演之，遂橫生穿鑿。其所著《經解》，大抵均坐此弊也。㉔

認爲郝敬本《易·繫辭》「作《易》者其有憂患」之意，而敷衍注釋，故多據周之史事爲解，實則穿鑿附會，所論甚爲嚴苛。

㉓ 見《京山縣志》，卷 13，頁 4 上－4 下引。

㉔ 見卷 8，總頁 53。

二、《尚書辨解》㉕

此書共十卷，前有〈讀書〉一卷，由郝敬子郝千秋、郝千石校刻，書尾有「時萬曆乙卯（1615）孟冬京山郝氏刊刻」一行。《千頃堂書目》、《經義考》、《明史·藝文志》、《四庫全書總目》均著錄。㉖

屈萬里（1907－1979）《普林斯敦大學葛思德東方圖書館中文善本書志》曰：「〈別解〉，則論讀《尚書》方法。」㉗前人言及《尚書辨解》前之讀《尚書》條例，多依郝敬《談經》之例，稱作〈讀書〉，此處題〈別解〉，應是著錄者所稱。

此書刊行者，除郝氏家刻《九部經解》本外，尚有清光緒十七年（1891）三餘草堂趙尙輔校刊《湖北叢書》本。一九三五年上海商務印書館《叢書集成初編》即據《湖北叢書》本影印；一九六九年臺北藝文印書館《百部叢書集成》復據《湖北叢書》本影印，其末附錄張雲章（1648－1726）撰〈尚書辨解紀略〉、《四庫全書總目》「《尚書辨解》十卷」提要。一九八四年臺北新文豐出版公司《尚書類聚初集》再據《湖北叢書》本影印。一九八五年臺北新文豐出版公司《叢書集成·新編·史地類》又據《湖北叢書》本影印，其末附錄《四庫全書總目》「《尚書辨解》十卷」提要。一九九一年北京中華書局又翻印上海商務印書館《叢書集成初編》。一九九五年上海古籍出版社《續修四庫全書·經部·書類》據湖北圖省書館藏郝千秋、郝千石校刻《九部經解》本影印。一九九七年臺南莊嚴文化事業公司《四庫全書存目·經部·書類》據浙江省圖書館藏郝千秋、郝千石校刻《九部經解》本影印，其末附錄《四庫全書總目》「《尚

㉕ 傅兆寬：《明梅鷟郝敬尚書古文辨之異同》，同注❶，頁10－11，對郝敬之《尚書辨解》，有相當簡單的介紹。

㉖ 分見卷1，總頁23；卷91，頁1下；卷96，總頁2353；卷14，總頁85。

㉗ 見屈萬里：《普林斯敦大學葛思德東方圖書館中文善本書志》（臺北：藝文印書館，1975年），頁15。

書辨解》十卷」提要。

黃虞稷謂此書：「前八卷解今文二十八篇，後二卷辨正古文。」㉘章聚奎〈詳請給事中郝敬從祀廟庭稿〉述此書要義，曰：

> 其解《書》也，辨孔氏古文出東晉時梅頤家，其始末悠謬，不可與漢伏生二十八篇並觀。蓋伏生書乃真本，而晉書則贋鼎也。如二帝同〈典〉，五臣同〈謨〉，皆不可強分為二，尤持論之最鉅者。〈禹貢〉導河、導漢、導江之水法，剖析井然，又過於蘇子瞻、蔡仲默諸說矣。㉙

對郝敬辨《古文尚書》爲僞之說，極力稱頌；又認爲其解〈禹貢〉治水之法，勝過蘇軾（1036－1101）及蔡沈（1167－1230）。然張雲章〈尚書辨解紀略〉則評曰：

> 京山郝氏專信今文，而力辨孔《傳》為非，且以周公未嘗有東征、殺管叔之事，亦未嘗有踐阼朝諸侯之事。〈蔡仲之命〉「致辟管叔」乃誤解〈金縢〉中「我之弗辟」一句。《禮記‧明堂位》「周公朝諸侯」誤解〈洛誥〉中「周公誕保文武受命惟七年」之文。其意以孔《傳》偽作，《禮記》出于漢儒，俱不足信。其旨似出吳幼清《纂言》，而郝氏于《纂言》又未之見，不過率其私智臆說，而本無所據也。㉚

對其有關周公事蹟之解說，認爲出自吳澄（1249－1333）《書纂言》，而郝敬卻未見吳書，因而闢斥郝書爲無據臆說，乃逞私智而作，所論未見公允。《四

㉘ 見卷 8，總頁 53。

㉙ 見《京山縣志》，卷 13，頁 4 下引。

㉚ 見《四部要籍序跋大全‧經部丁輯》（香港：華國出版社，1952 年），頁 936。

庫全書總目》亦評曰：

> 《尚書辨解》十卷，浙江汪啟淑家藏本，明郝敬撰。……是編前八卷解伏書二十八篇，後二卷辨孔書，故曰《辨解》。其解「周公居東」為就管叔，以兄弟之義感之；解「罪人斯得」為成王與太公、召公誅管叔，而周公不與聞。他若周公稱成王為孺子，為國史代公之辭，非自周公口出。其說多與先儒異。蓋敬之解經，無不以私意穿鑿，亦不但此書為然也。㉛

以郝氏說經與前人不同，遂斷以穿鑿之罪，仍非客觀之論。閻若璩（1636－1704）曰：

> 今文、古文之別，近代郝氏敬始大暢厥旨，底蘊畢露。〈讀書〉三十條，朱子復起，亦不得不歎如積薪。余故詳錄其三之二于後。㉜

又曰：

> 郝氏之可誅絕在好妄，其不可磨滅處，的非庸人。且讀得古今文字，分析如燭照物，如刃劈朽木，如衡不爽錙銖，如絲紬繹不盡，當屬其《九經》一絕。㉝

㉛ 見卷 14，總頁 85。

㉜ 見〔清〕閻若璩：《尚書古文疏證》（上海：上海古籍出版社，1987 年），卷 8，頁 16 下。

㉝ 見《尚書古文疏證》，卷 8，頁 21 上。

極力推崇郝氏辨古文之功，且於自撰書中大量載錄郝氏之語，足見其重視之程度。戴君仁曰：

> 郝氏的疑古文，仍是從文辭上分別，而不是用憑據來考證，所以他雖生在梅鷟氏之後，其方法不及梅氏，自然其成績也不如梅氏。㉞

認爲郝敬辨《古文尚書》之僞，所用方法僅從文辭上區分，不似梅鷟能直接尋出證據，因而成就不如梅鷟。屈萬里曰：

> 明人專辨僞《古文尚書》者，世但知梅鷟之《尚書考異》，而多忽是書。是書雖出梅氏後，然尚遠在閻百詩之前，實亦治經學史者之要籍也。㉟

將其與梅鷟及閻若璩二位後人盛稱之辨僞古文大家相提並論，並嘆世人未重視郝書，所言較爲持平。

三、《毛詩原解》

此書共三十六卷，前有〈讀詩〉一卷，由郝敬子郝千秋、郝千石校刻，書尾有「時萬曆丙辰（1616）季春京山郝氏刊刻」一行。《千頃堂書目》、《經義考》、《明史·藝文志》、《四庫全書總目》均著錄。㊱

此書刊行者，除郝氏家刻《九部經解》本外，尚有清光緒十七年（1891）三餘草堂趙尚輔校刊《湖北叢書》本，其末附《四庫全書總目》「《毛詩原解》

㉞ 見戴君仁：《閻毛古文尚書公案》（臺北：國立編譯館中華叢書編審委員會，1963 年），頁 17。

㉟ 見《普林斯敦大學葛思德東方圖書館中文善本書志》，頁 14－15。

㊱ 分見卷 1，總頁 30；卷 115，頁 3 下；卷 96，總頁 2356；卷 17，總頁 102－103。

三十六卷」提要。一九三五年上海商務印書館《叢書集成初編》即據《湖北叢書》本排印。一九八四年臺北新文豐出版公司《叢書集選》則據《湖北叢書》本影印。一九八五年臺北新文豐出版公司《叢書集成·新編·文學類》又據《湖北叢書》本影印。一九九一年北京中華書局《叢書集成初編》又翻印上海商務印書館《叢書集成初編》。一九九五年上海古籍出版社《續修四庫全書·經部·詩類》據湖北省圖書館藏明萬曆郝千秋、郝千石校刻《九部經解》本影印。一九九七年臺南莊嚴文化事業公司《四庫全書存目·經部·詩類》據浙江省圖書館藏郝千秋、郝千石校刻《九部經解》本影印，其末附錄《四庫全書總目》「《毛詩原解》三十六卷」提要。

章聚奎〈詳請給事中郝敬從祀廟庭稿〉述此書要義，曰：

> 其解《詩》也，原於《古序》，先儒謂《首序》作自子夏，而毛公發明微顯，詳略曲盡，為千餘年領袖。朱子改〈沔水〉為憂亂，〈車舝〉為新婚，則〈小雅〉與〈國風〉何別？〈既醉〉非太平，〈鳧鷖〉非守成，則〈雅〉與〈頌〉何別？《古序》義理周匝完備，〈雅〉、〈頌〉得所，聖人刪《詩》，手澤若存，如〈小弁〉為太子之傳作，以明子之於父無刺，益信毛公之於《詩》深焉。[37]

謂郝氏依《古序》解《詩》，且分《首序》與《毛序》，對於朱熹（1130－1200）不信《序》說，極爲不滿。《四庫全書總目》評曰：

> 《毛詩原解》三十六卷，浙江巡撫採進本，明郝敬撰。……是書前有〈讀法〉一卷，大指在駁朱《傳》改《序》之非。於《小序》又惟以卷首一

---

[37] 見《京山縣志》，卷13，頁4下－5上引。

> 句為據，每篇首句增「《古序》曰」三字，餘文則以「毛公曰」別之。《序》或有所難通者，輒為委曲生解，未免以經就傳之弊，而又立意與《集傳》相反，亦多過當。夫《小序》確有所受，而不能謂之全無所附益；《集傳》亦確有所偏，而不能全謂之無所發明。敬直以朱子務勝漢儒，是直以出爾反爾，示報復之道耳，非解經之正軌也。㊳

以郝書遵《序》以駁朱子《詩集傳》，而又過於堅守《序》說，遂謂其「非解經之正軌」，所論甚為嚴苛。

四、《春秋直解》

此書共十五卷，前有〈讀春秋〉一卷，由郝敬子郝千秋、郝千石校刻，書尾有「時萬曆丙辰（1616）仲夏京山郝氏刊刻」一行。卷十四有萬曆庚戌（1610）六月朔日郝敬所撰〈非左序〉。《千頃堂書目》、《經義考》、《明史·藝文志》、《四庫全書總目》均著錄。㊴惟《明史·藝文志》著錄作十二卷，《經義考》著錄作十三卷，另有《春秋非左》二卷。對此差異，周中孚（1768－1831）《鄭堂讀書記》釋曰：

> 《四庫全書》存目，《明史·藝文志》作十二卷，朱氏《經義考》分為《直解》十三卷、《非左》二卷。知《明史》止載《直解》卷數，而訛三為二也。……分十二公各一卷，惟僖公分為二卷。……末為《非左》二卷，凡三百三十四條。㊵

㊳ 見卷17，總頁102－103。

㊴ 分見卷2，總頁66；卷205，頁8下－9上；卷96，總頁2365；卷30，總頁170。

㊵ 見〔清〕周中孚：《鄭堂讀書記》（北京：中華書局，1993年），卷11，總頁213。

又《經義考》著錄此書，並收載郝敬〈自序〉一篇，《鄭堂讀書記》曰：

> （《非左》）前有〈自序〉，而《直解》之前無序，止有〈讀春秋〉五十五條，《經義考》竟摘取第二條作為〈自序〉，恐反失其真矣。㊶

指出《經義考》之誤，所言甚是；然謂〈讀春秋〉有五十五條，則漏計一條（詳下文）。

此書刊行者，僅有郝氏家刻《九部經解》本。一九九五年上海古籍出版社《續修四庫全書．經部．春秋類》據復旦大學圖書館藏明萬曆郝千秋、郝千石刻《九部經解》本影印。一九九七年臺南莊嚴文化事業公司《四庫全書存目叢書．經部．春秋類》據湖北省圖書館藏明萬曆郝千秋、郝千石刻《九部經解》本影印，其末附錄《四庫全書總目》「《春秋直解》十五卷」提要。

章聚奎〈詳請給事中郝敬從祀廟庭稿〉述此書要義，曰：

> 其解《春秋》也，本《詩》亡之旨。蓋古人文章深厚，但據事鋪陳，是非美惡，在不言之表，三百篇多用此體。夫子作《春秋》，則全用此體，故自謂無毀譽。奈何後儒以褒貶命討與深文隱語為妄說也。且未嘗獎許桓、文，孟子所謂五霸得罪三王，故其命為侯伯，經皆不書。今人徒見其所書，不見其所不書，則并其所書者，亦蔽於偏見耳。茲取傳中事，經所不書者，以質諸所書者，意自可會，而裁斷定矣。㊷

謂郝氏以《春秋》乃直言無隱，後世以爲寓有微言大義，實爲妄說，故主張直

㊶ 見卷11，總頁213。

㊷ 見《京山縣志》，卷13，頁5上－5下引。

就本經探求，即可尋得意旨。《四庫全書總目》評曰：

> 《春秋直解》十五卷，浙江汪啟淑家藏本，明郝敬撰。……是編前有〈讀春秋〉五十餘條，其言曰：「今讀《春秋》，勿主諸傳，先入一字，但平心觀理，聖人之情，恍然自見。」蓋即孫復等廢《傳》之學，而又加甚焉。末二卷題曰〈非左〉，凡三百三十餘條，皆摘《傳》文之紕繆。其中如費伯城郎，駁《左氏》非公命不書之誤，其說甚辨。公為天王請糴於四國，不書者，諱之也，其說亦有理。凡此之類，不可謂非《左氏》諍臣。至於曲筆深文，務求瑕釁，如論賓媚人稱五霸一條，不信杜預豕韋、昆吾之說，必以宋襄、楚莊足其數，而謂五霸之名，非其時所應有。如此之類，則不免好為議論矣。[43]

對於郝敬廢棄諸家說解，直以己意爲斷的方法，認爲是較宋儒孫復（字明復，992－1057）廢棄《三傳》以解經，更爲過分。至於《非左》，雖肯定其中有部分說解合宜，但依舊譏其好爲議論。周中孚《鄭堂讀書記》亦評曰：

> 仲輿以《左氏》摭拾遺文，可據纔半，《公》、《穀》襲《左》而加例，胡氏襲《三傳》而加鑿，《春秋》幾存射覆，因著是書。……所解盡棄諸《傳》，以理測經，大旨謂《春秋》無深刻隱語，無種種凡例，不以文字為褒貶，不以官爵名氏為貴賤，未嘗可五霸，未嘗貴盟會，未嘗與齊、魯，未嘗黜秦、楚、吳、越，于是憑私臆決，自用名學，較孫明復等為尤甚，亦奚以為耶？末為《非左》二卷，……皆舉《傳》文之失，

---

[43] 見卷 30，總頁 170。

> 頗曲而中，而過為指摘者尚多。㊹

謂郝氏盡棄《三傳》及胡安國（1074－1138）《春秋傳》，而以理釋經，乃私心臆決，不足爲訓。大致上，仍是承襲《四庫全書總目》之意。

五、《禮記通解》

此書共二十二卷，前有〈讀禮記〉一卷，由郝敬子郝千秋、郝千石校刻，書尾有「時萬曆丙辰（1616）季冬京山郝氏刊刻」一行。《千頃堂書目》、《經義考》、《明史·藝文志》、《四庫全書總目》均著錄。㊺

此書刊行者，僅有郝氏家刻《九部經解》本。一九九五年上海古籍出版社《續修四庫全書·經部·禮類》據復旦大學圖書館藏明萬曆郝千秋、郝千石刻《九部經解》本影印。一九九七年臺南莊嚴文化事業公司《四庫全書存目叢書·經部·禮類》據湖北省圖書館藏明萬曆郝千秋、郝千石刻《九部經解》本影印，其末附錄《四庫全書總目》「《禮記通解》二十二卷」提要。

章聚奎〈詳請給事中郝敬從祀廟庭稿〉述此書要義，曰：

> 解《禮記》，即道學之書，《中庸》、《大學》原在其內，禮與道非二物也。聖人教人博文約禮之意，豈可支離割裂？自二篇孤行，道為空虛，而無實地。自四十七篇別列，禮為浮華，而無根柢，所宜急還舊觀者也。㊻

謂郝敬認爲將〈中庸〉、〈大學〉自《禮記》中抽出，使彼此呈現空虛、浮華，所以極力反對二篇別行。《四庫全書總目》評曰：

㊹ 見卷11，總頁213。

㊺ 分見卷2，總頁40；卷145，頁6上；卷96，總頁2360；卷24，總頁136。

㊻ 見《京山縣志》，卷13，頁5下引。

《禮記通解》二十二卷，浙江汪啟淑家藏本，明郝敬撰。……言《禮記》者，當以鄭《注》為宗，雖朱子掊擊漢儒不遺餘力，而亦不能不取其《禮》注。蓋他經可推求文句，據理而談，《三禮》則非有授受淵源，不能臆揣也。敬作此註，於鄭義多所駁難，然得者僅十之一二，失者乃十之八九。如謂「未仕者不稅人」，稅當為襚；國君七个，遣車七乘，个字同介。〈月令〉「冬祀行」，是祀井，非祀道塗之行，若祀道塗，則祀土矣。又謂「鄉人裼」是袒裼相逐，不讀為陽，鄭訓為強鬼，非也。又謂動乎四體，為人之四體，非龜也。凡此之類，有前人已言者，亦有自立義者，固足以匡鄭氏之誤。至於〈曲禮〉「蔥渫處沫」，鄭訓渫為熟蔥，本自不誤，蓋上文有「膾炙有醯醬」，膾為細切之肉腥，細者為膾，炙為炮肉，皆二物也。蔥渫分生熟，亦承上二物而來，而敬引井渫不食，謂渫即渫字，通為屑，蓋蔥屑也。考之《爾雅》、《說文》、《玉篇》、《廣韻》諸書，古無訓渫為屑者也。又謂醆酒涚于清，汁獻涚于醆酒，猶明清與醆酒，于舊澤之酒，本以茅泲醴盛於醆，和之以水，加鬱金汁以獻，如今人以水和飲陳酒之類。舊澤謂舊酒，醲厚如膏澤，鄭援《周禮》謂明酌為事酒，醆酒為盎齊，清為清酒，汁獻作汁沙，舊澤當作舊醳，皆誤。今詳推鄭義，皆援據精詳，無可駁詰。敬乃以意更易，徒形臆斷。又謂襲上有衣，不宜又加以裼，多衣則累，古義不明，不知錦在裘上，上有絅衣，經典分明，何可居今而議古？又謂孚尹，孚為信，尹為割，鄭作浮筠者，非。不知玉之浮光旁達，猶誠信之及人，若第訓孚為信，則下文固有信字在，豈非重文累句乎？大抵鄭氏之學，其閒附會讖文，以及牽合古義者，誠不能無所出入，而大致則貫穿群籍，所得為多。魏王肅之學，百倍於敬，竭一生之力，與鄭氏為難，至於偽造《家

語》，以助申己說，然日久論定，迄不能奪康成之席也。敬乃恃其聰明，不量力而與之角，其動輒自敗，固亦宜矣。㊼

認爲研治《禮記》，當以鄭玄（127－200）之《注》爲宗，雖然其中有「附會讖緯」和「牽合古書」的缺失；而以王肅（195－256）之竭力爲難，猶不足以勝鄭；朱子之抨擊漢儒，亦不得不取鄭《注》：可見鄭《注》確有其長處。郝敬此書雖有一些可以匡正鄭《注》的解說，但亦有不少錯誤的訓釋，故《總目》謂其乃不量力之舉，仍不出譏諷之義。

六、《周禮完解》

此書共有十二卷，前有〈讀周禮〉一卷，由郝敬子郝千秋、郝千石校刻，書尾有「時萬曆丁巳（1617）季秋京山郝氏刊刻」一行。《千頃堂書目》、《經義考》、《明史·藝文志》、《四庫全書總目》均著錄。㊽

此書刊行者，僅有郝氏家刻《九部經解》本。一九九五年上海古籍出版社《續修四庫全書·經部·禮類》據南京圖書館藏明萬曆郝千秋、郝千石刻《九部經解》本影印。一九九七年臺南莊嚴文化事業公司《四庫全書存目叢書·經部·禮類》據湖北省圖書館藏明萬曆郝千秋、郝千石刻《九部經解》本影印，其末附錄《四庫全書總目》「《周禮完解》十二卷」提要。

章聚奎〈詳請給事中郝敬從祀廟庭稿〉述此書要義，曰：

解《周禮》，所稱畿內五等都、畿外五服，何嘗一試於用？又附會周公營洛之事，而公與成王未嘗居洛。土圭地中之說，即吳澄已証其謬。故

㊼ 見卷24，總頁136。

㊽ 分見卷2，總頁37；卷128，頁1上－1下；卷96，總頁2358；卷23，總頁130。

> 是書非已成之規，後人臆說耳。乃六國處士之學，故密於近而疏於遠，非治天下規模。司空散寄於五官，即冢宰兼攝於百職。陽分六官，以成歲序，陰省冬官，以法五行。作者以此變幻其旨，縱橫之言，故《考工記》非河間所補也。㊾

謂郝敬不以《周禮》爲周公之書，乃出於後人所爲，且認爲〈冬官〉分散在其他五官之中，並無闕漏。㊿《四庫全書總目》評曰：

> 《周禮完解》十二卷，浙江吳玉墀家藏本，明郝敬撰。……此書亦謂〈冬官〉散見於五官，而又變幻其辭，謂「陽分六官以成歲序，陰省〈冬官〉以法五行」，穿鑿尤甚。中間橫生枝節，不一而足。如「〈典瑞職〉王晉大圭執鎮圭」，「晉」即「搢」字，鄭眾註本不誤，賈《疏》云：「搢，插也。謂插大圭長三尺玉笏於帶閒，手執鎮圭尺二寸。」其義亦最明，而敬謂：「接見曰晉，晉，進也。行禮從容漸進，如日之升。」以附會於經文「朝日」之語，果終歲如是乎？此亦務勝古人之過也。(51)

除批評郝敬書中所有之不當處，對於其〈冬官〉不闕的主張，極不贊同。

㊾　見《京山縣志》，卷13，頁5下－6上引。

㊿　見郝敬：《周禮完解》（上海：上海古籍出版社，1995年《續修四庫全書》本），卷目，頁6上－6下曰：「按：〈小宰職〉云：『六官之屬，三百六十。』今撿其職事：天官之屬，六十有三；地官之屬，七十有八；春官之屬，七十；夏官之屬，六十有五；秋官之屬，六十有一；冬官之工，二十有四。合之，適滿三百六十有一。此皆有文有事可據，六官之實數也。周天之數三百六十，今多一者，天官冢宰不列三百六十內，以象天而尊王也。如《易》大衍五十虛一，此贏一也。故官府六屬不繫于冢宰，而繫于小宰，其意可知。撿原數：地官多一，夏官、秋官各多五，冬官工多六，而皆有官無事，稱為闕文，果爾？則又不止三百六十。是書變幻多端，但核其實，意自曉然。冬官之闕，非真闕也，諸屬之闕，又烏足信乎？」

(51)　見卷23，總頁130。

七、《儀禮節解》

此書共有十七卷，前有〈讀儀禮〉一卷，由郝敬子郝千秋、郝千石校刻，書尾有「時萬曆丁巳（1617）孟夏京山郝氏刊刻」一行。《千頃堂書目》、《經義考》、《明史·藝文志》、《四庫全書總目》均著錄。[52]

此書刊行者，僅有郝氏家刻《九部經解》本。一九九五年上海古籍出版社《續修四庫全書·經部·禮類》據復旦大學圖書館藏明萬曆郝千秋、郝千石刻《九部經解》本影印。一九九七年臺南莊嚴文化事業公司《四庫全書存目叢書·經部·禮類》據湖北省圖書館藏明萬曆郝千秋、郝千石刻《九部經解》本影印，其末附錄《四庫全書總目》「《儀禮節解》十七卷」提要。

章聚奎〈詳請給事中郝敬從祀廟庭稿〉述此書要義，曰：

> 解《儀禮》，作於衰世，故其儀文雖詳，而大綱不清。不言天子諸侯禮，而時雜越相亂，非盡先聖之舊也。然欲觀古禮，舍此末由。善讀者即十七篇，而人倫日用、品節度數無不在其中，推而演之，三千三百，皆可義起，作者借為式樣耳。顧儀也不可以為經，儀隨時損益也。[53]

謂郝敬以《儀禮》記日用之儀節，存有古禮，據此可以推演出更多的儀節。由於儀節是可以隨著時代而改易，所以不似經書的恆常不變。姚際恆〈儀禮論旨〉評曰：

> 郝仲輿《節解》，訓釋詳明，為《儀禮》第一書，亦其《九經解》中第一書也，優于《儀禮》註、疏多矣！取其十之五六。[54]

---

[52] 分見卷 2，總頁 35；卷 134，頁 5 下－6 上；卷 96，總頁 2359；卷 23，總頁 133。

[53] 見《京山縣志》，卷 13，頁 6 上引。

[54] 見〔清〕姚際恆：《儀禮通論》（北京：中國社會科學出版社，1998 年），頁 14。

推許郝敬的《儀禮節解》爲歷來所有訓釋中最佳的一部，並於自己的注解中，大量採錄。不過，《四庫全書總目》卻評曰：

> 《儀禮節解》十七卷，浙江汪啟淑家藏本，明郝敬撰。……敬所作《九經解》，皆好為議論，輕詆先儒。此編尤誤信樂史五可疑之說，謂《儀禮》不可為經，尤其乖謬。所解益粗率自用，好為臆斷。如〈士昏禮〉「升自西階」一條，經於「饗婦而後」云：「舅姑降自西階，婦降自阼階。」則未饗以前，婦固不得以主自處，婿亦不得以室相授。升自西階，在婦為無專制之義，在婿則亦猶舅姑於婦，先以客禮之之義。而敬謂「父在，子不由阼」，不知為人子者居不主奧，而此時何以即席于奧耶？蓋由此升者，特以道婦故也。於「舅坐答拜」一條，又謂「新婦拜，舅立，而使其舅坐答拜之」，於理未當。不知此是婦人肅拜，故舅坐以答之，尊卑之分宜然，無可疑也。又如〈士冠禮〉七體二十一體，度數宜詳，〈公食大夫禮〉魚腸胃倫膚若九若十有一，下大夫則若七若九，與陳祥道《禮書》謂諸侯當十三、天子當十五者未合，宜有折衷，而往往以數語了之。知其於考據之學終淺，非說《禮》之專門也。其閒有可取者，如裼錫有衣之裼錫，有玉之裼錫，鄭《註》泥〈玉藻〉之文，於〈聘義〉還玉還璋，皆以為易衣、加衣之儀。〈覲禮〉「匹馬卓上」，蓋卓立向前之義，鄭《註》誤以卓為的。及〈公食大夫禮〉，又鼎鼏若束若編，非以茅為鼏之類。敬之所辨，亦時有千慮之一得，然所見亦罕矣。[55]

雖指出郝敬此書的部分缺失，但對於其中某些注解，亦予以肯定，然仍是貶多於褒。

---

[55] 見卷 23，總頁 133。

八、《論語詳解》

此書共有二十卷，前有〈讀論語〉一卷，另有〈先聖遺事〉一卷附卷十後，由郝敬子郝千秋、郝千石校刻，書尾有「時萬曆戊午（1618）仲夏京山郝氏刊刻」一行。《千頃堂書目》、《經義考》均著錄。[56]

此書刊行者，僅有郝氏家刻《九部經解》本。一九九五年上海古籍出版社《續修四庫全書·經部·四書類》據南京圖書館藏明萬曆郝千秋、郝千石刻《九部經解》本影印。

章聚奎〈詳請給事中郝敬從祀廟庭稿〉述此書要義，曰：

> 解《論語》，為《六經》之菁華、名教之宗印，而大道不越日用，盡符下學上達之旨，既不墮良知之清虛，且聖人氣象溫厚，言語有風人之致，善會其微婉處，而兼參《春秋》時事，無不脗合，非舊註之淺近矣。執中立權之奧，又始剖露也。[57]

謂郝氏強調「下學上達」爲《論語》主旨，其解不落入陽明學者良知之說，而避免清虛之弊；又能闡明「執中立權」的奧秘：均爲其佳處。

九、《孟子說解》

此書共有十四卷，前有〈讀孟子〉一卷，另有〈孟子遺事〉一卷，由郝敬子郝千秋、郝千石校刻，書尾有「時萬曆己未（1619）孟夏京山郝氏家刻」一行。《千頃堂書目》、《經義考》、《四庫全書總目》均著錄。[58]陸元輔（1517－1691）曰：

---

[56] 分見卷3，總頁76；卷221，頁4上。

[57] 見《京山縣志》，卷13，頁6上－6下引。

[58] 分見卷3，總頁80；卷235，頁10上；卷37，總頁209。

郝仲輿《孟子說解》前有〈讀孟子〉三十一條，為一卷，又〈孟子遺事〉一卷，餘隨文詳說十二卷。59

其說有誤，蓋此書十四卷乃將《孟子》七篇各分上、下而成，爲學者注《孟》之慣例；且著錄郝敬著作者，多未數或別計書前〈讀書條例〉及〈附錄〉部分，故陸氏所言不確。

此書刊行者，僅有郝氏家刻《九部經解》本。一九九七年臺南莊嚴文化事業公司《四庫全書存目叢書·經部·四書類》據湖北省圖書館藏明萬曆郝千秋、郝千石刻《九部經解》本影印，其後附錄《四庫全書總目》「《孟子說解》十四卷」提要。然書前僅有〈孟子遺事〉一卷，未見〈讀孟子〉，與前人著錄者有異，未知何故。

章聚奎〈詳請給事中郝敬從祀廟庭稿〉述此書要義，曰：

解《孟子》，學本《中庸》，直指心性，為後世理學嚆矢，而發明微顯博約，直繼先聖之傳，嶄然歸一。其與稷下諸人同時，自稱好辯，而無一語及之，能含容包荒，可窺慎密。知言養氣之說，尤研析罕見。60

《四庫全書總目》評曰：

《孟子說解》十四卷，浙江汪啟淑家藏本。……是書前有〈孟子遺事〉及〈讀孟子〉三十一條。所論孟子生卒，以為當在安王時，非定王時，其說近是。但直斷孟子生於安王初年，卒於赧王元年，則似未可為定。

---

59 見《經義考》，卷 235，頁 10 上引。
60 見《京山縣志》，卷 13，頁 6 下引。

> 孟子生卒大略，當以閻若璩所訂為正。考〈去齊章〉云：「由周而來，七百有餘歲。」〈盡心章〉云：「由孔子而來，百有餘歲。」若據呂氏《大事記》及《通鑑綱目》，孟子於赧王元年始致為臣而歸，則周已八百有九年，距孔子生年，已二百三十餘歲矣。孟子如梁、仕齊、適宋、之魯、之滕、還周，游歷先後，班班可考。魯平公元年即赧王元年，其時孟子似未至八十九歲也。至書中所解，往往失之粗獷，好議論而不究其實，蓋敬之說經，通坐此弊，不但此書矣。[61]

對於郝敬所考得之孟子生卒年，認爲並不正確，應以閻若璩所考爲準，[62]並根據呂祖謙（1137－1181）《大事記》、朱熹《通鑑綱目》及《孟子》書中的記事，反駁郝氏之說，進而譏議其解經之粗疏。其實孟子之生卒年，各家考訂，莫衷一是，閻氏亦僅辨孟子出處始末，而無一明確之日期。

貳、《山草堂集》

郝敬在《九部經解》之外，尚有《山草堂集》內、外編二十八種。內編十六種的篇目是：

> 《談經》九卷，《易領》四卷，《問易補》七卷，《學易枝言》四卷，《毛詩序說》八卷，《春秋非左》二卷，《四書攝提》十卷、附錄一卷，《時習新知》六卷，《閑邪記》二卷，《諫草》二卷，《小山草》十卷，

---

[61] 見卷 37，總頁 209。

[62] 閻若璩撰有《孟子生卒年月考》一卷，《四庫全書總目》，卷 59，頁 345 曰：「是編博引諸書，考孟子出處始末，……而於生卒年月，卒無的據。案：《山堂肆考》具載孔、孟生卒，謂孟子生於周定王三十七年四月二日，卒於赧王二十六年正月十五日年八十四。若璩獨不引之。」可知閻氏亦僅就孟子生平出處事蹟，詳加考辨，於其生卒時日，尚未獲得確解。

《嘯歌》二卷，《藝圃傖談》四卷，《史漢愚按》八卷，《四書制義》六卷，《讀書通》二十卷。

共一百零四卷（不包括《四書攝提》附錄一卷）。外編十二種的篇目是：

《批點左氏新語》二卷、《批點史記瑣瑣》二卷、《批點前漢瑣瑣》四卷、《批點後漢瑣瑣》六卷、《批點三國瑣瑣》至四卷、《批點晉書瑣瑣》六卷、《批點南史瑣瑣》四卷、《批點北史瑣瑣》四卷、《批點唐書瑣瑣》四卷、《批選杜工部詩》四卷、《批選唐詩》二卷、《蜡談》六卷。

共四十八卷。《千頃堂書目》著錄此書，未標卷數。[63]〈郝氏族譜〉謂有一百五十二卷，《北京圖書館古籍善本書目》及《古籍善本叢書・叢部》均著錄一百五十三卷，多出一卷，乃加《四書攝提》附錄。[64]

中央研究院歷史語言研究所傅斯年圖書館有東京高橋情報於一九九〇年據日本內閣文庫藏郝洪範輯明崇禎間刊本影印《山草堂集》百四卷、首一卷，前有天啓四年（1624）二月清明郝敬所撰之〈山草堂總敘〉及〈山草堂總目〉。〈山草堂集總敘〉曰：

晚程六籍，知非自訟，掃軌杜門，今二十有二年矣。大道無聞，來日苦

---

[63] 見卷 25，總頁 633。

[64] 見《北京圖書館古籍善本書目》（北京：書目文獻出版社，1987 年），頁 1945－1946，著錄郝敬《山草堂集》二十八種，一百五十三卷，為明萬曆至崇禎年間郝洪範刻本，存二十六種，一百四十五卷，缺最後兩種《批選唐詩》二卷、《蜡談》六卷。又《中國古籍善本書目・叢部》（上海：海古籍上出版社，1990 年），頁 608－609，著錄卷數亦同。

短，思與子墨客卿，一觴一詠，門雕蟲之巧，望筆耕之歲，請俟河之清矣。年來含經味道，管見塗說，抄略舊聞，都為一十有六種，雖云荒蕪，然皆經史之餘涪也。⑥⑤

此處所言一十六種，僅指內編而已。其〈總目〉如下：

《談經》第一，一卷之九卷；《易領》第二，一卷之四卷；《問易》第三，一卷之七卷；《學易枝言》第四，一卷之四卷；《毛詩序說》第五，一卷之八卷；《春秋非左》第六，一卷之二卷；《四書攝提》第七，一卷之十卷；《時習新知》第八，一卷之六卷；《閑邪記》第九，一卷之二卷；《諫草》第十，一卷之二卷；《小山草》第十一，一卷之十卷；《左氏新語》第十二，一卷之二卷；《藝圃傖談》第十三，一卷之四卷；《史漢愚按》第十四，一卷之八卷；《制義》第十五，一卷之六卷；《讀書通》第十六，一卷之二十卷。

通計十六種、一百零四卷。就其內容以觀，應屬內編部分，然與一般書目著錄略有不同，即第十二種，一般書目均列《嘯歌》二卷，唯此處列《左氏新語》二卷而無《嘯歌》。由於《山草堂集》於各書目錄下標曰「內編」或「外編」，經細審此叢書所收《左氏新語》，於目錄下方，赫然題曰「外編」，可見此一《山草堂集》前之目錄，第十二種部分已經改造。

以下就各書，分內編、外編兩部分，次第考釋。

---

⑥⑤ 見《山草堂集》（東京：高橋情報，1990 年據日本內閣文庫藏郝洪範輯明崇禎間刊本影印），卷首，頁 7 上－7 下，臺北：中央研究院歷史語言研究所藏。

甲、內編

一、《談經》（又名《經解緒言》）

此書爲《山草堂集》內編之一，共九卷，前有郝敬撰於天啓四年（1624）端午日之〈談經題辭〉，書末有李維楨撰〈舊刻經解緒言跋〉，由其子郝洪範輯，門人田必成、彭大翮校。《千頃堂書目》、《經義考》、《四庫全書總目》均著錄。[66]

此書刊行者，除郝氏家刻《山草堂集》本外，尚有一九四三年甘鵬雲（1861－1940）輯《崇雅堂叢書初編》本，前有甘氏〈重刊談經序〉，末有附錄一卷。一九九五年上海古籍出版社《續修四庫全書·經部·群經總義類》據上海辭書出版社圖書館藏明崇禎郝洪範刻《山草堂集》增修本影印。一九九七年臺南莊嚴文化事業公司《四庫全書存目叢書·經部·五經總義類》據北京圖書館藏明萬曆、崇禎間郝洪範刻《山草堂集》本影印，其末附錄《四庫全書總目》「《談經》九卷」提要。

此書初刊時稱《經解緒言》，後來才改爲《談經》。章聚奎〈詳請給事中郝敬從祀廟庭稿〉曰：

> 一曰《談經》，撮為緒言九卷，以見大意也。[67]

《四庫全書總目》曰：

> 《談經》九卷，浙江巡撫採進本，明郝敬撰。……此書一名《經解緒言》。敬所著《九經解》，凡一百六十五卷，一百六十七萬餘言，此則提其大

---

[66] 分見卷 3，總頁 84；卷 250，頁 2 下；卷 34，總頁 192。《經義考》作《經解緒言》，並謂「一名《山草堂談經》」。

[67] 見《京山縣志》，卷 13，頁 6 下引。

> 要，別為九卷，總題曰《山草堂集》，蓋後來編入集中也。凡《易》七十條、《書》三十條、《詩》五十四條、《春秋》五十六條、《禮記》十三條、《儀禮》二十條、《周禮》四十二條、《論語》二十六條、《孟子》三十二條。敬天資高朗，論多創闢，而臆斷者亦復不少，其詳皆具《經解》中，此亦可見所學之大概也。[68]

由於《九部經解》部帙浩繁，並非短期內所能刻成，故先撮取諸經卷首論述各經經旨的部分，合併而成。讀者觀此，即可知曉郝氏經說要旨。因此，此書應先於《九經解》（萬曆四十三至四十七年刻成）之前刊行。然《談經》中各卷讀經條例之數，與諸經相比對後，有部分條數不符。如《談經》中列有〈讀易〉七十條，然今本《周易正解》前之〈讀易〉，則多出「《易》之爲書……如視諸掌矣」一條及「愚年過五十……有以夫」、「右讀《易》瑣言……幸加裁削」兩段識語，[69]應爲《談經》刻成以後，於刊刻《周易正解》時所補上的。此外，《毛詩原解·讀詩》多出兩條、《論語詳解·讀論語》多出一條，均是後來增補的。天啓年間，郝敬重刊《經解緒言》，並改名《談經》時，並未將各經多出之條目補上。

二、《易領》

此書共四卷，前有郝敬撰於天啓五年（1625）九月望日之〈易領題辭〉，由其子郝洪範輯，門人田必成、彭大翮校。《千頃堂書目》、《經義考》、《明史·藝文志》、《四庫全書總目》均著錄。[70]

此書刊行者，除郝氏家刻《山草堂集》本外，尚有清光緒辛卯（十七）年

---

[68] 見卷 34，總頁 192。

[69] 參見《周易正解》（上海：上海古籍出版社，1995 年），卷首，頁 45 上－50 上。

[70] 分見卷 1，總頁 10；卷 60 頁 2 上－2 下；卷 96，總頁 2349；卷 8，總頁 53。

（1891）三餘草堂趙尙輔校刊《湖北叢書》本。清光緒八年（1882），沈星標等續修、曾憲福等纂之《京山縣志》，其中卷二十四至二十七，亦收錄《易領》四卷。一九三六年上海商務印書館《叢書集成初編》據《湖北叢書》本排印。一九六九年臺北藝文印書館《百部叢書集成》亦據《湖北叢書》本排印，其末附《錄四庫全書總目》「《易領》四卷」提要。一九七六年臺北成文出版社《無求備齋易經集成》影印收錄《湖北叢書》本。一九八五年北京中華書局又翻印上海商務印書館《叢書集成初編》。一九九五年臺北新文豐出版公司《叢書集成新編・哲學類》據《湖北叢書》本排印。一九九七年臺南莊嚴文化事業公司《四庫全書存目・經部・易類》據中國社會科學院藏明萬曆、崇禎間郝洪範刻《山草堂集》增修本影印，其末附錄《四庫全書總目》「《易領》四卷」提要。

章聚奎〈詳請給事中郝敬從祀廟庭稿〉曰：

> 二曰《易領》，於象爻前冠以《序卦傳》，如著衣者挈其領，而前後襜如也。[71]

簡單解釋其書命名的原由。郝敬〈易領題辭〉曰：

> 八卦以序相循環，君子所居而安者，《易》之序也。《易》之序者，造化變通往來，理數之自然。羲皇始作，文王演之，範圍曲成，精意全注於此。《連山》、《歸藏》亦各有序，而其義未備，故文王更演。匪〈序〉則三《易》混同，先後雜越，多寡抽添，無不可矣。豈作者之意歟？特其象意圓妙，无所不貫。夫子作《傳》，循循易簡，提挈其大較，引伸而曲暢之，存乎其人。後儒反疑《序卦傳》為淺率，朱子作《本義》，

---

[71] 見《京山縣志》，卷 13，頁 6 下引。

> 遂略之，博士家因廢而不講。若是則《易》道淩亂，無復條理矣。豈其然乎？余解《易》，於〈彖〉、〈爻〉前，冠以《序卦傳》，略加敷衍，如著衣者，挈其領而前後襜如，命之曰《易領》。(72)

強調《序卦傳》的重要，對朱子《易本義》略之而不講，影響後世學者倣效，致使《易》道紊亂，深不以爲然，故其解《易》乃冠《序卦傳》於〈彖〉、〈爻〉之前。

三、《問易補》（或名《問易》）

此書共七卷，前有郝敬撰於天啓四年（1624）正月十九日之〈問易補小序〉，由其子郝洪範輯，門人田必成、彭大翮校。《千頃堂書目》、《經義考》、《明史·藝文志》、《續修四庫全書總目提要》均著錄。(73)

此書刊行者，僅見郝氏家刻《山草堂集》本。

章聚奎〈詳請給事中郝敬從祀廟庭稿〉，曰：

> 三曰《問易》，客有摘疑義請益者，如洪鐘大小之叩畢應，補其缺略也。(74)

謂此書乃郝敬答客問《易》之作。然據郝敬〈問易補小序〉曰：

> 余幼授《毛詩》，疑朱《傳》淺率；與同學受《易》者聽說《易》，其淺率尤甚於《詩》；聽說《春秋》，其穿鑿又甚於《詩》、《易》也。竊怪先輩稱師儒，明經道古，如斯而已乎？顧國家功令相承，可若何？

---

(72) 見《易領》（〔明〕崇禎間刊《山草堂集》本），卷首，頁1上－2上。

(73) 分見卷1，總頁10；卷60，頁2下－3上；卷96，總頁2349；《續修四庫全書總目提要稿本》（濟南：齊魯書社，1996年），第6冊，頁231－232。

(74) 見《京山縣志》，卷13，頁6下－7上引。

已而浮湛一第，私心恥之。比釋褐，又不得與讀中秘書，供文學校理之役，而鬱鬱簿領，經義荒閣，於心終不忘。癸巳調永嘉，邂逅學博鮑士龍氏。渠嘗受《易》於先輩，就而問焉。為余說〈乾〉、說〈咸〉、說〈艮〉，總之，老生常談耳。別後十餘年，風塵奔走，明師良友，不復可逢，而五十之年，忽焉將至，乃抽簪下帷，求自得師。首解《詩》，次解《春秋》，最後解《易》。《易》吾見其難為，怵然遲之，久而後削草，浹旬而後〈乾〉事竣，再浹旬而後〈坤〉事竣。〈乾〉〈坤〉辦而他離披矣。管子云：「思之思之，又重思之。思之不通，鬼神將通之。」亶其然乎？比殺青，同學取觀，無一人一辭助我者，豈真咸陽千金，隻字不易？抑爰居接大牢，不用而塵諸度閣耳。余甥田文宰氏，以諸生學《易》，取余《易》解，字比而句櫛，摘疑義若干條，請益。屬余諒闇，廢業久之，溫故補其闕略，非必洪鐘，大叩小叩，一一鳴合。然心誠求之，不中不遠。羲、文始作，于今幾千載，傳注千家，雖未徧覽，而錚錚者六七家已。嘗染指莊生，謂千載而下，知其解者，旦暮遇之矣。窮經難，窮《易》尤難哉。夫子天縱，尚韋編三絕，漆書三滅。顧余何人？寤寐憤悱，年幾七十矣，沾丐餘馥，纔嘗一臠，自謂未死一夕之大快已。田甥少余四十年，早浮聞此，其為愉快，又當何如？[75]

此處敘其幼時求學時，對朱子諸經之解說的不滿，及出仕後遇到鮑士龍，相互論《易》學之事，又述其晚年解《易》之情形。據此可知，此書之作，實因郝敬之甥田文宰取其《易》著，向其請益，爲之作答而成。《續修四庫全書總目提要》亦敘及郝敬此書撰作之由，並評曰：

---

[75] 見《問易補》，卷首，頁1上—4上。

《問易補》六卷、《續錄》一卷，《山草堂集》本，明郝敬撰。……敬於九經皆有著述，於《易》尤多，有《周易正解》、《易領》、《談易》、《問易補》、《學易枝言》等。《問易補》凡六卷、《續錄》一卷，據其〈自序〉，其甥田文宰以諸生學《易》，取其《易》解，字比句櫛，摘疑義若干條請益。屬諒闇，廢業久之，溫故補其闕略。然則此書之作，乃由其甥之問，因著論以補《周易正解》之闕，故曰《問易補》也。其〈序〉又言：「余幼受毛《詩》，疑朱《傳》淺率，與同學聽受《易》者說《易》，其淺率尤甚於《詩》。」敬蓋深不滿於程《傳》、朱《義》之空言義理者，故此書雖有議論，而頗知注重象數。惟其於象數，用力仍淺，漢、魏古注，亦未涉覽，故所言每多支離穿鑿。如說〈蒙〉「九二，納婦子克家」云：「《易》道尚變，卦體伏澤火〈革〉，反下成〈睽〉，〈睽〉自〈家人〉來，家道首善，故尚蒙，家人之蒙，莫如婦子，故其象如此。」夫說〈蒙卦〉之義，乃舍〈蒙卦〉本象不說，而求之於伏卦〈革〉，已屬不當。求之伏卦〈革〉又不得，再求之〈革〉之反象〈睽〉，本無是理，不意求之〈睽〉尚不可得，更須求之〈睽〉所從變之卦〈家人〉，以成其象，其為迂遠，不已甚乎？書中如此取象者甚多，舉一以概其餘。然敬於象數雖疏，於《易》理則頗有所入，間有善言可採。如云：「貞在人為智，在天為冬，在氣為水。水為生物之源，知為作聖之本，冬為生物之根。萬物至冬，收斂歸藏，元氣堅凝，故曰貞固。」此疏貞義，尚為明晰。又釋〈謙〉「天道下濟」云：「濟，止也，艮之德也，與『霽』同。雨止曰霽，風止曰濟。莊子云：『厲風濟眾竅為虛。』是也。」以濟為霽為止，說與艮義密合，較舊說有進。又駁先儒讀〈坤彖〉以「先迷後得」句、「主利」句之非，謂主即〈乾〉，〈坤〉以〈乾〉

> 為主，「主」當屬上讀。不襲程、朱之誤解，在明儒中，固不失為不隨流俗者也。[76]

可知郝敬不滿僅以義理解經之程、朱《易》注，乃多取象數之說釋經，然因未見漢、魏《易》象之說，以致頗有誤謬。然在明代學者中，郝氏能擺脫宋人經說的拘束，已屬難能可貴。

四、《學易枝言》

此書共四卷，前有郝敬撰於天啓五年（1625）長至後二日之〈學易枝言題辭〉，由郝敬子郝洪範錄，門人彭大翮、田必成校。《千頃堂書目》、《經義考》、《續修四庫全書總目提要》均著錄。[77]

此書刊行者，僅見郝氏家刻《山草堂集》本。

章聚奎〈詳請給事中郝敬從祀廟庭稿〉曰：

> 四曰《學易枝言》，晚年隨筆書記，參伍錯綜，旁引曲說，兼修煉之道，包羅二氏者也。[78]

謂此書爲郝敬晚年之作，內容兼及佛、老之說。郝敬〈學易枝言題辭〉曰：

> 余於《易》有《解》、有《問》、有《談》、有《領》，喋喋然竟無一語黃中，楊雄氏所笑說鈴者耳。晚更三思淂一，則舐筆書記，久之，狼藉巾笥，道士章愍，取以編入《時習新知》。余畏聖人之言，凡涉《四

---

[76] 見第6冊，頁231－232。

[77] 分見卷1，總頁10；卷60，頁3上－3下；第6冊，頁232－233。

[78] 見《京山縣志》，卷13，頁7上引。

書》語者，別彙為《攝提》，涉《易》語者，別為《學易枝言》。《經》曰：「中心疑者其辭枝。」余學未忘疑，道其實而已矣。先儒云：「傷煩則枝。」何晏謂管輅說《易》，要言不煩，一面而盡二難之美，故《經》曰：「吉人之辭寡。」老聃亦云：「多言數窮，夫夫是也。」我過矣，書以志余過。(79)

據此可知其晚年讀書之心得筆記，曾由章憨（名文煒）編成《時習新知》一書，而郝氏將其中涉及《易》學的部分抽出，別爲《學易枝言》。書名則取自《易·繫辭》「中心疑者其辭枝」。此書爲其解《易》諸作中之最後一部。

此書雖爲四卷，然並非全屬郝敬自作，《續修四庫全書總目提要》曰：

《學易枝言》四卷，《山草堂集》本，明郝敬撰。……全書雖是四卷，實則敬自撰者，僅前兩卷，其後兩卷，則附刻其友鮑士龍之《易說》。士龍字觀白，永嘉郡博士，精於《易》。敬官永嘉時，嘗就問《易》者也。(80)

可見其中僅前兩卷爲郝敬所撰，後兩卷乃附錄其友鮑氏之《易說》。對於二家之作，《續修四庫全書總目提要》評曰：

今觀敬所著前兩卷，卷之一凡五篇：曰〈易理〉、曰〈易數〉、曰〈陰陽〉、曰〈動靜〉、曰〈五行〉；卷之二亦五篇：曰〈人身〉、曰〈易畫〉、曰〈易卦〉、曰〈易象〉、曰〈易學〉。其書前後之說，多相矛

(79) 見《學易枝言》（〔明〕崇禎間刊《山草堂集》本），卷首，頁1上－2上。
(80) 見第6冊，頁232。

盾。如〈易理篇〉論《易》道神化，《易》道通變，《易》道簡易，力駁周濂溪主靜之說，謂：「中正仁義盡之矣，必曰定之，必曰主靜，則聖人鮮言焉。故《論語》二十篇不言主靜。」此顯然不以濂溪主靜之說為然。然〈陰陽篇〉又云：「聖人主靜，寂然不動，感而遂通天下之故，則無偏枯之疾，可以贊天地之化育，可以與天地參。此聖人之真修，生生不已之大道。」觀此論則是極贊主靜之功，與前駁濂溪說正相反，矛盾之甚。又如〈陰陽篇〉先謂聖人崇陽抑陰，以三才不可一日無陽；其下又言先儒謂《易》尊陽貴剛，此學術所以差也；〈易學篇〉亦謂先儒說《易》最差者，以《易》道用剛。夫聖人既是崇陽抑陰，陽剛陰柔，則先儒謂《易》道尊陽貴剛，又有何差何誤乎？此亦具見其前後之矛盾矣。又書中屢詈管、郭之占筮，並謂朱元晦以《易》為卜筮之書，蓋惑於禨家隱怪之說。夫筮人之職，立於《周官》，尚占之辭，明見《繫傳》，而占筮之驗，則《春秋》內外《傳》載之尤詳，及秦焚書，而《易》且以卜筮獨存，朱子又何隱怪之惑乎？若以朱子尊信經傳舊聞，猶為惑於隱怪，則書中〈人身〉、〈易卦〉諸篇，多論養生家提咽之術，明出道家，不尤為隱怪乎？信矣！其為「枝言」也。至後半所附鮑子《易說》，大旨發揮致良知良能之學說，而多禨道家之言，蓋敬〈人身〉、〈易卦〉諸篇之所本也。[81]

指出鮑氏《易說》旨在發揮陽明學良知之說，又雜有道家之言，而郝敬此書頗受鮑氏影響。此書卷三之前，有崇禎二年（1629）十月望前一日郝敬所撰之〈鮑子易說序〉，其言曰：

---

[81] 見第6冊，頁232－233。

余宰永嘉時，吳興鮑觀白士龍氏，為郡博士，治《易》，嘗從先輩講良知，善談名理。余就而問《易》，手書所言于冊見示，卑之無甚高論，忽以為老生常談耳。〈乾〉、〈坤〉而後，遂闕如。罷官歸來，下帷覃思，取鮑子言復之，旁薄通理，導窾批郤，豁然四解，深恨當年未究其蘊也。余晚歲學《易》，三益之友如鮑子，真空谷之足音已。錄其遺草，以當蘭金。[82]

述其與鮑氏結交論學與受其影響之過程，而悼念斯人已逝，故錄其書於己作中，以示友誼。

五、《毛詩序說》

此書共八卷，前有郝敬撰於天啓五年(1625)七月三日之〈毛詩序說題辭〉，由其子郝洪範輯，門人彭大翮、姪郝千里同校。《千頃堂書目》、《經義考》均著錄。[83]

此書刊行者，僅見郝氏家刻《山草堂集》本。一九九五年上海古籍出版社《續修四庫全書·經部·詩類》據北京圖書館藏明萬曆、崇禎間刻《山草堂集》內編本影印。

此書其實爲《毛詩原解》之簡編本，乃刪除卷首之〈讀詩〉和每篇詩文的譯解與註釋部分而成，亦即僅保留《詩序》及辨駁朱子《詩集傳》的部分，所以題曰《毛詩序說》。

章聚奎〈詳請給事中郝敬從祀廟庭稿〉曰：

---

[82] 見《學易枝言》，卷3，頁1上－1下。

[83] 分見卷1，總頁30；卷119，頁9上－9下。

五曰《毛詩序說》，即原本《古序》而引伸條暢，具奥義微旨，以含蓄為溫厚也。(84)

簡述此書撰作之旨。郝敬〈毛詩序說題辭〉則詳細說明此書撰著之因由，曰：

《詩》自朱《傳》行，而《古序》塵庋閣矣。朱子未改《古序》之先，譏《古序》為鑿，既改《古序》之後，人疑朱《傳》為猜。然譏《古序》而不求所以是，疑朱《傳》而不辨所以非，人誰適從？天下義理，訾量易而折衷難，兩物質而後功苦見，兩造具而後曲直分。余取《古序》、朱《傳》參兩，為《毛詩序說》，舍《詩》說《序》者，《序》志而《詩》則辭也。孟子云：「善說《詩》者，不以辭害志，以意逆志，是謂得之。」志得而辭可旁通矣。夫說《詩》與說他文字異，他文字切直為精核，《詩》含蓄為溫厚。《古序》浔其含蓄，朱《傳》主於直切，反以含蓄為鑿空，《三百》、《古序》無一足解頤者矣。人非賜、商，未可與言《詩》。余幼承師說，守功令，何敢自異？偶閱《古序》，覺食芹美。人各有心，問之同學，可則與眾公之，若其否也，野人無知，博一笑而已，其敢有它？(85)

雖謂取《古序》與朱《傳》參兩，然書中大抵以駁朱爲主。

六、《春秋非左》

此書共二卷，前有郝敬撰於萬曆三十八年（1610）六月朔日之〈春秋非左

(84) 見《京山縣志》，卷13，頁7上引。

(85) 見《毛詩序說》（〔明〕崇禎間刊《山草堂集》本），卷首，頁1上－2下。

序〉，由其子郝洪範輯，門人田必成、彭大翮校。《千頃堂書目》、《經義考》、《續修四庫全書總目提要》均著錄。[86]

此書刊行者，除郝氏《山草堂集》家刊本外，尚有日本明和三年（1766）須原屋茂兵衛刊本，所據即爲郝氏家刊本，[87]前有皆川愿〈序〉，文政元年（1818）以後，由京都菱屋孫兵衛刊印；又有日本弘化三年（1846）皇都書林菱屋孫兵衛刻本。[88]清光緒十七年（1891）三餘草堂《湖北叢書》用海東（日本）刻本重刊。一九三五年上海商務印書館《叢書集成初編》即據以影印。一九六九年臺北藝文印書館《百部叢書集成》據清光緒趙尚輔校刊《湖北叢書》本影印。一九八五年臺北新文豐出版公司《叢書集成·新編·史地類》據《湖北叢書》本影印。一九九一年北京中華書局又翻印上海商務印書館《叢書集成初編》。

此書爲郝敬較早撰成的著作，約完成於萬曆三十八年，比《春秋直解》之刻成（萬曆四十四年）要早六年，後亦附刻於《直解》中（參見前文）。章聚奎〈詳請給事中郝敬從祀廟庭稿〉曰：

> 六曰《春秋非左》，而假托邱明，風影揣度，去道離經遠，故摘其紕繆三百三十餘條，而知為偽筆耳。[89]

---

[86] 分見卷 2，總頁 66；卷 205，頁 8 上－8 下；第 20 冊，頁 443－444。

[87] 見《廟山文庫藏書目錄》（多久市：多久市教育委員會，平成 6 年〔1994〕），頁 14。《公藏先秦經子注疏書目》（臺北：國立編譯館中華叢書編審委員會，1982 年）頁 116 曰：「《春秋非左》二卷，明郝敬撰，〔日本〕昭和三年（〔清〕乾隆三十一年）刊本。」（按：「昭和」應為「明和」之誤。）其書藏於東海大學圖書館。

[88] 見《中國館藏和刻本漢籍書目》（杭州：杭州大學出版社，1995 年），頁 48。其書藏於遼寧省圖書館。《新潟縣立新潟圖書館所藏漢籍目錄》（新潟市：新潟縣立新潟圖書館，1980 年），頁 10 曰：「《春秋非左》二卷，明郝敬撰，郝洪範輯，田必成、彭大翮同校。日本皆川愿點，明和三年刊本，文政元年以後，京都菱屋孫兵衛印。」

[89] 見《京山縣志》，卷 13，頁 7 上引。

謂此書摘錄《左傳》之誤謬，予以批駁，以證假託左丘明撰作之非。郝敬〈春秋非左序〉曰：

> 《春秋》本事，自當依《左》，舍《左》如夜行，茫不知所之矣。《公》、《穀》尚例，無稽；《左》言事，而例始有据。《左》言例，而人始競為例矣。故《左》者，諸傳之嚆矢也。其材富而情豔，弔詭而好奇，世人喜之，謂羽翼聖經，其寔風影猜度，去道離經遠，惟其假託丘明，人莫敢指，遇紕漏，寧掩飾呵護，而不知其為偽筆耳。《左傳》誠出丘明手，親炙先聖，同心之言，隻字不可易。即非丘明，況踳駮舛謬，不可勝數。豈親承聖訓，見而知之者歟？自司馬遷首相推信，馬季長、鄭康成、杜元凱，唯然和之，末學承訛，乃至以《周易·文言》語出自魯穆姜，《毛詩古序》謂附會《左傳》；臧宣叔媚晉卿權辭，以為王制；夏父弗忌逆祀，諸侯祖天子，謂都家皆有王廟；楚子納孔寧、儀行父，謂為有禮；晉受諸侯朝貢，蔑視天子，極其崇獎，使三王罪人，貌千古榮名。此類背理傷道，何可言？俗人耳食，難與口舌爭，今摘其紕謬三百三十餘條，附以管見，題曰《非左》。或曰：非《左》不非《公》、《穀》，何也？曰：《公》、《穀》則誠《公》、《穀》矣，《左》實非丘明也。知《左》之非丘明者，然後可與言《春秋》。[90]

舉出《左傳》中失誤之例數則，以明其撰此書之作動機。《續修四庫全書總目提要》曰：

> 《春秋非左》二卷，光緒十七年辛卯《湖北叢書》用海東刻本重刊。明

[90] 見郝敬：《春秋非左》（〔明〕崇禎間刊《山草堂集》本），卷首，頁1上－3上。

郝敬撰。……是編前有丙戌孟夏望平安皆川愿〈序〉及萬曆庚戌郝氏〈自序〉。據原〈序〉云……又考郝氏所著《春秋原解》，卷末亦附有是編，則其書本為郝氏集中之一篇，而後人為之抽出，別為一書者也。全書都凡上、下二卷，釐為三百三十有五條。其書不載經文，但有所論說者，則分條別錄之，繫之十二公之下，亦不別加標題。大旨以左氏非丘明，其說皆風影猜度，去道離經，非親炙先聖同心之言。自司馬遷首相推信，鄭康成、杜元凱從而和之，於是末學承譌，去經益遠。因摘其紕繆，而各為之說，以證其非，故題曰《非左》。其說蓋即孫復等廢《傳》之論，而疑古之勇，視孫氏尤加甚焉。其言《春秋》無例，但據舊史所記，而標其要領，公道難揜，是非自見，後人憑私臆斷，妄起凡例，遂多牴牾。其持論固皆中理，足破諸家紛紜轇轕之陋。而矯枉過直，或並《左傳》之事寔亦疑之，則不免流於偏駁矣。又核非難《左氏》之失，如駁「費伯城郎非公命不書」之誤、「公為天王請糴於四國，不書者，諱之也」之失，其說皆往往中理，不失為《左氏》之諍臣。然其間曲筆深文，師心太過之處，亦復不少。統核全書，寔瑕瑜互見之作也。[91]

陳述此書自《直解》中抽出別行原委及其大旨。至於評價方面，雖謂郝氏執論中理，卻又矯枉過正，故全書瑕瑜并現。

皆川愿〈序〉曰：

《春秋非左》二卷，明郝敬所箸，本附載其《山草集》中，乙酉冬，京人有嘉其說者，抽出而刻之，請余校焉。余為校閱，數日卒業。按：郝敬字仲輿，萬歷閒，仕為禮科給事中，即所稱京山先生者是也。所箸有

[91] 見第20冊，頁443－444。

《九經解》，余未能得而覽之。而其《山草集》中，別又有《談經》者，頗亦具其《春秋》之說。蓋其大略曰：「《春秋》無例，但據史所記之事，有慨於心者，提而書之。公道難揜，是非自見。時或刱新義，如正月稱王、王稱天、鄭棄其師、天王狩于河陽之類，與凡書或不書，隨宜化裁，非為例也。其餘多因舊史，隱括成文。蓋《經》特標其要領，而顛末具在舊史，原非棄舊史不用也。後人以雕鏤之辭，補綴別籍，舉以胸臆，妄起凡例，後世誤為左丘明，一切憑之。憑而不合，牽強附會，聖人之情遂晦矣。《春秋》本不獎霸，而《左》乃尊晉；《春秋》本不夷於九州之地，而《三傳》乃於秦、楚、吳、越，盡翦為夷狄。故舍《三傳》而知《春秋》不可一日無者，始為真知《春秋》。」觀此，則知《非左》之所言，亦發之其緒餘者爾。大抵世謂左氏為丘明者，始自司馬遷，而其實乃經傳之旨往往背馳，豈謂之曾受於夫子乎？杜預《集解》猶糾正《傳》文之失六事，則其非夫子同時之人者，亦已可以知矣。是以自唐啖助、趙匡痛訾之，以為秦後僞書，乃有虞臘秦庶長之疑矣。宋儒由此揫摩，乃諸家《春秋》之學起焉。明儒復承而擴之，則其卒有郝氏而興乎其閒者，固勢也，未足為奇也已。但專斥《左氏》，特成一書者，何休《膏肓》已還，其唯此而已。則郝氏之有功於《春秋》也，豈又謂之淺鮮耶？今我邦人士讀書，率多以《左氏》為標的，而善治《左氏》，輒是名家矣。雖乃宿耆之儒，亦往往信《左》之誇張，眩《左》之浮華。若夫能去《三傳》之蔽惑，而直究乎夫子筆削之真旨，則數千百人未嘗夢見也，斯尤可歎也。顧《左氏》之言，其以此一破，則來者必有興者乎？若夫郝氏《春秋》之說，君子必有取捨焉。[92]

---

[92] 見郝敬：《春秋非左》（北京：中華書局，1991 年《叢書集成初編》本），卷首，頁 1－

說明日人將此書別刻及其校閱之情形，又據《談經》中〈讀春秋〉部分，析論郝氏之《春秋》學。推仰之情，溢於言表。以一異邦之士，而如此崇尚，郝敬之學可謂不孤矣。

七、《四書攝提》

此書共十卷，前有郝敬撰於天啓五年（1625）螭日之〈四書攝提題辭〉及撰於崇禎元年（1628）仲秋朔二日之〈跋〉；卷六末尾有郝敬撰於崇禎元年（1628）孟秋晦日之〈跋〉，卷八之後附錄《鮑子中說》，並有郝敬撰於崇禎二年（1629）十月望前一日之〈鮑子中說序〉。由其子郝洪範輯，門人田必成、彭大翮校。《千頃堂書目》、《經義考》、《明史·藝文志》均著錄。[93]

此書刊行者，僅見郝氏家刻《山草堂集》本。

章聚奎〈詳請給事中郝敬從祀廟庭稿〉曰：

> 七曰《四書提綱》，此集不專為訓詁，旁觸發明，取總攝群言，提轄百氏之義耳。[94]

謂此書非一般訓詁之作，乃以闡發《四書》大義爲主。其稱《四書提綱》，或爲誤記。郝敬〈四書攝提題辭〉曰：

> 漢官尚書，猶北斗也，口代天言，如北斗斟酌元氣，布令四時也。聖人繼天立極，神道設教，垂訓萬世，庸詎非天之尚書北斗歟？按：天官北斗為帝車，運於中央，均五氣，定諸紀，杓攜龍角，兩旁各三星鼎立，

2。

[93] 分見卷3，總頁90；卷250，頁1上－2上；卷96，總頁2370。

[94] 見《京山縣志》，卷13，頁7上引。

杓所指，四時以建，是為攝提。《元命包》曰：「提斗攜角，以接於下也。」聖言猶斗杓也，奉聖言以昭布天下萬世，咸正罔缺，猶攝提也。《論語》、《孟子》二書，為斯文指南，先儒益以《大學》、《中庸》，為《四書》。明興，立於學官以程士，辭林義府，三百年來，家誦戶習，迄於今。聖遠教湮，訓詁河漢，舉業參商，百家熒惑，佛、老，欃槍，彗孛飛流如雨，而北斗闌干中天，恒度不改，今猶古也。余束髮受讀，晚從管穴窺一星之光，輒隨筆書記，久塵庋閣。友人章晦叔，取以編為《時習新知》。余畏聖人之言，別為一札，命曰《四書攝提》。蓋惟聖人為能總攝群言，提轄百氏。余何人斯？敢以蟲鳴蠡午其閒。惟是對揚光訓，俾昌俾熾，以宣布於無窮。所謂「提斗攜角，以接於下」者，則可謂云爾已矣。㊻95

敘說此書命名之由，以及其友章晦叔（名文煒）為之編取《時習新知》，而此書即將其中有關閱讀《四書》之心得，別錄成冊。郝敬於書前之〈跋〉曰：

一部《四書》，名教之宗印，人物之司命也。大道榛蕪，邪說溷淆，余日用時習，每有省發，輒援筆書記，遂至覼縷，豈天啟愚衷，抑聾瞽無知而妄作耶？何欲罷而不能也？野人食芹謂美，何必誠然？乃心自非欺，見止此耳。若曰喜矛盾穿鑿，以掩前人，先聖實式臨之。明道君子，俯賜裁正，不勝大願。96

再次強調《四書》之重要性及其撰作之方式，並以極為謙遜之語，請正於學者。

95 見《四書攝提》（〔明〕崇禎間刊《山草堂集》本），卷首，頁1上－3上。
96 見《四書攝提》，卷首，頁1上－1下。

郝敬於此書注解《大學》後作〈跋〉曰：

> 《大學》不知的係誰氏作？入門工夫，未見歸一，文字義理，亦未朗然。由於作者未了，遂起後人疑竇。如言明明德，又言致知；言定靜安慮，又言正心誠意；功先格物，又先知止；既先知止，又本修身；既以修身為本，及立傳又首誠意；八目始終格致，作傳又偏遺格致。前後牽掣，頭緒煩紊，讀者大費尋討，故余謂此篇與《中庸》，仍當還《禮記》。惟以《論語》一部為宗主，而以《孟子》七篇輔翊之，足矣！姑記於此，與明道君子謫焉。[97]

由於不知《大學》作者爲誰，且其文義欠明，因而郝敬主張將其與《中庸》同歸還《禮記》，而專以《論語》爲宗主，另輔以《孟子》即可。此意可與其撰《禮記通說》之動機互參。

此書卷八之後附錄郝敬友人鮑士龍之《中說》，其〈鮑子中說序〉曰：

> 余宰永嘉時，吳興鮑觀白士龍氏，為郡博士，善名理，每公餘與余快談，多《易》與《中庸》之旨。退而書其所言於冊以餉余，謂為老生常談耳。歸田以來，下帷覃思，更取鮑子言復之，較傳註與博士家所傳，此其鐵中之錚錚者已。錄而存之，勿負良友切偲之意。[98]

敘及兩人相交論學之歡，故錄此書以存好友之學。

---

[97] 見《四書攝提》，卷6，頁32上－32下。
[98] 見《四書攝提》，附錄，頁1上。

八、《時習新知》（舊名《知言》）

此書共六卷，前有郝敬撰於萬曆四十七年（1619）八月望日之〈時習新知題辭〉、撰於萬曆二十年（1592）秋日之〈知言舊序〉、撰於萬曆四十七年（1619）十月朔日之〈重題時習新知〉及撰於崇禎元年（1628）孟秋廿三日之〈跋時習新知〉，由新安章文煒編，郝敬門人田必成、子郝洪範校。《千頃堂書目》、《四庫全書總目》均著錄。[99]

此書刊行者，僅見郝氏《山草堂集》家刻本。一九九五年莊嚴文化事業公司《四庫全書存目叢書·子部·雜家類》據中國科學院圖書館藏明萬曆、崇禎間郝洪範刻《山草堂集》增修本影印，其末附錄《四庫全書總目》「《時習新知》六卷」提要。又《中國古籍善本書目·子部》著錄曰：「《知言》二卷，明郝敬撰，明萬曆刻本。」[100]《四庫全書總目》曰：

> 《時習新知》六卷，山東巡撫採進本。明郝敬撰。……是書舊名《知言》，敬於萬曆壬辰官永嘉時，自為之〈序〉。後改今名，復於萬曆己未及崇禎戊辰為〈自序〉二首。凡初篇三卷，中篇二卷，後篇一卷，閱三十年而成。[101]

按：此書郝敬撰有四篇序、跋，先是萬曆二十年撰〈知言舊序〉，可知此時應已成書，蓋即二卷本《知言》。至萬曆四十七年，撰〈時習新知題辭〉及〈重題時習新知〉，此時郝敬予以重刊，並易名爲《時習新知》，唯卷數是否已增爲六卷，則不可知。至崇禎元年，又有〈跋時習新知〉之作，此時又重刊，其卷數即爲今傳之六卷。此外，日本內閣文庫、靜嘉堂文庫、九州大學醫學部圖

---

[99] 分見卷 11，總頁 309；卷 125，總頁 675。

[100] 見《中國古籍善本書目·子部》（上海：上海古籍出版社，1996 年），頁 577。

[101] 見卷 125，總頁 675。

書館藏有八卷之寫本，後兩卷爲刊本所無。[102]

章聚奎〈詳請給事中郝敬從祀廟庭稿〉介紹此書，曰：

> 八曰《時習新知》，參伍夙聞，隨宜發揮，養生養性之道，三教流通，謂為語錄可，謂為清談可。[103]

謂此書乃郝氏平時之記聞，內容兼括三教。《四庫全書總目》所述更爲詳明，其言曰：

> 〈自序〉謂：「早歲出入佛、老，中年依傍理學，垂老途窮，乃輸心大道。」書中於周子〈太極圖說〉、張子《正蒙》、邵子《皇極經世》及二程子、朱子，無不肆言詆斥，謂宋儒設許多教門，主敬持靜，操存省察，致知窮理，專內疏外，舉體遺用，為浮屠之學。又謂世儒先知後行，以格物為窮理，以聞見為致知，皆非。是即王守仁知行合一、致知格物之說。然既借姚江之學以攻宋儒，而又斥良知為空虛，以攻姚江，可謂工於變幻者矣。[104]

認爲其書既攻擊宋代道學，亦駁斥明代陽明學，乃善變幻者，所論甚爲嚴厲。郝敬〈知言舊序〉曰：

---

[102] 參見〔日本〕荒木見悟：〈郝敬の立場——その氣學の構造〉，《中國心學の鼓動と佛教》（福岡：中國書店，1995年），頁93；荒木見悟著、李鳳全譯：〈郝敬氣學思想研究〉，《國學研究》第3卷（北京：北京大學出版社，1995年12月），頁171。

[103] 見《京山縣志》，卷13，頁7上引。

[104] 見卷125，總頁675。

不佞食粟三十，吾斯猶夢寐也。萬曆庚寅，捧檄縉雲，百里之內，寔多賢士，顧不佞身類刻木，噬肯適我矣。明年，調永嘉。吳興鮑士龍氏領郡博士，三年索居，猶不佞之在縉雲也。兩人傾蓋片語，相視而笑，莫逆於心，遂成忘年之好。簿書暇日，相與論求性命宗旨，言必稱宋朱、陸，近代王、陳語錄，和以柱下、西竺之義，提耳而示余。余空空鄙夫，如力士暴虎，不齎寸鐵，袒裼而膺之。是多憶中語，語必竟日，或風雨夜分，僕吏屬耳垣外，謂：「令與博士言，何僂僂也？」不佞解之曰：「不可與眾言者，不可與眾知者也。仲尼辯窮六籍，不言性與天道。子路名賢，知德者鮮。然則知之難，而言之何容易也？雖然，莊生有云：『大知閑閑，大言炎炎。』禪子說法，頑石亦解。天生蒸民，遽不若一拳石靈。知及之，仁不能守，言之不能行，終日呶呶，謂之噫氣，以息相吹，不敵老衲一按指，宜矣。」因出所言，以示都人士，題曰《知言》。嗟乎！茫茫宇宙，誰為知者？吾誰與言？知我者鮑子，終日言，可矣。[105]

據此可知，此書最初乃記其與鮑士龍相與論學之語，內容的確包括三教，較爲駁雜。郝敬〈重題時習新知〉曰：

余三十無聞，邂逅知己，始投一言之契。風塵荏苒，逝者如斯，子期死，伯牙絕絃。寥寥空谷，不聞足音，今又三十年矣。斯文日邈，阿蒙猶昔，年在桑榆，死尚未可，追念同學，豈甚慚憒？每有省發，輒援筆書記，參伍舊聞，命曰《時習新知》，將自為弦韋，匪敢誨人。茍有同志，可與共學，亦所不私也。[106]

---

[105] 見《時習新知》（〔明〕崇禎間刊《山草堂集》本），卷首，頁1上－2上。
[106] 見《時習新知》，卷首，頁6上－6下。

謂其自與鮑氏相離後，已逾三十載，且好友亦不存於世，感慨想念，乃將新舊所聞，編纂成帙。郝敬〈時習新知題辭〉曰：

> 聖教惟言行孝弟、《詩》、《書》、執禮，使人學而時習，別無隱怪虛渺之談，故曰「中人以上，不可以語上」。道有上下，無彼此，離日用常行，別無妙道，故曰「形而上者謂之道，形而下者謂之器」。百姓日用而不知，用且不知，況不用而知者，天下鮮矣，故曰「下學而上達」，上與下非二也。自其可語者觀之，下皆上也；自其不可語者觀之，上皆下也。故曰「神而明之存乎人，默而成之存乎德行」。行之而不著，則終身由之而不知。聖人所謂知，皆由之而知也，下學而上達也。世儒先知後行，知之而後由也，離下而語上也。離下而語上，非聖人之知，是二氏之所謂知也。[107]

謂聖人所言之知，雖有形上形下之分，然只是可言與不可言而已，實則無別，蓋均不出日常生活之中，學者由下學以上達，即可獲得。若離下以言上，則屬佛、道之學。可見此時郝敬已趨向儒家實用之學，對於佛、道二家之說，認為不是聖人所謂的知。郝敬〈跋時習新知〉曰：

> 是冊記余自壯至老，口耳之學。言，成畫餅，不言，則無由發輝。前後小有異同，生不逢聖，無師保之訓，向經傳尋討，百家簧鼓，非上智，焉能截然歸一？早歲出入佛、老，中年依傍理學，垂老途窮，輸心大道，功非可驟致，言未可一端盡也。平生操心默坐時少，言動擬議功多。子云：「下學而上達，吾無隱乎爾。」孟子云：「道若大路，堯、舜孝弟

---

[107] 見《時習新知》，卷首，頁3上－5上。

而已矣。」《大學》脩身為本，《中庸》誠之為貴，大氐身外無學，誠外無道，離下學都是隱，舍人倫不是路。此《四書》本領，童而習之，凡我同志，各宜書紳。[108]

再次言及此書爲其多年來之記聞，故有前後相違者，此因其早晚學習之重心，頗有改易的緣故。然其一路行來，雖有曲折變化，而最終之趨向，依舊歸於儒家，以修身爲本，不離人倫。對於此書命名之由，郝敬有極爲詳細的說解，《時習新知》於書末曰：

問：「時習新知，何也？」曰：「所謂溫故而知新也。」問：「何謂溫故而知新？」曰：「道在天地間，無斬然更新者，皆是自然現成，謂之故。孟子云：『天下之言性也，故而已矣。』聖人教學者溫故，故即時習也。《論語》二十篇，以時習為開卷第一義。譬鳥能飛，習則熟，不習則生。譬飲食，溫則熱，不溫則寒。知者，人心之精神也。『心之精神謂之聖』，知為聖之始，聖為知之終。知不與行對，而管乎行；始不與終對，而貫乎終。《易》曰：『〈乾〉知大始。』〈乾〉知為主，而〈坤〉作為行，行皆知也。世儒先知後行，先明諸主心知所往，而後力行求至，以格物為窮理，以聞見為致知，以故為舊所聞，以新為今所得，皆非也。此道若非本有，如馬角魚毛，欲知焉得？如飲食舍五穀，蒸沙煮石，欲新焉得？舍故外，別無有新；舍溫故外，別無有知新。道理只在尋常日用間，時時習，時時知，即時時新，所以謂之『時習新知』也。」[109]

---

[108] 見《時習新知》，卷首，頁 7 上－8 上。

[109] 見《時習新知》，卷 6，頁 46 上－47 上。

謂溫故即時習，由時習即可獲新知，而所謂故者，即存於天地間之道，而知者亦存於日常生活之中，無需外求。「時習新知」就是不停地學習尋常日用之間的道，即可獲得新知。

九、《閑邪記》

此書共二卷，前有郝敬撰於天啓五年（1625）五月廿七日之〈閑邪記題辭〉，由其子郝洪範錄，門人田必成、彭大翮校。《千頃堂書目》著錄。⑩

此書刊行者，僅見郝氏《山草堂集》家刻本。

章聚奎〈詳請給事中郝敬從祀廟庭稿〉曰：

> 九曰《閑邪記》，惡溫陵《藏書》是非背謬，無一言黃中，故放距之，以防耳食者也。⑪

謂郝敬爲防世人受李贄（溫陵人，1527－1602）所撰《藏書》之影響，特著此書以闢斥之。《藏書》對當時人有什麼重大影響？郝敬〈閑邪記題辭〉曰：

> 邪說為害，莫甚於浮屠氏。聖教立誠，浮屠鶩空，猶之水火也。李贄逃儒歸佛，牽率聖教，以文其謬，命之曰《藏書》。無一語黃中，而子衿輩奉若蓍蔡。聞其掛冠祝髮，詫為異人，其言滑稽於方內外之間，謷然自是，倚禪鋒棒喝人，人詘于其口，好事者更加標榜，遂至延蔓。今既死矣，而其書猶存，學士大夫有文筆者不屑觀，知道理者不欲觀，惟是二三蒙士耳食，漸其瀋滫，不聞其臭也。余友王北谷，一日問余曰：「李

---

⑩ 見卷 11，總頁 309。

⑪ 見《京山縣志》，卷 13，頁 7 上－7 下引。

贄何如人？吾黨之小子，步趨皆《藏書》也。」余曰：「此朱公叔所謂川瀆並決，而莫知塞也。游豬躁稼，而莫知禁也。異哉！此一時也。」士被儒服，而倒戈孔、孟，以狂詩為氣節，以譏詐為通敏，以浮淫為風流，以傲蕩為淹雅，以隱怪為新奇，以釋迦為宗師，詆《六經》、《四書》為芻狗，而一切奉李氏三書為黃巾之主藏，為綠林之先鋒，涓涓不息，流為江河。此世道之憂也，可不亟為之隄防乎？孟子曰：「惡似而非者，君子反經而已。」予既已解經，而言輕德薄，助寡敵多，如彼何哉？偶見其所為《藏書》者，隨筆參駁，千罅百漏，不可勝塞。《詩》：「楚楚者茨，言抽其棘。」播種而耰，以俟後之君子。其他《焚書》、《說書》，雖未目擊，一臠腥臊，全體可知已。匪好為呶呶，遇魍魎，不得不反兵。孟子云：「予豈好辯，予不得已也。」苟不逢不若，焉知先哲之苦心。[112]

由於李贄逃儒入佛，撰有《藏書》、《焚書》、《說書》諸作，其論述觀點頗異於傳統儒家，因而為守護傳統的儒者所唾棄、斥責，然在當時卻也掀起一股風潮，獲致不少讀者的推崇。郝敬觀其《藏書》後，亦視如邪說，恐世人受到迷惑，故撰此書，力予批判。

十、《諫草》（舊稱《郝諫議十二疏》或《大瓠編》、《諫疏》）

此書共二卷，前有王宗聖撰於萬曆二十七年仲春之〈舊刻郝諫議十二疏敘〉、曹學佺（1574－1646）撰〈舊刻諫疏序〉及郝敬撰於天啓四年（1624）五月晦日之〈諫草題辭〉。書末有早服居士（即郝敬）撰於萬曆二十八年秋日

---

[112] 見《閑邪記》（〔明〕崇禎間刊《山草堂集》本），卷首，頁1上－3下。

之〈舊刻大瓠編跋〉。《千頃堂書目》、《續修四庫全書總目提要》均著錄。[113]

此書刊行者，僅見郝氏《山草堂集》家刻本。

章聚奎〈詳請給事中郝敬從祀廟庭稿〉曰：

> 十曰《諫草》，則戶垣諸疏，崇論碩畫，如議遼東，則徵先見，而錢法墾田，則今日鑿鑿可行者也。[114]

謂此書爲郝敬任諫官時所上之奏疏，其料事準確，意見亦多可行。王宗聖〈舊刻郝諫議十二疏敘〉：

> 竊聞人臣以捄過為正、濟時為忠，郝楚望諫議補戶垣，僅十月，而忠節正氣形於章奏者數萬言，婉而不激，直而曲當。余每從邸報中讀其疏，必手錄之。蓋諸公建言，為國為民者固多，求如先生字字石畫、言言格論者，誠不易淂，真所謂動天地，泣鬼神，與日月爭光者也。幸而遭遇明主，不加斥戮，主聖臣直，社稷之福。余方為世道慶，而當事者乃訾先生為浮躁，左遷。一時長安有識者，莫不痛心刺骨，傷正人之不容於世也。悲夫！正臣進者，治之表；正臣陷者，亂之機。先生忠而被陷，此宗聖所以寒心也。惟先生心同太虛，見超物表，夢幻毀譽久矣。用則行，舍則藏，奉聖訓而履至順，乃其自淂圓機。官之去留，何損於先生？獨惜夫國之無人，而時事之日非耳。先生既以降調，出都門，余撿所錄先生疏，共淂十二通，欲梓以傳之，吾黨幼學，各置一本座側，為壯行矜式。客有阻之者，曰：「所以為先生則善矣，所以自為，則吾不知也。」

---

[113] 分見卷30，總頁745；第23冊，頁136－137。

[114] 見《京山縣志》，卷13，頁7下引。

余曰：「士有一定之志，忠以事君之謂也。余不幸不淂效忠於君，幸而淂為忠君者死，猶有餘榮矣。夫何懼？」竟付之梓。[115]

言其自邸報讀到郝敬的諫疏，感戴其氣概，故爲之鈔錄、刊行。郝敬曾據王刻，改名《大瓠編》（見《諫草》書末所附〈舊刻大瓠編跋〉）重刊。曹學佺〈舊刻諫疏序〉曰：

予觀於給諫郝仲輿氏，而知言之難也；言之難，而言於今日者之尤難也。何則？夫言之者無罪，而聽之者足法，人孰不樂盡其言哉？即聽未必法，而言亦不至於獲罪，言者之心戚矣，固未嘗以言為諱也。即不幸而獲罪於上，亦以為人主不測之威，非臣子所敢必也。至上能容之而不之罪，而下乃從而罪之，其典則公也，其論則眾也。其所以獲罪之故，謂不以言，則以言也；謂以言，則其言烏淂而罪之也？噫！如以言而已，則仲輿之言，五善具焉，豈惟無罪？而或者曰：「善之所在，其罪伏焉。」何以見之？仲輿在戶垣，則言戶垣之事，職守恪矣。言某事則中某事之窾，機宜晰矣。必能行焉，而後言之，區畫當矣。有所忌焉，而敢言之，丰采凜矣。上已示意，下已見隙，而始終言之，執持堅矣。恪者不可越也，晰者不可溷也，當者不可易也，凜者不可犯也，堅者不可屈也。言與善具，而善與罪具，一之為甚，其可五乎？噫！仲輿之罪，誠以言矣。言而獲罪，言之難矣。今之國家猶病羸者，膏血已竭，徒張四肢，如象人然。醫者進之以藥，反驅而去之也。悟而欲有其身，能外此醫乎？即外此醫，能外此藥乎？仲輿之言，是秦、越人之方也。理國者欲速放而實之，仲輿用則其言用矣，即不用仲輿，不能不用其言，亦仲輿用矣。

---

[115] 見《諫草》（〔明〕崇禎間刊《山草堂集》本），卷首，頁1上－3上。

余言雖僭，寔有厚望於今日焉。[116]

除欽佩郝敬直言無諱外，亦肯定其言之可行。郝敬〈諫草題辭〉曰：

古人諫草焚之，今人諫草契而傳之，何也？韓愈氏謂：古人入諫其君，出不使人知，大臣宰相之事，非諫官所宜行也。如漢孔光、魏陳群、晉羊祜，入則造膝，出則詭辭，彼為人主心膂，幾事隱密固當爾。若夫諫官，地分疏隔，叫閽排闥，然後得通咫尺之書，必言可公諸天下、告諸後世者，而后敢言，雖欲隱之，焉得而隱諸？猶曰芻狗，不用且得罪，則當為君諱。今言既未用，而明主能包荒，使弛負擔，歸而告諸鄉黨朋友，記之家乘，傳之子孫，俾世世勿忘君恩，無為隱乎爾也。不才承乏諫官，甫十月，奏疏凡十有二。事君數矣，而天幸不及於辱，歸田二十有一載，要領無恙，是誰之賜？捧誦綸音，羹墻如在，犬馬依依，不禁涕泗之橫集也。邇者遼陽失守，權璫擅政，昔嘗有曲突之請，而當事者笑書生迂闊，原草俱在，是猶未陳之芻狗也。取而尸祝之，尚有靈氣。或曰：「曲突不賞，無乃觖望乎？」惡是何言也？不幸言中，而焦爛者苦矣，尚自驕而功之，以干澤，小人之腹，不可以為君子之心。[117]

比較古今諫官所處地位之不同，因而出言諫諍之方式及事後處理之方法，亦有所差異。同時對自己料事準確，並不以具有先見之明自矜。

十一、《小山草》

此書共十卷，前有郝敬撰於天啓三年（1623）季夏之〈小山草題辭〉，卷

---

[116] 見《諫草》，卷首，頁4上－6下。
[117] 見《諫草》，卷首，頁1上－3上。

八〈先考玉吾府君行狀〉後，附其父郝承健之遺文，由其子郝洪範校。《千頃堂書目》、《明史·藝文志》、《四庫全書總目》均著錄。[118]

此書刊行者，僅見郝氏《山草堂集》家刻本。

章聚奎〈詳請給事中郝敬從祀廟庭稿〉曰：

> 十一曰《小山草》，則平生創闢議論，自舉其尤者若干篇，益以序記尺牘，并身家譜系，令後學得考據也。[119]

述郝氏此書所收文章之內容。《四庫全書總目》所述更詳明，其言曰：

> 《小山草》十卷，浙江巡撫採進本。……是編首為〈鯫生蠡管〉三卷，首載闢佛書；次則辨論經旨之文，又雜著三卷、尺牘一卷、家乘三卷。蓋其《山草堂集》全書之一種。敬喜說經，古文非所留意，置之不論不議，可矣。[120]

郝敬〈小山草題辭〉曰：

> 余自還山以來，閉戶讀書，校讐之日多，而著作絕少。吾夫子猶自謂不作，況民斯為下者乎！一切應酬文辭，浮汎無根，生平無此才，無此志，亦無此時。偶有杜撰，直寫胸懷，實情實境，椎不文，而不能三五，草塵庋閣，亡暇料簡，旦暮且死，彙為帙，以付兒曹，藏之小山，他日於架上見迺公也。余本山中人，釋褐晚，顏子死之年始出山，先夫子知命

---

[118] 分見卷 25，總頁 633；卷 96，總頁 2488；卷 179，總頁 1008。

[119] 見《京山縣志》，卷 13，頁 7 下引。

[120] 見卷 179，總頁 1008。

三年還山。管公明以是年死，思為洛陽令不可得，而余已為令長諫官。遂初歸來，今又二十年矣。席門長掩，蓬蒿已沒逕，生寄死歸，惟有青山為知己、芳草為故人耳。昔桓元子問：「吾家佐治，遠志何名小草？」對曰：「在山為遠志，出山為小草。」士林相傳，以為佳話。余雖在山而無遠志，本小草而又不出山，奚以命余？嗟夫！名山許藏余，余其為在小山草矣。遂命之曰《小山草》。[121]

說明此書命名之典故。

清乾隆四十七年（1782）五月，四庫館臣總裁英廉奏准頒發各省督撫應行銷燬、抽燬各書之清單，其中〈抽燬書目〉部分，曰：

《小山草》三本。查《小山草》係明郝敬撰，卷四〈天山評〉內，語有觸礙，應將全篇刪燬。又卷九第十二頁內，亦有干礙語，應一併刪燬。[122]

由於奏中所提及的兩篇文章，都是有關滿族與明廷抗爭的事蹟，所以四庫館臣認為有違礙，應予刪燬。然今所存《小山草》為明刊本，故未受影響，兩篇文章依舊完整無缺。

十二、《嘯歌》

此書共二卷，《千頃堂書目》著錄。[123]

此書刊行者，僅見郝氏《山草堂集》家刻本。

章聚奎〈詳請給事中郝敬從祀廟庭稿〉曰：

---

[121] 見《小山草》，卷首，頁1上－2下。
[122] 見〔清〕英廉等編：《銷燬抽燬書目》（臺北：廣文書局，1972年），頁19上。
[123] 見卷25，總頁633。

十二曰《嘯歌》，則諸所吟咏，剗去浮藻，獨寫性靈，而大雅徽音，得溫柔之風。[124]

由此可知，此書爲郝敬之詩作，而且章氏予以相當不錯的評價。然朱彝尊《靜志居詩話》則評曰：「郝敬有《山草堂嘯歌》。仲輿難經伉伉，詩非所擅。」[125]認爲他並不擅長於詩，所以《詩話》只錄其〈讀春秋〉一首。陳田《明詩紀事》曰：

田按：仲輿九經皆有解釋，其論詩文，有《藝圃傖談》四卷，謂：「古詩四言，太音沖漠，漢、魏增一言，便多逸響。如兵法改車戰為步騎，龍虎風雲，奇變百出。更增七言，如長驅野戰。」又謂：「少陵詩如王郎酒酣拔劍斫地歌莫哀，與太白詩〈蜀道難〉、〈天姥吟〉、〈北風行〉等篇，氣格壯麗，雅意寖微。」大抵以四、五言束縛千古之詩人，溢出一字，便為不雅。固哉！仲輿之言詩也。其所自作，殊多淺率，不副其言。[126]

引用郝敬《藝圃傖談》中評論詩文之語，指出其賞析詩學的觀點，進而認爲郝氏不能自守其言，故《紀事》中亦只錄郝敬〈山莊即事〉一首。

---

[124] 見《京山縣志》，卷 13，頁 7 下引。

[125] 見〔清〕朱彝尊：《靜志居詩話》（臺北：明文書局，1990 年《明人傳記叢刊》本），卷 16，頁 9 下－10 上。

[126] 見陳田：《明詩紀事》（臺北：明文書局，1990 年《明人傳記叢刊》本），卷 16，總頁 133－134。

十三、《藝圃傖談》

此書共四卷，前有郝敬撰於天啓三年（1623）十月之〈藝圃傖談題辭〉，書末附錄〈論制義〉、〈家藏野人語題辭〉二篇。由其姪郝千里錄，門人陳珙、子郝洪範校。《千頃堂書目》著錄。[127]

此書刊行者，僅見郝氏《山草堂集》家刻本。

章聚奎〈詳請給事中郝敬從祀廟庭稿〉曰：

> 十三曰《義（藝）圃傖談》，評騭千載詩書瑕瑜，雖尚元（玄）談，仍不輕靡濃郁者，固為通論，而指點更多明法。[128]

說明此書爲郝敬評論詩文之作，並認爲其所言大致持平。郝敬〈藝圃傖談題辭〉曰：

> 方內目楚為傖楚，楚人為楚傖。楚風氣剽悍，人下急而少淹雅，辭林啁不文人，亦曰傖父。陸機以此目左思，不知左雅能賦也。〈三都〉出，駟不及舌已。余生江介，其麤駔本天性。弱冠蹭蹬，鄉里人目為狂且。比筮仕木強，唐突權貴，有吳兒峩冠，稱翰林主人。挾京洛書，排闥無狀，為火其書，溺其冠，杖而逐之。一時談客相顧，勿逢茲俗吏也。斯不亦□楚傖之劇者歟！年過四十，懸車披襫襏，為神農之言，脩渾沌之術，以希蹤於七竅未鑿之先，欲人不傖父，胡可浔已？[129]

解說此書命名之由。

---

[127] 見卷32，總頁779。

[128] 見《京山縣志》，卷13，頁7下引。

[129] 見《藝圃傖談》（〔明〕崇禎間刊《山草堂集》本），卷首，頁1上—2上。

十四、《史漢愚按》

此書共八卷，前有郝敬撰於天啓五年（1625）正月五日之〈史漢愚按題辭〉，由其子郝洪範校。《千頃堂書目》著錄。[130]

此書刊行者，僅見郝氏《山草堂集》家刻本。然楊守敬編、李之鼎補編之《增訂叢書舉要》所著錄之郝敬《山草堂集》，於此書則曰「《史漢三國晉書愚按》八卷」。[131]考今所見此書及其〈題辭〉，皆明作《史漢愚按》，實無「三國晉書」四字，未知《增訂叢書舉要》有何依據。

章聚奎〈詳請給事中郝敬從祀廟庭稿〉曰：

> 十四曰《史漢愚按》，夫史與經非二也，自為史者未窮經知道，則持論每偏，簡舉而衡量焉，寓繩愆糾繆之思，俾後之修史者取裁，亦即公之史筆也。[132]

謂此書乃糾正史書持論過偏者，足供後世取法。郝敬〈史漢愚按題辭〉曰：

> 讀《史》、《漢》，事博而文富，如行山陰道，千巖萬壑，一覽未盡，穿崖入谷，搜討始見其奇。余於諸史，涉獵而少精詣，子長一再過，孟堅草草破卷耳。讀經暇日，乃次第繙閱，見先輩訓詁有所發明，輒稱「愚按」，不自揣效顰。《詩》云：「庶人之愚，亦職維疾；哲人之愚，亦維斯戾。」《春秋》明白易簡，知者厭常，穿鑿以求新，是哲人之愚也。《史》、《漢》事辭冗瑣，愚者喜新，按籍以求故，是庶人之愚也。知愚同病，過猶不及，何也？喜者笑，溺者亦笑；狂者愚，知者亦愚。愚

---

[130] 見卷 5，總頁 145。

[131] 見楊守敬編，李之鼎補編，曾夢陽、丁曉山整理：《增訂叢書舉要》，《楊守敬集》（武漢：湖北人民出版社、湖北教育出版社，1997 年），第 7 冊，頁 1014。

[132] 見《京山縣志》，卷 13，頁 7 下－8 上引。

未可易任也，愚而自用，其究必災。是以先輩云：「身在堂上，方能按堂下人滘失，有咎繇之智，而後平反明允。」余以井蛙醯雞，雖分刌節度，巧歷圭撮，焉知馬之幾足？昔魏收譏劉晝，賦名〈六合〉，太愚；觀賦，又愚於〈六合〉；觀人，又愚於賦。嗟夫！按《史》、《漢》與賦〈六合〉，知愚相去，其間不能以寸，既副墨，因以自哂。[133]

述解此書命名與撰作態度。

十五、《四書制義》（舊名《奇正篇》）

此書共六卷一百篇，其中《論語》五十篇、《大學》三篇、《中庸》十二篇、《孟子》三十五篇，書末附錄郝敬鄉、會試卷。書前有郝敬撰於天啓四年（1624）六月十九日之〈四書制義題辭〉及李維楨撰〈舊刻奇正篇敘〉，書末有郝敬撰於崇禎元年（1628）孟秋五日之〈跋〉，由其子郝洪範錄，門人方士喆、彭大翮校。

此書刊行者，僅見郝氏《山草堂集》家刻本。

章聚奎〈詳請給事中郝敬從祀廟庭稿〉曰：

十五曰《制義》，其言純粹爾雅，其理平正通達，而骨力挺勁，風格道逸，真可傳之業也。[134]

謂此書內容及風格皆佳，足以傳諸後世。

郝敬〈四書制義題辭〉曰：

---

[133] 見《史漢愚按》（〔明〕崇禎間刊《山草堂集》本），卷首，頁1上－2下。
[134] 見《京山縣志》，卷13，頁8上引。

余少折肱此業，比壯行，廢閣，今四十年，取而復之，無異昨昔，假再四十季，當復如是。由此，雖百世可知，而焉得遽為芻狗乎？今士不遇，肺腸俱嘔，遇即弁髦投擲，登枝而捐本，心術已非矣。乃至繫籍〈騷〉、〈雅〉，亡命老、釋，詆《六經》為敝箒，薄功令為鄙事。古文摹古而愈遠，時文厭時而轉卑，高自標榜，而沒齒無聞。人地如此，焉有文章不為芻狗者哉？余舊業可五千首，比釋褐，存者財十一，覆瓿日久，存者今百一耳。念吾手澤，以畀兒曹，非敢自謂堪傳，亦曰不捐其本焉云爾。[135]

謂此書爲其早年所撰制義文集，原本有五千首，歷經多年，於今只存百首。郝敬〈刻制義序〉曰：

不佞清白吏子也，先君沒而家四壁立，三月而內外難作，拮据艱難，以丐餘生，未知旦暮也，尚得從容搦管，而談博士言乎？吾師李本寧先生，於先君莫逆，謂先君樹于有穀，孺子可教，拯之溝中，脫之机上，三薰三祓，提耳而誨之，五年而後，於斯藝闚一班也。語曰：「閉門造軌，出門合轍。」方予之下帷也，耳不聞諠譁，目不見美好，心不知愛憎，形反而合神，神返而合漠，每一義成，形為之枯。先生必擊節稱賞，群子嗑然笑之，謂：「先生莫知其惡也。」先生曰：「休矣！不笑不足以為道，子歌陽阿，而望市人和汝乎？」明年戊子，試于鄉；又明年，試于春官，捷如桴鼓。雖卑卑不前，以流離之子，一朝脫網罟而飛翔，無亦業攻之效歟？嗟夫予之脩是業也，傷先君未竟之志，歃血而捫心，蓋嘗膽之苦矣。受知己提攜之恩，感分而圖報，蓋貫日之誠矣，濱九死之

[135] 見《四書制義》（〔明〕崇禎間刊《山草堂集》本），卷首，頁2上－3下。

地，前窮後迫，悉心併力，以求一決，蓋破釜之計矣。杜甫云：「驚定始拭淚。」開篋笥而三復之，不禁涕洟之橫集也。行者不以逾險而棄杖，游者不以既涉而忘匏屣之俱出也。猶悲其不與之俱入，而況吾業之所居乎？窮而脩之，安樂而敝篲棄之，弗忍也，爰託副墨，以永其存。[136]

敘其早年因父亡而引起家難，經其師李維楨（字本寧）搭救，乃全心投入舉業。所撰制義文，雖遭時人譏諷，然其師李氏卻亟賞之，而郝氏終於順利獲取功名。因此，追本溯源，郝氏以爲不可忘本，乃有此書之纂輯。李維楨撰〈舊刻奇正篇敘〉曰：

三年而仲子遂舉於鄉，成進士。南都書肆，已有版其文行世者。仲子之從父為陽翟博士，其門弟子郝生與大梁蘇生，從余遊，見仲子文而好之，請所謂五千首者，而篋中所存，僅此矣。……兩生既校定，名之曰《奇正篇》，而委余序。余惟奇正相生，仲子之所以為才也。離奇正而二之，仲子之所以有遇不遇也。……南都版仲子文者，分為〈小心〉、〈放膽〉二篇，詳仲子〈自敘〉中。其意皆與奇正語合。[137]

據此可知，郝敬所撰制義，於其登第後，曾爲南京書賈刊行，唯不知當時如何命名，僅知其分成〈小心〉、〈放膽〉二篇，又有郝敬所撰〈自敘〉，然此〈敘〉今已不見。其後郝敬從父郝承志[138]之門徒郝、蘇二生，自李維楨處取得郝敬制義文，爲之校刊，命名爲《奇正篇》，並請李維楨撰序。

---

[136] 見《小山草》，卷6，頁5上－6上。

[137] 見《四書制義》，卷首，頁6上－7上。

[138] 郝敬：〈郝氏族譜〉曰：「族伯父承志，萬曆十一年歲貢，仕河南禹州訓導。」（《小山草》，卷8，頁8下）陽翟即禹州古名。

郝敬的制義文寫得相當不錯，俞寧世評論百家文，獨稱其「見得明，道得出，能言人所不能言者」。[139]萬曆十六年（1588），郝敬通過鄉試；次年，登進士第。當時他雖然只考得第二百零一名，[140]不過所撰寫的千首制義，卻廣爲流行，一時名噪海內。與他一起登第的陶望齡（1562－1609）於〈登第後寄君奭弟書〉第四首說：

> 大凡看人文字，須知神表。吾同年郝楚望諸作，能投棄繩檢，恣心橫口，枯者必腴，死者必活，直透此機，何題可縛？何世俗非譽可動哉！[141]

以陶氏會試第一、廷試第三的高超表現，[142]竟然極力稱道郝敬的時文，可見後者在這方面的造詣，確有其獨到之處。其座主馮琦（字琢菴，1558－1603）亦稱賞曰：「足下文如萬里流，何能不千里一曲？」[143]然錢謙益（1582－1664）卻嚴厲闢斥郝敬之制義，於〈與卓去病論經學書〉曰：

> 若近代之儒，膚淺沿習，繆種流傳，嘗見世所推重經學，遠若季本，近則郝仲輿，踳駁支蔓，不足以點兔園之冊，而當世師述之，令與漢、唐諸儒，分壇立墠，則聽其熒《詩傳》，認為典記也，又曷怪乎？[144]

---

[139] 見余廷燦：〈郝京山先生傳〉，《存吾文稿》，頁 113 上引。

[140] 參見朱保炯、謝沛霖編：《明清進士題名碑錄索引》（上海：上海古籍出版社，1998 年），頁 2571。

[141] 見〔明〕陶望齡《歇庵集》（臺北：偉文圖書出版有限公司，1976 年），卷 16，頁 15 下。

[142] 參見朱保炯、謝沛霖編：《明清進士題名碑錄索引》，頁 2570。

[143] 見〔明〕李維楨：〈舊刻奇正篇敘〉，郝敬：《四書制義》，卷首，頁 7 下。郝敬〈生狀死制〉曰：「明年上春官，登進士第。座主馮琢菴宗伯，悉余本末，索觀余所為文。……宗伯詫為奇，逢人說項。」見《小山草》，卷 9，頁 11 下。

[144] 見〔清〕錢謙益：《牧齋初學集》（上海：上海古籍出版社，1985 年），卷 79，總頁 1707。

何以有此差異？值得深入探究，唯不在本文討論範圍之內。

十六、《讀書通》

此書共二十卷，前有郝敬撰於天啓三年（1623）後十月之〈讀書通題辭〉，書末有郝敬撰於崇禎三年（1630）季春之〈跋〉，由其子郝洪範，門人彭大翮、陳珙同校。《千頃堂書目》、《明史·藝文志》、《續修四庫全書總目》均著錄。[145]

此書刊行者，僅見郝氏《山草堂集》家刻本。

章聚奎〈詳請給事中郝敬從祀廟庭稿〉曰：

> 十六曰《讀書通》，鄙沈約四韻之拘，而定為五音者也。[146]

謂郝敬因反對沈約（441－513）依聲調分四韻，乃改定五音。《續修四庫全書總目提要》曰：

> 中分卷二十，卷一論聲不止四，為四韻糾謬；卷二論音成於五，為五音譜；卷三至卷十七，依五聲分韻，列舉諸字；卷十八至卷二十，則輯通假連字為附錄焉。是編以人開口是元聲，一聲為宮，二聲為商，三聲為角，四聲為徵，五聲為羽。諧聲至五而合，為天地萬物之成數，不可增損。音但可言宮、商、角、徵、羽，不可言平、上、去、入。定音為四，有四無五，是有宮、商、角、徵無羽。又以五為天地成數。十二者，天然之紀。五音十二律，從來遠矣。天然而週，故五聲盡於六十，乃每聲

---

[145] 分見卷3，總頁98；卷96，總頁2374；第2冊，頁133－134。

[146] 見《京山縣志》，卷13，頁8上引。

定為十二韻。……易四聲為五，一變沈約二百六韻之部。按：古今之音，各有方域之限，同為一字，南北只能各從其音之相近而相諧，諧于南者，即不能盡諧于北，所以三代以前，不惟無韻之說，且並無「韻」之字。而《詩》三百篇，亦只各諧其各地之音，而不能合十五國之音，齊而同之也。沈約定為四聲，本乖於天生五聲原旨，其定為二百六部，尤不免強聲就韻之病。是編以五音本于天成，自較四聲為長，但每聲之中，仍各分十二韻，是又何異於沈韻以二百六部分配四聲乎？核其五聲之中，所列十二韻之字，並非依五聲十二律，一一較之以聲律，以定宮、商諸音，仍不過以發於喉舌者為斷，既無根據，更無標準，其嚮壁虛造，視沈韻之以當時見行之音，分隸四聲二百六部者，蓋更無可取焉。惟附彔所輯連字，於古人通假之例，可備一格，以資參考。此外，如謂設為六書，以推古人作字之意，非古人未作字，先有六書；又謂合二聲為一音，經史文字多有，舉邾婁為鄒、祁連為天為證，謂漢以前無翻切者非；又謂古人用字尚音，今人用字尚義：皆為通人之論。是宜節而存之，未可與其所定五聲六十韻，概從屏斥也。[147]

除敘明此書體例外，亦以其五音與沈約四聲之說相較，指明其得失。

乙、外編

一、《批點左氏新語》

此書爲《山草堂集》外編之一，共二卷，前有郝敬撰於天啓三年（1623）九月朔之〈左氏新語題辭〉，由其子郝洪範錄。《千頃堂書目》、《續修四庫

[147] 見《續修四庫全書總目提要稿本》，第2冊，頁133。

全書總目提要》均著錄。148

此書刊行者，僅見郝氏《山草堂集》家刻本。

章聚奎〈詳請給事中郝敬從祀廟庭稿〉曰：

> 十七曰《批點左氏新語》，嘗非《左》之說經耳，不能不喜《左》之為文也，剪截支蔓，俾修詞者採華焉。149

謂郝敬雖曾著《非左》以斥其說經之不當，但因喜《左》之文章，乃有是書之作。《續修四庫全書總目提要》曰：

> 《左氏新語》二卷，《山草堂集》外編本，明郝敬撰。……是書取《左傳》之文，割截題評，以時文之法，點論而去取之。其謂君臣交質，五霸無王之始也，《傳》不罪鄭不當質王，而罪其不信，辭雖工，於理不順。持論特正，其餘多係陳因，別無闡發。左氏源出聖門，躬為國史，即以文章論之，殘膏賸馥，沾溉無窮，章沖聯合其始終，徐晉（卿）排比其對偶。後來編纂日多，無預經義，馮、陸《左繡》，至以時文評語，商榷經傳。敬之為此，蓋亦其倫。卷首〈題辭〉乃謂：「《左》之為文，無長風扶搖萬里之勢，有翩翩游冶、顧影自愛之詞。」狂言滿紙，仍《非左》之故態也。150

由此可知，此書乃選取《左傳》中部分文章，以評點時文之法，予以品題。其法前人實已爲之，如宋人章沖有《春秋左氏傳事類始末》、徐晉卿有《春秋類

---

148 分見卷 2，總頁 66；第 4 冊，頁 73。

149 見《京山縣志》，卷 13，頁 8 上引。

150 見《續修四庫全書總目提要稿本》，第 4 冊，頁 73。

對賦》，只是郝敬此書之評語，頗有狂慢不當。郝敬〈左氏新語題辭〉曰：

> 或謂余曰：子嘗非《左》，而又新《左》，何也？余曰：非《左》之說經耳，而不能不新《左》之為文也。《左》之為文，堂堂不足，而鼎鼎有餘。其縱橫不如《國策》，揚摧不如莊周，洸洋不如史遷。敘事紆曲旁引，妝綴細瑣，而時或散漫不收。脩飾邊幅，而跼蹐傷氣。牽帥傅會，而浮夸少理。無長風扶搖萬里之勢，有翩翩游冶、顧影自愛之情。故人喜之，脩辭者採華焉。余束髮受讀，今老矣，猶執褊見，不敢謬為恭，而重違古今人之通好。竊謂以冠冕群史不足，而方諸後世《新序》、《新語》，不啻膾炙人口矣。割取禁臠，翦截支蔓，題曰《新語》，以授兒曹。嗟夫！世之習《左》者，幾同敝帚已，而余乃今美新，昔人謂《左》為太官，能使人歆豔屬厭，則可謂云爾已矣。若夫《春秋》大義，聖人盛德，君子溫故，古善士不敝之成，《左》皆未能有與焉。[151]

對於《左傳》的文章，雖然贊賞，卻又指出許多缺失，甚且謂其不如《戰國策》、《莊子》、《史記》諸書，唯又勝過《新序》、《新語》等書，其意蓋以《左傳》文辭乃介於一、二流之間。如此評價，足以察見其看待之程度。

《續修四庫全書總目提要》著錄郝敬《山草堂諸史瑣瑣》，曰：

> 《山草堂諸史瑣瑣》三十四卷，明崇禎間刻《山草堂集》本，明郝敬撰。……又《總目·正史類存目》著有敬撰《史記瑣瑣》二卷，〈提要〉謂「黃虞稷《千頃堂書目》載敬《山草堂集》，不詳卷數，亦未見全本。此其集中外篇之第十八種也，取《史記》疑義，略為考正訓釋，然多臆撰」

---

[151] 見《批點左氏新語》（〔明〕崇禎間刊《山草堂集》本），卷首，頁1上-2下。

云云。茲已獲得原書，可見其全，足彌前目之遺憾矣。敬所撰諸史《瑣瑣》，凡《史記》二卷、《前漢書》四卷、《後漢書》六卷、《三國志》四卷、《晉書》六卷、《南史》四卷、《北史》四卷、《舊唐書》四卷，共為三十四卷。每史之前，皆撰有序論，申述撰作意旨及標識成書年月，知其書撰非一時，蓋成於天啟末、崇禎初也。……茲味所言，於其纂錄之旨，可以窺知大凡矣。所鈔之文，均以原書次第為序，先錄原文於前，遇有難解及新奇字句，則撮舉舊註於次，加以詮釋，或糾彈其失，或補充其義，每有精確之語。然好逞臆說，以求相勝，往往轉致支離，不可解。大抵明人於史，非研覈書法，即獵取詞華，敬之此書，尚知注意訓詁，有裨考史，雖有違失，猶異恆流，亦可謂難得而可貴者矣。[152]

據此可知，郝敬於諸史撰有《瑣瑣》，其體例與優缺點，此處亦言之甚詳。大體上，所予評價，尚屬良佳。

以下分就各史，逐一考述。

二、《批點史記瑣瑣》

此書共二卷，前有郝敬撰於崇禎元年（1628）二月之〈史記瑣瑣題辭〉，《四庫全書總目》、《續修四庫全書總目提要》均著錄。[153]

此書刊行者，僅見郝氏《山草堂集》家刻本。一九九七年臺南莊嚴文化事業公司《四庫全書存目叢書·史部·正史類》據中國社會科學院藏明萬曆、崇禎間郝洪範刻《山草堂集》增修本影印，附錄《四庫全書總目》「《史記瑣瑣》二卷」提要。

---

[152] 見《續修四庫全書總目提要稿本》，第37冊，頁744－745。

[153] 分見卷46，總頁273；第37冊，頁744。

章聚奎〈詳請給事中郝敬從祀廟庭稿〉曰：

十八曰《批點史記瑣瑣》，料簡其中疑事隱語，註家詮釋者也。[154]

謂此書檢錄《史記》中之可疑者，另為註釋。《四庫全書總目》曰：

《史記瑣瑣》二卷，山東巡撫採進本，明郝敬撰。……取《史記》疑義，略為考證訓釋，然多臆撰。如〈殷本紀〉「西伯伐饑國」，蓋黎、饑古字假借，乃云：「《書》作伐黎，黎，飢色也。《書》曰：『黎民阻飢。』為其民失養而弔伐之。」然則「黎民於變時雍」又當何解？又〈周本紀〉「輕呂之劍」，謂即赤刀；「龍漦」謂即龍溺；〈項羽本紀〉「楚歌」為激楚之音。皆漫無根據，不足信也。[155]

舉出二例，以見郝氏訓解之不當。郝敬〈史記瑣瑣題辭〉曰：

司馬遷《史記》，自比《春秋》，班固洗索其痕疵，聲價不無小減矣。近世辭林推轂，置諸班史右。蓋辭人鬻文，多傳記碑版敘事，取材於諸史，而子長書薈蕞四代典要，道古者引繩批根，不能舍而他適，故稱子長藉甚。其書中疑事隱語，注家銓釋，往往標新義。余暇日料簡，以示兒曹，命曰《瑣瑣》。桂林一枝，崑山片玉，裁以大義，雖曰糠籺，貯之青囊，莫匪金屑，皆辭林之梟藻、藝苑之珠璣也。子長自謂抽之金匱、

---

[154] 見《京山縣志》，卷 13，頁 8 上引。
[155] 見卷 46，總頁 273。

藏之名山，殘膏賸馥，沾丐後人者，烏可視同土苴，而屑越之耶？[156]

言其撰著此書之意。

三、《批點前漢書瑣瑣》

此書共四卷，前有郝敬撰於崇禎二年（1629）之〈前漢書瑣瑣題辭〉，《續修四庫全書總目提要》著錄。[157]

此書刊行者，僅見郝氏《山草堂集》家刻本。

章聚奎〈詳請給事中郝敬從祀廟庭稿〉曰：

十九曰《批點前漢瑣瑣》，簡其中雋語卮言，可資文筆、助麈談者也。[158]

謂此書乃選《漢書》中文辭可觀者，以供世人撰文、閒談之參考。《續修四庫全書總目》曰：

《前漢書瑣瑣》四卷，《山草堂全集》本，明郝敬撰。……是書卷首有崇禎二年郝氏〈自序〉，自題「七十二翁」，知其為晚年之作。〈序〉稱……云云。其纂錄大旨，可以窺見。其書體例，節鈔《漢書》原文於前，遇有難解及新奇字句，則撮錄舊注於下。郝氏偶加銓釋，補苴舊注，時亦有中肯之語。如……郝氏立義，殊為可笑。大抵明人於訓詁多疏，喜為肊說，故郝氏此書亦所不免。至其書本旨在隨意鈔撮，取資采掇，

---

[156] 見郝敬：《批點史記瑣瑣》（臺南：莊嚴文化事業公司，1997 年《四庫全書存目叢書》本），卷首，1上－2下。

[157] 見《續修四庫全書總目提要稿本》，第 3 冊，頁 556。

[158] 見《京山縣志》，卷 13，頁 8 上引。

非欲於漢事有所探求，則郝氏已自言之，更不必論矣。[159]

述此書之體例及優缺點。郝敬〈批點前漢書瑣瑣題辭〉曰：

《漢書》中，雋語卮言，可資後生文筆、助談士揮麈，暮景多暇，料簡以授兒曹，命名曰《瑣瑣》。[160]

據此可略知其撰著此書之意。

四、《批點後漢書瑣瑣》

此書共六卷，前有郝敬撰於天啓五年（1625）之〈後漢書瑣瑣題辭〉，《續修四庫全書總目提要》著錄。[161]

此書刊行者，僅見郝氏《山草堂集》家刻本。

章聚奎〈詳請給事中郝敬從祀廟庭稿〉曰：

二十曰《批點後漢瑣瑣》，范蔚宗事辭翔洽，覺可取者，又多於孟堅也。[162]

謂郝敬以《後漢書》之文辭較《前漢書》可採者爲多。《續修四庫全書總目提要》曰：

《後漢書瑣瑣》六卷，《山草堂全集》本。明郝敬撰。……書首有郝氏

[159] 見《續修四庫全書總目提要稿本》，第3冊，頁556。
[160] 見《續修四庫全書總目提要稿本》，第3冊，頁556；第37冊，頁744引。
[161] 見《續修四庫全書總目提要稿本》，第3冊，總頁557。
[162] 見《京山縣志》，卷13，頁8上引。

天啟五年〈自序〉，視〈前漢書瑣瑣自序〉作於崇禎二年者，為時較早，似此書之成，在《前漢書瑣瑣》之前。然〈序〉云：「余讀范蔚宗《漢書》，簡其可以供談塵、助文筆者若干條，榷其數，反多於孟堅。蓋孟堅義例整齊，而蔚宗事辭詳洽，輔以劉昭志注，更覺充美。方丈盈前，所取過多。」知此編撰就，實在《前漢書瑣瑣》之後也。其書體例與《前漢書瑣瑣》全同，惟采錄舊註及郝氏自加銓釋，較彼篇為少。至其銓釋，瑕瑜互見，亦與《前漢書瑣瑣》不殊。⑯³

除品評此書優缺點外，復據此書與《前漢書瑣瑣》作者〈題辭〉之撰著時日，考察兩書完成之先後。最後根據〈後漢書瑣瑣題辭〉之語，斷定此書較《前漢書瑣瑣》先完成。

五、《批點三國志瑣瑣》

此書共四卷，《續修四庫全書總目提要》著錄。⑯⁴

此書刊行者，僅見郝氏《山草堂集》家刻本。

章聚奎〈詳請給事中郝敬從祀廟庭稿〉曰：

二十一曰《批點三國瑣瑣》，裴松之註《三國》，真足不朽，所錄《志》得三，《注》得七，以表《注》之功也。⑯⁵

稱賞《注》較《志》爲佳，故所錄亦較多。郝敬〈批點三國志瑣瑣題辭〉曰：

---

163 見《續修四庫全書總目提要稿本》，第3冊，頁557。

164 見《續修四庫全書總目提要稿本》，第3冊，總頁557。

165 見《京山縣志》，卷13，頁8上—8下引。

記載之書，以事辭相尚，事不博綜，辭不華腆，不足供文人之求、適談士之口。[166]

反映其重視文采之理念。

六、《批點晉書瑣瑣》

此書共六卷，《續修四庫全書總目提要》著錄。[167]

此書刊行者，僅見郝氏《山草堂集》家刻本。

章聚奎〈詳請給事中郝敬從祀廟庭稿〉曰：

二十二曰《批點晉書瑣瑣》，江左風流，莫盛於晉，錄其奇以發莞爾也。[168]

謂晉代以風流稱盛，此書錄其奇事，以供讀者觀賞。郝敬〈批點晉書瑣瑣題辭〉曰：

從古方內人物，惟晉一代最奇，莫不嶔奇歷落，足以發士林之莞薾，供談苑之鼓吹。余晚節宴閒，由斯賞會，大底江左風流，莫盛於晉，隋、唐以降，尋常事故，惟之與阿，無足簡料。[169]

與章氏疏稿意同。

---

[166] 見《續修四庫全書總目提要稿本》，第37冊，頁744引。
[167] 見《續修四庫全書總目提要稿本》，第37冊，頁744。
[168] 見《京山縣志》，卷13，頁8下引。
[169] 見《續修四庫全書總目提要稿本》，第37冊，頁744引。

七、《批點南史瑣瑣》

此書共四卷，《續修四庫全書總目提要》著錄。[170]

此書刊行者，僅見郝氏《山草堂集》家刻本。

章聚奎〈詳請給事中郝敬從祀廟庭稿〉曰：

> 二十三曰《批點南史瑣瑣》，風流之過，即為放蕩，南渡後，梁、陳事多不可為訓，隨在箴砭之，以示戒也。[171]

以晉代以後，風流逾爲放蕩，所爲反不足激賞，乃摘記其過失，以爲警戒。

八、《批點北史瑣瑣》

此書共四卷，前有郝敬撰於天啓六年（1626）季冬五日之〈北史瑣瑣題辭〉，《續修四庫全書總目提要》著錄。[172]

此書刊行者，僅見郝氏《山草堂集》家刻本。

章聚奎〈詳請給事中郝敬從祀廟庭稿〉曰：

> 二十四曰《批點北史瑣瑣》，李延壽所作，多雜稗小說，姑節取之，以見河朔之文，不盡為胡塵沒耳。[173]

謂此書所錄，可見北朝之文章。《續修四庫全書總目》曰：

---

[170] 見《續修四庫全書總目提要稿本》，第37冊，頁744引。
[171] 見《京山縣志》，卷13，頁8下引。
[172] 見《續修四庫全書總目提要稿本》，第23冊，頁86－87。
[173] 見《京山縣志》，卷13，頁8下引。

> 《北史瑣瑣》四卷，《山草堂集》本。明郝敬撰。……是書首有敬〈序〉（原作〈題辭〉），略言：後世史不以人廢而以事辭勝，苟事辭乏，則朝報除目耳。（按：明人不講史學，其病在此。史豈能爲朝報除目？此一代事實皆在，有翦裁，有去取，則爲良史。如〈職官表〉等，尤以朝報除目爲本。）三國以後，《晉書》多清言（《晉書》在諸史中最踳駮，而郝氏寬稱之。），宋、齊、梁、陳，江左稱文獻，中州胡塵昏擾，自元魏入洛，易戎索為纓冕，至周、齊文物始與六朝比盛。大氐河朔剛貞，江左妍秀；南風清溫，朔氣猛獷。魏、隋之間，干戈擾攘，士生馬上，不習詩書。李延壽取雜稗小說，補苴為《北史》，其事辭繁蕪，不如《南史》。蓋《南史》經沈休文、蕭子顯諸人檢料，而《北史》因魏收之穢（按：《魏書》列傳，于爲刺史者，某廉某貪皆著之，實宋、齊諸書所不及，其被惡名，亦或以此。而後人沿稱穢史，過矣。），可芟者多，故節取充燕閒之一覽云爾。[174]

引郝敬〈題辭〉之語，以見其對《北史》之評價及撰著此書之用意。

九、《批點舊唐書瑣瑣》

此書共四卷，前有郝敬撰於崇禎元年（1628）正月二十五日之〈批點舊唐書瑣瑣題辭〉，《續修四庫全書總目提要》著錄。[175]

此書刊行者，僅見郝氏《山草堂集》家刻本。

章聚奎〈詳請給事中郝敬從祀廟庭稿〉曰：

> 二十五曰《批點唐書瑣瑣》，其書文藻蘊藉，遠遜漢、魏、六朝矣，略

[174] 見《續修四庫全書總目提要稿本》，第 23 冊，頁 86－87。

[175] 見《續修四庫全書總目提要稿本》，第 23 冊，頁 87－88。

採其事辭之可述者，以備覽耳。[176]

謂《舊唐書》遠遜其前諸史，僅錄其可述者，以供閱覽。《續修四庫全書總目提要》曰：

《舊唐書瑣瑣》四卷，《山草堂集》本。明郝敬撰。……是書首有敬〈序〉，略言：先輩言唐史，以劉昫《舊書》為翔洽，余家藏本，訛殘不可讀。涉獵一過，文辭稍覺煩蕪，義例整齊，實不如《新書》。然史主記事，百聞不如一見，五代去唐近而宋遠，故《新》不如《舊》詳。《春秋》主義貴簡，然隱、桓以上茫然，聖人亦未如之何。唐史微劉氏《舊書》，雖歐、宋諸子，安所取材？略採其事辭之可觀者，備清燕之一覽。……至于文藻蘊藉，遠遜漢、魏、六朝諸書，世運有先後，既同為《唐史》，即新舊可勿論云云。[177]

引郝敬〈題辭〉，見其對新、舊《唐書》之比較，謂兩書之記事與文辭，雖有差異，然不必分軒輊。

十、《批選杜詩》

此書共四卷，一般書目多未著錄。

此書刊行者，僅見郝氏《山草堂集》家刻本。

章聚奎〈詳請給事中郝敬從祀廟庭稿〉曰：

---

[176] 見《京山縣志》，卷13，頁8下引。

[177] 見《續修四庫全書總目提要稿本》，第23冊，頁87－88。

二十六曰《批選杜詩》，子美在唐人中，獨其為詩得敦厚性情之正，非獨嘲風弄月而已者也。(178)

謂郝敬因欣賞杜甫（712－770）詩存敦厚之性情，勝過其餘各家風花雪月之作，故有此選。

十一、《批選唐詩》

此書共二卷，《千頃堂書目》著錄。(179)

此書刊行者，僅見郝氏《山草堂集》家刻本。

章聚奎〈詳請給事中郝敬從祀廟庭稿〉曰：

二十七曰《批選唐詩》，就唐論唐，錄其丰骨森秀，詞采高華，音律宏暢，而清空罔象，如林風水月者而已。(180)

略敘郝敬選錄唐人詩作之標準。

十二、《蜡談》

此書共六卷，一般書目多未著錄。

此書刊行者，僅見郝氏《山草堂集》家刻本。

章聚奎〈詳請給事中郝敬從祀廟庭稿〉曰：

二十八曰《蜡談》，遊藝之懷，旁羅《齊諧》、《虞初》，《禮》曰：

(178) 見《京山縣志》，卷13，頁8下－9上引。
(179) 見卷31，總頁767。
(180) 見《京山縣志》，卷13，頁9上引。

「既蜡而收。」所以終也。[181]

謂此書之命名，乃取自《禮記·郊特牲》「既蜡而收」一語，有殿居在後之意。其意蓋以此書作為郝敬眾作之結束，其實於上述諸書外，郝敬猶有其他撰著。

參、其　他

郝敬之著作，不見於《九部經解》及《山草堂集》內編、外編者，尚有下列幾種：

一、《四書雜言》

此書共五卷，《經義考》著錄，並言其存，[182]又引郝敬〈自序〉曰：

> 宋儒取《禮記》〈大學〉、〈中庸〉配《論語》、《孟子》為《四書》，國朝用以程士，家傳戶誦矣。今與人言道，未必領；言《四書》，有徵可信，遂廣其說，非為離經耳。昔人謂依經辨理，錯經合異，是謂《雜言》。[183]

說明此書命名之由。

章聚奎〈詳請給事中郝敬從祀廟庭稿〉所敘述之《山草堂集》二十八種中，並無《四書雜言》，而《京山縣志·儒林列傳》言及之，曰：

> 其《九經解》暨《山草堂》中內編之《易領》、《問易補》、《學易枝言》、《毛詩序說》、《春秋非左》、《四書攝提》、《四書雜言》、

---

[181] 見《京山縣志》，卷13，頁9上引。

[182] 見卷285，頁3下。

[183] 見卷285，頁3下。

《談經》撮諸種，《經義考》俱全收之。[184]

按：章聚奎於崇禎十三年（1640）至十七年任京山縣令，其上〈詳請給事中郝敬從祀廟庭稿〉，爲郝敬申請入祀孔廟，應在其任職期間，而疏稿所提及之郝敬著作，應是已刊刻或定稿者，故《四書雜言》應是郝敬家人於其去世後，整理完成的，其時間當在入清以後。因此，朱彝尊得以見及此書，而予以著錄，《京山縣志》則再據《經義考》而言。然此書今日已不見流傳。

又楊守敬編、李之鼎補編之《增訂叢書舉要》所著錄之郝敬《山草堂集》，於《史漢愚按》及《四書制義》之間，錄有「《四書雜言補遺》一卷」，[185]似於四卷《四書雜言》之外，另有《補遺》一卷，然未知據何著錄。

二、《大學解》

日本《東京大學東洋文化研究所漢籍分類目錄》著錄有：「《大學解》不分卷，明郝敬撰，文化四年（1807）芸香堂刊本。」[186]此書乃自郝敬《四書攝提》中解《大學》部分，獨立成帙者。

三、《野人語》

此書一般書目均未著錄，亦不見有刊行者，唯郝敬撰於崇禎十二年（1639）之〈家藏野人語題辭〉曰：

明經取士，自宋儒始，王介甫作經義，令士子隨題演說，對比成文，馴

---

[184] 參見卷13，頁2上。

[185] 見《楊守敬集》，第7冊，頁1014。

[186] 見《東京大學東洋文化研究所漢籍分類目錄》（東京：東京大學東洋文化研究所，1981年），頁74。

> 雅合式，乃取貢士，命曰制義。國朝三百年同文，以此為程墨，好古之士，嫌其局促，謂不如古文揮霍。其實為古文易，為今文難。韓非云：「設度而持之，智者畏失；無度而應之，辯士漫說也。五寸之的，十步之遠，非羿、逢蒙不能全中。冥而妄發，雖拙者未嘗不中秋毫。故無度易也。」經傳與辭賦不同宗，義理與游戲不同調，遵訓詁不得憑胸臆，貴莊嚴不得離對偶，尚平正不喜為恢奇。說題欲明，無取隱奧，體裁一定，不得增減，雖有通才，不得馳騁，雖有多學，不及展措，如此則千篇一律，又鄙為庸腐，傍題敷衍，又厭為淺淡。故曰：「今文難為也。」年來士子經書爛熟矣，老生常談，求價誰沽？不得不小變，變則日浸月移，不覺遠徙，以至佛書雜稗，俗語難字，往往竄入。以蹇澀為新，以險僻為奇，以冗雜為富，以遮拾為懍，以隱晦為精。甚至侏濊鳥語，沾滯不可句，名雖制義，其實違制遠。予幼折肱此業，塵閣已六十年。偶於敗牘中，拾得二百八十餘首，皆蚤年父師所日撻而求者，雖陳腐，猶存先輩遺制。題曰《野人語》，匪敢自謂先進，亦曰去國久，見似人而喜耳。[187]

謂其晚年於家中搜獲早年所撰之制義文二百八十餘篇，加以編整，命曰《野人語》。其中與百篇之《四書制義》，是否有重複者？郝敬未加說明，且其書亦不見流傳，故已難得知。此書所以未見流傳，或許郝敬逝世後，其家人未予刊印，因而後世無傳。

楊守敬編、李之鼎補編之《增訂叢書舉要》所著錄之郝敬《山草堂集》，除內編、外編外，尚有續集，其中另有郝敬《炳燭孤談》、《髦記》、《談跋

---

[187] 見《藝圃傖談》，卷4，頁28上－29上。

內外篇》三部著作。[188]

四、《炳燭孤談》十卷

此書見於郝敬〈辭院道府縣聘講學〉中，其文開頭說：「不佞某囊首窮山，屏息偷生，不睹天日，今三十六年所矣。」[189]結尾說：「老耄昏憒，偃臥床簀間，口授兒曹，書記以復，道直則見，不敢爲綺語。」[190]按：郝敬自萬曆二十二年（1604）辭官，歷三十六年，即崇禎十二年（1639），時年八十二歲，是年冬即謝世。〈辭院道府縣聘講學〉又說：

> 至今講學之癖，入人膏肓，好事者誇為真傳，好名者目為真儒，至《論語》二十篇，以為口頭皮膚語。區區自識字以來，頗覺其非，至今老而薑桂性成，乃著《炳燭孤談》，反覆參證，妄謂聖人復起，不易吾言。殺青未竟，俟從容請正也。[191]

此書應爲郝敬臨終之前始完稿，《千頃堂書目》予以著錄，謂有十卷，[192]楊守敬主編、李之鼎補編《增訂叢書舉要》亦著錄，唯作九卷，[193]或許原有十卷，後亡佚一卷。此外則未見言及者，殆流傳不廣或未刊行。

[188] 見《楊守敬集》，第 7 冊，頁 1015。
[189] 見《小山草》，卷 6，頁 33 上。
[190] 見《小山草》，卷 6，頁 34 下。
[191] 見《小山草》，卷 6，頁 34 上。
[192] 參見卷 11，總頁 309。
[193] 見《楊守敬集》，第 7 冊，頁 1015。

五、《髦記》二卷

此書僅見於《增訂叢書舉要》著錄，[194]未見他書提及，內容不詳。

六、《談跋內外編》

此書僅見於《增訂叢書舉要》著錄，[195]未見他書提及，內容不詳。

結語

郝敬對於自己的撰著，是相當珍重的，特建天階閣以藏之。其〈天階閣記〉曰：

> 奉先師主，升于閣上，以余所纂《九經解》貯其中，《山草堂集》置于下，牓其阿曰「天階閣」。[196]

可見其愼重看待之情況。《九部經解》與《山草堂集》二十八種，清初陸元輔藏有全書，後歸朱彝尊。朱彝尊於撰《經義考》時，即據以著錄其中解經之作。[197]有關郝敬所撰書籍受到重視的情形，《京山縣志·儒林列傳》曰：

> 其《九經解》暨《山草堂》中內編之《易領》、《問易補》、《學易枝言》、《毛詩序說》、《春秋非左》、《四書攝題》、《四書雜言》、《談經》撮諸種，《經義考》俱全收之。後開《四庫全書》，即據朱彝尊《經義考》，為之分別提要。《御纂詩經傳說》、《尚書傳說》、《春

---

[194] 見《楊守敬集》，第7冊，頁1015。
[195] 見《楊守敬集》，第7冊，頁1015。
[196] 見《小山草》，卷5，頁14下。
[197] 參見卷13，頁2上。

秋傳說》、《欽定三禮義疏》，採錄先儒箋注，郝敬皆與焉。道光間，《皇清經解》出，諸經學家如毛西河、閻百詩、陳啟源、翟灝、焦循，無不徵引郝氏《經解》，推為大儒。至海內私家纂輯諸經塾本，登載尤多。先生經學幾與孔安國、鄭康成埒名矣。此外，如《讀書通》、《史記瑣瑣》、《時習新知》、《小山草》，《四庫全書》均有提要。《康熙字典》採引《讀書通》者數十條，《欽定唐宋詩醇・杜詩》所錄郝敬評語，乃敬《批選杜詩》一種，據仇兆鰲本而採之也。《四書制義》復居《可儀堂百二名家》之一。考《明史・藝文志》、《通志・藝文志》所載楚人著述，以先生為最精博，實不愧通儒矣。[198]

可見其著作實非全無可取。

綜上所述，可知郝敬自二十五歲折節讀書以來，即奮勉自勵，撰著不懈。先是撰成五千首制藝文，並藉此獲取科名，隨即以制藝文盛傳海內，南都書坊爲之刊行。此一時期，郝敬鑽研制藝之文，與學術研究較無關聯。待其中年辭官歸里，潛心著述，先費時十五年，刊成《九部經解》，此可謂其精心投注之作。又以其餘暇，撰作《山草堂集》內外編，使其成爲明末著述龐多之學者。且其成果，清代學者雖有嚴厲批評者，爲之稱揚並採納其說者，亦復不少。然有關郝敬的研究，日本人的成果較多，[199]相對之下，國人反而未予重視，研治

---

[198] 見卷 13，頁 2 上－2 下。

[199] 日本學者有關郝敬的研究，有岡田武彥：〈郝楚望〉，《王陽明と明末の儒學》（東京：明德出版社，1970 年），頁 377－398；岡田武彥：〈郝楚望の思想〉，《宋明哲學の本質》（東京：木耳社，1984 年），頁 252－260；井上進：〈漢學の成立・郝敬の學〉，《東方學報》（京都：京都大學人文科學研究所）第 61 冊（1986 年），頁 224－329；村山吉廣：〈郝敬毛詩原解序說〉，《詩經研究》第 12 號（1987 年 12 月），頁 19－25，林慶彰有譯文，刊於《書目季刊》第 92 卷第 4 期（1996 年 3 月），頁 59－64。荒木見悟：〈郝敬の立場——その氣學の構造〉，《中國心學の鼓動と佛教》（福岡：中國書店，1995 年），頁 53－96；荒木見悟著、李鳳全譯：〈郝敬氣學思想研究〉，同注[102]，頁 155－173；

者甚少，[200]今後宜多加重視，以免其學沉埋不彰。

川田健：〈郝敬批點左氏新語について〉，《中國古典研究》第42號（1997年12月），頁 34－45；川田健：〈郝敬春秋學の一側面〉，《早稻田大學大學院文學研究科紀要》第43冊（1998年2月）。

[200] 國人有關郝敬之研究，有傅兆寬：《明梅鷟郝敬尚書古文辨之異同》，同注[1]；蔣秋華：〈郝敬的詩經學〉，《中國文哲研究所集刊》第12期（1998年3月），頁253－294。

近代方志所見民間成年禮及其傳承與變化

李隆獻*

壹、研究主題與材料

中華民族的成年禮，早自有周開始，即已流行於中原文化圈。根據《儀禮·士冠禮》、《大戴禮記·公冠》的記載，周代乃以加冠服的儀式做爲貴族青年的成人象徵；《禮記》等古籍，亦記載青年女子以行「笄禮」象徵成人：可知周代「成年禮」，包括男性的「冠禮」與女性的「笄禮」兩部分。這種成年儀式爲士以上貴族階層所遵用，後世且奉爲禮典；但在時空因素下，就幅員廣闊、歷史悠久的古中國而言，歷代的成年禮卻未必始終如一地保留先秦古禮的原貌，而是隨著時代環境的變遷，社會風尚的轉移而有所因革損益，在不同的儀節段落上，或繁化、或簡化，甚或改造變形，在中國傳統文化的沃壤中，以繁複多樣的面貌存其根株，迭有生發。至於非漢族的少數民族，尤其展現迥異的風土民情，自有其專屬的成年禮。

有關成年禮的文獻資料，大致來源有四：一爲先秦兩漢經傳，如上文所述及者；❶二爲歷代官修二十五史「志書」中的「禮儀志」；❷三爲歷代政書禮

---

* 國立臺灣大學中國文學系副教授。

❶ 關於先秦兩漢冠笄禮之詳細資料，可參考葉國良先生：《儀禮士冠禮研究（一）——經學與文化人類學的綜合考察》〈附錄〉（國科會專題計畫報告，1995年）。

❷ 歷代正史中的「禮儀志」，實際述及冠禮者有：《後漢書·禮儀志》、《晉書·禮志》、《宋書·禮志》、《南齊書·禮志》、《魏書·禮志》、《隋書·禮儀志》、《新唐書·禮樂志》、《宋史·禮志》、《明史·禮志》。此類書中記載冠禮資料，見拙撰：《儀禮

典；❸四爲歷代地方志所載資料。第一項資料可據以勾勒先秦成年禮概況；第二、三兩項資料可據以考察歷代成年禮的演變情況；第四項資料可據以探索民間成年禮實況。

民國以來，前賢之研究成年禮，或探討其詳細儀節及其所代表的意義；❹或考察其淵源、功能及其時代意義；❺或由人類學、民俗學的角度考察成年禮的意義；❻或結合經學與人類學作綜合性的研究，❼成績皆斐然可觀。本文則擬透過對各地地方志關於成年禮的記載，較爲全面性地考察成年禮在民間施行的可能實況。

中國方志源遠流長，從先秦的國別史、地理書，降及秦漢魏晉南北朝的地志、郡書，下至隋、唐，即進入官修地志的時代，趙宋時體例日臻完善，元、明、清三朝，經政府的大力推動，各區各級方志的發展更是日新月異，在質量

士冠禮研究（二）——先秦成年禮與後世成年禮的比較研究》〈附錄一〉「歷代史志政書成年禮資料選輯」（國科會專題計畫報告，1998 年）。

❸ 政書禮典資料包括：一、時人奉敕編修的當代禮書，如唐《開元禮》、宋《政和禮》；二、民間私人撰述的當代禮書，如司馬光《書儀》、朱文公《家禮》；三、後人編寫的有明一代禮典會要；四、通古今之變的禮制類書，如《通典》、《通志》、《文獻通考》等「十通」文獻。此類書中記載的冠禮資料，見同前注拙撰。

❹ 如：楊寬：〈冠禮新探〉，《古史新探》（坊間翻印北京：中華書局，1965 年本）；邱衍文：《冠禮研究》（臺北：中國文化學院中國文學研究所碩士論文，1970 年）；周何：〈冠禮〉，《古禮今談》（臺北：國文天地雜誌社，1992 年）；常金倉：《周代禮俗研究》（臺北：文津出版社，1993 年），第 2 章；胡戟：《中國古代禮俗》（西安：陝西人民出版社，1994 年），第 3 章等。

❺ 如：黃俊郎：〈冠禮的起源及其意義〉，《孔孟月刊》，第 19 卷第 2 期（1980 年）；徐福全：〈成年禮的淵源與時代意義〉，《臺北文獻》直字第 95 期（1991 年）。

❻ 如：許木柱：〈男性成年禮的功能與現代生活——一個人類學的探討〉，《生命禮俗研討會論文集》（臺北：中華文化復興運動推行委員會，1984 年）；朱鋒：〈臺南的七夕〉，北京大學中國民俗學會編：《民俗叢書》第 33 冊；彭美玲：〈臺俗「做十六歲」之淵源及其原因試探〉，《臺大中文學報》第 13 期（1998 年，待刊）。

❼ 如葉國良：《儀禮士冠禮研究（一）——經學與文化人類學的綜合考察》，同注❶。

上達到極高的水準，❽並構成中國史學文化的一大特色。在中國浩如煙海的歷史文獻中，方志不僅蔚爲大宗，並且以「地方性的百科全書」的傲人姿態，爲中國歷史文化提供了豐富鮮活的見證。誠如丁世良先生在〈中國地方志民俗資料匯編序〉所言：

> 地方志是一個偉大的知識寶庫，這是地方的「百科全書」，集各種調查研究與地方文獻之大成，內容十分豐富。自宋代以來，地方志的編修日益普及，我國各地幾乎都有縣志、府志、州志、省志等各種方志。地方志記載了我國古代和近代各地民俗的許多珍貴史料。這不僅是民俗學(特別是研究地方民俗、民俗史或比較民俗）的重要資料，同時也為各門社會科學研究提供了豐富而生動的參考材料。❾

然而，方志雖名爲地方之史，具有地域性、連續性、普遍性、廣泛性、資料性、可靠性、思想性、時代性、實用性、系統性等主要特徵，❿每隔若干年且重加纂修；但後來者卻往往直錄舊文，未必能忠實反映地方上的眞確演變；或由於編纂過程倉促粗疏，撰寫人員素質不一等因素，亦難免出現無心之過，譚其驤先生因有「舊志資料不可輕信」之說。⓫因此面對方志資料，必須保持適度的警覺，若其明言「直錄舊文」者，自可供爲年代判定之參考。有時面對不同年代的相類記載，可以判定較早者近於實錄，較晚者則可能只是徒具空文，不宜輕信當時仍有其事。一般而言，注重信實的撰作者多半會在文中補充一句「今

---

❽ 關於方志簡史，可參黃葦等：〈地方志大事記〉，《方志學》（上海：復旦大學出版社，1993 年），頁 852－910。

❾ 見丁世良、趙放主編：《中國地方志民俗資料匯編·華北卷》（北京：北京圖書館出版社〔原書目文獻出版社〕，1997 年），頁 1。

❿ 參黃葦等：《方志學》，同注❽，頁 280－285。

⓫ 《中國地方志論集（1950－1983）》（長春：吉林省地方志編委會，1985 年），頁 81－85。

多不行」，以為徵實，此種方式足可減少判讀時的困擾，本文之撰寫即多據此推斷成年禮的存廢情況。

一九八二年北京大學重新成立「中國民俗學會」，該會以編纂方志的民俗資料為其重點工作之一，並於九〇年間陸續編印成六大卷的《中國地方志民俗資料匯編》。⓬本文所使用方志資料，即以《中國地方志民俗資料匯編》為主，⓭以臺北成文出版社之《中國方志叢書》、華文書局之《中國省志彙編》為輔。這些方志，年代最早者約在明代中期，下及有清與民國，故標題以「近代」概括之。由前述大批方志紀錄中，可以清楚覘知此一時期民間實行冠、笄禮的大略情形。

貳、近代民間成年禮的沒落趨勢

在中古以後，中國的民間成年禮似乎長期處於低迷不振的狀態：不僅唐、宋時期並未普獲民間重視，只行於部分士人之家；元代復經異族政權強力打壓，冠禮之益趨衰微可想而知；明初百年雖一度受到朝廷倡行的影響，而有「冬至、元旦一加網巾」之俗，但明中葉以下，隨著朝綱的敗壞，國力的削減，人民生計一年不如一年，禮俗之不講自是必然的趨勢；由明入清，近代方志大致體現了民間成年禮江河日下的演變軌跡。試舉河南省乾隆十二年（1747）《滎陽縣志》和民國十三年（1924）《續滎陽縣志》做一對比。《滎陽縣志》載：

男子十五至二十皆可冠。其先期旬日，有家廟筮日、筮賓之節，至日行

⓬ 丁世良、趙放主編，見同注❾，1991－1997年出版。

⓭ 《中國地方志民俗資料匯編》，同注❾，計分《華東卷》（上、中、下）、《中南卷》（上、下）、《西南卷》（上、下）、《華北卷》、《西北卷》及《東北卷》等六卷共十冊，依資料數量與代表性，本文主要選錄前四種。又，本文以下引文凡逕注卷名、頁碼者，皆指此書，不另註明。

禮，有拜賓至，有行盥洗之節，有賓致祝之節，有賓加冠之節，有賓飲冠者之節，有賓字冠者之節，有冠者拜賓之節，有冠者拜父母、拜諸父母兄弟、拜鄉先生之節，有主人飲賓之節，有賓酢主人之節，有主人薦幣之節，有主人送賓之節，有主人告廟之節。但其俗之異者：古禮三加，今惟一加也；其致祝之詞，務在貢諛，否則主人銜之。然冠禮今亦多不行。（《中南卷·上》，頁8）

《續滎陽縣志》載：

冠禮儀節詳載舊志，久已無復舉行。鄉間直以完婚為成人，蓋渾冠、婚禮為一，而古制蕩然無存矣。（同上，頁11）

《滎陽縣志》簡錄了自《儀禮·士冠禮》輾轉演變而來的古冠禮儀節，⓮這正是《續滎陽縣志》所說的「古制」；然而自宋、明以降，古制殆已蕩然無存，即連節略繁文以求變通的《文公家禮》，所載時制也只能通行於少數士大夫之家，如同《明史·禮志八》所說：

明洪武元年詔定冠禮，下及庶人，纖悉備具。然自品官而降，鮮有能行之者，載之禮官，備故事而已。⓯

⓮ 差別在於周代男子二十歲行加冠禮，河南滎陽則是十五至二十歲，比較有彈性；又古禮三加，此則一加，比較簡便。

⓯ 〔清〕張廷玉等：《明史·禮志》（臺北：鼎文書局，1993年點校本），卷54，頁1385。民國二十五年（1936）山東省《禹城縣志》亦云：「〔冠禮〕有明推及庶人，纖細俱周。今因之，鮮有行者；載之禮文，備故事而已。」（《華東卷·上》，頁123）

因此偶見於少數方志詳載的復古儀節（詳下），恐怕也只是聊備故事而已。而由大多數的方志看來，竟連「故事」也不備了，「冠禮久廢」、「冠禮不行」、「冠禮不講」乃是最常見到的用語。獨樹一格的有康熙三十四年（1695）河南省《開封府志》、乾隆十二年（1747）河南省《滎陽縣志》、同治八年（1869）湖南省《慈利縣志》等，其所載古冠禮儀節，與《續滎陽縣志》的「古制蕩然無存」或是一般方志「冠禮久廢」、「不行」、「不講」，可謂大異其趣。所幸河南省乾隆四十四年（1779）《河南府志》及民國六年（1917）《洛寧縣志》，同時對照古禮與今俗之異，足以解釋前述兩種記載歧異的緣由，也提供了近世冠禮演變的具體線索，茲列表以明之：

古　禮	河南府志	洛寧縣志
古重冠禮，將以責成人之道	今河南士庶家猶有行之者	今此禮雖廢，士庶家尚有行之者
冠禮筮日	今俗於將婚前數日擇吉行之	今惟行於將婚前一日
《禮》：戒賓、筮賓、宿賓，並宿贊冠者	今俗不備儀，但柬同鄉前輩一人爲賓，即以賓之子弟爲贊	今但於前一日延賓四或二人贊禮
冠禮行於廟中	今士庶家或無廟，祀於正寢，即於正寢行之	今士庶家或無廟，即於中堂行之
《禮》：先陳器服	今俗亦設洗、設冠席，但不陳服，不設醴。冠惟一加，陳西階下	今亦設洗、設冠、陳服
《禮》:冠席設於東序西面，醴席設於戶西南面	今俗一加後，賓即酌酒禮冠者，不更席	
《禮》：三加三醮，皆有辭	今俗但隨賓致辭	今但一加，無詞
至命字之辭，古人甚質	今俗或別爲字說，以示教誡	
《禮》：冠者取脯見母，母拜受，子拜送	今俗不設脯，亦見於母	今不見脯，但見父母
《禮》：冠畢，醴賓以壹獻之禮，贊者皆與	今俗亦於是日行之	
《禮》：男冠女笄	今笄禮，待嫁日至夫家乃笄，名曰「上頭」	今嫁日至夫家乃笄，名曰「上頭」。笄以柏木爲之

經由上列對比，⑯「古制」日趨式微的明顯消息自然顯露。

問題是，冠禮眞的如大多數地方志所說的「久廢不行」了嗎？比較精確的說法應該是：自《儀禮·士冠禮》相傳而來，一成不變的儀節，確實是不再講究了；但是民間風俗活力是旺盛的，冠禮實以異於「古制」的方式存活於庶民生活當中。如乾隆九年（1744）河南省《汜水縣志》說冠禮「惟遵時制」，⑰即說明了禮俗的與時俱變。所謂「時制」，一言以蔽之，即是將冠禮併入婚禮一同舉行，這種情形在近代方志中隨處可見，下文將另闢專節續予深論。茲就近代民間冠禮的沒落趨勢歸納出幾項要點：

一、明清以來，正統冠禮於民間久已不行

在冠禮方面，近代方志常以「冠禮久廢」一句話輕描淡寫地帶過。細繹之不難發現，由於記者以古禮三加作爲衡量是否行禮的標準，故逕謂「冠禮不行」。縱使有所謂「士大夫家間行之」者，亦指遵《文公家禮》而行，並非全然復古，如康熙三十三年（1694）山東省《登州府志》所言「冠禮士夫家行之，遵《家禮》，稍略繁文。」⑱即是。

綜覽明清方志，可大略探索歷來民間冠禮的衰變歷史。康熙五十一年（1712）河北省《龍門縣志》載：

> 〔冠禮〕明〔熹宗天〕啟（1620－1627）、〔思宗崇〕禎（1627－1677）間已不舉行。（《華北卷》，頁138）

---

⑯ 二《志》原文見《中南卷·上》，頁253；294。

⑰ 《中南卷·上》，頁11。

⑱ 《華東卷·上》，頁 215；同樣的記載亦見乾隆七年（1742）山東省《海陽縣志》、道光二十六年（1846）山東省《招遠縣志》等。

康熙五十八年（1719）山西省《汾陽縣志》載：

> 冠禮，所以責成人之道也。然柳柳州時，已稱數百年來人不復行其禮，蓋廢久矣。故明尚有沿其意者；今天下皆不行，故不贅。（《華北卷》，頁599）

光緒六年（1880）山東省《菏澤縣志》載：

> 冠在明〔穆宗〕隆〔慶〕（1567－1572）、〔神宗〕萬〔曆〕（1572－1620）前，猶延賓行三加之禮，以後絕跡矣。（《華東卷·上》，頁299）

民國五年（1916）河北省《鹽山新志》則說：

> 〔冠禮〕自宋、元以來，已云久廢。（《華北卷》，頁381）

民國十年（1921）上海《寶山縣續志》則說：

> 冠禮之廢，在南宋以降。（《華東卷·上》，頁69）

民國二十四年（1935）江蘇省《首都志》則說：

> 南朝重冠，王侯士庶莫不兢兢於三加之典。唐始廢冠禮，宋、元亦無行之者。明興，定皇太子、皇子、品官至庶人之冠禮，然留都官庶力能行之者甚少，多沿俗草率行禮而已。清代以後，此禮遂廢。（《華東卷·上》，頁352）

民國二十四年（1935）山東省《萊陽縣志》則說：

> 冠禮明時士大夫子弟間一行之，清已廢矣。（《華東卷·上》，頁232）

民國二十五年（1936）山東省《東平縣志》則說：

> 漢、唐以來，此（冠）禮漸廢；東平亦久無行此禮者。（《華東卷·上》，頁281）⓳

眾說紛紜之下，該如何確定冠禮的消亡時間呢？平心而論，這個問題本來就沒有一個精準的答案。第一、除非先議定冠禮消亡的確實指標；第二、即使定出若干指標，但在中國廣袤多元的文化地理之中，冠禮乃至於任何禮俗的發展變化都不可能步調一致。不過，綜合前說可知，中國歷代民間冠禮的實行程度，自漢、唐以來即不如想像中的普遍，足見禮書定制未必全然與社會的實況相互呼應。⓴再者，每逢國勢走向下坡，政局動蕩不安之際，人民處在衣食堪慮甚或身家不保的困境裏，行禮如儀的可能性更大為降低。所以，概括中國禮俗發展史的規律，大致與國祚之盛衰、世運之隆污相表裏。如中唐柳宗元慨歎冠禮久已不行，㉑可能與盛唐安史之亂有關；前引《寶山縣續志》說「冠禮之廢，

⓳ 民國二十三年（1934）河北省《井陘縣志》亦有類似說法。

⓴ 請參閱拙撰：《儀禮士冠禮研究（二）——先秦成年禮與後世成年禮的比較研究》，同注❷，第二章。

㉑ 〔唐〕柳宗元：〈答韋中立論師道書〉：「古者重冠禮，將以責成人之道，是聖人所尤用心者也。數百年來，人不復行。近有孫昌胤者，獨發憤行之。既成禮，明日造朝至外庭，薦笏言於卿士曰：『某子冠畢。』應之者咸憮然。京兆尹鄭叔則怫然曳笏卻立，曰：『何預我邪？』廷中皆大笑。天下不以非鄭尹而快孫子，何哉？」見《柳宗元集》（臺北：華正書局，1990年），頁872。

在南宋以降」，有可能與宋室不敵異族，偏安江南的處境有關；而明朝國力在英宗以前百年之間稱盛，英宗以下則漸顯後繼無力，此與明中葉隆慶、萬曆朝「三加絕跡」，似乎也不無關聯。

大抵而言，傳統冠禮消失於民間的確實時間，大約可定在明代中葉。如山東省《崇禎歷乘》已稱：

> 歷俗：總角、弱冠皆從其便，三加之禮，不惟庶民不知，即詩禮之家亦有不行。（《華東卷·上》，頁 456）

就在冠禮風氣普遍淡漠的情況下，社會上仍不乏少數有心人士偶爾力圖振作；或者刻意復古，依三加古禮爲本家子弟加冠，一時之間傳爲佳話，如嘉靖（1521－1566）刻本江蘇省《江陰縣志》載：

> 古禮不盡行。冠備三加，近一見之。（《華東卷·上》，頁 456）

萬曆刻本浙江省《新昌縣志》載：

> 冠禮不行久矣。……邑員外郎俞振強冠其子，始行三加禮，其子邦時輩亦遵之。今仕夫之家亦間有行之者。（《華東卷·中》，頁 843）

更值得注意的是少數集團行禮的特例，如乾隆二十八年（1763）山東省《蒲台縣志》載：

> 明嘉靖間，縣令王淑詣學宫為諸生行冠禮。載諸《縣志》，識者美之。（《華東卷·上》，頁 177）

這類矯俗之舉雖形同空谷足音，獲得鄉里一時的稱美，間亦在地方上引起倣效，可惜並不足以使傳統禮儀起死回生。

二、明清以來，舊式冠禮改以新貌延續留存

近世冠禮在時代浪潮的衝激之下，漸漸喪失傳統面貌，一來儀節日趨簡化，二來為婚禮所兼併，以致失去原有的獨立地位，淪為婚禮的附屬節目。典型的作法如民國二十五年（1936）山東省《重修莒志》所說：

> 〔婚禮〕先一日，新郎易冠服，具鼓吹，謁祖祠，拜父母及各尊長。（《華東卷・上》，頁 267）

由此可見近代冠禮幾經簡省後，所餘留的僅是成年禮儀的核心節目——易服——以及後續的社交活動而已。

三、民間冠禮初與婚禮合流，終致沒落消失

明中葉以降民間冠禮的消失，並非突如其來地發生斷層現象，因為當時並沒有明顯的強大外力介入，促成其絕滅，而是社會大眾在自然而然、不知不覺之間所做出的一項共同選擇，那就是他們不再感到冠禮特舉的迫切必要性。然而行之有素的傳統禮俗也不太可能無端地銷聲匿跡，於是集民眾的群體智慧所採行的變通方式，即冠、婚並舉。首先，冠齡的標準取消了。本來，民間冠齡與貴族冠齡一樣都具有一些彈性，例如《文公家禮》即稱「男子年十五至二十皆可冠」㉒，其標準已頗為寬泛，後來甚至連這個規矩也放棄了，因為民眾在生活上、心理上都自認不再需要一個獨立的冠禮，於是理所當然地冠齡就被取

㉒ 〔朱熹〕：《家禮》（臺北：臺灣商務印書館，1986 年景文淵閣《四庫全書》本），卷 2，頁 1。

消了。實際上它是遭婚齡同化，世人轉以「成婚」為「成人」的代號，而不專就當事人的生理年齡或身心成熟度評定其成人的事實。

其次，冠、笄的時間幾乎與婚禮並行，形成「冠婚並舉」的合流現象，多數方志屢見「男臨娶始冠，女將嫁加笄」的習語。姑不論儀式之繁簡，冠、笄之禮，或在婚前數日，或在婚之前夕，或在婚日質明，甚或在正式婚禮之上。總括而言，沒有晚於拜堂、交杯之後的，這顯示冠、笄之禮的成年意義依然在世人心目中留有印象，必須經過冠、笄的程序——無論它已被簡化到何種程度，甚至到最後徒留舊名而全無實質的儀式內容——才能符合一般人「成年始得成婚」的傳統心理。

關於婚禮與冠禮交融乃至兼併的情況，下文另有專節討論，此不贅。

參、近代民間成年禮的殘存活力

如前所述，明清以下，傳統冠禮久已湮廢，各地方志猶得縷述其詳者，往往只是存錄舊儀，未必見行於當世。然而只要調整原先的認知標準，仍可確定近代民間成年禮依然存而未廢。所據「方志」資料，本身既包含地理環境的特色，所載禮俗自亦展現出形形色色的不同風貌。以下分就冠、笄禮兩部分，簡述明清以來各地成年禮的主要特色及特殊風習。

一、冠 禮

明清以來，民間冠禮單獨施行的例子可謂與日俱減，絕大多數都已併入婚禮中舉行，或在婚前數日，或在婚前一日，或行於親迎當天，各類型都有甚多例證，茲不條舉。㉓不過，一般趨勢是愈到後來，冠禮的時間就愈和婚禮接近，

㉓ 請參閱拙撰：《儀禮士冠禮研究（二）——先秦成年禮與後世成年禮的比較研究》，同注❷，〈附錄二〉「近代各地方志成年禮資料選輯」。

甚或合一，換言之，冠禮的獨立性愈來愈弱。又由於禮俗既隨時間而演變，復隨地域而分化，近代民間冠禮出現不少異型與異稱。在名稱上，常表現明顯的民俗特徵或地方色彩，如宣統三年（1911）陝西省《涇陽縣志》載：

> 縣俗於子娶婦之前一夕為酒食，召戚族姻黨會集，其父為子加冠命醮，子跪受之，名曰「冠巾」，蓋猶古冠禮遺意。（《西北卷》，頁 29）

此「冠巾」之稱應係來自明人「冠以網巾」舊俗。而同治八年（1869）湖南省《安仁縣志》載：

> 今冠禮少有講者，間有士夫家或略仿遺意，於婚禮先期行之，或於新婦入室交拜之先，請戚族紳耆一人為束帶加冠，以代冠禮，謂之「裝新郎」。（《中南卷·上》，頁 511－2）

此「裝新郎」之稱則明白顯現出後世冠婚並舉的現象。

若干較爲普遍流行的習俗，包括「簪花披紅」、「贈號送匾」、「伴郎」、「設宴會飲」等，在各方面不同程度地保存了古禮「三加」、「命字」、「醴醮」等主要儀節的遺意，茲分別敘述之：

㈠ 簪花披紅

近代方志所載明清以來民間冠禮，流行一種簪花披紅的儀式，多見於中南地區的湖南、四川、河南境內。如同治八年（1869）湖南省《保靖志稿輯要》載：

> 冠禮之廢久矣。近日惟於婚娶前一日簪花被紅，祭祖設宴，父母親族次第展拜，權作冠禮。（《中南卷·上》，頁 642）

同治十二年（1873）四川省《成都縣志》載：

〔冠禮〕附婚禮行。婚前一日，父命其子至堂前，親加冠服，教以成人之道。祀祖畢，親友簪花披紅，舉酒酌賀，亦仿佛冠禮也。（《西南卷·上》，頁1）

對於「簪花披紅」儀節描述較詳者，如民國二十五年（1936）河南省《重修信陽縣志》：

冠禮久廢。士大夫家但於親迎前，將新郎於祖堂中，立紅毯上，具新衣冠，由來賓族戚子弟為新郎裝飾，披大紅彩綢成十字，頂插金花㉔，焚香楮，向祖宗、父母行四叩禮，遍拜來賓、族戚尊長訖，再行親迎禮。至文明結婚之說盛行，並此禮亦罕見矣。（《中南卷·上》，頁226）

又如民國二十四年（1935）四川省《雲陽縣志》所載：

稱婚者曰「新郎」；擇中表或群從兄弟，若同里未婚子弟相若者四人為「陪郎」。新郎立中庭，陪郎序進以金花簪帽檐，分致吉語，復持彩繒自左右肩斜繫至腋下，餘彩結勝下垂與衽齊，再致吉語。……此即冠禮三加之遺，但古以父母命之，今則代以賓友耳。（《西南卷·上》，頁282）

其中又以民國三十一年（1942）四川省《西川縣志》所載最爲詳細：

㉔ 所謂「簪花」，一般皆是「頂插金花」，後來或替變為「胸前佩紅鮮紙花」（如河南省《西華縣續志》所載），不過此種例子並不多見。

縣俗，男子之前婚夕，賓朋大集，備冠履、衣帶、紅綾、金花、酒脯、棗栗，陳設儀盒，燈彩排列，音樂前導，遍游街衢。迎至婚家，大張燈燭，請親老上坐，儐相以四言韻語贊冠，加冠新郎首，奉酒三觴，承奠神前叩謝。次簪金花於冠左右，授袍服，繫紅綾於左肩交胸前，兩端結彩球下垂焉，又次授帶履，皆贊之，奉酒叩謝如儀，名曰「簪花」，即古加冠禮之變也。（《西南卷·上》，頁 368）

與此類似之俗，有些地方則只有「簪花」儀節，㉕此一風習仍以湖南及四川爲多，如光緒二十八年（1902）湖南省《沅陵縣志》載：

冠禮久不行。郡人於男子將婚時，里黨醵錢為宴會，易其小名，而為之字。迎親之日，父母邀客醮子，命以成人之道，謂之「簪花」。（《中南卷·上》，頁 609）㉖

有些地方的「簪花之禮」常伴隨其他儀節，或「附以祝詞」、「贈以吉語」，或「製對聯相賀」、「贈號製匾相送」，此爲「簪花」之外另一習見的冠禮儀俗，說詳下。

簪花伴以祝詞者，如民國十年（1921）四川省《金堂縣續志》載「賓至，爲之簪花上紅，且附以祝詞」，㉗民國二十三（1934）年《樂山縣志》載「父

㉕ 民國十九年（1930）《龍山鄉志》載：「俗冠禮花公、花仔二。花公，即古冠禮之賓，古以有德望者為之，今以有福命者為之；花仔，即古之相者。」（《中南卷·下》，頁 798）此一特殊稱呼，可能與冠禮簪花有關。民國十八年（1929）廣東省《順德縣志》則只見花公的稱呼，花仔仍沿稱伴郎。

㉖ 道光四年（1824）湖南省《鳳凰廳志》、宣統元年（1909）湖南省《永綏廳志》所載略同。

㉗ 《西南卷·上》，頁 18。

母、尊長授以冠，簪以金花，被以紅綾，贈以吉語」，㉘皆是。至於祝語內容，上引四川省《雲陽縣志》有如下敘述：

> 語多四言，每章四句或八句，詞皆預撰，迭進賡誦，以競才美，俾觀者誇異。（《西南卷·下》，頁 282）

可知祝語殆與後世婚俗之「說四句（吉祥語）」相近。

㈡　贈號送匾

《儀禮·士冠禮》「三加」之後，由賓鄭重爲冠者命字，且以字辭勗勉，此乃冠禮重要儀節之一。近世據之而有「慶號」活動，其異稱頗多，如「賀號」、「送號」、「表字」等，形式復有繁簡之不同：簡式者，即止於成年者之兒時小名外另取字號，而不另舉行盛大賀號儀式。如北方中上人家，男子二十歲生日時，親友均前往賀喜，且經常由族長本人或敦請一位飽學之士，根據當事人原名另擇一「字」——俗稱「送號」——以彰顯本家社會地位。有些人家則在送孩子入學之初，即請老師在其乳名之外另取兩個名字，一爲「名」（即所謂學名），一爲「字」（俗又稱「字」爲「號」），及子弟二十歲時，必擇吉日，令諸親友前來「賀號」。有時爲了省錢省事，或者就在二十歲生日當天合併舉行「賀號」，視爲「雙喜」。如民國八年（1919）山西省《聞喜縣志》載：

> 男子年逾二十，別立雅馴之名以代小名，俗謂之「官名」。聞人呼官名則喜，以為相敬；同輩互呼直以官名，至老不變。古人以字代小名，今以官名代小名，亦猶有冠而字之禮歟？（《華北卷》，頁 698）

㉘　《西南卷·上》，頁 171－2。

民國九年（1920）四川省《綿竹縣志》載：

> 此（冠）禮久廢，惟士大夫家子弟年及弱冠者，其父兄多於婚娶前數日，命其子弟在家祠內加冠於首，授以訓詞，再拜而退。士商子弟年近二十者，父兄、師友錫以美字，誡以成人，皆冠禮之遺意。（《西南卷·上》，頁 123）

相對於簡式賀號形式，某些人家則於新取字號同時，往往進一步形諸文字筆墨，以各種方式加強渲染展示，以使當事人對自我成人的事實充分體認，並有助於親友鄰里的宣傳周知。如廣東人將婚之時，先請一位儒者，為及冠青年命一文雅而有意義的新名字，而以長者名義「賜名」，將新名字書寫在長方形的紅紙條上，鑲於鏡框內，懸掛大廳牆上，以示光彩。㉙又如民國十四年（1925）廣東省《陽江縣志》載：

> 冠禮……大率即於婚日旦明或前一日行之。先命之字，用朱紙人書，加冠時懸於堂壁，謂之「升字」。（《中南卷·下》，頁 839）

民國二十年（1931）湖南省《嘉禾縣圖志》載：

> 〔冠禮〕屆期，擇族年高德劭者主之，少者咸會於宗祠。簡年滿二十者書於冊，按派行、名字義取別號，大書紅帖粘祠壁，以次拜祖位，見父老，就席醻酒，三行或五行畢，退，謂之「慶號」，蓋猶是古人「冠則字之」之遺也。曩時，村族嘗見紅紙書某名、某字，佳氣溢閭弄間，今

㉙ 馬之驌：《中國的婚俗》（臺北：經世書局，1981 年），頁 70－71。

少見矣。（《中南卷・上》，頁533）

「贈號」之外，又有「送匾」活動，此俗亦以湖北、四川爲多。以四川省爲例，光緒元年（1875）《彭水縣志》載：

凡將婚者，先期宴賓，亦古人筮賓之意。親友具花紅為簪掛，並贈號製匾相送，亦冠而字之之意。（《西南卷・上》，頁253）

光緒十一年（1885）《大寧縣志》載：

婚嫁先一日，父兄率子弟告祖，為之加冠命字；坐子弟於客位，擇戚友家子弟未娶者四人陪之，曰「伴郎」。戚友或醵金製匾對相贈，例拈子弟名號二字為聯語，曰「送號匾」；贈花紅者，曰「簪花」。設宴款戚友，曰「簪花酒」。（《西南卷・上》，頁275）

民國二十四年（1935）《雲陽縣志》對此有較爲詳細的記載：

古人幼名冠字，今尚放（倣）行。冠婚前期，州黨懿親或同學士友為擇兩字以表德。宋後別號盛行，故贈字者漆製為匾，字縱書下行，別號橫書左行，字大六七寸，金填其文，婚前鼓樂舁送其家，懸之堂壁。咸〔豐〕（1851－1861）、同〔治〕（1862－1874）以上，士族比戶皆然，今尚偶一見之。（《西南卷・上》，頁282）

上述四川省「送號匾」習俗多與「簪花」併同出現，湖北省則僅以「送號匾」爲冠禮主要特色，如道光二十年（1840）《雲夢縣志略》載：

冠禮，古禮也，不行久矣。溫飽之家不待成童，突而弁兮，稱字稱號，比比皆是。惟鄉村間粗識字者，其子至二十歲，始命之以號，紅箋約二尺許，橫書二字，仿匾額式，正中直書「戚友同贈」數字，新正粘貼堂壁，猶有「已冠而字」之遺意。（《中南卷·上》，頁339－40）

同治十一年（1872）《安陸縣志補》載：

吾里俗有贈號匾一事，凡戚友誼重者，於其人之子弟及冠之年，或因成名，或因成室，精製尺額，題其子弟之字於其上，以贈賀之；若無字者，則公取字字之。《禮》曰：「冠而字之，成人之道。」此一事殆有餼羊之意。（《中南卷·上》，頁350）㉚

民國二十三年（1934）河北省《定縣志》亦載：

定俗於男子及冠之年，則請於年長有德者而字之。親友具酒食為賀，書其年庚、名字，遍張衢市，稱為「賀號」。相延（沿）已久，迄今不廢，此即冠禮之遺也。……今賀號之舉，實為它方所無，不知者病其俚淺而廢之，無寧留此餼羊，稍存古制之為愈也。

凡此，皆可見近世民間冠禮依然保有古代「冠而字之」遺意，唯隨各地風土人情不同而有若干變化耳。

㉚ 湖北省《應城縣志》、《德安府志》、《施南府志續編》、《興山縣志》、《來鳳縣志》等所載略同。唯《興山縣志》稱之為「掛號」，《來鳳縣志》稱之為「送號」（河北《晉縣志》同），廣東省《陽江縣志》稱為「升字」，上海《蒸里志略》謂之「慶號」、《法華鄉志》謂之「稱號」，河北省《萬城縣志》稱之「賀名頌號」、《定縣志》稱作「賀號」。

㈢ 伴郎及陪十弟兄

近代民間冠禮又有「伴郎」——或稱「賀郎」、[31]「陪郎」[32]——及「陪十弟兄」之俗，與此相呼應的尚有女子笄禮的「陪十姐妹」。同治六年（1867）湖北省《鶴峰州志續修》載：

> 婚嫁前一日告祖，男家坐子弟於客位，父兄親為正席，延戚友子弟之未娶者陪飲，謂之「伴郎」。（《中南卷·上》，頁441）

可知「伴郎」係以冠者同輩親友為主，且限於尚未成婚者。就冠者而言，應有珍重同儕情誼的寓義；就伴郎而言，也有隨機見習人生禮儀的教育作用。據《鶴峰州志》，未見人數限定；前引四川《大寧縣志》則明定「四人陪之」；四川《巴東縣志》及湖北《興山縣志》另有「九人陪飲」的記載。不過，伴郎的習俗仍以湖北省「陪十弟兄」最具典型。同治四年（1865）湖北省《咸豐縣志》載：

> 冠禮，男家於成婚前一日行之，延賓告祖，並請未婚童子十人，名曰「陪十弟兄」；女家亦於是日請未笄女子十人，名曰「陪十姐妹」。（《中南卷·上》，頁449）

按《通志》已云：「男家命字，陪十弟兄；女家上頭，陪十姐妹。」可知「陪十弟兄」之類的伴郎習俗由來已久。與此相關的還有行於湖北的「傳花」風俗，如光緒十年（1884）湖北《光化縣志》載：

---

[31] 光緒十年（1884）湖北省《施南府志續編》載：「將婚前夕，父母祀祖先，致祝祠，宴客醮子，並於先期請親友子弟未婚者十人陪之，謂之『賀郎』。」（《中南卷·上》，頁435）

[32] 如湖北省《光化縣志》所載，文見《中南卷·上》，頁469。

〔冠禮〕行於婚禮前一日。……是夕，請成童十人相儀，名「陪郎」，張筵作樂，為婚者加冠。陪郎導之，拜先祖及父母、親長畢，夾輔左右，揖讓升堂，婚者首坐，陪郎以次序坐。婚者手紅花二枝，擊鼓傳陪郎，遂遍眾賓，始字，婚者乃以字行。女家亦於是日行笄禮，請童女十人相儀，筵席不傳花。（《中南卷·上》，頁469）

同治十三年（1874）《襄陽縣志》所載除習俗略同外，所述儀節尤爲詳細：

冠禮行於婚禮之前一日，先期，肅具名簡，請成童二人相儀，名曰「陪郎」。至期，張筵作樂，陪郎導婚者拜祖先及父母親長畢，夾輔左右，揖讓升堂，父親醮子。升席後，告坐，下拜；告肴三，下拜。禮將畢，婚者手紅花二枝傳二陪郎，遂遍眾賓，實冠禮也。女家亦於是日行笄禮，請二童女相儀，卜二吉婦梳妝，筵宴，母醮之，但不傳花。（《中南卷·上》，頁458）

㈣ 宴飲饋贈

在古代冠禮中，有賓醴冠者、主人飲賓贊等儀式，近代冠禮既日漸與婚禮合流，往往更擴大場面，酒饌齊備，以宴飲親友。如前引四川《大寧縣志》「設宴款戚友，曰『簪花酒』」。此類宴會，其會飲慶賀之意雖同，名稱則因地而或異，如嘉慶十七年（1812）四川省《南溪縣志》載：

冠禮畢，行醮禮。戚友各以花紅、酒饌登堂致賀。冠者先拜父母，遍拜尊長畢，設宴款洽，曰「飲富貴酒」。（《西南卷·上》，頁146）

此事又以民國二十四年（1935）四川省《雲陽縣志》所載最爲詳盡：

宴賀者於賓筵，別設席中堂，謂之「官席」。新郎南面坐，陪郎東西列坐各二。酒三行，首坐者起，舉爵致祝詞如前畢，請釂。餘以次起祝，釂如前。既匝，越次迭起，累詞勸飲，隔坐賓友亦更迭來賀，強屬同飲，往往霑醉。長老以嘉禮不深禁，知不勝杯杓，始出止之。（《西南卷・上》，頁 282）

只是，相對於古制特別禮敬冠者及賓贊，後世宴飲已明顯轉變成以眾人合歡慶祝爲重點，古禮「醴醮」之意在時間推移、民俗演變下不知不覺間自然發生了變改。

部分地區在冠禮前後又有饋贈之風，其情形有二：

一為冠笄者之家饋贈親友：各地人家爲子弟舉行成年嘉禮之際，往往準備若干食品贈送親友，唯饋贈之物各地有所不同，如江蘇省《正德江寧縣志》述及當地「澆頭」之俗，謂男女冠笄不僅設席會飲，且爲「綏帶糕」饋贈親友。㉝閩、臺等地則慣以糯米粉爲丸，煮湯以饋眾人，即今之「湯圓」。民國十四年（1925）廣東省《四會縣志》亦載：

冠禮，俗謂之「梳髻」。必設圓仔，遣使請戚族宴，亦曰「請來食梳髻圓仔」。圓仔者，剪粉條大如指頭，煮以鹽湯者也。然率臨娶始冠，女家亦同時笄。（《中南卷・下》，頁 862）

民國十八年（1929）廣西《靈川縣志》除有酒食之宴外，另以檳榔爲禮物，頗具南國情調：

㉝ 《華東卷・上》，頁 363；嘉靖《吳江縣志》，乾隆《直隸通州志》、道光、光緒《震澤縣志》等名之為「上頭糕」。又，「上頭糕」之稱亦見載於浙江省方志。

> 男女冠笄用春秋二仲，擇日時，審方位，請尊長者加巾帽。既拜父母、長者，醮之酒，次受客賀，以竹葉裹檳榔為禮，藉于袖而授之。其婚親故舊之最密者侑以果酒，或隨以肴品饌之。（《中南卷·下》，頁992）

二為親友饋贈冠笄者：當某戶人家舉行成年禮時，基於禮尚往來、錦上添花的人情原理，親友亦每每有所饋贈。如民國二十四年（1935）山東省《齊東縣志》載：

> 嫁女之家，鄰里饋餅果，親友饋庶羞，謂之「上頭」。娶婦之家，戚鄰有饋遺者，謂之「送小飯」。（《華東卷·上》，頁188）

此等餅果、庶羞係由親友鄰人提供予婚家，此皆當有賀婚助嫁的實用意義。

二、笄 禮

在古代，笄禮向來是女子許嫁的標記。《朱子家禮》說：「女子許嫁，笄」；「年十五，雖未許嫁，亦笄」，[34]可見古代女子出嫁以前必須經過「及笄禮」。近代民間成年禮既與婚禮合流，男子加冠儀節遂日趨簡易；相對而言，女子笄禮反而得到較多的保留。方志中，笄禮尚有遵循古制而行者，如民國三十一年（1942）四川省《西昌縣志》所載笄禮：

> 女子幼時，辮髮下垂，及字人，挽腦後作髻，以簪綰之，蓋備笄也。縣俗，卜婚期，附笄期。及時祠神，女面日者所定方向，母命敬戒，授簪於女儐，總髮加笄，俗曰「上頭」，即古笄禮也。（《西南卷·上》，頁368）

---

[34] 《家禮》，同注[22]，卷2，頁6。

由於笄禮原本即與婚禮關係較密，與後世冠婚合流的大勢並無違異；又笄禮本身在人事、儀物上的負擔較爲輕便，無論貴賤人家女子，都能做到將嫁而笄，如嘉慶二十六年（即道光元年，1821）廣東省《澄海縣志》載：「女子將嫁而笄，則貴賤無異焉」，這與冠禮「惟士大夫家間行之，民庶多略」的情形適成對比。㉟

長久以來，民間俗稱女笄爲「上頭」，此一名義在各地方志中普遍出現。顧名思義，「上頭」即女子出嫁時，改變髮飾或頭上裝飾，作爲已婚身分的標誌，以與未嫁身分區別。㊱其實「上頭」之稱，古已有之，而且男女通用，原指甫屆成年的男女分別將頭髮梳爲成人與婦人的髮式，男子並加冠命字。㊲至於習見於方志專指女子出嫁前更改髮飾或頭上裝飾的「上頭」，應是近代的一種轉變。㊳然而「上頭」的原始意義，各方志中仍時有所見，如民國十三年（1924）廣東省《花縣志》載：

> 冠禮鮮有行者，然屬內大小各村，於巹前數日行加冠禮，男女皆同。是日謂之「冠笄」，亦謂之「上頭」，亦古人醮子之禮意。（《中南卷·下》，頁 687）㊴

「上頭」又稱「冠笄」，可兼指男冠女笄，如上引《花縣志》所載，又如民國

㉟ 《中南卷·下》，頁 772；又民國二十五年（1936）《東安縣志》所載幾全同。

㊱ 民國三十五年（1946）廣西省《三江縣志》載：「粵東俗有女未嫁而在家上頭者，然亦不多覯。」（《中南卷·下》，頁 953）則為極少見的特例。

㊲ 許嘉璐主編：《中國古代禮俗辭典》（北京：中國友誼出版公司，1991 年），頁 276。

㊳ 參見《中國風俗辭典》（上海：上海辭書出版社，1990 年），頁 107。

㊴ 廣東省多有以「上頭」稱男冠者，如：道光元年（1821）《陽春縣志》、道光十三年（1833）《肇慶府志》、光緒二十年（1894）《高明縣志》、民國十年（1921）《增城縣志》、民國二十七年（1938）《高要縣志》等。

十六年（1927）四川省《簡陽縣志》亦載：

> 子女將婚嫁，別具衣冠，召戚友，謂之冠笄。（《西南卷·上》，頁134）

但亦有用以專指女笄者，如乾隆十九年（1754）河南省《郾城縣志》：

> 女子笄不限年。婿家卜吉親迎，先期請女賓以簪珥、首笄來，乘吉時，坐吉方，為女加笄，稱曰「冠笄」。（《中南卷·上》，頁190）[40]

又稱「梳頭」，但僅用於指女笄，如同治十三年（1874）四川省《彰明縣志》載：

> 間有童年小引者，及笄合巹，謂之「梳頭」；或已及歲，迎至男家加笄，謂之「下馬梳頭」。（《中南卷·下》，頁103）

又稱「上梳」，亦限於稱女笄，如民國十三年（1924）四川省《江津縣志》載：

> 女子加笄之禮，於將嫁之前一日或前數日不等，多以日者家言為定。堂中設席東向，前置斗，實以米，紅箋封其上，上置機中竹扣一具，女子就席，以足踏斗，家屬為之梳櫛，俗名「上頭」，亦名「上梳」，又名「坐斗」。（《西南卷·上》，頁225）[41]

---

[40] 1965 年貴州《思南府續志》亦云：「惟女出閣，婿家先請上頭，曰『冠笄』。」（《西南卷·下》，頁457）

[41] 民國十八（1929）年四川省《合江縣志》又稱之為「踩斗」（《西南卷·上》，頁152）。

名稱雖有「上頭」、「冠笄」、「梳頭」、「上梳」，乃至「坐斗」、「踩斗」等的歧異，但都著重在改變女子頭上的髮型及髮飾，道光二十四年（1844）四川省《金堂縣志》說：

> 女子，則國初猶以鬆髻相分別，名曰「倒鬆髻」，亦曰「觀音髻」；及臨嫁上梳，始改為蟠龍髻，以從婦人之制。今則短髮猶覆額，已無不梳蟠龍髻者矣。其處女、婦人之分，只於額鬢間女子下垂，婦人上攏為區別。（《西南卷·上》，頁15）

然則自清初到清中葉百餘年間，在室女子和適人之婦髮式雖漸趨混同，最終依然保持額鬢間的差異，其目的就在明確處女、婦人之分，使他人利於辨識女子未婚或已婚的身分，在隱微間仍保留了古笄禮的遺意。

根據方志資料，近代笄禮有以下數項特色，茲依序略加撮述：

(一) 笄禮原行於母家，漸改爲行於夫家

古時女子笄禮係於待嫁期間行於母家，後世既併於婚禮，遂衍生種種變化：有在婚期前數日或前一日者，或擇吉，或不擇吉；有在婚期當天者，或清早時分，或臨登車轎離家之前，或甫至夫家拜堂之先，各地風俗參差不一，上文已曾述及，又如乾隆三十五年（1770）河南省《光州志》載：

> 至女子屆于歸時，舅姑先期卜吉，或往母家，或至婿家，擇親黨中之克端閫範者冠笄之，是為猶行古道。（《中南卷·上》，頁240）

光緒十二年（1886）《光州志》則載：

> 女子將嫁行冠笄禮，舊時先期卜吉，或在母家，近則多於新人進門吉時

行之，大為省便。（《中南卷·上》，頁 243）

由上引二《光州志》所載，可見昔時笄禮多守舊，在母家舉行；時至晚近，則多改在婿家舉行，此實冠婚合流風氣所致。

㈡ 笄禮時伴有「開臉」之俗

中國若干地區笄禮不僅梳髻加笄，又重視「開臉」——或稱「開面」——的習俗、「坐花」的風俗，同治五年（1866）湖北省《長陽縣志》載：

嫁娶前一日，女家為女束髮命笄，曰「上頭」，又曰「開臉」。（《中南卷·上》，頁 423）

同治九年（1870）湖北省《長樂縣志》亦載：

女子于歸前一日，擇族戚有德行婦人為之刷眉，以線勒去鬢邊短髮，曰「開臉」，亦曰「上頭」。蓋為女時髮分梳，曰「分頭」；此時始挽成高髻，曰「滿頭」。（《中南卷·上》，頁 419）

此則皆爲女家自行「開面」之禮。臺灣今日猶存婦家於嫁前爲女「挽面」之俗。

亦有由夫家供應簪珥飾物者，如民國二十四年（1935）廣西省《貴縣志》載：

婚前一日，婿家備簪珥，用紅盒送至婦家請加笄，謂之「開臉」。（《中南卷·下》，頁 1066）

民國九年（1920）廣西省《桂平縣志》則詳述開面之俗：

> 女子嫁前一夕亦「坐花」，其原出於古之笄禮。……今女子坐花，先由婿家用紅盒備簪珥送至婦家，〔婦家〕設筵陳盒燒燭，延女賓款女。先以長大婦有福命者為女櫳(攏)頭著衣，乃出筵與女賓相見，與古禮同。但女必對燭泣，以詞告別祖宗、父母、兄弟、姊妹、親戚。蓋今人臨嫁而笄，非如古人之許嫁而笄，故禮稍異。又，女子坐花，或名「開面」，平常人家不具紅盒，惟備脂粉及豚肉一塊，以酬梭飾之勞而已。（《中南卷·下》，頁 1044）

此志除記載「坐花」與「開面」習俗外，還詳細說明了與之並行的「哭嫁」風俗，爲先秦古禮所無。哭嫁之俗，說見下文。

㈢ 笄禮亦有伴娘、宴飲、饋贈之風

前文曾述及冠禮或以未婚男子爲伴郎，同樣的，女笄也有以未婚女子爲伴娘的習俗。湖北省興山、咸豐等地，同時有「陪十弟兄」、「陪十姐妹」之事。另外，前述冠禮有所謂「飲富貴酒」（四川南溪）、「簪花酒」（四川大寧），女笄則有「帶（戴）花酒」、「辭嫁飯」等風習，如道光元年（1821）湖南省《辰溪縣志》載：

> 女家亦於嫁前一日，設筵邀姑姊妹輩以醮之，謂之「飲戴花酒」。親族致賀者，謂之「送奩」，亦曰「妝嫁」。（《中南卷·上》，頁 606）㊷

㊷ 類似的記載尚有：

1. 同治五年（1866）湖北省《來鳳縣志》：女家亦於是日（案：指婚之前日）擇賢婦人為之笄，謂之「上頭」，請未嫁者數人陪笄者宴，謂之「帶（戴）花酒」。（《中南卷·上》，頁 445）
2. 光緒四年（1878）湖南省《龍山縣志》載：其女家父母亦於是日（案：指婚前一日）宴女，親為女上頭簪笄，謂之「帶（戴）花酒」。（《中南卷·上》，頁 644）

「戴花酒」因地而有異稱，如光緒八年（1882）湖北省《應城縣志》謂之「辭嫁飯」：

女家亦擇吉為女笄，謂之「上頭」。其將嫁之先，宗黨治酒食燕女，謂之「辭嫁飯」。（《中南卷·上》，頁 344）

又稱「待嫁」，如乾隆年間（1736－1795）浙江省《安吉州志》載：

女子將嫁始笄，笄之日，父母必以筵款，謂之「上頭」。〔婚禮〕前期一日則有上頭禮，視常禮較豐，或有俱以銀代者。女家先期設席笄女，曰「待嫁」。㊸

婦家於女子出嫁前辦治之「戴花酒」、「辭嫁飯」、「待嫁」等應有餞別新娘之意。亦有主人家備治食品分送親友者，如浙江省許多縣份女笄有送「上頭糕」的習俗。㊹海寧則或以糕或團饋送親鄰族黨，名曰「上頭糕」、「上頭團」，㊺

---

3. 光緒十年（1884）湖北省《施南府志續編》：女家亦擇吉日延賢婦為之笄，謂之「上頭」。請親鄰待字之女十人陪宴，謂之「帶（戴）花酒」。（《中南卷·上》，頁 445）

㊸ 〔清〕劉薊植纂修：《安吉州志》，《稀見中國地方志匯刊》（北京：中國書店，1992 年影本），卷 7，頁 553；同治十三年（1874）《安吉縣志》所載略同（《華東卷·中》，頁 747）。

㊹ 此俗浙江習見，如：萬曆二十四年（1596）《秀水縣志》，嘉慶六年（1801）、光緒五年（1879）《嘉興府志》，乾隆十一年（1746）《烏程縣志》，乾隆十二年（1747）《武康縣志》，同治十三年（1874）《湖州府志》、光緒十二年（1886）《嘉善縣志》，民國二年（1913）《于潛縣志》，民國六年（1917）《雙林鎮志》，民國十二年（1923）《德清縣新志》，民國二十五年（1936）《烏青鎮志》等並有載及。

㊺ 民國十一年（1922）《海寧州志稿》，《華東卷·中》，頁 664。

歸安縣則饋鄰以粉團，名曰「上頭團子」。㊻

相較而言，女笄對親友的饋送反多於男冠，似含有宣布婚訊的濃厚意味，猶如今之台灣民間婚俗，女家必以喜餅分送親友，兩者應是一樣的道理。

㈣ 笄禮之遺存猶勝冠禮

古代女子笄禮每較男冠簡略，文獻記載亦較短少。反之，清代以來，由於冠婚合流蔚爲趨勢，加上新婚大典向以來嫁的女方爲重，致使女性笄禮反比男子冠禮得到較多保留，甚或有笄禮而無冠禮。㊼如民國三十二年（1943）廣東省《民國新修大埔縣志》載：

> 冠禮，埔邑無之，而有笄禮。女子臨嫁，擇吉至祖堂禮拜，坐以圓笪，母為之加新簪，勉以好語，謂之「上頭」。（《中南卷·下》，頁748）

民國二十五年（1935）浙江省《烏青鎮志》亦載：

> 往時男子十四五歲養髮，長為總角，將婚始行冠禮。今者古制變而從時，亦勢使然爾。女子將嫁乃笄。冠笄之日，蒸糕以饋親鄰（名「上頭糕」）。……冠禮久廢，而鄉俗猶存遺意，於將婚時行之。自入民國後，男女均剪髮，冠笄禮逐漸廢止，加笄禮間有舉行者，而加冠禮等於告朔餼羊矣。（《華東卷·中》，頁708）

㊻ 光緒八年（1882）《歸安縣志》，《華東卷·中》，頁680；光緒十九年（1893）《菱湖鎮志》同。

㊼ 余光弘先生曾對此現象提出解釋，其〈A. van GENNEP 生命禮儀理論的重新評價〉說：「屬於新娘的儀式遠較新郎的為複雜，新郎的儀式集中在單身地位的捨棄以及與新娘的結合儀式，但新娘除此之外，還須加上與其家族世系等舊日群體的割捨，而加入屬於男家的許多群體。」收入《民族學研究所集刊》第60期，（1986年），頁245。

可知民國以來男女不再蓄髮，亦是導致冠笄之禮廢止的因素，女子笄禮則保存於婚禮中，且因各地風俗而有若干差異。

肆、婚禮對成年禮的兼併作用

如前所述，近代民間傳統冠禮久已沒落，明中葉之後漸行漸少，多數人家都採取冠婚合舉的方式，冠笄儀式遂淪爲婚禮附庸，甚或愈加隱微，存其名而忘其實，終至消失無痕。依著時間的推移，冠禮在近代民俗中可說呈現出「（與婚）合併→隱退（於婚）→消亡」三部曲的演變節奏，茲分別論述之：

一、冠婚合舉

成年禮的舉行往往表示青年從此可以結婚，可以眞正踏入社會享有成人的權力與權利。因爲冠禮、及笄禮的衰微廢止，後代往往將某些具有成年禮俗的儀節與意義融入婚禮中。所以許多漢民族女子成年禮，如「上頭」、「開臉」等便在許多地方的婚禮中得以保留，使原爲隱性的人生過渡性禮儀透過顯性的人生大事——婚禮——表現出來。

所謂「冠婚合舉」，即冠禮依然存在，仍保有若干固定的儀節、器物等實質內容；不過，和傳統古禮相較，此時冠禮已不復往昔獨立特舉的局面，而是做爲成婚前的例行節目，由「冠後始婚」的型態——亦即人子因冠而婚——轉變爲「婚前始冠」——即人子因婚而冠。如民國二十三年（1934）雲南省《宣威縣志稿》所云：

> 冠、婚古本二事，邑中舊合為一，謂男之婚即冠，女之嫁即笄也，是則去繁縟、歸簡便之趨向矣。（《西南卷·下》，頁768）

換言之，「成年」與「成婚」兩種人生重要的過渡儀式，在社會的無聲轉變、民眾的自覺選擇之下，其意義比重已經微妙地消長變化，雙方態勢漸漸賓主易位。

「冠婚合舉」的主要方式，是在結婚親迎之前完成男冠女笄的手續。各地時間不一，有在婚前數日者，或擇吉，或不擇吉；有在親迎前日者；亦有在親迎當天清晨者。茲以康熙五十六年（1717）臺灣《諸羅縣志》所載爲例：

> 婿於親迎前數日卜吉而冠，擇戚屬父母具慶者為賓，倣古筮日、筮賓也。至期，置冠履、鮮衣於竹篩，微烘以火，俗云除邪穢也。賓三梳婿髮而加之冠，三加之義也。既冠，拜先祖，倣告廟也；次父母，父醮以酒，申戒辭，倣醮席也；次諸父兄賓長，諸父兄賓長皆答焉，重成人之道也。笄不用婦人為賓，女盛飾拜謁，略與婿同，醮酒命之。是日，教以跪拜進退獻於舅姑尊長之禮，謂之「教茶」。㊽

一般而言，「冠婚合舉」型態其冠禮儀節大體趨於簡略，而有若干地域性的變化：

1.前人加冠多復古，亦包含種種寓義；後人加冠多從時尚，惟穿著新品以示喜慶而已。
2.命字之舉只在部分地區得以保留，甚且特加張皇，因各地經濟能力及重視程度之異，禮輕者以紅箋表字，禮重者製匾贈號，蔚爲坊里間盛事。㊾

㊽ 《中國方志叢書·台灣地區七》（臺北：成文出版社，1983年），頁441；乾隆二十九年（1764）《重修鳳山縣志》，《中國方志叢書·台灣地區十四》，頁197，道光十六年（1836）《彰化縣志》，《中國方志叢書·台灣地區十六》，頁980－981、民國四十七年（1958）《高雄縣志稿》（《華東卷·下》，頁1846），民國五十七年《彰化縣志》（《華東卷·下》，頁1651，所載並同。《高雄縣志稿》並云：「今婚前有所謂『上頭戴髻』之俗，不論男家女家，均在各自宅中選定吉日同時行之，當為舊日冠禮之遺也。」

㊾ 其例已見本文參之一「贈號送匾」部分。

3.古制中，醴醮冠者及主人飲賓贊本爲冠禮儀節中的重頭戲，近代則擴大範圍，不惜多備酒饌，廣延親友，以聚食合歡的場面將典禮推向高潮。部分地區更發展出伴郎、伴娘陪飲習俗，格外珍重當事人的同儕關係，對年輕友伴也行機會教育。[50]凡此皆可看出社會風氣、人際互動等方面的轉變。

二、冠附於婚

所謂「冠附於婚」，即指冠禮不再區別於婚禮之外，而明白降爲婚禮附庸。又可分爲兩種型態：一是冠禮稍存其實，只出現在親迎當日，且淪爲婚禮程序中的一小段落。此種情形多見載於廣東、廣西地方志，茲僅舉民國十五年(1926)廣東省〈赤溪縣志〉爲例：

> 冠、笄之禮，俱於婚日行之。男則延年尊而福備之男人，女亦擇年尊福備之婦人，於祖前加冠櫛髮，而謂之「上頭」。（《中南卷·下》，頁817）

相對之下，女笄多半比男冠獲得較多保留，說已見上節。另一情況則是冠禮徒具虛名，已不見相關儀物，卻在婚禮某些時刻——以親迎前爲多——殘存「冠笄」、「上頭」之類的名目。如民國二十一年（1932）四川省《萬源縣志》載：

> 冠本古禮，縣屬無人舉行，惟於男子婚時而以加冠之名混合稱之，幾有不知冠、婚為兩事者。然男婚女嫁，必別具衣冠，召戚友，謂之冠、笄，亦若寓冠禮於婚禮之中云爾。（《西南卷·上》，頁318−9）

---

[50] 其例已見本文參之一「伴郎及陪十弟兄」與「宴飲饋贈」部分。

民國二十五年（1936）山東省《東平縣志》亦載：

> 冠禮，禮之始也。……漢唐以來，此禮漸廢，東平亦久無行此禮者。然男子迎娶新婦時，期前至戚友家行禮，謂之「告冠」；而戚友家送禮，亦謂之「冠敬」：殆將冠婚之禮合而為一歟？（《華東卷·上》，頁 281）

此處新郎行禮的細節、戚友送禮的內容雖不可得而詳，然而從鄉民對此事項的稱呼——「告冠」、「冠敬」——即可理解冠禮實曾行於昔日，故民國二十八年(1939)四川省《巴縣志》逕載：「父爲子婚娶先一日柬客，曰『加冠』。」[51]足見後來冠禮儀物雖爲婚禮所吸收兼併，在節目名稱上卻仍保留了過往的明顯痕跡。類似例證猶多，茲不贅舉。

三、舉婚廢冠

冠、婚、喪、祭，原本同爲傳統禮俗要目。然而時至晚近，各地方志所見冠禮記載卻日益消滅，文字篇幅由多變少，甚至不立冠禮名目，轉而對婚禮大加著墨，箇中消息足令讀者了然於心。早年民間舉婚之際，多多少少尚可窺見冠禮殘存的影像，或者保留些許相關儀節，或者在口頭上沿用相關名稱；最後則幾乎完全消失了蹤影，連往昔較受重視的新婦「上頭」儀式亦廢而不行。隨著時代的變遷、社會的發展，傳統禮俗的消亡速度也愈加快速，幾乎到了令人難以招架的地步。

對於近代民俗發生冠婚合流變化的趨勢，某些方志已注意到這個問題，並且試圖解釋其緣由。如民國二十四年（1935）四川省《雲陽縣志》載：

---

[51] 《西南卷·上》，頁 31。

冠禮久亡，而實不亡，今之婚前一夕祭寢命醮是也。……蓋古人視成人為重典，與婚禮相間者十年，夐不相涉，故人皆習知。後世絀繁趣便，既冠而婚，轉若附冠於婚，實則俗競早婚，故爾今世取婦召婚黨，柬稱「某子加冠」，則直混婚於冠而不悟矣。（《西南卷·上》，頁 282）

上文指出世人常有「絀繁趨便」的心理因素，加上冠齡與婚齡益相接近，本當「既冠而婚」，轉爲「附冠於婚」，最後「冠混於婚」，逕以成婚認定成年，此亦如民國三十年（1941）河南省《南樂縣志》所說：「無論弱冠與否，咸謂娶婦爲成人。」52民國九年（1920）廣西省《桂平縣志》也說：

古者二十而冠，三十而娶。後世風俗多喜早婚，未至成人之期，已為有室之日，故冠、婚之禮咸同時並行。（《中南卷·下》，頁 1043）

是則冠禮併入婚禮而行的主要原因，顯然在因應民間早婚的需求。考察清代以降方志中的冠禮情形，即可發現絕大多數的冠禮都轉與婚禮合併。此實爲大勢所趨，且看民國二十四年（1935）河北省《陽原縣志》所提供的反面例證：由於當地民眾習慣早婚，卻又未採行冠婚並舉的變通方式，於是冠禮便受到相當的壓力，促使當地冠齡顯較其他各地大爲提前：

吾縣縉紳之家，男婚特早，通例十三娶婦，至晚不過十五。然往者，老師宿儒動必循禮，未冠而娶似有未安。禮須二十始冠，事實難久待，無已，遂將冠禮提前於十二歲時行之。古者三十而娶，是以二十而冠；今既十五而娶，故須十二而冠。推原厥始，意即若是。今則習慣已成，行

---

52 《中南卷·上》，頁 107。

之者亦並莫知所以矣。（《華北卷》，頁168）

既然陽原男子十三、五歲即須娶婦成婚，鄉人復謹遵禮儀加冠不誤，自然形成當地十二而冠的特殊風習，爲中國各地所罕見。(53)

以下試舉數例，以說明冠禮如何消溶於婚禮之中。民國二十六年（1937）廣西省《宜北縣志》載：

> 邑民對於冠禮從未有行之者；惟名門大家於結婚前二日，男子穿制服、戴禮帽、騎馬乘轎，邀多數同年男子作伴，往女家親迎，頗與冠禮相似。（《中南卷·下》，頁928）

民國三十一年（1942）四川省《西昌縣志》載：

> 縣俗，男子之前婚夕，賓朋大集，備冠履、衣帶、紅綾、金花、酒脯、棗栗，陳設儀盒，燈彩排列，音樂前導，遍遊街衢。迎至婚家，大張燈燭，請親老上坐，儐相以四言韻語贊冠，加冠新郎首，奉酒三觴，承奠神前叩謝。次簪金花於冠左右，授袍服，繫紅綾於左肩交胸前，兩端結采球下垂焉，又次授帶履，皆贊之，奉酒叩謝如儀，名曰「簪花」，即古加冠禮之變也。（《西南卷·上》，頁368）

以上兩條資料敘述婚禮前夕節目，表面看來與冠禮迥不相涉，參與其事者雖照章行事，口頭上、心情上卻都沒有冠禮這回事，只有方志記錄者仍能察覺其間

(53) 地方志中常見冠齡提前的記載，但早至十二歲者並不多見，唯民國二十三年（1934）內蒙古《歸綏縣志》有類似記載，文見《華北卷》，頁752。

與冠禮藕斷絲連的關係，卻讓讀者明白領略了婚禮對冠禮的兼併作用。

再看民國二十四年（1935）四川省《雲陽縣志》所述婚禮的種種場面：

> 縣俗，迎親前一夕，婚者沐浴易新衣，士族襲冠服，其父亦冠服前立（無父則伯叔或長兄代之），率婚者詣中堂昭穆前，儐贊三跪九叩禮，讀〈告祖文〉……。簪花、結彩訖，婚者請父母南面，行四叩首禮，父母坐受畢，致命詞，勖以成人之道。次請族黨尊長，分別行禮，推齊眉備福者（俗稱雙福）先拜，謂之「開拜」；長老答拜，致祝詞，若宗老則亦兼勖語，畢，始設筵。
>
> 宴賀者於賓筵，別設席中堂，謂之「官席」。新郎南面坐，陪郎東西列坐各二。酒三行，首坐者起，舉爵致祝詞如前，畢，請釂。餘以次起祝，釂如前。既匝，越次迭起，累詞勸飲，隔坐賓友亦更迭來賀，強屬同飲，往往霑醉。長老以嘉禮不深禁，知不勝杯杓，始出止之。（《西南卷・上》，頁282）

乍看之下，所描寫的純粹是婚禮前夕親朋會飲的情形，不過，其中有婚者沐浴易新衣、讀〈告祖文〉、簪花結彩、尊長祝勖、陪郎勸飲等節目，記者雖不再明指此等儀節與舊時冠禮的關聯，讀者卻依稀感受到其在在反映了冠禮的明顯遺痕。

伍、特殊類型的民間成年禮

近代民間成年禮除上述概況外，又有部分特殊類型，茲分三方面論述之：

一、混同民俗信仰者

近代民間冠禮或有與民俗信仰活動混同的特殊類型，在北方，行成年禮時有以廟會酬神的習俗。如民國二十四年（1935）河北省《陽原縣志》載：

富貴之家，子至十二歲之生辰，廣延宗戚，享以酒宴，賀者來臨，並贈禮物。特種富室，或係獨子，酒席之外，往往佐以戲劇，一以娛賓、一以酬神，故一、三兩日演於神廟（即俗名之「奶奶廟」，謂：之女、之子之生，乃奶奶送來者），中間一日則在宅院中。下迄貧家，雖曰不能如斯，但亦未廢冠禮，不過具體而微，賀客少而酒席薄耳。（《華北卷》，頁 168）

民國九年（1920）山西省《解縣志》載：

解俗於生子十二歲，潔粢豐盛，張燈結彩，往祭后土廟（俗謂之「獻娘娘」，五龍峪后土廟最盛）。是日，親族來賀者若而人，里黨來賀者若而人，烹羊炰羔，極其歡宴。富者甚有演戲數日，酬謝后土，謂之「還願」。然此多出富家翁，間有貧戶人家因艱於子嗣，親族里黨聚集數人，往后土廟祈禱所得者，亦偶一為之，但不如富家之豐盛。習俗相沿，不過祈年永命之意，而不知此即冠禮之留遺也。

有學識之君子，苟能于加冠訓辭，演成俗語，行于是日，不惟此子知成人之道，即在座之親族里黨亦當聞所未聞，漸摩而知禮意矣。宋儒謂冠禮久廢，以吾解此事觀之，未嘗廢也，特數典忘祖，行此禮者不自知，即與行此禮者亦不自知也，紛紛擾擾，徒成一場故事也。（《華北卷》，頁 691－2）

《解縣志》作者除詳記冠禮酬神之俗，並提出呼籲與建言，企圖恢復古禮的用心，躍然紙上。在南方則有設醮祭神之俗，如民國二年（1913）廣西省《隆安縣志》載：

習俗相沿，男子至十六歲時，或延道士，陳設春花、果品，拜斗祈年，名曰「還花堂」，即加冠。此唯富家子嗣單弱者行之，貧戶則不盡然。（《中南卷·下》，頁925）

至於浙江、福建、臺灣則盛行在十六歲時於七夕祭謝「七娘媽（即織女）」的成年禮俗——尤流行於閩、臺地區。如光緒二十三年（1897）臺灣《安平縣雜志》載：

七月七日名曰「七夕」，人家多備瓜果糕餅以供織女——稱曰「七娘媽」。有子年十六歲者，必於是年買紙糊彩亭一座，名曰「七娘亭」，備花粉、香果、酒醴、三牲、鴨蛋七枚、飯七碗，於七夕晚間命道士祭獻，名曰「出婆姐間」，言其長成不須乳養也。[54]

民國初年，臺灣民間的「做十六歲」，早已盛行於臺南及鹿港一帶，俗以七夕為七星娘娘（七娘媽）壽誕，屆時，家有年滿十六歲男女者，必須備辦紙亭（七娘媽亭）、祭品拜祭七娘媽，[55]少男少女由紙亭下鑽過，即表示已經長大成人。朱鋒曾描述其酬神宴客情況說：

---

[54] 《中國方志叢書·臺灣地區三十六》，同注[48]，頁11－12。

[55] 臺灣民間習俗，惟恐孩子長不大，週歲後常到寺廟向專門保佑孩童的女神，如媽祖、觀音媽、註生娘娘、床母等許願，將鎖片、銀牌、古錢等串以紅線，套在孩子頸上，謂之「掯綦」（加鎖）。自此每年須帶小孩前往燒香敬神，並以新頸繩換舊頸繩，稱為「換綦」。及孩童居滿十六歲，便在七夕當天到神前「脫綦」（脫鎖），用麵線、粽子等供祭拜謝。富有人家，更用紙紮「七娘媽亭」，裝入許多紙衣冠履、金銀錫箔，入夜焚於廟前，稱「燒亭」，以示重禮酬謝神明護佑之恩。其詳見何聯奎、衛惠林：《臺灣風土志》，下篇，頁89－91；彭美玲：〈臺俗「做十六歲」之淵源及其成因試探〉，同注[6]。筆者亦曾「做十六歲」，且在十六歲之前多年行「燒亭禮」。

> 祭後把祭品分送各親朋答謝，並發柬邀請聚餐。是夜大張酒席，親朋聚在一堂歡談暢飲。富裕的家庭，特聘梨園演戲，一面觀戲，一面猜拳行令，共祝成丁之慶，到夜闌才散席。(56)

另邊疆地區亦有特殊風習，如宣統元年（1909）寧夏《固原州志》載當地回族有「穿衣禮」之俗：

> 回民子弟多誦《回經》，有舉為滿拉、黑提布、乙麻木等名目，若《天經》三十本講通，即舉阿訇。由各庄頭人公送四角尖頂冠、長領袍，尚綠色；入寺所行禮節：直伏其身叩首者三，舉手及胸拱揖者三，誠為自成風氣，名曰「穿衣禮」。（《西北卷》，頁251）

又據民國二十三年（1934）內蒙《歸綏縣志》載，當地漢、滿二族俱行十二歲「圓鎖」之俗：

> 邑俗：男子生錫乳名，就傅始命名，成丁乃字，十二歲圓鎖；女子十三蓄髮，十五而笄：殆亦冠禮之遺意也。（子生一周，寄蘭若為寄僧。即日剃髮，加鎖於頂，或以紅線繫制錢五、七枚以為鎖，是日帶之。滿十二歲，父母攜供品、箕帚、香楮布施，富者牽牛、驢，貧者持雞一，贈寺僧，取香楮並所繫紅線焚之。寺僧擊木魚說偈畢，兒持帚掃殿陛，僧取帚擊兒頂曰：「速歸汝家，此處不要爾矣。」導者引兒歸。謂之「圓鎖」，一曰「完願」，亦曰「還俗」。
>
> 女子則家人導至寺，焚香楮，登梯越牆出，謂之「跳牆」。是日，親友

---

(56) 朱鋒：〈臺南的七夕〉，同注❻，頁102。

送面圈、面絲、首飾、襦褲之屬，主人備肴筵客。即素不帶鎖者，亦曰「圓鎖」。（《華北卷》，頁 752）

若與上述盛行於閩、臺的「做十六歲」之類習俗並觀，其成年標準雖有十二、十六的不同，卻都是在子弟未成年之前，將其身命象徵性地寄付於寺廟、神祇，祈求所信託的神祇加以庇護，待子弟成年，則表神明護生圓滿，屆時即備各式供品祭拜還願。凡此皆有異曲同工之妙，同爲成年禮與民俗信仰相交互涉的事例。

二、哭嫁習俗

近代民間成年禮與婚禮常有密不可分的關係，因此一關係而來的特殊類型爲婚禮中的哭嫁習俗。雖然哭嫁習俗可能與婚禮的關係較密，但亦具有相當程度的成年禮意義。向柏松先生認爲哭嫁習俗具有三方面原因：一是婚禮與成年禮相互滲透、融合的結果；二是成年禮演變、退化所至；三是婚姻習俗、制度方面的原因。[57]其中前兩項原因——尤其是第一項——即與女笄有關。近代地方志亦載及哭嫁之俗，如民國二十三年（1934）四川省《樂山縣志》云：

女子許嫁，笄；年十五，雖未嫁亦笄，禮也。今俗不計年歲，通於嫁前一夕行之。其夕，主人布席於堂，侍者將笄者出房，至堂謁祖，跪拜，興，即席。主婦延賓婦櫛髮合髻，盥洗，行加笄禮。見尊長，跪拜如儀。禮賓畢，侍者將笄者入房，笄者哭，父母亦哭，姊妹兄弟亦哭。尚有得於禮意。主人設酒食饗賓及明日之媵者。（《西南卷·上》，頁 172）

---

[57] 向柏松：〈哭嫁習俗的成年禮意義〉，《中南民族學院學報》1991 年第 5 期〔總第 50 期〕，頁 83－84。

道光七年（1827）貴州省《安平縣志》除了記載當地哭嫁之俗外，並說明其原因：

> 將婚前三日，……女母於是日吉時（其時亦男家擇定，女家從之），擇少婦重慶具慶而有子者為女括髮，名曰「上頭」；上頭訖，以笄簪之，故亦名「笄」。笄之時，女不忍離膝下，號泣不已。至夕，女父母設席於庭，扶女至中堂，請族孀或高年之嫻婦道者，教以三從四德之禮；命之上坐，使親族中同輩或少輩未嫁之女子陪之，曰「陪新姑娘」。此即醮子、醮女之禮也。（《西南卷·下》，頁530）

古制，女子許嫁而笄，笄禮、婚禮分別舉行，當事人對離別生家的感受自然不那麼直接、強烈；後代改為臨嫁而笄，笄禮、婚禮緊密相鄰，甚或一併舉行，此蓋亦哭嫁之一因。「哭嫁」在臺灣亦為習見之俗，女子於嫁前一夜至迎娶出家門，乃至村外，皆須啼哭，蓋既示不忍遠離母家，亦有告別少女時期，進入婦女階段之意。又如民國九年（1920）廣西省《桂平縣志》載：

> 女子嫁前一夕亦「坐花」，其原出於古之笄禮。……今女子坐花，先由婿家用紅盒備簪珥送至婦家，〔婦家〕設筵陳盒燒燭，延女賓款女。先以長大婦有福命者為女櫳（攏）頭著衣，乃出筵與女賓相見，與古禮同。但女必對燭泣，以詞告別祖宗、父母、兄弟、姊妹、親戚。蓋今人臨嫁而笄，非如古人之許嫁而笄，故禮亦稍異。……（按：邑中女子臨嫁而笄，笄而哭，哭數日或一日。哭詞四句，初句三言或四言，二、三、四七言，如七絕詩之押韻。貧家女子不能為此，則長短參差，各隨其意。哭中帶咒，或云以此去煞也。）（《中南卷·下》，頁1044）

各地方志中記載女子成年禮儀多富有吉慶熱鬧的氣氛。相較之下，哭嫁習俗顯得頗爲特殊，它強調「哭嫁」的痛苦心理，這是傳統笄禮中所沒有的特點。向松柏先生由文化人類學與心理學的角度探討哭嫁習俗的成年禮意義，認爲哭嫁習俗中的女子在悲傷的哭泣中，心靈經過深切的痛苦磨鍊，才有足夠的心理承受力負擔婚後的生活重壓，這與成年禮痛苦考驗的意義是一致的。而在此心靈磨鍊的痛苦過程中，常常伴隨著父母的訓誡；其目的不外乎希望出嫁的女兒遵守三從四德的規範，對於出嫁女進入新家庭後的人生有相當程度的指導作用，亦與成年禮中的訓誡作用相同。此外，哭嫁的中心內容是「哭別」，這是一個與成年禮「死亡」與「復活」主題密切相關的話題。[58]哭嫁爲出嫁女預演婚後行程，使其在「死亡」與「復活」的過程中，接受痛苦的考驗與長者的訓誡，完成由無牽無掛的少女變爲能忍辱負重的婦女的過程，從此具備成年婦女的素質。因此哭嫁習俗具有明顯的成年禮意義。[59]

三、集團式冠禮

近世冠禮尚有一項特殊作法，就是集體行禮。此法古已有之，近世猶不絕如縷，如前述明嘉靖年間縣令王淑爲諸生行集體冠禮，又如民國二十年（1931）湖南省《嘉禾縣圖志》載：

> 婚禮，人道之始；冠禮，人道之成。……今冠禮雖廢，而縣屬貴賢鄉、榜背山、茶窩嶺、大屋地諸雷族，鑾三鄉、楓梓溪蕭族，有師其意而為之者。凡間數年或數十年一舉行之。屆期，擇族年高德劭者主之，少者咸會於宗祠。簡年滿二十者書於冊，按派行、名字義取別號，大書紅帖

---

[58] 關於成年禮的痛苦考驗與死亡、復活主題，請參閱拙撰：《儀禮士冠禮研究（二）——先秦成年禮與後世成年禮的比較研究》，同注[2]，第1章，第1節。

[59] 向松柏：〈哭嫁習俗的成年禮意義〉，同注[57]，頁82－83。

粘祠壁，以次拜祖位，見父老，就席醻酒，三行或五行畢，退，謂之「慶號」，蓋猶是古人「冠則字之」之遺也。（《中南卷·上》，頁533）

民國二十三年（1934）河北省《完縣新志》載：

冠禮久廢，早婚尤為陋習。唯男子自二十歲以後，鄉人往往擇年相若者數人，將名字榜諸通衢，稱為「送號」。醵金會飲，借申慶祝。此二十餘歲之男子，自此遂以字行，儕於成人之列矣。冠禮雖廢，此舉實足以代之，亦告朔餼羊之義也。（《華北卷》，頁352）

民國十六年（1927）吉林省《通化縣志》載：

力不能舉〔冠禮〕者，鄉社長集資，合及年者行之，禮可從簡，書冠者姓名以納於有司。（《東北卷》，頁314）

上述集團式冠禮，以鄉里爲單位，由地方士紳出面，爲及齡子弟同時行禮，在人員調度、資金運用、時間安排各方面，理應有方便簡省、經濟實惠的效果，在現代繁忙、一切從簡的時代，是相當値得效法提倡的冠禮形式。

陸、近代民間成年禮的傳承與變化

綜上所述，近代民間成年禮與傳統古禮相較之下，具有隨時而改的幾項重要變化：

一、三加不行，惟餘一加；而以簪花披紅、贈號送匾、宴飲親友強化儀式

近代民間冠禮大抵只行「一加」，與宋《政和禮》的庶人「二加」，或是

《溫公書儀》、《文公家禮》乃至《明史·禮志》的庶人「三加」相比，都要來得簡捷易行；並且以便利實用為準則，僅著新製現時成人冠服，不另行復古式樣。

由於古今生活環境與物質條件的重大變化，古代冠禮中象徵成年的加冠儀式益趨簡略，促使人們不得不在儀物部分另求翻新，以維持典禮上不可或缺的象徵符號。近世如兩湖、四川民間冠禮流行「簪花披紅」，便是在加冠弱化的情形下另予增強的相應措施；而盛行於中南地區的「賀號送匾」則是古代「冠而字之」的轉化。

二、行禮旨在敦親睦鄰

近代民間冠禮的精神底蘊，與傳統冠禮似乎頗有出入：雖保留告廟祭祖、拜見父母諸親長等例行儀式，但宴飲、饋贈等社交活動的分量明顯增加了，顯然在父祖血緣命脈與家族權威之外，同時注重與鄉邦鄰里之間的地緣關係，希望藉此敦睦親族鄉里，有利冠者順利踏出社會，使冠禮由本族的成人意義擴大為社會成人意義。

三、冠、笄禮的舉行以家族為中心，階級色彩較不顯著

先秦冠禮以宗族為中心，笄禮以家族為中心。行過冠禮的男子，正式成為該宗族的一員，可以參與該族大小事務。又先秦冠禮的施行範圍限於士以上階層，兼具正名定分作用。近代方志所見的民間成年禮，則例行於家中正堂，而非宗祠家廟，這種現象，一方面說明了周代宗法封建制度的力量有所消退，早期的強宗大族已不復見，民間社會多以家族為本位；另方面也見出士禮下滲為庶民之禮時，必發生與庶人生活條件相對應的自然變化。[60]

---

[60] 古時士有禰廟，庶人無廟，逕祭於寢。

近代冠禮多行於讀書識禮之家，庶民則或有不知，或無力實行；笄禮的實行則不分貴賤。但書香世家並不等於先秦的士大夫階層，由於社會階級的逐漸泯滅，冠禮在民間變得較爲平民化、多樣化。少數以鄉邑爲單位、集體舉行冠禮的例子，尤顯示出冠禮甚至脫離宗族、家族的親緣單位，改以地緣性的社區爲中心，參與者的平等性無形中有所擴大，這是與近代平民社會同步發展的。

四、儀節富地方性色彩

方志所載冠、笄禮儀節可謂各有千秋，而往往具有地方性共同特色，如主要盛行於中南地區的「簪花掛紅」、「贈號送匾」，如湖北省「十弟兄」、「十姐妹」的伴郎、伴娘習俗，如閩、臺盛行的「做十六歲」風俗，又如浙江省的「上頭糕」等；更有只行於一邑一縣的特殊風尙，如廣東四會縣的「請來食梳髻圓仔」，內蒙歸綏縣的「圓鎖禮」、寧夏固原州的「穿衣禮」等，與傳統古禮的統一儀節顯然有所變化。

五、男尊女卑的差別稍趨和緩

近代方志中，男冠女笄的儀節固仍有繁簡之別，但已不似先秦時的男女迥異。隨著貴族階層的消失，社會大眾的身分地位漸趨平等，男女的差別待遇亦隨之縮小，冠笄之禮對於個人的改造意義不再具有顯著的性別差異。

六、冠禮在城市、富家一線僅存

大抵而言，近代民間冠禮普遍不爲社會所重視，少數行禮如儀的特例，只出現在詩禮之家、富有人家或城市地區，顯示出禮儀與家庭經濟因素、文化水準因素的相關性。如前引民國二年（1913）廣西省《隆安縣志》談到當地男子十六歲「還花堂」的成年習俗說：「此惟富家子嗣單弱者行之，貧戶則不盡然」，民國十六年（1927）廣西省《龍州縣志》則說：

無初加、再加、三〔加〕等儀物及訓詞，惟於婚之前一日，寫「父命兒男冠字某某」貼於廳上，簪花掛紅，如是而已。此城市冠禮大略，若夫鄉村則並此而亦無之矣。（《中南卷·下》，頁 920）

凡此皆可見成年禮的沒落趨勢。

七、冠、笄禮轉附於婚禮舉行

先秦時代，無論男子的冠後議婚，或女子的許嫁而笄，成年禮與婚禮各是兩種重要的人生禮儀，二者同處於等量齊觀的地位。時至後代，民間或囿於早婚習尚，或貪圖簡便省儉，逐漸將冠、笄禮與婚禮一併舉行，顯見後人輕冠重婚的心態轉變。從冠齡分布上來說，近代中國各地雖時有出入，大體遵從《文公家禮》「十五至二十皆可冠」的傳統，只有華北出現極少數明顯將冠齡提前的例子，如山西解縣、河北陽原、內蒙歸綏等地。自清朝下迄民國，冠禮每與婚禮合併舉行，或於成婚前數日、前一日先行之，甚且行於親迎當天。等而下之者不僅未見相關儀節，即連「上頭」一類舊名詞也從婚禮中消失無蹤。

古代的冠禮，係以改變服飾——主要是頭飾——來認證其社會角色的轉換；而近代，大眾的眼光和心思全為婚禮「合兩姓之好」的歡樂榮景所吸引，甚且直接以成婚等同於成年，而不再斤斤於當事人實際年齡的多寡。自然而然地，冠禮日漸淪為婚禮的附屬儀節，進而造成冠禮久廢不行的下場。此外，士子三加的莊重肅穆，也由於社會環境的變遷，而被「簪花披紅」之類的喜慶風貌所取代；又命字禮也衍生出「贈號送匾」之類的繁文縟節。雖然某些地方仍保有吉祥語及飲酒等儀式，但多半變成以慶賀新人新婚的成分居多。

至於女子笄禮由古時「許嫁而笄」轉變為「臨嫁而笄」，其作為區分少女與婦人身分標誌的作用始終未變，遂使歷代笄禮向來處於較穩定的狀態，即令遭逢晚近冠婚合舉的潮流，所受的衝擊也相對減少，相較於冠禮而言，笄禮的變化與消亡算是比較緩慢的。不過，在時間的淘洗與民情的演變下，最終仍未能免於失落。

附識：欣逢　以仁師七秩華誕，同門師友擬刊行論文集以為先生壽。稿期迫近，愧無以應。爰將國科會專題計畫報告：《儀禮士冠禮研究（二）——先秦成年禮與後世成年禮的比較研究》之第三章重加整葺，奉以為禮。原稿蒙彭美玲、魯瑞菁兩先生協助蒐集資料，並撰寫初稿，謹致謝忱。

1998 年教師節

禮教與情欲：近代早期中國社會文化的內在衝突

張壽安*

前　言

七十年代美國 Paul Cohen 教授提出「中國本位說」的理論（Discovery History in China），呼籲學術界從中國本身所蘊含的因素來探討中國的現代化問題。❶此一理論改變了自 Fairbank 教授以來的「西方衝擊與回應」說，為廿世紀後期中國學的研究開闢了新的途徑；❷也使得傳統與現代的銜接，有了更多更具體的新發現。這些從中國本位引發出來的研究，無論是說明傳統與現代性之間所可能具有的銜接性，或竟自不具有銜接性，或甚至是對立的等等，都讓關懷中國學和中國現代化的知識界能以更明確的知識，來處理或引導中國的現代

* 中央研究院近代史研究所副研究員。

❶ Paul A. Cohen, *Discovering History in China: American Historical Writing on the Recent Chinese Past* (New York: Columbia University Press, 1984)

❷ 把中國近代史的主題看成是「中國對西方的反應」，詳 Paul H. Clyde and Burton F. Beers, *The Far East: A History of Western Impacts and Eastern Responses, 1830-1975*, 6th rev. ed. (Englewood Cliffs. N.J.: Prentice-Hall, 1975); Fairbank, Reischauer, and Craig, East Asia: *Tradition and Transformation* (Boston: Houghton Mifflin, 1978). 中央研究院近代史研究所曾據「中國本位」此一觀點召開國際學術會議，重新探討中國的近代化問題。詳該所出版之《近世中國經世思想研討會論文集》（1984 年）；《清季自強運動研討會論文集》（1988 年）；《近代中國初期歷史研討會論文集》（1989 年）。

化。

面對中國學這樣一個內容龐博且複雜多樣的學問，本文則只擬針對「禮治」問題提出一些討論，探究一下禮治在廿一世紀中國社會文化所可能扮演及如何才有可能扮演的角色。

相對於西方的法治而言，中國是一個禮治的社會。十九世紀以降，西方的民主、自由、法治、平等、個人主義等觀念傳到中國來。一九一八年中國的知識界發生了對傳統全面反思的新文化運動。其中，「反禮教」是在倡導民主科學自由平等的呼聲下對傳統揮出的最重一擊。反禮教包括了反三綱、反大家庭制度、反君臣關係式的父子關係與夫妻關係、反父權、反宗法、反封建，主張個人獨立、婦女解放……等等。然而，與此同時，在中國南方以南京高師柳詒徵爲主的一群學者如繆鳳林等卻著書立說倡導「中國式鄉治的禮治主義」，宣揚禮治才是中國社會秩序建構之本。❸我們不否認新文化運動對傳統中國向現代轉型所作出的貢獻與努力，但我們也不能否認今天中國社會在拋棄傳統走向西化的步履間，所出現的觸目可見的失序現象。理念與價值的多元甚至分歧，造成共識的難以產生。中國現代化的步履，是極之輾轉反輒的。

對一個從事歷史文化研究的學者而言，我所感到該戮力的不是批評議論，而是再次深刻誠摯的反省這個文化轉型的「力軸」。因爲任何社會的轉型都不可能是全盤式的改變，也絕不可能是迎頭趕上。文化是一種生活，生活存在並表現於人我之間的交往言行、世代綿延的習俗和價值。生活是活生生的，文化也是活生生的，生活習俗不可能一刀切斷，文化也不可能一夜改變。文化，表現在每個個人每日生活言行的舉手投足之間。因此，作爲轉型的力軸，就必需對傳統文化重新給予其「實然」的地位。否則，從傳統濡染下來的你我共有的

❸ 柳詒徵：《中國文化史》（臺北：正中書局，1948 年）；〈中國禮俗史發凡〉，《原學》1 卷 1 期（1947 年），現收入《柳詒徵史學論文續集》；繆鳳林：《中國禮俗史》（中央訓練團黨政高級訓練班印）。

生活習俗，和現代性下理念上所嚮往的西方的法治民主，勢必會產生錯亂。尤其在遇到具體事件需要投票或需要執法貫徹時，總或因下意識的慣性而亂了法治，或因強硬的執法而傷了習俗，導致民怨。總之，傳統文化的慣性與西方秩序的落實，兩者之間的拉扯力，一直是中國現代化建構上的難題。

本文所擬提出思考的就是做爲這個轉型的力軸，其內容除了理念上被現代化所嚮往追求的自由法治民主科學之外，對眞正擔任傳統中國社會秩序之構組成分的禮治習俗，能給予多少關注？

問題經已提出。現在則打算從歷史文化的角度，提出一些研究實證，協助知識界接續前人的努力繼續思考。也提出一些實證，說明十八、十九世紀以來的知識界已經面對的社會失序現象，以及他們是用怎樣的思考經驗去重整社會秩序。尤其重要的是他們在未引進西方自由民主之前是用什麼力軸來進行思考的。也可以說他們是憑依那些價值、元素或成分，爲了重整社會文化秩序而進行轉型。

以往學界對新文化運動所提出的文化思想角度的解釋有：人的覺醒、人性覺醒、自我之發現等等。這些理論都對學界有相當貢獻。筆者這幾年因爲進行明清思想史研究，尤其是清乾嘉學術思想研究，從閱讀的資料中發現了一些有趣的文化思想走向。特於此提出，也爲五四反禮教運動從十七、十八、十九世紀以來的思想脈動之間的聯繫，作一點歷史銜接的解說。

本文的主題是「禮教與情欲：近代早期中國社會文化的內在衝突」。選擇禮教，是因爲中國的禮治，絕大部份是通過教化影響人我生活，也通過禮的組織管理社會群體。這包括了教育、家族組織、鄉黨關係、地方風俗習慣、禮典、祭祀、節慶等等。至於情和禮的關係就更爲密切，因爲禮在制訂之初就是本源於情，所謂「緣情制禮」。然而有趣的是，近世中國社會文化出現的衝突與混亂，也源自於情，所謂「情欲解放」。這當中最引起我們興趣的就是情與禮之間的背馳力，其中包括：此一背馳力出現的原因、內容及如何調解平衡。事實上，禮教與情欲的爭辯源始於十七世紀，並且一直活躍在十八、十九世紀，是這三個世紀知識份子所熱切關懷並力圖平衡的大問題。這當中，我相信最爲學界陌生的是十八世紀，尤其是清代乾嘉這一段。乾嘉學術一向被視爲考證學，考證之外無經世，考證之外無義理。然而事實上，清乾嘉學者的考證背後不但有經世而且有義理，只是不同於宋明性理形式的義理而已。其中更重要的是他們對人性另有一套看法，即：緊緊扣住情欲。把情欲視爲人性的鮮活內容。

基本上，根據我這些年的研究發現十七世紀以降中國社會文化及思想界有二大走勢：一是情欲覺醒，一是禮學復興。關於後者我曾寫過一本專書：《以禮代理——凌廷堪與清中葉儒學思想之轉變》（中央研究院近代史研究所，1994年），證明儒學由明至清的轉向是從理學走向禮學。其重點是：儒學擺脫了以個人內在心性修爲爲主的哲學型態，走上禮學實踐的社會學型態。儒學者企圖通過彝倫常秩、家族重整、鄉黨關係重建、禮俗等生活日用的實事踐履，重整社會秩序。另一個大走勢是情欲覺醒（本文第三節）。這二股看似對立，卻又同時存在；看似背馳，卻又不斷對話的歷史事實，形成了近世中國非常有趣卻又極其沈重的文化現象。通過對此一兩面性的研究，可以讓我們更加看清民初新文化運動時，知識界所潛孕於血液與生命記憶裡的思想困境。

本文擬分四部份進行：首論何謂禮教？禮教的本原、漢代禮教的制度化；次論宋元明清：禮教的變本加厲；再論十七世紀以降的情欲覺醒；最後我想略論情欲覺醒的意義，亦即：新情理觀的出現。

一、何謂禮教？
禮教思想之本原、漢代禮教之制度化

禮教，是以禮爲教。要了解禮教思想，得先了解宗法制度，因爲宗法是禮教的本原。宗法禮制是以嫡長子爲中心而嚴分嫡庶、內外、長少、親疏關係的一種組織，並依此訂定貴賤、尊卑、上下等次的差序，以建立統治關係及維持統治秩序。宗法禮制既是隨血緣而建立的網絡，故其禮制所伸展開的倫理關係及倫理思想也就必然是由近及遠、由親及疏的層層遞減。相對的在宗法禮制之內的倫理關係就存有相當的制約性，不得踰越。孔子所重視的「必也正名乎」，莊子所說的「春秋道名分」，都指此而言。宗法禮制以維持並建構倫理秩序而言，自有其必要性；但在與專制政權結合後，就產生出相當弊病。

漢代可說是禮教制度化禮教天神化及禮教單向化之始。而董仲舒正是成其實者。首先，董仲舒提出「天人感應」說。天人感應的觀念在先秦典籍中曾有記載，但董仲舒卻使之系統化、理論化，並且和陰陽五行說相結合。他認爲天由「十端」（天、地、人、陰、陽、金、木、水、火、土）組成；而「天地之氣，合而爲一，分爲陰陽，判爲四時，列爲五行。」天通過五行相生且相勝的反、正次序功能，掌控萬物的運行，這就是「天道」。董仲舒肯定「百神之太君」的「天」是宇宙人世的最高主宰，創造人類並使人具備義利之性。同時天又爲人立君王，施行教化。另方面，董仲舒又說當人世有失道之虞時，天就會呈現出怪異之象，以警戒人世。董仲舒解釋說，這就是天表現出他的「仁心」期望人世儘速「止亂」。❹

天的喜怒哀樂與人相應，因此人類的次序也就得循依著天的次序運行。這當中，董仲舒強調「天之任陽不任陰，好德不好刑」，天以三時主德，一時主刑。所以天子行政應以仁德爲本，教化百姓。據此，董仲舒就提出他的「三綱」說。曰：

> 君臣、父子、夫婦之義，皆與諸陰陽之道。君為陽、臣為陰；父為陽，子為陰；夫為陽，妻為陰。……王道之三綱，可求於天。❺

---

❹ 《漢書·董仲舒傳》引董子言：「國家將有失敗之道，而天乃先出災害以譴告之。不知自省，又出怪異以警懼之。尚不知變，而傷敗乃至。以此見天心之仁愛人君，而欲止其亂也。」

❺ 〔漢〕董仲舒：《春秋繁露·基義》。

所謂「君為臣綱，父為子綱，夫為妻綱」，不僅把君臣、父子、夫婦的關係提高到宇宙陰陽的理論層次，做為社會倫理的三條基本綱繩，同時把仁、義、禮、智、信這五種不變的德性，稱為「五常」。

其實，有關君臣、父子、夫婦等的人倫關係的「秩序」，在董仲舒之前，就早已有人討論過。如孔子答哀公問政時，就說「夫婦別、父子親、君臣嚴，三者正，則庶民從之矣。」❻又在另一處答哀公問「人道誰為大？」時，回答說「三者正，則庶物從之矣」。❼再三強調無論政治或是人道都以「三正」最為重要。但，孔子卻從未絕對的主張君為臣之「綱」的說法。縱使孟子在說「仁之於父子也，義之於君臣也」❽的同時，對君王的職責更不忘強調的說「君仁莫不仁，君義莫不義，君正莫不正，一正君而國定矣」的話。❾

從孔孟的立論都看不出主從絕對的君臣主附關係。荀子在先秦儒家中是最強調等分差別的，他認為禮義的功能就是「使有貧富貴賤之等」。❿至於人倫，荀子最常舉言的就是四倫，他說：「君臣不得不尊，父子不得不親，兄弟不得不順，夫婦不得不歡。」⓫這當中又以君臣、父子、夫婦三倫最為天地之理、萬世之大本。⓬這當中最值得留意的是，荀子特別把禮字闡釋成「順」，他說：「禮者本末相順」、「能以事上謂之順」，⓭又說「事人而不順者不疾者也，疾而不順者不敬者也，敬而不順者不忠者也，忠而不順者無功者也，有功而不

---

❻ 《大戴禮記·哀公問》。
❼ 《小戴禮記·哀公問》。
❽ 《孟子·盡心下》。
❾ 《孟子·離婁上》。
❿ 《荀子·王制》。
⓫ 《荀子·大略》。
⓬ 《荀子·王制》：「君臣、父子、兄弟、夫婦，……與天地同理，……與萬世同久，夫是之謂大本。」〈天論〉又言：「若夫君臣之義、父子之親、夫婦之別，日切磋而不舍也。」
⓭ 前句見〈大略篇〉；後句見〈王制篇〉，又言：「以為下則順」。

順者無德者也。故無德之爲道也，……君子不爲也。」⓮其後韓非在闡釋儒家時說「臣事君、子事父、妻事夫，三者順則天下治，三者逆則天下亂，此天下之常道也」。⓯就把君臣、夫婦、父子的關係用「下順上」的思想理路給描述出來。事實上，縱使早在漢初文帝時，也還沒有成立所謂的三綱觀念。《王制》中所討論的「七教」只是「父子、兄弟、夫婦、君臣、老幼、朋友、賓客」。⓰其中値得注意的是，君臣只被排列在四種非家族關係的社會關係網路上，並沒有被特別突出；反倒是家庭倫理中的父子居首位，和兄弟、夫婦被視爲「七教」中最爲重要的倫理關係。這和孔孟談倫常關係時，多以「父子」爲首相合。由此更可以看出三綱之說肇自董仲舒。尤其是把「君爲臣綱」列爲三綱之首，使得原本以宗法倫常爲基礎的社會秩序理論，提昇爲以君權爲主而萬民附從的政治專權。

董仲舒把孔子所說的「三正」（「夫婦別，父子親，君臣嚴，三者正，則庶民從矣」）、荀子所說的「三順」（「臣事君，子事父，妻事夫，三者順則天下治」），改爲「三綱說」：君爲臣綱、父爲子綱、夫爲妻綱。又將其天人合一的思想與三綱相結合，使三綱形式的禮教天神化。既言君父夫爲臣子妻之綱，則孔子、《禮記》中的雙向的禮的精神，完全變成了單向的下對上的順從。漢武帝建元元年，正式接納董仲舒〈對策〉，罷黜百家，獨尊儒術。至此禮教倫理與政治相結合，三綱也就制度化了。

二、禮教思想之變本加厲

禮教思想的變本加厲，是在元明清三個朝代。但其肇始，卻是宋代。這有

⓮ 《荀子·臣道》。

⓯ 《韓非子·忠孝》。

⓰ 《史記·封禪書》言漢文帝時「使博士諸生刺《六經》中作〈王制〉」。〈王制〉重視法，也講求禮，所言斷獄之原則，曰：「凡聽五刑之訟，必原父子之親、君臣之義以權之。」

兩個原因，一是家族制度與家族組織的形成。宋代的家族是中國近世家族型態之始。⑰為鞏固家族及管理族產而出現的「家訓」、「家規」、「家範」等治家法則，在團結管理族群的同時，也強化了禮教思想。二是理學思想的出現。理學強調修身養性，把儒家文化中對「人格」的重視提昇到極致，使其成為幾近乎宗教般的信仰。同時，理學家把原本只作為條理而言的「理」解釋成「天理」，使理成為人在天地之間無所遁逃的必然守則。理學家所言的理具有相當的「強制性」，這一點已被學界廣泛承認。⑱而理學思想中的規範意義，透過家範、家法、家規等訓戒傳佈到家族中時，則不只產生指導行為的功能，同時也扮演著監督甚至懲戒的作用。這是理學通過家族加強了禮教作用。元初，朱學成為官學並與科舉相結合，於是政治的力量介入，遂使得天理化了的禮教思想更加嚴厲。

禮教思想之強化雖肇始於宋，但事實上宋代的社會並不如元明清那麼保守。以守節為例。雖然在宋代文獻中記載了不少寡婦守節者，但在宋代的家法中，並不似元明以後的家法那麼明確的要求女子守節。最明顯的莫過於范仲淹的〈范氏義莊規矩〉，其中關於女子出嫁、男子娶妻、及女子再嫁的貲資都列明文規定：「嫁女支錢三十貫七十七陌，再嫁二十貫。娶婦支錢二十貫，再娶不支。」對寡婦再嫁也給予相當陪嫁，可見改嫁不是一件忤逆天理不容於人的事。事實上，范仲淹的生母就曾改嫁。⑲另有一種「接腳夫」，是指寡婦再納

---

⑰ 徐揚杰：《宋明家族制度史論》（北京：中華書局，1995年）。

⑱ 張立文：《理》（臺北：漢興出版社，1994 年）。鄧克銘：《宋代理概念之開展》（臺北：文津出版社，1993 年）。張亨：〈朱子的志業——建立道統意義之探討〉，《臺大中文學報》第5期（1992年6月）。陳榮捷：《朱學論集》（臺北：臺灣學生書局，1982年），頁13－18。

⑲ 《宋史·范仲淹傳》載：「仲淹二歲而孤，母更適長山朱氏，從其姓，名『說』，少有志操。既長，知其世家，迺感泣辭母去之應天府，依戚同文學，舉進士第，為廣德軍司理參軍，迎其母歸養；改集慶軍節度推官，始還姓更其名。」

的後夫，不同的是此一後夫需進入該寡婦家與其生活而非寡婦嫁去男家。接腳夫一詞在宋代文獻中經常出現，而且得到官方認可。⑳其實，這種現象多是因爲鄉村男女比例失調，生活貧困加上農務工作需要人手，所以再嫁或納夫都是爲了解決生存問題，世人不以爲恥也不可能以爲恥。

把守節明列於家法中，是元明以後的事。這和理學家言，有直接關係。司馬光首言：「忠臣不二君，賢女不二夫。」㉑程頤更言：「餓死事極小，失節事極大」，不僅勸友人勿娶寡婦，以免「自身失節」；甚至認爲寡婦縱使再貧窮無依也不可以改嫁㉒。朱熹完全同意程頤所說的「餓死事小，失節事大」是「不可易之理」，並勸友人陳師中令其妹守節勿再嫁，美之爲「生爲節婦，斯亦人倫之美事。」㉓我們從《近思錄》的一段或問之中，不難看出理學家把「節」視爲人的第一生命，而「生存」反成了次要。這就完全脫離了宋代寡婦每因經濟理由再婚的現實意義，而走上尚「節」的獨一價值。再以纏足爲例，纏足始於何時已難考證。但朱熹在漳州爲官時，確是倡導婦女纏足。朱熹並非不知纏足不良於行，但因爲纏足可以維護女子的「貞節」，所以提倡。並建議纏足的

⑳ 張齊賢：《洛陽縉紳舊聞記·焦生見亡妻》，卷5。《宋會要·食貨》載：「只有妻在者，召到後夫同共供輸其前夫莊田，且任本妻為主，即不得改立後夫戶名。」

㉑ 「忠臣不二君，賢女不二夫，策名委質，有死無二，天之制也。」《司馬文正公傳家集·馮道為四代相》，卷67。

㉒ 〔宋〕朱熹：《近思錄》載：「或問：孀婦於理，似不可取；如何？伊川先生曰：然。凡取，以配身也，若取失節者以配身，是己失節也。又問：人或居孀貧窮無託者，可再嫁否？曰：只是後世怕寒餓死，故有是說。然餓死事極小，失節事極大。」觀其全文，更可見程子堅決認為「節」是人的第一生命，而「存活」只是人的第二生命。把道德提昇到宗教層次，甚至脫離了現實生命的存活意義。

㉓ 朱熹友人陳師中的妹婿死了，朱熹致信陳師中，叫他勸乃妹守節。信云：「令女弟甚賢，必能養老撫孤，以全〈柏舟〉之節。此事更在丞相夫人獎勵扶植以成就之。使自明沒為忠臣，而其室家生為節婦，斯亦人倫之美事。計老兄昆仲，必不憚贊成之也。昔伊川先生嘗論此事，以為餓死事小失節事大；自世俗觀之，誠為迂闊。然自知經識理之君子觀之，當有以知其不可易也。伏況丞相一代元老，名教所宗，舉錯之間，不可不審。」〈與陳師中書〉，《朱熹集》（成都：四川教育出版社，1996年），卷26。

女子可持竹杖行路，當時曾號爲「竹林」。到了明代，家法中對婦女的貞節已有嚴格的規定。《楊忠愍公遺筆》即具體道出對妻子的要求：

婦人家有夫死就同死者，蓋以夫主無兒女可守，活著無用，故隨夫亦死，這才謂之當死而死，死有重於泰山，才謂之貞節。若夫主雖死，尚有幼女孤兒，無人收養，則婦人一身，乃夫主宗祀命脈，一生事業所繫於此。若死，則棄夫主之宗祀，墮夫主之事業，負夫主之重托，貽夫主身後無窮之慮。則死不但輕于鴻毛，且為眾人所唾罵，便是不知道理的婦人。㉔

曹端《夜行燭》中更明確記載：女子犯淫狎者，與之刀繩，聽其自死；其母不容者，出之；其父不容者，陳于官而放絕之。㉕於是女子的情欲生活與獨立人格就完全犧牲在禮教的桎梏中。晚明盛行「功過格」，是士人用點數增減來記錄自身言行功過以敦勵品德的一種法子。袁黃（1533－1606）就在其《訓子書》中明言：「完一婦女節，準百功；失一婦女節，準百過」。以完成婦女的的貞節來增加自己德性的分數，使婦女貞節從女性道德範疇擴大攝入男性的道德範疇。在男女內外的相攻下，更增加了它的神聖性與堅決性。㉖

清人對女子的德行教育更是關心，有關閨範的文字大量出現。清初王相把自己母親劉氏所著的《女範捷錄》和漢班昭的《女誡》、唐宋若華的《女論語》、明初徐達長女仁孝文皇后的《內訓》，合訂成一本《女四書》，影響很大。㉗

㉔ ［明］楊繼盛（1516－1555）：《楊忠愍公遺筆》，見《筆記小說大觀》（臺北：新興書局，1983 年），第 6 編。

㉕ 「女子有作非為犯淫狎者，與之刀繩，閉于牛驢房，聽其自死。其母不容者，出之；其父不容者，陳于官而放絕之；仍告予祠堂，于宗圖上削其名，死生不許入祠堂。」

㉖ ［明］袁黃：《訓子言》。

㉗ Susan Mann, "Grooming a Daughter for Marriage: Brides and Wives in the Mid-ch'ing Period," in Rubie Watson and Patricia Ebrey, eds., *Marriage, Women, Family, and Inequality in Chinese Society*. (Berkeley: University of California Press), pp. 204-230.

理學家方苞更是大量撰文表彰貞女節婦不遺餘力。方苞所褒揚的婦女有幾種類型。一是殉夫。方氏曾褒揚一位唐姓婦人，丈夫病時，即自刲股療夫病，及夫死，亦自經而亡，甚至不顧當時已懷有身孕。㉘又褒美張姓烈婦殉夫，云：「義烈動家人，眾視其雉經，不敢曲止。……其死也，嗣子灼幼孩號踊如不欲生。」㉙此一慘絕人寰的悲劇，方苞卻稱頌不已，說此乃「天地之正氣」。又說宋以前守節殉死者寥寥可數，待程頤夫子高倡守節之後，夫婦之義始大明於宇宙。㉚二是貞女。也就是望門寡，指未婚守節而言。這類女子有殉死者、有嫁入夫家俸養公婆者。方苞稱美曰：「貞女為祖之光，人紀之大者」。㉛三是刲股療病。指婦為夫、或為公婆，自割其股作糞以為病者療治。方苞稱美曰：「非篤於愛者不能，是婦德之順修」。㉜而所撰之《家訓》，亦嚴責婦女。

確實，我們翻看《廿四史》，元代以上，列女不及六十人。其中宋史最多，也不過五十五人；唐書只五十四人。到了元代高達一八七人。《明史》則有萬餘人。㉝這當然和官方律令規定「貞女戶免徭役」及「貞節牌坊」的表彰有關。但無論如何，社會文化教育理念和官方律令的上下結合，堅定了禮教思想禮教典章，從而固蔽了人的情欲、人之為人的獨立性。

三、十七世紀以降的情欲覺醒

試分大眾文化與菁英文化兩部份論述。

㉘ 〔清〕方苞：《方苞集·劉烈婦唐氏墓表》，卷 13，載：「（婦）嚙臂以糞，血淋漓衣袖間，面色似非人」，至夫死，雖有孕，亦「閉戶自經死。」

㉙ 同前注，卷 5。

㉚ 參看暴鴻昌：〈論方苞與康雍時期的禮學〉，《中國史研究》1997 年第 2 期。又有關清代婦女的節烈行為，參看周寃窈：〈清代桐城學者與婦女的極端道德行為〉，《大陸雜誌》87 卷 4 期（1993 年）。

㉛ 〈廬江宋氏二貞婦傳〉，同注㉘，卷 8；〈康烈女傳〉，卷 18。

㉜ 〈方曰崑妻李氏墓表〉，同注㉘，卷 13；〈書孝婦魏氏詩後〉，卷 5。

㉝ 陳東原：〈中國婦女生活史〉（上海：商務印書館，1937 年），頁 180－181。

㈠ 大眾文化

十七世紀以降中國社會文化中的情欲覺醒，在大眾文化上呈現的最爲明顯。晚明的詩、文、小說、戲曲、民歌，處處顯露出人性久梏於禮教而欲求掙脫解放的呼聲。《金瓶梅》之類的情色小說，姑且不論。㉞茲僅就馮夢龍的「情教」說、和湯顯祖的《牡丹亭》，略作論述。

《牡丹亭》風行於晚明至清康雍乾的百年間，評註點本甚多。最近在中國大陸發現了大約撰成於清代雍乾之間的夫妻共同評點本《才子牡丹亭》，評點文字達三十萬言，遠遠多過正文。㉟這個評點本的特色在：⑴夫妻同批，尤其多採女性觀點；⑵評點主題在扣緊「色情難壞」一句。作者將《牡丹亭》中的二句話「昔日賢文，把人禁殺」和「一點色情難壞」抽出，把「色情」和「賢文」對立起來，指出賢文二字不知扼殺了多少女子的慕情，唯有「色情」才是鮮活之人性。⑶強調色與情的結合。作者說：「因色見情，因情見色，其難壞，一也。」又說：「不好色，乃作僞。」作者主張色與情相結合，色是內之外現，情是外之內認。有才有情有色，三者合一，方能得知「人趣」。作者甚至引孔子「吾未見好德如好色」一語，說明孔子也懂得色之「可好」，好德和好色是同類情感。這部乾隆間的禁書，一則鼓勵人把握青春年少，一則對照名教下的女子（賢文）與人性鮮活下的女子（色情），伸張女性的情感世界，更而主張唯有女子的情感世界活絡起來，兩性的生活才可能共同譜出「人趣」。

馮夢龍則通過詩文戲曲小說民歌各類形式的文學，宣揚他的「情教」。所謂：「借男女之眞情，發名教之僞藥。」馮夢龍贊美《西廂記》中的鶯鶯夜會張生，也歌頌卓文君夜奔相如，他更呼籲天下女子一旦認得自己的眞情，就得

㉞ 情色作品之部份目錄，見王曉傳輯錄：《元明清三代禁燬小說戲曲史料》（北京：作家出版社，1958年），頁114－116；121－128；158－159；167－168。

㉟ 關於此一作品之研究，目前僅見華瑋：〈色情與賢文的對抗：以才子牡丹亭為例〉，《禮教與情慾》（臺北：中研院近史所，排印中）。

「忍小恥，就大計，早自抉擇。」明顯的倡導女性勇敢面對眞情，並追求自身的幸福。馮夢龍更將自己的情教宣揚比喻爲理學家講學，但二者卻截然不同。馮夢龍說理學家講學是「講道」，他的講學則是「講情」。馮夢龍更深刻的指出理學家說性說得玄得脫了常行；至於他自己對人性的體認，則是「上下千古，一口咬定情字。」㊱馮夢龍對「情」字的堅定，確實眞切地反映出宋元明以降理學化禮教思想和現實人生之間的割裂，名教扭曲了人性也扭曲了眞情。十七世紀以降大眾文化呈現出的反理學與譏諷禮教處處可見，值得留意的是這些民間文學也每舉孔孟對照程朱，說明理學家的禮教觀和孔孟原意不但不是道統一脈之心傳，根本是相違背的。如馮夢龍所言：「遇了孟夫子，好貨好色，都自不妨。遇了程夫子，柳條也動一些不得。」㊲

㈡ 菁英文化

情欲覺醒呈現在大眾文化上，較易爲人所見；呈現在菁英文化層次，則較難得知。事實上，王學左派王龍溪、李贄都高倡情欲。本文前段所論《才子牡丹亭》一書的作者，更在批註的文字中，時時引用王畿（1498－1583）之言。最令人值得留意的則是劉宗周，這位在理學上可與朱熹、王陽明鼎足爲三的晚明理學大師，在其《劉子全書》中明白表示不滿朱子的「心統性情」、「因情見性」諸說。宗周認爲朱子此言有分爲二物之嫌；所以自己提出一套「心之性情」、「指情言性」的說法，並針對「四端」與「七情」，展開討論。㊳四端

㊱ 參考陳萬益：〈馮夢龍情教說試論〉，收入氏著：《晚明小品與明季文人生活》（臺北：大安出版社，1988 年）。

㊲ 〔明〕馮夢龍：《古今譚概》，第一，「迂腐部」，〈諫折柳〉：「程頤為講官，一日，講罷，未退，上偶起憑檻，戲折柳技，頤進曰：『方春發生，不可無故摧折。』上擲技於地，不樂而罷。遇了孟夫子，好貨好色，都自不妨。遇了程夫子，柳條也動一些不得。苦哉！苦哉！」見《馮夢龍全集》（南京：江蘇古籍出版社，1993 年）。

㊳ 詳〔明〕劉宗周：《劉子全書》，卷 11〈學言中〉；卷 12〈學言下〉。

與七情，在韓國的理學史上一直是一重要辯論，但在中國恐怕是晚明才出現的。㊴

目前最為學界熟知主張「達情遂欲」的是清代思想家戴震。戴震對人性提出他自己的觀察，認為性有血氣、心、知。他反對宋明儒的天理觀念，倡導即物求其條理，理是客觀的存在於外界的事物當中，而不是什麼得之於天、具之於心的與生具來的內存於性。

鮮為學界所知的是，戴震這種達情遂欲的思想在其身後一直傳衍下去，一般被學界認為只知考證的乾嘉學者，事實上幾乎都在伸揚這種新的人性論、及新的達情遂欲觀念。試舉例說明。程瑤田和戴震共師江永，也是在當時第一個對戴震義理提出批評的人，他說戴震的性論是「完全未識性善之精意」，就是批評戴震將心知血氣全視為性，遂使得性之本體的善無法完滿自存。不過，縱是如此，程瑤田在其《論學小記》中仍首撰〈述情〉三篇，反覆伸言情是善非惡。㊵凌廷堪是戴震的私淑、程瑤田的學友，也是清代以禮代理的倡言人，他對人性的討論方式完全撇開善惡，也就是說他根本不從善惡這個觀點評斷人性。他只簡單地說人性有二種質素：好和惡，所有道德的建立、禮則的制定，都得依據這個人我之好惡，經由這種同好同惡從而建立出人我共同遵循的禮則。㊶事實上，從好惡觀察人，並進而界定人性，已完全落入現象界，屬經驗層次，或言氣之層次；和宋明理學直捷從本體上論性，大相徑庭。其後凌廷堪更說：性善是上智之人、性惡是下愚之人，則完全脫離了性論的基本譜序。㊷

㊴ 關於朱子論四端與七情，參看陳榮捷：〈四端與七情〉，《朱子新探索》（臺北：臺灣學生書局，1988 年）。

㊵ 〔清〕程瑤田：《論學小記》，《安徽叢書》第二輯，《通藝錄》。或參考拙文：〈程瑤田的義理學〉，《漢學研究》第 9 卷第 2 期（1991 年 2 月）。

㊶ 〔清〕凌廷堪：《校禮堂文集》，（北京：中華書局，1989 點校本）。或參考拙著：《以禮代理——凌廷堪與清中葉儒學思想之轉變》（臺北：中研院近史所，1994 年專刊 72 號）。

㊷ 〈荀卿頌〉：「孟曰性善，荀曰性惡。折衷至聖，其理非鑿。善固上智，惡亦下愚。各成一是，均屬大儒。」見《校禮堂文集》，同前注，卷 10。

其實凌氏所要強調的只是人性有情有好有惡，而非硬生生的一個理字。

前後時期和凌廷堪在學術思想上相呼應的，有阮元、汪中、焦循、許宗彥、孫星衍、黃式三及詁經精舍諸子等等。阮元和凌廷堪都堅決反對理學中「天理人欲」截然對立的主張。他們歸納古書中「己」字的原意，重新解釋《論語》「克己復禮」一詞。他們指出克己的「己」是「人、我」的對稱，所以「己」是指自身。因此克己的意思是「修身」，「克己復禮」是以禮修身；絕非宋儒所說的己作「私」解、克己是「克制私欲」、「克己復禮」是克制私欲使合於理。㊸阮、凌的訓詁打破了理學中「天理人欲截然對立」的觀念，也讓思想界重新思考人與理的關係。事實上，清儒有關「克己」的重新註釋，已成爲觀察清代學術思想轉向的一個重要指針，並漸爲學界所重視。㊹其實，清儒自戴震以來一直企圖打破理學中天理人欲截然對立的觀念，而致力於重新突顯人類存活、人我交往之際的種種眞實情欲。阮元在爲孫星衍的新書《問字堂集》寫序時，就曾激烈的說出：「宋人最鄙氣質之性，蓋無氣質血氣，則是鬼非人矣，此性何所附麗？」而孫星衍則用考證的方法寫了一篇〈原性〉，從天道陰陽五行之流行界定人性。他說人之性，動則生情，情動則生欲，性有仁義禮智信之五德，也有喜怒哀樂愛惡懼之七情。其中最值得注意的是，星衍說性動生情、情變生欲，欲是從人性中自然且必然流衍出來的。同時星衍更明確的說：這「欲」可能是「己立立人，己達達人」的欲，也可能是「貪利之欲」。把「貪利之欲」和人性直接聯繫起來，較諸凌廷堪的人性好惡說，是更落向經驗界了。至於行爲之善的可能，他的理論是：因爲性具陰陽之流衍變化，所以性也可因「化」

㊸ 〔清〕阮元：《揅經室一集·論語論仁論》，卷 8。凌廷堪：《校禮堂文集·與阮中丞論克己書》，同注㊶，卷 4。

㊹ 〔日本〕溝口雄三著，林右崇譯：《中國前近代思想的演變》（臺北：國立編譯館，1991年）；〔日本〕濱口富士雄：《清代考據學の思想史的研究》（日本：國書刊行會，1994年）；及拙著：《以禮代理——凌廷堪與清中葉儒學思想的轉變》，同注㊶。

而「復遷於善」，把「教化」視為首要工夫。其實，孫星衍的目的很明顯的是要指出德行、情欲和貪利都是人性所本有，同時更是人類存活之不可或缺；只要能「發而中節」，就「未嘗不善」。所以他極力抨擊理學「斷愛去欲」的主張。㊺事實上，這些清儒根本不從超經驗界去認知人性，他們也不認為以先驗抽象的方式所認知的人性，有可能解決人類現象界的問題。換言之，這些學者並不認為從善惡上去判準人性能有效的解決現實問題。因此，他們更關切的是：如何在平衡人我各種情感欲望的同時，去建立理則，並據此理則重整社會秩序。

結　語：新情理觀的出現

從戴震批評宋儒「以理殺人」，後繼的清代學者就一直在尋求如何建立一套客觀且公正性的理則。倡言以禮代理的凌廷堪，一再強調「緣情制禮」。焦循高揭「忠恕」「絜矩」，就是主張人我同心、推己及人。至於孫星衍的「格物致知」新解，更是把戴震所說的「養知」和經世實務結合起來，成為「見事之明」的「判擇能力」。乾隆五十五年至五十九年（1790－1794）的五年間，孫星衍在京師總辦秋審，更是詳查案情之所有曲折，靈活用律，不拘泥於固舊之禮制，務使合乎情理。如審「護嫁母傷人」案，認為「護嫁母」與「護母」同，子護其母，親情自然，不得因母與父婚姻關係之改變而異。完全擺脫禮制上嫁母與母地位不相等的舊說。

事實上，撇開清初的程朱陸王之爭或乾嘉的漢宋之爭，甚至根本撇開反理學這些旗幟和口號，只單純的從思想界的立論新點和努力方向來看，我們不難發現清儒面對最迫切的社會問題是：社會失序。為了重整社會秩序，清儒強調整飭彝倫、端正禮俗。但緊逼而來在落實面尚未展開之際，思想界就面對了最

㊺　〔清〕孫星衍：《問字堂集·原性》，卷 1。並參考拙文：〈孫星衍原性說及其在清代思想史上的意義〉，《劉廣京院士七十五歲祝壽論文集》（臺北：中研院近史所，1998 年）。

尖銳的挑戰，即：「理則」與「人情人性」之間的斷裂。基本上，清儒從戴震、程瑤田，凌廷堪、阮元、焦循、孫星衍、甚至中期的龔自珍，都在尋求一合情合性的「理則」。我試稱此一轉變爲從「天理」到「情理」。這當中清儒的努力，不只包括直接從事義理性質之經典的重新闡釋，如戴震、焦循注《孟子》，黃式三、劉寶楠注《論語》；也包括從事《五經》注疏的學者，如凌廷堪的《儀禮釋例》、程瑤田的《宗法小記》、凌曙的《春秋公羊禮疏》、龔自珍的《春秋決事比》等等。當然，此一尋求的路子相當曲折，也相當具有衝突性。最明顯的議題該是：禮教（禮制）與人情之間的衝突。即：清儒在禮制原型之考證後所得出的理，和時移勢異生活事實轉換之後的人情，難相合轍；但間中竟也有規正後世禮教苛酷完全偏離禮意本原之處。換言之，經典禮制在歸納設計之初所依據之現實，在二千年間自然環境社會經濟政治文化等各種變化下，人文關係早已複雜多樣到或偏離於昔日禮意、或非昔日禮制所能御統、甚或非昔日禮制所能關照。因此，清代學者在這些問題上進行著激烈的辯論。當然，細密的考證是一切論戰的必要基礎。但無論如何，新的合情之理卻是被迫切的要求得出現。

依目前所進行的研究，可以看出清儒致力最勤的是禮制和斷獄，而禮制中又以「喪服」爲大宗。試以「嫂叔服制」爲例說明。依《儀禮》「嫂叔無服」，指嫂叔之間勿需爲對方服喪服，其目的是在「別嫌」。禮制如此規定的原因是，異姓女子嫁入男家，除了丈夫翁舅之外，最敏感的男女關係就是伯叔，因此禮的「男女之大防」就落實在嫂叔的界分上。但實際生活裏，嫂叔同住一家庭同祭一先祖，所謂「同炊共祭」憂戚與共；甚至舅姑早歿有些幼叔全仗長嫂撫育成人。情深義重，又何能因別嫌一語即棄人情於不顧？唐人韓愈就曾爲嫂服一年之喪，報答撫育之恩。明清以降，尤其清中葉，有關嫂叔無服，嫂叔有服、嫂叔別嫌、嫂叔情義的種種爭論，就成了宗法倫理制度上的一大論辯，爭議十分激烈。㊻其他如：妾之子爲生母宜服何服？過繼子爲其生父母宜服何服？都是圍繞著禮制與人情之糾葛所展開的討論。當然這當中也有一些突破。如對「貞女」觀念的澄清，指出依《禮》「親迎」才是夫婦身份之確定，未親迎即是未嫁，以未嫁之身爲陌生男子守節，是荒謬的。這些，清儒在考證古禮之後所揭示的「理」，確實也糾正了當時流行的禮教觀念，在思想上有廓清作用。總之，清儒對這類問題進行分析、反思與辨論，表明知識界正面對情欲覺醒後的人倫秩序重整。

大眾文化中所呈現的情欲覺醒，層面相當廣，不只是男女之情、親子之情，更有婦女的創作欲望、成就欲望。而思想界所思考的「達情遂欲」，其落實處則更形嚴肅，多指的是制度修正、析理斷獄等人生終極裁決之事。十七世紀以降情欲覺醒最直接促成的就是新情理觀的出現，它的特點在：即事言理、即人我之情言理。「理」之所以能擔任「物則」「規範」的作用，不是因爲「理本諸天」，而是因爲「理原於情」。此一從「天理」走向「情理」的轉向，或可謂是近世思想文化的一大走勢。當然，這當中還有許多歷史現象得作更詳細的釐清。㊼至於此一思想界所面對的困境，或其反省，是否已到達新文化運動時所追求的個人獨立，即所謂自然人或個體人權的事實存在，現在還言之過早。不過，我們可以肯定的是當時知識界確確實實認知到情欲與禮教（禮制）之間的懸離與隔閡，也意識到人性的被扭曲，同時致力於倫理關係倫理制度的反省，並企圖在人的情欲基礎上，重建理則。

1998,11,30

㊻ 詳拙文：〈嫂叔無服，情何以堪？——清代禮制與人情的衝突〉，《禮教與情慾》，同注㉟。

㊼ 張彬村教授最近的研究就指出元代以前婦女的人身權尤其是改嫁權，是由女方父母主導的。宋代的法典《宋刑統》甚至規定，即使寡婦要守節，本生父母或祖父母也可以強迫她再婚。至於將婦女視同夫家財產，由夫家全權處理，是元代以後的事。詳氏撰：〈明清時期寡婦守節的風氣：理性選擇（rational choice）的問題〉，《新史學》（1988 年，排印中）。

洪亮吉「藏書家有五等說」考辨

趙飛鵬*

洪亮吉（1746-1809），字稚存，號北江，江蘇陽湖人，是清代著名的學者、詩人。他所著《北江詩話》，南海伍崇曜稱讚他說：

> （所論）俱精確不磨，固不同文人相輕積習，轉貽笑柄者。❶

可知後世對此書的評價很高。在《北江詩話》的卷三，有這樣一段話：

> 藏書家有數等：得一書必推求本原，是正缺失，是謂考訂家，如錢少詹大昕、戴吉士震諸人是也；次則辨其板片，注其錯訛，是謂校讎家，如盧學士文弨、翁閣學方綱諸人是也；次則搜采異本，上則補石室金匱之遺亡，下可備通人博士之瀏覽，是謂收藏家，如鄞縣范氏之天一閣、錢塘吳氏之瓶花齋、崑山徐氏之傳是樓諸家是也；次則第求精本，獨嗜宋刻，作者之旨意縱未盡窺，而刻書之年月最所深悉，是謂賞鑒家，如吳門黃主事丕烈、鄔鎮鮑處士廷博諸人是也；又次則於舊家中落者，賤售其所藏，富室嗜書者，要求其善價，眼別真贗，心知古今，閩本蜀本，一不得欺，宋槧元槧，見而即識，是謂販掠家，如吳門之錢景開、陶五

* 國立成功大學中國文學系助教授。

❶ 伍崇曜：〈北江詩話跋〉（臺北：廣文書局，1971 年《古今詩話叢編》影印《粵雅堂叢書》本），卷末。

柳；湖州之施漢英諸書估是也。❷

這就是著名的「藏書家有五等說」。

在文學史上，將文學家評分等第，應該是始於鍾嶸的《詩品》，洪氏則把這個方式用來品第藏書家，可以說也是一項創舉。自從洪北江提出這個說法之後，歷來學者受到他的影響而或明或暗襲用其說的，似乎不少，對所謂藏書家的評價形成一種固定的看法，其中的得失，值得探究。

首先，可以繆荃孫爲例，他的《藝風堂文漫存》〈辛壬稿〉卷三裡這麼說：

> 毛刻四唐人詩，在毛刻為最精，而改換行款、喜易古字，異本標『一作』於下，參合各本，擇善而從，後來盧抱經、孫淵如墨守此派；敕先（陸貽典）則據一宋本，筆筆描似，即訛字亦從之，縮宋本於今日，所謂下真跡一等者，後來黃蕘圃、汪閬源（汪士鐘）墨守此派。兩派一屬校讎，一屬賞鑑，均士林之導師也。（又見於《藝風藏書續記》卷六〈校宋本杜荀鶴文集〉，文字略有不同。）❸

「校讎」、「賞鑑」都是洪氏所用的詞語，可見繆藝風之說是脫胎自北江。

其次，余嘉錫先生於民國二十七年（1938）爲傅增湘先生《藏園群書題記》作序，在序中批評黃丕烈時說：

> 其後如黃蕘圃者，尤以佞宋沾沾自喜，群推為藏書大家，而其所作題跋，第侈陳所得宋、元本楮墨之精、裝潢之美，索價幾何、酬值幾許，費銀

---

❷ 同前注，卷 3，頁 83。

❸ 繆荃孫：〈校本六唐人集跋〉，《藝風堂文漫存》（臺北：文史哲出版社，1973 年影印本），辛壬稿，卷 3，頁 131。

幾兩、錢幾緡，言之津津，若有餘味，頗類賣絹牙郎！至於此書為何而作？板本之可資考證者安在？文字之可供讎校者謂何？則不能知也。❹

我們對照余先生在書序的前面所說：

惟藏書家多見異書，縱不能如劉向之殺青定著，亦當舉其所見，貢諸當世。上之取舊刻名鈔，點勘纂著，作為校記，如盧抱經之《群書拾補》；次之擷取善本之長，以正俗刻之誤，作為解題，如陳仲魚之《經籍跋文》。如此則存古書之面目，示後學以門徑，於南面百城，庶幾無負。

雖然批評的是黃丕烈，但是將藏書家分為上、次兩等，可知余先生的觀點，就是受到洪北江的影響。

接著，張舜徽先生在《中國古代史籍校讀法》第四章第一節，有這樣的評語：

洪亮吉《北江詩話》，分藏書家為數等，有所謂考訂、校讎、收藏、賞鑑、販略諸家的不同，卻把黃丕烈列入了賞鑑家，不能說冤屈了他！❺

同樣是評論黃丕烈而贊同洪北江的說法。

另外，王欣夫先生在《黃蕘圃先生年譜補》的序言中說：

洪稚存列藏書家為五等，而目先生（案：指黃丕烈）為賞鑑家，其為當時

---

❹ 余嘉錫：〈藏園群書題記序〉，《余嘉錫文史論集》（長沙：岳麓書社，1997年），頁534。
❺ 張舜徽：《中國古代史籍校讀法》（臺北：盤庚出版社，1979年影印本），頁168。

儒林所推重如此。❻

對於洪氏的說法也表贊同。只是王先生認爲「賞鑑家」的評語是一種「推重」，和張先生看法有所不同。

至於反對的意見，雖然不多，但是很重要。可以清末的葉德輝爲例，在他的《書林清話》卷九「洪亮吉論藏書有數等」條中評論說：

按洪氏亦約略言之。吾謂考訂校讎，是一是二，而可統名之著述家。若專以刻書為事，則當云校勘家。如順康朝錢謙益絳雲樓、王文簡士禎池北書庫、朱彝尊曝書亭，皆著述家也。毛晉汲古閣，校勘家亦收藏家也。錢曾述古堂、也是園、季滄葦振宜，賞鑒家也。毛氏刻書風行天下，而校勘不精，故不能於校讎分居一席。猶之何焯《義門讀書記》，平生校書最多，亦只可云賞鑒，而於考訂校讎皆無取也。與洪同時者，尚有畢制軍沅經訓堂；孫觀察星衍平津館、岱南閣、五松園；馬徵君曰璐叢書樓、玲瓏山館，考訂、校讎、收藏、賞鑒皆兼之。❼

葉氏的評論是從洪亮吉所分的類別著眼的，認爲洪氏的分類不盡完整。實則這只是指出其中一面的問題，深入分析，還有許多疑問尚待澄清。

平心而論，洪北江的「五等」說，是很有問題的，至少可以從三個方面加以考察：

首先是「藏書家」含義的問題。

「藏書家」顧名思義，當然是指收藏書籍的著名人士。收藏書籍的內容，

---

❻ 王大隆：〈黃蕘圃先生年譜補序〉，《黃丕烈年譜》（北京：中華書局，1988年），頁99。

❼ 葉德輝：《書林清話》（臺北：世界書局，1983年排印本），卷9，頁250。

又可以從數量與質量兩方面來論。收書的數量龐大，固然可以稱爲藏書家，以清代而言，如孔廣陶的「三十三萬卷書堂」、莫伯驥的「五十萬卷樓」，從樓名就可看出以數量誇示的用意。有些人則是重質不重量，專以蒐購宋、元古本爲目標，如黃蕘圃的「百宋一廛」、陸心源的「皕宋樓」、吳兆騫的「千元十駕」，明顯的表示佞宋嗜元的偏好，當然也足以名列大藏書家之林。但是除了這些大藏書家以外，一般的讀書人或多或少也都會購書、抄書，只是他們的目的不是要成家揚名，只是身爲一個知識份子天生的宿命，或是「職業本能」的驅使，才終日與書爲伍。如果這些讀書人的收藏，達到一定數量，是否也可以稱爲藏書家呢？也就是說，什麼樣的條件，可以稱爲藏書家呢？洪氏在「五等說」中，並沒有考慮到這個問題，卻分出了「考訂家」、「校讎家」等，也沒有各別給它一個界說。而像錢大昕、翁方綱等人，基本上是以某方面的專業成就馳名於學術界的（如錢氏的史學、翁氏的金石學），當然他們也都一定會有相當數量的藏書，但是很少有人把他們視爲藏書家。即使一定要稱他們爲藏書家，他們所收藏的必然偏重於某些專科書籍，和不拘四部、全面蒐藏的「收藏家」還是有所不同的。再則所謂的「販略家」，其實就是從前買賣古書的書商，雖然其中有些人因爲經常接觸宋、元舊本，爲了避免上當，也爲了取信於人，必須具備版本目錄方面的知識，但是這只是代表他們鑑別的經驗較爲豐富而已，是否就可以稱爲專家，而列在藏書家之林，是很有疑問的。所以，洪氏「五等說」第一個值得商榷的地方就是定義與分類的模糊不清。

其次是藏書家是否可以分等的問題。

洪氏「五等說」最嚴重的錯誤，就是提出了一個藏書家分等第的問題，不但分類，還定出了高下。洪氏的原文裡，最先提到的是「考訂家」，然後說「次則……」，「又次……」，這個「次」字就隱含有每況愈下、愈後愈差的意思。「販略家」這一類，前面已經指出可以不必列入，姑且不論。剩下四類：考訂家，無疑在洪氏心目中是評價最高的，但是所謂「考訂」，應該就是「考據」，梁任公先生早就指出：清代考據學的基礎就是建立在校勘之上，❽可見考據、校勘是一體兩面，不分軒輊。葉德輝所說的：「余謂考訂、校讎，是一是二」，理由也正在此。只是葉氏接著說「可統名之著述家」，同樣犯了語意模糊的毛病。所以，「考訂家」與「校讎家」的地位是完全一樣的。至於「收藏家」，這一類是最合乎「藏書家」定義的，然而其重要性顯然也絕對不亞於考訂、校勘！以清代而言，洪有豐先生曾經指出：

> 有樸學之提倡，而藏書之需要亟；有藏書供其需要，而樸學乃益發揚光大。❾

就以前述所及的錢大昕爲例，根據羅炳綿先生研究統計，曾經和錢氏有交誼、互通有無的藏書家多達四十七人，❿可見收藏家和考訂家也是共存共榮的關係，怎能認爲收藏家就不如考訂家呢？再者，所謂「賞鑒家」，這個名詞大概出於《四庫全書總目》對錢曾的評語，⓫意思是這些人把古書看做是古董，收藏古書就像收藏古董，不是利用古書做研究，而是欣賞其「板本之後先、篇第之多寡、音訓之異同、字畫之增損，及其授受源流、繙摹本末，下至行幅之疏密廣狹、裝綴之精粗敝好。」⓬。換言之，「賞鑒家」只重視古書的形式美，鑽研書籍的外觀，忽視了書籍的內容。其實，「賞鑒古書形式之美」可以說是古代藏書家普遍的興趣，並不是獨以所謂「賞鑒家」爲然。藏書家喜好收藏宋、

---

❽ 梁啟超：《清代學術概論》（臺北：臺灣商務印書館，1974 年），頁 2。

❾ 洪有豐：〈清代藏書家考〉，《圖書館學季刊》第 1 卷第 1 期（1916 年 3 月），頁 42。

❿ 羅炳綿：〈錢竹汀的校勘學與同時代藏書家〉，《清代學術論集》（臺北：食貨月刊出版社，1978 年），頁 451。

⓫ 《四庫全書總目·史部·目錄類存目·讀書敏求記提要》（臺北：藝文印書館，1979 年影印本），卷 87，頁 1750。

⓬ 王芑孫：〈陶陶室記〉，《藏書紀事詩》（臺北：世界書局，1980 年），卷 5，頁 314。

元版書，從明代就開始了，張均衡《適園藏書志·序》說：

當蒙古朝，宋亡未久，槧本已為藏書家所珍。豐坊為〈華氏真賞齋賦〉，注中所列宋本書籍，與六朝三唐法書、名畫等重。及後常熟諸藏書家益相推重，毛子晉至計卷償金，錢遵王以佞宋為號；及崑山徐氏、泰興季氏，推及元槧，甚至以宋元版書名目。流風餘韻，遍及東南好事者，得一宋本，互相誇尚，形諸序跋歌詩。於是上動天子之聽，《天祿琳瑯》一編，宋元槧本外，更及明刻之精者，而有明翻宋諸刻，亦遂與天水、蒙古并為世珍矣！⓭

這段話不但說明了清代藏書家重視宋、元版的經過，更指出喜好宋、元版書不是藏書家的專利，就連帝王天子也難免爲風氣所動。至於宋版書到底有什麼值得如此珍重的？明代屠隆《考槃餘事》卷一〈論書〉說：

書貴宋、元者何哉？以其雕鏤不苟，校閱不訛，書寫肥瘦有則，刷印清明。⓮

高濂《燕閒清賞箋》〈論藏書〉也說：

宋人之書，紙堅刻軟，字畫如寫。格用單邊，間多諱字，用墨稀薄，雖

⓭ 張均衡：〈書鈔閣行篋書目提要〉，《適園藏書志》（臺北：廣文書局，1967 年《書目續編》本），卷 8，頁 250。

⓮ 屈萬里、昌彼得、潘美月等著：《圖書版本學要略》（臺北：中國文化大學出版部，1986 年增訂本），頁 71 引。

著水溼，燥無湮跡。開卷一種書香，自生異味。⑮

這就是純粹從書的「外觀形式美」上面加以肯定。因此可以說只要是藏書家，同時也就是一個「賞鑒家」，兩者也是不可分的。近代研究版本學的學者，歸納出宋、元古書的價值，有所謂「三性說」，也就是：歷史文物性、學術資料性、藝術代表性。其中「藝術代表性」的意思是：

主要是指那些能反映我國古代各種印刷技術的發明、發展和成熟水平；或是在裝楨上能反映我國古代書籍各種裝楨形制的演變；或是用紙特異，印刷精良，能反映我國古代造紙工藝的進步和印刷水平的古書。⑯

這就是對古書「形式美」的肯定。也就是說：所謂善本，其中一個條件就是其「形式外觀之美」。所以做爲一個藏書家，是不可能不重視古書的「形式美」的。

第三是對個別學者認識的問題。

洪氏在提出「五等說」的時候，每一類各舉出幾位著名人士做爲例證，這就表現出他對那些人士的認識，是否正確。本來身爲一個學者，其表現的成就，往往是多方面的，很難也不應該用一種固定的類別加以限制，否則就是對這些傑出學者的認識有錯誤。比如李遠哲先生，在他獲得諾貝爾物理學獎以後，當然被視爲是傑出的物理學家，可是最近幾年，他又積極投入教育改革的工作，也有了一定的成績，於是我們又可以把他視爲教育學家；另一方面，李先生也擔任中央研究院院長的職務，推動院務改革，建立許多新制度，使得中研院有

---

⑮ 〔明〕高濂著，王大淳點校：《遵生八箋·燕閑清賞箋·論藏書》（成都：巴蜀書社，1992年重訂全本），頁538。

⑯ 姚伯岳：《版本學》（北京：北京大學出版社，1993年），頁143。

了全新的風貌，從這一點，我們是不是又可以視他爲一位行政專家呢？可見當我們用某一種固定的名稱或分類來規範一位學者時，我們對他的認識就已經有了局限，洪北江的「五等說」就犯了這個錯誤。限於篇幅，在這裡只舉出兩位做例證，一位是「校讎家」的翁方綱，一位是「賞鑒家」的黃丕烈。

先看翁方綱。《清史稿》卷四八五說：

> 方綱精研經術，嘗謂考訂之學以衷於義理為主，《論語》曰『多聞』、曰『闕疑』、曰『慎言』，三者備而考定之道盡。

又說：

> 方綱讀群經，有《書》、《禮》、《論語》、《孟子》附記，並為《經義考補正》。尤精金石之學，所著《兩漢金石記》，剖析毫芒，參以《說文》、《正義》，考證至精。所為詩，自諸經注疏，以及史傳之考訂，金石文字之爬梳，皆貫串洋溢其中，論者謂能以學為詩。⓱

從《清史稿》這兩段話裡，可以知道翁方綱是身兼經學家、金石學家、詩學理論家等，⓲即使含糊一點說，也可以把他放在「考訂家」之列，洪北江稱之爲「校讎家」是不適當的。

再看黃丕烈。黃氏做爲一位大藏書家，其地位固然不容置疑。吳梅〈群碧樓書目序〉說：

⓱ 《清史稿》（臺北：洪氏出版社，1981 年），卷 485，頁 13394。

⓲ 翁方綱的論詩主張稱為「肌理說」，見劉大杰：《中國文學發展史》（臺北：古文書局，1983 年影印本），頁 284。

江南藏書之富，以金陵、吳郡為最。吳郡自明吳文定、王文恪、都元敬、文徵明、毛氏父子；清絳雲、述古、傳是而後，要以黃氏士禮居為大宗，百宋一廛，形諸賦詠，海內好古之士，或未之能先也。⑲

日本武內義雄也說：

清藏書家以吳縣黃丕烈為第一。⑳

但是黃蕘圃之所以受到後人推崇，絕不僅是由於他的藏書家地位。王芑孫〈陶陶室記〉說：

今天下好宋板書，未有如蕘圃者也。蕘圃非惟好之，實能讀之。㉑

這就指出黃蕘圃不僅是藏書家，也能利用藏書治學。清末四大藏書家之一的丁丙曾說：

校勘之學，至乾嘉而極精，出仁和盧抱經、吳縣黃蕘圃、陽湖孫星衍之手者，尤校讎精審，朱墨爛然，為藝林至寶。㉒

劉肇隅也說：

---

⑲ 吳梅：〈群碧樓書目序〉，《群碧樓善本書目》（臺北：廣文書局，1967 年《書目續編》本），頁 1。

⑳ 葉德輝：《書林餘話》（臺北：世界書局，1983 年），卷下，頁 46。

㉑ 王芑孫：〈陶陶室記〉，同注⑫。

㉒ 丁丙：《善本書室藏書志》（臺北：廣文書局，1967 年《書目叢編》本）〈編輯條例〉，頁 3。

宋元明迄國朝藏書家，於是喜言校勘，並考辨目錄版本，至黃佞宋、顧思適兩家為最大。㉓

這都是表彰黃蕘圃在版本學、目錄學以及校勘學上的成就。近代另一位著名的藏書家鄧邦述說：

世所珍《國語》、《國策》刊本，必以蕘翁士禮居繙刻宋本為第一。㉔

這乃是稱讚黃氏所刊印的《士禮居叢書》，張之洞對於黃氏的刻書也是推崇備至。㉕可見黃蕘圃是身兼藏書家、版本學家、校勘學家、出版家等等身分的學者，絕不僅僅是所謂的「賞鑒家」而已！

綜合上述各項分析，可知洪北江把學者、藏書家、書商混爲一談，又強分優劣，證明他並沒有一套客觀的標準，所謂「五等說」，應當不是一項嚴謹的學術評論。後世學者引用之際，似未再加深入思考，以致造成對某些藏書家評價的錯誤，追本溯源，因而在此提出辨正。

㉓ 劉肇隅：〈藏書紀事詩跋〉，同注⑫。

㉔ 鄧邦述：〈明嘉靖金李刻本國語提要〉，《寒瘦山房鬻存善本書目》（臺北：廣文書局，1967 年《書目續編》本），頁 112。

㉕ 〔清〕張之洞：《書目答問》（臺北：漢京文化事業公司，1984 年），頁 325。

內藤湖南的日本文化論

連清吉*

一、著述生平

內藤湖南（1866－1934）字炳卿，慶應丙寅二年七月十八日出生於秋田縣鹿角郡毛馬內町。以虎年生又為內藤調一氏的二男，故名虎次郎。由於出生地在十和田湖之南，故自號湖南。明治十六年（1883）三月入學秋田師範學校，十八年七月畢業於秋田師範學校高等師範科，分配至秋田縣北秋田郡綴子小學擔任訓導。二十年八月離職上京，協助大內青巒編輯宣傳佛教教義的雜誌《明教新誌》。此後展開其長達二十年大眾傳播工作的生涯。由於雜誌編輯及新聞採訪的工作，形成了內藤湖南博學宏觀而且下筆如有神的學術性格。❶由於內藤湖南的博覽多聞，見識非凡，又有洛陽紙貴的名著《近世文學史論》《諸葛孔明》《涙珠唾珠》等書，於明治四十年（1907），在狩野亨吉、狩野直喜的強力推薦下，從大阪朝日新聞社記者轉任為京都帝國大學文科大學東洋史學講師。四十二年（1909）昇任教授，揭開其教學上庠、著書立說之生涯的序幕。茲摘錄《全集》所載的「年譜」以略述其新聞記者、雜誌編輯與講述著作的生

---

* 日本長崎大學環境科學部環境文化講座副教授。

❶ 武內義雄曾問內藤湖南說：「在長年的記者生涯中，先生的學問是如何形成的。」內藤湖南說：「我利用記者的特權，採訪宿儒耆老。我的學問就是從思考並模倣老儒學問方法而得來的。」見〈湖南先生の追憶〉，《支那學》第10卷第3號（1934年7月），頁77。

涯。❷

慶應二年（1866）

七月十八日生。

明治十六年（1883）　十八歲

三月、入秋田師範學校。

明治十八年（1885）　二十歲

七月、秋田師範學校畢業、分發到北秋田郡綴子小學、擔任訓導。

明治二十年（1887）　二十二歲

八月、辭去北秋田郡綴子小學教員的工作、上京擔任《明教新誌》的編輯。

明治二十三年（1890）　二十五歲

九月、擔任《三河新聞》的主筆。

十二月、擔任政教社發行的雜誌《日本人》的記者。

明治二十六年（1893）　二十八歲

一月、辭退政教社的職務、協助大阪《朝日新聞》主筆高橋健三執筆論說。

明治二十七年（1894）　二十九歲

七月、進入大阪朝日新聞社。

明治二十九年（1896）　三十一歲

九月、與田口郁子結婚、育有五男四女。

九月、協助就任松隈內閣書記官長高橋健三起草內閣政綱。

十二月、辭去大阪朝日新聞社的工作。

---

❷　有關內藤湖南生平事跡的記載，除了《內藤湖南全集》（東京：筑摩書房，1976 年），第 14 卷所收錄的〈年譜〉〈著作目錄〉以外，尚有《支那學》第 7 卷第 3 號（1934 年 7 月）所收的〈內藤湖南先生追悼錄〉，三田村泰助的《內藤湖南》（中央公論社，1972 年，中公新書 278）、〈內藤湖南〉，《東洋學の創始者たち》（講談社，1976 年）、小川環樹的《內藤湖南》（中央公論社，1984 年，日本の名著 41）等資料。

明治三十年（1897）　三十二歲

一月、刊行《近世文學史論》。

四月、擔任《台灣日報》的主筆、因赴台北。

六月、刊行《諸葛武侯》《淚珠唾珠》。

明治三十一年（1898）　三十三歲

四月、辭退《台灣日報》的職位。

五月、執筆《萬朝報》的社論。

明治三十二年（1899）　三十四歲

九月至十一月、旅行中國華北、長江流域。

明治三十三年（1900）　三十五歲

四月、辭退《萬朝報》的工作。

六月、刊行《燕山楚水》。

七月、再度進入大阪朝日新聞社、執筆論說。

明治三十五年（1902）　三十七歲

十月、被大阪朝日新聞社派至朝鮮、滿洲、華北、江浙各地遊歷。

明治三十八年（1905）　四十歲

六月、受外務省（即外交部）的委託、調查滿洲地區的行政。

明治三十九年（1906）　四十一歲

七月、辭去大阪朝日新聞社的職務。

十一月、至朝鮮、滿洲考察。

明治四十年（1907）　四十二歲

十月、應聘京都帝國大學文科大學東洋史學講師。

明治四十二年（1909）　四十四歲

九月、昇任教授。

明治四十三年（1910）　四十五歲

九月、與狩野直喜、富岡謙藏、小川琢治等至中國考察學術。

十月、獲頒文學博士學位。

明治四十五年（1912）　四十七歲

三月、刊行《清朝衰亡論》。

三月、至瀋陽蒐集資料。在富岡謙藏、羽田亨的協助下、拍攝《五體清文鑑》、抄寫《四庫全書》珍本。

大正三年（1914）　四十九歲

三月、刊行《支那論》。

大正五年（1916）　五十一歲

七月、刊行《清朝書畫論》。

大正十二年（1923）　五十八歲

夏、校訂《支那上古史》《支那史學史》。

十一月、刊行《寶左盦文》。

大正十三年（1924）　五十九歲

九月、刊行《日本文化史研究》《新支那論》。

大正十五年（1926）　六十一歲

八月、自京都帝國大學退休。

昭和二年（1927）　六十二歲

七月、獲贈京都帝國大學名譽教授。

昭和三年（1928）　六十三歲

春、刊行《玉石雜陳》。

四月、刊行《研幾小錄》。

昭和四年（1929）　六十四歲

八月、刊行《讀史叢錄》。

昭和五年（1930）　六十五歲

刊行《增訂日本文化史研究》。

昭和九年（1934）

六月二十六日去世。

昭和四十五年（1970）

九月、刊行《內藤湖南全集》第一卷（筑摩書房出版）。

昭和五十一年（1976）

七月、刊行《內藤湖南全集》第十四卷。❸

內藤湖南的著述以史學的研究居多，涉及的領域則涵蓋了中國歷史、文化史、繪畫史等範疇。中國史學的研究乃綜括上古以迄清代，特別是清史的論述，實開啓了清史研究的先聲。東洋文化史與日本文化史的著作，則是「內藤獨斷史學」❹的產物。至於中國目錄學與中國繪畫史的撰述則反映出京都特有環境所產生的學問。敦煌學與甲骨金文的研究則是京都學派以清朝考證學爲基礎而

---

❸ 《內藤湖南全集》凡十四卷，經六年纔刊畢。目次如下：
第一卷：近世文學史論、諸葛武侯、淚珠唾珠。
第二卷：燕山楚水、續淚珠唾珠、台灣日報和萬朝報所載文、高橋健三君傳、追想雜錄。
第三卷：大阪朝日新聞所載論說。
第四卷：大阪朝日新聞所載論說（續）、大阪朝日新聞所載雜文、時事論。
第五卷：時事論（續）、清朝衰亡論、支那論、新支那論。
第六卷：雜纂、序文、旅行日記、滿洲寫真帖。
第七卷：研幾小錄（一名支那學叢錄）、讀史叢錄。
第八卷：東洋文化史研究、清朝史通論。
第九卷：日本文化史研究、先哲の學問。
第十卷：支那上古史、支那中古の文化、支那近世史。
第十一卷：支那史學史。
第十二卷：目睹書譚、支那目錄學。
第十三卷：支那繪畫史。
第十四卷：漢文、漢詩、和歌、書簡、著作目錄、年譜。
第二次發行則在一九九六年十月到一九九七年十二月的一年二個月間刊畢。

❹ 桑原武夫說：內藤湖南以為歷史學家必需具備劉知幾所謂的〈才、學、識〉。亦即既要具備博學多聞又要獨具洞鑑，才能成就宏觀的史學研究。見其內藤湖南《日本文化史研究》的〈解說〉，《日本研究史研究（下）》（講談社學術文庫，1926年），頁174。

揚名於世界學術界的代表性學問。換句話說內藤湖南的學問是史學，至於其歷史研究，則不僅是史料整理排比的「史纂」而已，也不只是文獻參互搜討的「史考」而已；實以博學宏觀的識見，而以世界學術中的東洋學術地位爲念而鑽研東洋的學術文化。故小川環樹盛贊其爲「文化史學家」，❺與狩野直喜並爲京都學派的代表，是近代日本支那學的雙璧。一般以爲京都學派的學問只是考證而已，其實京都學派的學術性格，特別是內藤湖南的學問，是在目錄學的基礎上進行通說的博引與精詳的考證，進而以宏觀的識見建立其史學觀。又浸染於京都（即日本古文化之所在）的學術環境與江戶中期以來考證風氣的傳承，提出所謂學問與趣味兼容並蓄而渾然融合，才是眞正學問的治學理念。所處理的材料也不限於中國的典籍而已。除中國傳統經書、歷史與文學外，又潛心研究足以與世界漢學界分庭抗禮的敦煌學，致力於先賢學問的闡揚與足以比美中國的日本傳統學術文化的發掘。有關日本學術文化的研究，內藤湖南有《近世文學史論》《日本文化史研究》《先哲の學問》等書。❻

二、內藤湖南的日本文化論

內藤湖南對日本文化的主要論點有：「文明中心移動論」、「中國文化是日本文化的凝聚要素」、「應仁之亂是日本文化獨立的契機」、「螺旋循環狀的文化影響論」、「富永仲基的『加上說』是東西思想學派成立的通說」等等。茲論述於下。

---

❺ 內藤湖南以為清朝史學家中，最有見識的是章學誠。章學誠不以〈史纂〉與〈史考〉為尚，而以〈獨斷〉為尊。〈章學誠史學〉，《內藤湖南全集》，第 11 卷，頁 481。小川環樹的贊辭，見所著：《內藤湖南》，同注❷，頁 48。

❻ 《近世文學史論》（朝日新聞社，1949 年）、《日本文化史研究》（講談社學術文庫，1985 年）、《先哲の學問》（筑摩書房，1987 年）原本都有單行本，今皆收載於《內藤湖南全集》中。

㈠ 文明中心移動論

文明中心移動的主張見於內藤湖南《近世文學史論》的序論。《近世文學史論》的原名是「關西文運論」，連載於明治二十九年的大阪朝日新聞，敘述德川時代三百年間學術文化發展的大勢。其旨趣在論述德川時代的政治中心雖然轉移至江戶，但是學術文化的發源地則在關西（即京都與大阪一帶）。再就學術文化而言，關西的學術不僅能與江戶分庭抗禮，甚且有超越江戶之處。至於此一學術文化推移的現象，內藤湖南則是根據趙翼的「文化集中說」而提出「文明中心移動」的主張。至於文化是如何形成的，內藤湖南以為文化的形成與時代、地域有密接的關連。內藤湖南說：

> 文物者民族之英華、風土之果實也。或應其時而榮，譬猶櫻桃杏李之於盛春、桔梗、胡枝之於初秋。或因其壤而得宜，譬猶椰子、榕樹之蔭交於炎日之下、松杉檜柏之翠見於堆雪之中。

即自然景物乃因循時序而顯其英華，又浸染風土而壯碩成長。自然景物如此，人文的化成亦然。如日本德川幕府的各時代都有其時代文化特色，即寬文、延寶時代的文化風格是「寬綽」，元祿、寶永時代是「雄偉」，安永、天明時代是「簡素」，文化、文政時代則是「華麗」。❼至於中華文明又如何，內藤湖南用「文物與時代」「文物與風土」分別敘述華夏文化因時代地域的差異而各領風騷的情況。文物與時代的關係，內藤湖南論述說：

> 禮文之備於成周也、禮儀三千、威儀三千、其誦則雅頌、其絃則韶武。

---

❼ 文化與時代、風土的關係見於《近世文學史論·序論》，《內藤湖南全集》，第1卷，頁19。德川時代各代的文化特徵的說明則見於《近世文學史論·自序》，《內藤湖南全集》，第1卷，頁13。

辭令之妙於春秋也、雖戰陣之間、整而有暇、以為相尚、雍容閑雅、不曾急言竭論。辯說之盛於戰國也。長短捭闔、合縱連衡、安危人國、存亡人家。記誦訓詁之精於兩漢也、三冬二十萬言、奇字艱辭、衒耀博閎、名物度數、蟲魚草木、曲極詳密。清談詞章之行於六朝也、半吐半吞、含糊微中、以競其玄、綺章繪句、駢四儷六、以爭其巧。有唐之詩、已極菁華瑰麗、又有馳聘揮霍、渾渾浩浩、沈鬱頓挫。光前而啟後。有宋之學、極天人之際、發性理之奧、擺脫碎脞之習、體達精一之旨、排盡雲霧、親睹日月。明清纂輯考據、二酉四庫、汗牛充棟、若祭獺魚。剖析毫釐、鑑別錙銖、與蠹為伍。❽

即順隨著時代的變遷，其文化形態有所不同。中國的禮儀制度成於周朝而雅頌各得其所在。春秋之際，周文雖然失墜，於攻伐之先，依然行禮如儀。戰國時代遊說盛行，諸侯各以富國強兵爲計，遊士亦以私利爲尚，因此家國安危乃翻弄於縱橫家的三寸唇舌。劉漢接繼秦皇之後，設置博士以挽救秦火之浩劫，漢武尊崇儒術，文獻訓詁之學乃趨於詳細綿密。六朝清談與美文流行，文人以玄妙爲尚，駢儷是競。唐代一掃前代空談玄虛的風氣，以詩歌凝聚之意象與純青之技法，架構美善的詩文世界。宋代則以儒學爲宗尚，探究天人之際，發明性理之奧義。明清則是書籍編纂與文獻考證之時代。換句話說，中國學術文化發展的歷史過程中，各個時代都有其精華。周朝的文化結晶是典章制度，周秦之際是諸子之學，兩漢是經傳訓詁，六朝是玄學駢體，唐代是詩歌，宋代是儒學，明清則是典籍整理。

其次，文物與風土的關係，內藤湖南提出了東西分殊、南北別相的主張。

---

❽ 內藤湖南的《近世文學史論》係以日本式漢文寫作，筆者依其文意譯成古文，以下此書的引文皆如此。此書的日文語譯有小川環樹的《內藤湖南》，同注❷，頁 125-235。

內藤湖南說：

> 以其土則山東出相、山西出將。儒雅之風遺於洙泗、武健之俗存於甘涼。憲章儀文、經緯制作之美者華夏之所誇、箕子之〈洪範〉、周公之禮樂、實集而成之。鉤玄遠思、婉言微辭之妙、吳楚之所具、老莊之論著、屈原之文章、又其拔萃者。洙泗徐淮、介於南北之間、而子思孟軻含英咀華、斯備其物、而并盡其性。至淮南諸儒、又該齊東之怪詭。南北之際、晉尚玄言、宋尚文章、齊梁之君與其子孫亦皆於詩文見長。二陸張左、阮陶鮑謝、豈非時選耶。而元魏齊周則猶受馬鄭之流風、以通經績學為業，徐遵明、劉炫、劉焯之徒實嗣東京而開隋唐。唐踞秦漢之故地、其盛時之學者專以《三禮》為重、《漢書》《文選》次之、凡音義註疏之書、至此時而大成。北宋亦頗雅尚考古之學、自南人為國用、乃有誤唐之太宗為宋之太宗者、見朝章典故之不講。故至南宋，鄭樵、李燾、王應麟、馬貴與等雖極其精博、一世之所趨則不在此。濂洛之學牽北之氣運而南渡、朱陸之義、務在精微、以至及朱明而出餘姚直截一派。……

中國幅員廣大，表現出來的文化即有東西分殊、南北別相的現象，即山東文采燦然而宰輔、文人薈萃；山西性情剛健而將軍、武士輩出。法制儀禮齊整於黃河流域，經傳訓詁興盛於北方；至於玄妙神思的談義則流行於淮揚一帶。換句話說中國歷代的學術文化、風俗民情，由於山川形勢之地域性差別的關係而有東西的不同與南北的差異。特別是南北乖隔的因素所造成的不同就更爲顯著，而且此一文化現象的影響至爲深遠。如北朝以經書研究爲主，南朝則以詩文酬唱爲尚。北宋猶尚故實；南宋則以精思爲上。至於朱陸陽明的學問雖繼承北宋的儒學，而體思精微，以心性本體的窮究爲極致。

分別敘述文物與時代、文物與風土的關係之後，內藤湖南綜論由於時代與風土的結合而形成人文化成、文化薈萃的中心的現象。內藤湖南說：

> 夫以時經之、以地緯之、錯綜而變化之、文化之史於斯燦然為其美。觀錦繡之成文、繁簡相代、此有絢爛之處、彼有散漫之處。人之視線必集中於絢爛之處、而嫌其成段成匹、繁簡相代、從頭徹尾、上下一樣、則亦一縱一橫、以出其變化之奇。觀橫卷山水之作、必有處處湊合之位置、以使全幅氣脈斷續相屬，若藕折數節而絲則相牽。而其湊合之處、或重嶂、或孤峰、或懸泉、或幽壑、或樓閣、危巖、林樾、密篁、隨宜點綴、以避重複。於是有文化湊合中心之說。

以時代地域爲經緯而交錯成文化，譬諸山水繪畫，山泉林壑、高臺孤舟雖錯落其間，而脈絡相聯，縱橫交織，以成錦繡。❾至於文化中心的所在，又因爲各個時代的政治、經濟等因素而有移動的現象。內藤湖南說：

> 嘗述「地勢臆說」、因趙翼長安地氣說、頗發此義。秦中自古當帝王州、周秦西漢、南北之際、割據之大國、皆踞而為都、至唐開元天寶、長安之盛極矣。盛極必衰、是時地氣將自西趨於東北、安史亂後、河朔三鎮不受唐之節度、及其末、長安夷為郡縣、而契丹已起於遼。洛陽汴梁、為氣之趨東北者迤邐潛引、二百年後、東北之氣積而益固、至元明遂有天下之全。趙翼之論、大旨在此。因說長安之前有洛。蓋武力之強在冀川、當唐虞夏商南面而制天下、食貨之利在豫川、人文乃醞釀於此間、而洛處二州文物湊合之處也。又說長安地氣、代洛陽而興雍州人力、而

---

❾ 高橋健三出身名門，內藤湖南或受其的薰染，於進入大阪朝日新聞社之後，即留意於書畫。著有《支那繪畫史》，收於《內藤湖南全集》（1973 年），第 13 卷。

其索也。燕京之當帝王都者、出於人作、人文嚮行集中之所在揚州。以匡趙翼之謬。既草「日本之天職與學者」也、云：

……三代兩漢與唐宋明清、文化雖似一斷而再盛三興、河洛之開化非關中之文化、江北之休治非江南之人文、代代相推移、未必復興也。……河洛之澤竭而關內之化盛、北方之文物枯而南方之人文榮、亦以時而有所命也。

文明之中心、斷與時移動、更其移動也。後之中心必有因前之中心而有所損益、前者之特色或就消耗、所以為後者特色新展開之地、而各宜其時、以舖張人道文明維持萬世之意。蓋殷因夏禮、周因殷禮、而忠也質也文也、所尚不同。漢之治雜覇道、非專取王政、故周之禮文、秦之法律并採斟酌。唐合一南北、詩賦經藝兩存而為取士之方、志氏族者、傳尚六朝門地之風、定均田者、紹三代井田之遺。……此則文化湊合中心說之大梗也。

將少察慶元以來三百年間斯邦文物變移、而欲明其前後遞為中心之關東關西兩地、與其氣運而為力之所以、乃有感其時之所應、土之所宜、通而徵之四海不謬。故先發凡設例以啟其端如此。

趙翼於所著《二十二史箚記》中提出「長安地氣說」，主張中國歷代帝王大抵定都於長安，至唐天寶以後，長安地氣極盛而衰，始轉移至洛陽、汴梁、北京。但是內藤湖南以爲長安以前，洛陽匯聚冀州的軍事力與豫州的經濟財富而爲三代政治文化的中心所在。再者燕京雖爲明清以後發布政權的所在地，但是文化的中心則在江南一帶。如日本江戶時代以來，江戶（今東京）雖爲幕府發號施令的行政中心，但是江戶是人爲營造的新興都城，所謂江戶文化是日本近代文化的典型；日本傳統學術文化所在則是在京都爲中心的關西。換句話說以東京爲中心的關東江戶只是近代日本的政治舞台與反映新思潮的所在，至於京阪一帶則是人文薈萃的所在，其所呈現的文化，所保存的文物，都是日本傳統的結晶。至於文化類型的形成是前後因襲相承的，如殷承夏禮，周因商禮而形成儒家所尊崇的禮文。但是政治文化湊合的中心所在一旦衰微以後，再度復起的可能性就微乎其微了。

要而言之，內藤湖南以為文化因時而異，因地而適宜，即文化的形成乃以時地為經緯，而文化的中心所在又順隨時代的推移而轉移。如中國三代以迄魏晉的文化移動方向是東西方向，南北朝以後則南北方向。再者文化中心一旦轉移，昔日的風光就難再重現。長安的文物鼎盛於唐代，長安文化即代表了唐代的文化，又處於東西文明交會的所在，故唐代的長安文化即是中國文明足以誇耀世界的象徵。但是今日的西安只是偏處西陲的省城，又無國際交流要衢的形勝地位，昔日帝王紫氣會聚的錦繡文化既已不在，所謂長安也只是秦皇漢唐陵墓所在的歷史名詞而已。

㈡ 中國文化是日本文化的凝聚要素

關於文化的形成與意義，內藤湖南說：「文化是以國民全體的知識、道德、趣味為基礎而構成的。知識、道德、趣味等文化的基礎要素，到底有多少依然存在於現在的日本。至於政治、經濟等反映人生需求而產生的諸事象，是否完全符應民眾的願望。再者知識、道德、趣味等文化基礎是否也順應民眾的要求。都是探究文化時所必需考慮的問題。」⑩換句話說「文化」是抽象性、概念性的存在，其基礎性具體化的要素則是「知識、道德、趣味」。然而真正能稱為「文化」的，並非只是反映過去某一個時代的特色或拘限於某些階層的人士，而是在當代的一般大眾有多少程度的理解與表現。亦即「文化」是「知識、道

⑩ 見〈日本文化とは何ぞや（その一）〉，《日本文化史研究（上）》（講談社學術文庫七六，1987年），頁15。

德、趣味」的綜合，既有繼承古往的接續性，又有是否符合當代民眾的需求與國民全體如何體現的時代性與普遍性。至於當代日本人如何理解其自身的文化。內藤湖南說：

> 任何國家的國民都有自己國家具有優越性而值得誇耀的所在。在自我誇示的意識驅使下，始終認為自身的文化是自發性的。但是除了埃及、印度、中國等少數文明古國以外，自身文化是自發性的想法是錯謬。……有關日本文化起源的問題探究時，也存在著這一種臆想。包含國史學研究者在內，多數的日本人在解釋日本文化的問題上，終始有日本最初即有文化存在，其後在文化的演進過程中，採擇並同化外來文化，而形成今日文化形態的傾向。此一錯謬的想法自古即存在著，尤其在國民性自覺產生的同時，自身文化優越性的傾向就更為明顯。……歷來日本學者在解釋日本文化由來的問題時，其解釋方式是如此地：（日本文化）就像樹木的種子一樣，原本即存在著，其後再藉著中國文化的養分栽培成蔭的。我認為（日本文化的形成）就像製造豆腐一樣，日本雖然擁有做成豆腐的素材—豆漿，卻沒有使之凝聚成豆腐的題材的力量，中國文化就像使豆漿凝聚成豆腐的「鹹鹽」。再舉一個例子來說：兒童雖然擁有形成知識的能力，但是必須要經過長者的教導，才能具有真正的知識。日本文化的形成也是這樣的。⓫

世界上任何一國的國民都抱持著自身文化古老悠久或先進優越性的想法。日本自然也不例外。早在江戶時代，新井白石(1656－1725)、賀茂眞淵(1696－

⓫ 同前注，頁 16-22。

1769)、本居宣長(1729－1801)等人就提出日本歷史悠久文化先進的見解。⓬明治時代以來，隨著政治安定經濟發展而國力強大的情勢影響，大日本主義的思潮高漲，所謂日本文化「自發性」的論調成爲當時學術界的共識。民間大眾也認同於日本文化悠久優越性的主張。但是內藤湖南則以爲除了世界文明發源的少數幾個國家以外，所謂文化自發的情形是不可能存在的。日本並非沒有形成文化的素質，或可稱之爲「文化雛型」，但是日本文化的雛型也只不過是渾沌狀態而已，在經過中國文化的點化刺激，進行分解結合以後，才凝聚成粗具形式的日本文化。換句話說內藤湖南以爲日本文化的形成是外發性的。如果說日本的文化雛型是豆漿，則中國文化就是「鹹鹽」，而日本式東洋文化形態就是豆腐。亦即由於受到一如點化劑存在的中國文化的催化，像豆漿似渾沌狀態的日本文化雛型才凝聚成豆腐般的日本式的東洋文化。

要而言之，內藤湖南以爲日本文化的形成是外發性的，而其主要的助力是中國文化。在日本文化演進發展的過程中，始終與中國文化密切的關連，這是學術界的通說。但是就歷史文物的保存與符應本土需求的觀點而言，內藤湖南以爲「應仁之亂」⓭是日本獨特文化創生的重要關鍵。

㈢ 應仁之亂是日本文化獨立的契機

日本學術文化的發展頗受中國的影響。自聖德太子以後至平安朝是接受漢唐注疏之學與唐代的文化。德川時代的二百五、六十年則是宋明理學、宋代文化與清朝考證學。就學術文化的性質形態而言，前者是貴族文化、宮廷文學；

⓬ 見於〈日本國民の文化的素質〉，《日本文化史研究（下）》，同注⓾，頁 101-103。

⓭ 所謂「應仁之亂」（1469－1477）是室町時代末期以京都為中心而發生的大亂。將近十年的戰亂，使京都幾乎變成廢墟，幕府失墜、莊園制度崩壞。地方武士的勢力壯大，因而加速了戰國大名領國制度的發展。又由於公家（即公卿大夫）避難到地方，成為文化普及至地方的一個重要因素。

後者則是庶民文化，而學術也由朝廷普及至民間。此一學術文化轉型的契機則是應仁之亂。內藤湖南甚至認爲應仁之亂是日本獨特文化應運而生的重要關鍵，換句話說，日本脫離中國模式而創造自身學術文化的轉捩點是應仁之亂。內藤湖南就以下幾個事例，詳細地加以論述。

甲、日本文化獨立的歷史背景

藤原時代到鎌倉時代的四五百年間，⓮日本的社會形態起了巨大的變化，即武士的勢力急劇擴張，逐漸形成「下剋上」的局勢。政治社會的情勢如此，思想文化也產生由下往上，即由武士、庶民的文化影響到皇族、公家的現象，造成日本思想文化革新的機運。內藤湖南以爲後宇多天皇（1267－1324）到南北朝（1336－1392）的一百年間，是日本文化獨立成型的重要關鍵。至於獨立文化之所以產生，內藤湖南以爲有內在和外在的因素。後宇多天皇以後的南朝系天皇，頗多抱持著改革的思想，因而孕育了革新的機運，是日本文化所以能獨立的內在因素。而蒙古軍隊攻打日本九州北部，即所謂「文永、弘安之役」是日本文化獨立的外在因素。內藤湖南說：

> 鎌倉時代以來，「下剋上」的思潮橫流，不但社會形態產生劇變，一向以中華文化為依歸的日本文化也醞釀著獨立革新的氣息。此文化獨立自主的覺醒，在後宇多天皇與後醍醐天皇父子的時代特別顯著。後宇多天皇精通密教的教義，並主張探究密教的根本，即研究弘法大師以來師弟相傳的戒律。換句話說，後宇多天皇以「復古」為宗旨，究明正統密教的教義，藉以改革當時的宗教思想。後宇多天皇的「復古」改革論，成

⓮ 藤原時代是指平安後期遣唐使廢止（894）以後的三百多年間。政治上是攝關、院政、平氏掌政的時期。學術文化上「唐風」（即中國色彩）逐漸淡薄，宗教上則是淨土宗盛行。鎌倉時代（1185－1333）的文化特色是武士階級吸收公家文化，進而創造出反映時代性的新文化。影響所及，皇族公卿也產生思想改革的自覺。

為文化、社會、政治各方面革新的動力。其子後醍醐天皇也熱心於學問的研究，於在位時，引進中國宋代的學問。⓯

日本朝廷素來以漢唐注疏爲宗旨，由於宋學的影響，在後醍醐天皇的時代對於經書的理解有了新的詮釋。至於佛教的解釋也不墨守所謂傳統佛教的眞言或天台的教理；而以鎌倉時代興起的禪宗爲歸宗。換句話說，由於後醍醐天皇提倡宋學和禪宗，當時學術界乃呈現出新思想、新解釋的學問思潮。這是日本學術文化革新而趨向獨立的內在因素。至於外在的因素則是「文永、弘安之役」。內藤湖南論述說：

蒙古來襲的防禦是日本開國以來的大事件，因此舉國上下無不祈求神佛以免除國難。結果神靈顯驗，九州北部地區颶風突起，蒙古船隻沈沒殆盡而敗退。中華文化是日本的根源，中國仍不免為蒙古所滅亡，而日本卻得到神佛之助而免於蒙古的迫害。由於此一戰役，日本產生「日本為神靈之國」而且是世界最為尊貴的國家的思想。也助長日本文化獨立的趨勢。……雖然經過足利時代是日本文化發展的暗黑時期，文物毀於戰火，古老的文化也蕩然無存。雖然如此，龜山後宇多天皇到南北朝之間所產生的「日本為神靈之國」的新思想與日本文化革新獨立的理想，即

⓯ 對於日本引進宋學的時代背景，內藤湖南論述說：後醍醐天皇繼承其父後宇多天皇革新的觀念，所謂思想獨立與創造獨立文化的理想既已根植於心。因此在學問研究方面，以漢唐注疏之學僅止於字句訓詁而不能發揮經典的義理。宋代理學恰好可以體現其學術宗旨，因而以宋學作為經典詮釋的根據。見〈日本文化の獨立〉，《日本文化史研究（下）》，同注❿，頁 31。內藤湖南以為後醍醐天皇引進宋學是日本學術文化革新機運的證據。至於宋代理學固然可以體現其學問革新的理念，但是就日本學術思想發展的歷史來說，宋學是後醍醐天皇用以實現其新的學術研究的工具。就內藤湖南的文化形成論而言，宋學是日本學術文化獨立革新機運的動力（即「ニガリ」）。

以日本為中心的思想依然存在著，終於在德川時代構築了日本獨立文化的原型。此一新思想與文化獨立的理想之所以能維繫不墜，主要是因為應仁之亂時公卿學者於文物保存與流傳的苦心經營。⓰

乙、覃精竭慮於文物的保存與文化的傳播

應仁之亂是日本歷史的重要關鍵。由於以下犯上政治情勢的影響，無論是思想的發展、知識的傳播、趣味主義的形成都有由公卿貴族階層擴展到一般民眾的傾向。再者，應仁之亂雖然是日本歷史上的黑暗時代；當時的貴族士人卻竭盡所能地保存古來相傳的文物、傳播可能失傳的文化與技藝，因此應仁之亂也是日本獨特文化形成的時代。內藤湖南從以下幾個觀點說明應仁之亂的重要性。

子、保存文物

目錄學不但是圖書分類、書目品評的學問，也是擁有優良文化的證據。《本朝書籍目錄》是足利時代所編纂的圖書目錄，從編目看來，有中國傳來的，也有日本固有的書籍，雖然未必能顯現出日本絕無僅有的獨特性，卻足以證明在混亂時代中，日本人極盡可能地保存古來相傳的文化。⓱如一條兼良為避免所藏的書籍遭到戰火的焚燬，將充棟的書籍藏之於書庫。豐原統秋為了家傳的笙譜能傳諸後世而撰述《體源抄》一書。可見於擾攘之際，盡力保存古代文化之一端，是當時公卿士族共通的理念。在保存中華文物上，中國人也未必如此費心，就此意義而言，日本人竭盡心血以保存古來相傳的文化，因而得以傳之後世的文化就是日本的文化。⓲

丑、權威性的建立

⓰ 〈日本文化の獨立〉，《日本文化史研究（下）》，同注❿，頁27-31。

⓱ 〈日本國民の文化的素質〉，《日本文化史研究（下）》，同注❿，頁96-97。

⓲ 〈應仁の亂について〉，《日本文化史研究（下）》，同注❿，頁73-74。

知識技藝的傳授，固然是應仁亂後，公卿貴族用以糊口的手段，卻由於時代思潮的影響，形成日本獨特的文化。如神道的傳授，從奈良時代到平安時代的神代記事，並沒有哲學性的思考。到了鎌倉時代末期到足利時代之間所形成的神道，則用佛教的教義解釋《日本書紀·神代卷》的記述，神道因而具備了哲學性的意義。如吉田家的神道即是。又由於吉田神道具有形上架構，吉田神道乃建立其權威性。即非得到吉田家的傳授就不是正統的神道。其他的技藝傳授、如和歌亦然。換句話說，由於尊敬專門性、正統性與權威性而形成所謂「某家」「某道」，即「文化的權威」的觀念，是在應仁之亂前後的黑暗時代形成。⑲

寅、萬世一系的國體論

南北朝時，北畠親房撰述《神皇正統》，主張日本是神靈之國，而且皇室是萬世一系的，這是日本殊異於中國與印度的特有國體。應仁之亂前後，一條兼良繼承此一思想，撰述《日本紀纂疏》，指出《日本書紀·神代卷》一如《四書》《五經》在中國儒家傳承中的地位，是萬世不變的經典。此一主張於動亂中的日本的國民思想統一上，產生極大的作用。⑳

卯、質樸率直的國民性格

在應仁之亂前後，《源氏物語》不但被視爲理解一般人情的藝術經典，也是洞鑑世態而爲經世濟國的規範。戰國末期的和歌詩人細川幽齋以爲《源氏物語》不但是和歌的典範，也是世間最值得寄託的經典。雖然《源氏物語》是敘述男女關係的小說，卻於字裏行間透露出人類純眞而不虛僞的感情。……《源氏物語》所表現出來的質樸率直的個性正是日本國民的性格。……中國所嚴守的是道德的規範，而日本則率直地表達了「思無邪」的質樸情感，這是日本文

---

⑲ 〈日本國民の文化的素質〉，《日本文化史研究（下）》，同注⑩，頁98-100。

⑳ 〈應仁の亂について〉，《日本文化史研究（下）》，同注⑩，頁79。〈日本國民の文化的素質〉，《日本文化史研究（下）》，頁103。

化的特質。㉑

珍視古典、尊重權威、獨特國體的主張、國民性正直不僞的提出等足以創發日本獨立文化的因素，都是應仁之亂前後，即所謂日本歷史上黑暗時代的產物。所以內藤湖南以爲應仁之亂是日本文化脫離中華文化而創造出獨自文化的重要關鍵。

丙、教育普及的過程

由於中華文化的輸入，日本的文化與教育才得以發達。從中國文字的輸入到德川幕府末期，日本教育的演進可分爲三個時代、四個階段。㉒所謂三個時代是以貴族公卿教育爲主的時代、以武士教育爲主的時代和教育普及於庶民的時代。公卿教育的時代包含以中華文化爲主，國語只作爲翻譯的工具而已的階段和以國語爲主而漢字爲輔的階段。武士教育的時代則是國語教科書雖不免拘限於中國文學的形式，卻完全脫離漢語辭典藩籬的階段。庶民教育時代則是完全脫離中國文學的形式，國語成爲必要知識的階段。內藤湖南列舉幾部辭典和國語教科書說明日本教育演進的過程。

子、《新撰字鏡》

此書是日本人編集的第一本辭典，是爲了正確地用國語翻譯中國書籍而編集的辭典。爲宇多天皇寬平（889－896）昌住和尚所編纂的。到了醍醐天皇昌泰（898－900）年間，隨著國語國文重要性的覺醒，才大行於世。

丑、《倭名類聚抄》

此書成於朱雀天皇承平二年（931），爲源順所編纂。主要是用漢字來翻譯國語所表現的知識。這是殊異於《新撰字鏡》的所在，乃是順應當時上流貴族學術趨勢的產物，即醍醐天皇時《古今集》刊行，紀貫之等人以國語撰寫文

㉑ 〈應仁の亂について〉，《日本文化史研究（下）》，同注⑩，頁 81。〈日本國民の文化的素質〉，《日本文化史研究（下）》，頁 102。

㉒ 〈日本文化の獨立と普通教育〉，《日本文化史研究（下）》，同注⑩，頁 108-109。

章，辭典編纂的目的也產生了以國語爲主體的變化。雖然如此，漢籍的出典仍然大量被引用，換句話說，國語譯語的漢字其正確性依然建立在漢籍的典故上。

寅、《色葉字類抄》《類聚名義抄》

《色葉字類抄》完成於天養（1144）到長寬（1164）的二十年間。《類聚名義抄》據云爲菅原是善（812－880）所纂修的，今日所流傳的是鎌倉時代仁治（1240－1243）年間的寫本。二書都是編纂以漢字表達國語的漢語詞彙。從內容看來，漢字只是權宜上的借用，即使沒有典故的漢語也被蒐集了。換句話說，辭典的編集從學術化轉變爲通俗化了。二書流行於世的時期乃在貴族公卿沒落的院政時代（1086－1333）與武家時代初期。辭典編集之通俗化的旨趣恰好與時代思潮的轉變相吻合。

以上是就辭典編纂旨趣由漢字本位轉變爲國語本位的趨勢，說明日本教育演進的過程。至於詞彙蒐集的內容，雖然有由學術化漸趨於通俗化的情形，到底還是以貴族公卿爲主要對象。要考察教育對象是由貴族而武士、由武士而庶民的轉變過程，則需要對《往來》、即國語教科書進行探討。

卯、《庭訓往來》

所謂「往來」是公卿貴族應酬往復的書翰。院政時代明衡的《雲州往來》是公卿貴族應酬文書的範本，蒐集的文章大抵皆有典故出處，特別是有中國古典的依據。換句話說《雲州往來》是專爲上流社會編纂的，故其編集的旨趣即有典雅不俗的傾向。但是《庭訓往來》的對象則是以武士階層爲主。而且《庭訓往來》的體裁和內容還有極大的變化。即《庭訓往來》不僅是武士之間往來文書的範本，還蒐集武士所必備的知識。就編集體例而言，《庭訓往來》兼具應用文書與教科書的功能。就內容性質而言，《庭訓往來》是順應武士階級、即中流社會的需求而編纂的，收集的文書未必一一皆有典故。取材的基準以通俗爲主；而非以典雅爲主。因此，就編集旨趣而言，《庭訓往來》一書是日本教育脫離中國書籍而獨立的代表性教科書。

午、《尺素往來》

足利時代貴族的勢力衰落，中國輸入的經典珍本於應仁的戰火中焚燬殆盡。因此一條禪閣兼良編纂《尺素往來》時，無法像前代一樣，依賴中國經典來編集武士教育的教科書；只能根據當時殘留的書籍，編集武士養成教育所需要的圖書。卻也因爲如此，一條禪閣兼良的《尺素往來》恰好反映了當時日本教育的現狀與急務，保存了日本當時的文化，而此文化或可稱之爲日本獨立的文化。

未、《商賣往來》

足利時代的教育對象是武士爲主，到了德川時代則有以庶民爲主的教育出現。其代表的書籍是《商賣往來》。《商賣往來》雖以「往來」爲名，內容則非往復文書；而是首尾一貫的單篇文章。前後只有一千多字而已，簡明扼要地敘述商人所必備的知識、道德、趣味等。此書的刊行，乃是日本教育完全普及的象徵。就日本教育發展的歷史而言，以國語爲主的教育始於《庭訓往來》，而完成於《商賣往來》。

從《新撰字鏡》到《商賣往來》的發展，可以看出日本一千三、四百年間的教育史，即由接受中國文化到發展自身文化，從仰賴中華文化的教育到以自身獨立的文化爲教育，由以貴族爲主的教育而普及到庶民階層的教育軌跡。換句話說，通過日本歷代所使用教科書的探討，也可以理解日本教育從仰賴中華文化到以自身獨立文化爲教育基準的轉型，而此一轉變的關鍵則是應仁之亂。

(四) 螺旋循環狀的文化影響論

內藤湖南以爲歷史的演進與文化形態的形成既不是直線式的，也不是圓環式的，而是螺旋狀循環式的。㉓所謂「螺旋狀循環」是說歷史發展與文化互動，是歷史文化的發源中心向外緣周邊地區伸展的正向運動，與外緣周邊地區向發

㉓ 〈學變臆說〉，《內藤湖南全集》（東京：筑摩書房，1970年），第1卷，頁351-355。

源中心復歸的逆向運動的反復循環現象。就中國歷史的發展而言，三代到西晉是中國文化向外擴張的時代；五胡十六國到唐代中葉，則是周邊各民族逐漸強大，其勢力漸次地威脅到中原。到了唐末五代，外族的勢力則到達頂點。宋元明清以迄現代，也是中心向周邊與周邊向中心的反復循環。至於引發正向或逆向運動的動力，內藤湖南以爲有藉武力以擴張勢力範圍與純粹的文化影響兩極。就勢力擴張而言，中國三代的文化是以黃河流域爲中心，其後擴張至長江流域，長江流域乃形成新的勢力。秦末群雄興於江漢，劉邦平楚滅秦建立大漢帝國。劉漢勢力西移，終誘發西陲遊牧民族的覺醒，形成強大的勢力，不時侵略漢邦土地，而建立匈奴王國。中國早於元代初年，即有擴張勢力至日本之舉，日本國力足以影響中國的時間則甚晚，大抵始於晚明，所謂倭寇騷擾東南沿海，其後，於清季之際引發中日甲午戰爭，二次世界大戰則又舉兵侵華。

再就文化的移動與影響而言，中國的文化創始於黃河流域，其後文化的中心逐漸轉移至長江中、下游，甚至廣東一帶也人材輩出，獨領風騷於當世。日本始終受到中華文化的影響，直到明治維新，全盤西化而富強。中國的留學生乃湧入日本，探索日本致富圖強的原因，汲取日本化的西洋新知，進而在中國各地傳播東瀛文化。換句話說，東洋歷史的發展與文化形態的形成是螺旋狀循環式的。東洋文化的中心原本在中國，中國周邊的民族普遍受到中華文化的影響。雖然如此，一味吸收中華文化的周邊民族終究產生文化自覺，即創造自身獨立的文化，而後周邊民族的文化也匯入了中國。因此，內藤湖南說：東洋文化的中心在中國，在黃河沿岸發芽的文化，首先延伸至西方，再到南方，其後出東北而蔓延至日本。由於中華文化的刺激，中國周邊各民族終於產生文化覺醒，其後周邊民族形成了新興的文化，又逆流回到中國。此正向運動與逆向運動的反復循環，即是東洋文化形成的歷史軌跡。㉔

㉔ 〈日本文化とは何ぞや（その二）〉，《日本文化史研究（上）》，同注⑩，頁25。

(五) 富永仲基的「加上說」是東西思想學派成立的通說

日本人並不擅長於邏輯式研究法的架構，富永仲基（1715－1746）卻是少數中的一位。富永仲基著有《出定後語》一書，論述佛教史學。其中最有名的為「加上說」。此書刊行於延享二年（1745），雖然是用漢文書寫；卻極難理解。經由內藤湖南平易暢達的解說之後，富永仲基的「加上說」乃得以大白於世。內藤湖南於〈大阪の町人學者富永仲基〉[25]一文中指出：富永仲基所以受到吾人敬服的不是其研究結果；而是其所謂「加上說」的研究方法。《出定後語》的第一章是〈教起前後〉，旨在論述原始佛教的起源與發展。富永仲基以為佛教是外道，乃從婆羅門教產生的。婆羅門教是以超越人間苦界而轉世昇天為教義的宗教。天原本是唯一的，但是後起的宗派為了超越原有的宗派，乃於舊有的天之上，加上一個天，如此天上有天，婆羅門教即有二十八個天。富永仲基稱此現象為「加上」。超越婆羅門教的加上天，而提倡思想改革的是釋迦牟尼。釋迦牟尼不拘泥生死，主張超越生死以達到自由的境地。所謂原始佛教、即小乘佛教是以《阿含經》為經典的。其後以《般若經》為經典的宗派出現而自稱大乘以卑視小乘。其後以《法華經》為宗尚的法華宗、提倡《華嚴經》的華嚴宗、以《楞伽經》為經典的禪宗等佛教的宗派先後出現，而且都自稱自身的宗派教義為最高至上。這也是佛教宗派以「加上」的形式而發展的軌跡。換句話說，由單純素樸而複雜高遠，乃是思想發展的原則，即思想進化論。富永仲基以此思想進化論觀察思想學派成立的歷史：即素樸的學術思想是原有存在的；高遠的思想則是晚出的。內藤湖南有效地應用富永仲基的「加上說」，客觀地把握學術思想發展的順序，架構中國古代思想的歷史。

---

[25] 〈大阪の町人學者富永仲基〉收錄於《先哲の學問》。此書是內藤湖南的演講集，收載於《內藤湖南全集》（東京：筑摩書房，1969 年），第 9 卷。其後筑摩書房又於一九八七年九月修訂出版單行本。《近世文學史論》是內藤湖南通論江戶時代學術思想發展史的著作，《先哲の學問》則是專論江戶時代具有獨特見解之學者的學問。

內藤湖南以為中國人有尚古的傾向，時代越古老就越優異。就諸子學派的形成而言，其所宗尚的始祖越古遠，則其產生的時代就越晚。孔子以周公為聖賢，墨家以夏禹為聖王，孟子祖述堯舜，道家尊崇黃帝，農家以神農為始祖。就中國的歷史而言，是神農→黃帝→堯→舜→禹→殷→周。就所尚越古則其說越晚的「加上說」而言，則中國思想學派的興起順序是孔子→墨家→孟子→道家→農家。因此內藤湖南說中國的學問興起於孔子，孔子所尊敬的是周公，即孔子以周公為儒家學術道統的聖賢。墨家晚出於儒家，為了表示自身的學說優於儒家，乃以早於周公的夏禹為學派的始祖。其後孟子攻擊墨學為異端，以禹傳位於子啓，不若堯舜禪讓傳賢之德，因而主張儒家的起源並非始於周公，乃可上遡至堯舜。道家晚出於孟子，為超越孟子所尊崇的堯舜，乃稱自身的學術淵源於黃帝。而孔子師老子的主張也是後出道家之徒的加上之說。至於以神農為始祖的農家，則又更為晚出了。㉖

三、結　語

何謂「文化」，內藤湖南說：文化是以國民全體的知識、道德、趣味為基礎而構成的。然而眞正的文化，並非只是反映過去某一個時代的特色或拘限於某些階層的人士；而是在當代的一般大眾有多少程度的理解與表現。換句話說，「文化」是「知識、道德、趣味」的綜合，既有繼承古往的接續性，又有是否符合當代民眾需求與國民全體如何體現的時代性與普遍性。而文化又如何形成？內藤湖南提出了「以時地為經緯」與「文化中心移動」的說法。內藤湖南說：自然景物乃因循時序而顯其英華，又依順風土而得其所宜。自然景物如此，人文的化成亦然。以中國的學術文化來說：各個時代皆有其精華：周朝的文化

㉖ 內藤湖南的中國學術思想的加上說見於〈大阪の町人學者富永仲基〉，《先哲の學問》（東京：筑摩書房、1987 年），頁 83-84。顧頡剛《古史辨·自序》的「加上」原則頗類似於內藤湖南的論述。或受到內藤湖南的影響，或為學術研究上的偶合。

結晶是典章制度、周秦之際是諸子之學、兩漢是經傳訓詁、六朝是玄學駢體、唐代是詩歌、宋代是儒學、明清則是典籍整理。由於山川形勢之地域性關係而有東西的不同與南北的差異，特別是南北乖隔所造成的不同就更爲顯著，而其影響亦至爲深遠：如北朝以經書研究爲主，南朝則以詩文酬唱爲尚。換句話說，由於時代與風土的結合，形成人文化成文化薈萃的中心。文化的中心又因各個時代政治、經濟等因素的差別而有移動的現象：洛陽匯聚冀州的軍事力與豫州的經濟財富而爲三代政治文化的中心所在。秦始皇統一中國以來，歷代帝王大抵定都於長安，至唐天寶以後，長安地氣極盛而衰，始轉移至洛陽、汴梁、北京。再者燕京雖爲明清以後政權的所在地，但是文化的中心則在江南一帶。日本的文化中心同樣有所轉移，江戶時代以來，江戶（今東京）雖爲幕府發布政令的行政中心，但是江戶是人爲營造的新興都城，江戶文化是日本近代文化的典型；日本傳統學術文化所在則是以京都爲中心的關西。換句話說，以東京爲中心的關東江戶，只是近代日本的政治舞台與反映新思潮的所在，京阪一帶纔是人文薈萃的所在，其所呈現的文化，所保存的文物，纔是日本傳統的結晶。要而言之，文化因時而變異，因地而適宜，即文化的形成乃以時地爲經緯，而文化中心所在，又順隨時代的推移而轉移。

日本文化是如何形成的，內藤湖南以爲日本文化的形成是外發性的。如果說日本的文化雛型是豆漿，則中國文化就是「鹹鹽」，而日本式東洋文化就是豆腐。由於受到有如點化劑的中國文化之催化，像豆漿似渾沌狀態的日本文化雛型才凝聚成豆腐般的日本式東洋文化。換句話說，日本文化的形成是外發性的而其主要的助力是中國文化。在日本文化演進發展的過程中，始終與中國文化密切的關連，這是學術界的通說。但是就歷史文物的保存與符應本土需求的觀點而言，內藤湖南以爲「應仁之亂」是日本獨特文化創生的重要關鍵。日本獨立文化產生的原因，內藤湖南以爲有內在和外在的因素。後宇多天皇後南朝系的天皇頗多抱持著改革的思想，因而孕育了革新的契機，這是日本文化所以能獨立的內在因素。蒙古軍隊攻打日本九州北部、即所謂「文永、弘安之役」是日本文化獨立的外在因素。蒙古來襲的防禦是日本開國以來的大事件，因此舉國上下無不祈求神佛以免除國難。結果神靈顯驗，九州北部地區颶風突起，蒙古船隻沈沒殆盡而敗退。中華文化是日本的根源，中國仍不免爲蒙古所滅亡，而日本卻得到神佛之助而免於蒙古的迫害。由於此一戰役，日本產生「日本爲神靈之國」而且是世界最尊貴國家的思想。這也助長了日本文化獨立的趨勢。

「應仁之亂」何以是日本獨特文化創生的重要關鍵，內藤湖南以文物保存的苦心、文化權威的觀念與萬世一系國體論的形成等歷史事例，用來說明「應仁之亂」的歷史性意義。即在應仁之亂的前後，由於以下犯上政治情勢的影響，無論是思想的發展、知識的傳播、趣味主義的形成都有由公卿貴族階層擴展到一般民眾的傾向。再者，應仁之亂雖然是日本歷史上的黑暗時代；當時的貴族士人卻竭盡所能地保存古來相傳的文物、傳播可能失傳的文化技藝，因此應仁之亂也是日本獨特文化形成的時代。換句話說，雖然經過日本文化發展暗黑時期的足利時代：文物毀於戰火，古老的文化也幾乎蕩然無存。雖然如此，龜山後宇多天皇到南北朝之間所產生的「日本爲神靈之國」的新思想與日本文化革新獨立的理想，亦即以日本爲中心的思想依然存在著，終於在德川時代構築了日本獨立文化的原型。此一新思想與文化獨立的理想所以能維繫不墜，主要是因爲應仁之亂時公卿學者對於文物保存與流傳的苦心經營。

日本文化是如何獨立的？內藤湖南又從教育普及的歷史發展，說明日本文化獨立的過程。從國語教科書《新撰字鏡》到一般庶民教育範本《商賣往來》的發展，可以看出日本一千三、四百年間的教育史，是由接受中國文化到發展自身文化，從仰賴中華文化的教育到以自身獨立文化的教育，由以貴族爲主的教育而到普及庶民階層教育的軌跡。換句話說，通過日本歷代所使用教科書的探討，也可以理解日本教育確有由仰賴中華文化到以自身獨立文化爲教育基準的轉型，而此一轉變的關鍵則是「應仁之亂」。

就東洋文化形態的歷史發展而言，內藤湖南提出了「螺旋循環狀」的文化影響論。內藤湖南以為歷史的演進與文化形態的形成既不是直線式的，也不是圓環式的，而是螺旋狀循環式的。就中國歷史的發展而言，三代到西晉是中國文化向外擴張的時代；五胡十六國到唐代中葉，則是周邊各民族逐漸強大，勢力漸次地威脅到中原。到了唐末五代，外族的勢力達到頂點。宋元明清以迄現代也是中心向周邊與周邊向中心的反復循環。

日本始終受到中華文化的影響，直到明治維新，全盤西化而富強。中國留學生乃大量湧入日本，探索日本致富圖強的原因，汲取日本化的西洋新知，進而在中國各地傳播東瀛文化。換句話說，東洋歷史的發展與文化形態的形成是螺旋狀循環式的。東洋文化的中心原本是在中國，中國周邊民族普遍受到中華文化的影響。雖然如此，一味吸收中華文化的周邊民族終究產生文化自覺，創造出自身獨立的文化，而後周邊民族的文化也匯入了中國。因此，內藤湖南說：東洋文化的中心在中國，在黃河沿岸發芽的文化，首先延伸至西方，再到南方，其後由東北而蔓延至日本。由於中華文化的刺激，中國周邊各民族終於產生文化覺醒，其後周邊民族的新興文化又倒流到中國。此正向運動與逆向運動的反復循環，即是東洋文化形成的軌跡。日本的學術研究成果，值得中國學術界作為借鏡的，則是富永仲基的「加上說」。內藤湖南說：由單純素樸而複雜高遠，乃是思想發展的原則，即思想進化論。富永仲基曾以此思想進化論的觀點反觀思想學派成立的歷史：即素樸的學術思想是原有存在的；高遠的思想則是晚出的。內藤湖南則應用富永仲基的「加上說」，客觀地把握學術思想發展的順序，架構中國古代思想的歷史。內藤湖南以為中國人有尚古的傾向，時代越古老就越優異。就諸子學派的形成而言，其所宗尚的始祖越古遠，則其產生的時代就越晚。孔子以周公為聖賢，墨家以夏禹為聖王，孟子祖述堯舜，道家尊崇黃帝，農家以神農為始祖的現象，說明中國的學問興起於孔子，墨家晚出於儒家。其後孟子攻擊墨學為異端，道家又晚於孟子，至於以神農為主則又更為晚出了。

換句話說，內藤湖南以爲富永仲基的「加上說」是考察思想形成歷史的學術理論，也是東西思想學派成立的通說。是東洋學術研究的結晶，值得中日學者參考。

從墨子與墨者事蹟看墨家精神

周富美*

儒墨二家在戰國時代並稱「顯學」❶弟子徒屬遍天下。❷孔墨二人皆以救世爲職志，後世學者每喜以「孔席墨突」❸讚揚這兩位哲人熱心救世的偉大精神。

墨子生於孔子之後，孟子之前，約與孔子再傳弟子同時。❹《史記》未爲墨子立傳，僅於〈孟子荀卿列傳〉篇末附云：

> 蓋墨翟，宋之大夫，善守禦，為節用。或曰並孔子時，或曰在其後。

---

* 國立臺灣大學中國文學系教授。

❶ 〔清〕王先慎：《韓非子集解·顯學篇》（臺北：世界書局，1979 年）云：「世之顯學，儒墨也。」（卷 19，頁 351）。

❷ 許維遹：《呂氏春秋集釋·當染篇》（臺北：世界書局，1975 年）云：「孔墨之後學顯榮於天下者眾也，不可勝數。」（卷 2/16b/130/上冊）、「此二士者按指孔子墨子二人，無爵位以顯人，無賞祿以利人。舉天下之顯榮者，必稱此二士也，皆死久矣，從屬彌眾，弟子彌豐，充滿天下。」（卷 2/16a-b/129-130/上冊）。

❸ 劉文典撰，馮逸、喬華點校：《淮南鴻烈集解·脩務訓》（北京：中華書局，1989 年）：「孔子無黔突，墨子無暖席。」（卷 19/633/下冊）。班固：〈答賓戲〉：「聖喆之治，棲棲皇皇，孔席不得暖，墨突不得黔。」見〔梁〕昭明太子撰，〔唐〕李善注：《文選》（臺北：藝文印書館，1983 年影印宋淳熙重刻本），卷 45/12b/644。韓愈：〈爭臣論〉：「孔席不暇煖，墨突不得黔。」見〔清〕董誥等編：《全唐文》（上海：上海古籍出版社，1993 年影本），卷 557/2498 上/冊 3。

❹ 墨子生卒年約為周敬王三十年（490 B.C.）至周威烈王二十三年（403 B.C.）。

這寥寥二十四個字卻是墨子事蹟首見於正史文獻的資料，雖語焉不詳，然而墨子的「善守禦」「爲節用」的行爲與主張確受到史公肯定。史公又於《史記》中屢稱「儒墨之文」「孔墨之智」「孔墨之辯」等語，❺可見墨子在漢初，與孔子一樣受人尊崇。

墨子針對時弊，提出「尙賢」「尙同」「兼愛」「非攻」「節用」「節葬」「非樂」「天志」「明鬼」「非命」十種主張。墨子以「求興天下之利，除天下之害」爲宗旨，積極地從學術、政治、社會、經濟、倫理、宗教等各方面，提出最公正、最合理、最合乎國家人民公利的方策。他不但「坐而言」，更「起而行」，把他的理念，上自王公大人，下至匹夫徒步之士，「偏從人而說之」，以無比的熱忱與毅力，將其學說宣揚於世。由於墨子的學說及其人格的感召，吸引了許多志士豪傑投到他門下。以致墨家聲勢，不但於戰國初年，足以與當時的大學派儒家相抗衡，且持續盛行於戰國二百餘年間，墨子與墨者足跡遍天下，備受時人、時君尊崇。墨家在戰國時代，不論於學界、政界、社會各方面都有著相當大的影響。

秦漢統一天下，漢武獨尊儒術罷斥百家後，墨學開始衰微；消沈近二千年。直至清代中葉乾嘉年間，西方民主、科學、求眞精神傳入中國，墨學始復活，而墨子的思想與言行廣爲學者肯定。民國以來，研究墨學的人風起雲湧，皆以求眞精神探究墨學眞諦。

國父　孫中山先生的革命哲學以「愛」爲中心，他呼籲國人恢復固有文化，主張儒墨兼用，他特別強調我們要：

> 依據儒家的精神，吸取墨家的精華，實踐科學的精神。

---

❺ 《史記》（臺北：鼎文書局，1995 年點校本）於〈禮書〉中論「儒墨之分」（卷 23/1163/冊 2），於〈李斯列傳〉〈魯仲連鄒陽列傳〉〈游俠列傳〉稱「孔墨之智」（卷 87/2550/冊 4）、「孔墨之辯」（卷 83/2473/冊 3）。

又說：

> 仁愛也是中國的好道德，古時最講「愛」字的莫過於墨子，墨子所講的兼愛，與耶穌所講的博愛是一樣的。

墨子的任俠爲義的精神，尤爲革命先烈所效法。先烈張繼先生說：

> 先烈赴湯蹈火之行，及捨生救人之志，出於墨子任俠一派者多。❻

墨子的精神是永久不滅的，他成爲我國的一種人格典範。

墨家何以驟衰於秦漢之際，而於清中葉又復興呢？日本學者渡邊卓先生說：

> 墨家係中國古代一個特別的思想集團。
>
> 墨家尊奉活躍於西元前五世紀後半的墨子為鼻祖，以後約歷經二世紀左右，他們不斷地展開其獨自的思想與行動。但是卻於西元前三世紀末，中國最初帝國（秦）成立之前後，銷聲匿跡，未曾再以一思想集團的姿態出現於歷史上。經長久的投閒置散之後，知識份子再想起墨家的存在，已是十八世紀末葉以後，正當中國的最後帝國（清）露出衰兆之際，從某種意義來說，墨家乃在古代即已邁向近代化，因而絕跡得早，但也因而再被推崇的一個思想集團。❼

---

❻ 見張繼：《張溥泉先生全集》（臺北：中央文物供應社，1951 年）。

❼ 見宇野精一主編，林茂松譯：《中國思想之研究》（臺北：幼獅文化事業公司，1977 年），渡邊卓著：〈墨家思想〉，第一章第一節。

墨家正因為「在古代即已邁向近代化」的特色，使它衰微近二千年，而又復活。這「近代化」包涵著那些精神？這也正是本文所要探討的。

有關墨子及墨者事蹟的記載，主要資料在《墨子》本書，其中〈耕柱〉〈貴義〉〈公孟〉〈魯問〉〈公輸〉等篇，墨家弟子記墨子應答門下弟子，以及當時知名人士的言行，頗為詳贍生動。其他書籍，如《孟子》《莊子》《荀子》《呂氏春秋》《淮南子》等亦略有記述。本文擬就上述文獻所記墨家事蹟探究墨家精神。

一、思想的改革

《淮南子・要略篇》記載墨子的學識淵源云：

> 墨子學儒者之業，受孔子之術。以為其禮煩擾而不說（同脫），厚葬靡財而貧民，〔久〕（王念孫校補）服傷生而害事，故背周道而用夏政。禹之時，天下大水，禹身執虆臿以為民先，剔河而道九岐，鑿江而通九路，辟五湖而定東海。當此之時，燒不暇撌，濡不給扢；死陵者葬陵，死澤者葬澤，故節財、薄葬、閑（同簡）服生焉。（卷21/709-710/下冊）

春秋時代，官學開放為私學以來，孔子第一個在魯國收徒設教，儒家聲勢漸大。墨子身為魯國人，又生當孔子再傳弟子時代，受的教育自然是儒家教育，所以〈要略篇〉說他「學儒者之業，受孔子之術。」孔子對於西周傳統制度及禮樂懷著同情，力求以倫理論證它們是合理而正當的，因而力加鼓吹倡導。傳至再傳弟子時，本質漸變，禮樂日趨形式化，繁文縟節擾民，並且也帶動社會奢靡風氣。墨子對此深感不滿，因此「背周道而用夏政」。他所用的「夏政」，是針對煩擾不脫的「禮」、靡財貧民的「厚葬」、傷生害事的「久服」而言。他師法夏禹治水的勤儉刻苦精神，提出「節財」「薄葬」「簡服」的改革方策。

他關注的是國家全民的利益和幸福，他認爲社會風氣的改革，必須從思想的導正做起。

墨子曾對兼學儒墨的學者程繁，提出對儒家學說相當嚴厲的批判，見於《墨子·公孟篇》。〈公孟篇〉云：

> 子墨子謂程子曰：「儒之道足以喪天下者四政焉：儒以天為不明，以鬼為不神，天鬼不說，此足以喪天下。又厚葬久喪，重為棺槨，多為衣衾，送死若徙；三年哭泣，扶後起，杖後行，耳無聞，目無見，此足以喪天下。又弦歌鼓舞，習為聲樂，此足以喪天下。又以命為有，貧富壽夭，治亂安危有極矣，不可損益也。為上者行之，必不聽治矣；為下者行之，必不從事矣，此足以喪天下。」（卷 12，頁 277）

墨子以「足以喪天下」這樣嚴厲的字眼批判儒家的「以天爲不明、鬼爲不神」、「厚葬久喪」、「弦歌鼓舞，習爲聲樂」及「以命爲有」等「四政」，不外是想喚起人們對這事態的關注。

墨子對於不合理的思想或現象，不但做消極的批評，也同時積極地提出改革方策。〈兼愛下篇〉云：

> 子墨子曰：「非人者必有以易之，若非人而無以易之，譬之猶以水救火也案：當作「以水救水，以火救火也。」，其說將必無可焉。」（卷 4，頁 71）

這可看出墨子積極、負責的態度。

墨子不滿於儒家「足以喪天下」的「四政」，是因爲這些都趨於形式化，反而失去了實質的意義。

他認爲儒家提倡禮樂，以及厚葬久喪，做的都是表面功夫，不僅勞民傷財，曠時廢事，而且也失去了「發揚和氣」❽和「愼終追遠」❾的眞正意義，所以力持反對，另提出「非樂」「節用」「節葬」的新主張。

又以儒家不信天帝鬼神，卻又重視喪禮、祭禮，不但矛盾，也流於形式。〈公孟篇〉墨子批評當時知名儒者公孟子：

> 公孟子曰：「無鬼神。」又曰：「君子必學祭祀當作禮。」子墨子曰：「執無鬼而學祭禮，是猶無客而學客禮，是猶無魚而為魚罟也。」（卷 12，頁 276）

儒家不相信有鬼神，行喪禮、祭禮，只不過想用「愼終追遠」的手段達到「民德歸厚」的目的，墨子深不以爲然。我國自古便有天道觀，神權控制人的心靈。春秋戰國時代，政治潮流已由神權進入君權，部份開明人士，對於天道和鬼神漸生懷疑，然而神權思想仍深植民心。墨子躭憂人心一旦失去了宗教的信仰和制裁，會做出昧良喪德的歹事，所以墨子提出「天志」「明鬼」，說明天是有意志，鬼神是存在的，天帝鬼神監管天下，有賞善罰暴的能力。他的宗旨也是要達到「民德歸厚」，但他不肯學儒家「無客而學客禮」「無魚而爲魚罟」的手段，他是眞的要人相信確實有天帝鬼神，並且尊敬天帝鬼神。想以宗教信念淨化人心，安定社會。

儒家又「以命爲有」迷信命運的安排，認爲貧富壽夭，治亂安危，一切都由命定，人的努力改變不了命運，於是「爲上者行之，必不聽治矣；爲下者行之，必不從事矣」，人人依賴命運而不努力工作，甚或灰心喪志，墨子對此感

---

❽ 《史記·滑稽列傳》云：「孔子曰：『六藝於治一也，禮以節人，樂以發和，……。』」，同注❺，卷 126/3197/冊 4。

❾ 《論語·學而》：曾子曰：「慎終追遠，民德歸厚矣。」見〔宋〕朱熹撰：《四書章句集註》（臺北：鵝湖出版社，1984 年），卷 1，頁 50。

到憂心。他以為命定之說抹煞了人類的創造精神和奮鬥意識，使社會變得頹喪墮落。

儒家一面講「命」，但一面又重視「學」。〈公孟篇〉公孟子又說：

> 公孟子曰：「貧富壽夭、齚然在天。」又曰：「君子必學。」子墨子曰：「教人學而執有命，是猶命人葆而去亓冠也。」（卷 12，頁 275）

「學」與「命」是相抵觸的。既然貧富壽夭、治亂安危都有命定，人的努力絲毫起不了作用，那又何必「學」？「學」而努力上進又有何意義？禍福都由命定，那便不做好事也可得福，不做惡事或可得禍了。若人人都相信命定之說，便沒有人努力去做好事了。墨子不能漠視這種命定說對社會的傷害，於是力倡「非命」之說，大聲疾呼要人「強力從事」，可見墨子是積極進取的。

儒家居學術領袖地位，他們的思想言論對於社會有著深遠的影響。墨子深覺社會的改革，必須從思想的改革做起，所以，他嚴厲地抨擊儒家「足以喪天下」的「四政」，並且提出「天志」「明鬼」「節用」「節葬」「非樂」有建設性的修正，足見墨子積極的精神。

墨子反對儒家是就事論事，未加揑造，未予毀謗，❿對於儒家的好學說，他是不反對的。對於孔子，他不做人身攻擊，⓫更不抹煞孔子的言行，⓬充分

---

❿ 〈公孟篇〉記「子墨子謂程子曰：儒之道足以喪天下者，四政焉。」之後，又云：「程子曰『甚矣！先生之毀儒也。』子墨子曰：『儒固無此若四政者，而我言之，則是毀也。今儒固有此四政者，而我言之，則非毀也，告聞也。』程子無辭而出。」（卷 12，頁 278）

⓫ 《墨子・非儒下》雖有五則墨子對孔子的人身攻擊，但這不是墨子弟子記墨子的話，更不是墨子自著，而是後世墨者所偽託。見卷 9，頁 184－189。

⓬ 〈公孟篇〉云：「子墨子與程子辯，稱於孔子。程子曰：『非儒，何故稱於孔子也？』子墨子曰：『是亦當而不可易者也。今鳥聞熱旱之憂則高，魚聞熱旱之憂則下，當此雖禹湯為之謀必不能易矣。鳥魚可謂愚矣，禹湯猶云因焉。』」（卷 12，頁 278）

表現出客觀、公正，而無私的學者風範。

二、知識份子的使命感

儘管有人說墨子出身匠人⓭甚至刑徒，⓮然而他受「儒者之業，孔子之術」，是位道地的讀書人。他因不滿儒家趨向形式化的弊病，因而另創學說，另組學派，他的思想淵源與儒家是相同的。他深識讀書人的使命，他常呼籲社會人士「有力者疾以助人，有財者勉以分人，有道者勸以教人」。⓯他自己便是「有道者勸以教人」，深覺自己負有導正社會的責任與使命，他一生致力於行義救人，這是一條漫長而艱苦的路。《墨子·魯問篇》記載一段，墨子決定走這條路的心路歷程云：

> 魯之南鄙人，有吳慮者，冬陶夏耕，自比於舜。子墨子聞而見之。吳慮謂子墨子：「義耳義耳，焉用言之哉？」子墨子曰：「子之所謂義者，亦有力以勞人，有財以分人乎？」吳慮曰：「有。」子墨子曰：「翟嘗計之矣，翟慮耕而食天下之人矣，盛，然後當一農之耕，分諸天下，不能人得一升粟。籍而以為得一升粟，其不能飽天下之飢者，既可睹矣。翟慮織而衣天下之人矣，盛，然後當一婦人之織，分諸天下，不能人得尺布。籍而以為得尺布，其不能煖天下之寒者，既可睹矣。翟慮被堅執銳救諸侯之患，盛，然後當一夫之戰。一夫之戰其不御三軍既可睹矣。

⓭ 方授楚云：「墨子實匠人中之車工也。」見方氏著：《墨學源流》（上海：中華書局、上海書店，1989 年），上卷，第二章〈墨子之事蹟〉，頁 16。

⓮ 錢穆云：「余考墨乃古代刑名之一。……古人犯輕刑，往往罰作奴隸苦工。……故知墨為刑徒，轉辭言之，便為奴役。墨子生活菲薄，其道以自苦為極，故遂被稱為墨了。」見錢穆：《墨子》（上海：商務印書館，1934 年），第一章〈墨子傳略〉，及《先秦諸子繫年考辨》（上海：商務印書館，1935 年）〈墨翟非姓墨墨為刑徒之稱考〉。

⓯ 見《墨子》〈尚賢下〉（卷 2，頁 42）、〈尚同上〉（卷 3，頁 44－46）、〈尚同中〉（卷 3，頁 47－55）等篇。

翟以為不若誦先王之道，而求其說；通聖人之言，而察其辭，上說王公大人，次匹夫徒步之士。王公大人用吾言，國必治；匹夫徒步之士用吾言，行必脩。故翟以為雖不耕而食飢，不織而衣寒，功賢於耕而食之，織而衣之者也。故翟以為雖不耕織乎，而功賢於耕織也。」吳慮謂子墨子曰：「義耳義耳，焉用言之哉？」子墨子曰：「籍設而天下不知耕，教人耕，與不教人耕而獨耕者，其功孰多？」吳慮曰：「教人耕者其功多。」子墨子曰：「籍設而攻不義之國，鼓而使眾進戰，與不鼓而使眾進戰，而獨進戰者，其功孰多？」吳慮曰：「鼓而進眾者其功多。」子墨子曰：「天下匹夫徒步之士少知義，而教天下以義，功亦多，何故弗言也？若得鼓而進於義，則吾義豈不益進哉？」（卷13，頁286－287）

這一段話有數個要點：

1.他不認同吳慮「冬陶夏耕，自比於舜」的獨善其身、自給自食的生活。

2.「行義」功多於「一農之耕」、「一婦人之織」、與「一夫之戰」，故墨子選擇「行義」。

3.「誦先王之道，而求其說；通聖人之言，而察其辭」形成其義道。

4.上說王公大人，次匹夫徒步之士，教天下以義。

5.他堅信「王公大人用吾言，國必治；匹夫徒步之士用吾言，行必脩。」因「天下匹夫徒步之士少知義」，所以墨子要「教天下以義」，這便是身為「士」的使命感。

墨子說：「萬事莫貴於義」。⓰在他看來，天下事沒有比行義更重要的了。

⓰ 〈貴義篇〉：子墨子曰：「萬事莫貴於義。今謂人曰：『予子冠履，而斷子之手足，子為之乎？』必不為，何故？則冠履不若手足之貴也。又曰：『予子天下而殺子之身，子為之乎？』必不為，何故？則天下不若身之貴也。爭一言以相殺，是貴義於其身也。故曰：萬事莫貴於義也。」（卷12，頁265）

他周遊魯、齊、宋、衛、楚列國，並不是為了尋求做官的機會，而是為了「行義」。

「義」是甚麼？墨子說：

> 義者，正也。（〈天志下〉，卷 7，頁 130）
>
> 義，利也。（〈經上〉，卷 10，頁 191）
>
> 此仁也，義也，愛人利人。（〈天志中〉，卷 7，頁 127）

「義」包含了「正」與「愛人」「利人」之義。「利」指社會全體的「公利」，不是個人的利，或某一階層的利。換言之，凡是「正當」而「愛利」全體人類的事情，便叫做「義」。「義」可以說是墨家哲學的最高理想。

如何「行義」呢？「義」的範圍很廣，墨子的兩個弟子治徒娛與縣子碩曾問過墨子。〈耕柱篇〉云：

> 治徒娛、縣子碩問於子墨子曰：「為義孰為大務？」子墨子曰：「譬若築牆然，能築者築，能實壤者實壤，能欣者欣，然後牆成也。為義猶是也，能談辯者談辯，能說書者說書，能從事者從事，然後義事成也。」（卷 11，頁 257）

社會是個複雜的群體，社會上的事情千頭萬緒，要各部門健全，才有健全的社會；各部門的價值，對於社會來說都是一樣的。就好比人的身體一樣，由許多器官所組成，而各器官有各器官的功能；如果任何一個器官失去了功能，人的身體便不健全了。社會上的事情要大家分工合作，群策群力，才能健全進步。因此，墨子汲汲施教，不但自己盡其所能去行義，也希望社會上每個人都能盡自己的力量行義。

墨子因不使學術與社會脫節，所以他門下設「談辯」「說書」「從事」三科，因材而施教，爲社會培育各方面有用的人才。可見其講求「實用」的一斑。

墨子「上說下教」，鼓吹他的新思想。他深信自己的學說，可以解決當時政治社會的一些問題。〈貴義篇〉云：

> 子墨子曰：「吾言足用矣。舍〔吾〕言革思者，是猶舍穫而攈粟也；以其言非吾言者，是猶以卵投石也，盡天下之卵，其石猶是也，不可毀也。」（卷 12，頁 271）

這是何等大的氣魄！何等堅定的信念！何等果決的話語！他堅信他的學說是改革當時政治社會的不二法門。他說如果捨棄他的學說，而採用別的學說，等於是捨棄大量的收穫，而去撿取田間遺落的禾穗一樣；如果想用別人的學說來攻擊他的學說，就像拿雞蛋打石頭一樣，將全世界的雞蛋打在石頭上，石頭也不會被打破。像墨子這樣「擇善固執」，確也是讀書人的本色。

墨子不但自己堅守他的主義，也要弟子們切實實踐。〈貴義篇〉云：

> 子墨子謂二三子曰：「為義而不能，必無排其道；譬若匠人之斲而不能，無排其繩。」（卷 12，頁 267）

他再三告誡弟子們：行義縱使遇到困難也不可絕望，要堅持到底，不可放棄行義；好比木匠製作木器不成功，也不放棄他的工具——繩墨。

「上說下教」以行義，墨子確實盡到了知識份子「有道者勸以教人」的使命。

三、行義以利人

墨子的基本精神在「救世」。梁啓超說墨子是個小基督，⓱墨子的確具有耶穌基督那種犧牲自己，拯救世人的精神。

墨子行義的精神，有人欽佩他，但有人也與吳慮一樣以爲他多事。〈貴義篇〉云：

> 子墨子自魯即齊，過故人，謂子墨子曰：「今天下莫為義，子獨自苦而為義，子不若已。」子墨子曰：「今有人於此，有子十人，一人耕而九人處，則耕者不可以不益急矣。何故？則食者眾，而耕者寡也。今天下莫為義，則子如勸我者也，何故止我？」（卷12，頁265）

墨子從魯國到齊國，遇見一個老朋友。那個老朋友勸止墨子行義，說：「現在天下人都不肯行義，而你何以獨自苦苦行義？你不如停止吧！」墨子卻回答說：「假如這裡有一個人，他有十個兒子，只有一個兒子肯耕田，其餘的九個兒子都坐享其成，不肯做事。那麼這個耕田的就不能不更加努力去耕田了。爲甚麼？因爲吃的人多，耕田的人少。現在天下既然沒人肯行義，你就應該勸勉我更加努力才是，怎麼反倒攔阻我呢？」墨子便是那肯耕的「一人」，如果他也像其他兄弟一樣，不耕而坐享其成的話，這個家就要陷入絕境。只有墨子肯如此自我犧牲，以完成大我的福利。

墨子活躍於國際，上自王公大人、士君子，下至匹夫徒步之士，「偏從人而說之」，儒者批評他太注重宣傳，〈公孟篇〉云：

⓱ 見梁啟超：《墨子學案》，《飲冰室合集》（北京：中華書局，1994年），第8冊，頁20、35。

> 公孟子謂子墨子曰：「實為善人，孰不知？譬若良玉當作巫，處而不出，有餘糈。譬若美女，處而不出，人爭求之；行而自衒，人莫之取也。今子徧從人而說之，何其勞也？」子墨子曰：「今夫世亂，求美女者眾，美女雖不出，人多求之；今求善者寡，不強說人，人莫之知也。且有二生於此善筮，一行為人筮者，一處而不出者。行為人筮者與處而不出者，其糈孰多？」公孟子曰：「行為人筮者其糈多。」子墨子曰：「仁義鈞，行說人者，其功善亦多，何故不行說人也？」（卷12，頁272－273）

墨子認爲他的學說可以濟世利民，不管別人如何批評他多事，他還是要向人宣傳，並且「徧從人而說之」。

甚至有人認爲他有「狂疾」，墨子還是不放棄他的行義。〈耕柱篇〉云：

> 巫馬子謂子墨子曰：「子之為義也，人不見而耶當作服，鬼而不見而富當作福，而子為之，有狂疾！」子墨子曰：「今使子有二臣於此，其一人者見子從事，不見子則不從事；其一人者見子亦從事，不見子亦從事，子誰貴於此二人？」巫馬子曰：「我貴其見我亦從事，不見我亦從事者。」子墨子曰：「然則，是子亦貴有狂疾也。」（卷11，頁258）

可見墨子行義，並不是要人欽佩，也不是要向鬼神求福；他孜孜的苦幹，對社會能貢獻多少便貢獻多少，從沒想要社會或鬼神給予他任何回報。對於墨子這種行義的熱忱，巫馬子譏之爲「有狂疾」，他也泰然處之。

墨子認爲世俗所珍視的寶物，卻不能利人，只有「義」才是能利人的。〈耕柱篇〉云：

> 子墨子曰：「和氏之璧、隋侯之珠、三棘六異，此諸侯之所謂良寶也。

可以富國家、眾人民、治刑政、安社稷乎？曰：不可。所謂貴良寶者，為其可以利也。而和氏之璧、隋侯之珠、三棘六異不可以利人，是非天下之良寶也。今用義為政於國家，人民必眾，刑政必治，社稷必安。所為貴良寶者，可以利民也，而義可以利人，故：義，天下之良寶也。」（卷 11，頁 259）

「和氏之璧、隋侯之珠、三棘六異」這等稀世珍寶，都不能「富國家、眾人民、安社稷」，而用「義」爲政於國家，「人民必眾，刑政必治，社稷必安」，所以，義是可以利人的，墨子一生的職志，便是「行義以利人」。

行義是辛苦而寂寞的，當時人實在太不重視行義，而且還時常毀謗行義的人，這不能不叫墨子慨嘆！〈貴義篇〉云：

子墨子曰：「世俗之君子，視義士不若負粟者。今有人於此，負粟息於路側，欲起而不能，君子見之，無長少貴賤必起之。何故也？曰：義也。今為義之君子，奉承先王之道以語之，縱不說而行，又從而非毀，則是世俗之君子之視義士也，不若視負粟者也。」（卷 12，頁 270）

「行義」不必選擇時間、地點，不必分別事情大小，只要有利於人的事都可以去做。一個背著米的人，放下他的米在路旁休息，當他要再拿起米來背時，力量不夠，這時有人看見，不論老少貴賤都會幫他拿起米來。這是做好事，也叫做「行義」。反倒是，從事行義的君子，若以先王之道去遊說人們，人們非但不高興去做，而且還要加以毀謗。所以，墨子感嘆世俗的君子看待行義之士，還不如一個背米的人！

行義的工作是艱辛而寂寞的，墨子爲了要結合更多的人，成爲更大的力量，爲社會做點有益的事情，他從不計較個人的毀譽得失。〈公孟篇〉云：

二三子復於子墨子曰：「告子曰：『言義而行甚惡。』請棄之。」子墨子曰：「不可，稱我言以毀我行，愈於亡。有人於此，翟甚不仁，尊天、事鬼、愛人，甚不仁，猶愈於亡也。今告子言談甚辯，言仁義而不吾毀。告子毀，猶愈亡也。」（卷 12，頁 281）

這個叫告子的學生，口才很好，自視甚高，能談仁義之道。曾經對墨子誇稱他能「治國爲政」，想讓墨子推薦他出去做官，但被墨子狠狠教訓了一頓，說他「口言之，而身不行」，言行不一；而治國之事，一定要能說能行，言行合一。墨子說告子連自己本身都治不好，又怎能治理國家？要他不要再提治國的事，先把自己本身治好再講。⓲也許是這樣，告子對墨子不滿，於是在墨子背後詆毀他：「口裡說義，行爲卻不好。」一些弟子聽了甚爲憤慨，跑來告訴墨子，並請墨子開除告子。然而，墨子不肯，他說：「告子稱述我的言語而毀謗我的行爲，究竟比全不提起我強。假定這兒有一個人，和我甚不相愛，而稱述我尊天、事鬼、愛人，雖然甚不相愛，但總比毫不涉及我爲好。現在告子很有口辯，稱說仁義，雖然毀謗我，也總比沒有他這個人好啊！」在行義的路上，能多一個人便多一份力量，因爲行義不是少數人的力量可以做好的，爲了救助人類，墨子做了完全的奉獻，即使是毀謗他的人，他也不排斥。他「徧從人而說之」「強聒而不舍也」，⓳想以他微薄的力量，喚起大家的共鳴，大家攜手邁向幸福和平的境地。

⓲ 〈公孟篇〉：「告子謂子墨子曰：『我治國為政。』子墨子曰：『政者，口言之，身必行之。今子口言之，而身不行，是子之身亂也。子不能治子之身，惡能治國政？子姑亡，子之身亂之矣！』」（卷 12，頁 281）

⓳ 《莊子·天下篇》，見〔清〕郭慶藩輯，王孝魚校正：《莊子集釋》（臺北：華正書局，1980 年），卷 10 下，頁 1080。

四、言行合一

「言行一致」，是墨子平日所反覆叮嚀的。他不但「坐而言」，更重「起而行」，是徹頭徹尾的一位實行主義者。〈耕柱篇〉云：

> 子墨子曰：「言足以復行者常之，不足以舉行者勿常。不足以舉行而常之，是蕩口也。」（卷 11，頁 260）

〈貴義篇〉也有相類似的話。⑳。話要能實行的，才值得去說；否則就是空口說白話，徒費口舌了。

墨子也強調「知行合一」，他認為如果知而不行，便連知都算不上了。〈貴義篇〉云：

> 子墨子曰：「今瞽曰：『鉅（當作豈）者白也，黔者黑也。』雖明目者無以易之。兼白黑，使瞽取焉，不能知也。故我曰：瞽不知白黑者，非以其名也，以其取也。今天下之君子之名仁也，雖禹湯無以易之。兼仁與不仁，而使天下之君子取焉，不能知也。故我曰：天下之君子不知仁者，非以其名也，亦以其取也。」（卷 12，頁 267－268）

盲人只會說：白灰是白的，煤灰是黑的，但把白灰和煤灰混在一起，他便無法分辨出來。所以，盲人只會解說名稱，而不會作實際的辨識，這也等於「不知」。同樣的道理，當今天下的君子談說仁義，縱使是禹、湯等聖王也不過如此。但是若將合乎仁義的事，與不合乎仁義的事混雜在一起，令天下的君子去辨認，

⑳ 〈貴義篇〉云：「子墨子曰：『言足以遷行者常之；不足以遷行者，勿常。不足以遷行而常之，是蕩口也。』」

便無法將它分別了。所以墨子感慨地說：我說天下的君子不知道「仁」是甚麼，不是指解說名稱，而是指實際的辨別。天下的君子，大多像上節所說的告子一樣，只會空談仁義，那是沒用的，必定要能實行，對國家百姓才有實際的益處。口頭幾句仁義道德的話，誰不會說呢？有些人口頭上講得很動聽，而所行所爲，卻完全不是那麼一回事，墨子最不齒這種人。

墨子自己是個言而能行的人，他審慎地提出一種主張，就要將它實行。他特意創立了「三表法」，做爲立論的準則。爲甚麼要有「三表法」？〈非命上篇〉云：

> 子墨子曰：「言必立儀，言而毋儀，譬猶運鈞之上而立朝夕者也，是非利害之辨，不可得而明知也。故言必有三表。」何謂三表？子墨子言曰：「有本之者，有原之者，有用之者。於何本之？上本之於古者聖王之事。於何原之？下原察百姓耳目之實。於何用之？廢（借爲發）以為刑政，觀其中國家百姓人民之利。此所謂言有三表也。」（卷9，頁163－164）

「三表」又叫「三法」，又叫「三表法」，是墨子立論、審議的標準，也是判斷認識正確與否的三個標準。

第一表，考求本原：求證於古代聖王的事蹟，是過去的實際應用。過去的經驗可做爲殷鑑，古人施行有效的，今人可效法；古人施行有害的，今人就不要再重蹈覆轍。〈貴義篇〉云：

> 凡言凡動，合於三代聖王堯舜禹湯文武者為之；凡言凡動，合於三代暴王桀紂幽厲者舍之。（卷12，頁267）

三代聖王堯舜禹湯文武的做爲，是墨子所取法的，三代暴王桀紂幽厲是他所唾棄的。這一表說的是過去經驗的效用法。也就是上文所引墨子對吳慮所說：「誦先王之道，而求其說；通聖人之言，而察其辭。」《墨子》書中常引《尚書》《詩經》和當時周、鄭、燕、齊等國《春秋》，這些都是墨子立說的依據。

第二表，審察事故：是根據百姓耳目之實去判斷事情眞僞是非的徵驗法。也就是說要用百姓親身的經驗作爲標準，不能只憑主觀想像。〈明鬼下篇〉云：

> 然則吾為明察，此其說將奈何而可？子墨子曰：「是與天下之所以察知有與無之道者，必以眾之耳目之實，知有與亡為儀者也。請惑聞之見之，則必以為有；莫聞莫見，則必以為無。」（卷 8，頁 139）

墨子說考察一件事情的有無，須以眾人耳目所聞見，實際的經驗做標準。這固然有危險，因爲百姓耳目所見所聞有限，許多東西是看不見、聽不到，見聞或會有錯誤迷亂的情況。然而，這一表，卻有極大的功用。因爲耳目感官的經驗是知識的直接來源，通過直接經驗可以得到正確的知識，這是一般認識的途徑，也是科學的根本。我國學術自古在這方面比較欠缺，所以科學落在西洋人之後。

第三表，應用於實際：是將主義制爲政令，實際應用於行政，看它是否符合國家百姓人民的利益的效用法。墨子以爲對國家百姓有利的才是好的學說，才値得提出來。在墨子心中，「用」與「善」是相關連的。〈兼愛下篇〉云：

> 然而天下之士，非兼者之言猶未止也。曰：「即善矣，雖然，豈可用哉？」子墨子曰：「用而不可，雖我亦將非之。且焉有善而不可用者？」（卷 4，頁 72－73）

墨子以爲「善必可用」，而這個「用」，必能「興天下之利，除天下之害」，墨子學說最終目的，便是「實用」。

墨子十論：尚賢、尚同、兼愛、非攻、節用、節葬、非樂、天志、明鬼、非命，條條都是在這「三表」的論證下成立的。他活用他的學說，將他的學說付之實踐。他堅信他的學說能解決當時政治、社會、經濟、宗教等各方面的一些問題。他遊說各國君主及執政大夫，在他熱心的奔走下，委實也解決了不少問題，並且也勸阻了不少次戰禍。

五、擇務而從事

〈魯問篇〉云：

> 子墨子游，魏越曰：「既得見四方之君，子則將先語？」子墨子曰：「凡入國必擇務而從事焉。國家昏亂，則語之尚賢、尚同；國家貧，則語之節用、節葬；國家憙音湛湎，則語之非樂、非命；國家淫僻無禮，則語之尊天、事鬼；國家務奪侵凌，即語之兼愛、非攻。故曰：擇務而從事焉。」（卷13，頁288）

墨子本著「有道者勸以教人」的熱忱，周遊列國，遊說時君。針對著各國不同的問題，以他的「十論」對症下藥，因時、因地、因人而制宜。他到過齊國、宋國、衛國、楚國，對於本國的君主魯君，和其他國家元首及執政者，他都時常接觸，並且遊說他們行義。

當時齊、楚兩國最爲強盛，國君也最有野心，所以墨子經常奔走於齊楚之間。在楚國，他見了楚惠王、魯陽文君和公輸般。〈貴義篇〉云：

> 子墨子南遊於楚，見楚獻惠王，獻惠王以老辭，使穆賀見子墨子。子墨子說穆賀，穆賀大說，謂子墨子曰：「子之言則成善矣！而君王，天下之大王也，毋乃曰『賤人之所為』而不用乎？」子墨子曰：「唯其可行，

譬若藥然，草之本，天下食之以順其疾，豈曰『一草之本』而不食哉？今農夫入其稅於大人，大人為酒醴粢盛以祭上帝鬼神，豈曰『賤人之所為』而不享哉？故雖賤人也，上比之農，下比之藥，曾不若一草之本乎？且主君亦嘗聞湯之說乎？昔者，湯將往見伊尹，令彭氏之子御。彭氏之子半道而問曰：『君將何之？』湯曰：『將往見伊尹。』彭氏之子曰：『伊尹，天下之賤人也，若君欲見之，亦令召問焉，彼受賜矣。』湯曰：『非女所知也。今有藥此，食之則耳加聰，目加明，則吾必說而強食之。今夫伊尹之於我國也，譬之良醫良藥也。而子不欲我見伊尹，是子不欲吾善也。』因下彭氏之子，不使御。」（卷 12，頁 265－267）

封建時代，士農工商階級劃分嚴格，士以下的「賤人」是讓人卑視的，墨子曾自謂：「翟上無君上之事，下無耕農之勞」㉑既不是「士」，也不是「農」，是出身工商階級的讀書人。他的任務不在於直接參加生產，而在於「上說下教」「徧從人而說之」，宣傳並實行自己的學說和主張。然而，「賤人」出身的墨子，想在君王之間行義，鼓吹他的主張，是相當不容易的。起初確實碰了不少釘子。像楚惠王便以「賤人之所爲」拒絕他的遊說。但是，逐漸地，由於墨子的道術與熱誠，以及墨子所訓練的一支頗能發揮防禦力量的弟子兵，而抬高了他的聲望，君王們也逐漸地能接納他，並且尊重他。〈公輸篇〉記載了一則有名的「止楚攻宋」的故事：

公輸盤為楚造雲梯之械成，將以攻宋。子墨子聞之，起於齊（當作魯），行十日十夜而至於郢，見公輸盤。公輸盤曰：「夫子何命焉為？」子墨子曰：「北方有侮臣，願藉子殺之。」公輸盤不說。子墨子曰：「請獻十金。」

㉑ 見〈貴義篇〉，卷 12，頁 269。

公輸盤曰：「吾義固不殺人。」子墨子起，再拜曰：「請說之，吾從北方聞子為梯將以攻宋，宋何罪之有？荊國有餘於地，而不足於民；殺所不足，而爭所有餘，不可謂智。宋無罪而攻之，不可謂仁；知而不爭，不可謂忠；爭而不得，不可謂強，義不殺少而殺眾，不可謂知類。」公輸盤服。子墨子曰：「然，乎不已乎？」公輸盤曰：「不可。吾既已言之王矣。」子墨子曰：「胡不見我於王？」公輸盤曰：「諾。」

子墨子見王，曰：「今有人於此，舍其文軒，鄰有敝轝，而欲竊之；舍其錦繡，鄰有短褐，而欲竊之；舍其粱肉，鄰有糠糟，而欲竊之。此為何若人？」王曰：「必為竊疾矣。」子墨子曰：「荊之地，方五千里；宋之地，方五百里，此猶文軒之與敝轝也。荊有雲夢，犀兕麋鹿滿之，江漢之魚鱉黿鼉為天下富；宋所為無雉兔狐狸者也，此猶粱肉之與糠糟也。荊有長松、文梓、楩枏、豫章；宋無長木，此猶錦繡之與短褐也。臣以三事之攻宋也，為與此同類，臣見大王之必傷義而不得。」王曰：「善哉！雖然，公輸盤為我為雲梯，必取宋。」

於是見公輸盤，子墨子解帶為城，以牒為械。公輸盤九設攻城之機變，子墨子九距之。公輸盤之攻械盡，子墨子之守圉有餘。公輸盤詘，而曰：「吾知所以距子矣，吾不言。」子墨子亦曰：「吾知子之所以距我，吾不言。」楚王問其故，子墨子曰：「公輸子之意，不過欲殺臣。殺臣，宋莫能守，可攻也。然臣之弟子禽滑釐等三百人，已持臣守圉之器在宋城上而待楚寇矣。雖殺臣，不能絕也。」楚王曰：「善哉！吾請無攻宋矣。」（卷13，頁292－296）

公輸盤是當時天下聞名的巧匠，善於製造精巧器物，㉒也善於發明武器。這次

㉒ 〈魯問篇〉云：「公輸子削竹木以為鵲，成而飛之，三日不下，公輸子自以為至巧。」（卷13，頁292）

爲楚王發明攻城的新武器雲梯，楚王和他都躍躍欲試。準備去攻宋，試驗雲梯的威力。墨子聽到了這消息，從魯國走了十天十夜趕到楚國首都郢阻止這將釀成的侵略性的戰爭。墨子與公輸盤及楚王展開了激烈的辯論，終於說服了他們，勸止了這場戰禍。這故事寫得精彩極了，墨子這樣盡力地阻止楚國攻宋，正是體現他兼愛、非攻理想的實際行動，充分地表現了墨子的智慧、堅定、和見義勇爲的精神。任繼愈先生說：

> 從以上故事，我們可以認識到墨子這個具有智慧和勇敢的哲學家的不朽形象。墨子並不是向侵略者乞求和平。他除了用正義的言詞跟侵略者抗辯以外，還充分認識到，要有保衛和平的力量。事實證明，在強有力的保衛和平的力量支持下，宋國才免於遭受侵略。墨子為實現自己的理想，不辭艱辛，長途跋涉，甚至冒著生命危險去撲滅即將燃起的侵略戰爭的火焰。墨子這一偉大的行動，充分體現了中華民族一貫具有的反對侵略戰爭的優良傳統。直到今天，它對我們還有現實的教育意義，值得我們每一個愛國家、愛和平的人記取。㉓

墨子這樣拼著性命，幫助宋國免去了一場戰禍，宋國人毫不知情。回去時經過宋國，適逢天下大雨，墨子想到一個里門內躲雨，守門的人卻不讓他進去。竟然不知道他是宋國的救命恩人。看了這故事，不能不令人欽佩墨子的偉大。

墨子的目的原在爲天下人謀求安定幸福，並不在求個人的私利私名；因此，他的功德不求人知。〈公輸篇〉最後下一個結論說：

㉓ 任繼愈主編：《墨子與墨家》（臺北：臺灣商務印書館，1994 年《中國文化史知識叢書》），頁 32－33「止楚攻宋的故事」。

> 故曰：治於神者，眾人不知其功；爭於明者，眾人知之。（卷 13，頁 296）

墨子便是「治於神者」的大智碩德的人，一般人是不知道他的偉大功績的；他不同於「爭於明者」專門計較小利、小德，有一點小功勞，巴不得眾人都知道。

公輸盤和墨子都是魯國人，公輸盤年事稍長於墨子。兩人都是一流的技術家，公輸盤長於發明侵略性的武器，墨子卻製造守禦的兵器來抵拒，兩人常爭辯。曾有一次，公輸盤爲楚王發明舟戰用的鈎拒打敗越人。公輸盤得意地來向墨子炫耀，墨子卻拿義道開導他。〈魯問篇〉云：

> 公輸子善其巧，以語子墨子曰：「我舟戰有鈎強當作拒，不知子之義亦有鈎強乎？」子墨子曰：「我義之鈎強賢於子舟戰之鈎強。我鈎強，我鈎之以愛，揣當作拒之以恭。弗鈎以愛，則不親；弗揣以恭，則速狎；狎而不親則速離。故交相愛、交相恭，猶若相利也。今子鈎而止人，人亦鈎而止子；子強而距人，人亦強而距子。交相鈎，交相強，猶若相害也。故我義之鈎強，賢子舟戰之鈎強。」（卷 13，頁 291－292）

墨子說公輸盤引爲得意的鈎拒，「交相鈎」「交相強」，是「相害」；不如義道「交相愛」「交相恭」是「相利」。義道才能締造人類的幸福。

公輸盤又喜歡做些小玩意兒。〈魯問篇〉又云：

> 公輸子削竹木以為鵲，成而飛之，三日不下。公輸子自以為至巧。子墨子謂公輸子曰：「子之為鵲也，不如匠之為車轄。須臾劉三寸之木，而任五十石之重。故所為功，利於人謂之巧，不利於人謂之拙。」（卷 13，頁 292）

墨子是實用主義者，他覺得公輸盤把智力、精力浪費在對人類無益的玩意與武器的發明上，實在太可惜了。他以爲凡是有力量、有財貨、有智慧的都應該多幫助別人，㉔多做些有益於人類的事。

墨子屢勸公輸盤行義，公輸盤都聽不進去；直到「止楚攻宋」的事後，公輸盤才醒悟，對墨子才眞的折服。〈魯問篇〉云：

> 公輸子謂子墨子曰：「吾未得見之時，我欲得宋。自我得見之後，予我宋而不義，我不為。」子墨子曰：「翟之未得見之時也，子欲得宋；自翟得見子之後，予子宋而不義，子弗為，是我予子宋也。子務為義，翟又將予子天下。」（卷13，頁292）

沒有見到墨子以前，公輸盤滿心想得到宋國；見到墨子以後，終於明白了甚麼是「義」，甚麼是「不義」。如果得到宋國是不義的，那他是不會要的。現在，他對事物有了新的是非的辨識，這比得到宋國還要可貴。墨子的熱忱，終於感化了熱衷於發明攻擊武器的公輸子，不知給天下人免除了多少戰爭的厄運。墨子鼓勵公輸盤努力去行義，墨子還要把天下送給他。公輸盤能夠將計算世人的心思，轉爲兼愛世人，與天下人打成一片，這便是擁有天下了。

墨子也常遊說掌握楚國政權，而又好攻伐的楚大夫魯陽文君。〈耕柱篇〉云：

> 子墨子謂魯陽文君曰：「大國之攻小國，譬猶童子之為馬也。童子之為馬，足用而勞；今大國之攻小國也，□攻者，農夫不得耕，婦人不得織，以守為事；攻人者，亦農夫不得耕，婦人不得織，以攻為事，故大國之

㉔ 〈尚賢下篇〉：「有力者疾以助人，有財者勉以分人，有道者勸以教人。」（卷2，頁42）

攻小國也，譬猶童子之為馬也。」（卷 11，頁 260）

墨子以小孩子騎竹馬的妙喻，來勸魯陽文君不要隨便攻打小國，戰爭總是兩敗俱傷、得不償失的；被攻打的固然損失慘重，攻打人的也討不到便宜，只有自己勞累吃苦，勞民傷財罷了。這話說得一點沒錯，這便是墨子反對戰爭的理由之一，在〈非攻篇〉中也說到這層道理。

墨子又以「實有竊疾」、㉕「知小物而不知大物」、㉖「殺其父而賞其子」等㉗遊說魯陽文君，灌輸「非攻」與「仁義」思想。又以不該「代天加誅」，而勸止魯陽文君攻鄭。㉘

㉕ 〈耕柱篇〉云：子墨子謂魯陽文君曰：「今有一人於此，羊牛犓豢維人但割而和之，食之不可勝食也，見人之作餅，則還然竊之，曰：『舍余食。』不知日月安不足乎？其有竊疾乎？」魯陽文君曰：「有竊疾也。」子墨子曰：「楚四竟之田，曠蕪而不可勝辟，評靈數千，不可勝〔入〕，見宋、鄭之閒邑，則還然竊之，此與彼異乎？」魯陽文君曰：「是猶彼也，實有竊疾也。」（卷 11，頁 263）

㉖ 〈魯問篇〉云：子墨子為魯陽文君曰：「世俗之君子，皆知小物而不知大物。今有人於此，竊一犬一彘則謂之不仁，竊一國一都則以為義。譬猶小視白謂之白，大視白則謂之黑。是故世俗之君子，知小物而不知大物者，此若言之謂也。」（卷 13，頁 284）

㉗ 〈魯問篇〉云：魯陽文君語子墨子曰：「楚之南有啖人之國者橋，其國之長子生，則鮮而食之，謂之宜弟。美，則以遺其君，君喜則賞其父，豈不惡俗哉？」子墨子曰：「雖中國之俗，亦猶是也。殺其父而賞其子，何以異食其子而賞其父者哉？苟不用仁義，何以非夷人食其子也？」（卷 13，頁 284－285）

㉘ 〈魯問篇〉云：魯陽文君將攻鄭，子墨子聞而止之，謂陽文君曰：「今使魯四境之內，大都攻其小都，大家伐其小家，殺其人民，取其牛馬狗豕布帛米粟貨財則何若？」魯陽文君曰：「魯四境之內皆寡人之臣也。今大都攻其小都，大家伐其小家，奪之貨財，則寡人必將厚罰之。」子墨子曰：「夫天之兼有天下也，亦猶君之有四境之內也。今舉兵將以攻鄭，天誅亓不至乎？」魯陽文君曰：「先生何止我攻鄭？我攻鄭，順於天之志。鄭人三世殺其父，天加誅焉，使三年不全，我將助天誅也。」子墨子曰：「鄭人三世殺其父而天加誅焉，使三年不全，天誅足矣，今又舉兵將以攻鄭，曰『吾攻鄭也，順於天之志』，譬有人於此，其子強梁不材，故其父笞之，其鄰家之父舉木而擊之，曰『吾擊之也，順於其父之志。』則豈不悖哉？」（卷 13，頁 283－284）

墨子在齊國，見過齊太王田和㉙和將軍項子牛，㉚也是以「非攻」「天志」的道理向他們進言，盡力勸阻他們侵略無辜小國，又派遣弟子勝綽輔佐項子牛，雖然阻止不了項子牛的侵魯，墨子還是儘他所能地奔走於各國之間，想以他的影響力勸服侵略者，使他們把花費在戰爭上的人力物力，多爲天下百姓興利除害。

墨子也遊說過鄰國衛國的執政大夫公良桓子。〈貴義篇〉云：

> 子墨子謂公良桓子曰：「衛，小國也，處於齊、晉之閒，猶貧家之處於富家之閒也。貧家而學富家之衣食多用，則速亡必矣。今簡子之家，飾車數百乘，馬食菽粟者數百匹，婦人衣文繡者數百人；吾取飾車、食馬之費，與繡衣之財以畜士，必千人有餘。若有患難，則使百人處於前，數百於後，與婦人數百人處前後，孰安？吾以為不若畜士之安也。」（卷12，頁269）

衛國小，介於齊、晉兩強國之間，又不富有，而達官貴人卻奢侈浪費，不知節儉養士，而競尚奢華，墨子實在爲他們焦急。所以，墨子勸說他們「節用」，把節省下來的錢拿來培育保衛國家的有用人才，這樣國家才能安全。

㉙ 〈魯問篇〉云：子墨子見齊大王曰：「今有刀於此，試之人頭，倅然斷之，可謂利乎？」大王曰：「利。」子墨子曰：「多試之人頭，倅然斷之，可謂利乎？」大王曰：「利。」子墨子曰：「刀則利矣，孰將受其不祥。」大王曰：「刀受其利，試者受其不祥。」子墨子曰：「并國覆軍，賊敖百姓，孰將受其不祥？」大王俯仰而思之曰：「我受其不祥。」（卷13，頁283）

㉚ 〈魯問篇〉云：齊將伐魯，子墨子謂項子牛曰：「伐魯，齊之大過也。昔者，吳王東伐越，棲諸會稽，西伐楚，葆昭王於隨。北伐齊，取國子以歸於吳。諸侯報其讐，百姓苦其勞，而弗為用，是以國為虛戾，身為刑戮也。昔者，智伯伐范氏與中行氏，兼三晉之地，諸侯報其讐，百姓苦其勞，而弗為用，是以國為虛戾，身為刑戮，用是也。故大國之攻小國也，是交相賊也，過必反於國。」（卷13，頁282－283）

魯國常受齊國侵擾，魯國國君向墨子請教，用甚麼方法救魯國。〈魯問篇〉云：

> 魯君謂子墨子曰：「吾恐齊之攻我也，可救乎？」子墨子曰：「可。昔者三代之聖王禹湯文武，百里之諸侯也，說忠行義，取天下。三代之暴王桀紂幽厲，讎怨行暴，失天下。吾願主君，之上者尊天事鬼，下者愛利百姓，厚為皮幣，卑辭令，亟徧禮四鄰諸侯，敺國而以事齊，患可救也；非此，顧無可為者。」（卷 13，頁 282）

墨子勸魯君「說忠行義」「尊天事鬼」「愛利百姓」，先安定好國家，國家能自立自強，再「厚爲皮幣，卑辭令，亟徧禮諸侯」敦睦邦交，取得國際友邦的協助；最後「敺國以事齊」，循由外交途徑，以和平解決的方式化解戰爭的危難。墨子這種建議合乎他一貫的主張，而與現代意義也甚契合。

墨子如此「擇務而從事」遍走列國，以墨子的熱誠和實力，確實解除了國際間多次戰禍，也幫助各國解決了國內一些問題。[31]墨子行義，他那堅毅篤實、犧牲奉獻、冒險犯難的精神，深得當時執政者的敬重。而墨子弟子們到各國出仕，表現得也多不平凡。

六、背祿而向義

墨子爲了要行義，排除一切的享受；甚至要求弟子們以理智克制人性中脆

[31] 如魯君以擇立太子的事請教墨子。〈魯問篇〉：「魯君謂子墨子曰：『我有二子，一人者好學，一人者好分人財，孰以為太子而可？』子墨子曰：『未可知也，或所為賞與為是也。釣者之恭，非為魚賜也，餌鼠以蟲，非愛之也。吾願主君之合其志功而觀焉。』」（卷 13，頁 286）墨子建議魯君「合志功而觀焉」，也就是觀察這兩個孩子是否「言行合一」，而選立太子。

弱的喜怒哀樂愛惡之情，而全心全意從事於義。〈貴義篇〉云：

> 子墨子曰：「必去六辟。嘿則思，言則誨，動則事，使三者代御，必為聖人。必去喜、去怒、去樂、去悲、去愛、〔去惡〕脫此二字，而用仁義。手足口鼻耳，從事於義，必為聖人。」（卷12，頁267）

墨子稱「喜怒哀樂愛惡」六種情感爲「六辟」。辟，偏也。墨子認爲一動情，心思就會有所偏，所以要弟子們去掉情感，踏踏實實地以手、足、口、鼻、耳身體的五官，全心全意從事於義。

墨家經常過著極端刻苦的團體生活，被荀子譏爲「役夫之道」。㉜《莊子》〈天下篇〉說墨子之道「其生也勤，其死也薄」，又說「後世之墨者，多以裘褐爲衣，以跂蹻爲服，日夜不休，以自苦爲極。」墨家「其自養儉」。㉝他們反對富貴者「虧奪民衣食之財」剝削人民和過分享受生活。因此，他們一方面要國君行其道，一方面盡量減低國君對他們的供養。而且，爲名利富貴而出賣「義」的事，墨子和一些弟子是絕不幹的。〈魯問篇〉云：

> 子墨子游公尚過於越。公尚過說越王，越王大說，謂公尚過曰：「先生苟能使子墨子於越而教寡人，請裂故吳之地方五百里以封子墨子。」公尚過許諾。遂為公尚過束車五十乘，以迎子墨子於魯，曰：「吾以夫子之道說越王，越王大說，謂過曰：『苟能使子墨子至於越而教寡人，請

㉜ 《荀子·王霸篇》：「大有天下，小有一國，必自為之然後可，則勞苦秏顇莫甚焉，如是，則雖臧獲不肯與天子易埶業。以是縣天下，一四海，何故必自為之，為之者，役夫之道也。墨子之說也。」見〔清〕王先謙著，沈嘯寰、王星賢點校：《荀子集解》（北京：中華書局，1992年），卷7/213-214/上冊。

㉝ 見《墨子·辭過篇》，卷1，頁17-22所言。

裂故吳之地方五百里以封子。』子墨子謂公尚過曰：「子觀越王之志何若？意越王將聽吾言，用吾道，則翟將往，量腹而食，度身而衣，自比於群臣，奚能以封為哉？抑越不聽吾言，不用吾道，而吾往焉，則是我以義糶也。鈞之糶，亦於中國耳，何必於越哉？」（卷13，頁287－288）

《呂氏春秋·高義篇》亦載有此事。高官厚爵本是人人求之不得的，而墨子卻不願出賣「義」去換取它。墨子說如果越王眞能接受他的主張而予以實行，他是願意去越國，並接受與他身份相稱的待遇。現在越王是否能實行墨子的主張尙不可知，便接受越王過份優厚的待遇，這不啻是爲厚祿而出賣義，如此做便違背了墨家的原則。墨子平日經常教誨弟子們，不可貪圖富貴而背棄義道，弟子們也多能奉行，墨子當然應以身作則。

墨子弟子中最能守墨子這原則的如高石子，〈耕柱篇〉云：

子墨子使管黔敖游高石子於衛，衛君致祿甚厚，設之於卿。高石子三朝必盡言，而言無行者。去而之齊，見子墨子曰：「衛君以夫子之故，致祿甚厚，設我於卿。石三朝必盡言，而言無行，是以去之也。衛君無乃以石為狂乎？」子墨子曰：「去之苟道，受狂何傷！古者周公旦非關叔，辭三公東處於商蓋，人皆謂之狂。後世稱其德，揚其名，至今不息。且翟聞之，為義非避毀就譽，去之苟道，受狂何傷！」高石子曰：「石去之，焉敢不道也。昔者夫子有言曰：『天下無道，仁士不處厚焉。』今衛君無道，而貪其祿爵，則是我為苟陷（當作啗）人（當作食）長也。」子墨子說，而召子禽子曰：「姑聽此乎！夫倍義而鄉祿者，我常聞之矣；倍祿而鄉義者，於高石子焉見之也。」（卷11，頁260－261）

衛君因爲敬重墨子的緣故，而重用高石子，給他很優厚的俸祿，很高的職位，以他爲卿。於是高石子兢兢業業盡他的職守。上朝必定盡忠進言，然而他說的話，衛君都不採用，於是高石子毅然辭官離開衛國。到齊國見到了老師墨子，向老師解釋他辭職的原因，還擔心衛君會不會以爲他狂妄。墨子說如果辭職是合理的，雖受狂名又有何傷？高石子是謹守著老師「天下無道，仁士不處厚焉」的教誨而行事。衛君雖然敬重墨子，但畢竟還是不能奉行墨家的主張。在衛國，高石子既然影響不了衛君，他也就不願再待在衛國白領他優厚的俸祿了。高石子這種「背祿而向義」的作爲，實在難得，也令墨子感到無比的欣慰，他的調教總算沒有白費，所以在眾弟子面前誇讚他。墨子教育弟子是德行、言談、道術三者並重的，高石子可說是墨門典範。

但墨家弟子不是個個都像高石子那樣，能堅守墨家原則，也有令墨子失望的，如〈貴義篇〉所記：

> 子墨子仕人於衛，所仕者至而反。子墨子曰：「何故反？」對曰：「與我言而不當。曰『待女以千盆。』授我五百盆，故去之也。」子墨子曰：「授子過千盆，則子去之乎？」對曰：「不去。」子墨子曰：「然則，非為其不審也，為其寡也。」（卷 12，頁 269－270）

這個弟子只爲俸祿而到衛國做官，委實叫墨子失望。這個弟子把俸祿看得這麼重，簡直不像墨子的門徒，眞是玷辱師門！更有甚者，如〈魯問篇〉所云：

> 子墨子使勝綽事項子牛。項子牛三侵魯地，而勝綽三從。子墨子聞之，使高孫子請而退之，曰：「我使綽也，將以濟驕而正嬖也。今綽也祿厚而譎夫子，夫子三侵魯，而綽三從，是鼓鞭於馬靳也。翟聞之：『言義而弗行，是犯明也。』綽非弗之知也，祿勝義也。」（卷 13，頁 290－291）

墨子命弟子勝綽去輔佐好戰的齊國將軍項子牛，是想安排勝綽在項子牛身邊，可以隨時勸阻項子牛侵略他國。可是，勝綽非但沒有勸阻項子牛，反而同流合污。項子牛三次出兵侵略魯國，勝綽三次跟隨項子牛行動。墨子知道了，很生氣，於是派遣弟子高孫子到項子牛那兒，請求黜免勝綽。勝綽因違背墨家行義的精神，「向祿而背義」，助紂爲虐；而且他「言義而弗行」，嘴裡說義，卻不去實行，言行不一致，所以遭墨子黜斥。

墨子認爲爲臣之道，在於能輔助執政者行仁義，而不是一味服從。他曾與魯陽文君討論過所謂「忠臣」，〈魯問篇〉云：

> 魯陽文君謂子墨子曰：「有語我以忠臣者，令之俯則俯，令之仰則仰，處則靜，呼則應，可謂忠臣乎？」子墨子曰：「令之俯則俯，令之仰則仰，是似景也。處則靜，呼則應，是似響也。君將何得於景與響哉？若以翟之所謂忠臣者，上有過則微之以諫，己有善，則訪之上，而無敢以告。外匡其邪，而入其善，尚同而無下比，是以美善在上，而怨讎在下，安樂在上，而憂慼在臣，此翟之所謂忠臣者也。」(卷 13，頁 285－286)

魯陽文君以爲叫臣子低頭就低頭，抬頭就抬頭；平時靜默不響，呼喚他就答應，這便是「忠臣」。墨子大不以爲然，他認爲這樣的臣子，和影子、回聲沒甚麼兩樣，對主上無助益。他所認爲的「忠臣」是：主上有過錯時，他要找機會進諫；自己有好計劃時，要進獻給主上，而不告訴外人。要全心全意匡正主上，使主上不流入邪惡，使主上日新月善；協同主上而不蒙蔽，舉用賢人而不私結黨派，使主上享受美譽之名，臣下分受仇怨之事；主上安樂，臣下憂苦，墨子認爲「忠臣」應該如此。〈尚賢中篇〉也說：

> 《詩》曰：「告女憂卹，誨女予爵，孰能執熱，鮮不用濯。」則此語古

者國君諸侯之不可以不執善，承嗣輔佐也。譬之猶執熱之有濯也，將休其手焉。古者聖王唯毋得賢人而使之，般爵以貴之，裂地以封之，終身不厭。賢人唯毋得明君而事之，竭四肢之力以任君之事，終身不倦。若有美善則歸之上，是以美善在上而所怨謗在下，寧樂在君，憂慼在臣。（卷9，頁30－31）

臣子理當盡職守份，並且爲主上分憂解勞，要理性地服從。〈親士篇〉說：「君必有弗弗之臣，上必有詻詻之下。」才是主上之福。他反對儒家「不扣則不鳴」明哲保身的做法。〈公孟篇〉云：

公孟子謂子墨子曰：「君子共己以待，問焉則言，不問焉則止，譬若鐘然，扣則鳴，不扣則不鳴。」子墨子曰：「是言有三物焉，子乃今知其一身也，又未知其所謂也。若大人行淫暴於國家，進而諫，則謂之不遜，因左右而獻諫，則謂之言議。此君子之所疑惑也。若大人為政，將因於國家之難，譬若機之將發也然，君子之必以諫，然而大人之利，若此者，雖不扣必鳴者也。若大人之舉不義之異行，……欲攻伐無罪之國，……以廣辟土地，著稅偽材，出必見辱，所攻者不利，而攻者亦不利，是兩不利也，若此者，雖不扣必鳴者也。」（卷12，頁271－272）

〈非儒下篇〉也有與此段相類似的話：

君子若鐘，擊之則鳴，弗擊不鳴。應之曰：「夫仁人事上竭忠，事親得孝，務善則美，有過則諫，此為人臣之道也。今擊之則鳴，弗擊不鳴，隱知豫力，恬漠待問而後對，雖有君親之大利，弗問不言，若將有大寇亂，盜賊將作，若機辟將發也，他人不知，己獨知之，雖其君親皆在，

> 不問不言，是夫大亂之賊也！以是為人臣不忠，為子不孝，事兄不弟，交（當作友）遇人不貞良。……（卷 9，頁 182－183）

不僅忠臣不該唯唯諾諾、恭順附和如影如響，對待父母、對待親友，也應該「扣亦鳴」「不扣亦鳴」，不能太過於謹言愼行、明哲保身而誤了大事。從這兒可以看出墨子積極、負責、熱忱的性格，也反映了他「興天下之利，除天下之害」的行義精神，不爲己利、不畏權勢，而全心全意爲義而行。

七、結　語

由本文(一)思想的改革、(二)知識份子的使命感、(三)行義以利人、(四)言行合一、(五)擇務而從事、(六)背祿而向義等六項分析討論，反映了墨家革新思想、犧牲小我、行義利人、勤儉力行、重實踐、守紀律、求眞理、愛和平、講平等的精神。他們反對世襲、私倖的貴族政治，他們反對侵略戰爭的殘傷人民，他們抗議王公大人虧奪人民衣食之財享樂奢侈，他們喚醒人們認識自我，強力從事自求多福。這便是渡邊卓所說的「近代化」思想。

墨家是有組織、有紀律的學術團體，墨家領袖稱「鉅子」，執掌「墨者之法」以治墨家，又組成子弟兵以濟弱禦強，如前文所云「止楚攻宋」一事，以實力對抗強橫。又如《呂氏春秋·離俗覽·上德篇》云：

> 墨者鉅子孟勝善刑之陽城君。陽城君令守於國，毀璜以為符，約曰：「符合聽之。」荊王薨，群臣攻吳起，兵於喪所，陽城君與焉，荊罪之。陽城君走，荊收其國。孟勝曰：「受人之國，與之有符，今不見符，而力不能禁，不能死，不可。」其弟子徐弱諫孟勝曰：「死而有益陽城君，死之可矣；無益也，而絕墨者於世，不可。」孟勝曰：「不然！吾於陽城君也，非師則友也，非友則臣也。不死，自今以來，求嚴師必不於墨

者矣，求賢友必不於墨者矣，求良臣必不於墨者矣。死之所以行墨者之義，而繼其業者也。我將屬鉅子於宋之田襄子。田襄子賢者也，何患墨者之絕世也？」徐弱曰：「若夫子之言，弱請先死以除路。」還歿頭於前，孟勝因使二人傳鉅子於田襄子。孟勝死，弟子死之者百八十三人。以致令於田襄子，欲反死孟勝於荊，田襄子止之曰：「孟子已傳鉅子於我矣，當聽。」遂反死之，墨者以為不聽鉅子。（卷 19/11a-12b/894-896/下冊）

鉅子孟勝爲陽城君守國不成，便師徒百八十餘人慷慨赴義。可見墨家把「義」看得比生命還重要。孟勝以此激勵墨者，而建立「嚴師」「賢友」「良臣」的榜樣。《淮南子·泰族篇》因而稱許云：

墨子服役者百八十人，皆可使赴火蹈刃，死不旋踵，化之所致也。（卷 20/681/下冊）

墨者這種視死如歸、慷慨成仁的精神，便是墨家的任俠精神。這種偉大的自我犧牲精神，不但深深感動了當時的人，也爲近世革命烈士所敬仰與效法。

墨家紀律嚴格，如《呂氏春秋·孟春紀·去私篇》所記：

墨者有鉅子腹䵍，居秦，其子殺人。秦惠王曰：「先生之年長矣！非有它子也，寡人已令使弗誅矣。先生之以此聽寡人也。」腹䵍對曰：「墨者之法，曰：『殺人者死，傷人者刑。』此所以禁殺傷人也。夫禁殺傷人者，天下之大義也，王雖為之賜，而令吏弗誅，腹䵍不可不行墨子之法。」（卷 1/20a-b/95-6/上冊）

墨者鉅子腹䵍居秦，其子殺人，秦惠王以秦法特赦其子，然而腹䵍不接受。因為他身為鉅子，不能不以身作則，嚴格執行「墨者之法」，公正裁決其子——「殺人者死」。這種大義滅親、恪守紀律的精神，除了墨家以外，其他學派恐怕是做不到的。

墨家這種擁有實力、講求高義、兼愛世人的學派，在戰國各國分立的時代能受歡迎，到秦漢統一天下以後，卻不見容於統治者了。所以墨家學派在先秦時代勢力極大，與儒家並峙；漢以後即趨於消沈，幾乎從思想界消失；直至清中葉以後才又復興。這樣重大的變化，與政治、社會、思想的變革有很密切的關係。

秦漢統一天下，成立大帝國以後二千多年間，中國是一個中央集權的大一統的帝國，在高度集權的中央政府的統治下，消弭了春秋戰國時期的列國紛爭，因此，墨子「兼愛」、「非攻」的主張已失去了宣傳的對象。墨子主張「尚賢」，反對貴族世襲特權，漢以後建立了官吏選拔制度，不再有世襲貴族。而墨子主張「尚同」，集中統一的願望已經實現。墨子所主張的奉給民用則止的「節用」，在平衡經濟發展的趨勢裡已不適用。所以，墨家勢力趨於衰落，是可以理解的。而於十八世紀末葉，最後帝國（清）露出衰兆之際，墨學又復活，這是西歐外來勢力對政治、經濟、社會的衝擊，帶動了思想的變革所致。

秦漢以後，墨學雖不再是「顯學」，但墨學的影響卻一直流傳著，並未消失，它成為一種流行於民間的思潮。社會上不斷出現「遊俠」「任俠」一流人物，他們扶弱濟貧、見義勇為、吃苦耐勞、友愛互助，這類思想和價值觀一直受到人民的稱讚。梁任公謂「游俠」為「別墨」，[34]這種人格典型與墨家有著很深的淵源。

墨子學說雖起於救世之弊，應時而興，對於當時政治、社會的改革，有人

---

[34] 見梁啟超：《墨子學案·墨者及墨學別派》，《飲冰室合集》，同注[17]，第8冊，頁78。

肯定他，也有人批評他。然而，對於墨子和墨者熱心救世、自我犧牲的精神卻備受敬佩。連逍遙放任的莊子也不得不稱許道：「墨子眞天下之好也，將求之不得也，雖枯槁不舍也，才士也夫！」，㉟甚至排斥他、罵他爲「禽獸」的孟子㊱也不得不承認他「摩頂放踵，利天下爲之。」。㊲墨家重視科學、尊重眞理、不尙空談、互助互愛、反抗強權等精神價值是永恒不滅的，是我們現代人所當效法而發揚光大的。

茲欣逢外子以仁七秩壽慶，謹以此文為以仁壽。祝以仁福壽綿綿，健康快樂。

㉟ 見《莊子·天下篇》，同注⑲，卷 10 下，頁 1080。

㊱ 《孟子·滕文公下》云：「楊氏為我，是無君也；墨氏兼愛，是無父也。無父無君是禽獸也。」，見〔宋〕朱熹《四書集注》，同注❾，卷 6，頁 272。

㊲ 見《孟子·盡心上》，同前注，卷 13，頁 357。。

儒學大義及其應用之道

陳貴麟*

吾國學術以儒學爲宗，先秦孔孟、宋明理學、民國新儒，一根而發宛若長江滾滾。聖人教化，一言以蔽之，曰仁而已矣。仁學經典浩繁，古人尚有皓首不解一經之嘆，況今人者乎？《論》、《孟》、《易傳》、《大學》、《中庸》洵爲仁學之津梁也，首當明之。欲實踐聖人教化，須知《大學》者儒家之門戶、《中庸》者孔門之心法、《論語》者傳孔子之教也。或曰：「舊典無益於現代知識，有礙科技之發展。」此言差矣！蓋古今雖長、天地雖遠，而人間之時代課題與夫安身立命之道則未嘗變也。余深恐儒學大義久湮不彰，願以一得之愚，泐布數言。

孔子師弟周遊列國，何以諸公不用？夫世衰道微，邪說暴行有作，以致人心浮動。是以孔子欲藉春秋大義以正世風。一貫之道在忠恕二字。朱子云：「盡己謂之忠，推己謂之恕。」此皆在仁義禮智四端言之，即同理心以助人也。是以孔子拈出「仁」字，性相近而習相遠也。亞聖傳薪，肯定人性本善，於是先秦儒學之根源問題得以底定。

《大學》一文在揭示「知所先後」與「止於至善」二事。政府機構、公司行號奉之爲圭臬者恆有爲也；反之，必無日矣。我中華民國雖負隅東南，苟能推擴明德之誠，定物之本末、察事之終始，一如否泰循環之理，則遠來近悅，邦國大計可長可久也。

---

* 國立臺北師範學院語教系兼任副教授。

夫《中庸》題解，有「不偏不易、無過不及、平常」之義，此能使人領略而無法通達也。今人常誤「中庸」爲「妥協、讓步、苟且、中立、不求甚解」，必也正名乎！其實「中庸」本質即人道主義也。孔子深明仁學在「忠恕」二字。門人筆述大意，知命修道全在展現人性光明之面，以臻中和之郅境。斯爲《大學》「君子無所不用其極」之正義也。從而《論語》「允執厥中」、《易傳》「龍德而正中」等句可砉然解矣。

昔叔孫豹往晉，范宣子以「死而不朽」問之，意在誇顯晉主夏盟也。叔孫豹以「三不朽」專對，不卑不亢，完成使命，乃眞知禮意之人也。我華夏子民向爲禮儀之邦。禮之用以和爲貴，和者喜怒哀樂之發而中節也。舉例明之，婚宴壽慶以莊嚴隆重爲尙，席間不宜喧嘩。行車禮讓路人，車陣中偶有擦撞，當以理性交涉；切勿出聲恫嚇，甚而拳腳相向。欣賞音樂戲劇，應於規定時間內進出，中途不可無故退席。赴外洽公旅行，穿著宜樸素，行如風、立如松、坐如鐘。儀表端莊，與人交往而不失態也。

禮教非禮法也。若孔子聽訟，必也使無訟。蓋刑罰易中而禮樂難興，以刑政服人，不若以禮德感心也。導之以德首在身正。爲民表率之外，敬事而信，節用而愛人，使民以時，則足食足兵而民信之矣。民無信不立，是以富民教民歸於道德，洵不誣也。

東漢王充問孔刺孟，於不疑處有疑，向爲科學界津津樂道。然〈問孔〉十八條與〈刺孟〉八事，容有正名之處也。如王充問：「孔子所以教者，禮讓也。子路爲國以禮，其言不讓，孔子非之。使子貢實愈顏淵，孔子問之，猶曰不如；使實不及，亦曰不如。非失對欺師，禮讓之言宜謙卑也。今孔子出言，欲何趣哉！使孔子知顏淵愈子貢，則不須問子貢；使孔子實不知以問子貢，子貢謙讓，亦不能知。使孔子徒欲表章顏淵，稱顏淵賢，門人莫及，爲名多矣，何須問於子貢？」王充之問合於邏輯，有如雙刀之難。若孔子知則無須問；若孔子不知，子貢必謙稱不及顏淵，問之無效。

細繹〈公冶長〉篇之原文，子謂子貢曰：「女與回孰愈？」對曰：「賜也何敢望回？回也聞一以知十，賜也聞一以知二。」子曰：「弗如也，吾與女弗如也。」孔子觀機逗教，知子貢好方人，嘗問師與商也孰賢，故有此一問。子貢既有自知之明，孔子不再逼問，乃勉許子貢。是以王充科學家之精神，竟誤解孔子因材施教之美意。

明代李贄（字宏父，號卓吾）排擠孔子，訾議孟子。此人自幼倔強難化，自言不信學、不信道、不信仙釋，乃個人主義者也。卓吾之學出於陽明而謬廣其說，以爲學貴得之心耳。孔子雖爲聖人，其言有非則不得以爲是也。是非出於吾心，不必合於孔子。乃爲民國初年五四新文化運動之前驅也。

李贄點破人世厚黑一面，然又不能放棄陽明心學，因而筆下評論時相矛盾。如贊揚寡婦守節殉夫，而卓文君新寡，惑於司馬相如之琴挑，遂與私奔。李贄既未撻伐，反喻爲鳳求凰也。李贄居麻城，梅家孀婦拜其爲師，其他女眷亦有書信往來，文稿集爲《觀音問》。其實李贄言行既有關風化，瓜田李下豈可不慎乎？是以衛道人士惡之，欲除之而後快。李贄《焚書》非孔議孟固爲大謬，而當時儒學教條森然，僵化空泛，已失時聖孔子之原意。我輩當以哀矜勿喜之心，察其狂狷之意也。觀夫今世之人，既不解孔孟大道，又從而蔑之，則更在卓吾之下也。

清末民初吳虞擅長法政，《文錄》極力詆毀儒家，指孔子爲「盜丘」、「國愿」。吳虞以爲家族制度爲專制主義之根據，儒家大同之義本於老子云云。其說有俾於制度之鼎革，然昧於理念之重現。道之精微，與時俱化。一旦通貫，則《六經》皆我註腳，無入而不自得。天命之謂性，率性之謂道。性既相近，是以大體相同。人間天倫，自然而有家族。孔曰成仁，孟曰取義，乃人性之光輝，非爲專制政權也明矣。夫《墨子》兼愛與《老子》小國寡民，方爲烏托邦之理想也。或以今本《禮記·禮運》爲漢初托古之作。當時黃老盛行，故大同之說自不免於烏托邦也。而漢儒有「天無二日，土無二王」之思想，雖可溯自孟子「定於一」，然漢代制度頗雜秦法，其去孟子「王天下」之理想遠矣！

吳虞又謂禮教吃人，舉齊桓公啖易牙之子、漢高祖「分我杯羹」之言、張巡守睢陽糧盡食人三事。余謂三事皆無涉禮教也。齊桓公爲霸主，易牙以下媚上，皆非禮教中人。劉邦計項羽有婦人之仁，此攻心之戰法也，無關乎禮教。忠臣張巡守城至此，可見戰況悲慘至極，豈能以常態視之？故吳虞徒有法學家之美名，其論則頗失公允，全不合孔子詩教之旨也。

民國八年「五四新文化運動」以陳獨秀爲主力。陳獨秀醉心共和立憲，以綱常階級恆與自由平等衝撞，既無並行之餘地，則排儒反孔勢爲革命之先聲也。乍聽之下，似乎言之成理；仔細理會，方曉其謬也。夫孔子周遊列國，未嘗以「三綱」之論干祿。《論語·顏淵》篇所謂「君君、臣臣、父父、子子」，以今日社會學言之，即角色扮演也。無論各行各業，皆應恪守其職。如此社稷方能運作，文化得以延續。孔子生長於封建時代，故以「君爲仁君、臣爲義臣、父爲慈父、子爲孝子」爲角色期待。陳獨秀不解孔門倫理精義，妄言「倫理之覺悟」，其評議袁世凱欺世之論固是，然尊孔一事不得以人廢言也。有志於社會運動者當以此爲戒！

今人動輒抗爭，有時竟淪爲工具而不自知，誠可悲也！縱有周公之美才，使驕且吝，其餘不足觀也。盱衡當前局勢，冰凍三尺非一日之寒。蓋「菁華文化」曲高和寡，「規範文化」土崩瓦解，「行爲文化」陽奉陰違。欲匡正時弊，談何容易？夫事物皆有其當然之則，苟非反省不得其所以然。思想者在能確認所以然之則，從而指導其行爲。德行之涵養必先使學者明瞭道德之人、道德行爲與夫道德原則，方能驅己合于道德規範，成就其道德人格也。

道德之人宜多舉當世亮節，輔以夙昔典範。道德行爲源自善良之習俗，故人情風土不可疏離，各地文化中心應掌握地方生態，發揮教化功能。道德即法律之最高標準，故以不違法犯紀爲原則。積蹞步於千里，其德可盛也。

孔子最惡鄉愿，以其爲德之賊也。有謂孔子爲國愿者悖矣。歷代奉行孔子遺教者所在多有。漢宣帝時，欲表彰武帝功勳，夏侯勝以爲不可。夫武帝窮兵黷武，不惜民財，朝野盡知。時黃霸亦不願爲鄉愿，兩人遂以誹謗先帝下獄。黃霸於獄中從夏侯勝習《尚書》，以「朝聞道夕死可矣」自勉。後兩人出獄，朝中綱紀爲之一振。《六經》大義眞可發聾啓聵，使頑廉懦立也。

民初一代論宗張季鸞，倡導社會責任與報恩主義。張季鸞主辦「民立報」時，譴責袁世凱嗾人刺殺宋教仁，因而被捕繫獄。其後「大公報」復刊，即揭櫫「不黨、不賣、不私、不盲」之四不政策。其關懷天下、敢言善言之風範無愧書生報國之宏願也。論其報恩主義，「報親恩、報國恩、報一切恩」，皆能劍及履及，非空論也。語云：「受人滴水之恩，當思湧泉以報。」若人人報恩，民德歸厚矣。

還報原則本屬契約行爲，具反省通性。知識分子能體其深義，販夫走卒能心領神會，即便爲非作歹之徒亦不敢違背。然三教九流難知其心，甚且恩將仇報，時有所聞。救援之道在溫故以知新也。故者理念也，新者制度、器物也。親親而仁民，仁民而愛物，此乃孔孟仁學之理念也。夫物有本末，事有終始。即使民主制度與資訊科技一日千里，其要在增進全人類之福祉，豈能不知其先後也！

前美國太空人阿姆斯壯登陸月球迄今二十餘載。彼曰：「此雖吾之一小步，實爲全人類之一大步。」登天之難豈可一步得之乎？今欲建立有根源、有中心、有生命之文化，不可妄求「人人登天」也。夫登天者鳳毛麟角，芸芸眾生只得仰之彌高。是以菁華文化之登峰造極，販夫走卒與夫爲非作歹之徒無從感應也。蓋眞知方能樂行，試以《周易》變易、簡易、不易三義明之。

文化中有當變易者。如習胡語、彈琵琶，顏之推深表不滿；而顧炎武《日知錄》就「以夏變夷，未聞以夷變夏」贊揚之。然則語言、樂器何罪之有？此器物層次當可變也。

變易之中又有簡易者。如《論語·陽貨》篇載孔子「惡鄭聲之亂雅樂也」，以鄭聲淫故也。鄭音好濫淫志，恐其亂樂也。《禮記》云魏文侯喜鄭衛之聲而不好古樂。是以「鄭聲」乃相對於古樂而言，爲一新聲也。鄭聲既爲新樂，理當與雅樂有別。舊謂鄭衛之聲爲竽笙之管與琴瑟之絃合奏之樂曲。彼於古樂、新樂之別猶溷。若依樂調組織，可察七音調之音階有三：曰古音階，雅樂也；曰新音階，清樂也；曰俗樂音階，燕樂也。五音者其同也，加二變則稍異。雅樂加變徵、變宮，清樂加清角、變宮，燕樂加清角、清羽。鄭聲或爲清樂、燕樂者歟？

余以爲：夫雅樂之爲正，在於下生上生之法，三巡而得其調。至若清角與清羽則不然也，蓋Fa與升La依前八退六法皆不在「正位」，是以性質不明。女人類學家道格蕾絲於《聖潔與危險》一書中，依猶太人對動物之分類系統，解釋何以駱駝、豬等動物不潔或可憎。同理可知：聲本無哀樂，然鄭聲二變無法進入正位七音之分類系統，是以性質不明；重以鄭地風俗不良，其周邊效應所及，故而孔子視鄭聲爲變，有「惡鄭聲」之說也。明乎此，則儒家樂教簡易可知也。

文化中不易者，此即經書大義也。如以孝弟爲仁之本，厥爲不刊之鴻教；又如視聽言動皆以謙沖之心待人，人恆敬之。《禮記·曲禮》：「夫禮者，自卑而尊人。雖負販者，必有尊也。」是以匡正時弊之道，當使還報思想出於至誠，此不易之道也。交人交其心，其法在坦誠與厚道也。所謂坦誠，並非指責抱怨，而是描述感受；所謂厚道，亦非一味掩飾，而是導其正途。今之人以刻薄流言爲坦誠、以文過飾非爲厚道，故多貌合神離，趨利避害，全無溝通之意。

孔門四科，首重德行。太史公雖重伯夷叔齊之奔義，而不免盜蹠壽終富厚累世不絕之怨。歷代開國君主有德者幾希矣！是以盜蹠之輩往往引爲笑談。釋耶諸家尚有輪迴重生以安頓生命，儒學性善之說恐將流於理想行爲，不存於事實行爲也。故當務之急在於正視事實之行爲文化，對症下藥方能痊癒。

寶島生活富庶，近來奢華之風漸長。余以爲沉痾當下猛藥，所謂樹德務滋，除惡務盡。然眾人以爲惡者，往往又有冤情。是當毋枉毋縱，則民風自然純樸。近聞警察大學洩題一案，賄賂歪風猖狂，令市井小民不寒而慄。法律既爲道德之最低標準，則執法人員當以法律之最高標準進用之。此正本清源之道也。

質言之，感恩主義施於菁英文化，感化手段用於規範文化及行爲文化，則仁學不致流於鄉愿。《六經》理念不變，而制度、器物與時演進。如此儒學大義得以繼往開來，龍族後裔可大可久也。

後記：欣逢張師　以仁七秩覽揆之辰，同儕楊晉龍兄籌備論文集，邀稿於敝人。余嘗受教　先生於臺灣大學訓詁課上，獲益匪淺且成績優異。　先生出入經史，珠玉琳瑯。小子敬獻野曝，用佐　先生海屋添籌也。

《荀子·性惡》眞僞辨

朱曉海*

一、

一家學說的特點經由比較即可顯現出來，但特點可以是枝微末節，無關宏旨的，也就是說，一家學說的特點和重點不一定重合。好比「譏二名」是《公羊傳》的特殊觀點，❶但並非《公羊傳》的思想重點。又好比《中庸》認為，「大德者必受命」，❷在先秦儒門中不可不謂之異說，但《中庸》思想的重點別有在。然而一家學說的重點往往不止一項，在立說者的意識中，也未見得能將自己學說各重點間的關係謹嚴地予以區判安頓，以致一家念茲在茲的有時從理論系統的角度來看是次生推衍的，它的重要性有賴另一觀念或認識先行建立。當我們說：性惡論式的心性論是荀學核心時，意謂它不僅滿足了特點、重點的要求，並且是荀學的基礎概念。這種看法實與傳統主流合拍。如程頤（1033－1107）說：

> 荀子曰：「始乎為士，終乎為聖人。」……荀子雖能如此說，卻以禮義

*　國立清華大學中國文學系副教授。

❶　〔漢〕何休（129－182）：《春秋公羊傳何氏解詁·定公六年》（臺北；臺灣中華書局，1970 年），卷 26，頁 1b；〈哀公十三年〉，卷 28，頁 4a。

❷　〔宋〕朱熹（1130－1200）：《四書集註·中庸章句》（臺北：世界書局，1985 年），第 17 章，頁 11－2。

為偽、性為不善，佗自情性尚理會不得，怎生到得聖人？❸

韓退之言「孟子醇乎醇」，此言極好……其言「荀、楊大醇小疵」，則非也。荀子極偏駁，只一句性惡，大本已失；楊子雖少過，然已自不識性，更說甚道？❹

《朱子語類》卷一三七載：

荀、揚不惟說性不是，從頭到底皆不識。

或言性，謂荀卿亦是教人踐履，先生曰：「須是有是物，而後可踐履，今於頭段處既錯，又如何踐履？」

明朝恪遵程朱學的胡居仁（1434－1484）也認爲：

荀子性惡一句，諸事壞了，是源頭已錯，末流無一是處……荀子在本源上見得錯，故百事皆錯。❺

---

❸ 〔宋〕劉安節（元承）手編：〈伊川先生語四〉，《二程集·河南程氏遺書》（臺北：漢京文化事業公司，1983年點校本），卷18，頁191。

❹ 〔宋〕楊迪（遵道）錄：〈伊川先生語五〉，《二程集·河南程氏遺書》，同前注，卷19，頁262。頁255另有一條說：「荀、楊性已不識，更說甚道？」卷18，頁231則謂：「荀卿才高，其過多；楊雄才短，其過少，韓子稱其『大醇』，非也，若二子，可謂大駁矣。」因與此條語義一轍，故不復引。至於〔宋〕暢大隱（潛道）錄：〈伊川先生語十一〉，卷25，頁325：「荀子，悖聖人者也，故列孟子於十二子，而謂人之性惡。」以當時已有「識者疑其間多非先生語」；〔明〕薛瑄（1389－1464）：《讀書續錄》（臺北：臺灣商務印書館，1986年景印文淵閣《四庫全書》本），第711冊，卷12，頁819特申釋程氏的話：「蓋性者，大本也，言性惡，則大本已失；道者，率性之謂，不識性，更說甚道？」，故也不擷用。

❺ 〔明〕胡居仁：《居業錄》（臺北：臺灣商務印書館，1986年景印文淵閣《四庫全書》本），第714冊，卷1，頁8。

羅欽順（1465－1547）則表示：

> 「擇焉而不精；語焉而不詳」，此言以議揚子雲可也，荀卿得罪於聖門多矣，不精惡足以蔽之……且如〈非十二子〉及〈性惡〉等篇，類皆反復其辭，不一而足，不可謂不詳矣，傎倒謬戾一至如此，尚何詳略之足議邪？韓昌黎之待荀卿，未免過於姑息矣。❻

清朝熊賜履（1635－1709）將荀子摒諸儒門正傳之外，下按語：

> 荀卿病不知性，爾既不知性，又烏知禮？既不知禮，又烏知學……學者大本一差，無往而不見其戾，即又奚怪荀子也獨是……然而世儒顧彊（孟、荀）而同之，所謂齊孔、墨而並顏、跖也。❼

惟有清以降，各種奇說怪譚紛紛出籠，或以荀學特點在外王；❽或以荀學基本思想是隆禮；❾或認爲荀子性惡論乃有激使然，與孟子性善論同屬因時、因人而制訂的權法，究其實，荀、孟均持性三品的觀念；❿甚至有人主張荀子持性

---

❻ 〔明〕羅欽順：《困知記·三續》（臺北：中國子學名著集成編印基金會，1978 年《中國子學名著集成珍本》），第 41 冊，頁 294。

❼ 〔清〕熊賜履：《學統·雜學篇》（臺北：臺灣商務印書館，1968 年），卷 43，頁 557。

❽ 如牟宗三：《荀學大略》（臺北；中央文物供應社，1953 年），第 1 章，頁 4－7；鄭力為：〈綜論荀子思想之性格〉，《儒學方向與人的尊嚴》（臺北：文津出版社，1987 年），頁 206－7。

❾ 如龍宇純：〈荀子思想研究〉，《荀子論集》（臺北：學生書局，1987 年），頁 71、74－75。

❿ 〔清〕謝墉（1719－1795）：《荀子箋釋·序》，嚴靈峰編：《無求備齋荀子集成》（臺北：成文出版社，1977 年），第 20 冊，頁 4－5、〔清〕錢大昕（1728－1804）：〈跋〉，頁 545；〔清〕紀昀（1724－1805）：《四庫全書總目·子部·儒家類·荀子》（臺北：藝文印書館，1979 年），卷 91，頁 1804－1805；〔清〕郝懿行（1757－1825）：〈與王

善情惡說……，⓫殊可謂極閃避、曲解、無知之能事。儘管如此，畢竟一項基本認定未改，即：〈性惡〉爲荀子對人性主張的記錄。我們若站在對立面設想，釜底抽薪的辦法莫過於否認〈性惡〉在資料上的可信度，將它歸諸非荀學學派者的作品，由於某些原因羼入今本《荀子》，則〈性惡〉中對人性的主張就與荀學無干，有關它在荀學中所處地位高下輕重的問題也就根本失去意義。事實上，也的確有人採取這種途徑，那就是日本學者金谷治，⓬美國學者 Donald Munro 也附和他的意見。⓭

二、

金谷治闢「僞」的主要論據有二——

劉向（Ca. 77－6 B.C.）〈孫卿新書敘錄〉前附有《荀》文篇目，⓮這個篇目的篇第到楊倞手上曾「頗有移易，使以類相從云」，⓯就整齊這個角度來看，楊倞的移易當然合理，但原篇第錯間失類的情形不難察，劉向若自覺而仍然任它如彼，莫非有深意在？大家都知道：劉向當時是以「中孫卿書凡三百二十二篇以相校，除復重二百九十篇，定著三十二篇」，⓰顯然西漢中秘的《荀子》有好幾種原編，金谷治揣想：或因荀子一生各時段教授重點不一，或因寫定纂輯荀子言論者有他個人的立場，以至劉向整理時，明顯看出這些原編可分爲四

伯申引之侍郎論孫卿書〉，《荀子補注》，嚴靈峰編：《無求備齋荀子集成》，第 33 冊，頁 143；〔清〕王先謙（1842－1917）：《荀子集釋·序》（臺北：世界書局，1981 年），頁 5。以下引文凡出此者，不復揭書名，但標卷數、篇名。

⓫ 如姜忠奎：《荀子性善證》（《無求備齋荀子集成》本），第 38 冊。

⓬ 〔日本〕金谷治：〈「荀子」の文獻學的研究〉，《日本學士院紀要》，1951：1。

⓭ Donald Munro, *The Concept of Man in Early China*, (Standford: University Press, 1969), pp.77-8。

⓮ 〈堯問〉末附，卷 20，頁 364－365。

⓯ 卷首附楊〈序〉，頁 2。

⓰ 〈堯問〉末附，卷 20，頁 365。

類，其中三類代表荀子門下的派別：修身派、治國派、理論派，其餘爲荀門後學的雜撰。劉向爲求忠實反映荀門狀況，因此才會有那種不盡以類比次的篇第，像〈成相〉這篇韻文竟夾在散文論著中。由〈性惡〉被置於雜撰類中，可知劉向認爲〈性惡〉非荀門正傳。⓱

其次，他認爲：前三類中並沒有性惡的字眼，它們所反映的荀子的人性觀乃是：性猶本始材朴，因著後天的事物或善或惡，即使〈性惡〉後半也還說「有性質美」，人「皆有可以知仁義法正之質」，並未對人性持全然負面的看法。荀子固然嚴斥縱情性，但同樣反對忍情性，這與〈性惡〉前半將欲視爲惡的看法牴牾。儘管從儒門傳統來看，荀子比較重視外在的事物，但論修身則尚師，論治國則尊賢，始終未失去對人性的信賴，與法家絕不信任人性的立場形同冰炭。性惡說恐怕是荀子門下韓非一系的後學在接受了愼到（395－315 B.C.）的觀念後倡導出來的，〈性惡〉不能視爲荀子人性觀的實錄。⓲

下面我們分別討論——

金谷治闢「僞」第一部分的論據建立在他對〈孫卿新書敘錄〉前附篇第的擬測上，但該篇第實不可據，他的擬測更悖劉意。

一，從〈晏子敘錄〉：

> 又有頗不合經術，似非晏子言，疑後世辯士所為者，故亦不敢失，復以為一篇。⓳

〈列子敘錄〉：

⓱ 〈「荀子」の文獻學的研究〉，同注⓬，第 2 章，頁 16－20。

⓲ 同前注，第 3 章，頁 30－31。

⓳ 吳則虞：《晏子春秋集釋》（臺北：鼎文書局，1977 年），卷首附，頁 26。

至於〈力命篇〉一推分命，楊子之篇唯貴放逸，二義乖背，不似一家之書，然各有所明，亦有可觀者。⑳

可知：劉向對於一家作品中思想出入以至著作權可疑的，都會在上奏的報告中指明，而他當年在〈孫卿新書敘錄〉中不提〈性惡〉可疑，反而強調：

孟子者，亦大儒，以人之性善。孫卿後孟子百餘年，孫卿以為人性惡，故作〈性惡〉一篇以非孟子。

足見：劉向不但不認爲〈性惡〉乃荀門後學誣師屬入，且認爲是荀學一大特色所繫，構成孟、荀間的分野。

二，從《禮記·樂記》篇題《正義》：

劉向所校二十三篇著於《別錄》，今〈樂記〉所斷取十一篇，餘有十二篇，其名猶在……案《別錄》十一篇餘次：〈奏樂〉第十二、〈樂器〉第十三、〈樂作〉第十四、〈意始〉第十五、〈樂穆〉第十六、〈說律〉第十七、〈季札〉第十八、〈樂道〉第十九、〈樂義〉第二十、〈昭本〉第二十一、〈招頌〉第二十二、〈竇公〉第二十三是也。

以及《儀禮》各篇篇題《正義》引〈鄭目錄〉所述《別錄》，知道：只要一篇文章非因過長分爲上下，《別錄》序列單篇自足的文章絕不加「篇」字。㉑從

⑳ 〔晉〕張湛：《列子注釋》（臺北：華聯出版社，1966年），頁5。

㉑ 〔唐〕賈公彥：《儀禮注疏·士冠禮》（臺北：臺灣中華書局，1968年），卷1，頁1a；〈士昏禮〉，卷4，頁1a；〈士相見禮〉，卷7，頁1a；〈鄉飲酒禮〉，卷8，頁1a；〈鄉射禮〉，卷11，頁1a；〈燕禮〉，卷14，頁1a；〈大射〉，卷16，頁1a；〈聘禮〉，卷19，頁1a；〈公食大夫禮〉，卷25，頁1a；〈覲禮〉，卷26下，頁1a；〈喪服〉，

阜陽雙古堆一號漢墓竹簡《詩經》「〈南有杦木〉卌八字」、「〈□巢〉卌十八字」、「〈日月〉九十六字」、「〈七月〉三百八十三字」等，㉒知漢人於經書篇題但書篇名，不加「篇」字。從武威磨咀子第六號漢墓竹簡《儀禮》甲本「〈士相見之禮〉第三」、「〈服傳〉第八」、「〈少牢〉第十一」等，㉓及熹平石經《尚書》殘字「〈酒誥〉第十六」、《儀禮》殘字「鄉飲酒第十」、《詩經》殘字「〈□國〉第六」、《論語》殘字「〈子張〉第十□」，㉔知：自西漢至東漢序列經書篇第，不論於簡於石，都不加「篇」字。從臨沂銀雀山一號漢墓竹簡《孫子兵法》逸篇外題〈吳問〉、〈黃帝伐赤帝〉、〈地形〉、〈程兵〉；㉕《孫臏兵法》外題〈擒龐涓〉、〈威王問〉、〈月戰〉、〈八陣〉等、內題「〈地葆〉二百」、「〈五恭〉二百五十六」；㉖《尉繚子》內題〈兵勸〉、〈兵令〉，㉗及長沙馬王堆三號漢墓帛書乙本《老子》卷前佚書「〈經法〉凡五千」、「〈十大經〉凡四千□□六」、「〈稱〉千六百」、「〈道原〉四百六十四」，㉘知：漢人鈔錄先秦子書，不論於簡或於帛，內題、外題都只書篇名，不加「篇」字。從《淮南子·要略》：

故著二十篇，有〈原道〉、有〈俶真〉、有〈天文〉、有〈墬形〉、有

卷28，頁1a；〈士喪禮〉，卷35，頁1a；〈既夕〉，卷38，頁1a；〈士虞禮〉，卷42，頁1a；〈特牲饋食禮〉，卷44，頁1a；〈少牢饋食禮〉，卷47，頁1a；〈有司〉，卷49，頁1a。

㉒ 阜陽漢簡整理組：〈阜陽漢簡《詩經》〉，《文物》1984年8期，頁1、2、6。

㉓ 甘肅省博物館，中國科學院考古研究所編撰：《武威漢簡·敘論》（北京：文物出版社，1964年），頁10。

㉔ 馬衡：〈漢石經概述〉，《考古學報》1955年5期，頁5－9。

㉕ 《竹簡兵法》（臺北：河洛圖書出版社，1975年），頁95－97。

㉖ 《竹簡兵法》，同前注，頁1、2、9、11、23、25、27、65。

㉗ 銀雀山漢墓竹簡整理小組：〈銀雀山簡本《尉繚子》釋文附校注〉，《文物》1977年2期，頁25；《文物》1977年3期，頁31－32。

㉘ 《帛書老子》（臺北：河洛圖書出版社，1975年），頁208、224、232、236。

〈時則〉、有〈覽冥〉、有〈精神〉、有〈本經〉、有〈主術〉、有〈繆稱〉、有〈齊俗〉、有〈道應〉、有〈氾論〉、有〈詮言〉、有〈兵略〉、有〈說山〉、有〈說林〉、有〈人間〉、有〈修務〉、有〈泰族〉也。

《法言·序》「……，譔〈學行〉」、「……，譔〈吾子〉」、「……，撰〈修身〉」等，㉙及《潛夫論·敘錄》「……，故敘〈讚學〉第一」、「……，故敘〈務本〉第二」、「……，故敘〈五德志〉第三十四」、「……，故敘〈志氏姓〉第三十五」等㉚，知：兩漢諸子自序所作篇題絕不加「篇」字。從趙歧（Ca.108－201）注《孟子》、㉛高誘注《淮南鴻烈》，㉜但題〈梁惠王章句〉、〈公孫丑章句〉、〈原道訓〉、〈俶眞訓〉，知：漢人注子書，各篇題目下絕不加「篇」字。從西晉孔晁注《周書》每篇題作某某解、㉝蕭梁皇侃（488－545）《論語集解義疏》首篇篇題下所說：

自〈學而〉至〈堯曰〉凡二十篇，首末相次，無別科，而以〈學而〉最先者……既諦定篇次，以〈學而〉居首，故曰〈學而第一〉也。

賈公彥《儀禮注疏·士冠禮第一》篇題下所撮述：

㉙ 〔清〕汪榮祖：《法言義疏·法言序》（臺北：藝文印書館，1968 年），卷 20，頁 833－835。

㉚ 〔清〕汪繼培：《潛夫論箋·敘錄》（臺北：世界書局，1962 年），卷 10，頁 193、199、200。

㉛ 〔清〕焦循（1963－1820）：《孟子正義》（臺北：世界書局，1956 年），卷 1，頁 19；卷 3，頁 102。

㉜ 劉文典：《淮南鴻烈集解》（臺北：臺灣商務印書館，1969 年），卷 1，頁 1a；卷 2，頁 1a。

㉝ 〔清〕朱右曾：《逸周書集訓校釋》（臺北：世界書局，1957 年），頁 8－9。

> 大戴、戴聖與劉向為《別錄》十七篇次第皆〈冠禮〉為第一、〈昏禮〉為第二、〈士相見〉為第三，自茲以下，篇次則異……大戴即以〈士喪〉為第四、〈既夕〉為第五、〈士虞〉為第六、〈特牲〉為第七、〈少牢〉為第八、〈有司徹〉為第九、〈鄉飲酒〉為第十、〈鄉射〉第十一、〈燕禮〉第十二、〈大射〉第十三、〈聘禮〉第十四、〈公食〉第十五、〈覲禮〉第十六、〈喪服〉第十七。小戴於〈鄉飲〉、〈鄉射〉、〈燕禮〉、〈大射〉四篇亦依此《別錄》次第，而以〈士虞〉為第八、〈喪服〉為第九、〈特牲〉為第十、〈少牢〉為第十一、〈有司徹〉為第十二、〈士喪〉為第十三、〈既夕〉為第十四、〈聘禮〉為第十五、〈公食〉為十六、〈覲禮〉第十七，皆尊卑吉凶雜亂。

《後漢書》卷二八上〈桓譚傳〉章懷太子李賢的報導：

> 《新論》：一曰〈本造〉、二〈王霸〉、三〈求輔〉、四〈言體〉、五〈見徵〉、六〈譴非〉、七〈啟寤〉、八〈祛蔽〉、九〈正經〉、十〈識通〉、十一〈離事〉、十二〈道賦〉、十三〈辨惑〉、十四〈述策〉、十五〈閔友〉、十六〈琴道〉。〈本造〉、〈閔友〉、〈琴道〉各一篇，餘並有上下。

知從曹魏至李唐，不論序列經子篇第、注解傳史標題，仍沿舊貫，題目下不加「篇」字。由上述可知：〈孫卿新書敘錄〉前篇目次第和題目下都有「篇」字斷非劉文原貌，也悖乎六朝、隋、唐間故習。《荀子》書中〈天論〉諸篇的「論」字，以及成相、賦，猶同本紀、書、志、表、列傳，乃標明該文體裁、性質，若斷乎沒有稱某某本紀篇、某某表篇等的道理，也就沒有稱〈天論篇〉、〈成相篇〉、〈賦篇〉等的事，若司馬遷（Ca.145 or 135 B.C.－？）、班固（32－

92）序列《史》、《漢》篇第，只會說某某本紀第幾、某某表第幾，㉞則劉向序列《荀子》篇第也只當稱某論第幾、成相第幾、賦第幾，絕不會加一「篇」字。

三，〈孫卿新書敘錄〉明言「所校讎」乃「中孫卿書」，㉟下文提及荀子凡三十次，均作孫卿，而依《別錄》、《七略》成書的《漢書・藝文志》於諸子略儒家類登錄此書時，作「《孫卿子》三十二篇」，㊱可見劉向〈孫卿新書序錄〉若有書題，必作《孫卿子新書》或《孫卿新書》，至楊倞校注時，才「改《孫卿新書》爲《荀卿子》」，㊲所以唐初李善（Ca. 630－689）注《昭明文選》引到《荀》文時，都稱《孫卿子》。㊳如今〈敘錄〉前所附篇第竟題作《荀子新書》，顯示此乃楊倞後的人托古妄書或臆改。其次，宋本《荀子新書》下、「三十二篇」上有「十二卷」三字，「或疑是二十卷」的誤乙，盧文弨（1715

㉞ 〔日本〕瀧川龜太郎：《史記會注考證・太史公自序》（臺北：藝文印書館，1972 年），卷 130，，頁 1399－1340；王先謙：《漢書補注・敘傳》（臺北：藝文印書館・1972 年）卷 100 下，頁 1772－1773。

㉟ 卷首附楊〈序〉，頁 2。

㊱ 《漢書補注・藝文志》，同注㉞，卷 30，頁 888。

㊲ 〈堯問〉末附，卷 20，頁 364－365。

㊳ 今本《文選》（臺北：藝文印書館，1971 年），李善注及善所從舊注稱引《荀》文凡八十來次，除少數脫訛為《孫卿》、《孫子》，唯四處作《荀卿子》，一處作《荀子》，分見〈賦己・宮殿〉，何晏（190－249）：〈景福殿賦〉，卷 11，頁 177、〈詩甲・勸勵〉，張華（232－300）：〈勵志〉，卷 19，頁 281、〈書中〉，曹植（192－232）：〈與楊德祖書〉，卷 42，頁 605、〈檄〉，陳琳（？－217）：〈檄吳將校部曲文〉，卷 44，頁 634、〈史論下〉，范曄（398－445）：〈逸民傳論〉，卷 50，頁 714。第一處正文作「孫卿」，依善注體例，注文斷乎不可能作《荀卿子》，檢《景印宋本五臣集注文選》（臺北：國立中央圖書館，1981 年），卷 6，頁 11a，呂延濟襲引時，正作《孫卿子》。第五處因正文作「荀卿」，故注改徇主人。〈詩己・遊覽〉，謝靈運（385－433）：〈石壁精舍還湖中〉，卷 22，頁 322，注引該句時仍作《孫卿子》。第二、四處引文於〈詩甲・公讌〉，謝瞻：〈九日從宋公戲馬臺集送孔令〉注，卷 20，頁 293、〈賦壬・論文〉，陸機：（261－303）〈文賦〉注，卷 17，頁 247，稱引時均作《孫卿子》，可知今本「荀」字乃後人所改。至於第三處不見諸今本《荀子》，尤屬脫訛——既脫「卿」字，復妄易「孫」為「荀」。

－1795）以爲「皆非也」。❸❾楊倞〈荀子序〉明言：由於他的校注，使得「文字繁多，故分舊十二卷三十二篇爲二十卷」，❹⓪此後公私家著錄《荀子》，方漸從楊編，作二十卷本，❹❶劉向時何來二十卷本？上文已說過：〈漢志〉是按照《別錄》、《七略》成書的，登錄書籍或以卷計、或以篇計，未嘗如後世又卷又篇。王逸〈楚辭敘〉說：屈原（Ca.340－278 B.C.）「復作〈九歌〉以下，凡二十五篇……逮至劉向典校經書，分爲十六卷」，❹❷但〈漢志〉詩賦略登錄時，只書「《屈原賦》二十五篇」，❹❸不涉及抄謄須多少冊、收爲幾卷，則宋本「十二卷」三字非劉漢原跡。

四，〈漢志〉固依《別錄》、《七略》成書，並非全無損益，一般而言，班固都會將彼此重要出入注出。這部份大體可分爲三類：一類是登錄《別錄》、《七略》所無的，如六藝略《書》類「入劉向〈稽疑〉一篇」、❹❹小學類「入揚雄、杜林二家三篇」、❹❺諸子略儒家類「入揚雄一家三十八篇」、❹❻詩賦略陸賦之屬「入揚雄八篇」；❹❼一類是歸屬改易，如六藝略《禮》類「入《司馬法》一家」，兵書略兵權謀類則「出《司馬法》」、❹❽《樂》類「出淮南、劉

---

❸❾ 〈堯問〉末附，卷20，頁364。

❹⓪ 〈堯問〉末附，卷20，頁364－365

❹❶ 卷首〈考證上〉，頁1－8、12－13。

❹❷ 〔漢〕王逸：〈楚辭序〉，〔宋〕洪興祖：《楚辭補注》（臺北：臺灣中華書局，1966年），卷1，頁37b－38a。

❹❸ 《漢書補注·藝文志》，同注❸❹，卷30，頁899。

❹❹ 《漢書補注·藝文志》：「凡《書》九家四百一十二篇」班固〈自注〉，同注❸❹，卷30，頁877。

❹❺ 《漢書補注·藝文志》：「凡小學十家四十五篇」班固〈自注〉，同注❸❹，卷30，頁855。

❹❻ 《漢書補注·藝文志》：「右儒五十三家八百三十六篇」班固〈自注〉，同注❸❹，卷30，頁890。

❹❼ 《漢書補注·藝文志》：「右賦二十一家二百七十四篇」班固〈自注〉，同注❸❹，卷30，頁900。

❹❽ 同上「凡《禮》十三家五百五十五篇」、「右兵權謀十三家二百五十九篇」班固〈自注〉，同注❸❹，卷30，頁879、903。

向等頌七篇」，㊾有一部份恐怕入了詩賦略、諸子略雜家類出《蹵鞠》，兵書略兵技巧類則「入《蹵鞠》也」；㊿另一類是把互著的予以歸併，如六藝略《春秋》類「省太史公四篇」、51兵書略兵權謀類「省《伊尹》、《太公》、《管子》、《孫卿子》、「鶡冠子》、《蘇子》、《蒯通》、《陸賈》、《淮南王》三百五十九種」、52兵技巧類「省《墨子》重」。53〈漢志〉諸子略儒家類登錄「《孫卿子》三十二篇」、詩賦略荀賦之屬登錄「《孫卿賦》十篇」，54班固於兩處荀文篇數、歸類均無異辭，則《別錄》、《七略》登錄原貌當即如是，顯見《孫卿子》三十二篇中斷乎不包括〈禮〉、〈知〉等賦，而今〈荀子敘錄〉前附篇目竟赫然出現「〈賦篇〉第三十二」，明示：這個篇目非劉向所訂。不但不是劉向《孫卿新書》的原來篇目，也非楊倞所見的舊篇目，因為楊倞所見舊篇目〈賦篇〉列於二十二，非三十二。55〈賦篇〉既居二十二，則〈敘錄〉前附今本篇目列於二十二的〈正名〉在楊倞所見的舊篇目中又當序於別處。另外，楊倞所見舊篇目〈大略〉在第二十七，56而〈敘錄〉前附今本篇目則為二十九。

㊾ 《漢書補注·藝文志》：「凡《樂》六家百六十五篇」班固〈自注〉，同注34，卷30，頁880。

㊿ 見《漢書補注·藝文志》：「右雜二十家四百三篇」、「右兵技巧十三家百九十九篇」班固〈自注〉，同注34，卷30，頁897、905。

51 見《漢書補注·藝文志》：「凡《春秋》二十三家九百四十八篇」班固〈自注〉，同注34，卷30，頁882。

52 見《漢書補注·藝文志》：「右兵權謀十三家二百五十九篇」班固〈自注〉，同注34，卷30，頁903。

53 見《漢書補注·藝文志》：「右兵技巧十三家百九十九篇」班固〈自注〉，同注34，卷30，頁905。

54 見《漢書補注·藝文志》：同注34，頁900。

55 〈賦〉篇題下，卷18，頁313。從楊注「今亦降在下」可知：「舊第二十二」的第一個「二」字非「三」的訛奪，否則，當如〈性惡〉言「升在上」。

56 〈大略〉篇題下，卷19，頁321。金谷治嘗注意到這歧異，但困於成見，不能解惑。見〈「荀子」の文獻學的研究〉，同注12，第2章，頁21，註一。

綜上所述，我們可以得出這樣的結論：劉、班定著登錄的《荀子》在流傳到楊倞手上以前已有變易。這並不稀奇，像今本《墨子·辭過》的文字在唐朝《群書治要》中乃併在〈七患〉的篇題下、(57)《山海經》中「〈海內經〉及〈大荒經〉本皆進在外」，郭璞（276－324）作注前又糝入。(58)從〈議兵〉首句下的注解：

> 或曰：「劉向〈敘〉云：『孫卿至趙，與孫臏議兵趙孝成王前。』臨武君即孫臏也。」今案《史記·年表》，齊宣王二年，孫臏為軍師，則敗魏於馬陵，至趙孝成王元年，已七十餘年，年代相遠，疑臨武君非此孫臏也。

可知楊倞是看到劉向的〈孫卿新書敘錄〉；他也看到一個篇目，但或許由於他多少意識到：當時知見的《荀子》在流傳中已失漢眞，所以對那個篇目並不信任，只以一個「舊」字籠統措辭。至於今存〈敘錄〉前所附篇目乃楊倞後淺人所爲，固非劉編漢故，連楊見唐貌也不是。那麼，根據這樣一個既誤且鄙的篇目，來推想劉向當年對《荀》文的看法，以至劉向校定前《荀》文流傳的情況，不啻瞽人執圭論日。

金谷治闢「僞」的第二部份論據建立在：〈性惡〉外既未見性惡一辭，也不見性惡的觀念，彼處所呈現的人性觀乃是中性的。荀子論人性分兩個層面，第一個層面由氣質、才份、情欲、認知力等構成，這層面的性無善無不善，所以〈禮論〉說：

---

(57) 〔唐〕魏徵（580－643）：《群書治要》（臺北：臺灣商務印書館，1981 年《宛委別藏》），第 73－77 冊，卷 34，頁 1764－1765。

(58) 〔清〕郝懿行：《山海經箋疏·大荒東經》（臺北：漢京文化事業有限公司，1983 年），卷 14，頁 393 篇題下引郭注本目錄云。

性者，本始材朴也；僞者，文理隆盛也，無性，則僞之無所加；無僞，則性不能自美。

但世人常誤將人意念言行善惡的問題歸因於此，荀子亟力辨明非是，好比〈榮辱〉：

材性知能，君子小人一也……（君子）身死而名彌白，小人莫不延頸舉踵而願曰：「知慮材性固有以賢人也。」夫不知其與己無以異也，則君子注錯之當，而小人注錯之過也。

指出善不種因於這層面的性；〈正名〉：

欲之多寡，異類也，情之數也，非治亂也……心之所可中理，則欲雖多，奚傷於治……心之所可失理，則欲雖寡，奚止於亂？故治亂在於心之所可，亡於情之所欲。

辨析這個層面的性非惡的根源。因此「人雖有性質美而心辯知，必將求賢師而事之，擇良友而友之」59，方能「身日進於仁義」60，它們並非君子的專屬，這才有所謂「小人之勇」61、「小人之辯」62、「小人之知」63。荀子說人性惡時，乃是就另一層面言。他認爲：人生命結構深處有一股幽黯的力量，使人

59 〈性惡〉，卷17，頁299。
60 同前注。
61 〈榮辱〉，卷2，頁35。
62 〈非相〉，卷3，頁56。
63 〈性惡〉，卷17，頁297。

不但無從達到完美，而且朝完美的反方向發展。這股力量奴役、污染人第一層面的性，使那些本來無善無不善的存在淪爲惡性彰顯的管道或素材，管道或素材愈佳，濟惡愈甚，由此顯示這股力量是惡極了。這番意見兩見於〈不苟〉：

> 君子能亦好；不能亦好。小人能亦醜；不能亦醜。君子能則寬容易直以開道人；不能則恭敬縛絀以畏事人。小人能則倨傲僻違以驕溢人；不能則妒嫉怨誹以傾覆人。
>
> 君子，小人之反也。君子大心則敬天而道；小心則畏義而節，知則明通而類；愚則端愨而法，見由則恭而止；見閉則敬而齊，喜則和而理；憂則靜而理，通則文而明；窮則約而詳。小人則不然，大心則慢而暴；小心則淫而傾，知則攫盜而漸；愚則毒賊而亂，見由則兌而倨；見閉則怨而險，喜則輕而翾；憂則挫而懾，通則驕而偏；窮則棄而儑。《傳》曰：「君子兩進，小人兩廢。」此之謂也。

知愚能否是才份上事，大心或小心乃個性氣質，喜憂爲不同情緒反應，窮通屬際運問題，居然都對人格一無決定性影響，只具有對人格既有主導力益薪助煬的功能，可知：決定小人之爲小人，動力當別有在。〈榮辱〉兩度指出癥結：「人之生固小人」，「又以遇亂世、得亂俗，是以小重小、以亂得亂也」，〈成相〉則用「闇以重闇成爲桀」來表示。

誠然，荀子相當看重環境積習對人意念言行的影響力，〈勸學〉就說：

> 蓬生麻中，不扶而直；白沙在涅，與之俱黑。蘭槐之根是為芷，其漸之滫，君子不近，庶人不服，其質非不美也，所漸者然也。故君子居必擇鄉，游必就士，所以防邪僻而近中正也。

〈榮辱〉也說：

> 小人莫不延頸舉踵而願曰：「（君子）知慮材性固有以賢人矣！」夫不知其與己無以異也，則君子注錯之當，而小人注錯之過也……譬之越人安越、楚人安楚、君子安雅，是非知能材性然也，是注錯習俗之節異也。

這類話眞正的旨趣大致是：人固有自由意志，但這並不意謂人，尤其是一般人，常運用自由意志，實際日常生活中，人乃憑慣性而行。一旦一個不良習慣養成，即使後來察覺個中缺失，再努力糾正，該習慣的影響力仍往往無形留下，對以後的自我教育會造成終身障礙，所謂「輮（木）以爲輪，其曲中規，雖有槁暴，不復挺」。(64)而習慣固可經由有意識的訓練獲致，更常在適應環境中無形薰陶成，所以人應對環境選擇、學習初階保持高度警覺。雖然荀子這般看重環境積習對人意念言行的影響力，他卻絕無意在詮釋人意念言行的形成時，將全幅人性都劃歸爲一堆可任由環境浸染塑造的素材，視人的意念言行只不過是一串制約反應（conditioned response）。誠如是，在人稟賦可能範圍內，各別具體意念言行所以如彼或如此，追根究柢，純屬機緣使然，所謂「節異」，(65)各別具體意念言行的善或惡不過是一種有人性參與的混合物（mixture-like）現象，人性與惡之間既沒有任何本質關聯，人性也毋須爲各別具體意念言行的惡負責，則不僅性惡說根本無從成立，就連所謂各別具體意念言行的惡有什麼意義都成嚴重問題。事實上，荀子極爲強調人的那股幽黯力量通過人所有的外、內資源在各別具體意念言行中扮演的主導角色。前文嘗摘出〈不苟〉「君子能亦好，不能亦好」以及「君子，小人之反也」兩段文字，並指陳：初視下，君子、小

(64) 〈勸學〉，卷1，頁1。

(65) 〈天論〉，卷11，頁208；「楚王後車千乘，非知也；君子啜菽飲水，非愚也，是節然也」、〈正名〉，卷16，頁275：「節遇謂之命」。

人的相反處似乎落在意念言行的表現上，但它們所以會相反，並非由於認知、情感等這些內在資源程度上的差異造成的，也非不同環境刺激薰陶使然，因爲若眞是這樣，同型態、同量度的資源條件應引生在道德意義上一致的反應，何至出現「君子兩進，小人兩廢」截然背反，外、內在資源看似無力左右的狀態？可見包括環境在內的資源只是待「假」、66待「用」67的素材，隨人的那股幽黯力量發揮功能。這當是荀子一再強調「君子生非異也」、68「彼人之才性之相縣也，豈若跛鱉之與六驥足哉」、69「材性知能，君子、小人一也」的眞正原由，爲要暗示：在那股幽黯力量未對治以前，人的外、內資源都爲它所挾持，資源本身愈豐富，徒造成缺乏愈嚴重，所以「人雖有性質美而心辯知」，70變心化性之學仍不可少。最好的實例說明莫過於少正卯（？－498B.C.）。論環境，他生長在「有周公遺風，俗好儒，備於禮」的魯國；71論資質學養，不能說不出眾，否則焉能在魯成爲聞人，使「孔子之門三盈三虛」？72可是這一切或無用，或被誤用，所謂「心達而險」，「行辟而堅」，「言僞而辯」，「記醜而博」，「順非而澤」，73塑成「小人之桀雄」。74我們不能將此歸咎他師法的對象不是周道或人格化的周道：聖賢，正確的師法誠然重要，〈儒效〉就說：

---

66 借用〈勸學〉，卷 1，頁 2－3 語：「假輿馬者，非利足也，而致千里；假舟楫者，非能水也，而絕江河，君子生非異也，善假於物也。」

67 〈修身〉，卷 1，頁 13：「非用血氣、志意、知慮，由禮則治達，不由禮則勃亂提僈。」

68 同注66。

69 〈修身〉，卷 1，頁 19。

70 〈性惡〉，卷 17，頁 299。

71 《史記會注考證·貨殖列傳》，同注34，卷 129，頁 1325。

72 黃暉：《論衡校釋·講瑞》（臺北：臺灣商務印書館，1983 年），卷 16，頁 721。

73 並見〈宥坐〉，卷 20，頁 341。

74 〈宥坐〉，卷 20，頁 342。

人無師無法而知，則必為盜；勇，則必為賊；云能，則必為亂；察，則必為怪；辯，則必為誕。人有師有法而知，則速通；勇，則速威；云能，則速成；察，則速盡；辯，則速論。故有師法者，人之大寶也；無師法者，人之大殃也。

但對於個人意念言行而言，作爲環境成份之一的師法並非能動主體本身，只是能動主體的參考，必由受教者主動採納，才能生效，而那股幽黯力量「惡善」[75]的特性使得人主動採納良好師法困難重重。當然，這將在荀學內引發一嚴重問題：成聖成賢的勸勉豈非空話？但君子、小人相反的眞正核心乃在居人性主導角色者，則無疑義，環境積習只是使那角色更易於、更淋漓盡致地演出，所以敗壞的環境積習對於人「積其凶，全其惡」，[76]在荀子看來，不過是「以小重小也，以亂得亂也」。關於表現程度和本質取向乃兩個不同層次的問題，它們在各別具體意念言行惡上的主輔地位差異，荀子認識分辨得相當清楚。

在荀子的觀念中，禽獸與人都有知，只是人具有對義的特殊認知力，所以〈王制〉說：

水火有氣而無生，草木有生而無知，禽獸有知而無義，人有氣、有生、有知，亦且有義。[77]

---

[75] 〈樂論〉，卷 14，頁 255。

[76] 〈正論〉，卷 12，頁 216。

[77] 楊倞〈注〉：「亦且者，言其中亦有無義者也。」注語貌似委曲，實能照顧大體，探得荀恉。〔清〕孫詒讓（1848－1908）：《定本墨子閒詁·經說下》（臺北：世界書局，1972年），卷 10，頁 277 說：「且然必然，且已必已，且用之而後已者，必用之而後已。」A.C. Graham, Later Mohist Logic, Ethics and Science, (Hong Kong: Chinese University Press, 1978), PP.228-9、419-50 認為：這是對墨家非命說的辯護。晚期墨者欲指出：「且」只蘊涵文法

人是否「成人」78端視能否發揮這部份的潛能，自然狀態下，「性不得則若禽獸」，79所作所爲都悖乎義，因此〈子道〉「不從命乃義；從命則禽獸」，將義與禽獸對舉。「夫義者，內節於人而外節於萬物者也」，80則缺乏自制力乃禽獸式人性的一大特質，所以〈非十二子〉將「縱情性，安恣睢，禽獸行」三者聯言。桀、紂不過是人性本然充類至極的表徵，所謂「亂禮義之分，禽獸之行，積其凶，全其惡」，81一個社會中若人人如此，就變成了「桀紂群居」的局面。82禽獸、小人在《荀子》乃同義異構語，均爲惡的代稱，故〈修身〉在「小人反是」下文，以「心如虎狼，行如禽獸，而又惡人之賊己」作較具體的陳述；〈王制〉說「亂生乎小人」，而〈臣道〉則說「禽獸則亂」。人在自然狀態下乃不似之人，所謂不似之人是說：人除了形貌外，本質上「其違禽獸不遠」，83〈榮辱〉就表示：對這樣的人，「我欲屬之鳥鼠禽獸邪？則不可，其形體又人，而好惡多同」。換句話說，雖然「人之所以爲人者，非特以其二足而無毛也，以其有辨也」，84但「生而已，則人無禮義，不知禮義」，85「悖亂在己」。86

邏輯上的必然，並不表示該事物與生具有必將發生的因子，與「固」、事實上的必然不同，因此，處於「且」的狀況，雖有發生的可能，卻不能採取賴天註定而因順無為的態度，「必用之而後已」。就荀學而言，他能說氣、生、知以至「知仁義法正之質」為人「固有」，卻不能說「義」或「仁義法正」為人「固有」，只能說「且有」。人形獸質的人可貴處在於能學而後有義。萬不能因荀子此處語詞疏簡，而推論荀子認為人生而有義。

78 〈勸學〉，卷1，頁12。

79 〈賦·禮〉，卷18，頁313。

80 〈彊國〉，卷12，頁204。

81 〈正論〉，卷12，頁216。

82 同前注，頁216。

83 〔宋〕朱熹：《四書集註·孟子集註·告子上》（臺北：世界書局，1985年），卷6，頁165。

84 〈非相〉，卷3，頁50。

85 〈性惡〉，卷3，頁293。

86 同前注。

從以上的文獻排比詮釋，可知：〈性惡〉外雖不見性惡一辭，但性惡確是各篇共許的觀念，荀子持人性惡是斷乎無疑的。A.C. Graham 注意到：先秦諸子在涉及人性這問題時，很少直接明言性善、性惡或性無善無不善、性有善有惡等，除非在與不同人性主張的學者爭辯，爲求一基準點，或在上說下教，爲求便利醒目，才會這麼作。[87]我們若泥於這類簡煉標示出現與否、或出現頻率多寡來衡度一家人性主張，勢必大亂眞，何啻皮相之譏？至於荀子何以並不因爲人性惡對人悲觀，仍堅信人能自救，以至在討論政治、社會等問題時處處流露儒門重人治的傳統，而這又是否將形成他理論上窒礙，甚或系統上的斷裂，則是另一層面的事。古今中外思想界人面獅身式的學說並非罕見，我們不能爲求邏輯上的一致性，硬生生否定任一部份素質的眞實性。民國以來疑古辨僞的風氣甚囂塵上，可以顧頡剛和他領導彙編的《古史辨》爲代表。梁啓超、胡適、張西堂、楊筠如與顧氏的學術淵源均甚深，同爲這股風氣中的佼佼者，但論及《荀子》時，都肯定〈性惡〉在文獻取證上的眞實可信度。[88]未料流風被及域外，竟出現如彼非常可怪之說。

三、

從「人之性惡也」到「豈其性異矣哉」佔今本〈性惡〉三分之二的篇幅，自成一個單元。只要略細察這部份的文字，就可以發現常以「然則人之性惡明矣，其善者僞也」作爲一個段落的結語。[89]像這樣斷案式的結語共出現九次，

---

[87] A.C. Graham, "The Background of the Mencian Theory of Human Nature",《清華學報》，1967年第1、2期，頁257－8。

[88] 梁啟超：《要籍解題及其讀法·荀子》（臺北：華正書局，1974年），頁77－85、91－92；胡適：《中國古代哲學史》（臺北：臺灣商務印書館，1982年），第3冊，第11篇，頁26；張西堂：〈荀子真偽考〉，《史學集刊》第3期，1937年，頁181－182、186－188；楊筠如：《荀子研究》（上海：商務印書館，1937年），第1章，第2節，頁14－21、31。

[89] 〈性惡〉，卷17，頁289－94。

因此從形式上似可說：本單元在用九種論證來支持性惡的主張，但若從實質上考察，就會發現這種看法犯了形式主義的謬誤。

首先，某些段落是先肯定了——明言或隱然以爲前提——人性惡，然後從此推導出某些現象，憑藉這些現象再說：人性不惡，難道善不成？像第二大段：

> 枸木必將待檃栝烝矯然後直；鈍金必將待礱厲然後利；今人之性惡必將待師法然後正、禮義然後治。今人無師法，則偏險而不正；無禮義，則悖亂而不治。古者聖王以人之性惡，以為偏險而不正、悖亂而不治，是以為之起禮義、制法度，以矯飾人之情性而正之，以擾化人之情性而導之也，使皆出於治、合於道者也。今之人化師法、積文學、道禮義者為君子，縱性情、安恣睢，而違禮義者為小人，用此觀之，然則人之性惡明矣，其善者偽也。

就是典型的例子。但人性惡乃是待證明的事，拿待證明的事件作出發點或證明步驟，實爲竊取論點（begging the question）；以由此衍生的推論回溯肯定該推論所根據的前提，是循環論證（circular verification），不論是竊取論點或循環論證都不能算是論證，只是在申述主張。

其次，某些段落內涵基本上雷同，只是同型觀點在表述上的繁簡精粗，像第八大段：

> 直木不待檃栝而直者，其性直也。枸木必將待檃栝烝矯然後直者，以其性不直也。今人之性惡，必將待聖王之治、禮義之化，然後皆出於治、合於善也。用此觀之，然則人之性惡明矣，其善者偽也。

不過是前引第二大段的節略，而第二大段其實又不過是第六大段內容：

今誠以人之性固正理平治邪，則有惡用聖王，惡用禮義矣哉？雖有聖王禮義，將曷加於正理平治也哉……古者聖人以人之性惡，以為偏險而不正，悖亂而不治，故為之立君上之埶以臨之，明禮義以化之，起法正以治之，重刑罰以禁之，使天下皆出於治、合於善也……今當試去君上之埶，無禮義之化，去法正之治，無刑罰之禁，倚而觀天下民人之相與也，若是，則夫彊者害弱而奪之，眾者暴寡而譁之，天下之悖亂而相亡不待頃矣。用此觀之，然則人之性惡明矣，其善者偽也。

拙劣的另述。這種情況顯然是〈性惡〉不同底本拼合的結果。我們知道：劉向校讎中秘《荀子》時，共見到三百二十二篇，除複重，才定著三十二篇，可見當時不同來源的《荀子》底本之多，篇章內容部份相重或相近的情形極嚴重。漢朝學者受秦火劫難刺激甚深，存古心切，劉向大概就是出諸這種心態，在整理中秘書時儘量輯異並存。像《晏子》，在六篇之外，「又有復重，文辭頗異，不敢遺失，復列以爲一篇」；⑩又像《墨子》，兼愛等十論都分上、中、下三篇，內容只有繁簡差異，學者早已指出：這反映了墨家後期學分爲三，各記所聞的情況，⑪而劉向概予保留。這當也是今本〈性惡〉前面這部分複沓現象的原由。今本〈性惡〉固非荀子手著，乃荀門從游或後學各記所聞、劉向彙編的結果，但它的內容思想爲荀子眞恉，係荀子人性論點的記錄，則無容置疑。

---

⑩ 《晏子春秋集釋》，同注⑲，頁26。

⑪ 俞樾（1821－1906）：〈墨子序〉，《定本墨子閒詁》，頁1。

《墨子》〈經〉、〈經說〉、二〈取〉篇名正義[1]

劉文清*

提　要

《墨子》書中〈經上〉、〈經下〉、〈經說上〉、〈經說下〉、〈大取〉、〈小取〉六篇，於全書最為特出，不論文字、體裁、內容、思想諸方面，皆與《墨》書其他篇章迥異，故歷來學者於茲數篇之名稱、作者、性質等等問題，皆多所討論之，然而眾說紛紜，莫衷一是。本文因就此數篇題名之義，重新加以探討，而得知前四篇題名為「經」者，乃由經界義而來，以明其體為界說體；至於後二篇之名曰「取」，則旨在闡明取去之道，以救〈墨經〉重名之偏執。故二者名稱既異，性質亦別，雖可相輔相成，然不容併為一談。另一方面，〈墨經〉既非墨家之經典，則不必成於墨子之手，而當為後期墨家之心血結晶；至於〈大取〉、〈小取〉二篇，乃針對〈墨經〉而作，亦當為與其同時或稍晚之作品。

故由此數篇之正名，而對與其相關之作者、性質等聚訟千古諸問題，皆可獲致相當程度之釐清矣。

關鍵詞：墨子　墨經　經　經說　大取　小取

一、前　言

《墨子》書中〈經上〉、〈經下〉、〈經說上〉、〈經說下〉、〈大取〉、

* 國立臺灣大學中國文學研究所博士。

[1] 本文係根據筆者博士論文《墨子閒詁訓詁研究》（臺北：國立臺灣大學中文研究所博士論文，1998 年）第四章第二節 2-2〈考《墨子》書之失〉加以增訂、改寫而成。

〈小取〉六篇，於全書最爲特出，蓋其不論文字、體裁、內容、思想諸方面，皆與《墨子》書其他篇章迥異，故歷來學者於茲數篇之名稱、作者、性質等等問題，皆多所討論之，然而眾說紛紜，莫衷一是，迄無定論。此無他，未能先探其源之故也。有鑑於此，本文因擬就此數篇題名之義，重新加以探討，以期爲之正名，並冀藉以解決若干相關問題。

二、〈經〉、〈經說〉篇名正義

關於〈經上〉、〈經下〉、〈經說上〉、〈經說下〉四篇之篇題，自來論者不一，約略可歸納爲四派，分述如下：

㈠或以「經」爲經典義：此說殆自畢沅伊始，其後蔚爲大宗，欒調甫、譚戒甫、高亨等皆從其說。

畢沅於其《墨子注·經上》題解云：

> 此翟自著，故號曰經，中亦無「子墨子曰」云云。

即隱然以〈墨經〉爲墨家經典，從而推論其爲墨子所自著。近人高亨更進而推衍曰：

> 因為〈墨經〉初本是墨子自作，所以墨徒都讀它，而稱它作「經」。但是〈墨經〉兩篇也有墨徒增補的文字，至於〈經說〉兩篇大概都出於墨徒之手。❷

欒調甫亦云：

---

❷ 見高亨：《墨經校詮·自序》（臺北：世界書局，1958 年）。

「墨辯」六篇，皆有意義之篇題，為墨子及其後學之作。作者時代，可分四期。以「經」題篇之義，蓋謂：篇中所載，皆其根本教義，與所謂宇宙是非之辯。在墨家為永立不敗之道，有如織機之經一張而弗易也。逮後儒家因襲其稱，以六藝為經。❸

乃以〈墨經〉爲墨家根本教義，仍不出經典義之範疇也。

譚戒甫則云：

余以為墨子當日摸掌探討之物，實只現存〈經上〉〈說上〉二篇之少半（中略）。已而墨子出其所得，傳諸其徒相里、相夫、鄧陵三子；復由三子籀繹琢磨，增補改進，以傳其門人後學。蓋既循師說，而又輾轉構成今日所傳〈經〉〈說〉之全部；所謂四篇者，在當日原只區為論式上下，並無「經」「說」之名也。大抵「經」名之起，疑尚在三墨晚年；其時弟子衆多，龍象卓越，結集群議，尊以經名。❹

雖以「經」名晚出，然亦是因弟子尊其爲墨家經典而命名之也。

故上述諸家說法雖略有異，然歸其本，皆是以「經」爲經典義，〈墨經〉爲墨家經典、教義，甚或從而論斷〈經〉文之全部、或部分內容，當出於墨子之手無疑也。

㈡或以「經」爲經緯義：此乃伍非百之說，其言曰：

---

❸ 見欒調甫：《墨子研究論文集·墨子要略》（臺北：成文出版社，1975 年《無求備齋墨子集成》本），頁 120。

❹ 見譚戒甫：《墨辯發微·墨經證義》（臺北：成文出版社，1975 年《無求備齋墨子集成》本），頁 5。

今所傳〈經上〉、〈下〉，實脫一「辯」字，當正名為〈辯經上篇〉、〈辯經下篇〉，而「墨經」乃是「墨子辯經」之簡稱。

又云：

稱「經」者何歟？曰：經者，命篇之通名也。義同經緯，取其綜要。此篇所綜，皆辯之要，故得命「經」。❺

是以「經」爲經緯、綜要義。考《左傳·昭公二十五年》：「禮，上下之紀，天地之經緯也。」《禮記·樂記》「中和之紀」《注》：「紀，總要之名也。」《國語·周語》「紀農協功」《注》：「紀猶綜理也。」故可推知經緯亦得有綜要義，此殆伍說之所本也。唯伍氏又以〈墨經〉當正名爲〈墨子辯經〉，則乃承魯勝《墨辯注·敘》而來，魯氏云：「墨子著書作辯經以立名本。」❻伍氏因逕以〈墨經〉即〈墨子辯經〉，乃綜理墨子辯學之要義者也。

㈢或以「經」爲經卷義：如陳柱、范耕研等之說。陳柱云：

唯墨子之〈經〉則不然，言語簡約，為墨學之根本要語，故弟子書之於帛。書之於帛而名經者，《說文·糸部》云：「經，織從絲也。」古之書帛，蓋如今之橫軸然，可以隨意舒卷；其卷也循經而卷，故後世又稱經卷；此經所以得名之原也。❼

---

❺ 見伍非百：〈墨辯定名答客問〉，《學藝雜誌》第4卷第2號（1921年）。

❻ 見〔唐〕房玄齡等撰：《晉書·隱逸列傳·魯勝傳》（臺北：鼎文書局，1975年點校本），卷94/2433/冊3。

❼ 見陳柱：《墨學十論·墨經之體例》（臺北：成文出版社，1975年《無求備齋墨子集成》本），頁89。

以經所以得名之原乃由其書寫材料也。其後范耕研亦從其說，曰：

> 《墨子》有〈經上〉、〈下〉、〈經說上〉、〈下〉，凡四篇。經者，達名也，疑不得私於一篇。（原《注》：或說經是官書，不在其職，不得妄爲。或說經是聖言，苟無其德，是爲僭作。此類之論，皆有所蔽。「經」之名義與篇簡相同，故《周髀》之〈算〉、《韓非》之〈儲說〉，皆可稱經。則墨辯自可稱經，特不可單稱經耳。）❽

謂「經」之名義與「篇簡」同，則其經亦當意指經卷也。

㈣或以「經」爲經傳義：持此說者爲錢穆。錢氏曰：

> 那時的所謂「經」，並沒有像後世所謂「經典」之意。「因傳而有經之名，猶云因子而立父之號。」（章實齋早已說過，《文史通義·經解上》。）〈墨經〉只是因其有說而名，那能作墨教的經典解呢？❾

以〈墨經〉只是因其有說而名，一如因傳而有經之名，而非墨家之經典。此說實爲突破性之見解，唯對於何以傳、說之所解題名爲「經」，亦即經得名之初誼，錢氏則未再加說明也。

故綜上所述，諸家說法推衍各別，莫衷一是，頗難知了。而究其根本原因，乃在於對〈墨經〉所以得名之原，皆未能得其的解也。

夫先秦古書自名爲「經」者，〈墨經〉之外，尚有《管子》之「經言」、

---

❽ 見范耕研：《墨辯疏證·通論》（臺北：臺灣商務印書館，1967 年），頁 1。

❾ 見錢穆：《墨子》（上海：商務印書館，1930 年）。

以及《韓非子》〈內〉、〈外儲說〉之「經」、與〈八經篇〉諸篇。❿然此數篇雖亦名爲「經」，曾無人視之爲《管子》、或《韓非子》之經典，則知經字之義決非指經典，甚明矣。⓫再觀此數篇語多簡約，而文多界說，如《管子》題爲「經言一」之〈牧民篇〉，即標舉、界定「國頌」、「四維」、「四順」、「士經」、「六親五法」等五目，而分別加以論述之，唯語多簡約，故後文另立〈牧民解〉一篇爲之解釋。茲即列舉「四維」一則爲例以觀之：

牧民第一　　　　　　　　經言一

國有四維。一維絕則傾，二維絕則危，三維絕則覆，四維絕則滅。傾可正也，危可安也，覆可起也，滅不可復錯也。何謂四維？一曰禮，二曰義，三曰廉，四曰恥。禮不踰節，義不自進，廉不蔽惡，恥不從枉。故不踰節，則上位安。不自進，則民無巧詐。不蔽惡，則行自全。不從枉，則邪事不生。

右四維

又如《韓非子·八經篇》篇題爲「八經」者，乃在標舉、界定「因情」、「主道」等八目，而分別予以簡述之，亦聊舉「因情」以爲例：

凡治天下，必因人情。人情者，有好惡，故賞罰可用；賞罰可用則禁令

---

❿ 前二者舊說已有言及，如陳柱云：「《管子》之「經言」、《韓非·外儲》之「經」，皆以簡要故。」見《墨學十論·墨經之體例》，同注❼，頁 89。至於〈八經〉一篇則自來為人所忽略。

⓫ 周師富美已略言及此，周師云：「《韓非子》〈內〉、〈外儲說〉六篇文體模仿〈墨經〉辯體，經與說在同一篇中，先以『經』標舉所陳之義，後以『說』證以實例詳加說明，這正可證明『經』非經典之義。」見〈墨辯與墨學〉，《台大中文學報》創刊號（1985 年 11 月），頁 201。

> 可立而治道具矣。(中略)家不害功罪,賞罰必知之,知之道盡矣。
>
> 因情

至若〈內〉、〈外儲說〉諸篇之體例,則更與〈墨經〉直可謂如出一轍。其「經」與「說」同在一篇之中,「經」先標舉諸目,以一、二語簡要界定之,其下箸明「其說在……」;而在「經」之後,另有「說」之一部專門加以申說之,如〈內儲說上〉之「經」即先標舉「參觀一」等七目,而於「參觀一」下界定云:

> 觀聽不參則誠不聞,聽有門戶則臣壅塞。其說在侏儒之夢見竈(下略)。
>
> 參觀一

下文則另立「說」之一部證以實例詳加說明:

> 說一——衛靈公之時,彌子瑕有寵,專於衛國,侏儒有見公者曰:「臣之夢踐矣。」公曰:「何夢?」對曰:「夢見竈,為見公也。」(下略)

以此觀之,先秦古書自名爲「經」者,其體例皆大抵有其脈絡可循也。陳柱因謂:

> 《管子》之「經言」、《韓非·外儲》之「經」,皆以簡要故。⓬

陳奇猷於《韓非子·八經篇》題下《注》云:

⓬ 見《墨學十論·墨經之體例》,同注❼,頁89。

此篇題名為「經」，故語多簡約，與〈內〉、〈外儲〉諸篇之「經」同例。⓭

梁啓超則云：

(〈墨經〉)〈經上〉很像幾何學書的「界說」、〈經下〉很像幾何學的「定理」，〈經說上〉、〈經說下〉就是這種「界說」「定理」的解釋。⓮

楊寛亦曰：

(〈墨經〉)下義用界說。⓯

說皆極是。然後知此諸篇之題名爲「經」者，非以其內容，乃以其體例也，一如名「說」者亦在明其體爲說明體。又因「經」字可有界義，《周禮·司市》「以次敘分地面經市」《注》：「經，界也。」《詩·小雅·信南山》毛《傳》：「疆，畫經界也。」《正義》引《孟子》趙歧《注》云：「經亦界也。」是也。蓋「經」之本義爲「織從絲也」（據《說文》段《注》），故得引申有界限義。而援之以名篇，殆即取其界定、界說義，謂其體例在界定、界說也，故語多簡約，而往往有「說」加以申說之，此亦〈經說〉得名之原也。

既知〈墨經〉之義，並非謂墨家經典，則其不必爲墨子自著也。周師富美

⓭ 見陳奇猷：《韓非子集釋》（臺北：華正書局，1987 年），頁 997。

⓮ 見梁啟超：《墨子學案·墨家之論理學及其他科學·墨經與墨辯》（臺北：中華書局，1957 年），頁 79。

⓯ 見楊寛：《墨經哲學》（臺北：成文出版社，1975 年《無求備齋墨子集成》本），頁 200。

以爲〈墨經〉諸篇「作非一時，寫非一人」，當完成於「公孫龍之後」、「墨家分裂之前」，⑯說頗可採。

三、二〈取〉篇名正義

至於〈大取〉、〈小取〉二篇之題名，歷來亦有不同說解，亦可約略歸納爲以下三派：

㈠或以「大取」者爲利之中取大：此說亦爲畢沅所立，後學者多從之，如尹桐陽、張純一、吳毓江等皆是也。畢沅云：

> 篇中言「利之中取大」，即大取之義也。意言聖人厚葬，固所以利親、盛樂，固所以利子，而節葬、非樂則利尤大也，墨者固取此。⑰

吳毓江亦云；

> 篇中言「利之中取大」，故以「大取」題篇。⑱

張純一更進而推衍其說曰：

> 畢說「利之中取大，即大取之義」，義是而未圓。（中略）此與〈經上〉、〈下〉、〈經說上〉、〈下〉、〈小取〉共六篇，當時謂之〈墨經〉。（中略）篇中盡墨學之綱要，理至微妙，冠絕全書。（中略）必兼乎愛利

---

⑯ 見〈墨辯與墨學〉，同注⑪，頁 206-207。

⑰ 見〔清〕畢沅：《墨子注·大取·題解》（臺北：臺灣中華書局，1987 年），卷 11，頁 1。

⑱ 見吳毓江：《墨子校注·大取·題解》（重慶：西南師範大學出版社，1992 年），頁 507。

之大者而取之，亦綜核異同之名實而不遺，是為「大取」。若所取非兼乎愛利之大，惟綜核異同以立辯本，是為「小取」。⓳

尹桐陽則曰：

篇中言「利之中取大」，因名〈大取〉。謂其取字之大詁耳，六書謂之假借。中附「語經」即今所謂論理學，亦墨所謂大取者。《管子·白心》：「小取焉則小得福，大取焉則大得福。」⓴

綜觀上述諸家說法，雖亦略有出入，然皆是由篇中「利之中取大」以釋「大取」義，則無二致也。

㈡或以「取」爲取譬義：持此說者爲孫詒讓。孫氏曰：

畢說非也。此與下篇亦〈墨經〉之餘論，其名〈大取〉、〈小取〉者，與取譬之取同。〈小取〉篇云「以類取，以類予」，即其義。篇中凡言臧者，皆指臧獲而言，畢並以葬親為釋，故此亦有厚葬、節葬之說，並謬。㉑

乃由〈小取篇〉之「以類取」詮釋「取」字義，而非畢氏之說。

㈢或以「取」爲旨趣、指歸義：主此說者有曹耀湘、譚灼庵等。曹氏云：

《墨子》〈經上〉、〈經下〉、〈經說上〉、〈經說下〉、〈大取〉、

⓳ 見張純一：《墨子閒詁箋·大取·題解》（臺北：世界書局，1975年），頁182。

⓴ 見尹桐陽：《墨子新釋·大取·題解》（臺北：廣文書局，1975年），頁82。

㉑ 見〔清〕孫詒讓：《墨子閒詁·大取·題解》（臺北：華正書局，1987年），頁367。

〈小取〉凡六篇，篇第相屬，語意相類，皆所謂「辯經」也。〈大取〉則其所辯者較大，墨家指歸所在也。㉒

譚灼庵云：

大取者，大恉也。取，讀為趣。趣，恉趣也。㉓

則以「取」假借爲趣，而有旨趣、歸趨義。

由此可見，各家對於二〈取〉之篇名，亦是眾說紛紜，莫衷一是。唯其中有一現象值得注意，即不論何派之說，多主張二〈取〉篇當屬於〈墨經〉之列，亦即所謂〈墨經〉當可涵蓋〈經上〉至〈小取〉共六篇而言之也。

然而，從前節之討論已知，〈墨經〉之得名乃以其體爲界說體也，而〈大取〉、〈小取〉二篇既不名之曰「經」，其體例又非爲界說，當不在〈墨經〉之列，甚明矣。又因墨子尙實用，固重「取」甚於「名」，如〈貴義篇〉云：

今瞽曰：「鉅者白也，黔者黑也。」雖明目者無以易之。兼白黑，使瞽取焉，不能知也。故我曰：「瞽不知白黑者，非以其名也，以其取也。」今天下之君子之名仁也，雖禹湯無以易之。兼仁與不仁，而使天下之君子取焉，不能知也。故我曰：「天下之君子之不知仁也，非以其名也，亦以其取也。」

〈經下〉云：

㉒ 見曹耀湘：《墨子箋・大取・題解》（臺北：成文出版社，1975 年《無求備齋墨子集成》本）。

㉓ 轉引自吳毓江：《墨子校注・大取・題解》，同注⑱。

知其所以不知，說在以名取。

〈經說下〉云：

雜所智與所不智而問之，則必曰：「是所智也。是所不智也。」取去俱能之，是兩智也。

皆是其例證。故其書既有〈墨經〉「以立名本」，自亦當有二〈取〉以明取去之道，義方圓融。觀〈大取〉篇中屢云：「於所體之中，而權輕重之謂權。利之中取大，害之中取小也。」「死生利若，非（今案：原作『一』，從孫校改。）無擇也。」「愛之相若，擇而殺其一人……。」等等，是果在闡明擇取之道也。至於〈小取〉一篇，旨在論述辯學，文中有所謂「以類取，以類予」、「推也者，以其所不取之，同於其所取者，予之也。」等語者，似在辨明辯論過程中之去取之道，因謂之「小取」。此亦即張純一氏所云「必兼乎愛利之大者而取之，亦綜核異同之名實而不遺，是爲『大取』。若所取非兼乎愛利之大，惟綜核異同以立辯本，是爲『小取』。」是也。惟張說仍以二〈取〉列於〈墨經〉，則猶一間未達也。

要之，二〈取〉之作，正爲救〈墨經〉重名之偏執，而濟之以實際去取之道，故當與〈墨經〉爲同時期或稍晚之作品，㉔二者相輔相成，然不得混爲一談也。

㉔ 周師富美以為〈大取〉、〈小取〉「帶有總結墨家辯學的性質，顯然更出於〈墨經〉之後。」〈墨辯與墨學〉，同注⑪，頁207。

四、結　論

《墨》書〈經上〉、〈經下〉、〈經說上〉、〈經說下〉、〈大取〉、〈小取〉六篇篇第相連，舊說或並稱之爲〈墨經〉，今則以前四篇題名爲「經」者乃由經界義而來，以明其體爲界說體；至於後二篇之名曰「取」，則旨在闡明去取之道，以救〈墨經〉重名之偏執。故二者名稱既異，性質亦別，雖可相輔相成，然不容併爲一談。另一方面，〈墨經〉既非墨家之經典，則不必成於墨子之手，當爲後期墨家之心血結晶；至於〈大取〉、〈小取〉二篇，乃針對〈墨經〉而作，亦當爲與其同時或稍晚之作品。

由此數篇之正名，而對與其相關之作者、性質等聚訟千古諸問題，皆可獲致相當程度之釐清矣。

睡虎地秦簡《日書》中的鬼神信仰

徐富昌*

一、前　言

「日書」原是日者用以預測時日吉凶的資料匯編，❶其後普遍爲民間選擇時日及日常生活參考之用，與今日民間所使用的農民曆，在性質與功能上是類近的。❷在先秦，「日書」的擁有者可能是日者，但也可能是其他官吏或一般人民，❸其內容所適用的階層大多以中下階層爲主，也保留了較多數人的日常

---

* 國立臺灣大學中國文學系副教授。

❶ 日者，乃預測時日吉凶之人。《墨子·貴義》曰：「子墨子北之齊，遇日者，日者曰：『帝以今日殺黑龍於北方，而先生之色黑，不可以北。』子墨子不聽，遂北，至淄水不遂，而反焉。日者曰：『我謂先生不可以北。』子墨子曰：『南之人不得北，北之人不得南，其色有黑者，有白者，何故皆不遂也。且帝以甲乙殺青龍於東方，以丙丁殺赤龍於南方，以庚辛殺白龍於西方，以壬癸殺黑龍於北方。若用子之言，則是禁天下之行者也，是圍心而虛天下也，子之言不可用也。』」其中「日者」乃是一類專門預測時日吉凶的人物。韓非子所說的「用時日」就是相信不同的時日各有不同的吉凶性質，「日者」則是提供這類消息的人。《史記·日者列傳》，也正是記述這類人物的活動。參見蒲慕州：《追尋一己之福——中國古代的信仰世界》（臺北：允晨文化公司，1995 年），頁 98-99。

❷ 據呂理政、莊英章於 1984 年 8 月間對臺灣民間使用農民曆情況所作的問卷調查，顯示臺灣家庭的農民曆擁有率為百分之八十三點六，而幾乎百分之百的使用者都用來擇吉日良辰。參見李亦園、莊英章、呂理政、宋文里：《民間現行曆書的使用及其影響之研究》（臺灣省政府民政聽委託研究報告，1984 年）；又參見張寅成：《戰國秦漢時代的禁忌——以時日禁忌為中心》（臺北：國立臺灣大學歷史研究所博士論文，1992 年），頁 2-4；又參見許信昌：《秦簡日書數術的探討》（臺北：國立臺灣大學歷史研究所碩士論文，1993 年），頁 2-3。

❸ 如《睡簡·日書》的擁有者即該墓的主人「喜」，喜是秦國的基層小吏，他之所以擁有日書，可能是為了要瞭解轄下的民俗，也可能是為了替轄內的人民或自己解決一些擇日的問

生活材料。而其所反映的民間日常活動和生活信仰，與傳統古典文獻所呈現的民間生活和信仰，也大有不同。

《睡虎地秦簡·日書》（以下簡稱《睡簡·日書》）是秦昭王時期的秦國民間用來擇日的書籍。❹其內容雖然多是時日禁忌一類，但舉凡日常生活、生老病死、民間信仰、風俗習尚、農工商及家庭與社會中的各類人際關係等方面，均留下了豐富的史料。其中，在鬼神信仰方面，不僅顯示了秦人的宗教觀，同時也體現了秦文化的本質特徵。由於《睡簡·日書》屬於中下階層的民間文化，未必能包括秦人生活中一切可能發生的問題，但就現有的材料而言，亦足以讓我們對秦人的信仰生活有一基本的瞭解。❺本文擬就其所反映的鬼神信仰加以探討。

《睡簡·日書》所反映的鬼神世界，基本上，是多神多鬼的世界，範圍很

題。這說明了基層官吏也可能擁有日書。

❹ 從《睡虎地秦簡·編年記》來看，其年限應在秦昭襄王元年至秦始皇三十年。然而各類簡文成書當不在同一時期，如從《日書》用語不避始皇名「正」字看，它應反映大約是昭襄王到莊襄王（B.C306－B.C247 年）的社會生活。

❺ 《睡簡·日書》甲種可見的標題有四十八個，《睡簡·日書》乙種可見的標題計有五十個，其中有些標題完全相同，內容也相同或相近。大致歸納為二組。第一組為總綱類，共七類。「除」、「秦除」、「稷辰」、「玄戈」、「歲」、「星」、「毀棄」。內容主要是曆法及天象與人事的關係。第二組為行事吉凶類，共五十五類。(1)土木建築：「啻」、「室忌」、「土忌」、「作事」、「直室」、「宇」、「反枳」、「蓋屋」、「蓋忌」、「垣牆日」、「除室」、「穿戶日」。(2)出門歸家：「行」、「歸行」、「到室」、「見日」、「行日」、「行者」、「行忌」、「行祠」、「祠」、「亡日」、「亡者」。(3)娶嫁生育：「生子」、「人字」、「取妻」、「作女子」、「嫁子□」、「不可取妻」、「生」。(4)六畜飼養：「馬」、「馬日」、「牛日」、「羊日」、「豬日」、「犬日」、「雞日」。(5)日常生活：「衣」、「裚（制衣）」、「初寇（冠）」。(6)疾病災異：「夢」、「盜者」、「盜」、「病」、「有疾」、「詰」、「失火」。(7)其他：「吏」、「木日」、「見人」、「人日」、「男子日」、「寄人日」、「入官」、「視羅」。參見《日書》研讀班：〈日書：秦國社會的一面鏡子〉，《文博》（1986 年 5 月）；〈〈日書〉所見早期秦俗發微——信仰、習尚、婚俗及貞節觀〉，《文博》（1988 年 4 月）；徐富昌：《睡虎地秦簡研究》（臺北：國立臺灣大學中文所博士論文，1992 年）；蒲慕州：〈睡虎地秦簡〈日書〉的世界〉，《中央研究院歷史語言研究所集刊》第 62 本第 4 分（1993 年 4 月）。

廣，大凡天神、地示、人鬼三方面，都出現在其中。在天神方面，商周傳統的帝神、天的崇拜，秦人有所繼承而加以轉化。其他如星宿神、土地神、職能神、自然神（包括自然物所轉化精怪妖神）以及人鬼，也都各有其不同於先秦的面貌。可以從其中看出秦人的多神信仰和泛靈傾向。

二、天神（上帝、天）

2-1 天神信仰與秦文獻所見的帝神崇拜

天在原始信仰中，是一個有意志的至上神。因此，對天的信仰，大概是多數民族初興時所共有的事；對天觀念的演變，也該是多數民族發展史所共有的現象。所謂天的觀念，其在產生和演變中，常與上帝、鬼神等觀念糾纏在一起。因此在討論時，有時可以把它們分開，有時則可視爲一事。❻

在秦人宗教思想中可以看到不少天神信仰的材料。這些材料在文獻和出土物中都可以看到。《史記·封禪書》載：秦地雍「西亦有數十祠，於湖有周天子祠，於下邽有天神。」《史記》的〈秦本紀〉及〈封禪書〉亦記載了關於「上帝」、「赤帝」、「黃帝」、「青帝」、「白帝」、「黑帝」的祠奉。《睡簡·日書》則出現了「上帝」、「上皇」、「赤啻」、「天」等材料，可見秦人的天神信仰十分發達，只是秦人的天神和自然神之間的界限並不十分明確。《史記》所反映的宗教觀念，是屬於政治層面，是秦王族（或政權）宗教觀念的主要依據；《睡簡·日書》是民間時日宜忌的書籍，所反映的則是當時社會中下階層的鬼神信仰，它所代表的可能有更多世俗性的社會基礎。❼

---

❻ 參見孫廣德：《先秦兩漢陰陽五行說的政治思想》，（臺北：臺灣商務印書館，1994 年），頁 74。

❼ 《睡簡·日書》的使用者在智識層面缺乏理性與邏輯思考能力，因此其對自然與超自然的各種神秘力量的接觸和解讀方式，並不同於上層文化圈。

「天」的觀念，是西周開始的。商人所崇拜的最高神祗，指的是「帝」，亦即「上帝」，不稱爲「天」。❽商人的「帝」有很大的權威，是管理自然與下國的主宰。大抵而言，「帝」有令雨、授年（即使豐年）、降茣（即降旱）、缶王（即保王）、授祐、降若降不若、降福、降戭（戭是災害的一種）等力量，❾這些力量說明了「帝」的神格。❿但也有認爲「帝只是殷代諸神之一，而不是諸神之長。」⓫不過一般大都認爲「帝」是商人的「至上神」，具有支

---

❽ 郭沫若謂「卜辭稱至上神為帝，為上帝，但決不稱之為天。天字本來是有的，如象大戊稱為『天戊』，大邑商稱為『天邑商』。都是把天當為了大字的同意語。」參見〈先秦天道觀之進展〉，《青銅時代》（臺北：文治出版社，1945 年），頁 4。

❾ 參見胡厚宣：〈殷代之天神崇拜〉，《甲骨商史論叢初集》。又陳夢家先生以武丁卜辭為例，分析上帝的力量有：令雨、令風、令濟、降漢、降禍、降鏇、降食、降若、帝若（諾）、受又、受年它年、㞢、帝與（佐）王、帝與邑、官帝與其他。參見《殷墟卜辭綜述》（北京：北京科學出版社，1956 年），頁 562-571。

❿ 有關帝的神格，郭沫若認為：「由卜辭看來，可知殷人的至上神是有意志的一種人格神。上帝能夠命令，上帝有好惡，一切天時上的風雨晦冥，人事上的吉凶禍福；如年歲的豐嗇、戰爭的勝敗、城邑的建築、官吏的黜陟，都是由天所主宰的。」見〈先秦天道觀之進展〉，《青銅時代》，同注❽，頁 9。董作賓認為：「帝也稱為上帝，他的權能有五種，第一是命令下雨，第二是以饑饉，第三是授以福祐，第四是降以吉祥，第五是降以災禍。」見〈中國古代文化的認識〉，《董作賓先生全集》（臺北：藝文印書館，1977 年），乙編，第 3 冊，頁 339。陳夢家認為：「上帝所管到的事項是：1.年成，2.戰爭，3.作邑，4.王之行動，他的權威或命令所及的對象是：1.天時，2.王，3.我，4.邑。」見《殷墟卜辭綜述》，同前注，頁 517。日本學者島邦男認為：「帝有㈠支配自然之力，㈡降禍福於人事之力」，並就此兩點據卜辭加以檢討。針對第一點，島氏認為「帝是是命令雨、風、降旱茣、災異，支配年穀豐凶的神。像這樣主宰自然現象的權能，除了見到了『神』有一例（……）以外，不見於其他神祇。陳夢家亦謂『卜辭中帝是惟一降暵降雨的主宰……而先祖與河嶽之神，也絕無降禍降雨的權能，這是上帝與先祖間最要緊的分野。』（《燕京學報》20.526）將支配自然現象的權能作為帝與他神間最緊要的分野。」見《殷墟卜辭研究》（臺北：鼎文書局，1975 年），頁 189-190。

⓫ 參見晁福林：〈論殷代神權〉，《中國社會科學》1990 年第 1 期，頁 107-108。晁氏同時指出：帝有兩種性格，一是自然神，一是人格神。帝一方面能支配自然的現象，如「令雨」、「令風」、「令雷」、「降旱」、「降茣」等。但這些完全是帝的主動行為，而不是人們祈禱的結果。人們可以通過卜問知道某個時間裡帝是否令風令雨，但卻不能對帝施加影響而讓其改變氣象。帝對諸種氣象支配有自己的規律，並不以殷人的意志而轉移。從這個意義上看，令風令雨的帝，實質上是「自然之天」。在所有有關令風、令雨之類的卜辭解釋中，如果把容易被誤解為具有人格化的帝釋為具有自然品格的天，那將會使相關卜辭的文

配自然和降禍福於人事二方面的力量。⓬另外，在商人看來，上帝與祖先神似乎是同位格的。雖然上帝可以命令殷王，主宰自然界。但上帝與族神、祖神卻是可以直接溝通和契合的，二者之間也沒有明確、肯定分界線。⓭有些甚至認爲，商人的「帝」，其實就是祖神轉化而來的。⓮這些「帝即祖神」的說法，也許可以說明在商代前期的宗教觀裡，「上帝與宗祖神的分別並無嚴格清晰的界限，上帝有可能是祖神觀念的一個抽象，卻沒有把上帝和抽象的天的觀念聯繫在一起。」⓯

義十分通暢。此外，對於令風令雨等自然現象的支配，也並非全是帝的特權。如卜辭有「河令其雨」（《乙編》，3121）、「社於土（社）雨」（《合集》，33959）、「祈雨於岳」（《合集》，12855）、「祈雨自上甲、大乙、大丁、大庚、大戊、中丁、祖乙、祖辛、祖丁十示」（《合集》，32385）等記載，表明河、土（社）、岳、及祖先神仍有降雨的神力。因此，帝只能算是氣象諸事的主宰之一，而不能算作是最高主宰。

⓬ 在殷人的觀念中，帝有降福禍於人事的神力，亦即帝干預殷人生活的能力，如「降禍」、「降災」、「作尤」、「作戕」、「疾邑」、「終邑」、「授祐」、「祥王」、「保王」等。晁福林認為「和支配氣象一樣，帝對人世的降禍或保佑同樣具有自主性，並不存在後世那種『天人感應』的因素。帝之降禍不是對下世君主過失的懲罰；帝之保佑也不是對下世君主美德的勉慰。」同時認為「就降禍或賜福而言，帝的影響比之於祖先神，甚至河、岳等，都要小得多。」亦即「帝的權勢還沒有凌駕於祖先神之上。」因此，「從本質上看，殷代的『帝』類似於後世出現的具有濃厚自然品格的天，也可以說殷代的帝與天是合而為一的概念。」見〈論殷代神權〉，同前注，頁107-108。

⓭ 參見李向平：《王權與神權》（瀋陽：遼寧教育出版社，1991年），頁26-27；又參見胡厚宣：〈殷卜辭中的上帝和王帝〉上、下，《歷史研究》1959年第9、10期。

⓮ 杜正勝認為殷人的帝乃是最高祖宗神，亦即卜辭的「夋」。參見〈中國上古史研究的一些關鍵問題〉，《古代社會與國家》（臺北：允晨文化公司，1992年），頁82-85。郭沫若認為殷人的神同時又是殷氏族的宗族神；殷的帝就是帝嚳，是以至上神而兼宗祖神；殷人的帝就是「高祖夒」。參見〈先秦天道觀之進展〉，同注❽，頁7-10。日本學者赤冢忠認為商人的上帝雖然是作為商代自然界、人世間的至上主宰，但其神格卻是由族神轉化過來的。參見《中國古代的宗教文化——殷王朝的祭祀》（日本：角川書店，1977年），轉引自《古籍整理出版情況簡報》增刊總第2期（1981年3月10日）。另外，姜亮夫：《屈原賦校注・離騷第一》、侯外盧等：《中國思想通史》，第1卷，第2、3章、魯瑞菁：〈「天命」觀念的產生及其意義〉，《中國文學研究》第8期（1994年5月）等亦認為「殷人的上帝即是其最高祖神」。

⓯ 張光直謂：「『上帝』一名表示在殷人的觀念中帝的所在是『上』，但卜辭決無把上帝和天空或抽象連繫在一起的證據。卜辭中的上帝是天地與人間禍福的主宰……。上帝又有其

大約在殷、周之際，殷代至上神的觀念又稱爲「天」。殷商末年，企圖從抽象的「天」那兒尋找寄託和依靠，不再像過去那樣迷信於上帝和祖神。然而，「天」的觀念產生後，卻又沒有新的溝通方法，沒有處理好祖宗神與上天的關係的更好手段。因此，商末宗教中「天」的觀念，並不能形成一個新的宗教體系和神權結構。

周人承襲商人「帝」的觀念，卻發現商人的「帝」與「天」，乃同名而異實，遂以「天」代替商人的上帝。然而，周人「帝」與「天」二名，實仍混用。⑯

帝廷，其中有若干自然神為官，如日、月、風、雨；……帝廷官吏為帝所指使，施行帝的意旨。殷王對帝有所請求時，決不直接祭祀於上帝，而以其廷為祭祀的媒介。同時上帝可以由故世的先王直接晉謁，稱之為『賓』。殷王祈豐年或祈天氣時，訴其請求於先祖，先祖賓於上帝，乃轉達人王的請求。事實上，卜辭中上帝與先祖的分別並無嚴格清楚的界限，而我覺得殷人的『帝』很可能是先祖的統稱或是先祖觀念的一個抽象。」參見《中國青銅時代·商周神話之分類》（臺北：聯經出版事業公司，1983年），頁300。胡厚宣認為上帝和王帝的主要分野，在於：殷人以為上帝至上，有無限尊嚴，雖然他的權能很大，舉凡人間的雨水和年收，以及方國的侵犯和征伐，都由他來掌握，但遇有禱告祈求，則多向先祖行之，請先祖在帝左右轉向上帝祈禱，而絕不敢向上帝有所祈求。但殷人以為先王死後，可以賓配於帝，其於天帝稱帝，於祖先也稱帝，甚至在祭祖時其於先父每亦稱帝。如武乙時卜辭稱其生父小乙叫父乙帝，「貞父乙帝……」（《乙》，956），祖庚、祖甲時卜辭稱其生父武丁叫帝丁，「貞勿告於帝丁……」（《粹》，376）；廩辛、康丁時卜辭稱其生父祖甲叫帝甲，「貞其自帝甲又征」（《粹》，259）。為此殷人會習慣地認為，先祖也同上帝一樣，也能夠降下禍福，授佑作孽於殷王，故天帝稱上帝，人王叫王帝，都稱作帝。參見〈殷卜辭中的上帝和王帝〉上、下，同注⑬。郭沫若亦謂：「上下本來是相對的文字，有『上帝』一定已有『下帝』，殷末的二王稱『帝乙』、『帝辛』，卜辭有『文武帝』的稱號，……可見帝的稱號在殷代末年已由天帝兼攝到了大王上來了」。參見〈先秦天道觀之進展〉，《青銅時代》，同注❽。

⑯ 據美國學者顧立雅（H.G. Creel）博士的研究，殷人雖有天之觀念，而以天為主宰之神則始於周。蓋「帝」為殷之部落神，而「天」則為周之部落神。故帝及上帝其見於孫海波《甲骨文編》者凡六十三處，而天字在卜辭中僅十二見，且或以為地名，或以為人名，或借作大，鮮有用為神名者。在《詩經》中，天字之作天神觀念用凡一百零六處，而帝作上帝用者僅三十八次。《書經》中之周初七篇，天字凡九十七見，而帝字僅十二見。西周吉金見於郭沫若氏《兩周金文辭大系》與吳其昌氏《金文疑年表》者，凡二百十九器。其銘中天字凡七十五見，帝與上帝僅四見。則以天為神，顯然是周人的宗教思想。周既克殷，發現殷人之「帝」與其「天」，乃實同而異名，於是二名乃是混用，「皇天上帝」成為一神。然一名稱仍不若天之應用之廣也。參見顧立雅：〈釋天〉，《燕京學報》第18期（1935年12月）。

周人重新處理了天帝與祖神的關係，將商代中上帝與祖神之間的朦朧、模糊的關係明朗化、模式化，並賦與血緣的關係。《禮記·大傳》上說的「禮，不王不禘，王者禘其祖之所自出，以其祖配之」，也就說明了上天與周人祖神的父子關係。《周本紀》中有關后稷的感生神話，也證實了這一特殊的、異於商代的天、祖關係：

一個是至高無上的天帝，一個是世俗人間的先祖。⑰

周人宗教中，「天」的觀念雖然部分承襲殷人而來，但卻和商人的「上帝」觀念有著很重要的差別。周人將殷人的自然天，改造成具有天神意的天，並開始「帝」、「天」並用。⑱周人將「天」取代了殷人「上帝」觀，同時亦繼續沿用「上帝」的名稱，並提出了「祀祖配天」及「以德配天」的觀念。⑲周王族以感生神話爲基礎，提出以祖配天，自稱爲「天子」，乃是天命之承受者，並壟斷祭祀天神的宗教大權。因此，周人亦以天帝爲中心，將其他神靈加以道德化，凡所祀皆「法施於民」、「以死勤事」、「以勞定國」、「能禦大災」、「能捍大患」者，及「日月星辰」、「山林川谷丘陵」等民所取材用者。⑳這些祭祀標準，充分體現了周人神靈道德化的宗教價值觀。

---

⑰ 參見李向平：《王權與神權》，同注⑬，頁32。

⑱ 如〈天亡簋〉曰：「天亡佑王，衣祀於王，不顯考文王，事喜上帝，文德在上」；〈大盂鼎〉曰：「不顯文王，受天有大命。」

⑲ 魯瑞菁認為：「在周初文獻中，『帝』、『天』互見，除了形象上有具體與抽象的差別外，意義大致相同。……周人改造了『帝』、『天』的神格，並融合二者，造出一個超越民族神的主宰。」參見〈天命觀念的產生及其意義——以「天命玄鳥，降而生商」神話為中心的討論〉，同注⑭，頁16。

⑳ 《禮記·祭法》曰：「夫聖王之制祭祀也，法施於民則祀之，以死勤事則祀之，以勞定國則祀之，能禦大災則祀之，能捍大患則祀之。是故厲山氏之有天下也，其子曰農，能殖百谷；夏之衰也，周棄繼之，故祀以為稷。共工氏之霸九州也，其子曰后土，能平九州，故祀以為社。帝嚳能序星辰以著眾，堯能賞均刑法以義終，舜勤眾事而野死，鯀鄣鴻水而殛死，禹能修鯀之功；黃帝正名百物，以明民共財，顓頊能修之；契為司徒而民成，冥勤其官而水死，湯以寬治民而除其虐，文王以文治、武王以武功去民之災，此皆有功烈於民者也。及夫日月星辰，民所瞻仰也；山林川谷丘陵，民所取財用也。非此族也，不在祀典。」

秦人的「上帝」與「天」則是並用的，秦文獻稱最高天神爲「上帝」，《睡簡·日書》則稱爲「上帝」、「上皇」或「赤啻」，另有所謂「上神」亦疑是指上帝。相對於周人的「祀祖配天」及「以德配天」的觀念，秦人一方面承周人對天與上帝的觀念，一方面則將之改造成適合秦人文化的口味。其意識反多接近於殷人的「天神」思想。

秦人尊奉上帝神的事實，從文獻中可以可得到佐證。如《史記·秦本紀》曰：

秦襄公於是始國，與諸侯通使聘享之禮，乃用騮駒、黃牛、羝羊各三，祠上帝西畤。

《史記·封禪書》曰：

秦文公東獵汧渭之間，卜居之而吉。文公夢黃蛇自天下屬地，其口止於鄜衍。文公問史敦，敦曰：「此上帝之徵，君其祠之」。於是作鄜畤，用三牲郊祭白帝焉。自未作鄜畤也，而雍旁故有吳陽武畤，雍東有好畤，皆廢無祠。或曰：「自古以雍州積高，神明之隩，故立畤郊上帝，諸神祠皆聚云。」蓋黃帝時嘗用事，雖晚周亦郊焉。……秦繆公立，病臥五日不寤；寤，乃言夢見上帝，上帝命繆公平晉亂。史書而記藏之府，而後世皆曰：秦繆公上天。

《史記·秦本紀》曰：

（繆公十五年）虜晉君以歸，令於國，齋宿，吾將以晉君祠上帝。……（昭王）五十四年，王郊見上帝於雍。

「自古以雍州積高，神明之隩，故立畤郊上帝。」惟郊祠或畤祠上帝，乃周王室專利。這一方面是因爲周人的先祖與昊天上帝具有一種宗教觀念上的父子觀係，㉑同時又因其祖先、先王皆可以配天享祭，故周王室自信他們是有根據、有權力去承受天命以統治其民。㉒周人既承受「有命自天，命此文王。」㉓的天命以滅商而興周，成爲天帝在人間的代理人，自然不會同意諸侯祠奉上帝。《國語·周語》曰：「先王既有天下，又崇立上帝、明神而敬事之，於是乎有朝日、夕月以教民事君。諸侯春秋受職於王以臨其民，大夫日恪位著，以儆其官，庶士、工商各守其業以共其上。」《國語·魯語》亦曰：「天子祀上帝，諸侯會之受命焉。」可知周代的國家結構就圍繞著周天子的王權建立起來，而在其神權形式上，祭天大權則壟斷於天子，諸侯只能助祭，享其祭肉。

因此，秦人祠畤上帝一事，司馬遷認爲有僭越之心。《史記·六國年表》曰：「太史公讀《秦紀》，至襄公始封爲諸侯，作西畤用事上帝，僭端見矣。《禮》曰：『天子祭天地，諸侯祭其域內名山大川。』今秦雜戎翟之俗，先暴戾，後仁義，位在藩臣，而臚於郊祀，君子懼焉。」向來被認「雜染戎狄之俗」、「染戎翟之教」，而有「秦戎」、「秦夷」、「秦狄」、「秦翟」、「狄秦」之稱的秦人，卻出現了祠奉上帝這一事實，除了太史公所謂的「秦雜戎狄之俗，有虎狼之心」外，合理的解釋，則是秦人宗教的本身就是帶有帝神崇拜性質。這種帝神崇拜，不只見於文獻。《睡簡·日書》所出現的「上帝」、「上皇」、「上神」、「赤啻」等資料，亦強化了秦人祠奉上帝這一事實。當然，由於《睡

㉑ 參見〔日本〕赤冢忠：《中國古代宗教文化—殷王朝的祭祀》，同注⑭。

㉒ 如《詩·大雅·大明》曰：「有命自天，命此文王。于周于京，纘女維莘，長子維行，篤生武王。保右命爾，燮伐大商。殷商之旅，其會如林，矢于牧野，維予侯興。上帝臨女，無貳爾心。」《詩·大雅·文王》亦曰：「文王在上，於昭于天，周雖舊邦，其命維新。有周丕顯，帝命不時，文王陟降，在帝左右。……文王子孫，本支百世，凡周之士，丕顯亦世。」

㉓ 見《詩·大雅·大明》。

簡·日書》是民間的生活信仰，因此所顯示秦人對至上帝神的興趣是局部的，相較於秦人對各種人格化的鬼怪的興趣則遠遠不如。

2-2 《睡簡·日書》中所見的上帝與上皇

《睡簡·日書》稱「上帝」者一，見於簡第*858三簡：㉔

> 鬼恆從人女與居，曰：上帝子下游，欲去，自浴，以大矢轂以葦，則死矣。

簡文所指，乃鬼假「上帝子」下游，騷擾人女。其中「上帝」當最高至上神，上帝「有子」而可以「下游」，上帝之子可以下游，上帝亦當可以下游。可見秦人眼中的上帝具有世俗的性格。

《睡簡·日書》中另有稱「上皇」者：「勿以子卜筮，害於上皇。」（830二）上皇亦即上帝，簡文意指不要因爲你的卜筮而妨害上帝。「上皇」一辭，不見於秦的相關文獻。「皇」字，《說文》釋「大也」。西周金文及文獻，「皇」字多作「大」解。如《宗周鐘》：「隹皇上帝百神，保余小子，朕猷有咸，亡競。我隹嗣配皇天王。」《㝬鐘》：「惟皇上帝百神，保余小子。」《㝬簋》：「害作鼒彝寶簋，用康惠朕皇文烈祖考，其格前文人，其瀕在帝廷陟降。」《師詢簋》：「肆皇帝亡斁，臨保我有周。」（頁174）《尚書·召誥》：「皇天上帝，改厥元子。」《詩經·大雅·皇矣》：「皇矣上帝，臨下有赫。」《詩經·周頌·執競》：「執競武王，無競維烈；丕顯成康，上帝是皇。自彼成康，奄有四方。」「皇」字皆用以修飾至上大神的「帝」。戰國之際，或用以指天或天神，如《楚辭·離騷》：「陟陞皇之赦戲兮，忽臨睨夫舊鄉。」「皇」，

㉔ 簡號前有*號者，皆為反面簡。簡號之後的一、二、三、四、五代表每簡欄號。

王逸《注》：「皇，天也。」又《楚辭·九歌·東皇太一》：「吉日兮辰良，穆將愉兮上皇。」其中，「上皇」即指上帝、上天。《睡簡》出土於湖北省雲夢縣，秦時為楚地南郡，故「上皇」一辭，或許亦受楚人影響。㉕

2-3 《睡簡·日書》中所見的赤啻

「啻」及「赤啻」，見於《睡簡·日書》第856-859及1027-1030簡：

毋以正月上旬午、二月上旬亥、三月上旬申、四月上旬丑、五月上旬戌、六月上旬卯、七月上旬子、八月上旬巳、九月上旬寅、十月上旬未、十一月上旬辰、十二月上旬酉。（856）凡是日赤啻恆以開臨下民，而降其英（殃）。不可具為百事，皆毋（無）所利，節有為也。（857）其英（殃），不出歲中，大小必至，有為而禺雨命曰央（殃），蚤至不出三月必有死，亡志=至。

凡是有為也，必先計月中閒日。句毋直（值）赤啻臨日，它日雖有不吉之名，（858）毋所大害。（859）

毋以正月上旬午、二月上旬亥、三月上旬、（1027）四月上旬丑、五月

㉕ 秦設南郡在秦昭襄王二十九年（B.C. 278），南郡原是楚國故地郢都，也是楚的政治中心。秦昭王二十九年派白起攻楚，取郢為南郡。《史記·秦本記》曰：「（昭襄王）二十九年，大良造白起攻楚，取郢為南郡，楚王走。」又《史記·白起列傳》曰：「後七年，白起攻楚拔鄢、鄧五城。其明年攻楚，拔郢，燒夷陵，遂東至竟陵。楚王亡，去郢東走，徙陳。秦以郢為南郡。」另由《睡簡·語書（原稱〈南郡守騰文書〉）》曰：「廿年四月丙戌朔丁亥，南郡守騰謂縣、道嗇夫：……。」南郡既設於昭襄王二十九年間，則《睡簡·語書》所謂的「廿年」，必是其後的秦王政二十年。另由《睡簡·語書》中，皆避秦王政諱一事，可見其年代應在秦王政時期。參見徐富昌：《睡虎地秦簡研究》，同注❺，頁42。不過，《睡簡·日書》用語皆不避秦王政諱來看，《睡簡·日書》當是通行於秦王政之前（即昭襄王時）的楚地。因此，此書是否雜有楚人社會民俗，有待考證；而此書所反映的是否全為秦人社會民俗，亦有學者持懷疑態度。如蒲慕州先生〈睡虎地秦簡〈日書〉的世界〉一文，即持保留態度。本文則基本上是以秦人社會為基礎而進行討論的。

上旬戌、六月上旬卯、七月上旬子、八月上旬巳、九月上旬寅、十月上旬未、十一月上旬辰、十二月上旬丑。(1028)凡是日赤啻(帝)恆以開臨下民而降央(殃),不可具為百,皆毋所利節以有為也。其央(殃)不出歲小大必致有為也。(1029)

而遇雨命之央(殃),蚤至不出三月,有死亡之志,致凡且有為也,必先計月中閒日□□直赤啻(帝)臨。(1030)

簡中「赤啻(帝)」,即指「上帝」。「赤啻」本身亦有可能是指太陽,《說文》曰:「赤、南方色也。從大從火。」段《注》云:「赤色至明,凡洞然昭著者皆曰赤。」有的史料認爲「赤帝就是炎帝,帝生於姜水,因姓姜,以火德王。稱炎帝,一云炎帝,一云炎氏。」而炎帝就是公認的太陽。《呂氏春秋·孟夏紀》:「其帝炎帝,其神祝融」,高誘《注》:「丙丁、火、日也。炎帝,少典之子,姓姜氏,以火德王天下,是爲炎帝。」班固《白虎通·五行》言之更爲明確:「其帝炎帝者,太陽也。」㉖由簡文看,「赤啻(帝)」具有無可御卻的威力,也會「降殃」。由於赤啻會臨民降殃,因此,把赤啻臨日列爲忌日,不可以作百事,否則皆無所利。簡文教人「凡是有爲也,必先計月中閒日。句毋直(值)赤啻臨日,它日雖有不吉之名,毋所大害。」秦人顯然相信「帝」也和鬼怪一般會「禍祟」(降殃)於人,如果要從事各項事物,一定要避開「赤啻臨日」。而「它日雖有不吉之名,毋所大害。」則說明了赤帝降殃必然大於其他神怪,只要避開帝臨忌日,即使碰上其它禁忌也無所大害。

這說明了秦人觀念中,上帝是一個完全人格化的神。祂雖高居九天之上,卻能託夢於人,向人間顯示種種徵兆。其形象也比較隨意,或變爲黃龍,或化

㉖ 參見竇連榮、王桂鈞:〈秦代宗教之歷程——原始帝神在秦代的復歸〉,《寧夏社會科學》1989年第2期,頁9-18;又收入中國人民大學書報資料中心:《先秦、秦漢史》1989年第10期,頁61-68。

作人形，下游人間，缺乏至高無上的神聖威嚴和區分於其他諸神的鮮明特徵。可以說秦人對上帝神的祠奉，與祠奉赤帝、白帝、青帝、黃帝、黑帝一樣，並未特別突出與強調。㉗

2-4 《睡簡·日書》中所見的天

在「上帝」、「上皇」、「赤啻」等至上神外，「天」的觀念亦出現於《睡簡·日書》。簡中的「天」一方面有自然義，具有明顯的自然屬性，另一方面又將之視爲具有意志的天。

在自然義方面，如《睡簡·日書》第*789-*791簡

> 春三月甲乙，不可以殺，天所以張生死（時）。（*794）
>
> 夏三月丙丁，不可以殺，天所以張生死（時）。（*793）
>
> 秋三月庚辛，不可以殺，天所以張生死（時）。（*792）
>
> 冬三月壬癸，不可以殺，天所以張生死（時）。（*791）

簡文規定「春三月甲乙」、「夏三月丙丁」、「秋三月庚辛」、「冬三月壬癸」，這些日子絕對不可殺生，其目的是「張生（死）時」，這說明秦人觀念中，天具有主掌萬物生長發育、維持自然界的生態平衡的力量。如果有所違反，則會「小殺小央（殃），大殺大央（殃）。」（*790）可見秦人的天是帶有自然天的性質的。由前文可知：周代開始用「天」來代替具人格神意味的、至高無上的昊天上帝，也就是說西周的「天」與殷人所講的「帝」是同義詞，本身也是一個宗教概念。但當周天子權力式微時，天神的地位也不得不而發生

㉗ 參見《史記·封禪書》。

動搖、變異，人們對於天德的無力，已產生懷疑和怨懟，㉘其後甚至根本就不在乎天。㉙對天神與天命的懷疑，也由西周「敬天保民」的思想，到了春秋慢慢地發展成「重民輕天」的思想。因此一些「詬天」、「罵天」、「射天」的記載也不斷地出現。㉚即使是孔子，對這種具人格的上帝也有所懷疑，孔子所講的天是蒼蒼之天，只不過他仍然承認這蒼蒼之天是世界的最高主宰，所以他說：「獲罪於天，無所禱也。」這種無人格而有意志的天，事實上，也正是由「上帝之天」轉化到「自然之天」的一個過渡。老子謂：「天法道，道法自然。」（《老子》二十五章）則取消了「天」至高無上的地位及其福善禍淫的意志。莊子亦賦與天有自然及自然界之義。顯然自然天的觀念在春秋戰國之際，已成型，這四簡文謂「天所以張生死（時）」，說明了秦人實已受到「自然天」這一觀念的影響。

在意志天方面，如第*749 簡曰：

壬申會癸酉，天以壞高山，不可取（娶）婦。

第 899 簡曰：

㉘ 如《詩·小雅·節南山》曰：「昊天不傭，降此鞠訩，昊天不惠，降此大戾。」「不弔昊天，亂靡有定」；「昊天不平，我王不寧。」《詩·小雅·雨無正》曰：「浩浩昊天，不駿其德；降喪饑饉，斬伐四國。」「如何昊天，辟言不信。」詩中顯示了人們對於天德的無力，已產生懷疑和怨懟。

㉙ 如〈函皇父簋〉曰：「天命不徹，我不敢效我友自佚。」「下民之孽，匪降至天。蹲沓背憎，職競由人。」

㉚ 如《左傳·昭公十三年》曰：「初，（楚）靈王卜曰：『余尚（庶幾）得天下！』不吉。投龜，詬天而呼曰：『是區區者（指天下）而不余畀，余必自取之。』」又《戰國策·宋衛策》曰：「宋康王之時，有雀生旗於城之陬，使史占之，曰：『小而生巨，必霸天下。』康王大喜。於是滅滕伐薛，取淮北之地，乃愈自信，欲霸之亟成，故射天笞地，斬社稷而焚滅之，曰：『威服天下鬼神。』」詬天而呼、射天，正是對天神的否定。

壬申，癸酉，天以震高山。

「天以壞高山」、「天以震高山」，本來都是自然現象，但秦人認爲都應避之爲宜。至於第*855三簡：「天火燔人宮，不可御，以白沙救之，則止矣。」則視天火燔人宮爲天行意志，不可抵擋，只能消極地以白沙止之。《睡簡·日書》還有記有「天昌」、㉛「天閻」、㉜「天臽」㉝等與天有關的時日宜忌，顯然地，天也具有能昌、能閻、能臽的力量。

《睡簡·日書》提到「天」的資料雖然不多，也許並不足以說明秦人對天的觀念。但由簡文看來，秦人一方面將之視爲無人格的自然天，另一方面又將之視爲具有意志的天。

三、土地神

秦人祖先在周孝王持仍過著游牧生活，《史記·秦本記》載秦人：「好馬及畜，善養息之。」秦地在今甘肅省天水的秦亭附近，土地肥沃，一直是農業區。秦人定居於此，遂由游牧經濟走向農業經濟，而成爲農耕民族。㉞因此，秦人對土地充滿了深情厚愛。這種依戀土地的感情，集中表現在秦人對「土地神」刻骨銘心的崇拜心理上，而土地神在秦人自然神崇拜中也具有特殊的意義，地位極爲突出。

《睡簡·日書》中與土地有關的神，有「土神」、「三土皇」、「地衝」、「地杓神」、「田亳主」、「杜（社）主」、「田大人」等區別，各有職司，

㉛ 如簡808二：「祠行良日：庚申是天昌，不出三歲，必有大得。」

㉜ 參見簡983四。

㉝ 如簡996三：十一月乙卯天臽。

㉞ 參見林劍鳴：《秦史稿》（臺北：谷風出版社影印上海：上海人民出版社，1981年版），頁29。

但都具有土地的性質，都是秦人祭祀的對象。

3-1 土神

《睡簡·日書》中的「土神」和起土興宅有關，如反面第 764 至 763 簡云：

> 正月亥、二月酉、三月未、四月寅、五月子、六月戌、七月巳、八月卯、九月丑、十月申、十一月午、十二月辰，是胃（謂）土神，（*764）毋起土攻，凶。（*763）

簡文顯示每月皆有土神忌日，值日「毋起土攻」。「土攻」即「土功」，乃指水土方面的工事。「土功」之事，文獻多有記載，如《尚書·益稷》曰：「惟荒度土功。」《傳》曰：「以大治度水土之功故。」《禮記·月令》曰：「孟夏之月，毋起土功，毋發大眾。」《左傳·莊公二十九年》曰：「凡土功，龍見而畢務，戒事也。」《國語·周語中》曰：「營室之中，土功其始。」《呂氏春秋·季夏》曰：「不可以興土功。」《睡簡·日書》則強調每月的土神忌日，不能動土，否則會冒犯土神，遭致凶災。居住與建築之事，向爲民間所重視，因此功成事畢，必須解謝土神。王充謂：

> 世間繕治宅舍，鑿池掘土。功成作畢，解謝土神，名曰解土。為土偶人，以像鬼形，令巫祝延以解土神。已祭之後，心快意喜，謂鬼神解謝，殃禍除去。㉟

㉟ 參見〔漢〕王充：《論衡·解除》。

嚴可均《全後魏文》卷五十八闕名〈祝麴文〉亦載有所謂「土公」者，㊱亦土神也。文曰：

> 東方青帝土公，青帝威神。南方赤帝土公，南方威神。西方白帝土公，白帝威神。北方黑帝土公，黑帝威神。中央黃帝土公，黃帝威神。某年月某日辰朔日，敬啟五方五土之神，主人某甲，謹以七月上辰，造作麥麴，數千百餅，阡陌縱橫，以辨彊界，須建立五王，各布封境。

既有「土神」、「土公」，凡興功起土，難免觸犯土禁，需「令巫祝延以解土神」，以除殃禍。《東觀記》亦曰：「意在堂邑，爲政愛利，輕利愼罰，撫循百姓如赤子。初到縣，市無屋，意出奉錢帥人作屋。人齎茅竹，或持材木，爭起趨作，浹日而成。功作既畢，爲解土。祝曰：『興功役者，令百姓無事。如有禍祟，令自當之。』人皆大悅。」㊲可知「解土」實爲解犯土禁。

《論衡·四諱》曰：「諸工伎之家，說吉凶之占，皆有事狀。宅家言治宅犯凶神，移徙言忌歲月，祭祀言觸血忌，喪葬言犯剛柔，皆有鬼神凶惡之禁。」「宅家言治宅犯凶神」者，言起土興宅之禁忌和鬼神有關，其所指者即「宅神」與「土神」。因爲重視「土神」，因此先秦兩漢之際，民眾興宅起土，都會參考日書宜忌。《禮記·月令》鄭《注》曰：「令時持喪葬築蓋嫁取卜數文書。」《論衡·譏日》曰：「工伎之書，起宅蓋屋必擇日。」《睡簡·日書》中關於起土興宅之良日和忌日的簡文出現很多，這些時日宜忌，應與「土神」及「宅神」的信仰有關。其中良日，如：

㊱ 參見〔後魏〕賈思勰：《齊民要術》七，〔清〕嚴可均：《全上古三代秦漢三國六朝文·全後魏文》（北京：中華書局，1958 年影本），卷 58，頁 14b-15a，〈案語〉云：「此文不知時代，姑編入魏文」。

㊲ 參見〔劉宋〕范曄：《後漢書·鍾離意傳》李賢《注》引。

1.盈日：可以筑（築）閒牢，……可以筑（築）宮室。（745二）

2.東井：百事凶。……。可以為土事。（818一）

3.東井：百事凶。……。可以為土事。（984一）

4.土良日：癸巳、乙巳、甲戌，凡有土事，必果。（*767）

5.二月利興土西方，八月東方，三月南方，九月北方。（838一）

凡遇良日，其事必果。忌日，如：

1.秀……不可復室、蓋屋。（762）

2.星角：利祠及行，吉。不可蓋屋。（797一）

3.凡為室日，不可以筑（築）室：筑（築）大內，大人死；筑（築）右圯，長子婦死；筑（築）左圯，中子婦死；筑（築）外垣，孫子死；筑（築）北垣，牛羊死。（簡829）

4.不可以為室，覆屋。（830一）

5.室忌：痒春三月庚辛、夏三月壬癸、秋二月甲乙、冬三月丙丁，勿以筑（築）室，以之大主死；痒；弗居。（831一）及（1005）

6.凡入月五日，月不盡五日以筑（築）室，不居；為羊牢、馬廄，亦弗居；以用垣宇，閉貨貝。（832一）

7.土忌：土徽正月壬、二月癸、三月申、四月乙、五月戊、六月己、七月丙、八月丁、九月戊、十月庚、十一月辛、十二月乙，不可為土攻。（833一）

8.正月丑、二月戌、三月未、四月辰、五月丑、六月戌、七月未、八月辰、九月丑、十月戌、十一月未、十二月辰，毋可有為筑（築）室，壞，樹木死。（834一）

9.春三月寅、夏巳、秋三月申、冬三月亥，不可興土攻，必死。五月、

六月不可興土攻。十一月、十二月不可興土攻，必或死。中不可興土攻。（835）

10.土忌日：戊己及癸酉、癸未、庚申、丁未，凡有土事，弗果居。（*766）

11.正月寅、二月巳、三月未、四月亥、五月卯、六月午、七月酉、八月子、九月辰、十月未、十一月戌、十二月丑，當其地不可起土攻。（*765）

12.春三月戊辰、己巳，夏三月戊申、己未，秋三月戊戌、己亥，冬三月戊寅、己丑，是胃（謂）地衝，不可為土攻。（*762）

13.春之乙亥、秋之辛亥、冬之癸亥，是胃（謂）牝日，百事不吉。以起土攻，有女喪。（*760）

14.田忌：丁亥、戊戌不可初田及興土攻。（*746）

15.□□春庚辛、夏壬癸、季秋甲乙、季冬丙丁，勿以作事，復內衆屋。以此日衆屋，屋以此日為蓋屋，（1006）屋不壞折，主人必大傷。（1007）

16.甲子、乙丑，可以家（嫁）女、取（娶）婦、寇（冠）、帶、祠。不可筑（築）、興土攻，命曰毋後。（1020）

簡文所謂「不可復室、蓋屋。」、「不可蓋屋」「不可以筑（築）室」、「不可以爲室，覆屋。」、「月不盡五日以筑（築）室，不居。」、「不可爲土攻」、「毋可有爲筑（築）室」、「不可興土攻」、「土忌日：……凡有土事，弗果居。」、「當其地不可起土攻」、「以起土攻，有女喪。」、「田忌：……不可初田及興土攻。」、「不可筑（築）、興土攻」等，無非強調起土興宅的忌日不宜動土。果而不避忌日，必有禍祟，不能久住。禍祟的情形，重者人死，輕者牛羊死，如簡文所謂「壞，樹木死。」（834 一）「必死」、「必或死」（835）「有女喪」（*760）「命日毋後」（1020）、「筑（築）大內，大人死」、「筑（築）右圯，長子婦死」、「筑（築）左圯，中子婦死」、「筑（築）外垣，孫子死」、「筑（築）北垣，牛羊死。」（829）「主人必大傷」（1007）

「以之大主死；不死，瘁；弗居。」（831 一及 1005）等，皆「土神」禍祟於人的結果。

3-2　地杓神

地杓神，亦爲土神之一。《睡簡·日書》第*758至*757簡曰：

> 正月申、四月寅、六月巳、十月亥，是胃（謂）地杓神，以毀宮，毋起土攻，凶。月申旬毋起北南陳垣及增之，大凶。四月丙午，是胃（謂）召畜，合日不可垣，凶。四月酉以壞垣，凶。入月十七日以毀垣其家日滅。

其中地杓神，亦爲土神之一。《淮南子·兵略》曰：「凌人者勝，待人者敗，爲人杓者死。」高誘《註》曰：「杓，所擊也。」可知地杓神乃專事破壞之土神。簡文謂每年「正月申、四月寅、六月巳、十月亥。」諸日爲其忌日，值此則「毋以土功」，如若犯忌，必有凶災，後果就是「毀宮」、「大凶」、「凶」、「其家日滅」。

3-3　地衝

地衝，亦土神之一。《睡簡·日書》第*762簡曰：

> 春三月戊辰、己巳，夏三月戊申、己未，秋三月戊戌、己亥，冬三月戊寅、己丑，是胃（謂）地衝，不可為土攻。

衝，即衝。《說文》曰：「衝，通道也。從行，童聲。」段《注》：「今作衝。」地衝，即地衝。當爲管通道之土神地祇。每季各有二日，爲地衝忌日，亦不可興宅起土。

3-4 「田亳主」、「杜（社）主」、「田大人」

「田亳主」、「杜（社）主」、「田大人」亦爲土神。《睡簡·日書》第*747簡曰：

> 田亳主以乙巳死，杜（社）主以乙酉死，雨帀以辛未死，田大人以癸亥死。

《史記·封禪書》曰：「灃、滈有昭明。天子辟池。於（社）〔杜〕、亳有三社主之祠、壽星祠；而雍菅廟亦有杜主。杜主，故周之右將軍，其在秦中，最小鬼之神者。」簡文「杜（社）主」，當即「社神」，應即所謂土地神。古人有封土爲社之說，卜辭土字即作封土之形。卜辭中有些「土」雖指土地而言，可是大多數的「土」則是祭祀的對象，當讀爲「社」。㊳《詩·商頌·玄鳥》：「宅殷土茫茫」，《史記·三代世表》作「殷社」；又《詩·大雅·綿》：「迺立冢土」，毛《傳》：「冢土，大社也。」《周禮·春官》：「先告后土」，鄭《注》：「后土，社神也。」簡文中的「田亳主」、「田大人」典籍未見，當亦爲掌管秦人農業耕作的土神。《睡簡·日書》載有各種從事農業的禁忌，如：

> 1.禾良日：己亥、癸亥，五酉、五丑。（746三）
>
> 2.禾忌日：稷，龍寅；秫，丑；稻，亥；麥，子；菽、荅，卯；麻，辰；葵，癸、亥。各常□忌，不可種之及初獲、出入之。辛卯不可以初獲

㊳ 參見晁福林：〈論殷代的神權〉，同注⑪，頁105。

禾。(747三至752三)

3.五種忌：丙及寅，禾；甲及子，麥；乙巳及丑，黍；辰，麻；卯及戌，叔(菽)；亥，稻；不可以始種及穫、賞(償)其歲或弗食。(*745～*744)

4.五種忌日：丙及寅禾，甲及子麥，乙巳及丑黍，辰、卯及戌叔，亥稻，不可以始種；獲，始賞其歲，或弗食。(941二至944二)

5.五穀良日：己□□□□□□出種及鼠(予)人。壬辰、乙巳，不可以鼠(予)子，亦勿以種。(959)

6.五穀龍日：子麥、丑黍、寅稷、辰麻、申、戌叔、壬、辰瓜、癸葵。(960)

另外《天水放馬灘秦簡·日書》乙種第320簡亦載云：

種忌：子麥、丑黍、寅稷、卯菽、辰□、巳□、未秫、亥稻。不可種，種，獲及賞。

《睡簡·日書》和《天水放馬灘秦簡·日書》是秦國下層人民的日常生活反映，由上列各簡所載穀物名稱，有稻、麥、黍、稷、菽、麻、葵、瓜等多種作物，可知秦國農業發展的情形。所謂「禾良日」、「禾忌日」、「五種忌」、「五種忌日」、「五穀良日」、「五穀龍日」，都是從事農耕的宜忌，可見秦國十分重視農業生產活動，因此對掌管農事方面的「土神」—「田亳主」、「杜(社)主」、「田大人」等神祇的各種禁忌，十分留意。又依《睡簡·日書》第*746簡「田忌：丁亥、戊戌，不可初田及興土攻。」所顯示，土地神是同時兼管起土興宅和農事耕作的。

3-5　三土皇

《睡簡·日書》第 1040 簡曰：

行祠，東行南祠道左，西北行祠道右，其謞曰大常，行合三土皇，耐為四席，席叕其後，亦席三叕，其祝曰：毋王事唯福，是司勉飮（飲）食，多投福。

簡文的「土皇」，當指土神。「皇」字在《睡簡·日書》中僅兩見，另一爲「勿以子卜筮，害於上皇。」（830 二）《睡簡·日書》第*858 簡另有「上帝」一辭：「鬼恒從人女居，曰：上帝子下游。」本簡所謂的「上皇」即「上帝」，「土皇」應即指「土帝」。《史記·封禪書》有「三社主」，說明土神不獨尊，「三土皇」，亦應指三位「土帝」。稱「土神」爲「土皇」，則說明了秦人將土地神的地位看得十分重要。

《睡簡·日書》土地神的多樣，說明了土地對秦人的重要性，亦說明了秦人在農業及建築方面發展十分熱絡。

四、星宿神

在《睡簡·日書》中有許多自然物或現象被秦人尊爲人格化的神，其中最多的是「星宿神」。星宿神即値日神，秦人依之判斷吉凶。《睡簡·日書》提到星宿有：牽牛、織女、招搖、玄戈、角、亢（犺）、牴、房、心、尾、箕、斗、牛、須女、虛、危、營室、東辟、奎、婁、胃、茅、畢、觜（此）、參、東井、輿鬼、柳、七星、張、翼、軫等，星宿神都集中在〈玄戈〉（776 一～787）、甲本〈星〉（797 一～824 一）及乙本〈星〉（975 一～1002 一）三篇。

《睡簡·日書》的眾多星宿神中，包括了古代用以觀測天象的二十八宿星，而且大都出現在文獻中。二十八宿的起源很早，商代武丁時期已見三個星名，

《詩經》可見的有九個星名，《左傳》、《國語》可見的有十六種，其中屬於二十八星宿的有十二個。❸❾據〈曾侯乙墓出土的二十八星宿青龍白虎圖象〉一文，在戰國初期已有完整的二十八宿名稱。❹⓪

《睡簡·日書》的二十八宿星除用來記載每月日躔星宿的天文資料外，❹❶主要還是占測吉凶。如：

星角：利祠及行，吉。不可蓋屋。取（娶）妻，妻妬。生子，為。（797一）

亢：祠為門行，吉。可入貨，生子，必有爵。（798一）

---

❸❾ 卜辭可見「鳥」、「火」與「鶴」星宿名，《詩經》已有織女、參、昴、室（營室）、火（心）、牽牛、畢、斗和箕星宿名。《左傳》、《國語》中可見的有十六種，即：龍、辰角、火或心、尾或辰尾、北斗、味、虛、參、婺女、營室或天廟、建星、本（氐）、農祥或天駟（房）、策或天策、天根（亢和氐）、鶉和鶉火。參見潘鼐：〈我國早期二十八宿觀測及其時代考〉，收入《中國天文學史新探》（臺北：明文書局，1988年），頁215-217。

❹⓪ 由王健民、梁柱、王勝利合著：〈曾侯乙墓出土的二十八星宿青龍白虎圖象〉，《文物》1979年7期，頁40-45。

❹❶ 楊巨中將甲本乙本《星》對照互補後，乙本與每月月令的關係如下：

正月	營室、東臂（辟）	七月	張、翼、軫。
二月	奎、婁。	八月	角、亢。
三月	胃、卯。	九月	氐、房。
四月	畢、觜、參。	十月	心、尾、箕。
五月	東井、鬼。	十一月	斗、牽牛。
六月	柳、七星。	十二月	須女、虛、危。

參見〈〈日書·星〉釋義〉，《文博》1988年4期，頁71。又許信昌：《秦簡日書數術的探討》則整理如下：「正月營室、東臂（壁），二月奎、婁，三月胃、卯，四月畢、觜、參，五月東井、輿鬼，六月柳、七星，七月張、翼、軫，八月角、亢，九月氐、房，十月心、尾、箕，十一月斗、牽牛，十二月須女、虛、危。」同注❷。若和《禮記·月令》相對比，其日行所在的處所如下：「孟春之月，日在營室，昏參中，旦尾中。仲春之月，日在奎，昏弧中，旦建尾中。季春之月，日在胃，昏七星中，旦牽牛中。孟夏之月，日在畢，昏翼中，旦婺女中。仲夏之月，日在東井，昏亢中，旦危中。季夏之月，日在柳，昏火中，旦奎中。孟秋之月，日在翼，昏建星中，旦畢中。仲秋之月，日在角，昏牽牛中，旦觜觿中。季秋之月，日在房，昏虛中，旦柳中。孟冬之月，日在尾，昏危中，旦七星中。仲冬之月，日在斗，昏東辟中，旦軫中。季冬之月，日在婺女，昏婁中，旦氐中。」

房：取（娶）婦、家（嫁）女、出入貨及祠，吉。可為祠屋。生子，富。（800一）

心：不可祠及行，凶。可以行水。取（娶）妻，妻悍。生子，人愛之。（801一）

箕：不可祠，百事凶。取（娶）妻，妻多舌。生子，貧富半。（803一）

斗：利祠及行賈、賈市，吉。取（娶）妻，妻為巫。生子，不盈三歲死。可以攻伐。（804一）

牽牛：可祠及行，吉。不可殺牛。以結者不擇。以入老，一生子為大夫。（805一）

須女：祠、賈市、取（娶）妻，吉。生子，三月死；不死，毋（無）晨。（806一）

胃：利入禾粟及為囷倉，吉。以取（娶）妻，妻愛。生子，必使。（813一）

卯：遷（獵）、賈市，吉。不可食六畜。以生子，喜斲。（814一）

東井：百事凶。以死，必五人死。以殺生，必五生死。取（娶）妻，多子。生子，旬而死。可以為土事。（818一）

輿鬼：祠及行，吉。以生子，痒。可以送鬼。（819一）

□□：乘車馬、衣常（裳）、取（娶）妻，吉。以生子，必駕。可入貨。（824一）

舉凡「祠」、「行」、「蓋屋」、「取（娶）妻」、「生子」、「家（嫁）女」、「出入貨」、「祠屋」、「行水」、「行賈」、「賈市」、「攻伐」、「殺牛」、「入老」、「入禾粟」、「爲囷倉」、「遷（獵）」、「食六畜」、「殺生」、「送鬼」、「乘車馬」、「衣常（裳）」等日常生活之時日宜忌，都依據二十八星的星占變化來占測吉凶。《史記·封禪書》曰：「而雍有日、月、參、辰、南北斗、熒惑、太白、歲星、塡星、〔辰星〕、二十八宿、風伯、雨師、四海、九臣、十四臣、諸布、諸嚴、諸逑之屬，百有餘廟。」而《睡簡·日書》第732二簡謂：「陽日：百事順成。邦郡得年。小夫四成，以蔡（祭）上下，群神鄉（饗）之，乃盈志。」可見秦人的天神眾多，不過在眾多神祇中，星神遠比天神更接近於秦人的實際生活，因而他們干預秦人的社會日常事務就特別多。在秦人的宗教思維定式中，早已將星宿神與人間的社會生活牢牢地聯結在一起，將自己的日常生活事務交給星神去安排定奪。[42]

五、馬禖神

《睡簡·日書》〈馬禖〉篇載有「馬禖神」，是專門掌管馬匹生育繁殖的神祇。簡文爲：

> 禖祝曰：「先牧日丙，馬禖合神。」·東鄉（嚮）、南鄉（嚮），各一馬□□□□中土，以為馬禖，穿壁直中，中三腏，四廄行：大夫先敫兕席，今日良白（日）。肥豚，清酒美，白粱。到主君所，主君笱屏詷馬，毆（驅）其央（殃），去其不羊（祥）。令其□耆（嗜）□，□耆（嗜）歓，律律弗□自行。弗毆（驅）自出。令其鼻能糗（臭）鄉，令耳悤（聰）、目明，令背頭為身衡，勑（脊）為身剛，腳為身□，尾善毆□，腹為百草囊。四足善行，主君勉歓（飲）食，吾歲不敢忘。（第*740～*737簡）

《說文》曰：「禖，祭也。」馬禖，即祭祀馬神（馬祖）。《周禮·夏官·校人》：「春祭馬祖，執駒；夏祭先牧，頒馬攻特；秋祭馬社，臧僕；冬祭馬

[42] 參見吳小強：〈論秦人的多神崇拜特點——雲夢秦簡〈日書〉的宗教研究〉，《文博》1992年1期，頁54。

步，獻馬。」《疏》：「春時通淫，求馬蕃息，故祭馬祖。」先牧，鄭《註》：「先牧，始養馬者。」意爲最先放牧馬匹之人。簡文所謂：「先牧日丙，馬禖合神。」者，乃是將始養馬者「日丙」與馬神合祭。簡文大致可分爲三部分：其一，「禖祝曰：『先牧日丙，馬禖合神。』」爲祝辭；其二，由「東鄉」至「四廄行」，爲祭馬神之安排與祭祀之過程；其三，由「大夫先敫兕席」至「吾歲不敢忘。」爲主要祝辭。秦人祖先造父、非子，向以善養馬著稱，《史記·秦本紀》曰：「造父以善御幸於周繆王，得驥、溫驪、驊騮……。非子居犬丘，好馬及畜，善息養之。犬丘人言之周孝王，孝王召使主馬於汧渭之間，馬大蕃息。」秦人既有此一傳統，秦代官方自然重視官馬的飼養，同時對民間飼馬者亦頗爲善待。如《睡簡·法律答問》載：「甲小未盈六尺，有馬一匹自牧之，今馬爲人敗，食人稼一石，問當論不當？不當論及賞（償）稼。」牧馬而食人莊稼，卻不需賠償對方莊稼，顯然是秦官府對民間養馬有優待與鼓勵之意。《睡簡·日書》〈馬禖〉篇不僅保存了秦人祭祀馬禖神的祝辭，而從其祭祀馬神儀式之隆重來看，同時也說明了秦人對「養馬」的重視。㊸

六、精怪妖神

《睡簡·日書》還有許多精怪妖神。第*837 簡曰：「鳥獸能言，是夭（妖）也。」這類介乎「神」「鬼」之間的，有些可以視爲妖神，也些則可視爲鬼怪。這些混雜在鬼神之間的精怪妖神多是「物精之老」者。

見於《睡簡·日書》的精怪有「神狗」、「狀（犬）神」、「神虫」、「會虫」、「地虫」、「女鼠」、「鳥獸」、「埜火」。列之如下：

1.神狗

㊸ 參見賀潤坤：〈從雲夢秦簡〈日書〉看秦國的六畜飼養業〉，《文博》1989 年 3 月，頁 63-66。又饒宗頤先生謂：「日簡所記祝辭為有韻之文，為出土古代祝辭極重要之資料。」見氏著：《雲夢秦簡日書研究》（香港：中文大學出版社，1982 年），頁 42。

犬恆夜入人室，執丈夫、戲女子，不可得也，是神狗僞為鬼，以桑皮為□□之烰而食之，則止矣。（*849一～第*848一）

2.狀（犬）神

一室人皆毋氣以息，不能童作，是狀（犬）神在其室。（*860二～*859二）

3.神虫

鬼恆從男女，見它人而去，是神虫僞為人，以良劍刺其頸，則不來矣。（*862二～*861二）

4.會虫

一室人皆夙筋，是會虫居其室西，臂取西南隅，去地五尺，以鐵椎椯之，必中虫，首屈而去之，弗去，不出三年，一室皆夙筋。（*857二～*855二）

5.地虫

一室井血而星臭，地蟲鬬于下，血上扁，以沙墊之，更為井、食之，以噴歙（飲）、以爽路，三日乃能人矣。若不，三月食之，若傳之而非人也。必枯骨也。旦而最之，苞以白茅，果以賁而遠去，則止矣。（*843三～*840三）

6.女鼠

人過于丘虛，女鼠抱子逐人，張冊以鄉（向）-之，則已矣。（*851 三）

7.鳥獸

若鳥獸及六畜恆行人宮，是上神相好下樂，入男女未入宮者，毄鼓奮鐸喿之，則不來矣。（*865 二～*863 二）

□鳥獸能言，是夭也，不過三言，言過三多，益其旁人，則止矣。（*837 一～*836 一）

鳥獸恆鳴人之室，燔鬊及六畜毛，邋其止所，則止矣。（*849 三）

鳥獸虫豸甚眾，獨入一人室，以若便毄之，則止矣。（*847 三）

8.狴火

有眾虫襲入人室，是狴火僞為虫，以人火應之，則已矣。（*861 三）

這些精怪，有些雖然冠上神字，如「神狗」、「神虫」，實則「神」字多用爲形容詞。而「狀（犬）神」，雖直稱爲神，其實是妖。這些精怪大都會騷擾於人，或戲弄，或執人，或入侵人室，或莫名祟怪。如「神狗」假爲鬼，「恆夜入人室，執丈夫、戲女子。」這是執人兼戲弄人；「神虫」假裝成人，「恆從男女」，是戲弄人；女鼠「抱子逐人」，是執人；鳥獸及六畜「恆行人宮」、鳥獸「恆鳴人之室」、鳥獸虫豸「獨入一人室」、「狴火」僞爲虫「襲入人室」，皆爲入侵人室；至於祟怪的，如會虫居其室西「一室人皆夙筋」，狀（犬）神在其室「一室人皆毋氣以息，不能童（重）作。」這些精怪與人的關係多和人鬼的關係很類似（詳後文），比之後世所謂的「人鬼」類型亦不遜色。在這些資料，也無人、怪彼此互助或和諧的現象，而簡中的「執丈夫」、「戲女子」、「恆從男女」，也不像後世的人鬼戀、人怪戀那麼浪漫。這些精物除了變化作祟於人間外，基本上，並沒有決定人間命運的能力。

妖怪精物如果只會作祟於人，人們自然會想出一些祛禳的方法。《睡簡·日書》中提供了不少「厭勝」之法以驅趕之，如以「桑皮爲□□之烰而食之」，來對付神狗；以「良劍刺其頸」，來對付神虫；以「鐵椎椯之」，來對付會虫；用「張冊以鄉（向）之」，來對付女鼠；以「人火癒之」，來對付埜火；以「毄鼓奮鐸喿之」、「益其旁人」、「燔鬒及六畜毛，邋其止所」、「若便毄之」等方法，來對付鳥獸虫豸。妖怪精物既然是秦人厭勝、驅趕的對象，可見在秦人眼中，其地位並不高，當和鬼是處在同一層次的，有些甚至就被視爲鬼物。

精怪傳說盛行於六朝，文集之中尤可多見，而鬼的記載反而遜色得多。唐人作品，鬼的資料逐漸增多，但文人筆下的鬼，依然帶有相當濃厚的精怪色彩。宋人作品中，妖怪精物亦不少見，大多以變化作祟的角色出現人間。事實上，六朝至唐宋以來，這些作品所出現的精怪與鬼雖是截然不同的二個類型，然而其中往往還是鬼怪不分。有些學者認爲這種現象可能在漢代就已存在。若以《睡簡·日書》所顯示的資料來看，其實早在先秦就已存在這樣的現象了。

在周人的觀念中，認爲諸神龐雜，品目亦多，爲了方便區分，便將之分爲天神、地示（祇）、人鬼三類。據《周禮·春官·大宗伯》所述，大致可知其範圍如下：天神系統，乃指上帝、日月星辰、風雨雷電等屬於空中的；地祇系統，乃指社稷、五嶽、山川、林澤、四方、百物等屬於地上的；而凡人死後之魂魄，則皆稱爲人鬼，是爲人鬼系統。[44]《尸子》亦曰：「天神曰靈，地神曰

---

[44] 《周禮·春官·大宗伯》曰：「大宗伯之職，掌是邦之天神、人鬼、地示之禮；以佐王建保邦國。以吉禮事邦國之鬼、神、示。以禋祀祀昊天上帝，以實柴祀日月星辰，以槱燎祀司中、司命、飌師、雨師；以血祭祭社稷、五祀、五獄；以貍沈祭山林川澤；以副辜祭四

祇，人神曰鬼。鬼者，歸也。故古者謂死人爲歸人。」又《禮記·祭法》曰：「大凡生於天地之間者，皆曰命。其萬物死皆曰折，人死曰鬼，此五代之所不變也。」可見天神、地示、人鬼性質不同。而所謂鬼者，實乃專指人死之謂。但實際上，世俗觀念往往含混。如《墨子·明鬼》曰：「古之今之爲鬼，非他也，有天鬼，亦有山水鬼神者，亦有人死而爲鬼者。」則將「天鬼」、「山水鬼神」混稱爲「鬼」。《莊子·達生》有一段鬼怪不分的記載：

> 桓公田於澤，管仲御，見鬼焉。公撫管仲之手曰：「仲父何見？」對曰：「臣無所見。」公反，誒詒為病，數日不出。齊士有皇子告敖者曰：「公則自傷，鬼惡能傷公！夫忿滀之氣，散而不反，則為不足；上而不下，則使人善怒；下而不上，則使人善忘；不上不下，中身當心，則為病。」桓公曰：「然則有鬼乎？」曰：「有。沈有履，灶有髻。戶人之煩壤，雷霆處之，東北方之下者，倍阿鮭蠪躍之；西北方之下者，則泆陽處之。水有罔象，丘有峷，山有夔，野有彷徨，澤有委蛇。」公曰：「請問委蛇之狀何如？」皇子曰：「委蛇，其大如轂，其長如轅，紫衣而朱冠。其為物也，惡聞雷車之聲，則捧其首而立。見之者殆乎霸。」桓公囅然而笑曰：「此寡人之所見者也。」於是正衣冠與之坐，不終日而不知病之去也。

文中所述之鬼，都帶有濃厚的精怪色彩，實非人鬼。這種精怪鬼神含混的現象，漢代亦然。如《論衡·訂鬼》曰：「鬼者，老物精也。」依《說文》及杜預的講法，所謂的老物精，應是「鬽」或「魅」。㊺鄭玄曰：「百物之神曰

方百物；以肆獻祼享先王，以饋食享先王，以祠春享先王，以禴夏享先王、以嘗秋享先王，以烝冬享先王。」

㊺ 《說文·鬼部》：「鬽，老物精也。從鬼、彡。彡，鬼毛。魅或從未聲。」《周禮·春官·

彭。」㊻《禮記·祭法》甚至說：「山林、川谷、丘陵，能出雲，爲風雨，見怪物，皆曰神。」其實，所謂「老物精」、「百物之神」者，實乃古人對自然界生命現象的一種描述語詞，是一種泛靈論（Animism）。從萬物有靈及自然崇拜的角度，許多大到日月星辰，小至一木一石，無不可以具有與人相同的意志和靈魂。

這種由泛靈崇拜而產生各種神怪的情形，秦人的神鬼世界也不例外。如《史記·秦本紀》曰：「文公元年，居西垂宮。……十年，初爲鄜畤，用三牢。……十九年，得陳寶。……二十七年，伐南山大梓，豐大特。」其中「大特」，即大梓牛神。《史記正義》引《錄異傳》云：

> 秦文公時，雍南山有大梓樹，文公伐之，輒有大風雨，樹生合不斷。時有一人病，夜往山中，聞有鬼語樹神曰：「秦若使人被髮，以朱絲繞樹伐汝，汝得不困耶？」樹神無言。明日，病人語聞，公如其言伐樹，斷，中有一青牛出，走入豐水中。其後牛出豐水中，使騎擊之，不勝。有騎墮地復上，髮解，牛畏之，入不出，故置髦頭。漢、魏、晉因之。武都郡立怒特祠，是大梓牛神也。

「陳寶」，爲雞神。《史記·封禪書》云：

> 作鄜畤後九年，文公獲若石云，於陳倉北阪城祠之，其神或歲不至，或歲數來，來也常以夜，光輝若流星，從東南採集於祠城，則若雄雞，其聲殷云，野雞夜雊。以一牢祠，命曰陳寶。

神仕》：「以夏日至，致地示物魁。」鄭玄《注》：「百物之神曰魁。」《左傳·宣公三年》：「螭魅罔兩，莫能逢之。」杜預《注》：「魅，怪物。」

㊻ 見《周禮·春官·神仕》鄭玄《注》：「以夏日至，致地示物彡。」

又《史記正義》引《括地志》云：

> 《晉太康地志》云：「秦文公時，陳倉人獵得獸，若彘，不知名，牽以獻之。逢二童子，童子曰：『此名為媦，常在地中，食死人腦。』即欲殺之，拍捶其首。媦亦語曰：『二童子名陳寶，得雄者王，得雌者霸。』陳倉人乃逐二童子，化為雉，雌上陳倉北阪，為石，秦祠之。」

此外，由泛靈崇拜產生的神靈，往往容易出現一些介乎神鬼之間、亦神亦鬼者，亦往往使鬼神、神怪、鬼怪有類似的性質。這種亦神亦鬼的情形，《睡簡·日書》基本上亦無不同。上引簡文諸例中，「鬼恆從男女，見它人而去，是神虫僞爲人，以良劍刺其頸，則不來矣。」（*862 二～*861 二）是「神虫」僞爲「人」，而被視爲「鬼」；「若鳥獸及六畜恆行人宮，是上神相好下樂，入男女未入宮者，毄鼓奮鐸梟之，則不來矣。」（*865 二～*863 二）鳥獸及六畜恆行人宮，乃是「上神」相好下樂，人們亦以厭之「毄鼓奮鐸」，與鬼的禳除方式並無不同；另外，第*869～*868 簡所載的「大神」，則並不只是騷擾人們，而是善害人。禳除之法，只需以犬矢回敬即可。㊼這些所謂的「上神」、「大神」，在秦人眼中，不但缺乏神聖的威嚴，實被視爲惡鬼一般。

七、自然神

《睡簡·日書》裡還有一些源於自然現象的自然神，如「天火」（*855）、「埜（野）火」（*861）、「雷」（*854 一*853）、「雲氣」（*852）、「票（飄）風」（*844）、「大票（飄）風」（*832）「水」（*831）等。它們均

㊼ 「大神，其所不可咼也，善害人，以犬矢（屎）為丸，操以咼之，見其神以投之，不害人矣。」

屬於害人、襲人的妖厲神怪之類，秦人對它們更多的是畏懼、憎惡，根本談不上崇拜。秦人所崇拜、敬奉的自然神與原始形態的自然有靈崇拜已有根本的區別，秦人的自然神已經人格化、社會化和理性化。如秦人稱馬禖神等自然神靈爲「主君」，即爲例證。秦人格外重視以土地神爲主的自然神，這與秦人所處的封閉式自然環境及長期與西戎各族搏鬥、融合的客觀人文條件有著直接的關聯。事實上，秦人的自然神崇拜與吸收西戎文化不無某種聯系。

1.天火

天火燔人宮，不可御，以白沙救之，則止矣。（*855三～*854三）

2.雷

雷攻人，以其末㲉之，則已矣。（*853三）

到雷焚人，不可止，以人火鄉（向）之，則已矣。（*855三～*854三）

3.雲氣

雲氣襲人之宮，以人火鄉（向）之，則止矣。（*852三）

4.票風、大票風

壄（野）獸若六畜逢人而言，是票風之氣，㲉以桃丈，繹廝而投之，則已矣。（*844一～*843一）

凡有大票風害人擇，以投之則止矣。（*832二）

5.水

人恆亡赤子，是水亡傷取之，乃為灰室，而牢之，縣以葸，則得矣，利之以葸，則死矣，亨而食之，不害矣。（*831 二～*830 二）

日、月、風、雨、雲、雷在先秦皆有主司之神。如《周禮·春官·大宗伯》曰：「以禋祀祀昊天上帝，以實柴祀日月星辰，以槱燎祀司中、司命、飌師、雨師。」《禮記·月令》曰：「立夏命有司祀雨師。」《山海經·海內東經》曰：「雷澤有雷神，龍身而人頭，鼓在其腹，在吳西。」秦人雖亦祭祀群神，但上列屬於天神系統的自然神靈，在秦人眼中，只會害人，未必有其神明。如雷，則謂：「雷攻人」、「到雷焚人」，「天火燔人宮」；如雲，則謂：「雲氣襲人之宮」；如風，則謂：「大票風害人」這些自然神靈，實乃害人之妖厲神怪。而屬於先秦山林水澤地示系統的「水」，本爲人所敬畏之地示，尤其是主宰黃河的河伯，更是殷人祭祀的對象。所謂「求其年于河，兩。」、「賁于河，沈五牛、沈十牛。」周人亦祭祀之，如《左傳·宣公十二年》曰：「（楚莊王）祀於河，作先君宮，告成事而還。」《左傳·昭公廿四年》曰：「冬十月癸酉，王子朝用成周之寶珪於河。」可見先秦十分重視與民生有密切關係的水神。這一傳統，在秦人則未必如是。《史記·秦始皇本紀》云：「始皇夢與海神戰，如人狀。問占夢博士。曰：『水神不可見，以大魚蛟龍爲候。今上禱祠備謹，而有此惡神，當除去，而善神可致。』乃令入海者齎捕巨魚具，而自以連弩候大魚出射之。自瑯邪北，至榮成山，弗見。至之罘，見巨魚，射殺一魚。」始皇夢與水神戰，也許潛意識中視水神爲惡神。以秦簡看來，秦人對水神實無好感。所謂：「人恆亡赤子，是水亡傷取之。」則視其爲害人襲人的妖厲神怪。秦人把自然神靈視爲害人、襲人的妖厲神怪，對它們只有畏懼與憎惡，談不上崇拜。故以「白沙救之」、「人火鄉（向）之」、「其末殺之」、「殺以桃丈」、「爲灰室，而牢之」、「縣以葸」、「利之以葸」、「亨而食之」等驅祟之法對抗之。

八、逐夢之神

《睡簡·日書》夢的資料有十條，與惡夢、夢祟及驅夢有關的，計以下五條：㊽

1.人有惡瞢（夢），㬜（覺）乃繹髮，西北面坐鋻（禱）之曰：皋（嗥）敢告壐（爾）豹𧊒，某有惡瞢（夢），走歸豹𧊒之所。豹𧊒強歓（飲）強食，賜某大幅，錢乃布，非繭乃絮，則止矣。（*883～*882）

2.凡人有惡夢，覺而擇之，西北鄉（向）擇髮，而駟祝曰綠，敢告壐宛奇，某有惡夢，老來□之，宛奇強歓（飲），賜某大畐，不錢則布，不壐則絮。（1089～1090一）

3.乃一室中臥者眯也，（*828二）不可以居，是□鬼居之，取桃枱㯌四隅中央，以牡棘刀刊其宮蘠，譁之曰：復疾趣出，今日不出，以牡刀皮而衣，則毋央（殃）矣。（*872三～*870三）

4.鬼恆為人，惡瞢（夢）㬜（覺）而弗占，是圖夫，為桑丈（杖），奇（倚）戶內，復（覆）鬴戶外，不來矣。（*852二～*851二）

5.一宅之中，毋故室人皆疫，多瞢（夢），米死，是=𠣾鬼貍（埋）焉。其上毋草如席處，屈而去之，則止矣。（*856一～*864一）

簡文有「豹𧊒」、「宛奇」二獸，爲秦人逐夢之神。「豹𧊒」，饒宗頤以

㊽ 另五條資料如下：「甲乙夢，被黑裘衣寇（冠），喜人水中及谷得也」（1084一）；「丁夢，被□喜也，木金得也。」（1085一）；「戊己夢，黑吉，得喜也。」（1086一）；庚辛夢，青黑喜也，木水得也。（1087一）；「壬癸夢，日喜也。金得也。」

爲乃「秦人逐夢之神」，亦稱「宛奇」，秦人「禳除惡夢乃禱於豹竒之所」。又認爲是《續漢·禮儀志》「伯奇食夢」中的「伯奇」。㊾高國藩亦認爲與敦煌本《白澤精怪圖》（伯希和第 2682 號）裡吞夢的「伯奇」相同，亦即《續漢書》中的「伯奇」。㊿二說甚確。蕭兵亦認爲《睡簡·日書》中的「宛奇」是「伯奇」的另一別名，並認爲「伯奇」即凶鳥「伯勞」，亦即所謂「鵙」。51敦煌寫本有「伯奇吃夢」的資料，證明從秦漢到唐代，民間的確相信「伯奇」能夠「吃」惡夢。日本學者工滕元男亦認爲《秦簡·日書》的資料，是有關「食夢獸」最早的記載。52

關於做夢，人們很早就有這種的體驗，而像一切在文化心理深層還潛藏著原始性結構的古代人一樣，中國人對夢也有許多迷信和恐懼，同時也有各種科學或不科學的理論去解釋和分析做夢的夢因和做夢本質，但始終都有不同的看法。或謂夢是靈魂離身而外游，或謂夢是精神的獨立活動。劉文英認爲：「中國古代對夢本質的科學探索，首先堅持夢是人的夢，夢是種特殊活動，與鬼神

㊾ 饒先生曰：「禳除惡夢乃禱於豹竒之所。字書未見『豹』字，豹竒當是伯奇。《續漢·禮儀志》：『大儺逐疫十二神，中黃門倡，侲子和曰：甲作食凶……騰簡食不祥，攬諸食咎，伯奇食夢……窮奇、騰根共食蠱。』是食夢者為伯奇，食蠱者為窮奇。窮奇見《山海經》（西次四經）為食人之獸，又《海內北經》稱：窮奇狀如虎有翼，食人從首始。《左傳·文十八年》少皞氏不才子曰窮奇。又疑豹竒即窮奇，逐疫除蠱，與伯奇食夢，皆神話人物，古或混合為一，秦簡以逐夢之神為豹竒，言其強飲強食，則與窮奇之食人食禽獸（見《神異經》）最為相近。豹竒又稱『宛奇』，見簡 1089-1090，宛與窮形近。《潛夫論·夢列篇》、王延壽《夢賦》皆不言豹竒。故此一有關占夢之材料，彌覺可貴。」文見饒宗頤、曾憲通：《雲夢秦簡日書研究》，同注㊸，頁 28-29。

㊿ 參見高國潘：《敦煌民俗學》（上海：上海文藝出版社，1989 年），頁 355。又敦煌本《白澤精怪圖》與第*833～*882 簡簡文頗為相近，錄之如下：「人夜有惡夢，旦起於舍，向東被髮咒曰：『伯奇，伯奇，不飲酒，食穴（肉？完？）常食，高興地（？），其惡夢歸於白奇，厭惡息，興大福！』如此七咒，無谷（苦）也。」（P.2682）

51 參見蕭兵：《儺蜡之風－長江流域宗教戲劇文化》（南京：江蘇人民出版社，1992 年），頁 505-509。關於伯奇即伯勞、鵙的說法，詳見蕭文。

52 參見〔日本〕工滕元男：〈睡虎地秦墓竹簡「日書」について〉，《史滴》第 7 號（1986 年），頁 15-39。

無關；其次對睡夢與醒覺的區別進行大量的比較分析，最後，從『志隱』、『神藏』、『神蟄』等概念當中接觸了夢的『潛意識內涵』，認識到夢是一種特殊精神狀態和特殊的精神活動。」[53]而根據胡厚宣的歸納，殷王在卜辭中所占問的夢象或夢景，有人物、有鬼怪、有天象、有走獸，還有田獵、祭祀等等。在人物當中，既有殷王身旁的妻、妾、史官，又有死去的先祖先妣，其中又以「鬼夢」特別多。如「癸未卜，王貞魄夢，余勿午。」；「丁未卜，王貞多鬼夢，亡未鄧。」；「庚辰卜，貞多鬼夢，不至田。」；「庚辰卜，貞多鬼夢，叀、疒見。」；「□□□，貞多鬼夢，叀、言見。」因此胡氏認爲：殷人以爲人之所以有夢者，皆由先公先王或先妣之作祟所致。[54]林富士則謂：「在殷商之後的先秦文獻中，雖可見有關夢的記述，其中亦頗不乏夢見諸種鬼神的例子，可是這些記述夢見鬼神的文獻中，從其行文，卻幾乎未見有將夢之起因歸諸於鬼神者，而似僅將夢見鬼神之事視爲神人交通的方式或未發事件的徵兆。」[55]以《睡簡·日書》所顯示的夢的材料來看，秦人的觀念中，顯然認爲做夢多與鬼神有關。如：「乃一室中臥者眯也，（*828 二）不可以居，是□鬼居之。」（*872 三～*870 三）意即一室之人睡覺做夢，是因爲「□鬼」住在屋裡；又如：「鬼恆爲人，惡瞢（夢）瞢（覺）而弗占。」（*852 二～*851 二）鬼變成人形，使人做夢而無法占卜出是怎麼回事；又如：「一宅之中，毋故室人皆疫，多瞢（夢），米死，是=勺鬼貍（埋）焉。」說明一室之人多夢，原因在於屋下埋有「勺鬼」。可見人多夢、做惡夢，恆與鬼有關。

從簡文來看，秦人禳夢之法有二：一是「走歸豿埼之所」、「敢告璽宛奇」，令此二獸「強飲」、「強食」以驅之。二是採取自助方式，以秦人所慣用的厭

[53] 參見劉文英：《夢的迷信與夢的探索》（北京：中國社會科學出版社，1989年），頁157。
[54] 參見胡厚宣：〈殷人占夢考〉，《甲骨學商史論叢·初集》，下冊，頁447-466。
[55] 參見林富士：〈試釋睡虎地秦簡〈日書〉中的「夢」〉，《食貨》第17卷3、4期（1987年），頁122-129（30-37）。

勝驅祟之法驅除之：如對付□鬼，則「取桃枱椯四隅中央，以牡棘刀刊其宮蘠」，並對著鬼大聲呼叫，警告鬼快點出去，如果不離開，就以牡刀割鬼皮穿在身上，如此即不再做惡夢；對付變化爲人形的鬼，則「爲桑丈（杖），奇（倚）戶內，復（覆）鬴戶外。」如此鬼就「不來矣」；至於對付ㄅ鬼，則在「其上毋草如席處，屈而去之」，而多夢「則止矣」。

由上文可知，秦人視夢爲鬼神作祟所致，因此，信仰「逐夢之神」。如有惡夢，則可走歸之、禱告之。(56)

九、鬼

鬼是中國文化中一個很特別的概念，蓋因中國人特別相信鬼，相信人死後變成鬼而存在於另一個世界。如《墨子・明鬼下》曰：

> 今執無鬼者言曰：「夫天下之為聞見鬼神之物者，不可勝計也。亦孰為聞見鬼神有無之物哉。」子墨子言曰：「若以眾之所同見與眾之所同聞，則若昔者杜伯是也。……此吾所以知〈周書〉之鬼也。且〈周書〉獨鬼而〈商書〉不鬼，則未足以為法也。然則姑嘗上觀乎〈商書〉曰：……此吾所以知〈商書〉之鬼也。且〈商書〉獨鬼而〈夏書〉不鬼，則未足以為法也。然則姑嘗上觀乎〈夏書・禹誓〉曰：……此吾所以知〈夏書〉之鬼也。……則鬼神之有，豈可疑哉。」

墨子爲說明鬼神存在的事實，在《明鬼》篇中還借時人所流行的鬼神故事來說明，如「周宣王殺其臣杜伯而不辜」、「燕簡公殺其臣莊子儀而不辜」等事，

(56) 關於此五條資料，林富士先生於〈試釋睡虎地秦簡〈日書〉中的「夢」〉一文，同前注，說之甚詳，讀者可參讀，不贅。

強調鬼神不但存在，而且還能「賞賢而罰暴」。《禮記·表記》曰：

> 子曰：夏道尊命，事鬼敬神而遠之。……殷人尊神，率民以事神，先鬼而後禮。……周人尊禮尚施，事鬼敬神而遠之。……

可見三代以來，人信鬼神，流傳載籍，似信而有徵矣。

既然有鬼，則鬼者究為何物？「人死為鬼」，古往今來，對於此說絕少異議。《淮南子》謂「死為歸」，(57)《列子》謂「死人為歸人」，(58)《禮記》則謂「人死為鬼」。(59)《說文·鬼部》亦曰：「田，人所歸為鬼，從人，象鬼頭，鬼陰氣賊害，從厶，魂，古文從示。」《說文·田部》曰：「田，鬼頭也，象形。」「人死為鬼」，此一傳統解釋，似成定論。但這些說法終是後起義，並非鬼的原義。最先看出「鬼」非「人鬼」的是王充，王充的論點，大致有二：一是天地間確實有鬼，但不是「人鬼」，而是「鬼」、「凶」、「魅」、「魑」之物；(60)二是世人所謂的鬼，不是死後的精神，乃「人思念存想之所致」，皆是「存想虛致，未必有其實也。」(61)

---

(57) 《淮南子·精神訓》曰：「生寄也，死歸也。」

(58) 《列子·天瑞》曰：「古者謂死人為歸人。」

(59) 《禮記·祭法》曰：「大凡生於天地之間者皆曰命，其萬物死皆曰折，人死曰鬼，此五代之所不變也。」

(60) 如《論衡·訂鬼》曰：「一曰，鬼者物也，與人無異。天地之間有鬼之物，常在四邊之外，往來中國，與人雜，則凶惡之類也。故人病且死者乃見之。天地生物也，有人如鳥獸，及其生凶物，亦有似人象鳥獸者，……或謂之鬼，或謂之凶，或謂之魅，或謂之魑，皆生存實有，非虛無象類之也。」

(61) 《論衡·論死》曰：「人之所以生者，精氣也，死而精氣滅。能為精氣者，血脈也。人死血脈竭，竭而精氣滅，滅而形體朽，朽而成灰土，何用為鬼？……朽則消亡，荒忽不見，故謂之鬼神。人見鬼神之形，故非死人之精也。何則？鬼神，荒忽不見之名也。人死精神升天，骸骨歸土，故謂之鬼神。」又《論衡·訂鬼》曰：「凡天地之間有鬼，非人死精神為之也，皆人思念存想之所致也。致之何由，由於疾病。人病則憂懼，憂懼見鬼出。凡人不病則不畏懼，故得病寢衽，畏懼鬼至。畏懼則存想，存想則目虛見，何以效之。《傳》

王充的說法雖與眾異，但從鬼的原始意義的角度來考察，卻頗有獨到之處。只是世俗顯然大多相信「人死爲鬼」之說。不論人死是否爲「鬼」，對於「相信靈異世界爲實有」這一點，張素卿從「原始思維」的角度加以考察，認爲：

> 每一個世代都有許多靈異怪奇的故事在流傳，縱使二十世紀末的今天，也不例外。只是有些人傳述這些神怪故事，寫成小說，編成劇本，或拍攝成電視、電影，純粹作為消遣和娛樂；有些人則篤信不疑，引為見證或用來傳教。這是人們對神秘世界的不同態度，也可以說是不同向度的思維。神話，描述超乎現實、超乎人力所能的種種情事，是屬於上述第二類思維的產物。從相信靈異世界為實有這一點看來，六朝志怪和神話的源起其心理背景大概是相通的。62

張文並引魯迅的說法：「中國本信巫，秦漢以來，神仙之說盛行，漢末又大暢巫風，而鬼道愈熾；會小乘佛教亦入中土，漸見流傳。凡此，皆張皇鬼神，稱道靈異，故自晉訖隋，特多鬼神志怪之書。其書有出于文人者，有出于教徒者。文人之作，雖非如釋道二家，意在自神其數，然亦非有意爲小說，蓋當時以爲幽明雖殊途，而人鬼乃皆實有，故其敘述異事，與記載人間常事，自視固無誠妄之別矣。」爲證，而謂：「魏晉六朝多鬼神志怪之書，如《列異傳》、《搜神記》、《靈鬼志》、《志怪》、《幽明錄》、《靈異記》……等，敘『鬼

曰：伯樂學相馬，顧玩所見無非馬者。宋之庖丁學解牛，三年不見生牛，所見皆死牛也。二者用精至矣。思念存想，自見異物也。人病見鬼，猶伯樂之見馬，庖丁之見牛也。伯樂庖丁所見非馬與牛，則亦知夫病者所見非鬼也。病者困劇身體痛，則謂鬼持箠杖毆擊之。若見鬼把椎鎖繩纆立守其旁，病痛恐懼，妄見之也。初疾畏驚，見鬼之來，疾困恐死，見鬼之怒。身自疾痛，見鬼之擊，皆存想虛致，未必有其實也。」

62 參見張素卿：〈六朝志怪的靈異「形象」〉，《中國文學研究》第7期（1994年5月），頁1。

神奇怪之事』、述『虛誕怪妄之說』，率皆『張皇鬼神，稱道靈異』，撰集許多『神』、『靈』、『異』、『鬼』、『怪』之類的故事傳聞，風氣之盛，極於一時。志怪的作者，一部分是佛、道二教的信徒，一部分是文人。如魯迅所說，佛、道二家的信徒著書，旨在『自神其數』，固然篤信不疑；而文人敘述異事，也同樣以為『幽明雖殊，而人鬼乃皆實有』。」[63]其實，就鬼的原始意義來看，確非謂「人鬼」，但其後卻由此實物之名，借以形容人死後的靈魂。沈兼士認為：

> 按鬼字據卜辭及金文其形原應作，「象其全身，非從人也。從厶者，乃後變之體。許說字義固不免蔽於後起之訓，然其解「鬼」、「甶」、「禺」三字之形，猶能注意於三者間固有之連鎖性，而指示後來研究者一線光明之途徑。……先論「鬼」「甶」「禺」三字之連鎖性。按此三字，原指一物。許氏就已分化之語辭，別為數解，以「禺」為似鬼之動物，「甶」為其物鬼頭虎爪，（卜辭金文皆從卜，《說文》誤為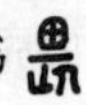，或。）形態醜惡，人皆畏惡之也，「鬼」字其形雖是，卻以後起分化之鬼神義歸之。一物而區為三事，獸頭乃變為死人之頭，遂使《中庸》所謂「視之而弗見，聽之而弗聞」者，竟能自畫現形。雖王筠《說文釋例》為許氏辯護之曰：「鬼字當是全體象形，其物人所不見之物，聖人知鬼神之情狀，（《易·繫辭》文）故造為此形，不必分析說之。」然吾人終不能不嗤之為『活見鬼』也。[64]

---

[63] 張素卿：〈六朝志怪的靈異「形象」〉，同前注，頁2。魯說見於《中國小說史略》，《魯迅全集》（北京：北京人民出版社，1987年），第9卷，頁43。

[64] 沈兼士：〈「鬼」字原始意義之試探〉，《沈兼士學術論文集》（北京：中華書局，1986年），頁189-190。

沈兼士先生另從古文字及古文獻兩方面加以檢討，歸納結論有四：其一，鬼與禺同爲類人異獸之稱；其二，由類人之獸引申爲異族人種之名；其三，由具體的鬼，引申爲抽象的畏，及其他奇偉譎怪諸形容詞；其四，由實物之名借以形容人死後所想像之靈魂。[65]說甚可取，吾人據此可知，鬼者究指何物。

《睡簡·日書》出現的鬼有刺鬼、丘鬼、𡨦鬼、哀鬼、棘鬼、㚢鬼、欸鬼、陽鬼、召鬼、袴鬼、兇鬼、暴鬼、陽鬼、游鬼、不辜鬼、粲迓之鬼、餓鬼、遽鬼、哀乳之鬼、夭鬼、癘鬼、宲人生爲鬼、幼殤等，內容非常豐富。另外，還載有各種鬼的行徑，如「神狗僞爲鬼」、「神虫僞爲人（神虫裝成人形的鬼）」、「鬼祠其官」、「鬼鼓」、「鬼拓」、「鬼歸」、「鬼恆爲人」、「鬼恆從人游」、「鬼恆胃人」、「鬼恆從人女與居」、「鬼入人宮室」、「人行而鬼當道」、「人臥而鬼夜屈其頭」等。基本上《睡簡·日書》所呈現的不但是一個多神的世界，同時也是一個多鬼的世界。對鬼的描述既形象生動，又具體細微。這些鬼物和人一樣，有喜怒哀樂、男女之情，也有各種物質上需求，甚至也有人的形象和思維。但在人鬼共棲方面，其所反映的人鬼關係，並不像傳統世俗所顯示的：人賴鬼庇佑協助，鬼魂則有賴人供養。事實上，《睡簡·日書》中的諸鬼，都是以「為祟害人」的角色出現於秦人日常生活中。其爲祟的能力亦不大，秦人則發展出不少厭勝、驅祟之法來對付它們。

---

[65] 沈說詳見〈「鬼」字原始意義之試探〉，同前注，頁 189-201，茲不贅引。又郭于華認為從《禮記·祭義》：「眾生必有死，死必歸土，此謂之鬼。」而甲骨文鬼字寫作「」或「」，為人在田下之形，明白顯示出死人的歸處。若再結合我們民族最基本的葬式就是將死者埋於地下的土葬。鬼字的本義就是埋於地下的死者。說見氏著：《死的困惑與生的執著》（臺北：洪葉文化事業公司，1994 年），說雖可取，但先秦亦有以為人死之後，魂盛為神，魄盛為鬼者：若以魂屬天，魄屬地，那麼人死後的歸處，便似有兩處：一為魂盛者上升於天，或為星辰五行之神，或為天帝左右。一為魄盛者留處於地或黃泉下，以歆享子孫之祭祀而禍福於人。甲骨卜辭中，便有人死登天的記載，如云殷之先祖：「賓于帝」則配於天、在天帝左右之意。〈大豐簋〉、〈宗周鐘〉及《詩·大雅·文王》、《詩·大雅·下武》等都可以看出人死後魂上天為神的觀念。因此土葬雖為人死的基本歸處。但鬼的觀念早在商周就已存在。

商周之際，「鬼」之地位崇高，且有超人能力。既能賜福於人，也能預示吉凶於人，更能降禍（爲祟）於人。人們對於鬼神須齋戒沐浴，潔爲酒醴粢盛以祭祀他，如此才能邀福而避禍。而秦人社會所出現的鬼，則似乎缺乏賞善罰惡的道德職能，只會降祟於人。因此，秦人對鬼只有厭憎、畏懼之情，並無崇敬之心。

諸鬼爲祟，究其原因，或因強死、或因乏祀、或因祭祀不潔。[66]傳統中國社會因爲相信人死後存活於另外一個世界，因此人鬼關係頗爲密切。人死後，透過與其有血緣關係的子孫，爲其營建墳墓埋葬之，並透過定期與不定期的祭祀求福，使死者與生者之間聯繫不至斷裂。[67]如果人死，或因無後而乏祀，而爲「非常」之鬼；或因被殺、橫死、冤死等「強死」的「非自然」亡魂，[68]都是鄭子產所謂「匹夫匹婦強死，其魂魄猶能馮依於人，以爲淫厲。」的「厲鬼」。[69]而《睡簡·日書》所出現的「鬼」，大部分都屬於這一性質。

《睡簡·日書》中所見的鬼，有些有鬼名，有些則有形象，無鬼名。有鬼名的，有些簡文則會說明構成鬼的質素。秦鬼爲祟的方式很多，以下分別說明《睡簡·日書》中所呈現的人鬼關係類型。

9-1 與人爭宅

9-1-1 毋故借宅、恆入人宮

---

[66] 參見蕭登福：《先秦兩漢冥界及神仙思想探原》（臺北：文津出版社，1990 年），頁 38。

[67] 參見余英時：〈中國古代死後世界觀的演變〉，《中國傳統思想的現代詮釋》（臺北：聯經出版事業公司，1992 年），頁 123-143；蒲慕州：《墓葬與生死——中國古代宗教之省思》（臺北：聯經出版事業公司，1993 年）。

[68] 參見李豐楙：〈行瘟與送瘟——道教與民眾瘟疫觀的交流與分歧〉，漢學研究中心編：《民間信仰與中國文化國際研討會論文集》（臺北：漢學研究中心，1994 年），頁 380。

[69] 參見林富士：〈略論臺灣漢人社群的厲鬼信仰——以臺北縣境內「有應公」信仰為主的初步探討〉，中央研究院中國文哲研究所籌辦「道教、民間信仰與民間文化研討會」論文，1995 年 4 月 28、29 日。

人鬼殊途，人有居所，鬼亦自有歸處。周人嘗謂魂盛者升天爲神，魄盛者留處於地。(70)而《禮記·祭義》曰：「眾生必死，死必歸土。」大抵而言，人死之後，或歸「黃泉」，或歸「九原（泉）」，或歸「蒿里」。秦鬼則多好與人爭宅，如「人毋故鬼昔（借）其宮，是=丘鬼。」（*867 一）「丘鬼」，可能是死於陵丘之鬼，這類鬼會無故借人屋室居住。又如「鬼恆羸入人宮，是幼殤死不葬。」（*846 二）「幼殤」，指年幼夭折之鬼。「夭死」而「不葬」，是「非常」之鬼，甚至可能成爲厲鬼，其魂魄能馮依於人，故恆入人室。

對付「丘鬼」的厭勝之具，乃「故丘之土」。先偷偷地取故丘之土，然後「人犬大置藫（借爲墻）上，五步一人一犬，睘（環）其宮。」等丘鬼來時，立即陽（揚）灰，然後拍擊畚箕，大聲鼓噪，即可嚇走丘鬼。（*867 一～*865 一）至於對付「幼殤」的驅祟之法，也是十分簡單，只需「以灰濆之」，幼殤之鬼就不會再來。（*846 二）

9-1-2　迎人入屋

《睡簡·日書》云：「恆逆人入人宮，是爲游鬼。」（*845 二）游鬼即「遊鬼」，當指死在外地之鬼，這類鬼往往會爲祟於人。如第 803 二簡云：「庚、辛有疾：外鬼傷死爲祟。」又第 805 二簡云：「壬、癸有疾：毋逢人，外鬼爲祟。」其中「外鬼」，當指出遊在外，因傷而死的「游鬼」，這些鬼往往會「爲祟」。如本簡之「游鬼」即常在屋宅之前，迎接人們進入屋內。游鬼的驅祟之法是「以廣灌爲戴，以燔之。」鬼則不來。（*845 二）

---

(70) 《禮記·郊特性》：「魂氣歸于天，形魄歸于地。故祭，求諸陰陽之義也。」《禮記·祭義》曰：「宰我曰：『吾聞鬼神之名，不知其所謂。』子曰：『氣也者，神之盛也。魄也者，鬼之盛也。合鬼與神，教之至也。』眾生必死，死必歸土，此之謂鬼。骨肉斃于下，陰為野土。其氣發揚于上，為昭明。焄蒿悽愴，此百物之精也。神之著也。因物之精，制為之極，明命鬼神，以為黔首則。百眾以畏，萬明以服。聖人以是為未足也，築為宮室，設為宮祧，以別親疎遠邇，教民反古復始，不忘其所由生也。眾之服自此，故聽且速也。二端既立，報以二禮，建設朝事，燔燎羶薌，見以蕭光，以報氣也。此教眾反始也。薦黍稷，羞肝肺首心，見間以俠甒，加以鬱鬯，以報魄也。教民相愛，上下用情，禮之至也。」

9-1-3　與人（易居）交換居住

第*860三簡云：「鬼恆宋傷（易）人，是不辜鬼。」不辜，無罪之人也。《尚書·大禹謨》曰：「與其殺不辜，寧失不經。」《孟子·公孫丑》曰：「行一不義，殺一不辜，而得天下，皆不爲也。」《管子·權脩》曰：「殺不辜而赦有罪。」不辜鬼，乃無罪而死之鬼。宋，《說文》曰：「居也。」傷，《說文》曰：「傷，交傷。」即貿易之易。《睡簡·法律答問》曰：「可（何）謂瓊？瓊者，玉檢殹（也）。節（即）亡玉若人貿傷（易）之。」（572）貿易即作貿傷。「宋傷（易）」即交換居處，簡文意指無罪枉死的鬼，常常會與人交換居住。驅祟之法是以「牡棘之劍刺之」，鬼就會停止其行爲。（*860三）

9-1-4　召人出宮

如簡*863三曰：「鬼恆召人出宮，是=遽鬼。」遽是傳車、驛車，亦有疾迫、害怕之義。遽鬼不知何指。這一類鬼因無所居，往往在山岡大聲叫喊，召人出屋。驅祟之法是，只需「以白石投之」，即停止叫喊。[71]

9-2　騷擾

9-2-1　糾纏人

秦鬼喜歡糾纏於人，如「哀鬼」無家，因此喜歡和人在一起。但哀鬼「令人色柏然，毋氣喜契清，不飲食。」人如果無故被糾纏，通常都是「哀鬼」所爲。驅祟之法是「以棘椎桃秉以㥁其心」。[72]鬼甚畏桃，桃爲五木之精，可厭伏邪氣，制鬼魅。[73]以此物驅祟，說明秦人很早就相信某些植物具有神秘的力

---

[71] 簡*868三：「毋所居，罔謼其召，以白石投之，則止矣。」

[72] 簡*862一：「人毋故而鬼取為膠，是□哀鬼，毋家與人為徒，令人色柏然，毋氣喜契清。不飲食，以棘椎桃秉以□其心，則不來。」

[73] 《風俗通·祀典》曰：「上古有荼與鬱壘兄弟二人，性能執鬼。度首山上章桃樹下，簡閱百鬼。無道理，妄為人禍害。荼與鬱壘縛以葦索，執以食虎。於是縣官常以臘除夕飾桃人，垂葦茭，畫虎於門，皆追效於前事，冀以衛凶也。」

量，可以伏邪制鬼。

9-2-2 惑人、戲人

人如果無故爲鬼所惑，這是「夆鬼」搞的鬼。「夆鬼」因何而死不得而知。但此鬼「善戲人」。驅祟之法乃「以桑心」爲杖，鬼來而擊之，則會因害怕而死。(74)另有「神虫」假扮爲人形的鬼，跟在男女之間，見到它人就會離開。驅祟之法是「以良劍刺其頸」，就不敢再來。(75)如果「女子不狂癡，歌以生商」這是「陽鬼」樂從之。驅祟之法以「北鄉（向）□之辨二七，燔以灰□食，食之」，鬼就會離去。(76)還有一種情形是「朋友死」而糾纏「人妻妾」，驅祟之法「以沙芾、牡棘、枋熱以寺之」，就不會再來。(77)另一則是「神狗僞爲鬼」（神狗見前文「精怪爲神」部分）經常「夜入人室，執丈夫、戲女子。」但卻抓不到。驅祟之法是以「桑皮爲□□之烰而食之。」則會停止戲弄的祟行。(78)

9-2-3 以鼓音擾人

如果一室之中有鼓音，而不見其鼓，是鬼鼓作祟。驅祟之法很簡單，只要以「人鼓應之」，就會停下來。(79)

9-3 傷人

9-3-1 無故攻人

---

(74) 簡*864 一至*863 一：「人毋故而鬼惑之，是夆鬼，善戲人，以桑心為丈，鬼來而毄之，畏死矣。」

(75) 簡*862 二至*861 二：「鬼恆從男女，見它人而去，是神虫偽為人，以良劍刺其頸，則不來矣。」

(76) 簡*849 二至*848 二：「女子不狂癡，歌以生商，是陽鬼，樂從之。以北鄉（向）□之辨二七燔以灰□食，食之，鬼去。」

(77) 簡*831 一：「人妻妾若朋友死，其鬼歸之者，以沙芾、牡棘、枋熱以寺之，則不來矣。」

(78) 簡*849 一至*848 一：「犬恆夜入人室，執丈夫、戲女子，不可得也，是神狗偽為鬼，以桑皮為□□之烰而食之，則止矣。」

(79) 簡*862 三至*862 三：「一室中有鼓音，不見其鼓，是鬼鼓，以人鼓應之，則止矣。」

刺鬼不知何鬼，往往會無緣無故不停地攻擊。驅祟之法是以「桃爲弓」，以「牡棘爲矢」，再以「羽之雞羽」，見鬼而射之。刺鬼就會停止攻擊。(80)

9-3-2 無故室人皆傷

一家人如果無故都受傷，這是家裡有「粲迓之鬼」在那裡。驅祟之法是取白茅及黃土洒在屋子四周，鬼自然會離去。(81)

9-4 使人生病或死亡

屋裡如果有「棘鬼」，則會一室之人無緣無故都傳染疫病，有的死，有的病。(82)至於「㔽鬼」，不但使一宅之人無故得到傳染病，而且經常作夢，甚至因夢魘而死。(83)前文提到先秦時期認爲作夢多與鬼神有關，由本簡可以看到秦人亦信此不疑。另外，有不知名的鬼（「□鬼」）也會讓一室之中睡覺的人作夢，無法居住。(84)還有一種「宲人（低能兒）生爲鬼」作祟的情形和「棘鬼」一樣，不過它還會使「丈夫、女子，隋（墮）須、羸髮、黃目。」(85)「癘鬼」則會使全家人身體發癢。(86)對付「棘鬼」驅祟之法是「正立而貍（埋），其上

(80) 簡*869 一至*868 一：「人無故，鬼攻之不已，是=刺鬼。以桃為弓，牡棘為矢，羽之雞羽，見而射之，則已矣。」

(81) 簡*839 二至*838 二：「人毋故室皆傷，是粲迓之鬼處之，取白茅及黃土而西之，周其室則去矣。」

(82) 簡*859 一至*857 一：「一宇中毋故而室人皆疫，或死或病，是=棘鬼在焉，正立而貍（埋），其上旱則淳，水則乾，屈而去之，則止矣。」

(83) 簡*856 一至*864 一：「一宅之中，毋故室人皆疫，多瞢（夢），米死，是=㔽鬼貍（埋）焉。其上毋草如席處，屈而去之，則止矣。」

(84) 簡*828 二及*872 三至*870 三：「至乃一室中臥者眯也，不可以居，是□鬼居之，取桃枱椯四隅中央，以牡棘刀刊其宮蘠，謼之曰：復疾趣出，今日不出，以牡刀皮而衣，則毋央（殃）矣。」

(85) 簡*853 一至*851 一：「人毋故，一室人皆疫，或死或病，丈夫、女子，隋須、羸髮、黃目，是宲人生為鬼，以沙人一升，挃其舂臼，以黍肉食宲人，則止矣。」

(86) 簡*844 三：「一室人皆養膿，癘鬼居之，燔生桐其室中，則已矣。」

早則淳，水則乾，屈而去之」則止矣。❽對付「㝈鬼」的驅祟之法是「其上毋草如席處，屈而去之，則止矣。」❽對付「□鬼」的驅祟之法是「取桃枱椯」放在屋中四角的中央，再以牡棘作成的刀，刊其宮蘠（墻），並且大聲呼叫：「趕快走開！如果今日不走，就以牡刀割鬼皮作成衣服穿。」就不會再有作夢的災禍。❽對付「宲人生爲鬼」的驅祟之法是「以沙人（仁）一升，揑其舂臼」拿「黍肉」給宲人吃，作祟就會停止。❾至於對付「癘鬼」則在室中燔燒生桐即可。❾

9-5 使人生子夭折

如果有人經常生子還未能走路就死了，這是因爲屋內有不辜鬼的關係。驅祟之法必須「以庚日，日始出時」，濆門以灰，並且要加以祭祀，十日之後「收祭裹」，並以白茅埋在野外，就不會有禍殃了。❾秦人驅祟大都以對抗的方式來面對眾鬼，此處卻以祭祀的方式來處理，顯然是和秦人在乎生子的觀念有關。

9-6 竈毋故不可以孰食

如果竈無故不能煮熟食物，這是「陽鬼」取其氣。驅祟之法只需用豬屎在室中燔燒，即可。❾

---

87 參見注82。

88 參見注83。

89 參見注84。

90 參見注85。

91 參見注86。

92 簡*844 二至*843 二：「人生子未能行而死，恒然，是不辜鬼處之，以庚日，日始出時。濆門以灰，卒有祭十日收祭裹，以白茅貍（埋）壄（野），則毋央（殃）矣。」

93 簡*842 一：「竈毋故不可以孰食，陽鬼取其氣，燔豕矢（屎）室中，則止矣。」

9-7 騷擾人畜（高舉）、使六畜死亡

鬼會騷擾人畜，如暴鬼「恆襄人之畜」。(94)如果六畜無故皆死，則是「欿鬼」之氣入侵。(95)前者以「以芻矢鳶之」對付；後者則以「疾癰瓦以還」，即可。

9-8 夜敲人門

「兇鬼」經常會在夜間敲門，唱起歌來好像在哭，人們可以看見它。驅祟之法是將芻矢（屎）裝在紙鳶裡，兇鬼就不會再來。(96)

9-9 責罵、威嚇人

「暴鬼」經常會責罵人，被罵時不可回嘴。驅祟之法是以「牡棘之劍刺之」，就不會再來。(97)「丘鬼」則經常威嚇人和人的住所，驅祟之法是將芻矢（屎）裝在紙鳶裡，就不會再威嚇人。(98)

9-10 夜間大聲呼叫

凡是邦中之立叢之處，經常有鬼在夜間大聲呼叫，這是「遽鬼」執人以自誇。驅祟之法是「解衣弗衽，入而傅者之」，就可以抓到它。(99)

---

(94) 簡*859 三：「鬼恆襄人之畜，是暴鬼，以芻矢鳶之則止矣。」

(95) 簡*840 一：「人之六畜，毋故而皆死，欿鬼之氣入焉，乃疾癰瓦以還□□□□，則已矣。」

(96) 簡*867 二至*866 一：「鬼恆夜鼓人門，以歌若哭，人見之，是兇鬼，鳶以芻矢，則不來矣。」

(97) 簡*854 二：「鬼恆責人，不可辭，是暴鬼，以牡棘之劍之，則不來矣。」

(98) 簡*872 二：「故丘鬼恆畏人，畏人所，為芻矢以鳶之，則不畏人矣。」

(99) 簡*829 二至*828 二：「凡邦中之立叢，其鬼恆夜謼焉，是遽鬼執人以自伐也，乃解衣弗衽，入而傅者之可得也。」

9-11 向人乞食、乞討

鬼會乞食於人，如「餓鬼」經常拿著竹盤進入人室，對著人說：「給我食物吃。」並自稱是餓鬼。驅祟之法只需「以履投之」即可。[100]另外，「鬼嬰兒」經常對著人號哭道：「給我東西吃」，這是「哀乳之鬼」。處理的方式是「其骨有在外者，以黃土濆之」，則會停止乞食。[101]另有「夭鬼」：也會無故而向人乞討。驅祟之法則是「以水沃之」則可。[102]

9-12 親人及祖先亡靈為祟於後人

秦人認爲其親人及先祖的亡靈也會作祟於後代。如簡 797 二至 798 二：

> 甲、乙有疾：父母為祟，得之於肉，從東方來，裹以桼器，戊、己病，庚有〔閒〕，辛酢，若不〔酢〕，煩居東方，歲在東方，青色死。

簡 799 二至 800 二：

> 丙、丁有疾：王父為祟，得之赤肉、雄雞、酉（酒），庚、辛病，壬有閒，癸酢，若不酢，煩居南方，歲在南方，赤色死。

簡 801 至～802 二：

> 戊、己有疾：巫堪行，王母為祟，得之於黃色，索魚、堇酉（酒），壬、

---

[100] 簡*834 二：「凡鬼恆執匴以入人室曰：氣（餼）我食，云是=餓鬼，以履投之則止矣。」

[101] 簡*867 三至*866 三：「鬼嬰兒恆為人號曰：鼠（予）我食，是哀乳之鬼，其骨有在外者，以黃土濆之，則止矣。」

[102] 簡*864 三：「人毋故而鬼有鼠，是夭鬼，以水沃之，則已矣。」

癸病，甲有閒，乙酢，若不酢，煩居邦中，歲在西方，黃色死。

由幾簡可以看出秦人生病時，往往也認爲是「父母爲祟」、「王父爲祟」、「王母爲祟」。這一點倒和殷人很像。不過對於祖先的爲祟，秦人並不會以對付諸鬼的驅祟之法來禳除，而是採取「得之於肉，從東方來，裹以桼器」、「得之赤肉、雄雞」、「得之於黃色，索魚、堇西（酒）」的方式來祈求免除。一般而言，祖先親人的亡靈爲祟，多與求祀和求食有關。故秦人以上法禳除之。

9-13 小結

大致看來，《睡簡·日書》中的諸鬼有很明顯的「類人傾向」。有些鬼的行徑，與其死因有關。如「癘鬼」是病死者的鬼魂，會使人體癢；「不辜鬼」是無罪而冤死者的鬼魂，會擾人傷人；「餓鬼」是餓死的鬼魂；「哀乳之鬼」是缺奶而死的鬼魂，會向人乞食等等。大凡厲鬼都有向人報復的傾向，它們本身可能是因爲無人奉祀，或是遭到冤屈或各種意外而死，因此無法在另一個世界獲得安息。故而向人間以威嚇、作祟的手段，尋求供養、飲食或洩憤。基本上，這些不同的鬼，都有很多相同的「鬼行爲」，而且所造成的後果都不嚴重，都是些「毋故借宅」、「恆入人宮」、「迎人入屋」、「與人易居」、「召人出宮」、「糾纏人」、「戲人」、「惑人」、「以鼓音擾人」、「傷人」、「攻人」、「無故室人皆傷」、「使人生病」、「竈毋故不可以孰食」、「騷擾人畜」、「使六畜死亡」、「夜敲人門」、「罵人」、「威嚇人」、「夜間呼叫」、「向人乞食」等，當然也有嚴重到使人「死亡」、「生子夭折」的結果。除了「死亡」、「使人生子夭折」外，其他如生病、多夢等，其實都是平日常見的症狀。由於秦人世界人鬼雜處的鬼神信仰發達，因此，可能習慣於把日常生活中經常遇到的小災病，都歸結到鬼物的作祟。

至於驅祟厭勝之具，大都爲週遭容易取得之物或方法。其中或以土、石、瓦、灰、茅草爲之者，如「故丘之土」、「以灰濆之」、「濆門以灰」、「取白茅及黃土而西之」、「以黃土濆之」、「乃疾𪗏瓦以還」、「以白石投之」等皆是；亦有以燔燒或水攻者，如「以水沃之」、「燔生桐其室中」；亦有植物爲厭勝之具者，如「以桃爲弓」、「牡棘爲矢」、「以牡棘之劍刺之」、「以桑心爲丈」、「以棘椎、桃秉以㥁其心」、「取桃枱㮇四隅中央」、「以牡棘刀刊其宮蘠」、「燔生桐其室中」；亦有以人鼓反制者，如「以人鼓應之」；亦有用糞便者，如「燔豕矢室中」、「以犬矢鳶之」、「鳶以犬矢」、「犬矢以鳶之」；亦有以解衣脫鞋對付者，如「乃解衣弗袵，入而傅者之」、「以履投之」。這些厭勝之具、驅祟之法，大都取自週遭，採取自助，而不求助於巫祝符咒，這是很特別的。

「人死爲鬼」的觀念先秦已成定論，秦國亦不例外。《睡簡·日書》所稱的鬼，大都是指人死後狀態。偶亦出現精物混化爲鬼（或視爲神怪）的情形，如「神虫僞爲人」，乃指神虫變形爲人的鬼；有些鬼也可能是源於植物者，如「刺鬼」、「棘鬼」；有些也可能是源於自然界的山林川澤，如「丘鬼」。總之，秦人的「鬼的世界」，雖然缺乏楚人充滿怪異的浪漫色彩的豐富想像，但其從民間系統所呈顯出對鬼的觀念，反而更容易讓人了解其信仰之實質。如秦人的鬼在「爲祟」的背景上，並無「賞善罰惡」的道德倫理色彩，即使自己的祖先一樣會爲祟後人，[103]這和周人強調的人鬼關係確有很大的不同。

十、結　論

綜上所述，大致可以看出：

一、《睡簡·日書》的性質並非一部書，而是一些個別篇章的彙集，本身並無系統可言，但這些個別篇章所根據的卻是同一套世界觀，它同時也反映了

---

[103] 參見林劍鳴：〈從秦人價值看秦文化的特點〉，《歷史研究》1987年4期，頁71。

秦人社會的鬼神信仰。這些信仰並不同於殷周社會，至少其所顯示之思維方式是不同的。殷周社會的宗教信仰，大多由官式文獻和諸子典籍中所透露，其所關切的主題多是國家社會的福祉；而《睡簡·日書》基本上是民間文化的一種產物，其反映的則是使用者以自身福祉爲主要的關切對象。[104]

二、殷人在宗教上所顯示的是尙鬼敬神，周人則敬鬼神而遠之，展現了理性思維的一面。然而從《睡簡·日書》來看，秦人的宗教觀念，顯然並未受到周人理性思維的影響隨之而深化，反而在某些方面多與商人相近，進而發展出一套多神崇拜和泛靈崇拜的信仰。

三、相較於商人上帝與祖神之「祖神合一」及周人的敬天受命、祀祖配天的傳統，《睡簡·日書》中也看不到任何祖先崇拜的事實。《睡簡·日書》中雖然有很多「祠」的活動，但除了祠父母外，並無任何祖神崇拜的記載，有些簡文雖然記載了祖先的活動，卻反以「爲祟」的角色出現。可見在秦人的眼中，祖宗似乎並未被賦予超人的能力。

四、《睡簡·日書》中所反映的鬼神性質，無論是天神、地示，抑或人鬼，多有人格化的傾向，而神鬼精怪之間的界限也不明顯，而其作祟於人的模式則大多類同。至於其所降祟或造福，則與道德倫理了不相涉，這和西周以來上層統治社會逐漸發展出來的道德性的天命觀和神明有賞善罰惡能力的鬼神觀是不同的。這充分說明了《睡簡·日書》乃是流行於中下階層的民間宗教信仰，而非統治階層的信仰。

---

[104] 參見蒲慕州：《追尋一己之福—中國古代的信仰世界》，同注❶，頁106。

論王弼郭象思想之歧異

戴景賢*

論魏晉玄學，王弼（字輔嗣，226-249）、何晏（平叔）之後，不能不論及阮籍（字嗣宗，210-263）、嵇康（字叔夜，224-263），而向秀（字子期）、郭象（字子玄， 252？-312？）之注《莊》尤爲當時名賢玄談所引據。❶然「玄學」雖係一可以標識一時期學術風氣，乃至共同思想特色之專名，其間思想議題之重心實有轉移，思想之內容主張，亦有各人之差異，應予細辨。而關繫尤大者，在於王弼與郭象之較論。余既草〈論王弼認識論之立場及其思想來歷〉一文竟，❷乃思續論王、郭之異同，而後復以〈魏晉玄學辨宗論〉繼之，以總合未盡之旨。

---

* 國立中山大學中國文學系教授。

❶ 《晉書·向秀傳》：「向秀字子期，河內懷人也。清悟有遠識，少為山濤所知。雅好老、莊之學。莊周著內外數十篇，歷世才士，雖有觀者，莫適論其旨統也。秀乃為之隱解，發明奇趣，振起玄風。讀之者超然心悟，莫不自足一時也。惠帝之世，郭象又述而廣之，儒、墨之跡見鄙，道家之言遂盛焉。」，見吳士鑑、劉承幹：《晉書斠注》，收入《二十五史》（臺北：藝文印書館，1951 年影本），冊 8，卷 49，頁 26，總頁 942。《晉·傳》此文謂以玄義解《莊》全書而得旨統，事自向、郭始；風氣之變，亦與二人相關。《世說新語·文學》篇劉孝標《註》引〈秀傳〉云：「或言秀遊託數賢，蕭屑卒歲，都無著述。唯好《莊子》，聊應崔譔所注，以備遺忘云。」，見〔宋〕劉義慶撰、〔梁〕劉孝標注：《世說新語》（臺北：臺灣商務印書館，〔1936〕1979 年《四部叢刊》影印〔明〕袁氏嘉趣堂刊本），卷上之下，頁 14a，新編頁 34。文中引或說，有「聊應（宋本作「隱」）崔譔所注」之語，然就今人所輯崔《註》（參詳本文註㊹）觀之，其《註》實多偏在訓解文義，並未見有卓然特出之語，則向、郭之著書與影響仍當以上引《晉·傳》所言為的。

❷ 〈論王弼認識論之立場及其思想來歷〉一文，收入《魏晉南北朝學術研討會論文集》（臺北：文津出版社，1997 年），第 3 輯，頁 367-419。

論「玄學」者，皆謂玄學乃以「有」、「無」之辨爲論題，然論「道」區別體、用，不自魏晉始，以超絕名言之方法指涉道體，亦係先秦本有。❸故魏晉時人援「有」「無」之名以論道，各家關注之焦點果何在，問題之性質是否一致，不得以其貌同即謂神似。余前論謂王弼思想核心之議題，乃在認識論，乃在解決先秦以來以迄兩漢未能充份解決之問題，並非提出一新的本體學之立場；其論旨不唯與《老子》《易傳》關係極深，亦頗有承接《荀子》書中所運用之觀念爲討論者。而其區別人於經驗中所可運用之「辨物」式之類證；❹與站立於類證基礎上而建立之「推證」之形上學方法，❺事實上已爲中國學術思惟中長期以來觀念之糾結，提供極大幅度之澄清。中國學術思惟之有以突破困境，進入歷史之新階段，弼之功實不可沒。然弼之於此，乃開闢學術思惟運作方式之一可能，弼個人所主張之義理立場則不必然爲同時人所承襲。當時人記其事，謂何晏立論以「無」爲宗，因言聖人亦當無情，弼則不謂然，乃曰聖人之無私情，特以無私累故，非眞無情。❻可見當時王、何之同辨「有」「無」，

---

❸ 論詳拙著：〈論王弼認識論之立場及其思想來歷〉（同注❷）一文，注❺。

❹ 王弼云：「觸類可為其象，合義可為其徵。」，引見王弼注：《周易》（臺北：臺灣商務印書館，〔1936〕1979年《四部叢刊》冊1影宋刊本），卷10〈周易略例〉，頁10a，新編頁62。其所謂「觸類合義」，認知之途徑雖仍近於「觀物」，然以「合義」為證驗，具有方法上可以拓展之空間。

❺ 王弼云：「夫欲定物之本者，則雖近而必自遠，以證其始。夫欲明物之所由者，則雖顯而必自幽，以敘其本。故取天地之外，以明形骸之內；明侯王孤寡之義，而從道一以宣其始。故使察近而不及流統之原者，莫不誕其言以為虛焉。」，引見〈老子指略〉，收入樓宇烈：《王弼集校釋》（北京：中華書局，1980年），上冊，頁197。所謂「雖近而必自遠，以證其始」，即係一種形上學方式之統整。

❻ 裴松之《三國志注》引何劭〈王弼傳〉云：「弼與鍾會善，會論議以校練為家，然每服弼之高致。何晏以為聖人無喜怒哀樂，其論甚精，鍾會等述之，弼與不同；以為：聖人茂於人者，神明也；同於人者，五情也。神明茂，故能體沖和以通無；五情同，故不能無哀樂以應物。然則聖人之情，應物而無累於物者也。今以其無累，便謂不復應物，失之多矣。」此據盧弼：《三國志集解》，收入《二十五史》，同注❶，冊7，卷28，頁61b-62a，總頁681。弼此義近人頗有討論，參詳湯用彤（錫予，1893-1964）：〈王弼聖人有情義釋〉，見《魏晉玄學論稿》（北京：人民出版社，1957年）；亦收入《魏晉思想》甲編五種，

乃是提倡一種哲學思惟之運用，❼並非先已是一種共同的義理立場之堅持。

王弼所影響於當時者，如余前論所云，主要乃是一種哲學建構方式之改變，此一改變係因先秦以來名學方法之運用於形上學討論者，僅能區分觀念指涉之層次，人類對於存有認知之概念式之理解其性質爲何，仍有有關認識論基礎之質疑必須回答，故若《荀子》書中「理」字概念之於弼之著作中重提，即是依於一種新的認識論之需要以求澄清認知對象於本體學中應予安置之位置時，所採之作爲。「理」字之漸擴及於有關於宇宙現象與本體之討論，即是王弼思想於當時藉認識論之辨析所產生之哲學效應。

王弼之深論於《易》《老》，有其所以能沈潛於經學、子學之屬於個人與環境之因素，❽與東漢以來文化思惟中之所謂「名教」與「自然」觀念之爭辨，非屬一事。故因學術中潛存有未能充分解決之問題，從而將哲學思惟之注意力，關注於《易》《老》，如弼所爲，與當時普遍的文化界由道家、儒家之義理主張之分辨，漸將重點集中於特定書中之特定觀念，亦係分從不同思惟路徑發展而後乃有所交會。向秀、郭象之注《莊》正是此一種交會之思潮下一種態度與主張之代表。

正唯向、郭所面對之思想議題，同時牽涉於時代價值觀念之取向，故其反映整箇玄學思想之發展，不僅有屬於哲學思惟方法層面上之重要性，亦兼有屬於文化思惟上之意涵；兩者關係非憑單一觀點可以說明。近人將王弼、郭象並列爲同一單純課題思惟下之兩種立場形態，❾實是過於輕估玄學思潮本身構成

（臺北：里仁書局，1984年），頁75-86。

❼ 此種方法即余〈論王弼認識論之立場及其思想來歷〉一文中所指弼所謂「觸類合義」與「敘本證始」。

❽ 湯用彤所曾指出王弼《易》學與荊州學派之關係，即係環境因素之一；說見湯氏所著〈魏晉思想的發展〉（編為《魏晉玄學論稿》附錄，收入《魏晉思想》甲編五種，同注❻，頁128）。

❾ 參詳湯用彤：〈魏晉玄學流別略論〉，見《魏晉玄學論稿》，同注❻，里仁版頁47-61。

之複雜性與變動性。

藉王弼、郭象思想歧異之較論，以觀察玄學思想之發展，有一可行之切入點，爲兩人「自然」觀之異同。此「自然」觀之異同，表現於所謂「聖人之無爲」。蓋玄學之爲玄學，有一基本之共同的立足點，即是一切問題之解決皆必由事物之本質之釐清爲討論之起點。故於哲學討論之語言使用中區別「體」「用」層次，爲必要的第一步，《周易》與《老》《莊》並列爲「三玄」，即是此種樹立於價値判斷之先之哲學態度之表現；王弼以《老》書中「有」「無」二字用於注《易》，於問題之澄清，已是大功。而就哲學思惟言，正因《周易》乃以富有日新爲天之大德，故其「所以爲有」之體，不唯超絕名言，其本身亦應具備必要之無限性，不得執有爲有，方始有以成其「有」。此意則《老》書：「道常無爲而無不爲」（第 37 章），❿正足發明。「無爲」二字在此義指之層面，據弼意並不涉及儒、道立場之異。故弼嘗言聖人體無，老子是有，故恆言其所無。⓫至於《老子》言：「爲學日益，爲道日損，損之又損，以至於無爲，無爲而無不爲，取天下常以無事，及其有事，不足以取天下。」（第 48 章），此之言「無爲而無不爲」則明顯與儒家思想中之名教觀牴觸。弼在此處是何主張，其何以如是主張，後來者與之相較是否有承襲，抑或有變改，自是値得注意。

王弼之論「聖人無爲」，義分兩層，一在聖人之能「滅其私而無其身」（第 38 章〈註〉），一在聖人之能使百姓「和而無欲」（第 49 章〈註〉）。所謂

---

❿ 本文凡引《老子》正文或弼《注》文未加標識者，胥用《二十二子》（臺北：先知出版社，1976年影印浙江書局校〔明〕華亭張之象本）。

⓫ 前引何劭〈王弼傳〉云：「弼幼而察惠，年十餘，好老氏，通辯能言。父業為尚書郎時，裴徽為吏部郎。弼未弱冠，往造焉。徽一見而異之，問弼曰：『夫無者，誠萬物之所資也，然聖人莫肯致言，而老子申之無已者何？』弼曰：『聖人體無，無又不可以訓，故不說也。老子是有者也，故恆言無，所不足。』」，見《三國志集解》，同注❻，頁 61a，總頁 681。弼此言「聖人體無」，「無」就體言。至於「老子是有者也」，則乃言老子有取天下之心，非真如聖人之實能公溥其心而應物；兩處所說非就同一層次言。

「滅其私而無其身」，依弼之「聖人有情論」，「私」當指「私累」而言，故「無其身」，即累去而虛，聖人乃以是而睹萬物之情；非無情。故弼於注《老》「上德不德，是以有德」章引《易》而論之云：「天地雖廣，以『無』爲心，聖王雖大，以『虛』爲主。故日：以復而視，則天地之心見，至日而思之，則先王之至⓬睹也。」（第 38 章〈註〉）所謂「天地之心見」，即是因至日而思之，由此以觀道之無爲而無不爲。此意若參合弼注《老》書「（天下神器），不可爲也。爲者敗之，執者失之」（第 29 章）句云：「萬物以自然爲性，故可因而不可爲也，可通而不可執也。物有常性，而造爲之，故必敗也。物有往來而執之，故必失矣」，則見聖人之去私虛己而不造爲，乃欲因萬物之性，通其往來，使各自長養以成其功，所依憑者在物性之自然合道。此自然合道之理，弼說爲「自然之智」。弼注「知其雄，守其雌，爲天下谿。爲天下谿，常德不離，復歸於嬰兒」章（第 28 章）云：「雄，先之屬；雌，後之屬也。知爲天下之先也（者）必後也，⓭是以聖人後其身而身先也。谿不求物，而物自歸之。嬰兒不用智，而合自然之智。」聖人後其身，即身處天下之後，以天下觀乎天下；不用智而天下自歸之，則以道之用有自然之智可因之爲用。此「後其身而身乃可以先」之理。故弼注「聖人無常心，以百姓心爲心。善者，吾善之；不善者，吾亦善之，德善」（第 49 章）句云：「動，常因也」，「各因其用，則善不失也」，「無棄人也」。總合其意，即是物性各遂其自然，則化不勞造爲而可成，此智在天不在人。此所以聖王當以「虛」爲主之旨。至於第二層聖人當使百姓「和而無欲」，則是說明聖人居位之功能。蓋物性自然各遂其生以長養，就人類社會言，有一必當創造之條件，即是去人競抗之私。故其注同章

⓬ 一說「至」疑為「志」字之訛。波多野太郎說，參詳樓宇烈：《校釋》，同注❺，上冊，頁 97。

⓭ 樓宇烈據《道藏》所收《集注》本改「也」字為「者」字。參詳《校釋》，同注❺，上冊，頁 75。

「信者，吾信之，不信者，吾亦信之；德信。聖人在天下歙歙，爲天下渾其心」下文「聖人皆孩之」（第49章）句云：「甚矣，害之大也，莫大於用其明矣。夫在（任）⓮智，則人與之訟；在（任）力，則人與之爭。智不出乎人而立乎訟地，則窮矣。力不出於人而立乎爭地，則危矣。未有能使人無用其智力乎（於）⓯己者也。」蓋人莫不有智，亦莫不有力，此本道之所因，聖人唯當使之如弼同注言「人無爲舍其所能，而爲其所不能；舍其所長，而爲其所短」，而有以「言者言其所知，行者行其所能，百姓皆各注其耳目焉」。則天下「各用聰明」，聖人亦唯孩之而道可成。乃若不然，則智以加人，人必以其智訟；以力加人，人必以其力爭，則萬物將「失其自然」，而百姓亦將「喪其手足」，道必至於亂；猶鳥之「亂於上」、魚之「亂於下」，未有不至於危。由是以言，《老》書所以謂「失道而後德，失德而後仁，失仁而後義，失義而後禮」（第38章），依弼意皆是以「下德」對「上德」而言，凡不能無爲而爲之者皆「下德」。其失不在爲德，而在爲下德。故弼注此章云：「『本』在無爲，『母』在無名，棄本捨母而適其子，⓰功雖大焉，必有不濟；名雖美焉，『僞』亦必生。不能不爲而成，不興而治，則乃爲之，故有宏普博施仁愛之者，而愛之無所偏私，故上仁爲之而無以爲也。愛不能兼，則有抑抗。正眞（直）⓱而義理之者，忿

⓮ 「在」字陶鴻慶改作「任」，下句同。樓宇烈云：「兩『任』字，據陶鴻慶引王念孫說校改。此語出《淮南子·詮言》。王念孫校《淮南子》說：『「在」皆當為「任」字之誤也。言當因時而動，不可任智任力也。上文曰：「失道而任智者必危」，又曰：「獨任其智失必多。故好智窮術也，好勇危術也」。皆其證』。（原注：見《讀書雜志》九之十四）」參詳《校釋》，同注❺，上冊，頁132；引王念孫說參見王氏所著：《讀書雜志·淮南內篇·詮言》（臺北：世界書局，1972影金陵書局本），9之14，頁1a。

⓯ 「乎」字樓宇烈據《道藏》所收《集注》本改為「於」，詳《校釋》，同注❺，上冊，頁133。

⓰ 樓宇烈引陶鴻慶說，謂「棄本捨母而適其子」句當作「棄本而適其末，捨母而用其子」。說詳《校釋》，同注❺，上冊，頁100。

⓱ 「真」字樓宇烈據《道藏》所收《集注》本改作「直」，說詳《校釋》，同注❺，上冊，頁100。案，「正直」即「使枉者正直」之意，故下接云「義理之」，與「忿枉祐直」正

枉祐直，助彼攻此，物事而有以心爲矣。故上義爲之而有以爲也。直不能篤，則有游飾修文禮敬之者，尙好修敬，校責往來，則不對之間，忿怒生焉。故上德（禮）⓲爲之而莫之應，則攘臂而扔之。」依此言，德化之爲而無爲，唯「上仁」能之，愛不能兼而有抑抗，循至直不能篤而生飾敬，皆是棄本捨母而適其子，功雖大必有不濟，非道之善。弼此言之不廢自然義之德化而不主張名教，立場可謂甚爲明確。

王弼此說有一最値注意之點，在於其區別聖人與百姓，非以「知」「能」，而以地位。亦即就「物」與「事」言，「物有其宗」「事有其主」（第 49 章〈註〉），聖人固有「沖和」無私之德，並無獨有之大知大能；聖人之成能，乃因「天地之設位」，而「人謀鬼謀」者，百姓莫不「與能」焉。故云：「能者與之，資者取之，能大則大，資貴則貴。……如此，則可冕旒充目而不懼於欺，黈纊塞耳而無戚於慢。」（同上）此一種因位因道以成治化之觀點實似《易傳》，而不似《老子》。故余前文釋弼之注《老子》「孔德之容，惟道是從」章（第 21 章）有謂：「以無形始物，不繫成物，萬物以始以成而不知其所以然，故曰：恍兮惚兮，（其中有物），⓳惚兮恍兮，其中有象也」，實乃謂道體僅可以指涉，未可以知其所以然。而弼注「人法地，地法天，道法自然」章（第 25 章）所稱「用智不及無知」語，必須參合其論知識時所區隔於「類證」與僅能以「推知」者之分別加以理解；其所主張於「知眾甫之狀」者（第 21 章），與老子言「玄覽」之以聖知可以闇契於道體者，有根本上之差異。

正唯王弼論聖人之「無爲」與百姓之「與能」，除皆須虛靜其心外，已將

合；《校釋》別引石田羊一郎《老子王弼注刊誤》說，謂當連上讀，作「抑抗枉直」，蓋非。

⓲ 「德」字樓宇烈據《古逸叢書》本、《道藏》本、《道藏》所收《集注》本，及陶鴻慶說，改作「禮」，說詳《校釋》，同注❺，上冊，頁 101。

⓳ 「其中有物」四字，樓宇烈據俞樾說校補；說詳《校釋》，同注❺，上冊，頁 54。

人認知於道之所可能，畫分爲「證本敘始」與就「物」「事」以言「宗」「本」兩層，在其立場中，人雖不可憑智而造爲，知識與玄理仍是可以確切底掌握，故此一理論中並無「神合」，甚或「密契」（Mysticism）之成份。其所唯一可能牽涉道體之奧密性者，僅在道體本身所內含之「自然之智」一點；對於王弼言，此種「奧密」之性質與內容，不唯不可知，亦實爲人所不必知。

今若據此所敘弼說以觀向秀、郭象之注《莊》，則見郭象之承向秀義以論說《莊》旨，兩人於始注〈逍遙遊篇〉時，即仿王弼聖人與百姓分論之說，將「逍遙」之境區分爲百姓眾物之逍遙與王德之人之逍遙兩層。⑳象《註》文中所謂「物任其性，事稱其能，各當其分」，㉑即弼注「百姓與能」一段所謂「能者與之，資者取之，能大則大，資貴則貴，物有其宗，事有其主」之意，而象之云：「小大雖殊，而放於自得之場，……逍遙一也，豈容勝負於其間哉」，雖未涉「上」與「下」之關係，亦是「去競」之旨。至於後文注「小知不及大知，小年不及大年」句，象曰：「自此已下，至于列子，歷舉年、知之大小，各信其一方，未有足以相傾者也，然後統以『無待之人』，遺彼忘我，冥此群異，異方同得，而我無功名。是故統小、大者，無小無大者也。苟有乎小、大，則雖大鵬之與斥鴳，宰官之與御風，同爲累物耳。齊死、生者，無死無生者也。苟有乎死生，則雖大椿之與蟪蛄，彭祖之與朝菌，均於短折耳。故遊於無小無大者，無窮者也。冥乎不死不生者，無極者也。若夫逍遙而繫於有方，則雖放之使遊，而有所窮矣，未能無待也。」論中明白於「能無」「去累」矣而猶「繫

---

⑳ 《世說新語·文學》篇劉孝標於「《莊子·逍遙篇》，舊是難處」條下注云：「向子期、郭子玄逍遙義曰：夫大鵬之上九萬，尺鷃之起榆枋，小、大雖差，各任其性，苟當其分，逍遙一也。然物之芸芸，同資有待，得其所待，然後逍遙耳。唯聖人與物冥而循大變，為能無待而常通。豈獨自通而已，又從有待者，不失其所待。不失，則同於大通矣。」（同注❶，卷上之下，頁19a，新編頁37）篇中文意與今象《註》同而加詳，是向、郭於此殆無二義。

㉑ 本文凡引《莊子》正文或象《注》文未加標識者，胥用嚴靈峰輯：《無求備齋莊子集成初編》（臺北：藝文印書館，1972年影印南宋北宋合璧本《南華真經》本），冊1。

於有方」者之上，說出「遊於無小無大，冥乎不死不生」之一境，謂之「無待」之逍遙；與「猶有所待」者區隔。而此一「無待」者，正乃所以冥乎群異，而居上以統之之人，則固即是弼所指言之聖人。此種於「逍遙」中猶區分有「居上」與「在下」之不同，實是《莊》書所本無，故謂乃受弼說之影響而云然。

繫於有方之逍遙，以去羨欲之累爲要，此即弼言：「人無爲舍其所能，而爲其所不能；舍其所長，而爲其所短」。而弼言「言者，言其所知，行者行其所能，百姓各皆注其耳目焉」，象則變言之曰：「各當其分，逍遙一也」，論皆符應。故象又總言之云：「夫年、知不相及，若此之懸也，比於眾人之所悲，亦可悲矣。而眾人未嘗悲此者，以其性各有極也。苟知其極，則豪分不可相跂，天下又何所悲乎哉！夫物未嘗以大欲小，而必以小羨大，故舉小大之殊，各有定分，非羨欲所及。則羨欲之累可以絕矣。夫悲生於累，累絕則悲去。悲去而性命不安者，未之有也。」此處象所言，專從「去羨欲」說爲「絕累」之方，就當時佛義已有之說相較，固見爲膚淺，然此意正是王、何以來渾同儒、道義旨而主張人之性分有殊者，所共有之社會觀點。就其觀點論，人性之不齊，亦猶物性，皆道體自然流行以化育群生之必然，故象於「之二蟲又何知」句下注云：「二蟲，謂鵬、蜩也。對大於小，所以均異趣也。夫趣之所以異，豈知異而異哉，皆不知所以然而自然耳。自然耳，不爲也。此逍遙之大意。」趣之所以異，乃不知其所以然而自然，此功在天不在人，故人力無得而與，亦唯順之而已。此種依特有的「萬物」觀而主張之率性論，雖與《中庸》之原旨有別，其間自亦有參用之部份可辨識。

㉒ 《晉書・庾敳傳》云：「豫州牧長史河南郭象善《老》《莊》，時人以為王弼之亞。敳甚知之，每曰：『郭子玄何必減庾子嵩。』象後為太傅主簿，任事專勢。敳謂象曰：『卿自是當世大才，我疇昔之意都已盡矣。』」，見《晉書斠注》，同注❶，卷 50，頁 9b，總頁 955；事本〈文士傳〉〈名士傳〉，亦引見《世說新語》註。據此，王弼之在當時，固是精通《老》《莊》玄理之一代表人物，其學必為士論所甚重。

㉓ 象之接用「中庸」義，要點在於「寄當於自用」，所謂「至理盡於自得」（二句詳後正文

向秀、郭象雖依王弼之意，區分有居上之聖人與在下之百姓，然象之言聖人，有一絕不同於王弼之處，在王弼僅言有居上位而為聖人之道之個人，此個人之不任智、力而以「無為」法天，乃出一種敘本證始之睿智，有其可以因學問而達至之途徑，其性分中所有、即有之條件，並不迥然出於眾人之上，為眾人所無從摹效。象則以無待之人，其所以為至德，亦出於特有之天機，非凡眾所可妄企。故於同篇「若夫乘天地之正而御六氣之辯，以遊無窮者，彼且惡乎待哉」句下注云：「天地者，萬物之總名也。天地以萬物為體，而萬物必以自然為正。自然者，不為而自然者也。故大鵬之能高，斥鴳之能下，椿木之能長，朝菌之能短，凡此皆自然之所能，非為之所能也。不為而自能，所以為正也。故乘天地之正者，即是順萬物之性也。御六氣之辯者，即是遊變化之塗也。如斯以往，則何往而有窮哉！所遇斯乘，又將惡乎待哉！此乃至德之人玄同『彼』『我』者之逍遙也。苟有待焉，則雖列子之輕妙，猶不能以無風而行，故必得其所待，然後逍遙耳，而況大鵬乎！夫唯與物冥而循大變者，為能無待而常通。豈自通而已哉，又順有待者，使不失其所待，所待不失，則同於大通矣。故『有待』『無待』，吾所不能齊也。至於各安其性，天機自張，受而不知，則吾所不能殊也。夫無待猶不足以殊有待，況有待者之巨細乎！」此論以無待者之能順萬物之性、遊變化之途，亦出於天機之自張，受而不知，其所據之性，與大鵬之能高，斥鴳之能下，同屬不為而自然，故但可使各安其性，同致逍遙，其所以別為「無待」與「有待」之根基，固無能而齊。若然，則聖人者實必先有能為聖人之條件，然後足以為無待之逍遙。象《註》此意極是明確。

所引〈齊物論〉註），故其注〈人間世〉「一宅而寓於不得已」句云：「不得已者，理之必然者也。體至一之宅，而會乎必然之符也。」注下文「則幾矣」句，則曰：「理盡於斯。」此意象於同篇「託不得已以養中」句，且明白注之云：「任理之必然者，中庸之符全矣；斯接物之至也」，直接用及「中庸」字。於「福輕乎羽，莫之知載」句，則注之曰：「率性而動，動不過分，天下之至易也」，又逕以「率性」說之。全書類此者，蓋非一處。

象意既主聖人之成化，乃由天機自張，受而不知，若然，即就聖人之至德言，其「知」中亦有「不知」，聖人亦唯凝其神，則凝者之外，其不凝者亦將以自得；故《註》於「其神凝，使物不疵癘而年穀熟」云云句下云：「夫體神居靈而窮理極妙者，雖靜默閒堂之裏，而玄同四海之表，故乘兩儀而御六氣，同人群而驅萬物。苟無物而不順，則浮雲斯乘矣，無形而不載，則飛龍斯御矣。遺身而自得，雖澹然而不待坐忘。行忘，忘而為之，故行若曳枯木，止若聚死灰，是以云『其神凝』也。其神凝，則不凝者，自得矣。」依此《註》言，聖人之所以窮理極妙，乃以遺身而自得，故亦可謂理固極妙，而此妙非以能知知，言無是非也。故其注〈齊物論〉「人之生也，固若是芒乎，其我獨芒而人亦有不芒者乎」句云：「夫知者皆不知所以知而自知矣，生者不知所以生而自生矣。萬物雖異，至於生不由知，則未有不同者也。故天下莫不芒也。」而注下文「是以『無有』為『有』，『無有』為『有』，雖有神禹且不能知，吾獨且奈何哉」則云：「理無是非，而或（惑）者以為有，此以『無有』為『有』也。或（惑）心已成，雖聖人不能解，故付之自若，而不強知也。」蓋正唯聖人之窮理極妙，亦是知所知而不知所以知，故理雖有定，知無是非，聖人之芒與人同，常人之惑，雖聖人不能解，聖人之行亦是忘而為之，非以知行也。象此說與王弼之主知有類證、有敘本，不僅於「知」之所可能之範圍差異，即「知」之基本定義，亦係截然兩種。

象主「理盡於自得」之意，又見於其釋「唯達者，知通為一，為是不用而寓諸庸。庸也者，用也；用也者，通也。通也者，得也」句，其言曰：「夫達者，無滯於一方，故忽然自忘，而寄當於自用。自用者，莫不條暢而自得也。」注下文「適得而幾矣」，則曰：「幾，盡也。至理盡於自得也。」此種破「知」

㉔ 「或」，〔明〕世德堂本《南華真經》同，收入《四部叢刊》，同注❶，冊27，卷1，頁26a，新編頁16，下「或」字亦然；當從浙江書局校世德堂本作「惑」。收入《二十二子》，冊1，同注❿，卷1，頁19a，總頁159。

不破「理」之說法，就「我」與「理」之關係言，由於乃主「寄當於自用」，「當」必就性分之所及，且亦必就當下之所感言之，捨此以外皆所謂「外」而必以「忘」絕之。故象於下文「道昭而不道，言辯而不及，仁常而不成，廉清而不信，勇忮而不成，五者圓而幾向方矣」，總結其語而注之曰：「此五者皆以『有爲』傷『當』者也，不能止乎本性而求外無已。夫外不可求而求之，譬猶以圓學方，以魚慕鳥耳。雖希翼鸞鳳，擬規日月，此愈近彼愈遠，實學彌得而性彌失，故齊物而偏尙之累去矣。」若然，則聖人之所以絕聖去智，主要乃在「任其自明」而葆光，故下文注「孰知不言之辯，不道之道，若有能知此之謂天府，注焉而不滿，酌焉而不竭」句云：「至人之心若鏡，應而不藏，故曠然無盈虛之變也。」「無盈虛之變」即是不以其所知害於其所不知，純任天機而不以事理之見横格於胸中。妙在「不知」，不在於「知」。故象注下文囓缺之疑語「子不知利害，則至人固不知利害乎」云：「未能妙其不知，故猶嫌至人當知之，斯懸之未解也。」此種任覺而直往之「當」，象復於「夫子以爲孟浪之言，而我以爲妙道之行」云云之下注之曰：「夫物有自然，理有至極，循而直往，則冥然自合，非所言也，故言之者孟浪，而聞之者聽熒。雖復黃帝，猶不能使萬物無懷而聽熒至竟，故聖人付當於塵垢之外，而玄合乎視聽之表。照之以天而不逆計，放之自爾而不推明也。」所謂「聞者聽熒」，即表明此境非可言說，亦不可意想，故聖人亦但照之以天而不推明。

正唯聖人之境乃無從逆計，亦無可推明，故象於下文「景曰：吾有待而然者邪？」句下注之云：「言天機自爾，坐起無待，無待而獨得者，孰知其故而貴（責）㉕其所以哉！」於「吾所待又有待而然邪」句下則注云：「若責其所待，而尋其所由，則尋責無極，卒至於無待，而獨化之理明矣。」天機自爾，

㉕　「貴」，〔明〕世德堂本，同注㉔，卷1，頁46b，新編頁26；當從浙江書局校世德堂本作「責」，同注⑩，卷1，頁34a，總頁189。

無待而獨得，此獨得於我者，既是獨化，亦是理之至極；捨此別無造物者。故無論「罔兩」與「景」，眾物與聖人，胥是獨化於玄冥。故象於下文「吾待蛇蚹蜩翼邪？惡識所以然？惡識所以不然」句，又總結云：「造物者無主而物各自造，物各自造而無所待焉，此天地之正也。故彼我相因，形景俱生，雖復玄合而非待也。明斯理也，將使萬物各反所宗於體中而不待乎外，外無所謝而內無所矜，是以誘然皆生，而不知所以生，同焉皆得，而不知所以得也。」象此說極當分析者，不唯在「造物者無主」一句，更在「萬物各反所宗於體中而不待於外」之語。蓋此語有其思想上之來歷，此一來歷不唯在《莊子》本書中可有，㉖亦在余前論王弼文中所引《淮南．詮言訓》之文中有其端緒。其語曰：「洞同天地，渾沌為樸，未造而成物，謂之太一。同出於一，所為各異，有鳥有魚有獸，謂之分物。方以類別，物以群分，性命不同，皆形於有。隔而不通，分而為萬殊，莫能及（反）宗。㉗故動而謂之生，死而謂之窮，皆為物矣，非不物而物物者也。物物者，亡乎萬物之中。稽古太初，人生於無，形於有，有形而制於物。能反其所生，若未有形，謂之眞人。眞人者，未始分於太一者也。」㉘《淮南》此文以「形隔」為「物」，所謂「物物」，即是執有為有，故謂「物物者亡乎萬物之中」。而其指言「人生於無」之「無」，則是渾沌為樸之元氣，故彼謂眞人之能反其所生，依其所主，乃即是道家「練氣」之說。

㉖ 《莊子·德充符》云：「審乎無假，而不與物遷；命物之化，而守其宗也。」象注「而守其宗也」句云：「不離至當之極。」

㉗ 「及宗」當作「反宗」，高誘《注》云：「謂及己之性宗，同於洞同。」劉文典：《淮南鴻烈集解》（臺北：臺灣商務印書館，〔1931〕1969年重印本），卷14，頁1a則曰：「王念孫云：『「及」皆當為「反」，字之誤也。「宗」者，本也，言莫能反其本也。下文云「能反其所生」即「反宗」之謂。故高《注》曰：「反己之性宗也。」〈說山〉篇曰：「吾將反吾宗矣」，又曰：「牆之壞，愈其立也；冰之泮，愈其凝也，以其反宗。」高《注》並云「宗，本也」是其證。』……」，《集解》引王念孫說參見王氏所著：《讀書雜志》，同注⑭，9之14，頁1a。

㉘ 此引《淮南》文據浙江書局校武進莊氏本，收入《二十二子》，冊9，同注⑩，卷14，頁1b，總頁610。

正唯練氣而有以去其形隔而反本，有一必要之設論，即是化體本身之整一性恆靜不變，故於論中謂之「宗」。《淮南》此處「眞人」二字，本出《莊子》，而漢初以來釋《老》《莊》者，不論主氣化、主神化，㉙以眞人爲實有，本是盛行不輟之觀念；直至阮籍爲〈大人先生傳〉，其有關於此「大人」之描述，亦仍是「眞人」說之翻版。㉚此種「反本」之氣化觀，結合於政治議題中「自然」與「名教」之辨，由於較重於「化」而輕於「物」，自會產生一特殊的治論上之見解，與王弼依於《老子》《易傳》與《荀子》而發展之認識論所奠立之「觸類合義」之學術主張，可以判解爲兩條釐然可分之脈絡。

此所言特殊的治論上之見解，可以阮籍〈大人先生傳〉與〈樂論〉爲代表。阮籍之《大人先生傳》云：「昔者天地開闢，萬物並生，大者恬其性，細者靜其形。陰藏其氣，陽發其精，各從其命，以度相守。蓋無君而庶物定，無臣而萬事理，保身修性，不違其紀。今造音以亂聲，作色以詭形。外易其貌，內隱其情。懷欲以求多，詐僞以要名；君立而虐興，臣設而賊生。坐制禮法，束縛下民，欺愚誑拙，藏智自神。」㉛阮籍此文論養德之方以「恬性靜形」爲宗旨，而以絕聖棄智爲手段，此說倘持與余前論王弼「聖人和同百姓」之意相較，則見弼所欲去者雖乃居上位者不當之「智」「力」，其「養性全命」之主張中，並不廢世道之事、能，而籍則導之以就「靜」「恬」，至謂凡世有之君、臣皆屬蠹、疣；雙方於所謂「自然」之道，論說之實指已有重要之不同。正因有此不同，故籍於〈樂論〉中乃云：「夫樂者，天地之體，萬物之性也。合其體，得其性，則和。離其體，失其性，則乖。昔者聖人之作樂也，將以順天地之性，

㉙ 參詳拙著：〈論王弼認識論之立場及其思想來歷〉（同注❷）一文，注㊷。

㉚ 阮籍：〈大人先生傳〉曾假所謂「大人先生」者云：「夫大人者，乃與造物同體，天地並生。逍遙浮世，與道俱成；變化散聚，不常其形。天地制域於內，而浮明開達於外。天地之永固，非世俗之所及也。」，引見〔清〕嚴可均輯《全上古三代秦漢三國六朝文·全三國文》（東京：中文出版社，1972年影本），卷46，頁6a，總頁1315。

㉛ 阮籍：〈大人先生傳〉，同注㉚。

體萬物之生也，故定天地八方之音，以迎陰陽八風之聲。均黃鐘中和之律，開群生萬物之情氣。故律呂協，則陰陽和；音聲適，而萬物類。男女不易其所，君臣不犯其位。四海同其觀，九州一其節。奏之圜丘而天神下降，奏之方岳而地祇上應。天地合其德，則萬物合其生。刑賞不用，而民自安矣。」籍於此論中申言天地有同體，凡得於萬物之性者，必有合於所同然者然後能之；樂之所以因協律適聲，而有以調和萬物之情氣而安民者，胥由天地有此「合德」之義。此說依「同體」說出「合德」，在其「類物」之思想中，固是強調化體之一致，其主張於氣性清通故可感應之立場頗明。

阮籍之論如此，同時之嵇康，論則有變。嵇康著〈聲無哀樂論〉云：「夫天地合德，萬物貴生，寒暑代往，五行以成。故章為五色，發為五音。音聲之作，其猶臭味在于天地之間。其善與不善，雖遭遇濁亂，其體自若而不變也。豈以愛憎易操，哀樂改度哉！……夫殊方異俗，歌哭不同，使錯而用之，或聞哭而歡，或聽歌而慼。然而哀樂之情均也。今用均同之情，而發萬殊之聲，斯非音聲之無常哉！然聲音和比，感人之最深者也。勞者歌其事，樂者舞其功。夫內有悲痛之心，則激切哀言。言比成詩，聲比成音，雜而詠之，聚而聽之，心動於和聲，情感於苦言。嗟歎未絕，而泣涕流漣矣。夫哀心藏于苦心內，遇和聲而後發；和聲無象，而哀心有主。夫以有主之哀心，因乎無象之和聲，其所覺悟，唯哀而已。豈復知吹萬不同，而使其自已哉！風俗之流，遂成其政。」康此論謂「樂」之體與「心」異，故樂之善與否，不為哀樂改其度，明顯於天地之同體中，強調前引《淮南·詮言訓》所指「物隔」之義，因謂凡

㉜ 阮籍：〈樂論〉收入《阮步兵集》。此據嚴輯：《全上古三代秦漢三國六朝文·全三國文》，同注㉚，卷 46，頁 1，總頁 1313。

㉝ 此據嚴輯：《全上古三代秦漢三國六朝文·全三國文》，同注㉚，卷 49，頁 1，總頁 1329。嘉靖刊本《嵇中散集》「或聞哭而歡，或聽歌而慼」句，「慼」字作「感」，「今用均同之情，而發萬殊之聲」句，無「同」字；收入《四部叢刊》，同注❶，冊 30，卷 5，頁 1-2a，新編頁 23。嚴可均據《世說新語·文學篇》注改補。

政之因風俗以成治，皆乃因禮用而爲民節欲，非關樂體。至於其作〈答向子期難養生論〉則曰：「夫不慮而欲，性之動也；識而後感，智之用也。性動者，遇物而當，足則無餘。智用者，從感而求，倦而不已。故世之所患，禍之所由，常在于智用，不在于於性動。……君子識智以無恆傷生，欲以逐物害性，故智用則收之以恬，性動則糾之以和，使智上（止）於恬，性足於和，然後神以默醇，體以和成，去累除害，與彼更生。所謂『不見可欲，使心不亂者』也。……由此言之，性氣自和，則無所因（困）於防閑；情志自平，則無鬱而不通。」㉞則又於「性動」之外，區別出「智用」，其義旨則又不僅於指涉居上位者制作之狡獪，如籍〈大人先生傳〉所斥；而在因於「物隔」，指明人所以受制於形有而受隔限之所由。其論中以「智」與「欲」相繫，實已將「養性」之所繫合論於人類普遍之智性是否足以依憑之課題，余前所言兩條思想脈絡之發展，至此已漸綰合爲一。玄學發展注意面之由《易》《老》所涉及較爲廣闊之道論，趨向《莊子》書中精細之心性議題，嵇康此論當有其頗爲緊要之影響。㉟

史載向秀之與嵇康論辯「養生」，乃秀「欲發康高致」，㊱則兩人之思想

㉞ 此據嚴輯：《全上古三代秦漢三國六朝文·全三國文》，同注㉚，卷 48，頁 4b-5a，總頁 1325-1326。嘉靖本《嵇集》「不慮而欲，性之動也」句，「動」字作「勤」，與吳寬叢書堂鈔本同，前人已校其非；「無所因於防閑」句，「因」字作「困」，則較勝（《四部叢刊》，同注㉔，冊 30，頁 5b-6a，總頁 19）。此所引嚴本「困」字作「因」，當係影印漫訛所致。中華書局影嚴輯字正作「困」（《全上古三代秦漢三國六朝文》，北京：中華書局，1991 年，冊 2，總頁 1325）。至於「智上於恬」句，戴名揚云：「吳鈔本及〈三國文〉作『止』，是」引見《嵇康集校注》（臺北：河洛圖書出版社，1978 年影印本），總頁 175，其說是；唯嚴輯中文出版社、中華書局兩影本「止」字皆僅能辨識為「上」字。

㉟ 學者或據向秀與嵇康間有關「養生論」之論難，因而主張嵇康亦係象思想一來源。參詳蘇新鋈：《郭象莊學平議》（臺北：臺灣學生書局，1980 年），頁 90-118。此說雖於論題有新的提示，並非此處所欲指陳之脈絡。

㊱ 《晉書·向秀傳》：「始秀欲注，嵇康曰：『此書詎復須注？正是妨人作樂耳！』及成，示康曰：『殊復勝不？』又與康論養生，辭難往復，蓋欲發康高致也。」，見《晉書斠注》，同注❶，卷 49，頁 26b-27a，總頁 942-943。所謂「欲發康高致」，當是欲以引發康高致之意，蘇氏《平議》（同前注，頁 92）以「弘揚康高致」說之，恐非。

有互動，兩人之論題有交集，可以確知。而秀之始論，即與康意不同，亦可於各人所著論中較比而得。秀之論曰：「人受形於造化，與萬物並存，有生之最靈者也。異於草木，……殊於鳥獸，……有動以接物，有智以自輔。……若閉而默之，則與無智同，何貴於有智哉？有生則有情，稱情則自然。若絕而外之，則與無生同，何貴於有生哉？」㊲秀此言人之「有智以自輔」乃以事、能言，此爲養生家所不及論，而依秀見，則固不主「智」爲世道所可無。嵇康於前引〈答論〉中主「智用則收之以恬，性動則糾之以和」，依論而推，此必無以解秀之惑。秀、象兩人後於《莊註》中，以「存養」義接論於人所以「順理」之條件，欲於「無爲」之詮解中，增入「御變」之逍遙於一物之逍遙之上，即是欲以解決此一「道」義上之難題。

正唯向、郭注《莊》必當於「智」之議題上兼括人道之事、能，而又有以符於「自然」之旨，故其辨「性」，不得不分出「小」「大」之殊，如前所引論。而象承秀義，則進一步欲於此處提出一觀念以統合「天」「人」，前引其言：「萬物各反其所宗於體內」，所謂「宗」，即以此爲實指。故象注〈養生主〉一題云：「養生者，理之極也。若乃養過其極，以養傷生，非養生之主也。」此《註》所謂「理極」，即同篇首句「吾生也有涯」之《註》中所云「所稟之分各有極也」之「極」；物各有極，即是物各有其所宗。同句秀《註》則云：「生之所稟，各有涯也」，㊳僅言生之所稟有涯限，無「各有極」義。

象《註》於「養生主」一題三字，以「生」字連上讀，不連下讀，而謂「養過其極，以養傷生，非養生之主也」，即此已是針對養生家之說法而主張。此爲象《註》受「養生」議題影響之明證。倘「生」字連下讀爲「生主」，㊴則

㊲ 引見《嵇中散集》，同注㉝，卷 4，頁 1，新編頁 17。

㊳ 秀《註》引見《雲笈七籤·養性延命錄》，收入《四部叢刊》，同注❶，冊 28，用白雲觀藏《正統道藏》原版影印，卷 32，頁 3a，新編頁 343。

㊴ 王船山（夫之，字薑齋，1619-1692）云：「形，寓也，賓也；心知寓神以馳，役也；皆

「生主」二字可用以謂〈逍遙遊篇〉「其神凝」之「神」，㊵或進以指言〈齊物論〉中所謂「眞宰」，㊶此二義皆關涉眞心之體用；此別爲一說。象於〈齊物論〉篇不以「日夜相代乎前」者，指心識之流行，而謂文中以新代故者，乃「天地萬物變化日新，與時俱往」，故釋「若有眞宰，而特不得其眹」句云：「萬物萬情，趣舍不同，若有眞宰使之然也。起索眞宰之眹跡而亦終不得，則明物皆自然，無使物然也。」則「眞宰」據其意，即以指《莊》說中之「造物者」，乃姑設其名而無其實。㊷而通象之注《莊》，亦不見有「心體」之概

吾之生之有而非生之主也。以味與氣養其形，以學養其心知，皆不恤其主之亡者也。其形在，其心使之然，神日疲役以瀕危而不知，謂之不死奚益？而養形之累顯而淺，養知之累隱而深。與接搆而以心鬥，則人事之患，陰陽之患，欲遁之而適以割折傷其刀。養生之主者，賓其賓，役其役，薪盡而火不喪其明；善以其輕微之用，遊於善惡之間而已矣。」，見〔明〕王夫之譔、王敔增註，王孝魚點校：《莊子解》（臺北：里仁出版社，1984年），頁30（此處引文標句稍有不同）。船山此《註》以「神」為生主，即主「生」字連下讀；蓋凡氣形與心知之用，皆不過「賓」與「役」，雖生之所有而非生之主也，《莊》書此篇固言「吾聞庖丁之言得養生焉」，其言中所謂「養生」之「生」究乃何指，固仍當細辨。船山文中「以味與氣養其形」一語，即以指涉道流所謂「養生家」言。

㊵ 《莊子·逍遙遊篇》云：「藐姑射之山，有神人居焉，肌膚若冰雪，淖約若處子，不食五穀，吸風飲露。乘雲氣，御飛龍，而遊乎四海之外。其神凝，使物不疵癘而年穀熟。」〈人間世〉則云：「夫徇耳目內通而外於心知，鬼神將來舍，而況人乎！」「鬼神將來舍」乃譬言，徇耳目內通者，非心知之用，則人之真實有以感通於外者，固別有在，「神」義當於此等處深入。

㊶ 《莊子·齊物論篇》云：「已乎！已乎！旦暮得此其所由以生乎！非彼無我，非我無所取，是亦近矣，而不知其所為使。若有真宰，而特不得其眹。可行已信，而不見其形，有情而無形，百骸、九竅、六藏，賅而存焉，吾誰與為親？汝皆說之乎？其有私焉？如是皆有為臣妾乎？其臣妾不足以相治乎？其遞相為君臣乎？其有真君存焉？如求得其情與不得，無益損乎其真，一受其成形，不亡以待盡，與物相刃相靡，其行盡如馳而莫之能止，不亦悲乎！終身役役而不見其成功，苶然疲役而不知其所歸，可不哀邪！人謂之不死，奚益？其形化，其心與之然，可不謂大哀乎？人之生也，固若是芒乎？其我獨芒，而人亦有不芒者乎？」

㊷ 船山注〈齊物論〉「已乎！已乎！旦暮得此其所繇以生乎！」以至「如求得其情與不得，無益損乎其真」句云：「此以遍求其所萌而不得也。使其知已也，則一已而無不已，可勿更求其萌矣。……意者其有真宰乎？乃可行已信，而未信之前無朕；唯情所發，而無一定之形；則宰亦無恒，而固非其真。是不得立真宰以為萌矣。」（引見《莊子解》，同注㊴，頁 14-15）是船山說此段雖謂「不得立真宰以為萌」，然就文意言，「真宰」仍以「心」

念。故可知其以養生爲理之極，非唯與「練氣化神」有辨，與論主心於心識外另有眞義之體用者，亦非是一途。

象《註》以「養生」爲理極，倘參以前言「反宗」之語，則見郭象雖承用「氣化」論之立說主軸，已將《淮南·詮言訓》中重「化」輕「物」之觀點改變，蓋倘若仍主彼說，則元氣之清通，仍是形化之所待。必物物莫不有以無所憑待而自起，則物物凡所宗極，率取於自性而已足，外慕之心乃有以盡去。故性命者，天地雖以是而萬殊，合萬物之萬殊即是天地。得乎性命之正，即是養生之功成，過此以往，則非以養生而以傷生。此之謂「獨化」。

象之主「萬物各反所宗於體中而不待於外」不唯與《淮南·詮言訓》中所言，乃至阮籍、嵇康之說非是一旨，亦與象所自承之向秀說義 有立說上之不

言，與象意不同。特船山不主心體恆常不變，故以全段乃借疑辭以明其非真有恆體。姚鼐說此章則云：「能得喜怒哀樂人情萬變之本，即真宰也，萬變所由生，凡語言皆天籟也；不能得則逐情而喪真矣。或者欲弟求無彼無我，與物不相取，是亦近道，然是彭蒙、田駢、慎到之術，非真知道者。真知道者，必求真宰。真宰者，不見其朕，而無處不可見也。百骸、九竅以下，又恐人不見真宰，反執妄心便為真宰。此處正破儒者『心之官則思』義，言真君不在識解處也。」（引見《莊子章義》，收入嚴靈峰輯：《無求備齋莊子集成續編》（臺北：藝文印書館，1974年影印〔清〕光緒5年〔1879〕刊本，卷1，頁6a，新編頁43）姚說以人情萬變之本即「真宰」，且謂此處正在破儒者「心之官則思」義，則是於「思」外言有為情變之本之體。若然，則《莊子》本文應是以疑句說有。義又不同。以章義語氣言之，應為得之。

㊸ 象注〈德充符〉「不可入於靈府」句云：「靈府者，精神之宅也。夫至足者，不以憂患經神，若皮外而過去。」其《註》中所云，僅就《莊》書他處所明「憂患不入於心」處發揮，至於「靈府」之實，並未深解。

㊹ 《世說新語·文學》云：「初，注《莊》者數十家，莫能究其旨要。向秀於舊注外為解義，妙析奇致，大暢玄風。唯〈秋水〉、〈至樂〉二篇未竟而秀卒。秀子幼，義遂零落；然猶有別本。郭象者，為人薄行，有俊才，見秀《義》不傳於世，遂竊以為己注。乃自注〈秋水〉、〈至樂〉二篇，又易〈馬蹄〉一篇，其餘眾篇，或點定文句而已。後秀《義》別出，故今有向、郭二《莊》，其義一也。」（同注❶，卷上之下，頁13b-14a，新編頁34）《世說新語》此說可注意者，除「大暢玄風」四字外，有關象《註》是否竊自向秀一事，亦是歷來論者所注意，唯自〔清〕錢曾：《讀書敏求記》（臺北：藝文印書館，1967年《百部叢書集成·海仙館叢書》影印道光番禺潘仕成輯刊本）、〔清〕王先謙：《莊子集解》（收入嚴輯：《無求備齋莊子集成》，同注㉑，冊26，用宣統元年湖南思賢書局刊本影

同。今人所輯秀《莊·註》逸文，其見於《列子·黃帝篇》張湛《註》者，中有一條，乃釋「罪〔萌〕乎不誫不止」，其文與象注〈應帝王〉同句大體相符。唯秀《註》末云：「苟無心而應感，則與變升降，以世爲量，然後足爲物主，而順時無極耳。豈相者之所覺哉！」，象《註》作：「誠應不以心，

印）、吳承仕：《經典釋文敘錄疏證》（北京：中國學院，1933 年鉛印本）以來，即頗有因疑而欲攷之者，近人論之尤詳；其中較為重要者有楊明照：〈郭象莊子注是否竊自向秀檢討〉（《燕京學報》第 28 期，1940 年）、王叔岷：〈莊子向郭注異同考〉（《國立中央圖書館館刊》1：4，1947 年）。餘著書目可參詳蘇新鋈：《郭象莊學平議》，同注㉟，頁 15-16。凡今所輯已逸向《註》共計一百三十八條，象《註》之雖竊秀義而非全無發明，已有定論。雖則如此，近人自馮友蘭（字芝生，1895-1990）、湯用彤、錢賓四（穆）師（1894-1990）以下各家通論向、郭《註》大義，仍以一家之論論之。其有能逐條細較者，如蘇氏《平議》（見前注㉟），亦僅能得出與前引《晉書·向秀傳》（見前注❶）所言「象又述而廣之」相同之結論。故此處所辨，乃一新的可注意之問題。

㊺ 〔唐〕陸德明：《經典釋文·序錄》云：「向秀注，二十卷，二十六篇（原註：一作二十七篇，一作二十八篇，亦無雜篇。為音三卷）。」（收入《四部叢刊》，同前注❶，冊 3 影印通志堂本，卷 1，頁 40a，新編頁 376）

㊻ 《列子·黃帝》「罪乎不誫不止」句下云：「『罪』或作『萌』，向秀曰：『萌然不動，亦不自止，與枯木同其不華，死灰均其寂魄。此至人無感之時也。夫至人，其動也天，其靜也地，其行也水流，其湛也淵默。淵默之與水流，天行之與地止，其於不為而自然，一也。今季咸見其尸居而坐忘，即謂之將死；見其神動而天隨，便為之有生。苟無心而應感，則與變升降，以世為量，然後足為物主，而順時無極耳。豈相者之所覺哉！』」，見〔晉〕張湛：《列子·注》，浙江書局校〔明〕世德堂本，收入《二十二子》，同注❿，冊 2，卷 2，頁 14b，總頁 68。楊伯峻曰：「《注》『其靜也地』句北宋本『地』作『土』，汪本從之，今從《藏》本訂正。又『謂之有生』，『謂』各本作『為』，今亦從《藏》本正。」，引見楊伯峻：《列子集釋》（北京：中華書局，1979 年），頁 72。所論及北宋本《沖虛至德真經》，收入《四部叢刊》，同注㉔，冊 27，卷 2，頁 7，新編頁 9。

㊼ 王叔岷先生曰：「案《釋文》：『不震不正，崔本作不誫不止』。陳碧虛《闕誤》引江南古《藏》本，『不正』亦作『不止』，『誫』即『震』之異文，『正』乃『止』之形誤。（〈注〉：『萌然不動，亦不自正』，『正』亦『止』之誤）『止』與『震』對言，《列子·黃帝》篇亦作『不誫不止』，與崔本合，惟『萌乎』作『罪乎』，義頗難通。〈注〉：『罪或作萌』（《釋文》同），與此文合，作『萌』者是也。『萌』有『生』義（《淮南·俶真》篇「孰知其所萌」〈注〉：『萌，生也』）『萌乎不震不止』猶云『生於不動不止』，正對上文『子之先生死矣』而言，意甚明白。俞樾謂『當從《列子》作『罪』，『罪』讀為『嶵』，說殊牽強，不知《列子》本亦作『萌』也。」，見《莊子校釋》（臺北：中央研究院歷史語言研究所，1972 年重刊本），卷 1，頁 67b-68a（增入若干標點符號）。

而理自玄符。與變化升降，而以世爲量，然後足爲物主，而順時無極。故非相者所測耳！此〈應帝王〉之大意也。」兩文相較，細微處相差外，象註增多「理自玄符」四字。「理自玄符」即象《註》「理盡於自得」之意，此種「當」處，乃物各自造而無所待，此象「自然」之旨。然秀義實未之及。同《列子·黃帝篇·註》於「夫奚足以至乎先，是色而已」㊽句下引秀云：「同是形色之物耳，未足以相先也。以相先者，唯自然也。」㊾今象《註》於〈達生篇〉同句下，僅止云：「同是形色之物耳，未足以相先也」，無「以相先者，唯自然耳」句。今試推論其所以然者，蓋緣象之主「自然」，乃以「物物獨化」之義說之，「自然」二字斷不能說之於形色之前，故象之注《莊》，刻意刪去此語。「理自玄符」者亦是於此等處表明其以氣性之獨化即是理極之意；與秀義僅以「順時無極」爲說者不同。

秀《註》以「自然」說於形色之先之義，又可見於《列子·天瑞篇·註》於「故生物者不生，化物者不化」句下所引秀《註》，其言曰：「吾之生也，非吾之所生，則生自生耳，生生者豈有物哉！故不生也。吾之化也，非物之所化，則化自化耳，化化者豈有物哉！無物也，故不化焉。若使生物者亦生，化物者亦化，則與物俱化，亦奚異於物？明夫不生不化者，然後能爲生化之本也。」㊿「生物者不生，化物者不化」句郭象本《莊子》所無，故無可直接比論者。然秀《註》以「不生不化」者爲化本，顯示其論雖主「生自生」「化自化」，化中仍有一靜體不生不化，爲造化所繫；意同以「自然」在形色先之旨。

㊽ 楊伯峻曰：「案：『色』上脫『形』字，當作『是形色而已』。『形色』承上文『貌像聲色』而言。《注》引向秀曰：『同是形色之物耳』，則向所注《莊子》本有『形』字。江南古《藏》本《莊子》正作『是形色而已』，當據正。說本奚侗《莊子補注》。」，引見楊伯峻：《列子集釋》，同注㊻，頁 49。

㊾ 引見張湛：《列子注》，同注㊻，卷 2，頁 5a，總頁 49。北宋本《註》文「向秀」二字誤入正文作「餉」（同注㊻，卷 2，頁 6b-7a，總頁 6-7）。

㊿ 引見張湛《列子注》，同注㊻，卷 1，頁 2，總頁 13-14。

與象主張氣性之動自為理極之義，實有哲學理論形態上之差異。

然倘如象此論，則有一深微處難辨，即性命既是理極，獨化既是無待，則萬物之遂性，舉是無待，何以前論「逍遙」象猶承秀說區別有「有待」「無待」之分，此必有「蔽之」之因。其蔽之者，則在於「知」累。故前引象注〈養生主〉「吾生也有涯」句有云：「所稟之分，各有極也」，而其注「而知也無涯」句則曰：「夫舉重攜輕而神氣自若，此力之所限也。而尚名好勝者，雖復絕膂，猶未足以慊其願。此知之無涯也。故知之為名，生於失當，而滅於冥極。冥極者，任其至分而無毫銖之加。是故雖負萬鈞，苟當其所能，則忽然不知重之在身，雖應萬機，泯然不覺事之在己，此養生之主也。」象此說之可注意者，在於《註》中「知之為名，生於失當，而滅於冥極」一語，蓋據此論，舉凡「知」而有「知」之自覺，即已離於所當，唯循理直往者，乃有可依憑。若然，則即如同謂人之智性，乃無可以依概念而運使之證驗條件；此事非關乎個人。「知累」與「欲累」乃轉引相生，必「欲」去然後「理」或以得。凡所謂聖人之渾忘物、我，齊一生、死，而有以冥契於理極者，非以得「意」而後棄其「言詮」，如王弼以來所論；實是並「言詮」之途亦當絕徑。此一「理」可直己而由，而非可以識知之立場，非是主張「知」之有限論，實際已是「知」之虛妄論。其受於佛義之影響，亦若可見。

聖人既廢知，而以養生為理極，則其所以應物而使其莫不遂其自然，必有所感，此則應以「神」會。故象以下細剖〈養生主〉中「庖丁解牛」之喻。其注「為善無近名，為惡勿近刑」句，則云：「忘善惡而居中，任萬物之自為，悶然與『至當』為一。故刑名遠己，而全理在身也。」注「奏刀騞然，莫不中音，合於桑林之舞，乃中經首之會」句，則云：「言其因便施巧，無不閑解，盡理之甚，既適牛理，又合音節。」注「三年之後，未嘗見全牛也」句，則曰：「但見其理間也。」注「臣以神遇而不以目視」句，則曰：「闇與理會。」於「善哉！吾聞庖丁之言得養生焉」句，則曰：「以刀可養，故知生亦可養。」

全段以「刀」喻「生」，以「牛」喻「物」，而以「牛理」爲「神」會之對象。此對象乃設論中見有，而於實會之中，渾然忘之，故謂之「闇會」。而所謂「但見理間」者，「理間」即是文中所指言之「當」處。

理未可以知知而可以神會，此觀點於《老》於《莊》，皆有可以引論之理據，唯各家所論，其各別之眞際，凡論者皆當於彼所假設於「全理」之基礎有說明，而假位之「知」與所謂「眞知」之「知」間之關係於各自之理論中放置之地位係如何，亦應加以確認。王弼所注乃《老》，故其辨玄同立基於「觀物」，主智與去智，係由「有」以達至於「無」，而後玄同之之兩面；其詮悟境之得，偏主智性。余前論王弼文已辨。郭象之所注則《莊》，故論之破「有」，非僅破「執」，亦破「知」。故論「知」甚嚴於「天」「人」之分。象注〈大宗師〉「知人之所爲者，以其知之所知，以養其知之所不知」云云句曰：「人之生也，形雖七尺而五常必具，故雖區區之身，乃舉天地以奉之。故天地萬物凡所有者，不可一日而相無也，一物不具，則生者無由得生；一理不至，則天年無緣得終。然身之所有者，知或不知也；理之所存者，爲或不爲也。故知之所知者寡，而身之所有者眾；爲之所爲者少，而理之所存者博。在上者莫能器之而求其備焉，人之所知不必同，而所爲不敢異，異則僞成矣。僞成而眞不喪者，未之有也。或好知而不倦，以困其百體，所好不過一枝，而舉根俱弊。斯以其所知，而害所不知也。若夫知之盛也，知人之所爲者有分，故任而不彊也；知人之所知者有極，故用而不蕩也。故所知不以無涯自困，則一體之中，『知』與『不知』闇相與會而俱全矣，斯以其所知養所不知者也。」象此言「萬物凡所有者，不可一日而相無」，就「化」言，即是說明「化體」之一致性；就「理」言，即是說明「理」之貫通性與完整性。象此說若參合前論所釋其以「養生」爲「得性合理」之論，則見「化」中之見有「物」，「性」「命」之見義，乃以「殊別」，而「理」之見義，則以「整一」；「性」「命」與「理」，雖明顯區隔爲兩層，「性」「命」與「理」，於「動」義，必有所關連。象《註》所謂「一體之中，『知』與『不知』闇相與會而俱全」，必於此深論。

所謂「性」「命」與「理」，於「動」義，必有所關連，關鍵在於「心」。蓋「理」若以「所可知」言，窮理所得之「儀」「象」，即是「道用」所示於人識知中之假位，「心」於識知之作用中即是「能知」之主體。王弼論中所論於「理」，即承荀子而說之如此。余前一文論此頗詳。今象於「理」既主以動合，非智所能知，則性動必有能合，出於志行之外，象注同篇下文「不以心捐道，不以人助天，是之謂眞人」句云：「人生而靜，天之性也；感物而動，性之欲也。物之感人無窮，人之逐欲無節，則天理滅矣。眞人知用心則背道，助天則傷生，故不爲也。」《註》中自「人生而靜」以下至於「天理滅矣」，全用〈樂記〉，唯〈樂記〉之主養性，乃因「節」而養，並無「虛靜其心」之主張，象之言「用心則背」，則係「遣耳目，去心意」之意。象注〈人間世〉「無聽之以耳，而聽之以心，無聽之以心，而聽之以氣，聽止於耳，心止於符，氣也者，虛而待物者也」句云：「遣耳目，去心意，而符氣性之自得，此虛以待物者也。」此種「虛而待氣性之自得」，即象所謂「應而無心」。故象注同篇下文「入則鳴，不入則止」句云：「譬之宮商，應而無心，故曰鳴也。夫無心而應者，任彼耳，不彊應也。」

象立說既標示「無心而應」一旨，則人氣性之自得，是否亦有眞情動於中，此事關繫「心體」之有無，王、何之以聖人「有情」「無情」爲辨，亦是欲於此處確立一可以建立價値之立場。乃象於此亦與弼之意見不同，其注〈應帝王〉「至人之用心若鏡」句云：「鑒物而無情」，注「能勝物而不傷」句則云：「物來即鑒，鑒不以心，故雖天下之廣，而無勞神之累」，蓋亦明白主張「無情」之論；51與當時養生家言略近。所異者，象雖主聖人之所以「哀樂不能入」，

51 此「無情」象亦謂之「無情之情」，象注〈大宗師〉「夫道有情有信無為無形」句云：「有無情之情，故無為也；有無常之信，故無形也。」《莊》書此語「情」字本就道用變化之情實言，象因止言「獨化」，故將全句改以「性動」論。

乃因聖人之無所錯心於哀樂，其玄通而合變，則亦有應俗之與，故注〈養生主〉「老聃死，秦失弔之，三號而出」一段云：「至人無情，與眾號耳。故若斯可也。」「與眾號」非眞號，應物耳；㊾此亦所謂「鑒物而無情」。

依以上所論象《註》之意，則聖人之心「虛以待物」，所以既不用智，㊿亦不用情，51本因「智」與「情」起於人心之失當，若然，則心之所以爲鑒，是否尙有一體，抑或僅是氣性之明覺，亦當有辨。弼於此蓋未深論，以其論聖人，主有情，亦主有智，而聖人之所能，百姓與能，故心識所本，能爲情、智之原者，雖可說爲心體，此心體不於其所以爲「體」之義，呈顯「道體」之全能，故辨與不辨，無以大異。當時論「道」之體用者，亦尙未及此。此一狀況至於象之注《莊》時，則有改變。據《世說新語》載，向、郭《莊·註》既大行世，言《莊》者初皆未能拔理於其義之外，後則有支道林（遁，314？-368）於白馬寺將馮太常共語，演說逍遙義，獨標新旨，自是名賢遂棄向、郭義而用支理。52此事當時必有立說上爲時人所重視之論旨之不同，乃有如其所載言之轉變；而就余所見，其關鍵即在「心體」一義。

㊾ 「應物」者，乃體道合變而物有其宜，故有情之貌而非情，故象注〈大宗師〉「喜怒通四時」句云：「故體道合變者，與寒暑同其溫嚴，而未嘗有心也。然有溫嚴之貌，生殺之節，故寄名於喜怒也。」注「與物有宜而莫知其極」句云：「無心於物，故不奪物宜。無物不宜，故莫知其極。」

㊿ 〔南朝梁〕皇侃：《論語集解義疏·衛靈公》（臺北：廣文書局，1968年影印汪氏校本，卷8，頁13b）：「吾嘗終日不食，終夜不寢以思，無益，不如學也」章，引象云：「聖人無詭教，而云『不寢不食以思』者何？夫思而後通，習而后能者，百姓皆然也。聖人無事而不與百姓同事，事同則形同，是以見形以為己異，故謂聖人亦必勤思而力學，此百姓之情也。故用其情以教之，則聖人之教因彼以教彼，安容詭哉！」

51 皇侃：《論語集解義疏·先進》「顏淵死，子哭之慟」章，引象云：「人哭亦哭，人慟亦慟，蓋無情者與物化也」（同前注，卷 6，頁 15b），亦同此意。

52 《世說新語·文學》云：「《莊子·逍遙》篇，舊是難處，諸名賢所可鑽味，而不能拔理於郭、向之外。支道林在白馬寺中將馮太常共語，因及逍遙。支卓然標新理於二家之表，立異義於眾賢之外，皆是諸名賢尋味之所不得，後遂用支理。」（同注❶，卷上之下，頁18b-19a，新編頁 36-37）

今傳支道林《逍遙遊論》一文，其總說「逍遙」大旨云：「夫逍遙者，明至人之心也。莊生建言大道，而寄指鵬、鷃。鵬以營生之路曠，故失適於體外。鷃以在近而笑遠，有矜伐於心內。至人乘天正而高興，遊無窮於放浪。物物而不物於物，則遙然不我得。玄感不為，不疾而速，則逍然靡不適。此所以為逍遙也。若夫有欲當其所足，足於所足，快然有似天眞，猶饑者一飽，渴者一盈，豈忘烝嘗於糗糧，絕觴爵於醪醴哉？苟非至足，豈所以逍遙乎？」[56]夫象《註》以《莊》書〈逍遙遊篇〉「小大之辨」一語，指喻物物性分之殊，故謂鵬、鷃同為「有待」之逍遙，必如後文讓天下於許由之堯，乃始為王德「無待」之逍遙。故所謂「大」，依其義，並非以指言心德之大；而支說即以是言。蓋支言「至人乘天正而高興，遊無窮於放浪，物物而不物於物」，有一絕不同於象說者，在於其說標示人所以成聖，乃因有一「玄感不為，不疾而速」之心體，此心之所以能因養而成德，遂以致化。支此意又別見於〈大小品對比要鈔序〉，其言云：「夫至人也，覽通群妙，凝神玄冥，靈虛響應，感通無方。建同德以接化，設玄教以悟神，述往跡以搜滯，演成規以啓源。或因變以求通，事濟而化息。適任以全分，分足則教廢。故理非乎變，變非乎理，教非乎體，體非乎教。故千變萬化，莫非理外，神何動哉？以之不動，故應變無窮。」[57]道林文中所謂「不動而能應變無窮」者，即至人所以「覽通群妙」之心體。此心體既可因「玄教」而悟神，亦可憑「同德」而接化。所以然者，以此體靈虛而能感通，遂能因變而成化，適任而定分。說中區分「理」「體」與「變」「教」，「用」外樹「體」，「體」外別「用」之意甚明。與象專以養生全性之見，固非一說。

道林辨心之體用，其所謂「體」，乃以眞智言，[58]其體至無空豁，特因教

---

[56] 《世說新語·文學篇·註》，同注[1]，卷上之上，頁 19b，新編頁 37。

[57] 〈大小品對比要鈔序〉，收入嚴輯：《全上古三代秦漢三國六朝文·全晉文》，同注[30]，卷 157，頁 6b-7a，總頁 2366。

[58] 〔清〕沙門續法：《般若波羅密多心經事觀解》云：「般若，體；密多，用。不離一總相

言，遂得「智」名。此智與常見中之智用，判然懸絕，故謂「不動」。然實爲「眾妙之淵府，群智之玄宗」。59特就顯用言，「無不能自無」「理不能爲理」，故假階以爲言，寄名而有「十住」之稱。實則理冥則言廢。故倘以是理而詮《莊》《老》，老子所謂「玄覽」，必玄同而得悟境，名言都去，眞體呈顯，果然有以見夫所謂變化者，莫非理外，乃爲實照。否則等此以下，所謂「智」者必不足以盡「無」，而所謂「寂」者，亦不足以冥「神」。弼《註》所謂「用智不如無知」，「智」就常見認識力之可能言，「無知」則就道體佈化之自然言，已將《老》書中眞正最上之玄旨排除，故乃有前敘所謂「敘本證始」之說；非《老》書本義。至於《莊》書之論，莊子〈逍遙遊〉「小」「大」之喻本以指言「知」之小大，「年」之小大乃因是而有，故所破者乃執見，非於執見之外，別無眞知。象《註》以善於養生者爲得理，其所謂「鑒物而無情」，指任理之自然，而非識理之所以然，故所謂冥契，乃氣性之自合，無眞智之可憑。亦與《莊》書之原旨有別。道林論中參合《莊》《老》之言，標出心之「體」義，

心。依《略疏》亦可法喻為題。六百卷大部，喻如身；十四行小本，喻如心也。梵語『般若』，此云『智慧』。智，決斷義。妙證真源，但唯決定，朗然獨照故。般也。慧，揀擇義。明了諸法，必須揀擇，修行斷惑故。若也。略開三種：一實相，所觀真空，法性也；二觀照，能觀本覺，妙慧也；三文字，詮上二者，言教也。」，收入《般若心經五家注》（臺北：新文豐出版公司，1995 年），卷上，頁 5b-6a，總頁 164-165。

59 〈大小品對比要鈔序〉云：「夫般若波羅密者，眾妙之淵府，群智之玄宗，神王之所由，如來之照功。其為經也，至無空豁，廓然無物者也。無物於物，故能齊於物；無智於智，故能運於智。是故夷三脫於重玄，齊萬物於空同，明諸佛之始有，盡群靈之本無，登十住之妙階，趣無生之徑路。何者邪？賴其至無，故能為用。夫無也者，豈能無哉！無不能自無，理亦不能為理。理不能為理，則理非理矣。無不能自無，則無非無矣。是故妙階則非階，無生則非生，妙由乎不妙，無生由乎生。是以『十住』之稱，興乎未足。定號『般若』之智，生乎教跡之名。是故言之則名生，設教則智存。智存於物，實無跡也；名生於彼，理無言也。何則？至理冥壑，歸乎無名。無名無始，道之體也；無可不可者，聖之慎也。苟慎理以應動，則不得不寄言。宜明所以寄，宜暢所以言。理冥則言廢，忘覺則智全。若存無以求寂，希智以忘心，智不足以盡無，寂不足以冥神。」（同注57）。道林此所謂「宜明所以寄」「宜暢所以言」，與象所言「寄理於至當」「知之名生於失當」，一主「冥神盡無」，一主「任理直前」，貌雖似而說異，不得混同為一。

而以論歸於釋氏般若智義，其在當時，正有一種論題之提示，其影響固不容輕估。[60]

然果若如道林所言，「理非乎變，變非乎理」，理眞與事變中有一「眞」與「妄」之界別，凡所謂「教」之與「體」之區隔，亦必若是；道德之眞實義與倫理之規範義應如何連繫，問題將視前益形凸顯。釋教中「眞諦」與「俗諦」之逐漸受到重視，因以轉變玄學中本有之共同的「自然」之信念，升降之消息固在於是。

總合而言，世變中之治化問題與學術中之知識問題，魏晉學者或僅能識其一，未能別其二，故所爭於「有」「無」者，論鋒或不對當。[61]而王弼、郭象則皆是深造於是，故影響於玄論，邁越倫輩。道林闡《莊》，專就向、郭義爲

---

[60] 究論弼之注《老》與象之注《莊》所以皆於心之體義有未辨，有一主要之原因，在於二人雖皆主破去「物執」，然皆於同時採取「隔限」義之「性」「命」觀，玄學之合同儒、道，此為關鍵之點。故凡《老》《莊》書設論中可能涉及之奧祕義，兩人皆全然避去。相對於道家承衍之流別中所有之「練氣以求化神」一派，或俗論中所訛增之「神話」成份言，此一種結合「物性」分殊義所有之「自然」觀，自有其重要的哲學上之意義。而中國佛學之發展，於玄義之理解上，能獲迅速之提昇，玄學實為其培養孕釀之地。凡當時譯經、說法之名僧，近人就其傳記所載，乃至譯經用語查攷，幾無不先有此一種外學之基礎，即是明證。故弼之與象，其所注言，雖於《老》《莊》原旨，有所未符，仍於《老》《莊》書有其重要之貢獻。至於向、郭兩人之為學是否亦有媚世之處，如今人所摘，則另屬一問題，與思想內在邏輯之發展無關。

[61] 〔晉〕裴頠著：〈崇有論〉云：「欲衍則速患，情佚則怨博，擅恣則興攻，專利則延寇，可謂以厚生而失生者也。悠悠之徒，駭乎若茲之釁，而尋艱爭所緣，察夫偏質有弊，而睹簡損之善，遂闡『貴無』之議，而建『賤有』之論。賤有則必外形，外形則必遺制，遺制則必忽防，忽防則必忘禮。禮制弗存，則無以為政矣。」，見《晉書·裴頠傳》，收入《晉書斠注》，同注[1]，卷35，頁15b，總頁731；文亦收嚴輯：《全上古三代秦漢三國六朝文·全晉文》，同注[30]，卷33，頁6a-8，總頁1647-1648。頠此論當世以為名文，然說中於「有」「無」之議之所以起，實未深究。史謂頠見何晏、阮籍素有高名，然口談浮虛，不尊禮法，尸祿耽寵，仕不事事，至王衍之徒，聲譽太盛，位高勢重，不以物務自嬰，遂相放效，風教陵遲，乃著此論（事亦見《晉書·裴頠傳》，同注[1]，頁14b，總頁730）。然當時習於儒義者，所關心者僅在所謂風教，而於本身立論之必當有一番哲學性反思乃能固本，則未覺察，故學術之權，逐漸旁移。《三國志·魏志·裴潛傳》裴松之《注》謂頠尚有〈貴無論〉，見《三國志集解》，同注[6]，卷23，頁27a，總頁593；今不傳。

破，言約而論精，倍有力焉。然問題討論至此，儒、道、釋之立場已必須就「性」義之眞際，作出一能自樹立之實義之說明，於同一層次中合論殆已不復可能，此爲論勢之必趨。特因此一思想問題，非僅由觀念語詞之使用，即可辨識，故以老莊之學爲主導之玄學於學術上所造成之風氣，仍舊維繫一時，後乃漸以寢歇。而此玄學之後，佛學獨盛，爲儒、道所不及，歷時之久，乃有理學之新興，起於宋代；前後雖逾時頗遠，然實際乃同一問題之延伸所導引，脈絡依稀可以辨識。

良知與經世
——從王龍溪良知經世思想看晚明王學的眞貌

周昌龍*

前　言

在思想史上論及晚明王學，常易歸之爲「高談性命」、「空疏」、「虛寂」、「無用」，因此常立於「經世」之反面。此等型鑄（stereotyped）之成見，考其源流，實發硎於陽明同時，至成爲左右一時之主流意見，則成形於明末東林派。東林學術由王返朱，❶指陽明揭良知以破朱熹格物爲「虛其實」，如不善用即易「流而蕩」，當以修身實踐收之，方能「實其虛」，而「有功於世教」。❷陽明良知之學由是被簡單化爲一「虛」字，這「虛」字進一步爲陽明高足王龍溪「四無」（無善無惡）之說所坐實，晚明王學便成了東林派心目中「憑虛見而弄精魂」的空虛無用之學。東林領袖顧憲成（號涇陽，1550－1612）指責龍溪「無善無惡」之說，云：

---

*　國立暨南國際大學中國文學系副教授。

❶　參看錢穆：〈顧涇陽高景逸學述〉，《中國學術思想史論叢（第七輯）》（臺北：東大圖書公司，1986 年），頁 245-267。又氏著：《中國近三百年學術史》（臺北：臺灣商務印書館，1983 年），第一章下，〈晚明東林學派〉，上冊，頁 7-22。

❷　語見〔明〕顧憲成：《小心齋札記》，《顧端文公遺書》（〔清〕康熙 37 年〔1698〕刻本），原文云：「朱子揭格物，不善用者流而拘矣，陽明以良知破之，所以虛其實也。陽明揭良知，不善用者流而蕩矣，（李）見羅以脩身收之，所以實其虛也。皆大有功於世教。」

> 邇來反復體勘世道，人心愈趨愈下，只被「無善無惡」四字作祟。君子有所淬勵，卻以無字埋藏；小人有所貪求，卻以無字出脫。❸

又進一步攻擊陽明學云：

> 陽明先生開發有餘，收束不足。當士人桎梏於訓詁辭章間，驟而聞良知之說，一時心目俱醒，恍若撥雲霧而見白日，豈不大快。然而此竅一開，混沌幾亡。往往憑虛見而弄精魂，任自然而藐兢業。陵夷至今，議論益玄，習尚益下，高之放誕而不經，卑之頑鈍而無恥。❹

顧憲成從無善無惡與現成良知等所謂左派王學的激進觀點著眼，將王學編派入「虛無」、「高玄」、「放誕」等處地，其立場已非客觀，立論尤欠嚴謹。與顧氏齊名的高攀龍（號景逸，1562－1626）在學術史觀上則更趨粗疏，倡言云：

> 除卻聖人全知，以下便分兩路，一者在人倫庶物實知實踐去，一者在靈明知覺默識默成去。此兩者之分，孟子於夫子微見朕兆，陸子於朱子遂成異同，本朝文清文成，便是兩樣。❺

這是以薛瑄（諡文清，1389－1464）與陽明對立，認爲陽明之學重在「靈明知覺默識默成」一邊，而與「人倫庶物實知實踐」歧離。高氏門人周彥文遂在〈〈東

---

❸ 顧憲成：《小辨齋偶存・與鄒大澤銓部》，《顧端文公遺書》，同前注，卷6。

❹ 語見《小心齋札記》，同注❷。

❺ 〔明〕高攀龍：《高子遺書・答方本庵》（臺北：臺灣商務印書館，1986 年影印文淵閣《四庫全書》本），卷8。

林）論學語序〉說：

> 自頓悟之教熾，而實修之學衰，嘉、隆以來，學者信虛悟而卑實踐……。❻

強調與「實修」、「實踐」對立的「虛悟」，爲嘉靖、隆慶以來之普遍學風，此一表述，再與高攀龍所述方學漸（本庵）「見爲善，色色皆善，故能善天下國家；見爲空，色色皆空，不免空天下國家」❼一類說法合流，又變成王學（有時擴大爲整個晚明學界，如上述周彥文所言）不措意天下國家，不能經世的另一「空虛」型鑄。

這個型鑄經明社之墟，在清初乃成定論，如顧炎武（1613－1682）痛抨當時之學風云：

> 今之君子……，聚賓客門人之學者數十百人，（中略）與之言心言性，舍多學而識，以求一貫之方，置四海困窮不言，而終日講危微精一之說，（中略）我弗敢知也。❽

其中「置四海困窮不言」一語，幾乎成了清儒對有明一代學術之共同評讞，由清初至清屋，以良知爲玄虛之學、爲經世之累的成見，始終未稍改變。梁啓超（1873－1929）在一九二〇年寫成深具影響力的《清代學術概論》一書時，再一次強調此一歷久彌新之型鑄意見，其說謂：

---

❻ 〔清〕高廷珍等輯：《東林書院志》（臺北：廣文書局，1968 年影本），卷 16。

❼ 高攀龍；《高子遺書·方本庵先生《性善繹》序》，同注❺，卷 9。

❽ 〔清〕顧炎武：《顧亭林詩文集·亭林文集·與友人論學書》（臺北：漢京文化事業公司，1984 年點校本），卷 3，頁 40。

進而考其思想之本質，則所研究之對象，乃純在昭昭靈靈不可捉摸之一物；少數俊拔篤摯之士，曷嘗不循此道而求得身心安宅，然效之及於世者已鮮；而浮偽之輩，摭拾虛辭以相夸煽，乃甚易易。故晚明狂禪一派，至於「滿街皆是聖人」，「酒色財氣不礙菩提路」，道德且墮落極矣。重以制科帖括，籠罩天下。學者但習此種影響因襲之談，便足以取富貴，弋名譽。舉國靡然從之，則相率於不學，且無所用心。故晚明理學之弊，恰如歐洲中世黑暗時代之景教。其極也，能使人之心思耳目，皆閉塞不用。❾

任公上述意見，幾乎全是東林、亭林既成觀點之翻模，實非篤學明辨、小心求證後之個人治學心得。如上所示，東林諸子對王學之批評，如以存有上之有無視龍溪「四無」說，曲解了「四無」原來在哲學上「情順萬物而無情」之無滯境界（詳下文）；以「靈明知覺默識默成」標貼王學，刻意斷裂王學一直強調的「人倫庶物實知實踐」之本來性質；以「不免空天下國家」臆斷王學，無視於陽明本人之赫赫事功及王門弟子席不暇煖之淑世精神。東林派這種對王學的批評，實充滿了偏見與武斷，其中門戶主見遠多於學術理見，「闢邪說」的救世熱情洋溢膨脹，對事實眞相反而無暇理會了。然此猶可說是明代學風，最可惜者，清儒以實事求是爲一代之新學風，而三百年來，對明代學術之理解，則但奉亭林「置四海困窮不言」一語爲圭臬，無所檢討，無所省視，使此一學術型鑄，至今仍在學界獲有相當普遍之認同，而有待後人蒐集更完整資料、以更客觀態度，去重建學術史之眞相。

日本學者島田虔次在一九四九年所著《中國における近代思惟の挫折》一書中，力排舊說，以深入筆觸說明明代思想中具有豐富之現代意義，如自由主

---

❾ 梁啟超：《清代學術概論》（臺北：臺灣商務印書館，1972年），第3節，頁10。

義與個人主義等。❿其後狄百瑞（William Theodore deBary）與溝口雄三教授等致力發掘明代思想中之時代與社會意義，使梁任公「晚明狂禪相率於不學且無所用心」的型鑄，得到相當修正。但狄百瑞教授等的研究，主要著重於道德觀點本身的意義與變遷，並不討論「實學」或「經世」等問題。如狄氏最感興趣的是中國人格主義（personalism）與西方個人主義（individualism）之同異；⓫溝口氏最關注的是天理觀中「公」「私」觀念之變化等；⓬這些研究，固然可以在觀念史上肯定明代思想的特色與貢獻，卻都未能針對顧亭林「置四海困窮不言」此一致命指責作出正面回應，明代以陽明良知說爲主之思想學術，雖在陽明本人彪炳事功映照與「事上磨鍊」理論囑切下，始終背負著玄虛無當於經世之學術型鑄，王學是否「置四海困窮不言」此一問題，迄未獲得充份討論。

容肇祖先生完成於三十年代的「明代思想史」一書，肯定陽明學說爲「淑世主義」、「救世精神」，並贊揚泰州學派之何心隱「抱著極自由極平等的見解，張皇于講學，抱濟世的目的」，思想是「切實的」，「不墮影響」。⓭這些見解，打破了東林、亭林以來三百年牢不可破的成見，扭正過去以王學爲空虛、墮於影響、不涉經世等型鑄，的具慧眼。可惜容先生只是大膽地提出了他的令人耳目一新的論斷，而未作嚴謹的、有充分證據支持的細部論證。亭林「置

❿ 〔日本〕島田虔次：《中國における近代思惟の挫折》（東京：筑摩書房，1970 年改訂版）。

⓫ 參看 Wm. Theodore deBary, ed., *Self and Society in Ming Thought* （New York: Columbia University Press, 1970）。及氏著，*The Liberal Tradition in China* （Columbia University Press, 1983）.

⓬ 〔日本〕溝口雄三：《中國前近代思想の屈曲と展開》（東京：東京大學出版會，1980 年）；又〈中國にける公・私概念の展開〉，《思想》669 號（東京：岩波書店，1980 年 3 月），頁 19-38；又〈中國の公・私〉，《文學》卷 36（岩波書店，1988 年 9 月），頁 73-84。

⓭ 容肇祖：《明代思想史》（臺北：臺灣開明書店，1978 年重印本）。

四海困窮不言」的假說，並未受到正式挑戰。

本文擬通過對陽明高弟王畿（號龍溪，1498－1583）思想的深入研究，分析晚明王學思想體系中良知與經世的結構關係，藉以瞭解晚明學術中較吾人目前所知更豐富更眞實全面之內涵。所以選擇王龍溪，是因為：一、龍溪親炙陽明最久，與錢德洪（緒山，1496－1574）並稱王門二大弟子，四方士人來學，先由二人疏通大旨，然後得受教於陽明，時號「教授師」。⓮陽明歿於中歲，卒時其致良知之說尚未完成一完整之思想體系。⓯龍溪得享八十五歲高壽，陽明既卒，龍溪復矻矻講學垂五十年，發揮師門宗旨，對晚明王學之發展極具關鍵性。故泰州學派後殿李贄（卓吾，1527－1602）說：「非龍溪先生五六十年守其師說不少改變，亦未必靡然從風，一至此也，此則陽明王先生之幸，亦天下萬世之大幸。」⓰又說：「至陽明而後其學大明，然非龍溪先生緝熙繼續，亦未見得陽明先生之妙處……有道者所以尤貴有好得力兒孫也。」⓱二、龍溪力倡「無善無惡」之說，以為「天命之性，粹然至善，神感神應，其機自不容已。無善可名，惡固本無，善亦不可得而有也，是謂無善無惡。」⓲這種打破善惡之執的當下良知觀點，引起後來東林派的一致討伐。可以說，東林諸子對

⓮ 〔清〕黃宗羲：《明儒學案·浙中王門學案一》（臺北：河洛圖書出版社，1974 年），頁 88。

⓯ 〔清〕莫晉：〈重刻王龍溪先生全集序〉說：「自王文成倡道東南，其學凡三變，教亦三變。最後乃主致良知之說，晚年宗旨，未及與學者發明詳盡。文成沒後，談良知者各以其性之所近，卜度攙和，立說未能歸一。」見〔明〕王畿：《王龍溪全集》（臺北：華文出版社，1970 年影印〔清〕道光 2 年〔1822〕重刻〔明〕萬曆刻本），第 1 冊，頁 15，以下簡稱《全集》。

⓰ 〔明〕李贄：《續焚書·答馬歷山》，見《李贄文集》（北京：燕山出版社，1998 年），卷 1，頁 342。

⓱ 李贄：〈與焦漪園太史〉，同前注，頁 371。

⓲ 《全集·天泉證道記》，同注⓯，卷 1，頁 90。

王學所生的型鑄，主要即來自龍溪此一無善無惡的所謂「狂禪」觀點。⑲清初黃宗羲、顧炎武等學術領袖均推崇東林，對晚明王學之評價顯然亦繼承東林而來。要檢討由東林派開始的型鑄，勢必要由龍溪現成良知說此一源頭著手。

本文無意爭論清學與明學孰「虛」孰「實」，也無意否認陽明學有其「玄虛」甚至「近禪」之性質。玄虛本是王學在形上學上自我深化的一種要求，正如相對於先秦儒學而言，程朱理學亦有其向「玄虛」發展之性質一樣。本文企圖說明的是：王學在力求良知「上達」的同時，並沒有輕忽良知在經世、事功等「下學」層次的作用與責任。從王龍溪到李卓吾，無善無惡的現成良知，與不容自已的經世要求之間，始終保持著一種即體即用、即寂即照的結構關係，這也是晚明儒者自覺「聖學」與釋道二氏之最大分別所在，是他們最引以自豪的一種思想特色。「置四海困窮不言」這種表述，並不是經客觀求證後的學術史研究結論，而只是亡國之痛、身世之感、門戶之見、意氣之爭等作用的結果。瞭解到這一層，我們才能還王學一個有虛有實、有體有用的學術全貌。王學不是只有性命理氣層面的「虛」的探討；當他們倡言經世時，也不是僅止於迂闊的「人格經世」，⑳如宋儒一般所主張的。事實上，在龍溪等人的理論中，有關「事功經世」（即符合後來清儒經世定義的經世）的原則與方法，一直佔有相當分量。如何通過良知之體以達經世事功之用，在陽明本人及王學諸子的思想體系內，是個「本末」問題，而不是存、廢問題。本末在這裡也不涉價值判斷，只是一種關係說明：本末有一定順序，卻絕不能偏廢，否則便變成陽明所

---

⑲ 關於此點，溝口雄三有傑出研究，見氏著：《中國前近代思想の屈折と展開》，同注⑫，第 3 章。

⑳ 宋明理學中的經世觀念，就其主體結構而言，是指憑藉道德修養感化人心、保愛百姓，與事功經世之重點不同。可參考張灝：〈宋明以來儒家經世思想試釋〉，中央研究院近代史研究所編：《近世中國經世思想研討會論文集》（臺北：中央研究院近代史研究所，1984 年）。及王爾敏：〈經世思想之義界問題〉，《中央研究院近代史研究所集刊》13 期（1984 年 6 月），頁 27-38。

說的：「只是懸空想個本體，一切事為俱不著實，此病痛不是小小」。㉑以下即討論龍溪思想中良知與經世的體用、本末、虛實等結構關係。

二、道事不離的經世

自明末陳子龍（1608－1647）等編《皇明經世文編》，繼者踵起，經世二字漸漸脫離宋儒既有之人格經世的涵義，最終並似乎走到了「心性」的對立面。《皇清經世文編》之主要編者魏源（1794－1857）說：

> 使其口心性，躬仁義，動言萬物一體，而民瘼之不求，吏治之不習，國計邊防之不問；一旦與人家國，上不足制國用，外不足靖疆圉，下不足蘇民困。舉平日胞與民物之空談，至此無一事可效諸民物，天下亦安用此無用之王道哉！《詩》曰：「監觀四方，求民之莫。」工騷墨之士，以農桑為俗務，而不知俗學之病人更甚于俗吏；託玄虛之理，以政事為粗才，而不知腐儒之無用亦同于異端。彼錢穀簿書不可言學問矣，浮藻餖飣可為聖學乎？釋老不可治天下國家矣，心性迂談可治天下乎？㉒

魏源上述文字列舉了清代嘉道以後經世學的主要關心點，即民瘼、吏治、邊防、國用、農桑、政事等具體並涉制度層面的政治經濟問題。所反對的是「玄虛之理」、「心性迂談」、「騷墨」、和「浮藻餖飣」，所瞧不起的是「錢穀簿書」。這樣，我們可以為近代經世觀念大致劃定一個範圍，即上不能跳入心性玄虛，下不能落入簿書瑣屑，當中不能旁出，變成以浮文獲名的文士或是以

㉑ 陽明《年譜》嘉靖六年丁亥「九月壬午發越中」條。見《陽明全書》（臺北：臺灣中華書局，1981年《四部備要》本），卷34，頁475。

㉒ 〔清〕魏源：〈默觚下·治篇一〉，《魏源集》（北京：中華書局，1983年），上冊，頁36-37。

考據爲業的學究。在這個範圍內，再排除「雜霸爲功」的法家型事功，㉓使「道形諸事」，㉔於是「井牧徭役兵賦，皆性命之精微流行其間」，㉕便是魏源心目中儒家型的王道經世。

以魏源上述觀念爲標準，我們發現，晚明王學對民瘼、政事、國用、甚至兵事等經世之學都極其關懷，且有相當建設。王龍溪本人即曾與浙中王門另一鉅子萬表(號鹿園，1498－1556)一起披閱「本朝名臣奏議及十三省九邊圖考」，採擇其中「關於國體切于時政事宜」的，「彙成一書」，名《經濟錄》。㉖本書惜未流傳（《明史・藝文志》亦未載錄），否則其時代更在陳子龍編《皇明經世文編》之前，可能是最早一部經世學的總集，而龍溪之學術形象，亦可能早已改觀。這條資料畢竟證明了龍溪經世學此一事實的存在，所謂「念頭不在世道上」，「置四海困窮不言」云云，可見全是以偏概全之談。在王門芸芸門人或從附中，確實存在著此類「庸眾」（那一學派沒有？）但此僅是附流現象，不能用來描述精英思想的發展情況。對這類空談性命的附流，龍溪本人亦早致不滿，《龍溪集》中屢有批評，觸目可見，不難覆按。

萬鹿園之學多得之龍溪，㉗《明儒學案》謂其常將寧靜澹泊四字揭諸座右，良知之悟亦自成一家言。鹿園長期負責漕運，條疏改革，對海運及常平等法尤有貢獻。及倭寇爲患，更「慨然有澄清海甸之志，深究亂所由起，欲治其原」，乃上書寧波守孫宏軾，「備陳海上事」，後更自率義軍與海寇戰，終至疾發軍中而亡，㉘是一位兼具事功成就的思想家。

與龍溪並肩的王門另一高弟錢緒山，早年即欣賞胡宗憲，以爲「必爲當今

㉓ 〈默觚上・學篇九〉，同前注，頁 22。

㉔ 〈默觚下・學篇九〉，同注㉒，頁 23。

㉕ 〈默觚下・治篇一〉，同注㉒，頁 36。

㉖ 《全集・鹿園萬公行狀》，同注⑮，卷 20，頁 1408。

㉗ 《明儒學案・浙中王門學案五》，同注⑭，卷 15，頁 41。

㉘ 《全集・鹿園萬公行狀》，同注⑮，卷 20，頁 1409-1415。

名將，勸其讀陽明奏疏公移。」當倭寇入侵時，作〈團練鄉兵議〉贊助胡氏，並向胡推薦門下士戚繼光、梁守愚，二君後均成抗倭名將。胡宗憲謝緒山曰：「始疑公儒門，不嫻將略，乃知善將將也」。㉙王門另一大弟子，泰州學派始創者王艮（心齋，1483－1541）著有〈均分草蕩議〉，對鹽業政策提出獨到的解決方案。據《年譜》所載，五十六歲時，「安豐場灶產不均，食者多失業，奏請攤平，幾十年不決……先生竭心經劃，三公喜得策，一均之而事定。」與緒山、龍溪抗名的羅洪先（念菴，1504－1564）「身任均役之事，日與閭役之人執冊布算，交涉紛紛，其門如市」，念菴耐煩忘倦，略無一毫厭動之意。叩其何以致此，則曰：「自朝至暮，惟恐一人不得其所。」㉚這種志業，這種精神，何得譏為空虛不能經世？難怪龍溪發出感喟說：「是心康濟天下可也，尙何枯靜之足慮乎？」㉛

王門諸子的經世，與宋儒人格經世或道德經世的觀念有所同異。宋儒大抵以孟子「惟大人為能格君心之非，君仁莫不仁，君義莫不義，君正莫不正，一正君而國定」之說為政治最高原則，以王道為標的，以得君行道為手段。㉜如蕭公權先生所說：宋代「理學家哲學思想之內容互異，而其政論則多相近。約言之，皆以仁道為政治之根本，而以正心誠意為治術之先圖。」㉝這與龍溪的「以學達政，以政興化」，㉞及「教家本於修身，心者修身之本也」，要人識本心，厚倫理，端禮教，勤本業，禁奢靡，息爭訟，弭盜賊，置義倉，崇會規

㉙ 《全集·緒山錢君行狀》，同注⑮，卷20，頁1391。

㉚ 《全集·松原晤語》，同注⑮，卷2，頁191。

㉛ 《全集·松原晤語》，同注⑮，卷2，頁191。

㉜ 關於宋儒的人格經世思想，可參閱蕭公權：《中國政治思想史》（臺北：中國文化大學出版社，1970年）第十五章「元祐黨人及理想家之政論」，下冊，頁489-528。及張灝：〈宋明以來儒家經世思想試釋〉，《近世中國經世思想研討會論文集》，同注⑳。

㉝ 蕭公權：《中國政治思想史》，同前注，頁508。

㉞ 《全集·贈周見源赴黃州司理序》，同注⑮，卷14，頁966。

等說相同，㉟都是本正心修身以達齊家平天下的儒家正統觀念。所不同的是，宋代理學家過份強調王霸之別，故往往重禮教而輕刑政，重道德而輕禮教，與當時事功派儒者陳亮等論辯往來，轅轍相違。㊱王門諸子如龍溪則將禮刑等量齊觀，甚至引「先正」的話說，一部《大明律》，意義更精於《大學》，具見其肯定實際治術的態度。龍溪說：

> 出禮而入刑，刑所以弼教而興化也。先正云：「一部《大明律》，其義精於《大學》一書。」……《大學》聖賢精微之蘊，乃以聽訟次於其間，其旨深矣。……慈和則能愛人，明允則能折獄。素明于禮，已得用刑之本。㊲

龍溪這種平衡禮刑關係，以刑律為倫理道德之精義的見解，不但有異於朱子一意要人「從事於懲忿窒欲、遷善改過之事，粹然以醇儒之道自律」的為政觀點，㊳甚至與浙東事功派「乃以勢力為君道，以刑政末作為治體。然則漢之文宣，唐之太宗，雖號賢君，其實去桀紂尚無幾也」㊴之批判觀點亦自不同。龍溪肯定經世，一再強調儒學為經世之學，但其經世思想，並不專取德性，亦不專取事功，而是努力求取兩者間的平衡。他說：

㉟ 《全集·太平縣杜氏鄉約序》，同注⑮，卷13，頁915。

㊱ 如〔宋〕朱熹說：「今自家一個身心不知安頓去處，而談王說霸，別作一個伎倆商量請求，不亦誤乎？」見《朱子文集·答呂子約書》，《朱子大全》（臺北：臺灣中華書局，1985年《四部備要》本），卷47。

㊲ 《全集·贈周見源赴黃州司理序》，同注⑮，卷14，頁965-966。

㊳ 朱熹：《朱子文集·答陳同甫書》，同注㊱，卷36。

㊴ 〔宋〕葉適：《習學記言·毛詩》（臺北：臺灣商務印書館，1986年影印文淵閣《四庫全書》本），卷6，頁12b。

> 儒者之學，務于經世，然經世之術，約有二端：有主于事者，有主于道者。主于事者以「有」為利，必有所待而後能寓諸庸。主于道者，以「無」為用，無所待而無不足。入者為主，出者為奴，見使然也。……而世之儒者，未免溺于有無之跡而二之。其「有」者，以兵賦禮樂為神奇，浴沂風詠為臭腐，是不鑿牖而求室之用也。其「無」者，以兵賦禮樂為臭腐，浴沂風詠為神奇，是去輻而求車之用也。……夫道與事未嘗相離也。有無相因，以應于無窮。二者混而為一，是為經綸，無倚而達諸天。故曰：「上天之載，無聲無臭」，此孔門家法也。㊵

所謂「浴沂風詠」，不但是指曾點一類的狂者之風，更是指「履素樂常」、不爲外物所動的「堯舜氣象」，是王門諸子一致傾心的政治人格。㊶但這樣一種視天下大業如浮雲過目，「主宰凝定，而條畫分明」的理想政治人格，在實際執政時，還是不能不藉助於兵賦禮樂的妙用，否則便成了「去輻而求車之用」，成了無用的心性迂談。人格是一種「無所待而無不足」的無用之用，上同太虛，爲是治世之本，如龍溪所說的：「舜之德同於太虛，而無累於外物」；㊷刑政則是實有，是治世之實效實用。儒者不能將心溺在「有」與「無」的形跡上，將原來渾然爲一、亦虛亦實的有無分裂，須將人格的道虛與刑政的事實合一，使有無相因，應于無窮，才是合下學與上達一體滾出的經綸經世。

在龍溪之後，被視爲「狂禪」的李卓吾是最能掌握王學這種「有無相因」之經世精神的。一方面，提倡打破人我之執的眞空觀，叫人不可自是其是，強

㊵ 《全集·贈梅宛溪擢山東憲副序》，同注⑮，卷 14，頁 947-949。

㊶ 龍溪之言曰：「昔者夫子導諸子之言志，於季路，則哂之；於曾晳則歎而與之。是豈有遠於恒情也哉。季路得國而治，加以師旅，因以饑饉，可使有勇而知方，固非託諸空言者也。較之履素樂常，浴沂風詠，堯舜之氣象，大小則有間矣。」見《全集·督撫經略序》，同注⑮，卷 13，頁 925。

㊷ 《全集·三錫篇贈宮保梅林胡公》，同注⑮，卷 13，頁 931。

人從己，而必須讓天下人「各從所好，各騁所長」，㊸所謂「善愛天下者不治天下」，㊹發揮無爲政治的理論；另一方面，又強調「有爲」的重要，說：「自舜以下，要皆有爲之聖人也。……孔子夢寐周公，故相魯三月而禮教大行。雖非黃唐以前之無爲，獨非大聖人之所作爲歟？安在乎必於無爲而後可耶？」㊺從肯定「有爲」的立場出發，他批評范仲淹儒者自有名教，何事于兵的人格經世觀念，抒論兵、食的重要性說：

> 蓋有此生，則必有以養此生者，食也；有此身，則必有以衛此身者，兵也。……民之得安其居者，不以是歟！㊻

食政在明清經世學的分類中包括理財、養民、賦役、稅課、屯政、倉儲、荒政、鹽法、宗祿、水利、運河、河防等；兵政則指兵制、屯餉、茶馬、九邊形勢、遼東邊防、禦倭、款貢、盜賊等，㊼是明代經世學中最主要的兩部分內容。李卓吾對兵食二政的肯定，代表了晚明王學關心經世，留意當代切身事務的新風氣。這些思想家打破了傳統「有」、「無」對立的觀點，將兵賦禮樂等「實有」之「事」，結合「無所待而無不足」的「虛無」之道（參上述龍溪語），既不全取宋儒人格經世的「主于道者」一路，亦不偏向「主于事者」的雜霸一途，而是通過體用、本末等貫串融和式的思考模式，調和包容，使道事不離，有無相因，造成一種既有主體性特色、又照顧到實踐時之有效性的儒家新經世思想。清初王船山（1619－1692）所提出的道器不離觀念，可能早在陽明學中

㊸ 李贄：《焚書·答耿中丞》，《李贄文集》，同注⑯，卷1，頁33。

㊹ 〔明〕李贄：《李溫陵集·老子解序》（臺北：文史哲出版社，1971年），卷10。

㊺ 〔明〕李贄：《藏書·德業儒臣傳後論》（臺北：臺灣學生書局，1974年），卷24。

㊻ 李贄：《焚書·兵食論》，《李贄文集》，同注⑯，卷3，頁122。

㊼ 據魏源：《魏源集·明代食兵二政錄敘》，同注㉒，上冊，頁163。

就已潛藏了芽櫱，值得吾人深思。

從王龍溪到李卓吾，陽明學中被形容爲「狂禪」的代表性思想家，都有積極的經世思想與經世實學，已如上述。我們再回來看顧憲成一段常被引用的批評晚明王學的名言：

> 至於水間林下，三三兩兩，相與講求性命，切磨德義，念頭不在世道上，即有他美，君子不齒也。㊽

顧氏上述批評，雖然一再爲人引用，並不符合事實。蓋講求性命、切磨德義，固是王學對自家性命本源的關懷，但絕非念頭不在世道上。相反，要念頭常在世道上，才是王學萬物一體的切實關懷。這兩種關懷放在一起，才是理事不離、體用不二的良知的完整終極關懷。

三、自由無待的經世

王龍溪有一段話，最能夠說明王學良知經世的理論：

> 儒者之學，務為經世，學不足以經世，非儒也。吾人置此身於天地之間，本不容以退托。其曰為天地立心，為生民請命，固儒者經世事也，然此非可以虛氣承當，空言領略，要必實有其事矣。欲為天地立心，必其能以天地之心為心；欲為生民立命，必其能以生民之命為命。㊾

《龍溪集》中一再出現「學不足以經世，非儒也」以及「不容退托」這樣

㊽ 《明儒學案·東林學案一》，同注⑭，卷 58，頁 50。

㊾ 《全集·王瑤湖文集序》，同注⑮，卷 13，頁 891-892。

的命題，從《全集》中再舉一些例子如下：

1.聖人之學，主于經世，原與世界不相離。（卷一〈三山麗澤錄〉）

2.夫吾人以經世爲學，乃一體不容已之本心，非徒獨善其身，作自了漢。（卷十一〈答劉凝齋〉）

3.予讀司馬克齋《李公督撫經略疏》，而知儒者有用之學也。學匪適用，謂之腐儒。……知此，始可以議古人經綸之業矣。（卷十三〈督撫經略序〉）

4.士君子立身天地間，惟出與處而已。出則發爲經綸，思以兼善天下；處則蘊爲康濟，思善其鄉，以先細民，未嘗無所事事。（卷五〈蓬萊會籍申約〉）

5.禪之學，外人倫、遺物理，名爲神變無方，要之不可以治天下國家。象山之學，務立其大，周於倫物感應，荊門之政，幾於三代。所謂儒者有用之學也。（卷五〈慈湖精舍會語〉）

上引資料第三條以軍事政治上的「經略」爲「儒者有用之學」，「古人經綸之業」；第五條強調「治天下國家」，都是兼重事功經世、強調有無相因，理事不離的明證。綜合以上所引，則知龍溪服膺的儒學，乃爲經世的、有用的、實有其事的、可以治天下國家的儒學，否則便只是腐儒，只是自了漢，只是禪學。不但如此，龍溪還將傳統儒學達則兼善天下、窮則獨善其身的人格理想，轉化爲上引第四條「出則發爲經綸，思以兼善天下；處則蘊爲康濟，思善其鄉」的新經世理念。根據此一理念，士君子無論顯晦，一樣可以行聖人經綸之道，自由自主康濟救世，不必像宋儒一樣必待得君然後行道，[50]這無疑是儒學中一種

---

[50] 余英時先生認為宋明儒者在政治觀念上最大的差異，是宋儒普遍有待於得君行道，明儒則將眼光由上層移向社會下層，直接爭取民間社會（civil society）的支持。見余英時：〈現代儒學的回顧與展望——從明清思想基調的轉換看儒學的現代發展〉，《現代儒學論》（〔美國〕新澤西：八方文化企業公司，1996年），頁1-10。

革命性的新經世精神。所以王艮以布衣之身，而「一夕夢天墮壓身，萬人奔號求救，先生舉臂起之，視其日月星辰失次，復手整之。」(51)顏鈞（山農，1504－1596）以游俠自居，「頗欲自爲於世，以寄民胞物與之志」。(52)何心隱（1517－1579）謂「《大學》先齊家，乃構萃和堂以合族，身理一族之政，冠昏喪祭賦役，一切通其有無。」(53)卒以「布衣出頭倡道，而遭橫死」。(54)

經世本來必須要有世可經，要先取得行政管理的適當法定地位和君主之充份授權，否則充其量只能從事無直接政經效果的道德教化，而不能從制度或實務上直接有效解決政治經濟社會問題。心齋初謁陽明暢論經世懷抱時，陽明諄諄以「君子思不出其位」告誡，(55)應該就是考慮到地位和授權問題，而表現出一種以舊經世條件緩和新經世精神的謹慎態度。然陽明門下的「英雄」、「豪傑」(56)似乎並不傾向於謹慎，他們擁抱的新經世理念和態度，不受良知主體以外的客觀條件所約束，無論在朝在野，隨時不忘經綸之業，以自身能掌握的資源，直接投入各種不同規模的政治經濟社會事務，或解決實際問題，或追求高遠理想。如李卓吾所說：「世間何事不可處？何時不可救乎？」(57)充分呈現出一種自由無待的新經世精神。

---

(51) 《明儒學案·泰州學案一》，同注⑭，卷 32，頁 68。

(52) 《明儒學案·泰州學案·序》，同注⑭，卷 32，頁 63。

(53) 《明儒學案·泰州學案·序》，同注⑭，卷 32，頁 63。

(54) 李贄：《焚書·為黃安二上人三首大孝一首》，《李贄文集》，同注⑯，卷 2，頁 106。

(55) 陽明與心齋之對話如下：陽明曰：「君子思不出其位。」心齋曰：「某草莽匹夫，而堯舜君民之心，未能一日而忘。」陽明：「舜耕歷山，忻然樂而忘天下。」心齋：「當時有堯在上。」見〔明〕王艮：《王心齋先生全集·年譜》（臺北：中文出版社、廣文書局，1987年影印和刻《近世漢籍叢刊》本），卷 1，頁 21，正德十五年條。陽明《年譜》同年所載心齋初見陽明事則無此段機鋒式的對話。

(56) 李贄說：「蓋心齋真英雄，故其徒亦英雄也。」見《焚書·為黃安二上人三首大孝一首》，《李贄文集》，同注⑯，卷 2，頁 106。至於豪傑一名，則是宋明理學家在道德判斷時普遍使用的自許許人之詞。

(57) 李贄：《焚書·復鄧鼎石》，《李贄文集》，同注⑯，卷 2，頁 71。

何以經世理念可以從「得君行道」轉向「自由無待」？關於這點，余英時先生已經從專制政治發展和民間社會形成等外緣角度切入，作了精闢分析（參見註(50)）。其實，這也可以從陽明哲學本身得到解釋。首先，陽明哲學強調心的主宰性，要人自信良知，不假外求，良知靈明充塞在宇宙天地中間，當不受形體間隔時，這靈明就是天地的心，就是天地鬼神的主宰，就是吉兇災祥之源，所以它的經世在本質上可以是自由自主而無所待的。《傳習錄》載：

> 先生曰：「你看這個天地中間，甚麼是天地的心？」對曰：「嘗聞人是天地的心。」曰：「人又甚麼教做心？」對曰：「只是一個靈明。」「可知充塞天地中間，只有這個靈明。人只為形體自間隔了。我的靈明，便是天地鬼神的主宰。天沒有我的靈明，誰去仰他高？地沒有我的靈明，誰去俯他深？鬼神沒有我的靈明，誰去辯他吉凶災祥？天地鬼神萬物，離卻我的靈明，便沒有天地鬼神萬物了。(58)

在無形體間隔物我、滋生私欲時，良知作爲「性之靈」，原與萬物同體，(59)在良知瑩澈的仁人君子眼底，只教有「一物失所，便是吾仁有未盡處」，(60)便會產生感同身受而「一體不容已」的匍匐救恤之心。陽明門人聶豹（雙江，1487－1563）說：「天地萬物本與吾一體……禽獸草木一物失所，匹夫匹婦有不被堯舜之澤者，皆我之責也。」(61)陽明自己對此也有明確論述：

---

(58) 陳榮捷：《王陽明傳習錄詳註集評》（臺北：臺灣學生書局，1988 年修訂版），卷下，頁 380-381，第 336 條。

(59) 王畿說：「良知是性之靈，原是以萬物為一體。」見《全集·留都會紀》，同注⑮，卷 4，頁 306。

(60) 《傳習錄詳註集評》，同注(58)，卷上，頁 112，第 89 條。

(61) 〔明〕聶豹：《雙江聶先生文集》（臺南：莊嚴文化事業公司，1997 年《四庫全書存目叢書》本），卷 14，頁 56。

夫人者，天地之心。天地萬物，本吾一體者也。生民之困苦荼毒，孰非疾痛之切於吾身者乎？不知吾身之疾痛，無是非之心者也。是非之心，不慮而知，不學而能，所謂良知也。良知之在人心，無間於聖愚，天下古今之所同也。[62]

這裡將天地之心、一體之仁和良知主宰一線貫串，將現實世界的生民困苦全部收入一己自主的是非之心中，比較朱子「天地之間，自有一定不易之理」的客觀天理觀與秩序架構，[63]陽明學說中的主觀能動性顯然更易讓人在經世時擺脫「定理」的權威與現實秩序架構的約束，進入自由無待、隨處體認天理（陳白沙語）的境界。陳白沙（名獻章，1428－1500）說：「宋儒言理太嚴」，[64]此一感慨，正好交待了陽明學派追求自由之理的背景。而陽明在龍場悟道時所體認的「聖人之道，吾性自足，不假外求」此一新的眞理觀，也正說明了「自由無待」此一境界在陽明學說中的重要性。

陽明要致良知於事事物物，故明明德必從親民上見，良知須在事上磨鍊，使「物物皆在我光明普照之中」（明德親民），然後仁覆天下。[65]良知在光明普照中周流不息，是生生不已之機，不能有一刻停頓，所以無論出處顯隱，良知都一般地在感應著天下國家之實事，對「本吾一體」之生民困苦，隨時隨處一一照應，行其所宜而盡吾心。王龍溪引陽明之言發揮曰：

君子之學，無間於出處，無擇於官，求以盡吾心而已。昔有士人聽講於

---

[62] 《傳習錄中·答聶文蔚》，《陽明全書》，同注[21]，卷2。

[63] 《朱子文集·答黃叔張》，同注[36]，卷38。關於朱學中客觀性定理的問題，可參看〔日本〕島田虔次：《朱子學と陽明學》（東京：岩波書店，1967年）。

[64] 〔明〕陳獻章：《陳白沙集·復張東白》（臺北：臺灣商務印書館，1986年影印文淵閣《四庫全書》本），卷3。

[65] 《全集·留都會紀》，同注[15]，卷4，頁306。

陽明先師曰：「此學甚好，只是簿書訟獄繁勞，未免妨奪。」先師曰：「我何嘗教人離卻簿書訟獄，懸空去講學。學不離於見在，見處官司上為學，方是真格物。……簿書訟獄之間，無非實學，離卻簿書訟獄，便是落空。」不惟聽訟一事，推而至於監司守令，宰執乘田，莫不皆然。惟求盡吾是非之本心，以達於政。不以一毫利害毀譽動於其中。致者，致此也；格者，格此也。知此則知古人之學矣。(66)

可見簿書訟獄、監司守令、宰執乘田等役事，都是格物致知的實學對象，是避免懸空講學的落實磨鍊。凡與百姓日用有關的事，不問大小輕重，都可以盡是非之心爲之，只要不計個人利害，不顧一己毀譽，便可隨時隨處遂行經世經綸之心。所謂「無間於出處，無擇於官，求以盡吾心」是矣。

日本學者岡田武彥在研究龍溪的「現成主義」（existentialism）時指出，龍溪認爲，陽明處事時之不動心，全得力於神感神應的現成良知，從這點出發，龍溪在主張頓悟時便比陽明更跨前了一大步，(67)黃梨洲說他懸崖撒手（本龍溪自語），「是不得不近於禪」，(68)近人勞思光先生則指他「頗有打亂儒佛分界之病」。(69)但是，現成良知不只讓龍溪在頓悟的「上達」主張上勇往直前，也讓他在自由無待的經世「下學」中比陽明有更多發揮。如上引「昔有士人聽講於陽明先師」一段，《傳習錄》載陽明之言，意思略同，但僅限於論簿書訟獄

(66) 《全集·贈周見源赴黃州司理序》，同注⑮，卷 14，頁 963-964。所引陽明之言亦見於《傳習錄》，見《詳註集評》本，同注(58)，卷下，頁 297，第 218 條。

(67) Tokehiko Okada（岡田武彥），"Wang Chi and The Rise of Existentialism", in Wm. Theodore deBary, ed., *Self and Society in Ming Thought*, pp.129-130.有人將此 existentialism 譯為「存在主義」，可供一哂。

(68) 《明儒學案·浙中王門學案二》，同注⑭，卷 12，頁 2。牟宗三先生不同意梨洲之「近禪」判斷，認為「蓋黃梨洲于禪非禪之關鍵亦並未弄清楚也」，但同意龍溪之頓悟有「蕩越與疏忽不諦處」，見氏著：《從陸象山到劉蕺山》（臺北：臺灣學生書局，1990 年），頁 279-282。

(69) 勞思光：《新編中國哲學史》（臺北：三民書局，1990 年），3 上，頁 453。

一事，不及其餘，也沒有「學不離於見在」一語。(70)在「離卻簿書訟獄，便是落空」後面的「推而至於監司守令、宰執乘田，莫不皆然，惟求盡吾是非之心，以達於政」一大段話，不見於《傳習錄》，應該是龍溪自己的發揮。將陽明與龍溪之言一比較，陽明重點乃落在「實學」一邊，強調的是「若離了事物爲學，卻是著空」（《傳習錄》語）的道理。龍溪看緊的是「達政」，故在簿書訟獄之外，添加監司守令、宰執乘田等各級官吏人員，又在開首處表明《傳習錄》所沒有的「君子之學，無間於出處，無擇於官，求以盡吾心而已」之按語，將問題扣緊在政治上，隨時隨處經世達政之心，更是昭然欲揭。

對龍溪而言，經世似乎是一種緊迫的、不能等待的良知衝動。通過貫徹天地的良知，生民疾痛與吾人休戚一體相關，士君子不容自已，必須維持撫摩，乃有經世之意。一旦立意經世，這種痌瘝在身的一體之仁更不容一日退托，不能自居於肥遯，也不能等待得君然後行道，無論出處，也無論官職尊卑大小，要隨個人力之所及，「在家仁家，在國仁國，在天下仁天下」，方是儒者本一體之仁，以良知經世之正諦。龍溪說：

> 道喪千載，絕學悠悠，天地自天地，生民自生民，吾人自吾人，睽分渙裂，漠然不相聯屬。噫，敝也久矣。自陽明夫子倡道東南，首揭良知之旨以覺天下，天下之人，皆知此心之靈，貫徹天地，而生民之痌瘝疾痛，始與吾人休戚，一體相關，為之維持撫摩，以求盡其心而致其命者，始炯然不容於自己，所謂生生之仁也。夫良知在人，聖愚未嘗不同，然而有能有不能者，利害毀譽，有以蔽之也。吾人誠有意於經世，豈忍一日悠悠，甘於退托，漠然視之而已也。天地萬物，一體相通，生生之機，自不容已。一切毀譽利害之來，莫非動忍增益，以求盡吾一體之實事，

---

(70) 《傳習錄詳註集評》，同注(58)，卷下，頁297，第218條。

> 隨其力之所及，在家仁家，在國仁國，在天下仁天下，所謂格物致知，儒者有用實學也。(71)

這種迫切的經世衝動，實來自陽明。對陽明來說，良知除了具有「吾性自足」的主觀能動性質之外，還有「天植靈根，自生生不息」的意義。(72)與生生不息同源的萬物一體之仁，自然成就一種「疾痛迫切，雖欲已之，而自有所不容已」的淑世衝動。(73)日本學者島田虔次發現，在嘉靖、萬曆間的儒學論著中，尤其是陽明學派的著作中，經常伴隨良知一詞出現的，除了萬物一體之仁之外，「生生不容已」或單獨的「生生」、「不容已」，還有「生生不息」、「生生不測」、「生機」、「本根生意」、「生機作用」、「生生之機」、「本來生機」、「本來性命生機」、「本來靈覺生機」、「生生命脈」、「心之生理」、「知之生生」、「意之生生」等形容語，「幾乎可以說是恣意放蕩地出現」。(74)

對內在良知生生之確信，使龍溪等人敢於採取直線式的行動，不依賴名位、權勢、法度等中間媒介，從個人良知直達經綸經世，表現出一種自由無待的新經世精神。王心齋在夢中重整日月星辰的次序，何心隱因反對徵收「皇木銀兩」而忤觸官府，李卓吾被批評爲「猖狂無忌憚」，都與這種自由無待的精神有關。龍溪稱這種精神爲「天游」，它本身涵攝名節道誼之眞諦，卻不爲名節道誼之名所拘持，無思無爲，不傍門戶，以成獨往獨來大豪傑。(75)心齋晚年著〈均分草蕩議〉，贊成將故鄉安豐場之草蕩地均分與百姓經營鹽灶，劃定經界，造冊給票。他將這項工作視同「裂土之事」，是「王者之作」，說：「裂土封疆，

---

(71) 《全集・王瑤湖文集序》，同注⑮，卷 13，頁 892-893。

(72) 《傳習錄詳註集評》，同注(58)，卷下，頁 314，第 244 條。

(73) 《傳習錄中・答聶文蔚》，《陽明全書》，同注㉑，卷 2，頁 31 上。

(74) 〔日本〕島田虔次：〈王陽明與王龍溪——主觀唯心論的高潮〉，見佚名編：《日本學者論中國哲學史》（臺北：駱駝出版社，1987 年），頁 393。

(75) 詳見《全集・與魏敬吾書》，同注⑮，卷 12，頁 800。

王者之作也；均分草蕩，裂土之事也。其事體雖有大小之殊，而于經界受業則一也。」(76)將一介書生籌劃均分一鄉草蕩的行爲，等同於王者之分疆裂土，其大膽僭越處，決非宋儒所敢潛想，更遑論宣之於口，筆之於書了。心齋早年即因仿孔子造「蒲車」，沿途聚講，直抵京師，(77)引起朝野側目，而受到陽明抑挫，三日不得見，乃長跪認錯，同門當時都讚歎他勇於改過。(78)看來，這位「左王」不但沒有改過，兼且變本加厲，陽明此時倘仍健在，不知是會因其不避嫌忌而覺得好氣？抑或因其青出於藍而覺得好笑？

四、體虛用實的經世

王龍溪的經世思想，可分體用兩端。體即無善無惡、虛靈不滯的良知本體，當經世時，尤強調其虛心應物、不滯於私的公義性，這時的本體，便可稱爲「無欲之體」。所謂：「儒者之學，以經世爲用，而其實，以無欲爲本。無欲者無我也，天地萬物，本吾一體，莫非我也。」(79)則「無欲之體」本就是愛無不周的仁體，也就是自然明覺的良知，(80)應世接物時自有「變動周流、惟變所適」之用，(81)所謂：

> 虛心應物，使人人各得盡其情，能剛能柔，觸機而應，迎刃而解，更無些子攙入。譬之明鏡當臺，妍媸自辨，方是經綸手段。(82)

---

(76) 《王心齋全集·均分草蕩議》，同注(55)，卷4。

(77) 〔明〕趙貞吉：〈王艮墓銘〉，載《王心齋全集》，同注(55)，卷5。

(78) 《王心齋全集·年譜》，同注(55)，卷5，嘉靖元年壬午。

(79) 《全集·賀中丞新源江公武功告成序》，同注⑮，卷13，頁931-932。

(80) 「無欲之體」乃是良知本體的另一種說法，如龍溪所言：「良知者不學不慮，自然之明覺，無欲之體也。」見《全集·文林郎項城縣知縣補之戚君墓志銘》，同注⑮，卷20，頁1469。

(81) 《全集·文林郎項城縣知縣補之戚君墓志銘》，同注⑮，卷20，頁1469。

(82) 《全集·維揚晤語》，同注⑮，卷1，頁106。

無欲之體與經綸手段，一在虛心，一在應物，有體之虛則自然有用之實，以明鏡爲例，則虛明不滯於物乃其質體，反映物情各如其實爲此質體自有之作用。明鏡若滯於一物而不能普照萬物，將不成其爲明鏡，同樣，良知若滯於私欲而不能盡萬物之情，亦將不成其爲良知。因此，自龍溪等人看來，良知之虛是經世之實的必要條件，經世之實則是良知之虛的充份呈現。體虛用實，方是合必要條件與充份條件爲一的眞致良知，方是儒學經世的蕩蕩王道。

這裡所謂良知之虛，重點在無欲兩字。在陽明學說中，良知之體如同太虛之體，昭明靈覺，圓融洞徹，自無富貴之可慕，貧賤之可憂，故龍溪稱之爲「無欲之體」。陽明說：

> 夫惟有道之士真有以見其良知之昭明靈覺，圓融洞徹，廓然與太虛而同體。太虛之中何物不有，而無一物能為太虛之障礙。蓋吾良知之體本自聰明睿知，……本無富貴之可慕，本無貧賤之可憂，本無得喪之可欣戚，愛憎之可取舍。[83]

但不慕富貴、不憂貧賤並不是說人心中沒有這些情欲念慮，而是要人認得心體明白，情欲來時順其自然流行，一過而化，無執著，無滯留，也不必分別善惡。陽明云：

> 喜怒哀懼愛惡欲，謂之七情，七情俱是人心合有的，但要認得良知明白。……七情順其自然之流行，皆是良知之用，不可分別善惡，但不可有所著。七情有著，俱謂之欲，俱為良知之蔽。[84]

---

[83] 《陽明全書・答南元善》，同注[21]，卷6，頁7下。

[84] 《傳習錄詳註集評》，同注[58]，卷下，頁342，第290條。

太虛中有日光通明亦有雲霧四塞，人心亦兼統性情，這是自然流行。但心之本體不滯不留，應物不居，所謂「良知雖不滯於喜怒憂懼，而喜怒憂懼亦不外於良知也。」㊵一有滯著，便成私欲，便有障蔽。不但情欲念慮如是，即善念亦不可執，一執便成留滯，所以陽明說：

「心體上著不得一念留滯，就如眼著不得些子塵沙。些子能得幾多，滿眼便昏天黑地了。」又曰：「這一念不但是私念，便好的念頭亦著不得些子。如眼中放些金玉屑，眼亦開不得了。㊶

又說：

然不知心之本體原無一物，一向著意去好善惡惡，便又多了這分意思，便不是廓然大公。《書》所謂「無有作好、作惡」，方是本體。㊷

陽明這種心體原無一物的境界，即龍溪所謂「無善無惡」的「四無說」之所本。㊸「四無」指心意知物俱無善無惡，因此反對「爲善去惡是格物」的工

㊵ 《傳習錄中·答陸原靜》，《陽明全書》，同注㉑，卷 2，頁 19 下。

㊶ 《傳習錄詳註集評》，同注㊳，卷下，頁 380，第 335 條。

㊷ 《傳習錄詳註集評》，同注㊳，卷上，頁 141，第 119 條。

㊸ 龍溪「四無說」指「心意知物，只是一事。若悟得心是無善無惡之心，意即是無善無惡之意，知即是無善無惡之知，物即是無善無惡之物。」學者於是只須從先天心體上立根，無所謂為善去惡的格物工夫。這是對陽明平日教人的「四句教」中「無善無惡心之體」一語的詮釋。東林派批評「無善無惡」為禪說，劉宗周則從根本上懷疑「四句教」的存在，以為「考之陽明集中，并不經見。」均有衛道太勇之失。有關「四句教」及「四無說」的基本資料，可參看陳來：《有無之境》（北京：人民出版社，1991 年），第八、九章。但陳來認為「無善無惡」也可以理解為「超倫理的」，「并不表示對象具有倫理意義的善」（頁 204），則是為談哲學而談哲學，脫離了中國思想的現實。

夫，現成良知活潑潑地，不待工夫修證，[89]心體光明不著一物，故能常寂常感，常動常靜，符合良知與經世當下一體的要求。《龍溪集》中有這樣一段問答：

> 遵巖子問曰：「荊川謂吾人終日擾擾，嗜慾相混，精神不得歸根，須閉關靜坐一、二年，養成無欲之體，方為聖學，此意何如？」先生曰：「吾人未嘗廢靜坐，若必藉此為了手，未免等待，非究竟法。聖人之學，主於經世，原與世界不相離。……以見在感應不得力，必待閉關靜坐，養成無欲之體，始為了手，不惟蹉卻見在功夫，未免喜靜厭動，與世間已無交涉。如何復經得世？」[90]

這段答問透露出兩點重要訊息：第一，龍溪認為無欲之體可在見在感應中而達，在日常行事中隨時應感隨時收攝，只要維持著不滯不著狀態，便可不動於欲，不必拋開人間百事，閉關求靜，然後才養成無欲之體。第二，聖人之學與世界不相離，如離事靜坐去求無欲，便易喜靜厭動離世出世，而不能經世，不成聖學。換言之，良知與經世的關係是一種「當下即是」的關係，見在良知直下承擔，雖在交涉紛紛的世務之中，也能像羅念菴那樣「日與閭役之人執冊布算」，而「耐煩忘倦，略無一毫厭動之意」；[91]或者像更早的陸象山那樣，「掌庫三年，所學大進」。[92]照後世的批評，性命與實務是互相拒斥的兩個領域，言性命者往往不通實務，或根本不想涉及實務。這當然也有一部分事實根據，在禪學、養生學、陽明心學同時並行的晚明，也有不少人會認為應物與明

[89] 龍溪屢辯此義，如：「至謂世間無有現成良知，非萬死工夫，斷不能生，以此較勘世間虛見附和之輩，未必非對病之藥。若必以現在良知與堯舜不同，必待工夫修證而後可得，則未免於矯枉之過。」見《全集·松原晤語》，同注[15]，卷2。

[90] 《全集·三山麗澤錄》，同注[15]，卷1，頁108。

[91] 《全集·松原晤語》，同注[15]，卷2，頁191。

[92] 《全集·撫州擬峴臺會語》，同注[15]，卷1，頁140。

心見性不能當下並存，但這絕不是龍溪等王門主要流派的見解，相反，龍溪根本不承認應物與明心是不同的事，照他看來，這兩件事不必也不可能分開。龍溪《全集》中載：

> 一友問：「應物了即一返照，何如？」曰：「是多一照也。當其應時，真機之發即照，何更索照；照而不隨，何待於返？」[93]

良知眞機同於太虛無欲之體，應物莫不盡如物情，故曰「照」；心中不滯不留，一過即化，是「何更索照」；無欲之體自不逐物，是「照而不隨」；心體不著一物一念，空明虛靈，順應萬物而未曾一動，自無所謂返不返的問題了。於是，在經世上，無欲之體便構成了「本」的問題，若根本不立，不能如太虛之公正無私，照物便不能盡如萬物之情。這樣，經世便不能不離道而言法，變成法度取向的格局，由此紛紛擾擾，嗜慾相混，眞是逐物不返了。龍溪批評王安石的變法說：「讀介甫書，見其凡事歸之法度，此是介甫敗壞天下處。堯舜三代，雖有法度，何嘗專恃此？」[94]法度不是不重要，然不能離卻道體專恃法度。法度是實用層的設計，必須從太虛無欲的本體中開出，才能達到仁覆天下的效果。龍溪有一段話，正好說明這層關係，他說：

> 古之欲明明德於天下，不是使天下之人，各誠意正心以修身，各親親長長以齊家之謂也。是將此靈性，發揮昭揭於天下，欲使物物皆在我光明普照之中，無些子昏昧間隔，即仁覆天下之謂也。[95]

---

[93] 《全集·水西精舍會語》，同注[15]，卷3，頁242。
[94] 《全集·撫州擬峴臺會語》，同注[15]，卷1，頁141。
[95] 《全集·留都會紀》，同注[15]，卷4，頁306。

這段話乍看之下，似乎充滿神秘與浮誇，不可以理求。但如果瞭解了龍溪良知經世的整體思想架構，便知他所謂將「靈性發揮昭揭」，「使物物皆在我光明普照之中」，實涵攝著要從無欲本體中開出順應人情物理的法度，以「性情之發」，作「人倫庶物感應」，「以濟日用」的經世思想，[96]仍然是陽明「明明德必從親民上見」思路之發展。李卓吾對兩者的關係說明得極好：

> 是故苟知所止，則明明德者不為空虛而無用，即明德而親民之道已具；親民者不為泛濫而無功，即親民而明德之實自彰。苟未知所止，則明德為雜學之空虛，親民為俗學之支離，胥失之矣。[97]

「明德」即魏源《皇朝經世文編·序》中所說的「自治」，「親民」即所謂「外治」。要先有自治自得的內在良知——明德，然後親民才能夠順「道」而行，才能上達道的層次；「親民」不能泛濫無功、支離破碎地進行，必使明德之實能夠彰顯。這樣，明德與親民，便是體與用、有與無、虛與實的關係，外治乃自治之自然延伸，法度即無欲之體的具體落實，這是龍溪「靈性發揮昭揭」，「使物物皆在我光明普照之中」的經世理想。二百年後，魏源高唱「道形諸事謂之治」，「淑其身，以形爲事業」，[98]「王道至纖至悉，井牧徭役兵賦，皆性命之精微流行其間。」[99]在這些後起的經世思想中，一樣強調「性命之精微」與「井牧兵賦」之間所存在的「道」與「事」的關係。[100]雖然因爲歷

[96] 《全集·新安福田山房六邑會籍》，同注[15]，卷2，頁213。
[97] 李贄：《續焚書·與馬歷山》，《李贄文集》，同注[16]，卷1，頁343。
[98] 魏源：〈默觚上·學篇九〉，《魏源集》，同注[22]，頁23。
[99] 魏源：〈默觚上·治篇一〉，《魏源集》，同注[22]，頁36。
[100] 儘管乾嘉學者對「性命」此一概念的解釋有大異於明儒處，如阮元《性命古訓》中所述者。但魏源本人學術中有相當成份的陸王傳統，此處所說「性命之精微」，即單從文義上瞭解，顯然亦非採取阮元的訓詁。

史大勢之變化，魏源一代知識分子在面對經世問題時，更多注意實際行政及經濟夷務等具體問題的解決，但在主要精神上，仍然是儒家由內及外、道形諸事的王道經世傳統。從這個角度看來，龍溪及王門後學所抱持的良知經世理念，在儒學發展史上，應該被視爲一種極具時代與學術意義的轉型，它改變了宋儒人格經世的取向，將良知之虛體與經世之實用合一，在性命理氣的形上探討中，開出道形諸事的經世思想，從理學或心學內部，扭轉了儒學從北宋以來專注於「自治」（人格經世仍然是廣義的自治）而忽視「外治」的傾向。明末清初通經致用學風能夠迅速地橫掃一世，與理學內部從獨重「自治」到「自治」「外治」並重的轉變趨勢，其間不無關係。

最後，讓我們來看看除了從理論上肯定體虛用實經世的重要性之外，龍溪及王門後學如何在實際事功上表現「外治」的經世學。在討論這個問題之前，我們別忘了本文第二節所提到的，王龍溪曾與萬鹿園合作編輯一部《經濟錄》，龍溪告訴我們，這部書是從「本朝名臣奏議及十三省九邊圖考」中，採擇「關於國體切于時政事宜」的內容彙輯而成。根據此一敘述，《經濟錄》可能和後來陳子龍等所編的《皇明經世文編》屬同一性質之書，應該是目前所知最早一部經世文編。此書現雖不存，但可證明王龍溪、萬鹿園等人確實有意建立自己的經世學，在「外治」的事功經世上曾經下過一番工夫。

本文第二節已描述過王門後學事功經世的一般情形，現在據龍溪《全集》所載，述龍溪在實際事功方面的一些見解。

一、田賦：龍溪以爲，治民當以經界爲先務，先測定土地沃瘠、田勢高下等，才能公平定出賦法。他爲故鄉山陰縣縣令作〈山陰縣覈田平賦歲計序〉，先考據山陰的田賦沿革，指出山陰屬揚州，田賦之制漢以前無可考，明初沿唐宋之舊，田賦皆有定額，隨賦有徭役、里甲等供輸，不失爲善法。日久法弛詭生，豪強里書勾結舞弊，經界不清，累賠小民。龍溪讚揚前兩任縣令清查經界，「有圖以紀」、「有冊以稽」，使「無糧之田無從以隱」，將「無挨之米」攤入四鄉均分賦役的作法，又贊同餘姚縣提出「一條鞭」法，將各種各色的輸納一總折成銀價，總收後再分解各處官廳。〈序〉中更詳記現任縣令擇糧長，使之負責收藏號簿號票，將各鄉原派的田畝，該米該銀幾何，印給由帖，使民共知，即老婦幼童亦可據由輸納，杜絕豪強吏胥漁侵舞弊之途。[101]

二、平倭：嘉靖年間爲倭患極盛之時，龍溪作〈督撫經略序〉，闡明「島夷倡亂，內寇爲之應，民不聊生，將驅而從亂」的政略問題，強調平倭一方面要募兵選士，示以威武，一方面更要「汲汲以救賑撫綏爲首務」，輯內所以攘外。在戰略上，龍溪詳述要在通、泰一帶作主戰場，將從海門突入的倭寇聚殲，以確保東南門戶的瓜州和南京屏藩的鳳陽、泗州無警無患。「瓜儀無警，則餉舸安流；鳳泗無患，則諸陵鞏奠。」江淮免受摧殘，東南元氣始能維持。[102]

三、平寇：王陽明在正德時巡撫南贛，在橫水、桶岡、浰頭一帶平定「山中賊」，並創設「十家牌法」，推行保甲聯防制度，[103]設置縣治。正德時，黃鄉葉楷又有叛亂，巡撫江公乃招兵進剿，龍溪作〈賀中丞新源江公武公告成序〉，詳述起兵之先，江公先召集當地葉姓及親姓子弟，集中在陽明祠內，與眾生員雜處共業，興起其禮義嚮往之心，又派人到葉楷根據地曉諭離間，並倡議增設縣治，爲久安之計。一切布置就緒後，乃檄集贛州、潮州、汀州各處軍隊，及水營部勇，合力進剿，葉楷黨羽紛紛反戈自贖，七日而亂平。龍溪總結致勝的原因說：「首尾方七日，平除數十年未了之巨寇，人徒知成功之易，而不知運謀決策，已非一日，所謂廟算勝者此也。非有得於一體之義，眞能廓然無我者，能若是乎？」[104]重申了以無欲之體致事功實用的經世思想。

以上例子反映了王龍溪本人對田賦、平倭、平寇等當代最重要經濟、軍事

---

[101] 詳見《全集·山陰縣覈田平賦歲計序》，同注[15]，卷 13，頁 901-907。

[102] 詳見《全集·督撫經略序》，同注[15]，卷 13，頁 920-925。

[103] 見《陽明全書·申諭十家牌法增立保長》，同注[21]，卷 17。

[104] 詳見《全集·賀中丞新源江公武功告成序》，同注[15]，卷 13，頁 931-936。

問題的實際關懷。在地方行政事務上，他也在不同場合提出了「修縣治、興學校、築城垣、建義倉、講鄉約」，[105]或「識本心、厚倫理、端禮教、勸本業、禁奢靡、息爭訟、弭盜賊、置義倉、崇會規」等儒家型事功的見解。[106]從這些對實際事務的關懷和見解中，可以看出龍溪絕不只是高談性命，而是努力要將「自治」與「外治」合一。在田賦、平倭等問題上，更可看出龍溪對這些當時最重要的軍國大事一直都有留心，對田賦沿革、利弊得失等固瞭若指掌；對戰略形勢，險阻進退等亦皆了然於胸。故籌箸佈兵，如親臨戰場；興利除害，俱切中時弊，具有實際可行性，非迂闊高論的書生意見可比。

龍溪嘗言：「以政爲學，以無欲爲基，以天地萬物一體爲己任。」[107]無欲爲基、萬物一體，是「自治」本體；以政爲學，則是「外治」的經世實學，二者有本末之序而無偏廢之理。龍溪又言：「古今稱儒將者，曰諸葛武侯。學以廣才，靜以成學。靜之一言，入道之基。」[108]靜不是靜坐，而是周敦頤所說的無欲則靜，所以是入道的根本。但要成爲諸葛亮這樣建立道義型勛業的儒將，除了要體現靜以成學的無欲本體外，還必須要「學以廣才」，要具備以學爲根柢的政治、經濟、軍事等才具。學與才相合，即學術與事功相合，[109]便能達成「道與事未嘗相離也，有（用）無（體）相因，以應于無窮，二者混而爲一，是謂經綸無倚而達諸天」[110]的良知經世理想。否則，有才無學（指靜以成學之學），不是「區區幹局之良」，[111]就是「有才與智之人，可以僞爲而得」。[112]

---

[105] 《全集・太平縣修建五事記》，同注[15]，卷 17，頁 1211。

[106] 《全集・太平縣杜氏族約序》，同注[15]，卷 13，頁 915。

[107] 《全集・賀中丞新源江公武功告成序》，同注[15]，卷 13，頁 934。

[108] 《全集・賀郭將軍平寇序》，同注[15]，卷 13，頁 942。

[109] 龍溪對學術與事功的關係有這樣的描述：「學術事功相表裡，學術既正，趨向必端，事功必顯。」見《全集・紹興府名宦祠記》，同注[15]，卷 17，頁 1208。

[110] 《全集・贈梅宛溪擢山東憲副序》，同注[15]，卷 14，頁 949。

[111] 《全集・贈紹坪彭侯入覲序》，同注[15]，卷 14，頁 953。

[112] 《全集・贈莊侯陽山入覲序》，同注[15]，卷 14，頁 960。

反過來說，若有學無才，便只能作連佛家都看不起的自了漢，更不足以稱儒學。所謂「儒者之學，務爲經世，學不足以經世，非儒也。」⑬

儒學必然能夠經世，經世則須結合無欲之體與事功之用，這是龍溪及其同路人對儒學所描繪的一幅新圖像。這新圖像新理念使晚明儒學在經世上找到了新的發展方向：它脫離了宋儒「人格經世」的泛「自治」模式，強調道事不離，主張完整的、眞具萬物一體之仁的「自治」，必須與「外治」合一，才是良知的眞實與充份呈現。此一新的經世思考模式，與清初王船山等人道器不離的經世思想實可互相發明；與後來魏源「井牧徭役兵賦，皆性命之精微流行其間」的理論，亦似有脈絡可通，值得吾人作進一步研究。

五、結　論

劉廣京教授曾經說過，經世思想或經世之學「很難有普遍公認的定義」，劉教授又統計了一九八三年中央研究院近代史研究所舉辦「近世中國經世思想研討會」的討論內容，發現討論的範圍自文史經世，到輿地、天文、曆算、貨幣、以至憂患意識、民族主義等，可謂林林總總，包羅繁富。⑭已故的蕭公權教授說宋儒政論「皆以仁道爲政治之根本，而以正心誠意爲治術之先圖」（參見註㉝），朱熹《近思錄》載程明道論制度，首重學校養士，⑮是宋代理學家又有自己的人格經世之學，使經世思想的定義幾乎成爲不可能。

---

⑬ 《全集・王瑤湖文集序》，同注⑮，卷 13，頁 892。這層意義，龍溪《集》中一再出現，請參閱本文第三節。

⑭ 劉廣京：〈皇朝經世文編關於經世之學的理論〉，《經世思想與新興企業》（臺北：聯經出版事業公司，1990 年），頁 77-78。

⑮ 陳榮捷：《近思錄詳註集評》（臺北：臺灣學生書局，1992 年），卷 9，頁 411，「制度」第 2 條。陳教授在該條後引朱熹之言曰：「蓋嘗思之，必欲乘時改制，以漸復先王之舊，而善今日之俗，則必如明道先生熙寧之議，然後可以大正其本而盡革其末流之弊。」可見朱熹也完全贊同此意。

本文所謂經世，在涵義界定上分前後兩個步驟進行。第一步，先借用清嘉道間魏源等人爲經世學所規定的範圍，作爲本文經世一詞的基本定義（參見本文第二節起首部分）。在此定義下，如果王龍溪等人仍主人格經世舊說，如宋儒所主張者，則不視其爲經世思想。一定要肯定政制政術本身獨立的重要性，而且有興趣作深入探討，或躬親實踐實履的，才算是經世。第二步，由於陽明後學注重實務經世的同時，又強調良知本體作爲指導原則的重要性，考慮到這是體用一源的並重，是新的經世理念，不是傳統重道德輕事功的人格經世格局，所以稱這種新理念爲「良知經世」。這新理念並不違反上述第一步的基本定義，因爲在第一步範圍內所重視的條件，都未曾失去或減少。

良知經世的特色，首先表現在道事不離，有無相因的觀念上。既不純主於道，亦不偏主於事。兵賦禮樂等有跡的「事」不得視爲臭腐；性命靈根等無形的「道」，亦非迂遠玄虛之談。正確的經世之道，應該是「道」與「事」，「有」與「無」的混一，養成「主宰凝定，而條畫分明」的「堯舜氣象」，在人間創造政治樂園。

良知是「萬物一體之仁」，也是「不容自已」的天地的心。良知瑩澈、物我不隔的仁人君子，視天下之饑溺疴癢如同己受，「一物失所，便是吾仁有未盡處」，便欲康濟天下。良知又是天植靈根，人人具足。所以每個人只要信得自家良知，便可以盡一己之心去救世，「在家仁家，在國仁國」，不一定要作官才能爲百姓解決問題，也不需要「得君」然後「行道」。良知經世是一種自由無待的經世，不依賴名位、權勢、法度等媒介，只要良知具足，便時時可爲，處處可爲，呈現出一種新的經世精神，也暗示了社會動員的可能性。

良知本體常可以形容爲「虛」和「無」的，虛是虛心，無是無滯，虛心應物，無滯於私，便是「無欲之體」。無欲之體如太虛之公正無私，在倫常日用中隨時應感，不滯不著，不動於欲，照物盡如萬物之情，經世時就可以免除嗜慾相混的紛擾，從太虛無欲的本體中實現仁覆天下的法度，體虛用實，「自治」

通於「外治」，良知與經世之間，形成體用一源的結構關係。

抱著上述新的經世理念，王龍溪對田賦、平倭、平寇等當代最重要的軍國大事都表現出深切的關注，也表現了過人的見解。他更與萬鹿園合作，編輯了可能是目前所知第一部經世學的總集——《經濟錄》。書雖不存，他對經世學的關懷與重視，卻仍可由這個行爲本身所證明。龍溪之外，同時代及後代的王學傳人，尤其是被稱爲「狂禪」一系的左派王學思想家，如王心齋、顏山農、何心隱，一直到明末的李卓吾，也一直都表現出強烈的經世衝動。東林學派指王學「憑虛見而弄精魂」、「信虛悟而卑實踐」、「不免空天下國家」、「相與講求性命，切磨德義，念頭不在世道上」，清初顧亭林所謂「置四海困窮不言，而講危微精一」（以上請參看本文第一節），這類批評指謫，事實上都是一種成見型鑄，並不反映學術史的眞相。當然，明代學者中不乏高談性命不問世務的人，但這種人也同樣受到龍溪等王門傳人的批判輕視，當然不能代表王學的眞精神。眞正的王學，即體即用、即良知即經世，道事不離，自由無待。明德與親民，是體與用、有與無、虛與實的結構關係，「外治」乃「自治」之自然延伸，法度即無欲之體的具體落實。這種體用一源的良知經世思想，在陽明自己的思想體系中可以找到源流，經王龍溪發揚，一直到李卓吾，始終是王學思想中的一大特色。掌握此一特色，當有助於吾人正確瞭解晚明王學久被扭曲、誤解之眞貌。

蘇軾欲乘什麼風
—水調歌頭·明月幾時有—究析

陳新雄*

明月幾時有，把酒問青天。不知天上宮闕，今夕是何年。我欲乘風歸去，唯恐瓊樓玉宇，高處不勝寒。起舞弄清影，何似在人間。　轉朱閣，低綺戶，照無眠。不應有恨，何事長向別時圓。人有悲歡離合，月有陰晴圓缺，此事古難全。但願人長久，千里共嬋娟。

蘇軾的〈水調歌頭〉詞，是傳誦千古的名篇，詞調下的〈序〉說：

丙辰中秋，歡飲達旦，大醉，作此篇，兼懷子由。

〈序〉說兼懷子由，可見他是由於別的事情而聯想及子由，丙辰是宋神宗熙寧九年（1076），那一年的中秋，有甚麼事讓蘇軾這麼高興，而歡飲達旦，乃至於大醉呢？

熙寧九年，蘇軾在山東，任密州太守。他一向反對王安石的新法，在政治立場上，是跟王安石站在對立面。熙寧元年（1068）十二月，蘇軾蘇轍兩兄弟父喪期滿，動身還朝，於熙寧二年（1069）二月還朝註官。這時，王安石已經專政，呂惠卿、曾布迭爲謀主，盡變宋代祖宗的成法，以惑亂天下，正是儇少

*　國立臺灣師範大學國文系教授。

競進之日，群小得志之秋。王安石向來討厭蘇軾的議論異於自己，故仍以殿中丞直史館，抑置於官告院。而以子由爲制置三司條例的僚屬。八月，翰林學士兼侍讀學士司馬光薦軾爲諫官，但爲王安石所沮。子由力詆新法，安石震怒，欲加之罪，得宰相陳升之解救，始得免罪。正好張方平知陳州，辟舉爲學官，遂離京師赴任。熙寧四年（1071）辛亥，王安石欲變亂科舉，興學校。神宗詔兩制三館共議，蘇軾以爲變改無益，徒爲紛亂以患苦天下。因上〈議學校貢舉狀〉。曰：

> 臣伏以得人之道，在於知人，知人之法，在於責實。使君相有知人之才，朝廷有責實之政，則胥吏皂隸，未嘗無人，而況於學校貢舉乎，雖因今之法，臣以為有餘；使君相無知人之才，朝廷無責實之政，則公卿侍從，常患無人，況學校貢舉乎，雖復古之制，臣以為不足矣。夫時有可否，物有廢興，方其所安，雖暴君不能廢；及其既厭，雖聖人不能復。故風俗之變，法制隨之，譬如江河之徙移，順其所欲行而治之，則易為功；強其所不欲行而復之，則難為力。❶

議上，神宗悟曰：「吾固疑此，得軾議，意釋然矣。」即日召見，問：「方今政令得失安在？雖朕過失，指陳可也。」對曰：「陛下生知之性，天縱文武，不患不明，不患不勤，不患不斷，但患求治太急，聽言太廣，進人太銳，願鎮以安靜，待物之來，然後應之。」神宗悚然曰：「卿三言，朕當熟思之，凡在館閣，皆當爲朕深思治亂，無有所隱。」軾退，語於同列，王安石至爲不悅。命蘇軾權開封府推官，以爲軾文士，可困之以事，然軾決斷精敏，聲聞益遠。

---

❶ 〔宋〕蘇軾著，孔凡禮點校：《蘇軾文集·議學校貢舉狀》（北京：中華書局，1990年），卷 25/723/冊 2。

會上元敕府市浙燈，且令損價，遂上〈諫買浙燈狀〉，及奏上，即詔罷之。軾既承治亂無隱之命，又聞買燈停罷。驚喜過望，至於感泣。以爲有君如此，惟當披露腹心，捐棄肝腦，盡力所至，不知其它。二月乃上神宗書，三月再上神宗書，奏上，皆不報。蘇軾見王安石爲政，每贊人主應以獨斷專任爲治，因考試開封進士發策，用「晉武平吳以獨斷而克，符堅伐晉以獨斷而亡；齊桓專任管仲而霸，燕噲專任子之而敗，事同而功異」爲問，安石滋怒。

會神宗下詔舉諫官，翰林學士兼侍讀范鎮應詔舉軾，安石懼，使姻親謝景溫力排之。景溫乃一無行小人，初不得官於中朝，以妹嫁安石弟安禮，結爲姻親，安石薦爲工部郎中兼侍御史知雜事。景溫深恐蘇軾這個勁敵，一旦當上諫官，以宋朝賦與諫官聞風言事的雄權，加上蘇軾本人的一枝健筆，必攻新法與施行新法之人，則安石將不能安於位。於是先發制人，奏劾蘇軾於英宗治平三年（1066）丁父憂，扶喪歸蜀時，沿途妄冒差借兵卒，並於所乘舟中，販運私鹽、蘇木和瓷器。這件劾案，詔下江淮發運湖北運使逮捕當時的篙工水師，嚴切查問，又分文六路，按問水行、陸行所歷州縣，令向蘇軾曾經差借的兵夫柁工偵訊，故意將這一案子，鬧得雷厲風行。但販貨一事，本來就是子虛烏有，自然是毫無所得了。這謝景溫劾奏蘇軾一案，在當時也是政爭中的一件大事，其中御史風聞言事，可以不負任何責任，而橫遭誣陷的蘇軾，則無反證以自明，惟有靜待偵察，待到查無實據，他就請求外調，自請補外了。這一補外，從熙寧四年到熙寧九年，整整六年，正是「天涯流落思無窮」的時候。

明月幾時有，把酒問青天。

詞一開頭的兩句，很明顯的，是從李白〈把酒問月〉的詩句「青天有月來幾時，我今停杯一問之。」點化出來的。黃蓼園的《蓼園詞選》說前闋是見月思君，一點都不錯。而在「月」上，按置一個「明」字，這就有畫龍點睛的效果了。蘇軾歷時仁宗、英宗、神宗三朝，在仁宗朝，當他應直言極諫科的考試時，仁宗看到蘇軾兄弟的試卷，回到後宮，曾向后妃說過，爲後世子孫得到兩個宰相人才，可見他是如何受到仁宗皇帝的器重了。在英宗朝，他從鳳翔剛調回汴京的時候，英宗皇帝久聞他的文名，就破格要把他這個小小八品的大理寺評事，升格爲四品的中書舍人知制誥，這是何等的禮遇！雖然由於宰相韓琦的反對而作罷，他內心是如何感激皇帝的寵遇啊！蘇軾本人也頗自負，很想貢獻自己的才智，爲國家作出一番事業。「致君堯舜，此事何難。」正是他對自己的期許。現在呢？整整六年，仍迴翔在地方上擔任一個小小的地方官，未見皇上召用。所以「明月幾時有？」這麼一問，排空直入，筆力奇崛，正寫出了他「奮厲有當世志」，卻又被投閒置散的怫鬱心理，這個明月不正是他欲問的明君嗎？

不知天上宮闕，今夕是何年。

牛僧孺〈周秦行紀〉詩：「香風引到大羅天。月地雲階拜洞仙。共道人間惆悵事，不知今夕是何年。」蘇軾把它轉化爲詞，正是緊承著「明月幾時有？」的提問，進一層問天上是何年？詞是意內言外的，言於外的「天上宮闕」，正是他意之內的「朝廷宮闕」，所以有「今夕是何年？」這麼一問，因爲蘇軾自離闕廷，已經整整六年，流落在外，未見內調，這麼久了，朝廷知道不知道呢？如果給他機會，調回朝廷，就可發揮他的抱負，「致君堯舜上，再使風俗淳」了。這種強烈地獻身國家的意識，在他少年時讀《後漢書·范滂傳》「攬轡登車，慨然有澄清天下之志。」的時候，早就已經孕育出來了。當然會存在他的胸臆，隨時湧現出來。眞可說得上筆勢夭矯迴折，跌蕩生姿了。

我欲乘風歸去，惟恐瓊樓玉宇，高處不勝寒。

「我欲乘風歸去」，蘇軾欲乘甚麼風呢？這就不得不檢閱一下當時的政局。熙寧七年（1074），王安石第一次罷相，引呂惠卿參政，惠卿叛王安石，而王安石的另一個助手曾布亦被外出。八年（1075）二月，安石復相，十月罷黜呂惠卿，至九年（1076）十月，王安石第二次罷相，則這時新黨的主力都不在朝廷。蘇轍此時適從山東齊州解職還京，看到當時的朝局，認爲是一個改變朝廷政局的好機會。所以即時上書神宗論時事說：

> 臣自少讀書，好言治亂，方陛下求治之初，上書言事，不廢狂狷，召對便殿，親聞德音。九品賤官，自此始得登對論事，……既而誤蒙恩澤，受職條例，抗論得失，與有司不合，得請外補，於今七年。而天下之治安，終未可見，臣竊疑之。……自頃歲以來，每有更張，民率不服。蓋青苗行而農無餘財，保甲行而農無餘力，免役行而公私並困，市易行而商賈皆病。上則官吏勞苦，患其難行；下則眾庶愁歎，願其速改。凡此四者，豈陛下之聖明，有所不知耶！……今者皇天悔禍，啟道聖意，易置輔相，中外踴躍，思睹寬政。而歷日彌月，寂寞無聞，眾心皇皇，如久飢而不得食，臣雖愚陋，竊獨為陛下恨也。……陛下誠……與民一新，罷此四事，……苟民不安居，水旱復作，盜賊復起，財用復竭。……臣請伏罔上之誅，以謝左右。❷

子由此書，必上於王安石十月罷相之前，齊州與密州相去甚近，易置輔相的消息，子由既知，蘇軾不可能不清楚。軾塡詞時，置酒超然臺上，聽說魯人孔宗翰正請求調來密州，則蘇軾密州任滿，將外調他州，或調回朝廷，皆有可能。故擬乘此易置輔相，朝局改變的勢頭上，回朝廷去。正因爲有此大好消息，所以他才歡飲達旦，以至大醉。

---

❷ 〔宋〕蘇轍著，曾棗莊、馬德富點校：《欒城集·自齊州回論時事書》（上海：上海古籍出版社，1987年），卷35/770-772/中冊。

調回朝廷，固然可以展現自己的抱負，但是當年他在京師的時候，就是受到了王安石姻親謝景溫的誣告與陷害，讓他不安於位，請求補外的。現在想到要乘勢回朝，自然不免發出「惟恐瓊樓玉宇，高處不勝寒」的驚懼與感慨了。瓊樓玉宇指月宮，這裡用來暗喻朝廷。段成式《酉陽雜俎·前集》卷二：「翟天師名乾祐，峽中人。曾于江岸與弟子數十玩月。或曰：『此中竟何有？』翟笑曰：『可隨吾指觀。』弟子中兩人見月規半天，瓊樓金闕滿焉。瞬息間，不復見。」

起舞弄清影，何似在人間。

李白〈月下獨酌〉詩：「我歌月徘徊，我舞影零亂。」蘇子點化入詞，起身舞動，清影隨人，又那裡像是在人間呢！這是他自我寬慰的話，自己雖然未能回到瓊樓玉宇的月宮去，仍舊留在人間世俗之中。但只要在現實世界中好自爲之，也就彷彿不像在人間了。這是自我開脫，朝廷與地方，不論什麼處所，一樣可以爲國家效力啊！

轉朱閣，低綺戶，照無眠。

月光移動了，光影照射，從朱紅的閣樓上，轉射到雕花的窗戶上，由高處轉到低處，一直照射到床上那個睡不著的人身上。爲什麼會睡不著呢，因爲滿懷心事，思緒千重。爲什麼滿懷心事呢？因爲弟弟這次上京投書，希望乘神宗厭棄王安石的時候，作一擊必中之舉。但是弄不好，也會遭到罪譴的。讓做哥哥的怎麼能不擔心，怎麼睡得著啊！這就呼應到題目「兼懷子由」上來了。

不應有恨，何事長向別時圓。

司馬光《溫公續詩話》說：「李長吉歌：『天若有情天亦老』，人以爲奇絕無對。曼卿對『月如無恨月長圓』，人以爲勍敵。」這兩句是從前面「照無眠」而接上來的。石曼卿說：「月如無恨月常圓。」照說如今月圓了，月亮不應該有恨了，但是在這月圓的時候，而蘇氏兄弟卻分隔兩地，不能團圓，月固無恨，於人則其恨方滋。蘇軾本來是懷念弟弟，故睡不著。表面上是惱月照人，增加了人們「月圓人不圓」的長恨，然後卻更進一層地把自己此時的思想感情，用移情作用，移之於月亮，對石曼卿的詩意更為拓展，對上闋的「照無眠」，又轉深了一層。弟弟上京論事，成敗未定，後果難測，現在想著這件事，足以令人心焦，不是完全表達出來了嗎？月之無恨，就更增人之有恨了。

人有悲歡離合，月有陰晴圓缺，此事古難全。

這三句是從「別時圓」推拓出來的，當人們在別離的時候，月亮卻圓，於人不能無恨。但繼而一想，人的悲歡離合，月的陰晴圓缺，實是自古以來，就是這樣難以配合得完滿的。看透了這層道理，就不該對圓月產生睽離的感受，生出無謂的悵恨。而從感情轉入理智，化悲怨為曠達，意義的轉折雖然較大，但意緒脈絡仍舊是緊密相承的。

但願人常久，千里共嬋娟。

這兩句是感到親愛的兄弟之間，歡聚既不可強求，當此中秋月圓的時候，惟有祝福常保身體健康。特別是這次子由上京投書，不要弄出麻煩才好。雖然人隔千里，仍然可以共同欣賞美好的明月。謝莊〈月賦〉說：「美人邁兮音塵絕，隔千里兮共明月。」蘇軾此詞轉到更高的思想境界，向世界上所有離別的親人，發出誠摯的慰問與祝福。賦給整首詞積極奮發的意涵，而擴大了這首詞的感染力。

劉熙載《藝概》卷四評說：

詞以不犯本位為高，東坡〈滿庭芳〉「老去君恩未報，空回首，彈鋏悲

歌。」語誠慷慨，然不若〈水調歌頭〉「我欲乘風歸去，又恐瓊樓玉宇，高處不勝寒。」尤覺空靈蘊藉。❸

黃蓼園《蓼園詞選》說：

按通首只是詠月耳。前闋是見月思君，言天上宮闕，高不勝寒，但彷彿神魂歸去，幾不知身在人間也。次闋言月何不照人歡洽，何似有恨，偏於人離索之時而圓乎？復又自解，人有離合，月有圓缺，皆是常事，惟望長久共嬋娟耳。纏綿惋惻之思，愈轉愈曲，愈曲愈深，忠愛之思，令人玩味不盡。❹

---

❸ 〔清〕劉熙載著，劉立人、陳文和點校：《藝概·詞曲概》，《劉熙載集》（上海：華東師範大學出版社，1993 年），卷 4，頁 144。

❹ 〔清〕黃氏著：《蓼園詞評·水調歌頭》，見唐圭璋編：《詞話叢編》（北京：中華書局，1990 年點校本），第 4 冊，頁 3069。

臺閩歌仔戲關係之探討

曾永義*

提要

臺閩文化一脈相承，而歌仔戲則為臺、閩同根並源的劇種，本文就歷史脈絡與未來展望對臺閩歌仔戲的關係加以探討，期能從兩岸歌仔戲的發展過程與互動關係中為歌仔戲尋求一條向上之路。本文分為四部分：其一，分析歌仔戲的淵源與形成，臺灣歌仔戲以來自閩南的錦歌、車鼓為根源，於宜蘭結合為「歌仔陣落地掃」，進一步發展為「老歌仔戲」。其二，概述歌仔戲在閩南的流播與變遷，成熟後的歌仔戲於二〇年代流傳至閩南，以廈門為起點，進一步向內地發展，從而促成閩南歌仔戲——「薌劇」的成立。閩南歌仔戲在對日抗戰時期以邵江海所創的「雜碎調」與其他「改良調」為主，稱作「改良戲」，自具特色。其三，分述兩岸歌仔戲的發展與現況，一九三九年後兩岸分隔近四十年，臺閩歌仔戲在不同的社會環境中形成不同的風貌。在臺灣，歌仔戲出現了野臺歌仔戲、內臺歌仔戲、大型歌仔戲、廣播歌仔戲、電影歌仔戲、電視歌仔戲以及精緻歌仔戲等不同的類型；在閩南，從戲改時期即進行改革工作，並始終維持「精緻化」、「現代化」的發展方向。其四，綜論兩岸歌仔戲的交流與展望，自一九八七年大陸政策開放以來，兩岸歌仔戲的交流熱烈展開，不論學術研究或表演觀摩都累積了相當成果。未來的交流工作應以正確的認識為基礎，依據交流的目的，擬定適切的方式，分別輕重緩急，做長期的規畫，在兩岸合作之下，使歌仔戲持續發展。

* 國立臺灣大學中國文學系教授，中央研究院中國文哲研究所籌備處諮詢委員。

緒言：臺閩文化的承傳

臺灣早期移民來自閩粵，尤以福建漳、泉二州爲最。據文獻所載，南宋時已有泉州人至澎湖開墾。❶元成宗大德元年（1297），澎湖已有居民一千六百人。較大規模的移民始於明末，舉其要者而言：明崇禎元年（1628）七月鄭芝龍降督師熊文燦，任職海防游擊，時值福建大旱，鄭芝龍乃建議：一人給銀三兩，三人給牛一頭，用海舶載至臺灣，令其築舍開墾荒土爲田，漳、泉兩州因此有數萬人移居臺灣。崇禎十七年（1644）清兵入關，福建沿海居民逃往臺灣避難者不計其數。永曆十五年（1661）十二月鄭成功克復臺灣，率眾四萬五千人及其眷屬來臺屯居。清廷爲防備鄭成功，遂下「遷海」令，將沿海百姓遷入內地，設兵駐防，人民因此流離失所，鄭成功下令招撫漳、泉、惠、潮四州流民渡海開墾。永曆三十七年（1683）八月施琅攻取臺灣，此後清廷對於漢族移民採取嚴厲的措施，直到雍正十年（1732）大學士鄂爾泰奏請臺灣居民准其挈眷，此後移民日多，至道光二十三年（1843），全臺已有二百五十萬人之多。❷

臺灣移民既多來自福建，自然也將福建的生活、風俗、文化、藝術帶進臺灣。福建的歌樂戲曲從宋代以來就非常繁盛，❸茲就清代略舉數例而言：

> 自冬成後，村莊人家皆演劇賽神，謂之賽平安。（《平和縣志·風土志·歲時》，康熙刊本，卷10）
>
> 民好事鬼敬神，重於敬祖，遇神誕請香迎神，鑼鼓喧天，旌旗蔽日，燃燈結彩，演劇連朝。（《長泰縣志·風俗》，乾隆刊本，卷10）

---

❶ 〔南宋〕周必大：《文忠集·汪大猷神道碑》：「海中大州號平湖，邦人就植粟、麥、麻。」（卷67）汪大猷於宋孝宗乾道年間（1165－1173）任泉州知府。

❷ 以上所述根據連橫《臺灣通史》、日人伊能嘉矩《臺灣文化志》。

❸ 筆者有〈宋代福建的樂舞雜技和戲劇〉一文，詳論其事。原載《宋代文學與思想》，現收入拙著：《參軍戲與元雜劇》（臺北：聯經出版事業公司出版，1992年）。

先有赤棍扮鬼弄獅，呼群嘯隊，自元旦至元夕，沿家演戲，鳴鑼索賞。

（《龍岩州志·風俗》，道光刊本，卷 7）

由以上所述，可看出閩人已將戲曲歌樂融入生活之中，逢年過節、神明誕辰之時，演劇以祈福報賽，更是長年流傳的風俗。因此，當他們移民臺灣時，也自然將這種根深柢固的民風帶進臺灣。

荷人據臺時，駐臺長官揆一所信任的的通事何斌，「家中造下二座戲臺，又使人入內地，買二班官音戲童及戲箱戲班，若遇朋友到家，即備酒席看戲或小唱觀玩。」❹（按：所云「官音」，自非閩人鄉音，但福建最遲在明萬曆年間（1573－1619）就已有用中州官音演唱戲曲的情形，❺所以何斌的「官音戲童」應來自福建「內地」。）

清廷據臺之後，關於臺灣戲劇活動的記載，首見於清余文儀《續修臺灣府志》卷二十四〈藝文五·詩二〉所引清康熙年間生員郁永河〈臺海竹枝詞〉八首之七：

肩披鬒髮耳垂璫，粉面朱唇似女郎。

媽祖宮前鑼鼓鬧，侏儒唱出下南腔。

其次句〈自注〉云：「梨園子弟垂髫穴耳，傅粉施朱，儼然女子。」末句〈自

❹ 見呂訴上：《臺灣電影戲劇史》（臺北：銀華出版部，1961 年），第三章〈臺灣戲曲發展史〉引，謂據《臺灣外誌》後傳之〈平海氛記〉，惟今通行之《臺灣外誌》均未見有〈平海氛記〉。

❺ 《重纂福建通志·風俗·延平府》（清道光纂修本），卷 57，載明楊四知〈興禮教正風俗議〉云：「聞之閩歌，有以鄉音歌者，有學正音歌者。夫謳歌，小技也，尚習正音，況學書乎？」楊四知，祥符（今河南開封）人，明萬曆二年（1574）進士，尋任福建巡按監察御史。所云「正音」即「官音」。

注〉云：「閩以漳泉二郡爲下南，下南腔亦閩中聲律之一種也。」所記載的是傳自福建泉州小梨園戲在媽祖廟前演出的情形。

而在臺灣地方府縣志方面，最早記載臺灣戲劇活動者爲康熙卅五年（1696）高拱乾修纂的《臺灣府志》，於卷七〈風土志〉敘述二月二日土神聖誕，上演戲劇以娛神；中秋節鄉間歌舞相傳，稱爲「社戲」。又如康熙五十六年（1717）陳夢林修纂的《諸羅縣志》卷八〈風俗志·漢俗〉，謂每逢歲時節慶及王醮大典，必延請劇團演出，以娛神祇。足見臺灣的戲劇活動與節慶或神誕有密切的關係，這種風氣自明鄭時期至滿清統治二百餘年，未曾稍衰。若將此一現象與前文所述福建的情況相比較，不難見出二者之間血脈相沿的關係。

臺灣的戲劇活動保留了傳自福建的風習，臺灣的戲曲劇種也和福建密切相關。關於臺灣戲曲劇種的分類介紹始於日據時期，各家分類基礎不一，繁簡有別，其中異名同實者頗多。茲據筆者所主持「高雄市民俗技藝園規劃」所作之調查，列舉臺灣戲曲劇種如下：

小戲：臺灣地區所見之鄉土小戲，除客家三腳採茶戲外，皆屬「車鼓戲」的範疇。

偶戲：懸絲傀儡、皮影戲、布袋戲。

大戲：歌仔戲、客家採茶戲、梨園戲（南管戲）、高甲戲、亂彈戲（北管戲）、四平戲、潮州戲、粵劇、閩劇（福州戲）、越劇（紹興戲）、評劇、陝劇（秦腔）、豫劇（河南梆子）、江淮戲、漢劇、楚劇、湘劇、川劇、晉劇（山西梆子）。

其中唯歌仔戲與客家採茶戲爲臺灣土生土長的劇種，自粵劇以下爲晚近政府遷臺後所傳入，其餘則爲早期隨移民傳入之劇種。在早期傳入的劇種之中又以福建爲主要根源，由此可見臺灣的戲曲劇種實與福建一脈相承。

眞正根植於臺灣的劇種僅有歌仔戲與客家採茶戲，而客家採茶戲止行於桃園、苗栗、新竹一帶的客家莊，其形成係以客家三腳採茶戲爲基礎，汲取歌仔戲的舞臺藝術而壯大，因此又叫「客家歌仔戲」，時間已晚至民國十餘年。歌仔戲則風行全臺，曾雄霸臺灣劇壇，煇煌一時。故而論臺灣最具代表性的劇種，當爲歌仔戲無疑。然而歌仔戲雖於臺灣土生土長，卻非一刀斬斷與福建之間的文化臍帶而成立，論其淵源，實仍與福建的戲曲歌樂關係密切。

一、歌仔戲的淵源與形成

陳嘯高、顧曼莊合著之〈福建和臺灣的劇種——薌劇〉一文，❻是早期論述歌仔戲淵源與形成的重要著作，文中云：

> 薌劇是從臺灣的「歌仔戲」發展出來的；「歌仔戲」卻是由漳州薌江一帶的「錦歌」、「採茶」和「車鼓」各種民間藝術形式流傳到臺灣，而揉合形成的一種戲曲。

陳、顧二氏言道「錦歌」隨著漳州移民傳入臺灣已有三百多年，起初只有由錦歌「四空仔」改作的「七字仔」、「五空仔」改作的「背思」和「大調」等幾種曲調，限於清唱，後來才發展出落地掃歌仔陣的形式。其說爲呂訴上《臺灣電影戲劇史》〈臺灣歌仔戲史〉所採納，經過多年來學者的研究，大致得到肯定的結論。筆者於《臺灣歌仔戲的發展與變遷》〈貳·歌仔戲的形成〉中，❼綜合相關研究成果與田野調查，確定「錦歌」與「車鼓」爲歌仔戲的兩大淵源，前者提供音樂內涵，後者豐富表演形式，結合爲鄉土歌舞小戲——歌仔陣，歌仔戲至此略具雛型。以下即根據該文主要論點，參酌新近資料，論述歌仔戲之淵源與形成。

---

❻ 見《華東戲曲劇種介紹》（上海：新文藝出版社出版，1955年），第3集。

❼ （臺北：聯經出版事業公司，1988年）出版。

㈠ 錦歌

在臺灣無論文獻或語言皆無「錦歌」一詞，卻有「歌仔」。事實上早先閩南一帶即將當地的民歌小調統稱爲「歌仔」，僅在龍海縣石碼地區，因九龍江流經此地稱爲「錦江」，其地又盛行演唱歌仔，當地人乃自稱「錦歌」。其後有人將此名稱帶入漳州市區，但在漳州鄉村，仍叫「歌仔」。閩南「歌仔」普遍改稱「錦歌」，係在一九五三年之後。當時福建省文化廳決定將流傳於漳州地區的臺灣歌仔戲改稱爲「薌劇」，並以「歌仔」之稱不雅，改爲「錦歌」。❽「歌仔」既然早在三百多年前隨漳州移民傳入，在臺灣自然稱爲「歌仔」，而無「錦歌」之名。

吳靈石於《中國大百科全書·戲曲曲藝》中「錦歌」條云：

> 錦歌的歷史悠久，約產生於明末清初。它繼承了明代南詞小調的許多曲牌，吸收了當地民間小戲、民歌及部分佛曲、道情的一些曲調，音樂豐富。

劉春曙於〈閩臺錦歌漫議——歌仔戲形成三要素〉分析錦歌的題材主要包括戲曲故事、重要社會現象和事件、民間傳說故事、日常生活、古人事跡等。❾由此可見，錦歌不論音樂成分或題材內容，都包羅很廣，其名爲「錦」，當指龐雜豐富之意。

根據徐麗紗《臺灣歌仔戲唱曲來源的分類研究》第二章〈歌仔戲唱曲來源

---

❽ 參見陳耕、曾學文、顏梓和合著：《歌仔戲史》（北京：光明日報出版社，1997 年），第二章〈歌仔戲的孕育〉，第二節「閩南歌仔及其在臺灣的發展與變遷」。又竹慧華：《楊秀卿歌仔說唱之研究》（臺北：中國文化大學藝術研究所，1991 年碩士論文）引述許常惠先生於1989年至漳州與薌劇藝人座談，亦稱因「歌仔」不雅，改為「錦歌」。

❾ 見《民俗曲藝》第72、73期（1991年7月、9月）。

的分類研究之一——「錦歌」與「歌仔戲」〉以錦歌與歌仔戲曲調比較分析，❿所得結論爲：錦歌的「四空仔」與歌仔戲的「七字調」有相當密切的關係；錦歌的「五空仔」和歌仔戲的「大調」、「倍思」比較，發現其調式、節奏和動機俱相同，可證明其間密切之關係；錦歌和歌仔戲同樣都有「雜念仔」和「雜碎仔」，雖然歌仔戲有所改良，但兩者基本相同。可見錦歌的主要曲調和歌仔戲的原始主要曲調，可說同根並源，歌仔戲曲調源於閩南錦歌的說法是確實可考的。

㈡ 車鼓

車鼓戲在臺灣流傳的時間很早。陳香所編《臺灣竹枝詞選集》收錄多首歌詠「車鼓戲」的竹枝詞，如陳逸〈艋舺竹枝詞〉云：

> 誰家閨秀墮金釵，藝閣妖嬌履塞街。
> 車鼓逢逢南復北，通宵難得幾場諧。

又劉家謀〈海音竹枝詞〉云：

> 秋成爭唱太平歌，誰識萑符警轉多。
> 尾壓未交田已作，卻拋耒耜弄干戈。

詩中所詠「太平歌」爲車鼓之別名。其中陳逸爲臺灣府東安坊人，康熙三十二年（1693）臺灣府貢生；劉家謀亦爲福建侯官人，道光二十九年（1849）任臺灣府學訓導。由此可知，至遲從清代開始，臺灣的車鼓戲在民間節慶賽社

---

❿ 本書為國立臺灣師範大學音樂研究所碩士論文，又（臺北：學藝出版社，1991 年）。

裡一直廣受歡迎。

車鼓戲在閩南也很盛行。黃玲玉《從閩南車鼓之田野調查試探臺灣車鼓音樂之源流》一書，⓫從起源說法、名稱、腳色、妝扮、表演形式、動作特徵、道具、樂器、演出時間與場合、劇目等方面，對臺、閩車鼓戲進行分析比較，結論爲「臺灣車鼓可說集閩南各式車鼓特色與精華於一身，形成一種綜合性的表演形式。然其成分則以泉州府所屬的泉派車鼓較佔優勢」。由此肯定「臺灣車鼓是隨閩南移民，特別是漳泉移民傳入臺灣的，因此臺閩車鼓應同出一源。」

又劉春曙〈閩臺車鼓辨析——歌仔戲形成三要素〉一文，⓬亦從名稱、樂器、表演、劇目等方面分析比較，得出「傳入臺灣的車鼓兼備漳泉二派車鼓和梨園戲的特點」的結論。可見臺灣的車鼓戲確由閩南傳入。

根據羅東老藝人黃阿和（生於1894年）回憶他十一歲時（1905）看到「落地掃歌仔陣」的情況：

> 他們醜扮各種腳色，腰繫腳帛（裹腳布），丑腳和花旦手搖烘爐扇子，邊走邊扭邊唱，後頭有四管樂手助陣，隊伍兩側幾個舉著火把（打馬燈）的和兩個負責拿竹竿的人隨行。「歌仔陣」走到圍觀人群聚集的廣場，就把四根竹竿架開，臨時圍成一個四方形的場子，腳色就在場地中間表演起來，後場樂師則站在竹竿的外緣彈奏。落地掃演出時均選擇比較花俏、挑情、逗趣的情節，形式很像車鼓戲，如陳三五娘戲中的「益春和艄公在赤水溪相褒」，呂蒙正戲中「呂蒙正打七響和暢樂姐相褒」這些段落。⓭

⓫ （臺北：財團法人中國民族音樂學會，1991年）出版。

⓬ 見《民俗曲藝》第81期（1993年1月）。

⓭ 見陳健銘：〈老歌仔戲的春天——訪老藝人黃阿和先生〉，《民俗曲藝》第45期（1987年1月），後收入陳著：《野臺鑼鼓》（臺北：稻香出版社，1989年）。

現在宜蘭所保存的「老歌仔戲」和黃老先生所回憶的「落地掃歌仔陣」顯然一脈相承，歌仔陣應該比老歌仔戲更加原始。目前所看到的老歌仔戲，演出時仍是「男扮女妝」，生旦出場要行四大角，即「踏四門」，生邁「七星步」，旦邁「月眉彎」。扮媒婆或王婆的，則醜扮誇張。其腳色妝扮、身段動作仍保有許多車鼓戲的成分，⓮黃老先生既言「歌仔陣」的形式很像車鼓戲，則「歌仔陣」與「車鼓戲」的表演應該更加相近，由此看來，歌仔戲的形成與車鼓戲必有密切的關係。

(三) 落地掃歌仔陣與老歌仔戲

由上文所述，歌仔戲的形成與隨福建移民傳入臺灣的錦歌、車鼓戲淵源很深，這兩者如何結合成爲歌仔陣，完成歌仔戲的雛型呢？一般認爲歌仔戲的發祥地在宜蘭，而一九六三年印行李春池修纂的《宜蘭縣志》卷二〈人民志·第四·禮俗篇〉第五章〈娛樂〉第三節「戲劇」，以及一九七一年出版杜學知等修纂、廖漢臣整修的《臺灣省通誌》卷六〈學藝志·藝術篇〉第一章第八節「歌仔戲」，均稱「歌仔助」爲歌仔戲的創始者，他將民謠山歌——即七字調——敷演故事，然後醜扮演出，形成所謂「歌仔戲」。⓯據陳健銘先生考查，「歌

⓮ 據黃玲玉：《臺灣車鼓之研究》（臺北：國立臺灣師範大學音樂研究所，1986 年碩士論文）所論，臺灣車鼓戲的演出，演員一般為一丑一旦，臺灣光復前（1945）均由男性扮飾，光復後才有女性加入。丑腳扮相滑稽逗趣，旦腳妖豔嬌媚，老婆則醜陋詼諧。表演時先由丑腳「踏大小門」和「踏四門」，然後引旦出場。演出方式且歌且舞，動作輕快，上身扭動，下身進退自如。

⓯ 關於「歌仔助」為歌仔戲創始者之說，並不確然，但一般對於歌仔戲發源於宜蘭則持肯定態度。惟王士儀：〈歌仔戲的興起：對田野調查的幾點看法〉，《海峽兩岸歌仔戲學術研討會論文集》（臺北：行政院文化建設委員會出版，1996 年），提出「臺北說」，認為宜蘭本地歌仔的師承缺乏有力的證據，而全臺各地的老藝人亦無到宜蘭或跟宜蘭師傅學歌仔戲的紀錄。陳氏以為大正十二年（1923）七月中元普渡，於臺北「田仭頂」臨時草臺上演出的車鼓戲《山伯英臺》實為歌仔戲興起之始，這次演出是偶然的嘗試，但卻很快傳遍臺灣。

仔助」確有其人，本名歐來助，一八七一年生於宜蘭員山庄結頭份堡（今圓山鄉頭份村），卒於一九二〇年。歐來助善唱歌仔，鄉人稱之爲「歌仔助」，曾教同鄉子弟們演唱本地歌仔，演唱的故事是「梁山伯與祝英臺」。⓰

「歌仔助」誠然享有盛名，但是否爲歌仔戲之鼻祖則有待進一步探究。綜合多位研究者田野調查的結果，⓱可以較客觀清晰的爲歌仔戲的形成理出一條線索：隨著移民，福建的「錦歌」與「車鼓戲」也傳入臺灣。宜蘭人的祖先絕大多數來自漳州，自然也將故鄉的鄉土歌謠帶進宜蘭。大約距今一百餘年，有來自閩南而擅長錦歌和車鼓的藝人，如貓仔源和陳高犁，他們開班授徒，有歐來助、陳三如、簡四匀、楊順枝、流氓帥、林莊泰、林阿江等出色的弟子，這些弟子並組織了許多戲班，如二塹班、火炭班、浮洲班、洲仔尾班等，他們在原來錦歌的基礎上加以變化，以七字調爲主，使之更適合演唱故事，於是風靡宜蘭，宜蘭人稱之爲「本地歌仔」。而流行臺灣各地的「車鼓戲」，在宜蘭就用「歌仔」來演唱，當以歌仔演唱的車鼓在陣頭行列演出時就被稱爲「歌仔陣」，歌仔戲至此略具雛型。

當歌仔陣在陣頭中停下來，用竹竿圍成場子，以落地掃的形式表演時，雖然演出如陳三五娘、山伯英臺的故事，但只取其滑稽詼諧的部分，保持小戲的特色，直到由平地廣場登上高築舞臺，才有進一步的發展。據說歌仔陣落地掃登臺表演是在一次偶然機會下，適逢節慶酬神，搭臺唱四平戲，四平戲剛唱完，舞臺空著，歌仔陣的演員趁機跑上舞臺演出，結果大受歡迎。⓲

⓰ 見陳健銘：《野臺鑼鼓》，同注⓭。

⓱ 本文推論所運用的調查成果包括：陳健銘：《野臺鑼鼓》、黃秀錦：《歌仔戲劇團結構與經營之研究》（臺北：中國文化大學藝術研究所，1987 年碩士論文）、張月娥：《本地歌仔戲音樂之調查與探討》（張女士為宜蘭縣國中退休音樂教員，此係其為宜蘭縣立文化中心所作報告書）、林鋒雄：《宜蘭縣立文化中心·臺灣戲劇中心研究報告·調查篇》。

⓲ 陳嘯高、顧曼莊合著：〈福建和臺灣的劇種——薌劇〉和呂訴上：《臺灣電影戲劇史·臺灣歌仔戲史》都持此說法，但無確切論據。

「歌仔陣」進入舞臺之後，演出的故事情節逐漸由滑稽散齣而爲全本戲，但音樂舞蹈則大抵保持原來的面貌，這就是宜蘭人現在所稱的「老歌仔戲」。「老歌仔戲」雖尙屬醜扮踏謠，但已粗具大戲規模，鄉土的歌仔戲至此可以宣告成立。據張月娥女士引用陳健銘先生所做調查，簡四匀所領導的戲班唱《陳三五娘》，歐來助所領導的戲班唱《山伯英臺》，兩班曾在補天宮廟會鬥得難分難解。如此，則其演出已是當地人所說「拚臺」的形式，應當已由「落地掃」走上了「野臺」表演。那時約是民國初年，因此「老歌仔戲」的成立，迄今已有八十餘年。

二、歌仔戲在閩南的流播與變遷

老歌仔戲進入舞臺之後，開始從當時流行的大戲——亂彈、四平、南管、高甲等汲取滋養，學習其妝扮、身段、對白與所需要的音樂。根據張月娥的調查，這是由出生於一八八一年的陳三如率先改良的，於是老歌仔戲提升其舞臺藝術而發展成大戲，是爲「野臺歌仔戲」，距今約七八十年。

根據呂訴上《臺灣電影戲劇史》〈臺灣歌仔戲史〉以及杜學知等修纂、廖漢臣整修的《臺灣省通誌》，大約在一九二三年，歌仔戲向來臺演出的京戲和福州戲學習布景、身段、臺步、鑼鼓點子、連本戲、武戲等，更加改進本身的藝術。而促使歌仔戲臻於成熟的重要關鍵，則爲進入城市戲館，成爲「內臺歌仔戲」。至於歌仔戲進入內臺始於何時？黃秀錦曾訪問「新舞社歌劇團」演員蕭秀來女士，蕭女士於一九三一～一九三六年之間進入「新舞社」，依其記憶，當他十五、六歲時（1925－1926）歌仔戲才有內臺職業班。又昭和十七年（1942）出版的《民俗臺灣》二卷五號陳保宗〈臺南的音樂〉亦稱歌仔戲於大正十四年（1925）左右就在臺南大舞臺，由「月桂社」演出，與蕭女士之說相合。⑲

---

⑲　陳耕、曾學文、顏梓和合著：《歌仔戲史》，同注❽，第三章〈歌仔戲的形成〉，第四節

歌仔戲自成立之後，一方面廣汲博取，迅速發展，另一方面則流傳至閩南，回到它胚胎始生的根源地，從而促成薌劇的誕生。關於歌仔戲傳至閩南的時間，過去一般認爲始於一九二八年歌仔戲班「三樂軒」回鄉祭祖，歸途中於廈門演出，受到熱烈歡迎。⑳近來學者研究則持不同看法。

據《中國戲曲志·福建卷》〈傳記〉「王銀河」條所載，王氏爲臺北人，九歲隨父親至廈門謀生，十二歲時（1918）即參加廈門將軍祠的「仁義社」臺灣歌仔陣，學拉大廣絃。然而當時廈門雖有歌仔館社，但只是臺灣人聚會以解鄉愁的組織，並未眞正在廈門流傳。又據廈門市臺灣藝術研究所一九八九年的田野調查資料，一九二〇年廈門洪本部陳聖王宮前，有臺灣來的女子與陳朝目所開設妓院中的藝妓一起演出，有唱小梨園的，也有唱「臺灣戲仔」的。「臺灣戲仔」爲廈門人最早對臺灣歌仔戲的稱呼。㉑陳朝目於一九二二年組成小梨園戲班「新女班」，則一九二〇年其手下藝妓的演出應以小梨園爲主，歌仔戲只是穿插性質。

歌仔戲眞正在廈門傳播並逐漸擴大影響，當始於一九二五年廈門梨園戲班「雙珠鳳」聘請臺灣歌仔戲藝人「矮仔寶」（本名戴水寶）傳授歌仔戲，並改變演出路線，成爲福建第一個歌仔戲班。㉒同年，前述「新女班」因與改唱歌仔戲的「雙珠鳳」打對臺，結果小梨園不受歡迎，故而也在次年（1926）改唱

「歌仔戲形成的四個階段」，引述 1985 年羅時芳先生訪問賽月金的紀錄，認為歌仔戲進入內臺的時間在1918年前後。

⑳ 此說始見於陳嘯高、顧曼莊合著：〈福建和臺灣的劇種——薌劇〉，其後呂訴上：《臺灣電影戲劇史》（1961）、《中國戲曲曲藝詞典》（上海：辭書出版社，1981 年）、《中國大百科全書·戲曲曲藝》（北京：中國大百科全書出版社，1983 年）亦都引述此看法。拙著《臺灣歌仔戲的發展與變遷》於 1988 年出版時，亦持此說，今則有所修正。

㉑ 見吳安輝：〈臺灣歌仔戲傳入閩南考略〉，《閩臺民間藝術散論》（廈門：鷺江出版社，1991 年）。

㉒ 吳安輝：〈臺灣歌仔戲傳入閩南考略〉，同注㉑。

歌仔戲。㉓由此可以看出，歌仔戲在廈門已逐漸打開聲勢。「雙珠鳳」和「新女班」除了在廈門演出之外，並赴同安、海澄、泉州等地表演。

一九二六年臺灣「玉蘭社」至廈門演出，是目前已知最早到閩南的歌仔戲班。㉔「玉蘭社」在廈門連演四個月，盛況空前。同年，廈門歌仔館紛紛成立，如平和社、福義社、亦樂軒等。這些歌仔館打破過去限於臺灣人參加的傳統，也吸收廈門本地青年。

一九二九年臺灣「霓生社」到廈門，並在同安、石碼、海澄等地巡迴演出，所到之處皆造成轟動。一九三〇年「霓生社」返回臺灣，藝人貌師、勤有功等人留在龍溪石碼一帶傳授歌仔戲。繼「霓生社」之後，「明月園」、「霓進社」、「丹鳳社」、「牡丹社」等也由臺灣至閩南獻藝。這些臺灣歌仔戲班不僅在演出時廣受歡迎，而且留下一些傳授歌仔戲的師傅，在廈門演出時還招收了一些當地的年輕人跑龍套，凡此皆對往後福建歌仔戲的發展有所助益。

至於歌仔戲本根初始的淵源地——漳州，接觸歌仔戲的時間反而較晚。一九三二年共黨攻入漳州，一些商人逃往廈門，許多人就此學會唱歌仔戲，後來當他們返回漳州時，又從廈門帶了許多歌仔冊，並集資邀請「霓生社」到漳州演出，從此歌仔戲在漳州也盛行起來。原先漳州、龍溪一帶流行的梨園戲、京戲、四平戲、白字戲、竹馬戲、猴戲等日漸衰落，有的戲班便迎合潮流，改弦易轍，如當時小梨園班「連桂春」、「新玉順」等都改演歌仔戲。

當歌仔戲的演出已儼然形成一股風潮時，歌仔戲子弟班也紛紛成立，據說僅龍溪薌江一帶就有三十多個，彼此競爭激烈，也促進表演技藝的提升，並且

㉓ 吳安輝：〈臺灣歌仔戲傳入閩南考略〉，同注㉑。

㉔ 關於 1928 年「三樂軒」至廈門演出一事，為漳州林文祥老生先所提供，別無他證，且林老先生對「三樂軒」赴演出的時間前後說法不一。經「廈門市臺灣藝術研究所」的多方調查，並沒有任何廈門人聽過「三樂軒」這個班子。如此，臺灣歌仔戲團在閩南演出始於「三樂軒」的看法有待進一步考證。

出現了一些有名的腳色，如「湝茂生」、「白礁旦」、「崎巷丑」、「北門鬚」等。從此歌仔戲在漳州地區生根，漳州又名「薌江」，故而稱「薌劇」。㉕

由以上所述，可知歌仔戲在閩南的流播是以廈門爲起點，再進一步向內地發展，最終回到根源之地，給予反哺滋養，促成薌劇的成立。物理循環，果眞耐人尋味。

歌仔戲在臺灣進入內臺之後，逐漸成熟，幾乎到了無戶不歌、無戶不唱的地步；傳入閩南之後，亦受到普遍歡迎，聲勢日盛。然而就在歌仔戲持續發展提升之時，兩岸歌仔戲卻同樣遭受政治上的迫害。一九三七年盧溝橋事變發生，日本發動太平洋戰爭，全面侵略中國，在臺灣則大力推行「皇民化運動」，欲藉以切斷臺灣與中國之連繫，促使臺灣人民支持戰爭，歌仔戲因此受到壓制、禁演，並編了一些「武士道」之類的宣傳劇強迫演出。在種種的高壓禁制之下，歌仔戲儘管表面上消聲匿跡，卻化明爲暗，背地裡仍保存了強韌的生命力。

另一方面，廈門於一九三八年淪陷，歌仔戲班或是解散回臺，或是逃往同安、龍溪等地，廈門的歌仔戲幾乎完全停頓。而逃往閩南內地的歌仔戲藝人，又因國民政府視來自日本統治地——臺灣——的歌仔戲爲「亡國調」同樣加以禁止，來自臺灣的「七字仔調」、「臺灣雜念仔」不能唱，歌仔戲面臨存亡的關頭。一批藝人不得不吸收民歌小調以及其他劇種如京戲、四平、梨園、高甲的曲調加以改編，稱爲「改良調」，「歌仔戲」也改名「改良戲」，以此躲過禁令，維持歌仔戲的生存。㉖其中最重要的代表人物爲邵江海。

邵江海在「錦歌雜念仔」和「臺灣雜念仔」的基礎上創立「雜碎調」，突

㉕ 以上有關歌仔戲在閩南傳播的過程，主要參考《中國戲曲志·福建卷》（北京：文化藝術出版社，1993 年）、陳耕、曾學文、顏梓和合著：《歌仔戲史》，同注❽，第四章〈歌仔戲的發展〉。

㉖ 參見陳志亮：〈薌劇源流〉（1963），收錄於《臺灣歌仔戲——薌劇音樂》（福建：龍溪地區行公署文化局，1980 年）、邵江海：〈薌劇史話〉，《漳州文史資料選輯》第一輯（1979 年）。

破歌仔戲傳統七字一句、四句一聯的唱詞形式，輔以長短句，著重配合閩南方言的聲韻，依字行腔，透過旋律、節奏、速度的變化，可以靈活因應舞臺上敘述情節、抒發情感的需要，成爲「改良戲」中的主要曲調。㉗此外，邵江海還寫了《六月雪》、《陳三五娘》、《盧仙夢》、《此恨綿綿》等三十多個歌仔戲劇本，大量運用「雜碎調」，演出時大受歡迎，不僅使「雜碎調」與原先的「七字調」並爲歌仔戲的主要曲調，也使閩南歌仔戲的演出形式由先前的幕表戲，轉向定型劇本戲。兩者都對日後閩南歌仔戲的發展方向具有關鍵性的影響。

三、兩岸歌仔戲的發展與現況

一九四五年臺灣光復後，歌仔戲立即重整旗鼓，生氣蓬勃。一九四八年「廈門都馬劇團」來臺演出，也將「改良戲」正式帶進臺灣。臺、閩歌仔戲在歷經了抗戰期間所遭受的壓迫之後，重獲生機，並正待展開交流互動，卻因一九四九年國民政府播遷來臺，從此兩岸隔絕近四十年，也切斷了初始萌芽的互動發展。臺、閩歌仔戲分別在不同的社會環境中演進，終而形成不同的風貌。以下即分別說明臺、閩兩地在分隔四十年間的發展與現今概況。

㈠　臺灣歌仔戲

1.黃金時期

臺灣光復後，歌仔戲即以驚人的聲勢迅速風靡全臺。尤其一九四九年到一九五六年臺語片興起之前，更可說是歌仔戲的黃金時期。全臺有數百團歌仔戲班，其中大部分在戲院內演出，外臺演出者較少。劇團每到一地演出，普遍以十天爲一檔期，如果賣座，更可能延至一個月。

㉗　參見劉春曙：《福建民間音樂簡論》（上海：上海文藝出版社，1986 年），以及陳彬、劉南芳：〈雜碎調的形成與演變初探〉，廈門市臺灣藝術研究所編：《歌仔戲論文選》（北京：光明日報出版社，1997 年）。

在此顛峰時期，有兩項因素使歌仔戲產生了另一次的變化。其一是新戲班大量成立，演員需求量大增，在倉促成班的情況下，新演員沒有受過嚴格的坐科訓練，只好以新鮮刺激的內容和形式來吸引觀眾，演出眩人眼目的神怪戲，唱的是流行歌曲，當時稱為「胡撇仔戲」，即「胡來一氣」之意，這種風習甚至一直延續至今。其二是「廈門都馬劇團」來臺，㉘引進了「改良戲」的成分。都馬班抵臺後，因時局生變而被迫滯留臺灣。在臺灣長年演出中，其對歌仔戲界最大的影響是使「都馬調」（即邵江海等人所創的「雜碎調」和大批「改良調」）日益盛行，豐富了歌仔戲的音樂內涵。其次都馬班向越劇學習古裝妝扮，取代傳統歌仔戲的京戲路線，一時風行，也對日後歌仔戲在妝扮上新舊雜用的現象有所影響。

2.轉型時期

一九五六年以後，隨著經濟的大幅成長，臺灣的娛樂事業日趨多元。戲院所提供的表演多樣化，歌仔戲內臺演出的機會也日漸減少。加上西方文化的強勢輸入，影響了一般民眾對傳統戲曲的態度；同時新興的傳播媒體如廣播、電影、電視等，以新奇的魅力對臺灣人民形成莫大的吸引力，歌仔戲面臨生存競爭的危機。

在這種情況下，大多數歌仔戲班不是轉入外臺，就是遭遇散班的下場。留在內臺者，為了爭取觀眾，轉變為大型歌仔戲，以雄厚的資本、眾多的演員、精心設計的豪華布景服裝、機關道具，維繫歌仔戲的一線生機，其中可以陳澄三的「拱樂社」為代表。但是種種求新求變的努力終究敵不過時勢潮流的變遷，一九七四年陳澄三結束了一切劇務，宣布散班，而內臺歌仔戲所作的一切努力也可說就此結束。

㉘ 關於「都馬班」來臺的經過與對臺灣歌仔戲的影響參見劉南芳：〈都馬班來臺始末〉，《漢學研究》第8卷第1期（1990年6月）。

在內臺歌仔戲努力變革之時，歌仔戲也結合新興傳播媒體蛻變轉型爲不同風貌。先後出現了「廣播歌仔戲」、「電影歌仔戲」和「電視歌仔戲」。「廣播歌仔戲」出現於一九五四、一九五五年間，盛行一時，而以一九六二年成立的「正聲天馬歌劇團」爲顛峰。「電影歌仔戲」始於一九五四年由「都馬班」拍攝的《六才子西廂記》，這次的嘗試雖然失敗，卻影響了時常前來觀摩的陳澄三。一九五六年陳澄三的《薛平貴與王寶釧》上映，造成轟動，從此帶動臺語電影風潮，許多歌仔戲班也一窩蜂拍起電影歌仔戲。一九六二年臺視開播，歌仔戲也在一九六四年七月進入臺視。電視歌仔戲在往後的發展中，多次盛衰起伏，出現了如葉青、黃香蓮、許秀年、王金櫻等多位歌仔戲明星。㉙歌仔戲進入電視之後，脫離舞臺，也失去了戲曲的基本特質，其製作、演出方式、演員修爲都和舞臺歌仔戲大異其趣，事實上已蛻變爲另一新的劇種。

3.歌仔戲的現況

在上述歌仔戲的各種演出型態中，目前仍然存在的有歌仔陣、老歌仔戲、野臺歌仔戲和電視歌仔戲。如前所述，電視歌仔戲事實上已經蛻變成新的劇種，本文暫且不論。此外，野臺歌仔戲中有少數劇團保留了大型歌仔戲的面貌，提升藝術境界，進入現代劇場中表演，可以稱爲「精緻歌仔戲」。以下就從這些現存的表演型態加以介紹。

⑴宜蘭歌仔陣和老歌仔戲

宜蘭縣由業餘人士組成的歌仔子弟班原先至少有二十七團，㉚這些子弟班所演的，正是歌仔戲的原始型態「歌仔陣」、「老歌仔戲」，但現在已經凋零殆盡。碩果僅存的一些老藝人，除了晨昏聚集在宜蘭市和羅東鎮的公園裡，吟唱「本地歌仔」消遣之外，偶爾也接受婚喪慶弔的邀請，參加歌仔班「請路」。

㉙ 關於「電視歌仔戲」的發展，可參見林璋儀：〈電視歌仔戲研究〉，收錄於《臺灣戲劇中心規畫報告》。

㉚ 參見邱寶珠：〈本地歌仔子弟班調查報告〉，收錄於《臺灣戲劇中心規畫報告》。

他們曾在筆者邀請之下，於一九八四～一九八六年連續三屆參加筆者所製作的「民間劇場」。[31]陳旺欉先生等人於一九九五年十一月五日在宜蘭三聖宮成立新一代「壯三涼樂團」，每週兩天進行研習教學活動，學員包括教員、公司職員等，並於一九九六年十月二十五日在宜蘭縣立文化中心演出《山伯英臺·樓臺會》，此一珍貴的文化資產已得以存續不絕。

⑵野臺歌仔戲

臺灣現存的野臺歌仔戲大約有兩三百團，除了下文列入「精緻歌仔戲」的少數劇團之外，其餘無不在神誕廟會中擔負酬神的任務。在廟會中演出的野臺歌仔戲，在正戲開演之前照例要「扮仙」，扮仙戲的表演有一定的規矩和模式，但是之後演出的「正戲」卻絕大多數爲幕表戲，由「講戲先生」講述劇情大綱，以及分幕、分配腳色上場演出，由演員即興發揮。

廟會活動演出日夜兩場的戲金只有兩三萬元，可以想見收入的微薄，因而使得戲班不得不精簡成員以節省開銷，到了演出時再臨時搭班，所以劇團團員不固定，流動性很大。在這種情況下，演員自然很難有敬業的熱誠，更遑論付出心力，提升自己的藝術技巧了。目前野臺戲的觀眾最多一場二三十人，空無一人的場面也司空見慣，沒有觀眾，戲怎麼能演得好？而不好的戲又如何吸引觀眾？這樣的惡性循環，再加上流行歌舞團、金光戲、電子琴花車各種聲光娛樂的夾擊，野臺戲也只有步上沒落之途了。雖然目前臺灣登記在案的歌仔戲團有兩三百個，其實絕大多數都是靠著廟會苟延殘喘而已，野臺歌仔戲當前的處境，眞是已經到了危急存亡之秋了。

⑶精緻歌仔戲

在野臺歌仔戲中有少數劇團保留了「大型歌仔戲」的風貌，致力於歌仔戲的改良，提升藝術層面，以嶄新的姿態出現在現代劇場之中，是爲「精緻歌仔

[31] 「民間劇場」是由行政院文建會主辦，一共舉行五屆，筆者主持 1983－1986 的二至五屆。

戲」。

一九八一年楊麗花應新象國際藝術節的邀請，在國父紀念館演出《漁孃》，可說是歌仔戲進入現代劇場的先聲。此後，「明華園」、「新和興」、「河洛」等劇團也先後進入國父紀念館、社教館、國家劇院演出，每每座無虛席，由此看來，歌仔戲已經出現再度繁榮的契機。雖然大多數的歌仔戲團還在廟口廣場掙扎求生，但有心之人已經爲歌仔戲指出一條精緻化的再生之路。

所謂「精緻歌仔戲」，是能夠發揚歌仔戲的傳統和鄉土特質，融入當前藝術的思想理念和技法，並與現代劇場設備相調適，滋潤臺灣人民心靈的地方戲曲。而在歌仔戲精緻化的共識下，許多劇團已經有相當成功的經驗。歸納各家對提升歌仔戲所作的努力，筆者爲精緻歌仔戲的發展找出一些可以依循的方向：其一講求深刻不俗的主題，其二情節安排緊湊明快，其三排場醒目可觀，其四語言肖似口吻、機趣橫生，其五音樂曲調的多元豐富性，其六演員技藝的精湛與學養的修爲。

在追求精緻化的同時，不要忘記突顯歌仔戲的鄉土性格，因此語言和音樂方面要格外展現共鳴力，感染觀眾。而如果在身段方面能多從藝術性較高的傳統戲曲（如梨園戲、崑劇），甚至現代舞蹈汲取滋養，踏謠的古樸格調也適度的保留穿插，那就更細膩，也更合乎「精緻」的實質意義了。

緣於對鄉土文化的重視，歌仔戲的推廣與薪傳也逐漸受到關注。推廣工作主要透過學校、社區進行。如在學校中設計鄉土藝術課程、舉辦巡迴演出及座談、成立歌仔戲社團等；在社區中則有業餘愛好者的定點表演，如臺北保安宮、青年公園，以及舉辦研習活動等。歌仔戲的薪傳可分爲研訓課程與正規教育兩方面，前者如電視歌仔戲團的訓練班、政府或民間社團所舉辦的歌仔戲研習班等。一九九四年九月國立復興劇校設置了「歌仔戲科」，歌仔戲納入正規教育體系之中，對長期以來由民間獨力支撐的歌仔戲傳承工作而言，具有深遠的意義。一九九二年九月宜蘭縣成立了臺灣第一個公立歌仔戲劇團「蘭陽歌劇團」，擺脫了營利求生的包袱，著重演員的訓練，期能奠下紮實的基礎。㉜歌仔戲的推廣與薪傳日益普及，也意味著歌仔戲未來的發展空間將更寬廣。

㈡ 閩南歌仔戲

一九四五年日本投降後，閩南歌仔戲亦如臺灣一般飛快復甦，而原來盛行於龍溪一帶的「改良戲」也進入城市，與原來的歌仔戲合流。及至時局動亂，人民飽受戰亂之苦，歌仔戲再度衰微。兩岸分隔之後，綜觀閩南歌仔戲的發展，可以分為四個階段。㉝

1.戲改時期

一九五一年中共著手進行戲曲改革，以「百花齊放，推陳出新」為方針，推動「改戲、改人、改制」的政策。一九五三年福建成立戲曲改進委員會，閩南歌仔戲於此時改名「薌劇」，展開改革工作。

所謂「改戲」是針對歌仔戲的主題、內容加以改革。禁演恐怖、迷信、淫穢的戲，對於舞臺表演方式、使用的語言也要求「淨化」，改正粗野低俗的弊病。除了禁演內容不良的戲碼之外，也同時透過「戲曲會演」的方式，鼓勵發掘歌仔戲優秀的傳統劇目，此外，更推動創作編演現代戲，以及新編歷史劇。

所謂「改人」是改善歌仔戲藝人的素質。一些新文藝工作者加入，以文化藝術的專業知識，結合藝人的實際經驗，使歌仔戲在音樂、表演、導演、舞臺設計等方面長足進步，提升歌仔戲表演的內涵。閩南歌仔戲的精緻化遠比臺灣起步得早，這批新文藝工作者功不可沒。

㉜ 關於歌仔戲推廣與薪傳的現況，詳可參見蔡欣欣：〈臺灣歌仔戲八〇年代以來之發展〉，收錄於《海峽兩岸歌仔戲創作研討會論文集》（臺北：行政院文化建設委員會出版，1997年）。

㉝ 以下有關閩南歌仔戲的發展，參見陳耕、曾學文、顏梓和合著：《歌仔戲史》，同注❽，第八章〈閩南歌仔戲的繁榮與變遷〉。

此外，爲了培養根基良好的新歌仔戲演員，一九五七年六月首先在廈門成立廈門市戲曲演員訓練班，主要培養薌劇演員。一九五八年九月訓練班轉入廈門市藝術學校戲曲科。漳州也在一九五八年三月成立漳州藝術學校，一九五九年初改爲漳州大學藝術學院。透過專業教育，除了歌仔戲基本功的學習之外，也充實學生其他基本學科的知識。同時組團觀賞名家演出，或聘請著名藝人來校教學，又提供學生實習演出的機會。運用多元的方式，提升學生表演的技藝與文化的素養，培育出許多編劇、導演、作曲、表演、乃至舞臺設計的人才，成爲閩南歌仔戲持續進步的動力。

所謂「改制」，一是將歌仔戲班的組織逐步改爲公立劇團，二是將表演形式由幕表制改爲定型劇本制。一九五六年歌仔戲班改爲公辦，經費由政府負責，至一九六〇年，閩南計有十個公立薌劇團。由於生活不成問題，藝人可以專心投入提升表演藝術，有利於歌仔戲的進步。其次，過去幕表戲的表演，容易出現鬆散、雜亂，甚至譁眾取寵的缺失，因此改採定型劇本，確保演出的品質。

歌仔戲在戲改時期，在劇目的整理創作、藝人素質的訓練培養、表演體制的規畫建構等方面都有相當成績，使歌仔戲的藝術層次大爲提升，並在五〇年代中期至六〇年代初期極爲興盛。

2.文革時期

文革十年對中國傳統文化帶來毀滅性的破壞，歌仔戲也在其衝擊之下面臨絕境。劇團中與傳統有關的劇本、書籍、曲譜、唱片、服裝、布景、道具焚燒一空，知名藝人被批鬥、審查、扣押，一九六九年，閩南所有歌仔戲專業劇團遭到解散，取而代之的是「毛澤東思想文藝宣傳隊」。宣傳隊中雖然有少數歌仔戲演員，卻只能演出《白毛女》、《智取威虎山》等樣板戲。在這種困境之下，歌仔戲藉由各地村社組織的業餘薌劇團維持一線命脈，然而所演的無非是樣板戲或是宣傳革命題材的現代戲。

3.重建時期

一九七六年文革結束，人們從長久的壓抑與禁錮中解脫，對傳統文化抱持著無比熱情，閩南歌仔戲也開始重建的工作。首先是劇團的組織，一九七五年漳州市薌劇團重新成立，至一九七九年各地薌劇團全部恢復建制。在學校教育方面，一九七六年福建藝術學校復校，廈門首先開辦了薌劇班，一九七七年龍溪地區也開辦薌劇班。新一代的學生正値大陸藝術復興，所受到的重視與所接觸的文化視野都是前所未有的，成爲閩南歌仔戲新生代的菁英。

歌仔戲的演出也恢復了，一方面大演傳統戲，再度造成轟動；一方面新戲的創作也獲得相當大的自由空間，培養出一批青年編劇家。一九八一年建立劇目創作室，廈門、福州、漳州、泉州均有專業創作人員的編制，使歌仔戲得以保持旺盛的創作力。

八〇年代以來，新一代的文藝工作者加入歌仔戲劇團，使歌仔戲進入新的高峰。新創作的劇本表現了新的題材，呈現深刻的思想主題。在音樂與舞臺設計上也有所提升。這個階段可說是閩南歌仔戲的輝煌時期。

4.歌仔戲的現況

自大陸改革開放以來，經濟的成長、外來文化的刺激、新興娛樂的多元發展，使閩南歌仔戲也如同臺灣一般，遭受現代社會的挑戰。整體戲曲環境大不如前，歌仔戲也面臨觀眾流失的處境。城市的生存空間日漸消減，幸而鄉村還對歌仔戲持有熱情。目前福建的歌仔戲劇團可分爲民間職業劇團和國營專業劇團兩類，職業劇團約兩百多個。職業劇團因爲較能調整演出方式與劇目，適合觀眾的需求，經濟力反而比專業劇團理想。專業劇團則面臨藝術提升與經費運用的兩難局面。而在職業選擇日趨自由的情況下，全心投入歌仔戲的演員越來越少，這些對歌仔戲的發展都造成不利的影響。

從以上兩岸歌仔戲發展的歷程，可知兩岸在不同的社會環境中，形成不同的面貌。臺灣歌仔戲從黃金時期即走向「胡撇仔戲」的路線，以強烈的草根性和廣大的包容力，雜揉各種表演成分，卻缺乏整合的體系，加上幕表戲的演出方式，使得野臺歌仔戲的藝術低落。而閩南歌仔戲則很早就進行改革，將歌仔戲幕表即興的演出納入規範之中，雖然提升了歌仔戲的藝術層次，但也不免失去了一些歌仔戲活潑的生命力。目前「精緻化」、「現代化」爲兩岸歌仔戲未來發展的共識，現代潮流時勢的衝擊也是兩岸歌仔戲共同面對的課題。因此，透過兩岸歌仔戲的交流，尋求歌仔戲的光明前景，當是一件具有積極意義的重要工作。

四、兩岸歌仔戲的交流與展望

歌仔戲流傳至閩南後，從二〇年代到三〇年代，臺灣歌仔戲班接連赴閩演出，不僅促進了閩南歌仔戲的興起，並激發兩岸歌仔戲藝人的切磋觀摩。一九四八年「廈門都馬劇團」來臺，正展開歌仔戲另一階段的交流，不料兩岸隨即成爲敵對狀態，長期隔絕，臺、閩歌仔戲四十年來各自發展，直到一九八七年政府解除「戒嚴令」，逐步開放大陸政策，兩岸歌仔戲的交流才開啓歷史的新頁。

一九八七年以後，兩岸歌仔戲的交流可分爲學術與表演兩方面。[34]一九八八年陳健銘先生至閩南進行田野調查，並與閩南歌仔戲界交換意見，踏出了兩岸歌仔戲學術交流的第一步。一九八九年，福建省藝術研究所與廈門市臺灣藝術研究所舉辦「首屆臺灣藝術研討會」，會中許常惠先生介紹了臺灣音樂和歌仔戲的發展狀況，施叔青女士雖然不克與會，但提出論文〈臺灣歌仔戲初探〉。這次研討會，可說爲兩岸歌仔戲學術交流正式揭開序幕。

一九九〇年，廈門市臺灣藝術研究所舉辦「閩臺地方戲曲研討會」，臺灣學者計有十二位與會，對於歌仔戲在臺閩兩地的差異提出多方面的意見。這次

---

[34] 以下所述於福建舉辦之交流活動主要參考陳耕、曾學文、顏梓和合著：《歌仔戲史》，同注[8]，第九章〈兩岸的交流與合作〉。

會議並邀請薪傳獎得主廖瓊枝女士與廈門歌仔戲演員進行交流，與會者與廈門觀眾第一次在兩岸分隔四十年後親身領略臺、閩歌仔戲的情味。

一九九二年，臺灣歌仔戲學會會長張炫文等四人至廈門，與廈門市臺灣藝術研究所、廈門市歌仔戲劇團、廈門藝校座談，會中就兩岸歌仔戲唱腔和表演的異同、人才的培養、藝術的改進與提升等問題進行討論。

一九九五年，兩岸歌仔戲的學術交流活動首度在臺灣舉行。由行政院文化建設委員會主辦、財團法人中華民俗藝術基金會承辦的「海峽兩岸歌仔戲學術研討會」，於十月十九日至十月二十一日假臺灣大學舉行。此次會議計發表論文十九篇，所關涉的主題涵括了歌仔戲的發展歷史、藝術特色、文化生態、未來趨勢、薪傳教育、經營策略、社會功能等方面，並安排了「兩岸歌仔戲的共生與共榮」、「歌仔戲的薪傳與現代化」、「兩岸歌仔戲交流合作之展望」三場座談會，邀集學者、歌仔戲工作者參加，期能集思廣益，爲歌仔戲的未來建言。配合會議並推出兩岸攜手合作的歌仔戲實驗劇「李娃傳」，結合理論與實務，以實際的合作，面對兩岸的差異，共同解決雙方所經驗的難題，以尋求眞正的「共存共榮」之道。

一九九七年五月二十七日至五月二十九日，結合兩岸之力，由臺北市現代戲曲文教協會與福建省閩臺文化交流中心、廈門中華文化聯誼會、漳州歌仔戲藝術中心共同舉辦「海峽兩岸歌仔戲創作研討會」，會議於廈門、漳州兩地進行。透過論文發表、清唱、演出、參觀訪問及綜合座談等活動，進行了一次生動熱烈的討論。會議以「歌仔戲創作」爲主題，除了從學理與實務的觀點分就編劇、導演、音樂、舞臺美術等論題提出十六篇論文之外，並藉由兩岸藝人的演出在舞臺上具體印證。

兩岸歌仔戲的學術交流持續不斷的進行，歌仔戲的表演團體也以多樣化的形式互相觀摩。一九九〇年「明華園」赴北京參加藝術節活動，得到很大的迴響，也使兩岸歌仔戲的交流層面更爲開闊。一九九三年，福建舉辦「九三海峽

（閩臺）戲劇節暨福建省第十九屆戲劇會演」，「一心歌仔戲劇團」應邀赴閩演出，在分隔四十四年後，歌仔戲再度重回其根源之地，並受到熱烈歡迎。

一九九五年六月福建省漳州市薌劇團跨海來臺，接續了當年「廈門都馬劇團」的足跡，巡迴臺灣各地演出，將閩南歌仔戲帶進臺灣人的視野，獲得一致的好評。在臺期間，並與「蘭陽歌劇團」聯演邵江海的作品《謝啓娶妻》，舞臺上宛如歌仔戲歷史的縮影，呈現了兩岸歌仔戲相互的影響，以及各自發展的風貌，也首度提供兩岸藝人切磋舞臺經驗的實際機會。

除了劇團互訪演出之外，兩岸歌仔戲的表演也嘗試共同合作。臺灣與漳州歌仔戲藝人聯合創辦了「同心社」歌仔戲劇團，招收二十多名學員加以訓練，並登臺演出，爲兩岸歌仔戲的合作建立新的模式。

兩岸歌仔戲的交流十年來已累積相當的成果，在學界與藝界的共識下，兩岸持續合作互動是必然的趨勢。展望未來，筆者以爲對兩岸歌仔戲的交流應具備正確的認識，並規畫具體的方案。就前者而言，首先須對雙方現況有眞切的了解。舉凡藝術特點、文化環境、重要劇團、著名藝人，及其相關法令、薪傳體系，乃至學術研究之成果，皆能全面掌握，如此，交流時才能確定可行的方向，並透過適當管道，提高交流的可能性。其次，對於雙方的差異應彼此尊重包容，取長補短，保有歌仔戲多元發展的活力。就後者而言，當視交流的目的擬定適切的方式，舉其要者言之：爲薪傳，大陸的歌仔戲教育起步較早，具有豐富的經驗，則可延聘藝人及教師來臺，使作較長期的居留，幫助傳承的工作；爲觀摩，除了互訪表演之外，亦可如《李娃傳》的模式，組成聯合劇團，配搭演出，從實際表演中相互學習；爲研究，可定期舉辦研討會，於臺閩兩地輪流進行。

總之，兩岸歌仔戲的交流須以正確的認識爲前提，依據交流的目的，擬定適當的方案，並分別輕重緩急，妥善規畫。尤其重要的是，交流必須是長期的工作，而非一閃即逝的火花。如此，歌仔戲才能在兩岸和諧的交流中持續發展。

結 語

臺閩文化血脈相連，歌仔戲更是兩岸同根並源，互注相融的劇種。臺灣歌仔戲以來自閩南的錦歌、車鼓爲根源，在宜蘭地區結合發展，從歌仔陣落地掃的小戲時代汲取其他劇種的滋養逐漸壯大，成爲臺灣土生土長的代表性劇種，迄今已約有百年歷史。成熟後的歌仔戲於二〇年代流傳至閩南，以廈門爲起點，進一步向內地發展，從而促成「薌劇」的成立，也由此開始兩岸歌仔戲各自的發展歷程。

閩南歌仔戲在對日抗戰時期即產生第一次的變革，以邵江海所創的「雜碎調」與其他「改良調」爲主，稱作「改良戲」，自具特色。其後在兩岸分隔的四十年間，臺閩歌仔戲更在不同的社會環境中形成不同的風貌。在臺灣，歌仔戲出現了野臺歌仔戲、內臺歌仔戲、大型歌仔戲、廣播歌仔戲、電影歌仔戲、電視歌仔戲以及精緻歌仔戲等不同的類型，由盛而衰、而蛻變轉型，近來則以「精緻化」的改革再度活躍在舞臺上；在閩南，從戲改時期即進行改革工作，文革時期雖然受到壓制，但文革結束後迅復原，進而形成歌仔戲的輝煌時期，並維持「精緻化」、「現代化」的發展方向。

自一九八七年大陸政策開放以來，兩岸歌仔戲的交流重新開始，不論學術研究或表演觀摩，都引起熱烈的迴響。展望未來，「精緻化」與「現代化」是兩岸歌仔戲發展的共同方向，現代潮流的衝擊亦是兩岸歌仔戲共同面對的難題。筆者曾爲一九九五年舉辦的「海峽兩岸歌仔戲學術研討會」寫下一幅對聯——同根同氣論談鄉土劇，共生共榮開啓藝術花——相信在兩岸合作下，結合理論與實務，汲取彼此的經驗，必可爲歌仔戲指出一條向上之路，爲歌仔戲開闢出無限光明的前景。

抱茲苦心，良獨內愧：陶淵明〈與子儼等疏〉的自白

王國瓔*

提　要

〈與子儼等疏〉是陶淵明大約五十出頭，因經歷一場病患，在「自恐大分將有限」的心情下所寫，是給五個兒子的一封普通家信。

自兩漢以來，與子侄晚輩的書信，有其大致遵循的傳統。書中多屬訓誡勸勉之辭，語含說教意味。主要是訓勉子侄，當如何安身立命，謹言慎行，避禍遠害，流露出長輩對子侄在為人處世或生涯前途方面的關懷，并揭示作者本人對政治仕宦的觀點，或為人治學應有的態度。陶淵明〈與子儼等疏〉亦沿襲前人「與子書」的訓誡勸勉傳統，不過卻展現出個人獨特的風格色彩。

首先，陶淵明與子書主要是「言其志」，以敘說個人情懷志趣為主體，其次方為訓誡勸勉兒子。再者，書中所言之「志」，不僅傳達一個為人父者對兒子的關愛，更突破前人與子書「君父至尊」的傳統格局，而是向兒子吐衷腸，訴心聲，并解釋立場，期盼諒解。尤令人矚目的是，其間流露的，對古代隱士有賢妻的羨慕，對自己「室無萊婦」的憾恨；以及因自己「僶俛辭世」，歸耕田畝，累及兒子「幼而飢寒」，從小難免「柴水之勞」的愧疚不安；還有浮現於整封書信中，對自己的人生道路，似乎懷著一分不確定感，一分疑惑，一分歉意。這些非常私人的，屬於比較隱蔽幽微的情懷，是陶淵明之前與子書中所無，也是中國文學史上罕見的。

關鍵詞：陶淵明　與子書　僶俛辭世　良獨內愧

---

*　國立臺灣大學中國文學系教授。

一、前　言

陶淵明有五子，陶集中針對其子而寫的作品共有三篇。四言〈命子〉詩，追述祖德，以教命長子儼，「溫恭朝夕，念茲在茲，……夙興夜寐，願爾斯才……」；五言〈責子〉詩，嘆五子懶惰不成器，且自我調侃，「白髮被兩鬢，肌膚不復實。雖有五男兒，總不好紙筆……」；〈與子儼等疏〉，則是一封寫給五子的家信。數量雖「少」，在中國文學史上，屢次在詩文中，表達一個父親對兒子的關愛，卻是前所未有。其中〈與子儼等疏〉，大約是陶淵明五十出頭，因經歷一場病患，在「自恐大分將有限」的心情下所寫。❶

告儼、俟、份、佚、佟：

天地賦命，生必有死，自古賢聖，誰能獨免？子夏有言：「死生有命，富貴在天，」四友之人，親受音旨。發斯談者，將非窮達不可妄求，壽夭永無外請故耶！

吾年過五十，少而窮苦，每以家弊，東西遊走，性剛才拙，與物多忤。自量為己，必貽俗患，僶俛辭世，使汝等幼而飢寒。余嘗感孺仲賢妻之言，敗絮自擁，何慚兒子？此既一事矣。但恨鄰靡二仲，室無萊婦，抱茲苦心，良獨內愧。

少學琴書，偶愛閒靜，開卷有得，便欣然忘食。見樹木交蔭，時鳥變聲，亦復歡然有喜。常言：五六月中，北窗下臥，遇涼風暫至，自謂是羲皇上人。意淺識罕，謂斯言可保。日月遂往，機巧好疏，緬求在昔，眇然如何！

---

❶ 有關〈與子儼等疏〉之繫年，歷來眾說紛紜，至今尚無定論。甚至有謂此文乃淵明遺書者。惟據文中「吾年過五十」云云，此疏或當寫於五十出頭不遠，或許五十二、三歲左右。應非臨終遺書。見龔斌：《陶淵明集校箋》（上海：上海古籍出版社，1996 年），頁 445。

病患以來，漸就衰損，親舊不遺，每以藥石見救，自恐大分將有限也。汝輩稚小，家貧無役，柴水之勞，何時可免？念之在心，若何可言！

然汝等雖不同生，當思四海皆兄弟之義。鮑叔、管仲，分財無猜；歸生、伍舉，班荊道舊；遂能以敗為成，因喪立功。他人尚爾，況同父之人哉！穎川韓元長，漢末名士，身處卿佐，八十而終，兄弟同居，至於沒齒。濟北氾稚春，晉時操行人也，七世同財，家人無怨色。《詩》曰：「高山仰止，景行行止。」雖不能爾，至心尚之。汝其慎哉，吾復何言！

就傳統文體分類而言，這封「與子疏」屬於「書信體」。❷書信是人與人之間彼此溝通的工具，屬應用文中的「書牘」類，具有實用價值。書信作者通常有一定目的，爲某種需要，且爲特定的讀者對象而寫。根據書信讀者對象身分之尊卑上下、親疏遠近關係，在措詞、語氣、格式上，自然各有其大致遵循的傳統。至於書信的內容，則並無一定規範。無論國事、家事、私事，乃至學術討論、文學批評、人物品評、個人情懷……，大凡在觀點上，感情上，意欲與對方有所溝通交流，以便引起注意，得到回應，博取諒解，或贏得同情者，均可入書。簡言之，只要是心裡想告訴對方的，即可通過書信，暢所欲言。因此，書信比一般的文學創作更具眞實性，更接近作者個人的「心聲」，❸更容易窺見作者的眞性情、眞面貌。

---

❷ 劉勰（465?－522?）《文心雕龍》有〈書記〉篇，已視「書信」為一種重要的文體：「書者，舒也，舒布其言，陳之簡牘。」另外，「疏」亦屬「書」類：「疏者，布也。布置物類，撮題近意，故小卷短書，號為疏也。」見范文瀾：《文心雕龍註》（香港：商務印書館，1986 年），卷 5，頁 455、459。

❸ 劉勰《文心雕龍・書記》即云：「詳總書體，本在盡言，言以散鬱陶，托風采，故宜條暢以任氣，優條以懌懷，文明從容，亦心聲之獻酬也。」范文瀾：《文心雕龍註》，同前注，卷 5，頁 456。

從現存資料視之，早在春秋時代，列國士大夫之間已有書信往來之例，惟雖形同書信，實質上屬於公文的範疇，所言多屬外交辭令，並非作者個人的「心聲」。❹私人書信，則至漢代以後，才開始多量出現，通常是朋友同僚之間的書信往來，彼此討論問題，交換意見，敘述情誼，或是訴說懷抱。❺與家庭成員如子侄晚輩的書信，則比較少。這當然並不表示，古人給子侄的書信比較稀少，可能因爲與子侄書屬於一般「私人文件」，容易佚失，未能保存下來。目前所知，現存最早的與子侄輩的私人書信，當屬西漢武帝（在位：前 140－前 87）時期，孔臧（前 201?－前 123?）〈與子琳書〉、東方朔（前 161?－前 87?）〈誡子〉等，❻均屬對兒子訓誡勸勉之辭，語含說教意味，從此開啓了「與子書」諄諄告誡的基調。以後劉向（前 77?－前 6）〈誡子歆書〉、馬援（前 14－49）〈誡兄子嚴、敦書〉、鄭玄（127－200）〈誡子益恩書〉等，亦是訓誡勸勉子侄，當如何安身立命，謹言慎行，避禍遠害，流露出長輩對子侄爲人處世或生涯前途方面的關懷，並揭示作者本人對於政治仕宦的觀點，或爲人治學應有的態度。陶淵明〈與子儼等疏〉亦沿襲前人「與子書」的訓誡勸勉傳統。❼不過，卻展現出個人獨特的風格色彩。

首先，猶如沈約（441－513）《宋書・隱逸傳》陶淵明本傳所云：「〈與

❹ 如《左傳》中載有〈鄭子家與趙宣子書〉、〈子產與范宣子書〉等即是。有關中國「書信體」的發展演變，見褚斌杰：《中國古代文體概論》（北京：北京大學出版社，1990 年增訂本），頁 389-403。

❺ 現存的一些著名作品，諸如司馬遷〈報任安書〉、相傳蘇武和李陵之間的〈報李陵書〉、〈報蘇武書〉，還有楊惲〈報孫會宗書〉、曹丕〈與吳質書〉、嵇康〈與山巨源絕交書〉等，均屬既陳己見，亦抒己懷之作。

❻ 按東方朔〈誡子〉收錄於《全漢文》（卷 25，頁 12a）。惟對其文體之歸屬，向來仁智各見。如班固（32－92）《漢書》即「取前十句為東方『贊』。」沈德潛（1673－1769）《古詩源》則視之為「詩」。見朱太忙：《詳註古詩源》（揚州：江蘇廣陵古籍刻印社，1991 年），頁 44。

❼ 按《藝文類聚》卷二十三即引此書作〈誡子書〉。

子書〉以言其志，並為訓誡。」❽陶淵明「與子書」主要是「言其志」，乃是以敘說個人的情懷志趣為主體，其次方為訓誡兒子。再者，書中所言之「志」，不僅傳達一個為人父者對兒子的關愛，更突破了前人與子書「君父至尊」的傳統格局，❾而是向兒子吐衷腸，訴心聲，並解釋立場，期盼諒解。其中流露的是，因自己辭官歸田，乃至累及兒子受飢寒之苦的無奈、遺憾、和愧疚不安。

以下試就其內涵要旨，分為自我情懷志趣的表述，以及對兒子的勸勉與期望兩部份，加以論析。

二、自我情懷志趣的表述

在「與子書」中，向兒子自述生平志趣，始見於東漢大儒鄭玄〈誡子益恩書〉。清代鄭文焯（1856－1918）即認為，陶淵明與子書「當與夫康成公誡子文參觀。」❿的確，二封「與子書」，在自述生平志趣方面，甚至對兒子的疼惜之情，⓫均有類似之處。不過，鄭康成自述求學、仕宦、辭官的經過，樹立自己刻苦上進，不慕榮利的形象，顯然含有以身作則之意。目的是將自己一生為人處世的風格視為榜樣，令其子得以有所依循仿效。語氣并態度上，對自己品德的表現、學業的勤奮，既肯定又自信。反觀陶淵明在向兒子自述生平志趣時，彷彿是在吐衷腸、訴心聲，藉此紓解內心的愧疚，期盼兒子的諒解。語氣間，對自己的人生道路，似乎懷著一份不確定感，甚至浮現著一份疑惑，一份

---

❽ 見《宋書・隱逸傳》（北京：中華書局，1974年點校本），卷93，頁2289。

❾ 據劉勰《文心雕龍・詔策》：「戒者，慎也，禹稱戒之用休。君父至尊，在三罔極，漢高祖之敕太子，東方朔之戒子，亦顧命之作也。及馬援以下，各貽家戒。……」范文瀾：《文心雕龍註》，同注❷，卷4，頁360。

❿ 收入北京大學中文系編：《陶淵明卷》（北京：中華書局，1965年），下編，頁374。

⓫ 鄭玄〈與子益恩書〉中有云：「家事大小，汝一承之。咨爾煢煢一夫，曾無同生相依。…」其對兒子疼惜之情，溢於言表。見《全後漢文》，〔清〕嚴可均（1762－1843）校輯：《全上古三代秦漢三國六朝文》（北京：中華書局，1958年），卷84，頁2b-3b。

歉意。⑫這是中國文學史上罕見的，面對自己兒子之際，將內心深處既眞實又幽微的感覺，坦率訴諸文字者。

死生有命，富貴在天

據文中「病患以來，漸就衰損，親舊不遺，每以藥石見救，」可知陶淵明曾經大病一場，目前身體尚未完全復原。年歲大了，加上病患，自然會想到生命的局限，所以說「自恐大分將有限也」。當然，生死問題一直是魏晉玄學的重要課題，也是陶淵明詩文中，經常出現，反覆思索，力圖超越的問題。給兒子的信，一開端即云「天地賦命，生必有死。自古聖賢，誰能獨免。」猶如〈擬挽歌詩三首〉其一所言「有生必有死，早終非命促。」看似參透生死壽夭之悟，或許亦有藉此開解自己，並安慰兒子之意。不過，値得注意的是，隨後引《論語·顏淵》所錄子夏聞之於孔子之言：「死生有命，富貴在天」，⑬將生死壽夭與富貴窮達並舉，即含蘊了一份無可奈何感。尤其是對「子夏有言」所引發的人生體會：「發斯談者，將非窮達不可妄求，壽夭永無外請故耶！」揭示的是，陶淵明和古代失志不遇者一樣，對此生仕宦未能顯達，功業未能有成，雖心懷遺憾，卻又無可如何，乃至最終不得不歸之於「命」的無奈。語氣間，似乎是藉古人之言，向兒子說明，死生存亡、窮達貧富，乃是命中注定，無法強求的，或許可以紓解自己的遺憾，並且讓兒子明白自己的苦衷。接著就追述當初如何出仕，又如何轉而歸隱，向兒子說明立場，解釋原由。

---

⑫ A. R. Davis, *T'ao Yuan-ming: His Works and Meaning* (Cambridge: Cambridge University Press, 1983)，即認為陶淵明〈與子疏〉可能以鄭玄〈誡子益恩書〉為範本（Vol. I, p.230）。惟陶作中浮現的自我疑惑，以及不確定感，則是鄭作中所無。

⑬ 據《論語·顏淵》：「子夏曰：『商聞之矣：死生有命，富貴在天。』」（阮刻《十三經注疏》本，卷 12，頁 2b）所謂「商聞之矣」，或當指聞之於孔子。見家父王叔岷：〈陶淵明〈與子儼等疏〉箋證〉，《臺大中文學報》第 6 期（1994 年 6 月），頁 2。

自量為己，必貽俗患，僶俛辭世

陶淵明大約二十九歲首次出任州祭酒，至四十一歲辭彭澤令，其間曾經數仕數隱。⓮至於出仕原因，則屢次於詩文中聲稱，是爲解決「家貧」的問題。如〈歸去來兮辭並序〉所云：「余家貧，耕植不足以自給，幼稚盈室，缾無儲粟。生生所資，未見其術。家叔以余貧苦，遂見用於小邑。」〈飲酒二十首〉其十九亦云：「疇昔苦長飢，投耒去學仕。將養不得節，凍餒固纏己。」此番回顧從出仕到歸隱的過程亦云：「吾年過五十，少而窮苦，每以家弊，東西遊走。」既然每每爲家貧而出仕，最終又爲何辭官歸田，忍受貧困呢？陶集中其他作品，反覆陳述的理由，就是歸之於其自然率眞的「天性」與俗世不合。諸如〈歸園田居五首〉其一嘗宣稱：「少無適俗韻，性本愛丘山。」〈歸去來兮辭並序〉則明言：「質性自然，非矯厲所得。飢凍雖切，違己交病。嘗從人事，皆口腹自役。於是悵然慷慨，深愧平生之志。」〈感士不遇賦〉亦強調：「寧固窮以濟意，不委曲而累己。」但是，「與子疏」中，除了再度聲稱自己「性剛才拙，與物多忤」之外，卻更進一步說明促使自己辭官的原因：「自量爲己，必貽俗患。」原來是擔心自己長久留在仕途，必會惹上麻煩，遭遇禍患，才「僶俛辭世」。換言之，當初辭官，並非只顧依順自己率眞的天性，或只顧堅持自己高尙的原則，實際上，乃是顧慮現實環境，憂心政治局勢之險惡，幾經考量，爲避禍遠害，萬不得已，才選擇辭官歸田。

當然，時代的憂患意識，政局的危懼感，原是漢魏以來，身處亂世的知識分子普遍的感受。也是促成隱逸思想，隱逸行爲蔚然成風的重要背景。阮籍（210－263）〈詠懷詩〉中，就不時浮現這種憂患意識和危懼感，並且流露出嚮往遁世隱逸的情懷。陶淵明雖然人微位低，並未處於東晉王朝權力鬥爭的核心，

⓮ 有關陶淵明初次出仕，及最終辭官歸田的年歲，論者甚多。今取逯欽立：〈陶淵明事跡詩文繫年〉，見逯氏校注：《陶淵明集》（香港：中華書局，1987 年）「附錄二」，頁 261-290。

畢竟先後在桓玄、劉裕等幕下任職，曾經目睹晉宋之際政局的動盪，環境的險惡，⓯自然亦難免情懷憂患，心存危懼。其「量力為己，必貽俗患」的結果，即是「僶俛辭世」。這是陶淵明詩文中，對其選擇辭官歸田，最具體，最詳盡的說明，也是對親人而言，最具說服力的理由。因為此番強調的，並非單純個人人生理想的追求，亦非一己人格操守的堅持，而是關係到現實問題，顧慮到當前形勢的安危，萬不得已才做出的選擇。如此解釋，或許能得到幾個兒子對自己辭官不仕的諒解吧？

僶俛辭世，使汝等幼而飢寒；

柴水之勞，何時可免！

當初為解決家庭生活的貧困而出仕，之後卻又為免貽俗患而僶俛辭世。一旦辭官歸田，自然會再度面臨生活的貧困，其結果是：「使汝等幼而飢寒。」換言之，是自己的辭官歸田，直接造成幾個孩子從小飢寒度日。簡單一句話，其鬱積內心深處的自責，揮之不去的愧疚不安，溢於言表。而且將自己對兒子的歉意，形諸文字，告訴兒子，在中國文學史上，恐怕亦是空前的。

當然，飢寒貧困原是陶淵明筆下經常出現的情狀。翻閱陶詩，嘆貧之處，俯拾皆是。諸如〈癸卯歲（403）十二月中作與從弟敬遠〉：「勁氣侵襟袖，簞瓢謝屢設。」〈飲酒二十首〉其八：「代耕本非望，所業在田桑。躬耕未曾替，寒餒常糟糠。」〈怨詩楚調示龐主簿鄧治中〉：「夏日長抱飢，寒夜無被眠。造夕思雞鳴，及晨願烏遷。」不過，值得注意的是，陶淵明每每不惜筆墨，描述其飢寒貧困的具體狀況，顯然並非以訴窮來博取同情，其真正目的是，藉此矢言其君子固窮的節操，強調其隱居之志不可移，其間含蘊著自勵自勉，自

⓯　有關陶淵明所處晉宋之際的政局，見袁行霈：〈陶淵明與晉宋之際的政治風雲〉，《陶淵明研究》（北京：北京大學出版社，1997年），頁78-108。

我期許的意味。⑯何況「量力守故轍，豈不寒與飢」（〈詠貧士七首〉其一），飢寒貧困，是其辭官歸田，堅守君子固窮必須付出的代價。但是，對於家人而言，在毫無選擇之下，跟著一起飽受飢寒之苦，則難免委屈。因爲他們面臨的，是現實生活中當前衣食的匱乏，而非道德情境的追求，或人格操守的執著。尤其是年幼無辜的孩子，不能在衣食無慮的舒適環境中成長，卻跟著自己一起挨餓受凍，身爲人父，總覺得於心不忍，總覺得對他們有所虧欠。乃至短短一封與子書，兩度提及兒子的飢寒辛苦，爲自己的貧窮累及兒子，滿懷歉意。何況如今又「自恐大分將有限也，」不但念及兒子過去的生活，還掛慮他們未來的日子：「汝輩稚小，家貧無役，柴水之勞，何時可免？」自小承擔的柴水之勞顯然無法免除，家貧之困看來亦不易解決，所以只能無奈地喟嘆「念之在心，若何可言！」對兒子的辛苦，除了疼惜在心，又能說些甚麼！

但恨鄰靡二仲，室無萊婦

自己選擇辭官歸田，造成兒子「幼而飢寒」，或許爲了使心裡好受一點，於是嘗試用「孺仲賢妻之言」，亦即東漢隱士王霸之妻勸慰丈夫之言，⑰來自我開解，自我安慰。「敗絮自擁，何慚兒子？」棄官歸田，高尚其志，是自己的選擇，猶如自己主動把破絮棉衣穿在身上，何必爲兒子衣衫襤褸，蓬髮歷齒，一副窮困寒酸，而感慚愧？但是，孺仲賢妻之言雖然動聽，顯然並不能眞正減

---

⑯ 見拙著：〈陶詩中的嘆貧〉，《文學遺產》1995 年 4 期，頁 29-36。

⑰ 孺仲乃東漢隱士王霸之字，關於「孺仲賢妻之言」，據《後漢書・列女傳》（北京：中華書局，1965 年點校本）：「初，霸與同郡令狐子伯為友，後子伯為楚相，而其子為郡功曹。子伯乃令子奉書於霸，車馬服從，雍容如也。霸子方耕於田，聞賓至，投耒而歸，見令狐子，沮怍不能仰視。霸目之，有愧容，客去而久臥不起。妻怪問其故，始不肯告，妻請罪，而後言曰：『吾與子伯素不相若，向見其子，容服甚光，舉措有適，而我兒曹蓬髮歷齒，未知禮則，見客而有慚色。父子恩深，不覺自失耳。』妻曰：『君少修清節，不顧榮祿。今子伯之貴孰與君之高？奈何忘宿志而慚兒女乎！』霸屈起而笑曰：『有是哉！』遂共終身隱遯。」（卷 84，頁 2782-2783）

輕內心的自責。尤其是，因念及隱士王霸有賢妻，可以出言化解丈夫因貧窮累及兒子的愧疚，反顧自己，卻熒熒獨立於天地之間，無人明白他選擇辭官歸隱的苦衷，無人了解他堅持君子固窮的節操，也無人能夠撫慰他愧疚不安的心情。不禁湧起一份世無知音的孤單寂寞感，所以說「但恨鄰無二仲，室無萊婦。」

按「二仲」指羊仲、求仲，與東漢隱士蔣詡爲鄰，乃是「以治車爲業，挫廉逃名」的隱者。蔣詡去官歸隱後，斷絕一切世俗的往來，只與志同道合的二仲交遊。⓲陶淵明移居南村後，曾經「鄰曲時時來，抗言談在昔。奇文共欣賞，疑義相與析」（〈移居二首〉其一），惟龐參軍、殷晉安諸同好友人，先後調職轉任他去，昔日爲鄰之「素心人」，均已紛紛離散。再也沒有能夠與他促席對晤，「說彼平生」（〈停雲〉）的良朋了。故云：「鄰靡二仲」。「萊婦」指老萊子妻，以賢明見稱。不但安貧樂道，還深明大義，規勸老萊子，須拒官歸隱，堅守固窮之志，以免「爲人所制」。⓳按陶淵明三十歲喪妻，繼娶翟氏，《南史》陶淵明本傳雖稱「其妻翟氏，志趣亦同，能安苦節，夫耕於前，妻鋤於後。」⓴惟陶淵明自己筆下的妻子，似乎並非如此「模範」，面對丈夫辭官歸隱而造成的「飢寒飽所更」（〈飲酒二十首〉其十六）的貧困生活，難免會

⓲ 據元代李公煥《箋註陶淵明集》引嵇康（223－262）《高士傳》佚文：「求仲、羊仲，皆治車為業，挫廉逃名。蔣元卿之去兗州還杜陵，荊棘塞門，舍中有三徑，不出，惟二人從之遊，時人謂之二仲。」見〔清〕陶澍（1779－1839）注：《靖節先生集》（《四部集要》本，卷 7，頁 1b）。

⓳ 據〔漢〕劉向：《古列女傳・賢明・楚老萊妻傳》：「萊子逃世，耕於蒙山之陽。葭墻蓬室，木床蓍席，衣縕食菽，墾山播種。人或言之楚王曰：『老萊，賢士也。』王欲聘以璧帛，恐不來，楚王駕至老萊之門。……王去，其妻戴畚萊薪樵而來。曰：『何車跡之眾也？』老萊子曰：『楚王欲使吾守國之政。』妻曰：『妾聞之，可食於酒肉者，可隨以鞭捶；可授以官祿者，可隨以鈇鉞。今先生食人酒肉，受人官祿，為人所制也。能免於患乎？妾不能為人所制。』投其畚萊而去。老萊子曰：『子還，吾為子更慮。』遂行不顧，至江南而止。……老萊子乃隨其妻而居之。……」（《四部叢刊》本，卷 2，頁 22b-23a）

⓴ 《南史・隱逸傳》（北京：中華書局，1975 年點校本），卷 75，頁 1859。

站在身爲人妻人母的立場，心懷委屈，甚至口出怨言。故云「室無萊婦」。[21]此處陶淵明「但恨」沒有二仲那樣志同道合的佳鄰，沒有老萊子妻那樣深明大義的賢妻，無疑是向兒子吐衷腸，訴心曲，喟嘆無人了解自己的寂寞與悲哀。既然「知音苟不存」（《詠貧士七首》其一），只好在憾恨中，無奈地「抱茲苦心，良獨內愧」，獨自懷抱著苦衷，心懷愧疚了。

自謂是羲皇上人，斯言難保

歷來讀者對陶淵明「與子疏」中所描述的，自小寄懷琴書的雅趣，融身自然的高情，莫不賞譽有加：「少學琴書，偶愛閒靜，開卷有得，便欣然忘食。見樹木交蔭，時鳥變聲，亦復歡然有喜。常言五、六月中，北窗下臥，遇涼風暫至，自謂是羲皇上人。」或以爲此處所述，實與自覺有如「無懷氏之民歟，葛天氏之民歟」的五柳先生，「酣觴賦詩，以樂其志」的悠游生活相類似。二者同樣是陶淵明幽居隱士的自畫像，是其悠閒自適隱逸情懷的眞實寫照。但是，不容忽略的是，緊接在這段悠閒自適生活描述之後吐露的無奈與喟嘆，才是目前意欲傳達的，最眞實最切身的感受。所謂「意淺識罕，謂斯言可保。」語含自嘲，情懷無奈，意指當初由於人生經驗不足，乃至見識淺陋，認識不清，居然天眞的以爲上述「自謂是羲皇上人」那種「欣然忘食」、「歡然有喜」的悠閒生活與心情，可以永遠維持下去，可以從此悠閒自適以終。其潛在含意是，萬沒料到，辭官歸田後經歷的現實人生，遠非預期的那樣稱心如意。經過「日月遂往，機巧好疏。」歲月不斷流逝，機巧之好，業已疏遠，這時才意識到，「緬求在昔，眇然如何。」當初追慕懷想的往昔，是何等遙遠緬邈，杳然不可企求。猶如〈時運〉詩中所言：「黃唐莫逮，慨獨在余。……但恨殊世，邈不可追。」其中含蘊的是，對自己辭官歸田後的隱逸生涯，經過現實的考驗，已

---

[21] 見拙著：〈陶淵明的「室無萊婦」之憾〉，宣讀於慶祝北大建校一百週年「漢學研究國際討論會」（北京大學中國傳統文化研究中心主辦，1998年5月6-8日）。

經有一番重新體認，進而有所醒悟。如今再也不會像過去那樣，對生活懷有任何不實際的幻想。琴書之娛，自然之樂，並非隱逸生活的全部，「羲皇上人」那般悠閒自適的境界，不可能永遠維持下去。此處流露的，顯然不是一個「忘懷得失，以此自終」（〈五柳先生傳〉）的隱士情懷，而是一個理想生活境界的追尋者，歷經一番艱辛與挫折，終於認清了自己的命運，同時也接受了不如人願的現實人生。

三、對兒子的勸勉與期望

訓誡勸勉兒子，原是兩漢以來「與子書」的傳統。通常是針對兒子的個別性向，或所處特別情況，與書訓誡勸勉。如漢代名儒劉向〈誡子歆書〉，即針對其子劉歆（?－23）「年少，得黃門侍郎」，位處顯要，言行驕奢，於是告誡他切莫因少年得志而得意忘形，爲人處世當恭敬謹慎，方能免禍。㉒東漢名將馬援〈誡兄子嚴、敦書〉，則針對侄兒馬嚴、馬敦「好論議人長短，妄是非正法，」告誡二人須謹言慎行，明哲保身。㉓鄭玄〈與子益恩書〉則諄諄訓勉其子，「勖求君子之道，研鑽勿替；敬慎威儀，以近有德。」這些與子書所流露的，對子侄晚輩的關注，主要是爲人處世、生涯前途方面的關注，是針對子侄晚輩走出家庭之外的言行表現。陶淵明早已辭官歸田，與官場俗世已不相往來，其叮嚀囑咐的，主要是孩子們日常家居生活中的手足之情：「汝等雖不同生，當思四海皆兄弟之義。」五個兒子雖非同母所出，也須友愛互助，不分彼此，和睦共處。這應該是〈與子儼等疏〉中訓誡勸勉的主調。但是，倘若仔細體味其中相關典故的內涵，不難發現，陶淵明對兒子的勸勉與期望，似乎並不局限於單純的家居生活的手足之情，或許另外還寄望他們在社會人生舞台上，

㉒　〔漢〕劉向：〈誡子歆書〉，見同注⓫，《全漢文》，卷 36，頁 11b-12a。

㉓　〔漢〕馬援：〈誡兄子嚴、敦書〉，見同注⓫，《全後漢文》，卷 17，頁 9a-b。

於功業方面亦應有所成就。

鮑叔、管仲分財無猜
歸生、伍舉班荊道舊

所舉歷史人物鮑叔與管仲，歸生與伍舉，是兩對相知相惜的朋友，絲毫不因身居敵對的政治陣營，而影響彼此的交情。據司馬遷（前 145?－前 90）《史記・管晏列傳》：「管仲曰：『吾始困時，嘗與鮑叔賈，分財利多自與，鮑叔不以我爲貪，知我貧也。』」㉔此即所謂「分財無猜」。又據《左傳》襄公二十六年（前 547）：「初，楚伍參與蔡太師子朝友，其子伍舉與聲子（即子朝之子歸生）相善也。……伍舉奔鄭，將遂奔晉。聲子將如晉，遇之於鄭郊，班荊相與食，而言復故。」㉕此即「班荊道舊」。值得注意的是，兩段故事提供的教訓：「遂能以敗爲成，因喪立功。」涉及的均是建功立業的問題。

按管仲當初事公子糾，鮑叔則事齊桓公小白，二人各自輔佐其主爭奪諸侯位。結果公子糾敗，管仲被囚。鮑叔深知管仲之才，向齊桓公推薦爲相，最終得以助其成就霸業。管仲乃是因得鮑叔之助，由失敗轉向成功。此即「以敗爲成」之例。另外，伍舉出奔，因歸生之助，負罪返楚，受聘於楚公子圍。不久楚王有疾，「公子圍至，入問王疾，縊而弒之。」事後經伍舉出策，公子圍方能以「禮」稱嗣，「不以簒弒赴諸侯，」遂能合禮即位爲楚靈王。㉖此乃伍舉之功。蓋所謂「因喪立功」也。兩個例子的確展現朋友故舊之間如何友愛互助的過程，陶淵明於是提醒兒子：「他人尙爾，況同父之人哉。」就連異姓人氏尙且能如此，何況同父所生之兄弟。令人矚目的是，陶淵明此處所用歷史典故，展現的不只是朋友故舊之間友愛互助之情，更重要的是，之後「遂能以敗爲成，

㉔　〔漢〕司馬遷：《史記・管晏列傳》（北京：中華書局，1965 年點校本），卷 62，頁 2131。

㉕　《左傳》襄公二十六年，《春秋經傳集解》（《四部叢刊》本），卷 18，頁 5b。

㉖　《左傳》昭公元年，同前注，卷 20，頁 11a-b。

因喪立功」的結果。管仲、伍舉均因故舊之助，由逆轉順，終於成大業、立事功。選用這樣的歷史典故訓勉兒子，其間可能含蘊甚麼意義呢？

當然，陶淵明早期爲長子儼所寫〈命子〉詩中嘗云：「厲夜生子，遽而求火。」運用《莊子·天地》中所述「厲之人夜半生其子」的典故，㉗希望兒子不像自己寡陋無成，而能「允迪前蹤」，追隨陶氏先祖的步伐，在德業上有所成就。可是，陶淵明自從僶俛辭世，躬耕田畝，早已宣稱「草廬寄窮巷，甘以辭華軒」（〈戊申歲（408）六月中遇火〉），是否對兒子則有不同的價值取向？期望他們將來或許能扭轉逆境，乃至功成業就？這是否意味著，陶淵明畢竟未能忘俗，流露的竟然是一個世俗父親對兒子的期盼？再不然，或許因爲對自己此生功業無成，心懷遺憾，乃至轉而期望從兒子身上得到一些彌補？

韓元長兄弟同居

氾稚春七世同財

除了友愛互助，陶淵明還提及另外兩個歷史人物的故事，勸勉幾個兒子能不分彼此，和睦共處。所舉韓元長是「漢末名士，身處卿佐，八十而終，兄弟同居，至於沒齒。」㉘氾稚春則是西晉時「操行人也。七世同財，家人無怨色。」氾家累世儒業，敦睦九族，至氾稚春，已是七世。時人稱氾家「兒無常父，衣無常主。」㉙從此處所用典故視之，文中強調的是，兄弟同居，七世同財。這是否意味著，陶淵明五個兒子，平日相處似乎並不和睦？

與陶淵明大約同時的隱士雷次宗（?－448），《宋書·隱逸傳》所錄其〈與子侄書〉，僅自述如何宅心事外，託業廬山，遊道餐風……，繼而如何「歸耕

㉗ 《莊子·天地》：「厲之人夜半生其子，遽取火而視之，汲汲然惟恐其似己也。」見錢穆：《莊子纂箋》（臺北：大東圖書出版社，1989年），頁101。

㉘ 韓元長事蹟，見《後漢書·韓韶傳》，同注⑰，卷62，頁2063。

㉙ 氾稚春事蹟，見《晉書·儒林傳》（北京：中華書局，1974年點校本），卷91，頁2350-2351。

壟畔，山居谷飲，人理久絕。……」對子侄之訓勉，不過是「但願守全所志，以保令終耳。」甚至宣稱「自今以往，家事大小，一勿見關，子平之言，可以爲法。」㉚儼然看破俗世人生的口吻，與其隱士形象頗相符合。反觀陶淵明，雖然以「不應徵命」見稱，與周續之、劉遺民是晉宋之際所謂「潯陽三隱」。周續之「入廬山事沙門釋惠遠，」「以爲身不可遺，餘累宜絕，遂終身不娶妻，布衣蔬食。」㉛劉遺民亦「卜室廬山西林中」，而且「不以妻子爲心」，㉜陶淵明卻「直爲親舊故，未忍言索居」（〈和劉柴桑〉），放心不下親人故舊，有太多的人間牽掛，所以只能作一個「結廬在人境」（〈飲酒二十首〉其五）的隱士。因此，其日常面臨的，不是棄絕人事，「遊道餐風」的優游逍遙，而是「幼稚盈室，缾無儲粟」（〈歸去來兮辭並序〉）的瑣屑事物，令其勞神操心，念玆在玆的是，家居生活中五個兒子「柴水之勞，何時可免？」兄弟之間是否友愛互助，能否和睦共處？全然是一個世俗父親的煩惱和掛慮。

四、結　語

「與子書」屬於應用文的範疇，有實用目的。自兩漢以來，已成爲一種重要的文類，有一定的傳統，書中所言多爲訓誡勸勉子侄之辭，往往含有說教意味。其所以有動人之處，就在於其間流露的父子天倫之情。陶淵明〈與子儼等疏〉亦如是。不過，陶淵明雖沿襲前人的傳統，卻以敘說個人情懷志趣爲主體，其次方爲對兒子的勸勉。値得注意的是，陶淵明自述情懷志趣，卻並無前人「與子書」中那樣，意圖以身作則，視自己言行爲晚輩榜樣之意。也不像寫〈五柳先生傳〉那樣，以一個理想的曠達逍遙隱士形象自況。而是通過自我情

㉚ 雷次宗〈與子侄書〉，收入《宋書·隱逸傳》，同注❽，卷 93，頁 2293。

㉛ 《宋書·隱逸傳》，同注❽，卷 93，頁 2280。

㉜ 有關劉遺民棄官，隱於廬山西林之考證，見逯欽立校注：《陶淵明集》「附錄二」〈陶淵明事跡詩文繫年〉，同注⓮，頁 272。

懷志趣的表述，向兒子吐衷腸，訴心聲，并解釋立場，期盼兒子對自己辭官歸田的選擇有所諒解。其中對兒子的勸勉，顯然不離一個世俗父親的態度，除了期盼幾個兒子「友愛互助，和睦共處」之外，似乎還寄望他們能夠走出一條不同的人生道路，在功業上有所成就。

由於陶淵明「與子疏」不過是一封寫給五個兒子的普通家信，並非有意經營創作的文學作品，在章法結構上，可說是鬆散的，沒有前後呼應的嚴密組織，沒有敘述的中心焦點，也沒有固定的主題。只是隨興談一些心中想說的話，交代一些事情，解釋一下立場，如此而已。甚至經常浮現在陶淵明詩文中的高潔不群隱士形象，都模糊不清了。展現在讀者面前的，只是一個尋常的慈愛父親，一個對兒子情懷愧疚，放心不下的父親。

整篇「與子疏」，其實就是一個父親的自白，也是一篇至性至情文。如果陶詩予人的印象，主要就是一個「眞」字，一份「誠」意，那麼這封「與子疏」，或許是陶淵明詩文中，最眞情流露，最誠懇坦白的寫實之作。其中表露的，諸如對於生死壽夭、富貴窮達，不可強求，乃至歸之於「命」的無奈；對於爲何辭官歸田的說明：因「自量爲己，必貽俗患」，才「僶俛辭世」；對於辭官歸田後隱逸生涯的體認，自嘲「意淺識罕」：當初天眞地以爲「自謂是羲皇上人」的悠閒自適生活和心情，可以常保。這些都是由衷之感，肺腑之言，也是陶淵明其他詩文中未嘗明言者，爲讀者進一步提供瞭解陶淵明的可貴資料。不過，尤其令人矚目的，則是其間流露的，對古代隱士有賢妻之羡慕，對自己「室無萊婦」的憾恨，以及因自己辭官歸田，累及兒子「幼而飢寒」，從小難免「柴水之勞」的愧疚不安；還有浮現於整封書信中，對自己的人生道路，似乎懷著一份不確定感，一份疑惑，一份歉意。在「與子疏」中，卸下傳統社會賦予父親角色的威權面具，向兒子吐露這些非常私人的，屬於比較隱蔽幽微的情懷，不僅是陶淵明之前文學作品中所無，也是中國文學史上罕見的。

〈離騷〉「飛天」與「求女」母題析探

魯瑞菁*

提　要

本篇論文題為「〈離騷〉「飛天」與「求女」母題析探」，旨在探討〈離騷〉中飛天求女的問題，認為唯有弄清〈離騷〉後半篇三次飛天求女的喻義，才是通貫全詩，並透悉屈原內在心靈世界的不二法門。而〈離騷〉中的求女又是建立在飛天的基礎之上，所以首先應探討〈離騷〉中的飛天遠遊。本文以為〈離騷〉主人翁的飛天遠遊具有古老的巫術神話背景，那即是古代薩滿巫師作法遨遊天地，其目的在化解部族及個人生命中所遭遇的生存困境。

屈原巧妙地結合了飛天與求女兩個古老的神話母題，飛天求女就楚族群體而言，是喻求明君；就屈原（〈離騷〉主人翁）個人而言，則是喻求美善至潔，他希冀以此儀式來渡過楚族與個人生命中的困阨與危機，所以飛天求女對屈原（〈離騷〉主人翁）而言，就有如遠古部落中的「過渡禮儀」般。

求女既喻求君，又喻求潔，這當中具有原始文化及人類心理的深層積澱，前者可從(1)原始婚媾的宗教性、神秘性及(2)原始女性崇拜，等兩方面來加以研究。而後者可從(1)昆侖象徵一不老、不死的潔淨純美樂園及(2)追尋女神等兩方面來加以探求。一方面，女性喻指賢君，用意在化解部族所遭遇的生存困境；另一方面，女性象徵潔美品質，用意在化解個人所經驗的生活難題。屈原即以〈離騷〉中飛天求女的手法，樹立起後世文學作品中「世不遇」（憂與遊）及「女神（性）原型」兩個意象的光輝傳統，讓歷代文人倣效不已。

關鍵詞：飛天　求女　大母神(the great moter)　母題(motif)　原型(archetype)

---

*　靜宜大學中國文學系副教授。

一、前　言

屈原自傳性質的文學作品〈離騷〉古來素稱奇詩，而其所奇之處乃在詩篇後半部分的三次「飛天」、「求女」歷程，以及在這三次「飛天」、「求女」歷程之間又穿插入四次對話的結構性安排。❶王邦采《離騷匯訂·自序》曾云：

> 屈子之文，……其最難讀者，莫如〈離騷〉一篇，而〈離騷〉之尤難讀者，在中間「見帝」、「求女」兩段。（《廣雅叢書本》）

依王氏之意，〈離騷〉詩篇最難讀（懂、通）者，蓋在「見帝」與「求女」這兩段文字。而所謂「見帝」一段，當指「吾令帝閽開關兮」至「好蔽美而嫉妒」等六句詩句；至於「求女」一段，則指「濟白水」、「登閬風」、「哀高丘之無女」以下，至「閨中邃遠」、「哲王不寤」的一大段文字。「見帝」與「求女」實即〈離騷〉第一與第二次飛天遠遊的目的，其內蘊、喻義確實十分難解，不過也唯有弄清楚這兩段文字的意義，並結合詩篇末尾的第三次飛天遠遊的內蘊、喻義，加以整體的觀察，才能眞切地通貫全詩，進而透悉屈原內在的心靈世界。

本論文所指稱的〈離騷〉三次飛天遠遊，有一個共同的句法、文式特點，可以看作是屈原有意的安排，那就是它們都是以「朝……，夕……」這樣的句式、套語來展開每一次的飛天遠遊，如：

> 第一次：「朝」發軔於蒼梧兮，「夕」余至乎懸圃。
>
> 第二次：「朝」吾將濟於白水兮，登閬風而緤馬。……（夕）

❶ 參見蕭兵：《楚辭的文化破譯》（武漢：湖北人民出版社，1997 年），第一章〈《離騷》結構的癥結：三次飛行、四次對話〉。

第三次：「朝」發軔於天津兮，「夕」余至乎西極。❷

〈離騷〉中主人翁的第一次飛天遠遊即是在與女嬃對話（即第一次對話）沒有交集，更就重華而陳辭（即第二次對話），「既得此中正」（即獲得重華的應許、允諾）之後，以「朝……，夕……」這樣的句式、套語啓始的，❸而其飛天遠遊儀式的目的在於昇登進入天帝之門。至於第二次飛天遠遊則是在欲進天門，卻爲帝閽所拒，又等待無果後，再以「朝……，夕……」這樣的句式、套語展開的，而其目的在於四度「求女」——即⑴「哀高丘之無女」、⑵「求宓妃之所在」、⑶「見有娀之佚女」、⑷「留有虞之二姚」，結果卻失敗了。

當他經歷了四度求女未果，於是產生出命靈氛占卜、求巫咸降神的第三、四次的對話，在靈氛占曰「勉遠逝而無狐疑」、巫咸降曰「勉陞降以上下」，二者皆勸其遠走異域之後，〈離騷〉主人翁內心「是去」、「是留」的衝突昇高到了最高點，這逼使他下定決心作出第三次的飛天遠遊，於是「朝……，夕……」這樣的戲劇、儀式性質的句式、套語又出現了。而當他「神高馳之邈

❷ 又「朝……，夕……」這樣的句式也見於《九歌》中的〈二湘〉，如〈湘君〉「騁騖兮江皋，夕弭節於北渚」、〈湘夫人〉「朝馳余馬兮江皐，夕濟兮西澨」。（英）大衛·霍克斯（David Hawkes）認為這類句式與「弭節」、「邅吾道」等詞一樣，都是原始巫師舉行追尋女神儀式時所慣用的（按，不過這裡仍有分別，若說「朝……，夕……」句式表達的是神聖時間——即不同於世俗時間的感覺，那麼「弭節」、「邅吾道」等詞就表現了神聖空間——即不同於世俗空間的感覺）；巫師用「朝……，夕……」這樣的句式，來表現其行程無限漫長的感覺，整日時間在詩中僅佔一行篇幅就飛逝過去了，它們屬於戲劇表演性質的語言，而不是敘述性質的語言。見〔英〕大衛·霍克斯（David Hawkes）：〈神女之探尋〉，莫礪鋒編：《神女之探尋》（上海：上海古籍出版社，1994 年），頁 33-34。

❸ 在與女嬃的對話中（第一次對話），女嬃勸其隨俗變節，〈離騷〉中的主人翁則表明寧死不變的態度。於是他改向沅湘，跋涉九嶷，尋求他精神的遠祖——舜，以傾吐自己所受的委屈，其後終於得到舜的認可（第二次對話，按，這裡雖然沒有如與女嬃對話般寫出與舜的對話，但頗可注意的是，這裡所隱含著的人與神間神聖又神秘的心靈感應、並得到默許的天啟意味），因而展開他第一次的飛天遠遊。

邈」、「陟陞皇之赫戲」，正陶醉在遠遊的恣意快樂時，「忽臨睨夫舊鄉」，以致「僕夫悲余馬懷兮，蜷局顧而不行」，第三次的飛天遠遊即戛然而止，徒留無限悲怨與淒涼，最後《亂》聲緩緩奏起，竟是一曲預告死亡的哀歌，這時對主人翁而言，已經不是「是去還是留」的現實抉擇性問題，而是「是生還是死」的終極存在性問題了。

從以上的分析已經可以看出，〈離騷〉後半篇的結構、布局是相當嚴謹的（關於這一點在第三節還會討論到），而由這種安排嚴謹的結構、布局當中可以進一步推想〈離騷〉後半篇的三次飛天遠遊，當有一個共同的、貫穿首尾的目的及意義。若再從第二次飛天遠遊時所著力描寫的四度「求女」過程來看，那麼第一、三次飛天遠遊的目的也就呼之欲出了，那即是「求女」（此於〈離騷〉文本當中，是能夠找到證據加以證成的，詳見第三節）。如上所述，「求女」這一神話母題可說是貫穿〈離騷〉後半篇的一個重要關鍵點，❹並能與前半篇相互呼應。因而「求女」的喻義到底爲何？就成爲本篇論文最需要探明的問題。

不過，在討論〈離騷〉「求女」的結構性安排及其喻義之前，還必須先說明「飛天」這一儀式的作用及意義，因爲正如前文所述，〈離騷〉的「求女」是「飛天」目的；若是換個角度說，則〈離騷〉的「求女」即是在「飛天」的基礎上展開出來的。而「飛天」又是個與「求女」一樣常見的、極其重要的原始神話母題。屈原在〈離騷〉中巧妙地結合了「求女」與「飛天」兩個情節單元素，使它們產生出相互激活、生發的作用，更增添了〈離騷〉中所積澱的原始文化能量、內蘊的複雜性及豐富性。所以底下就先來探討「飛天」的儀式性作用及意義。

---

❹ 這裡使用「母題」（motif）一詞，指的是最小的情節單元素，也就是可分析出的最小的情節構成單位。

二、「飛天」的儀式性意義

「飛天」可說是屈原追求眞善美之浪漫詩思的基礎，而其源頭則可溯至原始社會（薩滿）巫師的作法儀式。「飛天」在〈離騷〉後半篇當中，常常是以「上征」、「上下」、「逍遙」、「相羊」、「遊」、「覽」、「觀」、「周流」、「遠集」、「浮遊」、「遠逝」、「陞降」等詞彙來表現的，如：

1.駟玉虬乘鷖兮，溘埃風余「上征」

2.路曼曼其脩遠兮，吾將「上下」而求索

3.聊「逍遙」以「相羊」

4.溘吾「遊」此春宮兮

5.「覽」相「觀」於四極

6.「周流」乎天余乃「下」

7.欲「遠集」而無所止兮，聊「浮遊」以「逍遙」

8.勉「遠逝」而無狐疑兮，孰求美而釋女

9.曰勉「陞降」以「上下」兮，求矩矱之所同

10.聊「浮遊」而求女

11.及余飾之方壯兮，「周流」觀乎「上下」

12.吾將「遠逝」以自疏

以上引號中的文字是一組相延已久、從而具有相同意義的詞彙，屈原即以這類語言來表達「飛天」的儀式，❺與「弭節」、「邅吾道」等詞一樣，這些

---

❺ 在〈遠遊〉一篇中，也有類似的一群詞彙，即：

1.悲時俗之迫阨兮，願「輕舉」而「遠遊」

2.質菲薄而無因兮，焉「託乘」而「上浮」

固定詞彙表達出了「飛天」時的神聖空間感覺，它們在歷史的動態進程中，已被賦予了一種巫術性、儀式性的意蘊。❻以下可以舉出「及余飾之方壯兮，周流觀乎上下」一例進一步討論，王逸注此句云：

> 上謂君，下謂臣。言我顧及年德方盛壯之時，周流四方，觀君臣之賢，欲往就之也。❼

王氏以封建時代「上下尊卑」的觀念來解說此處的「上下」，說「上謂君，下謂臣」，這是一種不相應文本的誤讀。此處的「上下」一詞，如前所述，乃是具有巫術性、神話性背景之詞彙，那即是古代巫師上天下地、上窮碧落下黃泉的「上」、「下」，這在《山海經》及《淮南子》二書中都可以找出許多參照的例證，如：

1.《山海經·海內西經》：海內昆侖之虛，在西北，帝之下都。昆侖之

3.因氣變而遂「曾舉」兮，忽神奔而鬼怪
4.聊「仿佯」而「逍遙」兮，永歷年而無成
5.順凱風以從「遊」兮
6.載營魄而登霞兮，掩浮雲而「上征」
7.路曼曼其「脩遠」兮，徐弭節而高厲
8.涉青雲以「汎濫遊」兮
9.沛罔象而自「浮」
這裡的「遠遊」、「逍遙」、「浮」、「遊」等詞亦皆表現出一種神聖空間感覺。而吾人也可以從神聖時間、空間的角度，重新來看待《莊子》書中的「逍遙遊」神話。

❻ 我們在閱讀《楚辭》諸篇（尤其是〈離騷〉）的時候，應該特別注意這類積澱著原始巫術性、儀式性意蘊的詞彙。屈原即大量運用這種語言，將自我巫術化、儀式化、戲劇化；在巫術化、儀式化、戲劇化自我的同時，也就重新塑造、界定出一個全新經驗（與現實時空經驗不同）的自我，從而擺脫了困擾自我的孤獨與混亂。

❼ 游國恩編：《離騷纂義》（臺北：明文書局，1982 年），頁 446。

虛，方八百里，高萬仞。上有木禾，長五尋，大五圍，旁有九井，以玉為檻。面有九門，門有開明獸守之，百神之所在。在八隅之巖，赤水之際，非仁羿莫能「上」岡之巖。

2.《淮南子・墬形訓》：昆侖之丘，或「上」倍之，是謂涼風之山，登之而不死；或「上」倍之，是謂懸圃，登之乃靈，能使風雨；或「上」倍之，乃維「上」天，登之乃神，是謂太帝之居。

3.《山海經・海外西經》：巫咸國在女丑北，右手操青蛇，左手操赤蛇。在登葆山，群巫所從「上下」也。

4.《山海經・大荒西經》：有靈山，巫咸、巫即、巫盼、巫彭、巫姑、巫真、巫禮、巫抵、巫謝、巫羅，十巫從此「升降」，百藥爰在。

5.《山海經・海內經》：華山青水之東，有山名曰肇山，有人名曰柏高，柏高「上下」於此，至於天。

6.《山海經・大荒西經》：西南海之外，赤水之南，流沙之西，有人珥兩青蛇，乘兩龍，名曰夏后開，開「上」嬪於天，得〈九辯〉與〈九歌〉以「下」，此天穆之野，高二千仞，開焉得始歌〈九招〉。

7.《山海經・海內經》：有木，青葉紫莖，玄華黃實，名曰建木，百仞無枝，上有九欘，下有九枸，其實如麻，其葉如芒。太皞爰「過」，黃帝所為。

8.《淮南子・墬形訓》：建木在都廣，眾帝所自「上下」，日中無影，呼而無響，蓋天地之中也。

上引諸例中，所謂「上岡之崖」、「乃維上天」、「所從上下」、「從此升降」、「上下於此」、「上嬪於天」、「太皞爰過」、「所自上下」等詞彙，並皆是古代巫覡上下天地、溝通神人的儀式性表述。而「昆侖之丘」、「登葆山」、「靈山」、「肇山」、「天穆之野」、「建木」等，則是位居天地之中的宇宙之軸。至於「仁羿」、「柏高」、「夏后開」、「太皞」、「眾帝」與「群巫」、「十巫」等，應屬古之巫覡階層，這其中實積澱著薩滿巫師魂遊天際的文化因子。因此，這些地方的「上」、「下」一詞，即是積澱著原始巫術性、儀式性意蘊的詞彙。

薩滿（Shaman）是什麼呢？秋浦認爲，薩滿意謂激動、不安和瘋狂的人。❽富育光、孟慧英也指出，在滿族民間傳講中，世上第一個女薩滿是天神派來的，或天神命神鷹變幻的（或天神與鷹交配後生下的），因此薩滿天生具有飛天入地的本領；相傳薩滿在祝祭時，能使自己靈魂出殼，升入天穹。❾

從薩滿古神諭和古神話中可以看到，薩滿教將自然宇宙的範圍分爲三界，最上界稱作天界（或稱火界、光明界），爲天神阿布卡恩都里和日、月、星辰、風、雷、雨、雪等神祇所居，此外還有眾多的動物神、植物神，以及氏族祖先英雄神也高踞其間；中界則是人、禽、動物及弱小精靈繁衍的世界；下界爲土界（又稱地界、暗界），是偉大的巴那吉額姆（地母）、司夜眾女神，及惡魔居住藏身的地方。薩滿是三界的使者，既可飛騰高天以通神，又可馳入暗界以除魔。❿

---

❽ 見秋浦：《薩滿教研究》（上海：上海人民出版社，1985年），頁2。秋浦又指出，有兩類人最有資格繼承薩滿的職務，一是患過重病，幸而痊癒者、言行異常的精神病者、癲癇病患者、身體或智力不健全者、能言善道者，其中以重病痊癒者居多；二是女性，即使以男性充任，往往也要男扮女裝、男作女態、男言女聲，這說明薩滿和母系氏族社會有密切關係。（頁141）

❾ 見富育光、孟慧英：《滿族薩滿教研究》，頁175。

❿ 見富育光、孟慧英：《滿族薩滿教研究》，頁179-180。其實，薩滿教的天穹古諭是絢爛多彩的，其中最普遍的是九重天的觀念。「九」是薩滿教的神聖數字，在滿族等北方民族薩滿神諭中，普遍用九來估量宇宙廣度，出現了九重天的觀念（《滿族薩滿教研究》，頁178）。而《史記·封禪書》云：「九天巫祠九天。」恐怕也受到薩滿教的影響。至於薩滿教三界及九重天的觀念也表現在南楚文化中，如《楚辭·離騷》云：「指九天以為正兮，夫唯靈修之故也。」《楚辭·招魂》云：「魂兮歸來，君無上天些。虎豹九關，啄害下人些。」王逸《注》：「天門凡有九重，使神虎豹執其關閉，主啄齧天下欲上之人而殺之也。」

張光直曾指出，中國古文明最主要特徵之一，就是所謂「薩滿式」文明。在薩滿的世界觀中，生人與神鬼，有生命與無生命者，氏族中活著與死亡的成員，都分別存在於同一宇宙的不同層次中，其中最主要的層次就是天與地，所以溝通天地兩層世界，就成爲遠古宗教祭祀、儀式規範所要達到的目的。⓫

由以上對薩滿所作的介紹，可以用來參照並說明上引《山海經》及《淮南子》二書中的各例，其實即是薩滿巫師上下天地、溝通神人之儀式的表述。至於〈離騷〉中主人翁的飛天遠遊與薩滿巫師的魂遊天地之間，則具有一種因襲、蛻變、再造的關係。如〈離騷〉中的主人翁飛天神遊時，必須準備珍饈瓊枝及當作精米的玉粉，以備不時之需。此外，他上叩天門時，也必須掌握並呼喚出帝閽神使的名稱，始能順利進入天門。再者，當他要渡過流沙赤水時，就必須命令蛟龍弓起背脊做爲橋樑，並召喚西皇幫他渡涉和飛行。以上這些都可視爲魂遊所必須遵守的民俗規定，以及必須履行的儀式程序，也即是〈離騷〉中的神遊遠逝對薩滿的魂遊天地儀式因襲、承繼的一面。⓬

另一方面，魂遊儀式在本質上仍屬於初民原邏輯的思維作用（如互滲原理、交感心理、類似聯想、隨機對位、無機牽合、任意延伸等）；至於在魂遊基礎上生發而出的神遊文學，則多採用神話爲題材，具有神話思維的邏輯。例如〈離

這是與薩滿教相同的九重天觀念。〈招魂〉又云：「魂兮歸來，君無下此幽都些。土伯九約，其角觺觺些。」王逸《注》：「其地有土伯，執衛門戶，其身九屈，有角觺觺，主觸害人也。」這個土伯大概是幽都暗界的魔怪。另外，如 1972 年出土長沙馬王堆一號漢墓的「非衣」帛畫上，也表現了天上、人間、地下三界的內容。這是俞偉超的意見，參見〈座談長沙馬王堆一號漢墓〉，《文物》1972 年第 9 期，頁 60-61。現在還沒有充分證據說薩滿文化影響了南楚文化，但從薩滿文化區分布之廣闊來看，薩滿信仰中一些古老的基因極有可能已融入中原及南楚文化中。

⓫ 而巫覡正負起溝通天地的任務。當巫覡通天地時，必須藉助法器和巫術才有能力飛行於天地兩界之間，所謂的法器和巫術包括聖山、神木、動物、龜筮、食物酒醬、歌舞音樂等。見張光直：〈古代中國及在人類學上的意義〉，《史前研究》1985 年 2 期，頁 41-46。

⓬ 參見蕭兵：《楚辭的文化破譯》，同注❶，頁 1133。

騷〉中的主人翁是高陽太陽神的子裔，並在主日的攝提（重華）之星進入主月的陬訾（常儀）之宮這一吉辰降生的，由於他秉賦日月之精華、兼具天地之內美，故名為正則、字曰靈均；他可以親就其精神遠祖——太陽神重華而傾訴心中委屈，並冀望得其允諾；他又能夠令羲和弭節、使望舒先驅、命飛廉奔屬，鸞皇、雷師也都供其差遣；於是他登昆侖、遊懸圃、折若木、望崦嵫，盤桓翱遊在日月出入的昆侖（宇宙軸）之上，這些都是所謂神話思維的邏輯。⓭因此，可以這麼說：〈離騷〉中之神遊乃是將薩滿魂遊的自發性、原始性、偶然性、盲目性的生活經驗形態，蛻變、再造成自覺性、成熟性、目的性、思想性的文學幻想形態。

而更重要的一點則是，在原始薩滿飛昇溝通天地兩層世界的職責中，具有遠古巫師為部族、氏群所遭遇到的災厄、困境尋求過渡、解脫，使部落、氏群恢復信心與希望，以繼續面對未來生活的重要意義。從上引《山海經》及《淮南子》二書中的例子——十巫自靈山升降，求得不死之藥；夏后開上嬪於天，求得〈九辯〉、〈九歌〉的天樂——可以推想，這兩則故事一如鯀自天帝處盜得「息壤」的故事一樣，⓮都具備了「昇天、追尋、歷險、尋獲」的神話原型；而且不論他們從天庭處所尋獲的是不死藥、天樂或息壤，其目的應該都是為了氏族、部落在現實生活中所遭遇到的困頓與災難，謀求過渡、解決之道。

因而〈離騷〉中的神遊天際，也可以納進這類「昇天、追尋、歷險、尋獲」的神話原型中來看待；只是在這裡，原始社會生活中的薩滿巫師已被原始文學幻想中的神話英雄所取代。〈離騷〉主人翁飛天神遊的目的在於求女，他希冀藉由飛天求女儀式，一方面解決楚國族群日益傾覆、敗滅的危機；另一方面，他也欲藉此巫術化、儀式化的重新改造、界定自我之行為，突破自身生命所遭

⓭ 參見蕭兵：《楚辭的文化破譯》，同注❶，頁 1131、1133。

⓮ 《山海經·海內經》載：「鯀竊帝之息壤，以堙洪水。不待帝命。」

遇的困局。因此，〈離騷〉中的飛天求女儀式對於主人翁個人而言，就像是遠古社會的過渡（過關）儀式般。李豐楙曾指出，（〈離騷〉中的主人翁）對於死亡危機的逃避、困厄環境的希求解脫，在經歷連串的奇遇之後（飛昇巡遊），能使煩惱、迷惑的心靈淨化，因而得到徹悟，使其生命成熟而清明，凡此即爲仙境遊歷說的「出發——歷程——回歸」的原始類型，表達了民族文化心理中共同的生命觀照。⑮的確，〈離騷〉中「路曼曼其脩遠」，「路脩遠以周流」，「路脩遠以多艱」等巫術性語言，似暗含著歷險、追尋的艱難歷程。或許正由於此種艱難歷程，使得〈離騷〉主人翁飛天求女的結果終歸失敗（亦即未能「尋獲（回歸）」），這似可看成是屈原對「昇天、追尋、歷險、尋獲（回歸）」之古典神話原型的一種解構，而其實質意義則是，〈離騷〉主人翁終未有能力解決楚國及自身日益窘迫的危機。

綜上所述，在〈離騷〉「飛天」、「求女」的過渡（過關）儀式當中，不但積澱著古老巫術、神話的集體無意識，更飽含有作者強烈的自我意識與生命情感，這容或是屈原再造古代傳統最重要的因素。屈原即以此種強烈的自我意識與生命情感，巧妙地結合、驅使了「飛天」及「求女」兩個神話母題，由此豐富了〈離騷〉中原始文化的蓄含能量。因而，接下來就不得不對〈離騷〉中的三次「求女」作一詳細的研究。

三、〈離騷〉「求女」的結構性安排

在對〈離騷〉結構層次的分析當中，儘管歷來學者提出了各不相同的觀點，但於〈離騷〉結構上一個最重要的特徵，意見卻是基本一致的。那就是：一方面，在詩篇的前半部分——即從篇首到「豈余心之可懲」，乃側重於現實的描述，如自述祖系、志向、經歷，以及對楚國當時社會狀況的描寫，深刻地揭露

⑮ 參見李豐楙：《誤入與謫降》（臺北：臺灣學生書局，1996年），頁314。

出楚國上層階級在即將崩潰前夕的腐敗、貪婪情狀，並細緻地描繪出一位剛正不阿、志節高尚的貴族詩人，在如此落敗的氛圍下，所懷抱的鬱積憤悶及所經歷的坎坷路途，詩篇逼眞地展示出社會現實的基本面貌和特徵，從而體現出強烈的現實主義精神。另一方面，在詩篇的後半部分——即從「女嬃之嬋媛兮」到篇末，則側重於想像的昇華，如上叩帝閽、廣求神女、駕龍馭鳳、遨遊神界，表達了詩人在現實世界中痛苦絕望、找不到出路以後，轉而在藝術的幻想世界中尋求解脫，追求理想，從而體現出強烈的浪漫主義精神。⑯因而，〈離騷〉全篇分爲現實與幻想兩大段落是很明顯的。

關於〈離騷〉後半篇的幻想部分（即第二大段落），前文曾提及說其中三次上下飛行、神遊求女的結構、布局相當嚴謹，並說第一次飛天遠遊的目的在於昇登進入天門，然終爲帝閽所拒；⑰但其後卻又認爲三次飛天遠遊的目的都是爲了「求女」，這是否有矛盾呢？這裡問題出在以下幾句詩句上：

> 吾令帝閽開關兮，倚閶闔而望予。時曖曖其將罷兮，結幽蘭而延佇。世溷濁而不分兮，好蔽美而嫉妒。⑱

王逸《注》曰：「言己求賢不得，疾讒惡佞，將上訴天帝。」王氏認爲帝閽乃看守天門的人，進天門自然是要向天帝傾訴了。可是不要忘了，〈離騷〉

⑯ 參見趙明主編：《先秦大文學史》（長春：吉林大學出版社，1993年），頁454。

⑰ 「為帝閽所拒」或許也屬於英雄歷難過程之一環吧？至於帝閽為何不開天門？蕭兵從民俗學的角度考察，認為是主人翁未能直斥帝閽的名號，或參透天門口訣的秘密，因此不能役使帝閽為其啟門、通報，見蕭兵：《楚辭的文化破譯》，同注❶，頁 147-148。此說似有過於引申之嫌。個人以為實由於天色已暗，城門關閉，主人翁沒有天帝特許的通行令，所以帝閽「倚閶闔而望予」。

⑱ 第一次飛天遠遊是從「朝發軔於蒼梧兮，夕余至乎懸圃」到「世溷濁而不分兮，好蔽美而嫉妒」所寫的一大段，其中著力描繪出主人翁從宇宙之軸（通天之道）昆侖丘飛昇至懸圃、又從懸圃飛登至太帝之居時，其扈從儀仗之盛大的場面。

中的主人翁是向舜「跪敷衽以陳辭」、盡情傾吐心中苦衷，並得到舜的認可、許諾（既得此中正）之後，才開始其飛天遠遊歷程的，所以這裡實不必再去向天帝訴苦；更重要的是，詩篇並沒有明白說出他欲進天門，是爲了面見天帝、傾訴衷腸。因此，這裡欲進天門的目的，就容許有其他的想法。（明）徐煥龍注此句云：「空際求索無門，未知何方有女。」⑲似乎認爲進天門是爲了求女，但語焉未詳。倒是聞一多在《離騷解詁》中對此有非常詳細的解說：

> 自此以下一大段，皆言求女事，此二句若解為上訴天帝，則與下文語氣不屬。下文曰：「時曖曖其將罷兮，結幽蘭而延佇。世溷濁而不分兮，好蔽美而嫉妒。」詳審文義，確為求女不得而發。「結幽蘭而延佇」與〈九歌·大司命〉篇「結桂枝兮延佇，羌愈思愁人」、〈九章·思美人〉篇「思美人兮，擥涕而佇眙，媒絕路阻兮，言不可結而詒」，語意同。結幽蘭，謂結言於幽蘭（詳下），將以貽諸彼美，以致欽慕之忱也。「世溷濁而不分兮，好蔽美而嫉妒。」與下文「世溷濁而嫉賢兮，好蔽美而稱惡」，語意又同。彼為求有虞、二姚不得而發，則此亦為求女不得而發也。然則此之求女為求何女乎？司馬相如〈大人賦〉曰：「排閶闔而入帝宮兮，載玉女而與之歸。」以此推之，〈離騷〉之叩閶闔，蓋為求玉女矣。⑳

這裡聞氏以相同句式、文義的兩句「世溷濁……，好蔽美……」相互參照，認爲後句既然是「爲求有虞、二姚不得而發」，則前句亦當「爲求女不得而發」，確顯出聞氏慧眼、卓見。聞氏又云：「蓋楚俗男女相慕，欲致其意，則解其所

---

⑲ 《離騷纂義》，同注⑦，頁 280。

⑳ 聞一多：《離騷解詁·甲》，《聞一多全集》（武漢：湖北人民出版社，1994 年），第 5 冊，頁 267-268。

佩之芳草，束結爲記，以貽其人。結佩以寄意，蓋上世結繩以記事之遺。」㉑這是古代男女相戀，互以花結贈物表示心意及契約的風俗。因此，〈離騷〉主人翁手持幽蘭花結站在天門外癡癡等待（「結幽蘭而延佇」）的對象自然不能是威儀赫赫的上帝，而只能是窈窕多姿的天上玉女了。從而第一次飛天遠遊，昇登天門的最終目的是爲了尋求天上的玉女，然而終無所獲，使得他不得不展開第二次飛天四度求女。

從「朝吾將濟於白水兮，登閬風而緤馬」至「閨中既以邃遠兮，哲王又不寤。懷朕情而不發兮，余焉能與此終古」一大段，皆是描寫第二次的飛天尋求，這是〈離騷〉全篇堪稱最難索解的一段。作者在這裡花了極大的篇幅與力氣明白寫出主人翁的四度求女未果，由此也可以推知第一、三次飛行所未明白道出的「求女」目的。

第二次飛天的四度求女，又可再分爲兩個層次：

第一層：朝吾將濟於白水兮，登閬風而緤馬。忽反顧以流涕兮，哀高丘之無女。（第一度求女）

第二層：溘吾遊此春宮兮，折瓊枝以繼佩。及榮華之未落兮，相下女之可詒。（第二、三、四度求女）

這裡我們必須先弄清楚〈離騷〉主人翁飛天遠遊時的路線，他在第一次飛天時曾云「駟玉虬以乘鷖兮，溘埃風余上征」，其「上征」的路線是由蒼梧到達通天軸（即通天的孔道）昆侖丘，再順著昆侖丘上昇至涼風之山、懸圃，然後再上登至太帝之居，㉒欲入天門以求玉女。在求玉女未果後，他於次一天的早晨

㉑ 聞一多：《離騷解詁·甲》，《聞一多全集》，同前注，第5冊，頁268。

㉒ 〔漢〕劉安著，〔漢〕高誘注，劉文典集解，馮逸、喬華點校：《淮南鴻烈集解·墬形訓》（北京：中華書局，1989年），卷4，頁135云：「昆侖之丘，或上倍之，是謂涼風之山，

由太帝之居折回，此後的飛行路線是一路「下降」，先由太帝之居降至「飲之不死」的神泉「白水」，㉓再由「白水」下降至懸圃、涼風（即閬風）之山。在涼風（閬風）山上，他反顧楚國高丘，想找尋神女芳蹤，但神女來如朝雲、去如暮雨，芳蹤杳杳，㉔因此他涕泗縱橫、「哀高丘之無女」（而整個上征、下行的路線正是所謂「路曼曼其脩遠兮，吾將『上下』而求索」）。

第二次飛行的第一層（也是首度）求女，即在「哀高丘之無女」的涕淚聲中宣告失敗，主人翁雖然流涕哀傷，卻更加堅定其求女的心志及毅力，於是有了接下來的第二層三度求女行動。「折瓊枝以繼佩」、「相下女之可詒」，這仍屬一種贈物示愛、求婚契約的母題。問題是出在「相下女之可詒」的「下女」上。

朱熹以「下女」謂神女之侍女，汪瑗、徐煥龍等從之，㉕此說值得商榷。實則，「下女」應如蔣驥所云：「指下虙妃諸人；對高丘言，故曰下。」㉖如果前述主人翁在這時飛行的路線是一路「下降」的講法無誤，那麼這裡的「下」，應是「下界」之意，當是相對於第一次飛行求女時「或上倍之」的涼風（閬風）、懸圃、太帝之居等「上界」，以及第二次飛行的第一層（首度）求女時之「高丘」（或者可以稱作「中界」）而言的。

登之而不死；或上倍之，是謂懸圃；登之乃靈，能使風雨；或上倍之，乃維上天，登之乃神，是謂太帝之居。」

㉓ 即源出昆侖巔的黃河，「黃河之水天上來」，其源清澄不濁，故稱「白水」。「朝吾將濟於白水兮」句，王逸《注》：「《淮南子》言，白水出昆侖之山，飲之不死。」見《離騷纂義》，同注❼，頁 287，但查今本《淮南子》並無此說，今本《淮南子·墬形訓》云：「疏圃之池，浸之黃水，黃水三周復其原，是謂丹水，飲之不死。」同前注，卷 4，頁 134。王念孫云：「丹水本作白水，此後人妄改之也。」見《讀書雜誌》（北京：中華書局，1991 年），卷 9 之 4，頁 805。

㉔ 王逸《注》曰：「楚有高丘之山。」見《離騷纂義》，同注❼，頁 289。又《文選·高唐賦》載巫山神女之言曰：「妾在巫山之陽、高丘之阻，旦為朝雲，暮為行雨。」

㉕ 並見《離騷纂義》，同注❼，頁 297-298。

㉖ 《離騷纂義》，同注❼，頁 298。

因此，「下女」實即下界之女，指宓妃、有娀女、二姚三者而言。聞一多已經指出：

帝宮之玉女既不可求，高丘之神女復不可見，故翻然改圖，求諸下女。「及榮華之未落兮，相下女之可詒」，下女者，謂宓妃、簡狄及有虞之二姚，此皆人神，對帝宮、高丘二天神言之，故曰下女耳。㉗

由是，第二次飛行的第二層求女——「相下女之可詒」中，又包含著三度求女（若以第一層求高丘之女算首度，則這裡是第二、三、四度求女）：

1. 求宓妃之所在

2. 見有娀之佚女

3. 留有虞之二姚

而在這三度求女的敘述、描繪中，可以由以下五點加以分析、說明：

1. 在「求宓妃之所在」失敗後，以「覽相觀於四極兮，周流乎天余乃下」一句作爲過渡，進而展開「見有娀之佚女」的二度追尋；又在「見有娀之佚女」失敗後，以「欲遠集而無所止兮，聊浮遊以逍遙」一句作爲過渡，進而展開「留有虞之二姚」的三度追尋。而兩個作爲橋段的過渡句，其意雖在「上下以求索」，然其追求的目標總是在下界的。

2. 在「留有虞之二姚」宣告失敗後，以「世溷濁而嫉賢兮，好蔽美而稱惡」一句作爲第二次飛行的兩層四度求女破滅的總結語，並與第一次飛行求女破滅的總結語——「世溷濁而不分兮，好蔽美而嫉妒」遙相呼應。至於以下的「閨

㉗ 《離騷解詁·甲》，《聞一多全集》，同注⑳，第5冊，頁268。

中既以邃遠兮，哲王又不寤。懷朕情而不發兮，余焉能與此終古」四句，則可看成是對於兩次飛行五度求女的總結。

3.主人翁在求下界女子時實不同於求太帝之居的上界玉女及楚高丘的中界神女，他必須遵照人間婚配的儀節，亦即必須具備人間媒理的禮數，於是「求宓妃之所在」則「令蹇脩以爲理」；「見有娀之佚女」則「令鴆爲媒」、後又命「雄鳩鳴逝」；而「留有虞之二姚」則嘆「理弱而媒拙」。

4.雖然主人翁具備了人間媒理的禮數，但他三度求女，仍然三度失敗，其失敗的原因又各不相同。「求宓妃之所在」時，雖有蹇脩這個好良媒，㉘卻由於宓妃「紛總總其離合」、「忽緯繣其難遷」、「保厥美以驕傲」、「日康娛以淫遊」、「雖信美而無禮」等缺點，實不合主人翁心中「美人」的形象及標準，㉙因此主人翁「來違棄而改求」，轉而另求「有娀之佚女」。但在「見有娀之佚女」時卻錯用了媒理，他竟派遣愛進讒言的鴆鳥，㉚及言語、行爲佻巧的雄鳩前往，終被高辛氏以高貴的鳳凰爲媒理，㉛聘得簡狄。

5.經歷了前番連續的求女挫折，主人翁似乎愈來愈缺乏自信了，這種缺乏

㉘ 章太炎：《菿漢閒話》云：「蹇脩為理，謂以聲樂為使，如〈司馬相如傳〉所謂以琴人挑之。《釋樂》『徒鼓鐘謂之脩，徒鼓磬謂之蹇』，此蹇脩之義也。」見《制言半月刊》第14期（1936年4月）。參何劍熏：《楚辭新詁》，頁40所引，又何文並對「蹇脩」作為以聲樂為使的良媒，有更詳細的討論。

㉙ 主人翁心中的「美女」應具有三項標準：(1)先天賦予之美質。(2)外表形體容貌之美。(3)後天修能、行為的美。宓妃雖具備前兩項，卻缺少第三項。

㉚ 王逸《注》曰：「鴆，運日也。羽有毒，可殺人，以喻讒佞賊害人也。言我使鴆鳥為媒，以求簡狄，其性讒賊，不可信用，還詐告我言不好。」《離騷纂義》，同注❼，頁324。

㉛ 以上鴆鳥、雄鳩、鳳凰皆屬鳥媒，楊牧在〈說鳥〉一文中認為帝嚳（高辛）化身為鳳凰，誘愛簡狄，使其懷孕生契，並舉出希臘神話中天神宙斯化身為天鵝，使美女麗達受孕生海倫的故事作比較。又認為鳩鳥在中國經籍中常作為愛情、愛慾的匹鳥象徵，也舉出愛德曼·史賓塞〈仙后〉中的班鳩作比較，參見楊牧：《傳統的與現代的》（臺北：洪範書店，1987年），頁111-117。又清代《楚辭》注家實已注意到了鳩作為鳥媒並善變的現象，謝濟世云：「鳴鳩，雄者尤善鳴，人常養為媒，以誘他鳩。然晴則呼雌，雨則逐之，故惡其佻巧。」《離騷纂義》，同注❼，頁328。

自信心就在「留有虞之二姚」的「理弱而媒拙兮，恐導言之不固」中呈顯出來。五度求女，五度失敗，主人翁最終不得不唱出「閨中既以邃遠兮，哲王又不寤。懷朕情而不發兮，余焉能與此終古」，如此沈痛的抗議！又如此淒涼的哀鳴！第一、二次飛行的五度求女也就在如此強烈的抗議及哀鳴聲中結束。

至此，主人翁已連續經歷了五度的失敗，下一步又將如何呢？他徬徨無依，又遲疑無助。疑則問卜，於是靈氛之占卜、巫咸之降神，就成為治療主人翁內心矛盾、痛苦、掙扎的最佳藥劑。靈氛占曰「思九州之博大兮，豈唯是其有女」，又曰「何所獨無芳草兮，爾何懷乎故宇」。「是」指的是「太帝之居」、「楚高丘」、「窮石、洧盤」、「瑤台」、「有虞」等地；而「女」自然指的是第一、二次飛行求女的對象——天庭玉女、高丘神女、宓妃、簡狄、二姚等。靈氛之言在勸主人翁飛越九州，向宇外求女；換句話說，也就是他必須務實地、理性地接受楚國現實腐敗政局的不可為（理想中的美女無法求得），然後毅然斬斷對血緣、故土的深深依戀情感，遠逝他國異域，這樣必能尋得理想中的美麗新世界。

聽了靈氛之言，主人翁有些動搖，不再那麼堅持、固執了，他「欲從靈氛之吉占」而遠逝他鄉，但內心仍「猶豫而狐疑」，於是再求巫咸降神，尋求建議。巫咸降曰「勉陞降以上下兮，求矩矱之所同」，其意仍在勸他遠逝異域。這兩次對話反映出主人翁對楚國現實政局的失望至極；但在他心靈深處，卻對自己所源出的楚國氏族血統依然眷戀，主人翁內心巨大的矛盾、痛苦、掙扎正是由此二者（失望與眷戀）的對立而來。現在，他心靈已破碎得不堪再負荷如此沈重的悲怨了。離開吧！遠走吧！他接受了靈氛及巫咸的建議，開始了第三次飛行求女前的準備。

「和調度以自娛兮，聊浮游而求女。及余飾之方壯兮，周流觀乎上下」，㉜

㉜　「和調度以自娛兮，聊浮游而求女」句，錢澄之《注》云：「浮游求女，隨其所遇，不似

一旦有了明確的抉擇，主人翁的步伐是多麼地輕快、富有節奏呀！於是他備齊羞粻、車駕，「何離心之可同兮，吾將遠逝以自疏」，以下的「邅崑崙」、「發天津」、「至西極」、「行流沙」、「遵赤水」、「路不周」、「期西海」等，皆是想像中「遠逝自疏」所行經的路線。這次飛行他希望到達西極、西海以求女，「西極」、「西海」是昆侖宇宙的延伸及擴展，它是位於宇外（即九州之外）的一個極樂園。㉝而其間路途的「修遠多艱」，亦是可以預期的。但當主人翁想到那如夢如幻般的世外樂園時，不由得「抑志而弭節兮，神高馳之邈邈。奏九歌而舞韶兮，聊假日以媮樂」起來；而正當他「陟陞皇之赫戲」，陶醉在遠遊的恣意快樂之時，驀然回首，「忽臨睨夫舊鄉」，原鄉的呼喚是那麼的強烈，以致他「僕夫悲余馬懷兮，蜷局顧而不行」，第三次的飛天求女即戛然停止。其間文勢的迭宕、變幻，與情感的起伏、波動相爲表裡，顯現出一種神奇而不可測度的丰采。

四、求女喻義求君（大母神原型）㉞以解決楚國族群困境

從上文的討論可知，〈離騷〉後半篇（即第二大段）三次上下「飛行」，其目的皆在「求女」；而接下來就必須探討〈離騷〉中的「求女」到底喻義著什麼？關於〈離騷〉的「求女」，歷代諸家解釋眾說紛紜，歸納眾說可得以下幾種說法：

向者之汲汲於所求也。向者志在求女，而浮游皆屬有心；此則志在浮游，而求女聽諸無意。」見《離騷纂義》，同注❼，頁 443。

㉝ 參見蕭兵：《楚辭的文化破譯》，同注❶，頁 166-168。

㉞ 此處的原型（archetype），是採用自容格「集體無意識」的學說，簡單的說，指的是從遠古時期積澱下來的一些具有特殊烙印的形式。

1. 求賢臣（王逸《楚辭章句》）
2. 求賢君（朱熹《楚辭集注》）
3. 求楚君臣（張惠言《七十家賦鈔》）
4. 求理想政治（汪瑗《楚辭集解》）
5. 求賢后妃（趙南星《離騷經訂注·跋》）
6. 求秦楚婚姻相親（黃文煥《楚辭聽直·合論·聽女》）
7. 求通君側之人（梅曾亮《古文辭略》）
8. 不主故常，隨文生訓（龔景瀚《離騷箋》）㉟

以上各家的詮釋有的失之穿鑿附會，有的失之過於求深，總括「求女」的喻義實可以歸類爲「求賢臣說」與「求賢君說」兩種類型，而其他各種說法實皆由此二說派生出來。

至於以上二說何者較接近實情呢？個人認爲，想要探討「求女」的喻義，必須從屈原的生平與〈離騷〉的內容兩方面進行互相參照的研究，其實這也是古代大多注家所運用的方式。㊱從這兩方面目前所累積的資料及所達到的研究水平來看，本文認爲「求女」喻義最有可能的是「求君說」，理由有以下幾點：

㉟ 參見廖棟樑：〈古代離騷求女喻義詮釋多義現象的解讀〉，國立清華大學中文系主辦：「第一屆中國中典文學研討會（先秦至南宋）」（1997 年 4 月）論文，頁 3-10。又這裡所列舉只是有較多人支持的說法，還有許多說法並未列入，如〔清〕徐文靖「求家室說」。

㊱ 廖棟樑認為：「大抵各家疏解，都是先根據他們對屈原生平的瞭解來。其次對詩旨的解釋，一般只能從文義上去推測玩味。而玩味所得，因各人對屈原行事和心境之理解不同，亦遂雜然不齊，有些說是喻賢臣的，有些說是喻賢君的。這樣的訓解差異，其實正顯示了古代《楚辭》學者理解屈原及其作品的困難——一個方法學上的難題。」廖氏將這種用詩歌坐實本事、本事証明詩歌的方式稱作循環論證。話雖如此，個人認為要想揭明「求女」的喻義，仍必須從屈原生平及〈離騷〉詩旨（包含作時）入手，捨此別無他法。而經過歷代前輩學者的努力，「求女」喻義實不出「求賢臣」與「求賢君」二說。相信在對屈原生平及〈離騷〉詩旨愈加深入研究，達至愈多共識時（在考古資料的大量出土，及民俗學、神話學知識的幫助下），「求女」喻義終有河清之日。

1.從〈離騷〉全篇充滿了悲苦、怨傷、憤怒的情感，又具有相當程度的憂患感及危機感來看，〈離騷〉最可能作於楚懷王十六年屈原初次被疏，且流放漢北之時。而其最遲也應完成於被疏、流放後不久，即張儀誆楚、楚王中計、楚國危急，直至懷王十七年，楚師大敗於丹陽、藍田這段時期。[37]此時的楚國正面臨著內憂外患的局面，而其政治動盪的關鍵因素正在楚懷王。因此，〈離騷〉一篇中對懷王是「三致志焉」，太史公在《史記·屈賈列傳》裡已指出這個關鍵點：

> 屈平既嫉之，雖流放，睠顧楚國，繫心懷王，不忘欲返，冀幸君之一悟，俗之一改也。其存君興國，而欲反覆之，一篇之中，三致志焉。然終無可奈何，故不可以反，卒以此見懷王之終不悟也。

而「求女」既是〈離騷〉全篇的關鍵點，其喻義自然在喻求懷王之一悟，改變成爲一位明君，以扭轉錯誤的治國政策，進而領導楚國度過內憂外患的時局。

2.在「昔三后之純粹兮」至「傷靈脩之數化」一段中，前十二句首先以賢明之君與昏庸之君對比，指出國君賢明，國家自然走上正道；若國君昏庸，國家則會誤入邪徑。接著指責黨人偷樂使國家誤入險途（這裡未明指國君錯誤是一種爲尊者諱的說法，下文亦如是）。以下又十二句更表明忠於國君的心跡，因國君「信讒而齎怒」，自己才「指九天以爲正」；因國君「悔遁而有他」，自己才「傷靈脩（國君）之數化」；自己身陷巨大災禍當中，都是「夫唯靈脩（國君）之故也」。

這一段是在開頭敘述生平經歷後，接著講自己的思想抱負及革新失敗的遭遇，在全篇有開宗明義的作用。其中已突顯出主人翁（以屈原自身爲藍本）完

---

[37] 參見蕭兵：〈關於離騷創作動機和時機的辯論會〉，《求索》1982年第3期。

全是從他與君王（以懷王爲藍本）的關係上考慮自己行爲的思想主軸，這已爲自己以後的去留和最終歸宿埋下伏筆。㊳主人翁愛國理想的具體表現就是至死不渝的忠君行爲，這反映出戰國時期的楚國，君、國乃二位一體，忠君與愛國密不可分，因而愛國理想必須通過忠君行爲來實現。㊴

戰國時代乃中國專制政治體制逐漸成形的時代，其時國君有完全主導一國政治、政策良窳的絕對權力，國家政事成爲君主之私事，大臣不過是君主的高級家僕，甚至人民也被君主看成是私產——此即謂「天下爲私」。㊵戰國時代之君主既爲國家政治之樞機，欲行美政的關鍵仍在於君之一寤。若「求女」爲求賢臣（或志同道合者）而非求明君，那並不能徹底改變國家的政治情悅。因此，反覆飛天求女亦是「夫唯靈脩之故也」，「求女」喻義必爲求賢君無疑。

3.在第二次飛行第二層的三度「求女」中，求宓妃、娀女與二姚皆爲求君（懷王），其中的差別在於求宓妃爲求現實生活中的懷王，而求娀女、二姚爲求理想中的懷王。藉著宓妃與娀女、二姚的對比，突顯了作者強烈的好惡情感。

在宓妃身上，藏有楚懷王的影子——反覆無常、捉摸不定、好矜不讓，康娛淫游、信美無禮，楚懷王雖非如桀紂般的暴君，卻十足是個昏庸之君。㊶以致主人翁違棄而改求娀女及二姚。有娀之佚女及有虞之二姚是作者心目中理想的君王典型，也是他所期待於懷王的形象，但卻無良媒代爲結言（良媒在此喻無友好代爲通君側，暗指懷王左右皆爲黨人圍繞、以致被其蒙蔽）。於是結局

㊳ 如〔宋〕洪興祖云：「古人有言：殺其身有益於君則為之。屈原雖死，何益於懷、襄？曰：忠臣之用心，自盡其愛君之誠耳。」見《楚辭補注·離騷經章句》（臺北：藝文印書館，1977年）。

㊴ 〔宋〕朱熹有云：「原之為人，其志行雖過於中庸而不可以為法，然皆出於忠君愛國之誠心。」見《楚辭集注·目錄》（揚州：江蘇廣陵古籍刻印社，1990年）。

㊵ 呂思勉曾云：「古所謂國，諸侯之私產也；所謂家，卿大夫之私產也。故古言國家，義與今日大異。」見《先秦史》（上海：上海古籍出版社，1982年），頁451。

㊶ 參見周建忠：《楚辭論稿》（鄭州：中州古籍出版社，1994年），頁31-34。

只有陷入「欲遠集而無所止」的困境。上下求索，一事無成，主人翁終不得不發出「懷朕情而不發兮，余焉能忍與此終古」的悲嘆。

4.〈離騷〉於第一、二次飛天五度求女未果之後，總結云：「閨中既以邃遠兮，哲王又不寤。懷朕情而不發兮，余焉能忍與此終古。」此處以閨中之女與朝中哲王對舉，「求女」喻求君十分明顯。

5.主人翁在求巫咸降神時，巫咸降曰：「勉陞降以上下兮，求矩矱之所同。」可以看出飛天求女即在「求矩矱之所同」，何謂「求矩矱之所同」？當即下文所舉的明君（如湯、禹、武丁、周文王、齊桓公等）與賢臣（如伊尹、皋陶、傅說、呂望、寧戚等）相遇合之例。在湯、禹之君與伊尹、皋陶之臣相遇合之例，及武丁、周文王、齊桓公等國君與傅說、呂望、寧戚等臣子相遇合之例之間，巫咸又有兩句話頗值得注意：「苟中情其好脩兮，又何必用夫行媒？」指的是傅說、呂望、寧戚等皆中情好脩者，自有賢君會來賞識，實不須國君左右之人的薦達。[42]言下之意也贊許主人翁離國去鄉，其中情好脩，自然明君與賢臣得以遇合，而有一展才能、理想的機會。主人翁從其勸告，於是在第三次飛天時才「和調度以自娛，聊浮游而求女」，並不是那麼急迫、積極地去求女（求君）。因此，主人翁「勉陞降以上下」的飛天求女之旅程，是比喻「求矩矱之所同」，亦即比喻以賢臣身份求明君（第一、二次是積極地求楚懷王之一寤，第三次則是消極地求天下有明德之君，此可參看第6.、7.）。

6.主人翁第三次飛天求女是去國遠逝以求明君。春秋戰國時期，明君養士或良臣擇主之風鼎盛，楚材晉用、朝秦暮楚成爲社會流行的趨勢，許多著名的政治家、軍事家、思想家（如商鞅、吳起、荀卿等），都是經由周遊列國、一遇賞識他們的君主才得伸展其才能、抱負的。因此，在懷才不遇、有志難伸的

---

[42] 王逸《注》：「行媒，喻左右之臣也。言誠能中心常好善，則精感神明，賢君自舉用之，不必須左右薦達也。」見《離騷纂義》，同注[7]，頁 392。是行媒在此喻通君側之人，而行媒的對象——美女，則喻賢君。若說美女喻通君側之人，則此處的行媒又將比喻什麼？

屈原心中，當然時常出現遠適他邦，尋求明君的念頭。㊸但當主人翁「陟陞皇之赫戲」時，忽「臨睨夫舊鄉」，以致「僕夫悲余馬懷兮，蜷局顧而不行」。林雲銘曰：「以上敘宗國世卿無可去之義，一觸目間，西海不能到，婨樂不能終，而遠逝自疏之舉，徒成虛願。總是忠君愛國之心，鬱結不解，除死之外，無第二條路也。」㊹主人翁最終仍是繫心君王，不忘欲返，而未曾去故國、遊諸侯、求明君，這實乃因其強烈的宗國意識有以致此。㊺

7.綜上所述，〈離騷〉前後三次飛天求女之喻義皆爲求君，前二次爲求懷王之終一悟，第三次則在對懷王之終一悟徹底失望後，轉而欲求天下之明君。三次「求女」皆喻求君，所求之君的內容有所不同，求君的態度也有差別。

以上七點是從屈原生平及〈離騷〉內容兩方面，來說明「求女」喻義求君，但並未解決爲何屈原會運用「求女」這一神話母題來喻義求君，而不是運用其他的神話母題，這個問題關係到「求女」與「求君」間的神話思維特徵問題。因此，有必要轉換一個角度，從民俗學、神話學的方法來看待這個問題，或許能得到更多的啓發。

《詩經·關雎》云：「窈窕淑女，君子好仇。」《詩序》云：「是以〈關雎〉樂得淑女以配君子，憂在進賢不淫其色；哀窈窕，思賢才，而無傷善之心焉。是〈關雎〉之義也。」〈關雎〉以君子求淑女比喻周王求賢（良）士，㊻這是用男女相戀之情比喻君臣對待之義（以思色喻思臣，進而以思色喻思德、思禮），頗可用來作爲〈離騷〉的參照項。在〈關雎〉中，男尊女卑、君尊臣卑的意識已然確定，此乃有周一代封建禮制制度下的產物，由此形成〈關雎〉

㊸ 太史公於《史記·屈賈列傳》也曾發出「又怪屈原以彼其材游諸侯，何國不容？而自令若是」的詰問。

㊹ 《離騷纂義》，同注❼，頁 494。

㊺ 參見郭杰：《屈原新論》（長春：吉林大學出版社，1994 年），頁 62-69。

㊻ 詳細討論可參見翟相君：《詩經新解》（鄭州：中州古籍出版社，1993 年），頁 18-22。

詩中以男喻君上，以女喻臣下；「男、君、上」與「女、臣、下」形成一組固定相對的意識形態。從而〈關雎〉詩中的男求女，只能喻君思臣，而不能喻臣思君。但是《楚辭》則不然，《楚辭》中含容了大量的原始文化因子，它還沒有那麼濃厚的父權意識形態，因此，〈離騷〉中所求之「女」就與〈關雎〉不同，「女」能喻君。

這種以女比喻君的手法可從以下兩方面詳加探究：⑴原始婚媾的宗教性、神秘性——主要是以原始生殖崇拜爲核心，即後世經學家稱之爲高禖，而文化人類學家稱之爲神（聖）婚者。⑵原始女性崇拜，即大母神崇拜及史前維納斯崇拜。

首先，請看第⑴點：原始婚媾的宗教性、神秘性（即祭祀高禖的古俗）。㊼

祭祀高禖的古俗，可溯源自先民祈求人口繁衍及祝禱五穀豐登的風俗。前者屬於人類自身的生產，後者則是人類生活所必須的食物之生產，這就是（德）恩格斯所說的「兩種生產」，恩格斯說：

> 歷史中的決定性因素，歸根結蒂是直接生活的生產和再生產。但是，生產本身又有兩種：一方面是生活資料，即食物、衣服、住房，以及為此所必須的工具的生產；另一方面是人類自身的生產，即種的繁衍。一定歷史時代和一定地區內的人們生活於其下的社會制度，受著兩種生產的制約：一方面受勞動的發展階段的制約；另一方面受家庭的發展階段的制約。勞動愈不發展，勞動產品的數量、從而社會的財富愈受限制，社會制度就愈在較大程度上，受血族關係的支配。㊽

㊼ 關於祭祀高禖的古俗請參拙著：《高唐賦的民俗神話底蘊研究》（臺北：國立臺灣大學中國文學研究所博士論文，1996 年），頁 91-115。

㊽ 〔德〕恩格斯：《家庭、私有制、和國家的起源》（臺北：谷風出版社，1989 年中譯本），第一版〈序言〉。

在愈原始、愈不發達的社會中，食物生產與人口繁衍兩種生產之間，聯繫、補充、制約、滲透、比擬的關係愈加密切，而且是以後者（人口繁衍）爲主導一方的。這種現象就表現在初民相信男女交合（人口繁衍）能夠促進作物（食物生產）的豐產；從神話思維特徵的角度說，這就是基於類比心理（同類相生、果必同因）的模仿巫術（順勢巫術），這種巫術心理和行爲在以農業爲主的社會中最常見到，如（英）弗雷澤曾說：

> 我們未開化的祖先把植物的能力擬人化為男性、女性，並且按照順勢的或模擬的巫術原則，企圖通過以五朔之王和王后，以及降靈新娘、新郎等等人身表現的樹木精靈的婚嫁，以促使樹木花草的生長。因此，這樣的表現就不僅是象徵性的，或比喻性的戲劇，或用以娛樂和教育鄉村觀眾的農村的遊戲。它們都是咒法，旨在使樹木蔥鬱，青草發芽，穀苗茁壯，鮮花盛開。我們會很自然地認為，用樹葉或鮮花打扮起來，模擬樹木精靈的婚嫁愈是逼真，則這種咒力的效果就愈大。相應我們還很可以假定，那些習俗的放蕩表現並不是偶然的過分行為，而是那種儀式的基本組成部分，根據奉行這種儀式的人的意見，如果沒有人的兩性的真正結合，樹木花草的婚姻是不可能生長繁殖的。㊾

原始農業的巫術孕育儀式，在民間是以男神與女神婚配的宗教禮儀形式流傳下來，這種儀式就是民俗、神話學中所稱的神（聖）婚。神（聖）婚風俗普

㊾ 〔英〕弗雷澤（James Frazer）著，汪培基譯：《金枝》（臺北：久大、桂冠出版社，1991年），頁 207。弗雷澤還舉出許多的例子，見《金枝》，頁 207-212。在中國也可以找到同樣的風俗，馮漢驥在研究雲南晉寧石寨山出土銅器時指出，銅飾 M13：239 上有兩人站立交合，這是孕育儀式中很普遍的動作，並廣泛存在於西南各民族中，參見馮漢驥：〈雲南晉寧石寨山出土銅器研究——若干主要人物活動圖像試釋〉，《考古學論文集》，頁 151。

遍存在於西亞各民族中，這些民族都供奉一個偉大的母親女神，她在各民族中的名字雖然不同，㊿但是相關的神話和儀式則類似：她每年都在神殿中和愛人結合，人們認爲這種儀式能夠保證大地豐產、人畜興旺。[51]（美）理安・艾斯勒（Riane Eisler）曾說：

> 史前的女神崇拜最有趣的一個方面是神話學家和宗教史家的瑟夫・坎貝爾稱之為「信仰調合論」的那種東西。從根本上來說，這種東西的意思是，女神崇拜不僅是多神論的，而且是一神論的。說它是多神論的，就是說，女神是在不同的名字下，而且以不同的形式被崇拜的。但是，它也是一神論的，就是說，我們可以合乎體統的說，信仰女神就像我們說信仰作為一種先驗實體的上帝一樣。……在所有古代的農業社會中，似乎最初崇拜的是女神。我們在農業發源的三個主要中心——小亞細亞和歐洲的東南部，亞洲東南部的泰國，以及後來還有中美洲——發現了把女性神化的證據，因為就女性的生物屬性來說，她正如大地那樣給予生命和食物。[52]

大地母親神作爲聖婚的女主角，運用與植物神婚嫁或生育植物神的儀式，來表徵植物的死亡、重生與繁殖。例如在巴比侖的宗教文獻裡，植物神塔穆茲是大母神伊希塔的配偶，人們相信塔穆茲每年都要死去一次，伊希塔爲了尋找心愛的情人，走遍黃泉。當自然生殖力的化身伊希塔不在人間的時侯，人間的

㊿ 如埃及的伊希斯、納特和瑪特神；伊斯蘭教的伊斯坦爾、阿斯塔特和利利思神；希臘的得墨忒爾、科瑞和赫拉神；羅馬的阿塔耳伽提斯、刻瑞斯和庫伯勒神；猶太教的朱諾神；天主教的瑪麗亞等，參見〔美〕理安・艾斯勒（Riane Eisler）著，程志民譯：《聖杯與劍》（北京：社會科學文獻出版社，1993 年），頁 7-8。至於中國則可以女媧為代表。

[51] 參見《金枝》，同注[49]，頁 487-488。

[52] 《聖杯與劍》，同注㊿，頁 23-24。

愛情便停息了，動物也不進行交配，一切生命都受到絕滅的威脅。於是偉神伊亞不得不派人到地府，命陰間王后用生命之水灑在伊希塔身上，並讓她和情人塔穆茲一同回返人間。當他們回到人間時，萬物都恢復了生機。因此在巴比倫，每年春天到來的時候，人們都要舉行慶祝塔穆茲復活的盛會。伊希塔與塔穆茲的故事流傳到希臘神話中，就變成了阿芙羅狄蒂和阿多尼斯的傳說：在阿多尼斯還是嬰兒的時候，愛神阿芙羅狄蒂將他裝在盒子中交給冥后珀耳塞福涅撫養，當冥后打開盒蓋，看見嬰兒非常漂亮，從此便捨不得將阿多尼斯歸還給愛神。阿芙羅狄蒂後來親赴陰間想要救出自己心愛的人，卻與冥后起了爭執，最後由宙斯出面調處，他判決阿多尼斯每年一半時間與珀耳塞福涅同住陰間，另一半時間則在陽間與阿芙羅狄蒂爲伴。這是希臘人對塔穆茲每年死去又復話傳說的另一種說法。[53]

由以上說明可以看出，中國古代祭祀高禖的禮俗，與文化人類學學者所稱的神（聖）婚習俗，有某種程度的類似現象，此類儀式最重要的特點就是，它必須供奉一個偉大的母親女神，人們認爲通過祭祀這偉大的母親女神，能夠保證部族的豐產、興旺。神（聖）婚風俗經過歷史的積澱，成爲一種原型，而〈離騷〉中前後三次的飛天求女，就是在潛意識中運用了此一原型（只是它更加入了符合其時婚媾儀節的「媒理」要求），因而〈離騷〉中所求之女，自然也積澱有遠古大母神（the Great Mother）崇拜的儀式。

接著請看第⑵點：原始女性崇拜（即大母神崇拜及史前維納斯崇拜）

隨著考古工作的日益進展，在西起法國西部，東至俄羅斯平原中部，延伸約 1100 英里的廣大區域——即所謂的「維納斯環帶」裡，出土了許多被稱爲「史前維納斯」的女裸雕像，她們不但是目前所發現最早的造型藝術（約距今

---

[53] 此外，阿多尼斯在敘利亞、塞浦路斯也都形成了相同意義的傳說。參見《金枝》，同注[49]，頁 475-493。

三萬年到一萬四千年的舊石器時代晚期），也代表了人類最早期創造神話的衝動。她們的形象多是面目模糊，頭部低垂而呆板，卻有著寬厚、肥大的臀、腰及腹部，此外，萎縮的雙臂放在豐滿的乳房上，雙腳則被簡化成像是一根棒子的形狀。[54]根據安德烈·列奧·戈翰的研究認爲，舊石器時代的藝術表現了早期宗教的某些形式，在這種宗教裡，女性的形象和象徵起了一種核心的作用。因爲女性雕像和表現女性的記號都位於洞室的中心位置；相反地，男性記號都放在洞室四周，或女性雕像、記號的周圍。[55]至於在中國境內，如遼寧凌源牛河梁、東山嘴及內蒙古赤峰西水泉等紅山文化遺址群，也都出現過類似「史前維納斯」的女裸陶像（只是它們的年代距今約 5000 年左右，已屬於新石器時代中晚期），[56]由這些女裸陶像詳略分明的創作方式來看，很明顯地是要突出、誇張女性的生殖能力。其原因就在於人類最早所認識及崇拜的，是具有直接生殖行爲的女性（及嬰兒所從出的女陰），這也就是前文所說的「大母神」崇拜，根據葉舒憲介紹說：

> 大母神（the Great Mother）又稱大女神（the Great Goddess），或譯「原母神」，是比較宗教學中的專門術語，指父系社會出現以前人類所崇奉的最大神靈，她的產生比我們文明社會中所熟悉的天父神要早兩萬年左右。人類學家和宗教史學家認為，大母神是後代一切女神的終極原型，甚至可能是一切神的終極原型。換句話說，大母神是女神崇拜的最初型態，從這單一的母神原型中逐漸分化和派生出職能各異的眾女神和男神。[57]

---

[54] 參見易中天：《藝術人類學》，頁 117-119。

[55] 參見《聖杯與劍》，同注[50]，頁 6-7 所引。

[56] 參見安金槐主編：《中國考古》，頁 162-166，及趙國華：《生殖崇拜文化論》（北京：中國社會科學出版社，1990 年），頁 157-158。

[57] 蕭兵、葉舒憲：《老子的文化解讀》，頁 172。

如果如葉氏所說，大母神是後代一切女神的終極原型，那麼如禹求涂山氏女，有九尾白狐顯王者之證；少康求有虞之二姚而中興夏代；帝嚳求有娀氏女孕生契，成就殷商數百年的國祚等神話中的涂山氏女、有虞之二姚及有娀氏女等神女，其中應該都潛藏著遠古大母神記憶的因子。(58)

另外，楚地的高唐神女神話更可作爲探討〈離騷〉「求女」喻義最有力的參照點之一。〈高唐賦〉中描寫追求神女者由巫山山腳一路向山上攀登所見的險峻山水景物及蟲魚鳥獸，這就如同〈離騷〉主人翁飛天歷險求女一般，也暗示必須歷險始能求見神女，在〈高唐賦〉中更明白點出往見神女後的功效：「思萬方，憂國害，開聖賢，輔不逮，九竅通鬱，精神察滯，延年益壽千萬歲。」這如同高唐神女曾對楚先王說「今遇君之靈，幸妾之搴，將撫君苗裔，藩乎江漢之間」一樣，(59)也都證明高唐神女具有大母神的因子在。(60)

在母系社會時期，大母神、女性始祖對一個部落氏族的生存具有決定性的意義，使得大母神成爲氏族原始社會守護神的象徵，一如後來父權社會中的男性始祖、男性國君般，這就爲〈離騷〉的以女喻君，提供了歷史現實社會的基礎。又若從思維特徵的角度說，則〈離騷〉以求女喻求君是神話的類比思維特徵下的產物。

本節一方面從作品（〈離騷〉內容）與作者（屈原生平）平行研究的角度來說明求女喻義求君；另一方面還由原始婚媾的宗教性、神秘性及原始女性崇拜的文化人類學視野探討求女喻義求君的本質。接下來在下一節，筆者還欲從容格「美女原型」學說的角度，對〈離騷〉的求女作更深一層的發掘。

---

(58) 至於宓妃與洛伯用、河伯馮夷、有窮后羿都有所謂的淫亂關係，這與她具有高禖的身份有關。

(59) 〔唐〕余知古：《渚宮舊事》，卷3，引〔晉〕習鑿齒《襄陽耆舊傳》。

(60) 關於此點請詳參拙著：《高唐賦的民俗神話底蘊研究》，同注㊼。

五、求女喻義求潔（美女原型）以解決個人人生困境

《史記·屈賈列傳》云：「其志潔，故其稱物芳；其行廉，故死而不容自疏。濯淖污泥之中，蟬蛻於濁穢，以浮游塵埃之外，不獲世之滋垢，皭然泥而不滓者也。推此志也，雖與日月爭光可也。」〈離騷〉中的「求女」一方面喻義求君；另一方面，「美女」在屈原心中更象徵著潔淨純美（志潔、行廉）的品質，所以他塑造了〈離騷〉中的主人翁，以精神的想像遨遊至四荒六漠、無地無天、無見無聞的境地（即潔淨純美的境界），[61]去追求神女（象徵潔淨純美的品質），以消釋現實生活的污濁、苦悶。

〈離騷〉主人翁藉著遠遊上征的求女儀式，以舒解個人鬱抑的情緒及困頓的生命，而這種鬱抑及困頓主要乃由生存空間的污濁、生命時間的短促而來。〈離騷〉詩篇中常出現「及」與「恐」兩個字眼，如：

1. 汩余若將不「及」兮，「恐」年歲之不吾與。
2. 老冉冉其將至兮，「恐」脩名之不立。
3. 「及」年歲之未晏兮，時亦猶其未央。「恐」鵜鴂之先鳴兮，使夫百草為之不芳。
4. 「及」余飾之方壯兮，周流觀乎上下。

以上引例中的「及」字，意謂及時掌握生命、時機；而「恐」字，則表述出對時間流逝的惶恐不安感，這兩個常見的字彙，將主人翁的恐懼與焦慮眞實地呈現出來，一如陳世驤所說：

---

[61] 此如〈遠遊〉篇所云：「經營四荒兮，周流六漠。上至列缺兮，降望大壑。下峥嵘而無地兮，上寥廓而無天。視儵忽而無見兮，聽惝怳而無聞。超無為以至清兮，與泰初而為鄰。」

> 詩篇以一列時間底壯觀的遊行開始。朝、夕、日、月、季節、年，在一弄人的、恐怖的、致命的行列中匆匆而過。伴隨日、月等時間段落的是一不斷的恐懼和焦慮，這恐懼和焦慮因其追求理想的德和美而變得更為尖銳；他努力地如此耕耘，其本質是要去了解，在瞬間即逝的時間裡，人底存在的高貴價值。(62)

因此，〈離騷〉中的主人翁幻化成神話中的飛天英雄，他不但欲藉著想像神遊、飛行求女來舒解一己之危機感、急迫感；更欲藉著飛行求女尋求自我價值感、永恆感。這關乎其個人的終極追求問題。(63)以下將從 1.昆侖象徵一不老、不死的潔淨純美樂園，及 2.追尋女神兩方面，進一步說明主人翁如何藉著飛行求女以舒解一己之危迫感、以尋求自我之終極存在的意義。

1.昆侖象徵一不老、不死的潔淨純美樂園

〈離騷〉主人翁最初的神遊飛行是由宇宙之軸（通天之道）昆侖丘飛昇至懸圃、天帝所居的樂園。《淮南子·墬形訓》云：「傾宮、旋室、懸圃、涼風、樊桐，在崑崙閶闔之中。」這是一個大範圍的昆侖聖域，它不是人文地理上確實有所對應的區域，而無寧是一個神話概念中抽象、象徵的聖域，其所象徵者即爲一不老、不死的潔淨純美樂園。(64)在昆侖聖域中有不死樹、飲之不死的丹水和登之不死的涼風山。(65)「不死」是神話樂園中最重要的母題，神話中的不死，意謂著復歸潔淨純美的初生狀態，也即是死後的再生；正是周期性模擬死

---

(62) 見陳世驤：〈論時——屈賦發微〉，葉維廉等著，古添洪等譯：《中國古典文學的比較研究》（臺北：時報文化出版公司，1977 年），頁 86。

(63) 再結合前節所述，其欲藉著想像神遊以化解楚國傾頹的國勢來看，一是解決個人問題，一是解決族群問題，這就構成了想像神遊、飛行求女的兩重目的。

(64) 參見王小盾：〈論古神話中的黑水、崑崙與蓬萊〉，復旦大學中文系編：《選堂文史論苑》，頁 227-244。

(65) 見劉文典：《淮南鴻烈集解·墬形訓》，同注㉒，卷 4，頁 133-135。

亡——再生的儀式，在初民心理上積澱成爲不死、重生的深層結構。

這種周期性死亡——再生儀式，與自然時序的運動輪迴聲息呼應。（加拿大）文學批評家弗萊（Northrop Frye）曾說，人類想像的發生，一開始便遵循著某種由自然現象的循環變易所提供的「基型」（prototype），陽光每年都要消失，植物生命每逢冬季即告枯萎，人類的生命每到一定期限也要完結。但是，太陽會重新升起，新的一年又將來到，新的嬰兒也要問世。或許在這個生命世界當中，想像之最初、最基本的努力，所有宗教、藝術的最根本要旨，都在於從人的死亡及時間的消逝中，看到一種原生的衰亡形象；又從人類和自然的新生中，看到一種超越死亡的復活形象或基型。[66]而這種死亡與再生的循環交替，實構成原始永恆回歸神話最重要的內容。而〈離騷〉主人翁三次飛天求女，始終是以崑崙聖域爲其中心地標，此隱喻作者回歸樂園的永恆冀望。

2.追尋女神

「求女」是一個古老的母題，《詩經·關雎》「窈窕淑女，君子好逑」、〈蒹葭〉「所謂伊人，在水一方。溯迴從之，道阻且長」等，都曾使用此一母題。若我們暫時將古代經學家的說法放置一旁，用心理學家容格的原型理論來考察中國古籍中的「求女」母題，或許會有另一種新的收穫。

在容格的原型學說當中，有所謂陽性特質（animus）和陰性特質（anima）的提法，這意謂如果做夢的人是女性，她會發現她潛意識中有個男性人格化身；反之，則是女性人格化身。容格稱男性人格的形式爲陽性特質，女性的人格形式爲陰性特質。[67]而陰性特質的歷史發展有四個階段，第一階段是原始女人，以夏娃這個意象爲最佳的象徵，它代表純本能和生物學的關係。第二階段是浪

---

[66] 參見〔加拿大〕弗萊：《威嚴的均稱》（*Fearful Symmetry*），頁 217。引見葉舒憲：《中國神話哲學》，頁 7-8。

[67] 見〔瑞士〕容格等著，黎惟東譯：《自我的探索——人類及其象徵》（瀋陽：遼寧教育出版社，1988 年），頁 212。

漫美女，其典型代表可以在特洛伊城的海倫身上看到，她已是具體化浪漫和美麗的標準；但仍然具有性元素的象徵。第三階段可以童貞瑪麗亞作代表——這個意念已將愛提昇到精神上獻身的崇高境界。第四階段則已超越最神聖和最純潔的境界，從現代人的心靈發展來看，這一階段罕能達到，蒙娜麗莎則接近這種智慧的陰性特質。[68]

容格學派還認爲，陰性特質經常顯示出的形式是性愛的幻想，這是陰性特質粗糙、原始的一面；至於其積極的一面則在於，它必須對男人找到適合的結婚對象這一事實負責。[69]一般而言，男人的陰性特質是被他母親所塑造出來的，這是指個體無意識方面；但就集體無意識方面而言，男性自身中所帶有的永恆理想女性形象，則是一種起源於原始崇高母親的偉大母神形象，經過歷史積澱在一代代遺傳基因上的結果。由於來源於這兩方面的陰性特質都是無意識的，它們也就被無意識地投射到所愛的異性身上，並成爲強烈的吸引或厭惡的主要原因之一。

依照容格學派以上的理論，〈離騷〉中的「求女」既含有陰性特質歷史發展的第一階段——即母親原型，象徵生育、溫暖、保護和富足；也具有陰性特質歷史發展的第二、三階段——即美女原型，象徵著靈魂的伴侶、精神的實現與滿足著眼。坎伯認爲這二而一的原型，代表「美的極致，一切欲望的滿足，英雄在兩個世界中追求的福祉目標。在睡眠的深淵裡，她是母親、情人、新娘……。她是圓滿的化身。」[70]

女神（女性）在〈離騷〉主人翁的潛意識中，是潔淨純美的化身，他自始

---

[68] 見容格等著：《自我的探索——人類及其象徵》，同前注，頁220之圖說，及頁248。

[69] 其實陰性特質最重要的一面在於，當男人無法辨識隱藏在潛意識後面的事實時，陰性特質都會幫他發掘出來。陰性特質在把人的思考和內在價值調和一事上，擔任極重要的角色，因而它是打通堂奧的路徑。見容格等著：《自我的探索——人類及其象徵》，同注[67]，頁221、223。

[70] 〔美〕喬瑟夫·坎伯（Joseph Campbell）：*The Hero with a Thousand Faces*，頁110。

至終所追求的美善理想，以及對現世污濁深感厭惡的精神潔癖，就是經由不懈的「求女」歷程表現出來。如果說求宓妃還停留在陰性特質歷史發展的第二階段，即具有性元素象徵（一如西方神話中的海倫）的話，那麼求娀女及二姚則已臻於陰性特質歷史發展的第三、四階段，即超越至最神聖和最純潔的境界（一如前述的童貞瑪麗亞及蒙娜麗莎），這是他靈魂深處最渴望的撫慰。

追尋女神（女性）對〈離騷〉主人翁而言，代表著對美善至潔的尋求，女神（女性）的啓蒙，就是帶領飛天英雄超越一切二元對立的幽谷，而達到純潔、淨化、平衡、寧靜、和諧的穹蒼。追求女神是對飛天英雄的人生試鍊，它是飛天英雄通往神聖關卡，並由此臻於一己生命純然淨化的精神自由王國。

六、結　語

本文旨在探討〈離騷〉中飛天求女的問題，認爲唯有弄清〈離騷〉後半篇三次飛天求女的喻義，才是通貫全詩，並透悉屈原內在心靈世界的不二法門。而〈離騷〉中的求女又是建立在飛天的基礎之上，所以首先應探討〈離騷〉中的飛天遠遊。本文以爲〈離騷〉主人翁的飛天遠遊具有古老的巫術神話背景，那即是古代薩滿巫師作法遨遊天地，其目的在化解部族及個人生命中所遭遇的生存困境。

屈原巧妙地結合了飛天與求女兩個古老的神話母題，飛天求女就楚族群體而言，是喻求明君；就屈原（〈離騷〉主人翁）個人而言，則是喻求美善至潔，他希冀以此儀式來渡過楚族與個人生命中的困阨與危機，所以飛天求女對屈原（〈離騷〉主人翁）而言，就有如遠古部落中的「過渡禮儀」般。

求女既喻求君，又喻求潔，這當中具有原始文化及人類心理的深層積澱，前者可從⑴原始婚媾的宗教性、神秘性及⑵原始女性崇拜，等兩方面來加以研究。而後者可從⑴昆侖象徵一不老、不死的潔淨純美樂園及⑵追尋女神等兩方面來加以探求。一方面，女性喻指賢君，用意在化解部族所遭遇的生存困境；

另一方面，女性象徵潔美品質，用意在化解個人所經驗的生活難題。屈原即以〈離騷〉中飛天求女的手法，樹立起後世文學作品中「世不遇」（憂與遊）及「女神（性）原型」兩個意象的光輝傳統，讓歷代文人倣效不已。

論說「戲曲程式」

陳 芳*

前 言

「戲曲程式」是創造戲曲形象表現力很強的一種特殊形式。尤其對中國傳統戲曲而言，❶「戲曲程式」既管束表演的隨意性，又予以某種規律的自由。一般認為戲曲程式源自生活，因條件不同而形成多種樣態，所謂「匯江海則波濤澎湃，居山峽則瀑布瀉流。拍險崖則浪花珠濺，遇微風則細紋漪瀾。」❷故在中國傳統戲曲的歷史發展中，一方面繼承了唐宋大曲和民間歌舞的表演傳統，另一方面又取法於參軍戲和踏謠娘等摹擬各種人物類型和生活形態的程式，同時再吸收武術、雜技等表演程式，終於形成具備獨特風格的中國戲曲程式。如果沒有這些戲曲程式，就無法構成戲曲的演出總譜，也無法安排戲曲舞臺的「場景」，更無從塑造戲曲舞臺上的人物形象，表現人物的思想感情。所以，搬演中國傳統戲曲時，戲曲程式之重要性是毋庸贅言的。

然而，「戲曲程式」究竟包括那些內涵呢？其美感性質為何？又要如何表現運用？這些卻是不易回答的問題。「程式」之本意是法式、準則、規程。如

* 輔仁大學中文研究所博士生，國立警察專科學校講師。

❶ 本文所稱之「中國傳統戲曲」，乃指演員足以扮飾各色人物，情節複雜曲折，藝術形式已屬完整的「大戲」。至於演員少至三兩人，情節極為簡單，藝術形式尚未脫離鄉土歌舞之「小戲」，不在本文討論範圍之內。

❷ 見阿甲：〈談平劇藝術的基本特點及其相互關係——為了研究現代平劇的改革〉，《戲曲美學論文集》（臺北：丹青圖書公司，1986 年），頁 113-114。

清乾隆間周祥鈺等編《九宮大成南北詞宮譜．南詞譜例》云：「……又舊譜不分正襯，以致平仄句韻不明，今選《月令丞應》、《法宮雅奏》作程式，舊譜體式不合者刪之。」又云：「蓋詩濫觴而爲詞，詞濫觴而爲曲，此則曲之昆侖墟，故歷來用爲程式。……」❸即是此意。而首先把「程式」一詞用於戲曲界，以說明中國戲曲舞臺藝術之表演特點者，是五四時期的戲曲研究學者如趙太侔、余上沅等。其原爲與寫實派話劇生活化之演劇方法相對照，乃提出中國傳統戲曲是「程式化劇場」之觀點。趙氏於〈國劇〉一文中，以「揮鞭如乘馬，推敲似有門，疊椅爲山，方布作陣，四個兵可代一支人馬，一回旋算行數千里路等等」爲「程式化」（其英文作 Conventionalization)；余氏則更進一步指出其特徵是「寫意的，非模擬的，形而外的，動力的，和有節奏的」。❹此後戲曲界沿用此詞，並不斷予以新解，乃約定俗成而爲戲曲領域之常用術語。現今只要是戲曲反映生活的表現形式，又具有一套格律化的搬演準則，一般均謂之「戲曲程式」。因此，如焦菊隱即認爲「戲曲程式」是具有一定條件限定的「藝術形式單元」。這些單元是對生活形態（包括動作、聲音、時間、空間和物體等），按照一定的藝術法則進行選擇、提煉、變形、誇張、抽象而轉換爲符合多種藝術格律要求的一種形式。簡言之，「戲曲程式，就是節奏化、強調化、性格化和簡煉化了的現實生活形式。」❺

但嚴格說來，趙氏所謂「程式化」，只觸及本文所論「單元程式」的部分，尚未觀照到「套式程式」的部分，實不足以作爲戲曲「程式化」的定義。而余氏所言亦過於籠統。因爲「非模擬的」與「形而外的」都是指「寫意的」（相

---

❸ 見周祥鈺等編：《九宮大成南北詞宮譜》，王秋桂主編：《善本戲曲叢刊》（臺北：臺灣學生書局，1987 年），第 6 輯〈南詞譜例〉。

❹ 詳見黃克保：《戲曲表演研究》（北京：中國戲劇出版社，1992 年），頁 82-83。

❺ 見高師大：〈焦菊隱「戲曲構成法」初探〉，《戲曲藝術》第 3 期〔總第 40 期〕（1989 年），頁 29。

對於「寫實的」）而言，三者乃敘述同一性質；又「動力的」和「有節奏的」主要也是針對「表演程式」，無法整體概括本文所論六大戲曲程式體系。至於焦氏的立論則稍嫌隱晦，其所謂「按照一定的藝術法則」或「符合多種藝術格律要求」等語，均不詳所指；且其四化說也未必足以說明戲曲程式的組合原則。不過，其視戲曲程式爲一種「藝術形式單元」，雖分辨未精，然已頗有可取。事實上，「戲曲程式」本來自約定俗成的概念，是一種文化記號。故其美感性質是可以營造的，由此引生的功能也是可以預期的。爲了更清晰地理解戲曲程式之界義、範疇、性質及運用等課題，本文擬藉助符號論美學的某些理念進行探討，期能在正視戲曲程式存在的基礎上，使中國傳統戲曲的現代化能更精益求精。於除舊布新之際，更加凸顯固有傳統藝術的優點。茲分以下三節論述之：

一、「戲曲程式」之界義與範疇

二、「戲曲程式」之審美特性

三、「戲曲程式」之有機運用

一、「戲曲程式」之界義與範疇

㈠ 「戲曲程式」之記號界義

根據近代西方符號論美學的觀察，藝術是人類情感符號形式的創造。❻中

❻ 首先提出「符號學」這門學科者，是二十世紀初瑞士語言學家索緒爾（Saussure, F.)和美國哲學家皮爾士（Ambrose Bierce)。德國哲學家卡西爾（Ernst Cassirer)則是最早提出符號論美學者，把藝術、神話看作與語言同樣的符號，認為藝術是人類用符號創造出來的一種美的形式。其學生蘇珊·蘭格（Susanne K. Langer）繼承此說，發展出完整的藝術理論。蘭格之符號論主要是把符號分為兩大類：論述性的（discursive symbol）與呈現性的（presentstional symbol），且以語言歸於前者，藝術、神話等屬之後者。其界定藝術為一種象徵符號，並為人類情感符號形式的創造。但蘭格對於「符號」一詞之使用是有歧義的。因為根據語意學的用法，符號（symbole）是記號（signe）之一種；記號之作用，即用一物來表示另一物。記號通常可分為自然的與人為的兩種；前者之基礎是建立在因果關係上，

國戲曲程式固是演員塑造舞臺形象之藝術語滙，亦是一套在中國文化基礎上創造出來之具獨特性的藝術記號。鄙意以爲，就中國戲曲程式記號言，應可概分爲兩種類別：一是個別單元程式記號（下文簡稱「單元程式記號」），二是套式單元程式記號（下文簡稱「套式程式記號」）。前者乃指個別單一的技術單位，猶如孤立的語詞，可能無義，也可能多義；後者則是一整套完整的程式，猶如語法，其意義基本上是固定的。如以表演動作程式「趟馬」爲例，其表演方式是在舞臺上，腳色手持馬鞭跑圓場上場，表現騎馬趕路的情節。當中運用了「鷂子翻身」、「平轉」、「飛腳」、「旋子」等跳轉技巧，以組合成套的身段，來體現人物騎馬時的各種神情。舉凡諸如「鷂子翻身」、「平轉」、「飛腳」、「旋子」等動作，即是單元程式記號；而聯系這些單元程式記號所形成之「趟馬」身段，則是套式程式記號。又如旦行水袖功，約可歸納出勾、挑、撐、冲、撥、揚、撣、甩、提、打、抖、抛、掄、抓、繞、翻、搭、摔、折、旋等多種舞法。這些單一的舞蹈動作，便是單元程式記號；而若將之組合成套，如晉劇《打神告廟》中的穆桂英，交叉運用冲、抛、掄、打、甩等各種舞姿，則是套式程式記號。由於單元程式記號，在中國傳統戲曲中的意義，必須透過套式程式記號來顯現，因此，下文所討論之戲曲程式記號，除特別註明者外，均指套式程式記號而言。

記號的意義基本上有三個層次，即能指、外延所指及內涵所指。能指是指記號本身之審美訊息，視記號爲媒介或感性形式；外延所指是指外部世界的某

後者則沒有自然事件的因果關係為基礎，乃是人約定俗成的結果。這種人為的記號，有時也稱作符號。蘭格所稱之符號，卻不必然具備以一物代表另一物的作用，顯有矛盾存在。故本文採用索緒爾的術語系統，以能指與所指組成之「記號」一詞，作為「戲曲程式」之界義。參見劉昌元：《西方美學導論》（臺北：聯經出版事業公司，1995 年），頁 185-198。又羅蘭·巴爾特著，李幼蒸譯：《寫作的零度——結構主義文學理論文選》（臺北：時報文化出版公司，1997 年），頁 87-96。又牛國玲：〈符號學與戲曲程式——一套獨特的藝術符號系統〉，《戲曲研究》（北京：文化藝術出版社，1990 年），第 34 輯，頁 134-135。

個對象，接近「再現」卻無一對一之對應關係；內涵所指則是以能指和外延所指為一記號整體之能指，從而產生派生之意指功能，形成與社會、道德、思想和感情方面之價值有關的第二性意義。❼中國傳統戲曲程式之作為藝術記號，其實是兼具這三種意義的。如以臉譜服裝等程式記號為例，既可表示均衡與對稱、對比與微差、主導與從屬、比例與尺度等之形式美，具有能指意義；又可使觀眾參照生活經驗，解讀這些程式記號，不但能從演員之外部塑形認知其為生、旦、淨、丑某一行當，且可判知其所扮飾劇中人物之身分、地位等外延所指的意義；同時，還能引導觀眾想像或預期劇中人物之性格傾向、心理變化等，具有內涵所指的意義。

波蘭符號學家柯贇（Tedeuz Kowzan）曾將戲曲演出所運用之主要記號分為十三個系統，即：語言、語調、面部表情、動作、演員之舞臺調度、化妝、髮型、服裝、小道具、裝置、照明、音樂及音響效果等。若予以歸納整理，則可區分為五個記號群：㈠與語言表現有關者：語言、語調。㈡與身體表現有關者：面部表情、動作、演員之舞臺調度。㈢與演員外形有關者：化妝、髮型、服裝。㈣與舞臺環境有關者：小道具、裝置、照明。㈤與語言之聲音效果有關者：音樂、音響效果。❽而布拉格學派中以研究中國戲曲著稱的女學者卡萊爾・布魯薩克（Karei Brusak）則把一些戲曲程式記號分為兩類：一是視覺的，即與戲曲空間相聯繫者；二是聽覺的，即與對話、音樂和音響效果相聯繫者。❾兩相對照，可知視覺記號包括柯贇所謂第二、三、四等三個系統記號群，而聽覺記號則涵蓋柯贇所謂第一、五兩個系統記號群。故視覺記號至少應包含兩種

---

❼ 詳見胡妙勝：〈戲劇・空間・結構——舞臺設計的美學〉，《戲劇藝術》1988 年第 4 期（總第 44 期），頁 27-28。

❽ 見丁和根：〈戲曲演出的符號化特徵〉，原載南京《藝術百家》（1990 年 4 月），收入中國人民大學書報資料中心複印報刊資料，1991 年第 3 期，頁 37。

❾ 下文關於視覺符號與聽覺符號之論述，參見 K.布魯薩克著，胡妙勝譯：〈中國戲劇的記號〉，《戲劇藝術》，1992 年第 2 期（總第 58 期），頁 35-42。

戲曲程式：

1.與形成「場景」⑩有關者：

⑴場景物品：如一桌二椅，其放置方式不同，意指功能也不同。如平常安放，爲室內景；如一椅放在舞臺一側或後方，意指堤岸或土木工事；椅子倒放，表示山陵；立於桌上，則指城樓等。又如檢場人搖動黑色三角旗，是代表風的符號；鍾與鏡子意謂雷雨等。

⑵服裝：嚴格遵守程式，具多意指功能，顯示穿戴者之身分、社會地位、年齡、性格等。

⑶化妝：如生、旦用俊扮，淨、丑勾臉譜。臉譜之圖案與色彩，即是演員所扮飾劇中人物之性格符號。

2.屬於行動空間概念所構成者：演員之每一動作、姿態、面部表情都是符號，表現有關腳色類型、年齡及特定情緒之性質、強度、持續性。如以搖櫓動作表示水上行舟，以持鞭姿勢意指上馬、下馬、騎馬、溜馬、奔馬、牽馬等。如織布、縫紉、紡織、寫字等各種類型操作和活動程式，均不用舞臺道具。而上揚或下垂的水袖動作、各種手勢或翎毛的舞蹈動作，亦均具有表現不同情緒的意義。

至於聽覺記號，則包含出於四聲運用之賓白，和遵循程式之戲曲音樂。前者不但具有音樂性，且可表現說話者之內心狀態。後者除演奏於開場、演員上場及在戲曲進程中某些類似的情境外，尚可用於記號單獨發揮作用的場合，如憤怒、恐怖、驚訝、悲傷、沈思、醉酒、吵架、戰鬥……等。

---

⑩ 此處所謂「場景」非指「舞臺」，而是「在這任意持續的空間內，通過演員的動作、運動、燈光的色彩變化，和影片的活動影象等形成想像出來的非物質的、暫時的虛構空間——行動空間。」且場景是建立在舞臺上的獨立結構。舞臺之理想形式是一個由劇場結構限定的內部空間，而場景則是一個描繪或暗示現實空間的虛構空間。含括布景和場景的設備，也含括演員的服裝和道具。參見同前註，頁 35-36。

不過，如結合上述三種記號意義言，則依記號與其所指對象之關係來畫分，則中國戲曲程式又可分爲肖像（象形、象似）、指示（一種標誌、標記）及俗成（象徵）等三種記號系統。⓫其中肖象式意謂記號與所指對象外形極爲相似，或有尺寸大小之別，然乍見十分逼眞，這類記號用得較少；指示式用得最多，所指意義亦較具體，如用語言唱念指示劇情發生之時、地，用手勢身段指示開關門、上下馬等。另俗成式記號如臉譜，其所指意義是抽象的；又如「走邊」、「會陣」之類的程式化動作等亦屬之。但中國戲曲中的記號多是複合記號，極少單一記號，其功能亦是多元化的。如桌椅、刀劍、官服等，雖與生活中的實物具有極高程度的相似關係，具肖象式記號的作用，但如桌椅之不同置放方式，具不同之意指功能；或如刀劍、官服等，並可指示劇中人物之職業、階級、社會地位等，則此時已兼具指示式記號的功能。所以，綜上所述，可以界定「戲曲程式」乃是多組具多重意指功能之複合記號系統的外顯表徵。爲清眉目，可簡單列表如下：

感官記號	視覺記號 與戲曲空間相聯繫者	聽覺記號 與對話、音樂和音響效果相聯繫者
系統記號群	（與身體表現有關者） 面部表情、動作、演員之舞臺調度 （與演員外形有關者） 化妝、髮型、服裝 （與舞臺環境有關者） 小道具、裝置、照明	（與語言表現有關者） 語言、語調 （與語言之聲音效果有關者） 音樂、音響效果
記號與所指對象之關係	肖像式記號系統 指示式記號系統 俗成式記號系統	指示式記號系統 俗成式記號系統

⓫ 此依美國符號學之父皮爾士（Ambrose Bierce）的理論。參見丁和根：〈戲曲演出的符號化特徵〉，同注❽，頁42-43。

(二) 「戲曲程式」之體現範疇

中國傳統戲曲之表演乃一融合語音美、詩詞美、吟誦美、聲樂美、器樂美、舞蹈美、雕塑美、繪畫美、工藝美、雜技美、武術美、建築美及意象中之自然美於一身之泛美體系，其審美理想必須透過格律化與規範化來實現。所以，在戲曲搬演時，舉凡演員之唱、念、做、打、扮、樂及舞臺美術等，無一不含「程式化」之藝術規律。⓬故戲曲程式實乃表現於整個戲曲舞臺之上，其並不限於表演身段。大凡劇本形式、腳色行當、音樂唱腔、化妝服裝等各方面帶有規範性的表現形式，都可以說是戲曲程式之體現範疇。如依上節所論系統記號群分類之，則應可略別爲五大體系，即塑形程式、表演程式、語言程式、音樂程式及舞臺程式等。然此一切搬演均須建立在劇本（含演出腳本）之體製架構上，故尚應存有一劇本程式體系。上述各體系所統攝之內容，可如下表所示：

戲曲程式體系	泛美體系	系統記號群	體現範疇	統攝內容
劇本（含演出腳本）程式體系	綜合泛美	與戲曲搬演有關者	劇本之體製規律、演出提示	指舞臺演出總譜之藝術結構
塑形程式體系	繪畫美、雕塑美、工藝美、自然美	與演員外形有關者	劇中人物化妝（含臉譜）、服飾穿戴	指臉譜、化妝、服飾等之行當類型化
表演程式體系	舞蹈美、雜技美、武術美、自然美	與身體表現有關者	表情身段(手、眼、身、髮、步)	指與表情動作有關之帽翅、翎子、甩髮、髯口、水袖及腰腿、架子、毯子、把子等基本功
語言程式體系	詩詞美、吟誦美、語音美、聲樂美、自然美	與語言表現有關者	唱腔、念白	指腳色之音色區隔、唱腔運轉、念白聲口
音樂程式體系	器樂美、自然美	與語言之聲音效果有關者	音樂演奏（宮調、曲牌、聲腔、板眼、鑼鼓點等）	指器樂之文、武場的規格化
舞臺程式體系	繪畫美、雕塑美工藝美、建築美、自然美	與舞臺環境有關者	布景、砌末	指舞臺之布景設計、砌末安排

⓬ 見陳幼韓：《戲曲表演概論》（北京：文化藝術出版社，1996年），頁3。

首先，就劇本程式體系言，從創作方法論，故事如何敘述，人物如何安排，唱腔如何設計，身段如何處理等，都必須遵守劇本寫作的規則。如北曲雜劇之體製規律是建立在一本四段、題目正名、四套不同宮調各一韻到底的北曲、一人一腳獨唱全劇、賓白、科範、腳色等七項必要因素和楔子、插曲、散場等三項可有可無之次要因素上。⑬其故事情節之推展，亦多有固定的模式。甚至以「聽琴」鋪寫戀愛場景，以「探子報告」表現戰爭狀況，以「四友歌舞」描畫熱鬧場面等，均有舊例可循。⑭而南曲戲文之體製規律則建立於長短自由、題目、開場家門、宮調曲牌雜用北曲、可換韻及賓白、科範、腳色、唱法等因素上。⑮逮及明清傳奇，⑯則於南曲戲文之結構格律基礎上再加以改進，如腳色分化、分出標目、異調聯綴、字音韻部考究等。⑰其敘事結構也傾向於高度程式化，不離「才子佳人花園相會」、「公子落難，得忠貞淑女相救，科考得中，喜結良緣，懲治富豪惡少」、「天子封贈，一門旌獎大團圓」等內容。⑱至如清代亂彈興起，雖多屬板腔體劇種，其體製規律未如曲牌體劇種之嚴格，然亦須符合詩讚系之劇本程式。

其次，就視覺記號群言，塑形程式體系表現於人物之化妝服飾上，無論生、

---

⑬ 詳見曾師永義：〈元雜劇體製規律的淵源與形成〉，《參軍戲與元雜劇》（臺北：聯經出版事業公司，1992 年），頁 155-221。

⑭ 參見徐扶明：《元代雜劇藝術》（臺北：學海出版社，1997 年），第七章〈戲劇結構〉，頁 181-182。

⑮ 詳見錢南揚：《戲文概論·形式第五》（臺北：木鐸出版社，1982 年），頁 163-216。又張師清徽：《明清傳奇導論》（臺北：東方出版社，1961 年），第一編〈緒論〉，頁 5-7。

⑯ 所謂「傳奇」乃是「南戲」經過北曲化、文士化、崑曲化蛻變而成的。此「三化說」早已由曾師永義提出，曾師並於一九九六年撰文闡明之。詳見曾師：〈論說「戲曲劇種」〉，《論說戲曲》（臺北：聯經出版事業公司，1997 年），頁 252-262。

⑰ 詳見孫崇濤：〈關於南戲與傳奇的界說〉，《南戲探討集》第 5 輯。

⑱ 詳見張新建：〈中國戲曲窠臼面面觀〉，《中華戲曲》第 15 輯（1993 年），頁 229-248。又林鶴宜〈明清傳奇敘事程式初探〉一文，更進一步分析明清傳奇之敘事方式有結構式、環結式、修飾性等程式。林文發表於「明清戲曲國際研討會」，中央研究院中國文哲研究所籌備處，1997 年 6 月 10、11 日。

旦、淨、丑各行當都有各自類型化的譜式，及一整套穿戴規則。在戲曲人物造型中，一般生、旦用素面（即本臉、俊扮），淨、丑用花面。如以臉譜爲例，最早出現的是丑腳臉譜。譜式特點乃在面部中心畫一塊白斑，或畫兩個白眼圈。金院本中已見之。元雜劇中則可見除了加濃眉毛、誇張膚色外，還在眉眼之間畫一條白線。此爲後來的「整臉」譜式打下基礎，亦可謂是後來的「三塊瓦」譜式的一種原始形態。崑、弋諸腔興盛時期，由於劇目豐富，傳奇體製生活容量擴大，表演水平提高，淨、丑腳色明確畫分爲大面（淨）、二面（副淨）、三面（丑）三個行當，而大面中又有紅、黑、白面之分。梆子、皮簧興起後，淨有重唱與重做之分，還發展了武淨、勾臉武生，對臉譜樣式多樣化和精緻化有所推動。故今於京劇中可見常用之整臉、三塊瓦臉、十字臉、六分臉、元寶臉、碎臉……等。再論其服飾穿戴，則宋代之「平腳幞頭」原是君臣通服，元代戲曲舞臺用作文臣所戴的一種帽子。明代改爲「展腳幞頭」，只有少數文臣或城隍類神道戴，其他文官則戴「兔兒角幞頭」或「一字巾」。晚明以後，「展腳幞頭」又分爲花、素，並逐漸固定給丞相一類大臣戴，名稱亦改爲「相貂」或「相紗」，而一般文官則戴紗帽。清代在「展腳幞頭」的基礎上飾以龍紋，發展出「嵌龍幞頭」。而紗帽亦有方翅（正派官員戴）、尖翅（淨扮奸官戴）及圓翅（丑扮貪官戴）之分。這顯然是一套約定俗成的藝術語滙。⑲

又表演程式體系即是演員之表演藝術重視「四功」中之「做」、「打」和「五法」（手、眼、身、髮、步）的表現。⑳王泰來將之分析爲四種類型：一

---

⑲ 見龔和德：〈戲曲人物造型論〉，中國藝術研究院戲曲研究所編：《中國戲曲理論文選》（上海：上海文藝出版社，1985年），下冊，頁81-91。

⑳ 四功，一釋唱、念、做、表。此說顯以「表」指表演言，強調其重要性。然而「做」功意指表達情感之各種身段，實已包括「表」之內容。故仍以唱、念、做、打釋之為佳。又五法，乃指「做」功方面之五種技法，一釋手、眼、身、法、步。此「法」係指各技術之方法和動作要領，與另四種技法言身體各部位動作之分類層級不一，故仍以釋手、眼、身、髮、步為佳。另表演藝術家程硯秋依個人藝術實踐提出口、手、眼、身、步之說，可以並參。

是相關類型：由一系列具有必然聯繫的程式單元組成，如壓腿、踢腿等控制腿爲一系列之相關程式動作；二是相反類型：由一對對相反的程式單元組成，如動與靜、快與慢等組成之程式動作；三是并列類型：由每一個獨立的互不聯繫的程式單元或程式動作組成，如翻身、虎跳等；四是種屬類型：由每一個行當及其派生出來的每個行當層次的程式動作組成。如以生行爲母系，衍生出老生、小生等子系統；老生又衍生出做功老生、唱功老生等。㉑這些身段動作都是構成表演程式體系的基礎。而再結合劇情之鋪陳，人物之心態，則其所能表現的記號意義就更爲豐富。如清中葉戲曲論著《梨園原》中有所謂「辨八形」、「分四狀」，㉒乃依劇中人物之身分地位、心理狀態和情緒起伏，所指示的一些關於表情身段程式化的表演技法。如「貴者：威容，正視，聲沈，步重；富者：歡容，笑眼，彈指，聲緩；貧者：病容，直眼，抱肩，鼻涕；賊者：冶容，邪視，聳肩，行快。……」又「喜者：搖頭爲要，俊眼，笑容，聲歡；怒者：怒目爲要，皺鼻，挺胸，聲恨；哀者：含淚爲要，頓足，呆容，聲悲；驚者，開口爲要，顏赤，身戰，聲竭」等，這些正是綜合手勢、眼神、身形、步法、面容等之基本程式表演。但是演員之表情動作，有時還擔負另一種功能，即具有指示戲曲空間的作用。如用「圓場」指示戲曲情境的轉換，用「十字花」體現穿梭奔忙、急行趕路的情節，用「打背躬」交代「潛臺詞」（內心獨白或旁白）等，均可幫助舞臺調度。

至於舞臺程式體系所指涉的布景與砌末，通常以簡馭繁，也最具有肖象、指示或俗成記號的多重功能。如布景幾乎只是一塊單色的布幔，沒有具體的構圖或色調，不但可淨化、美化舞臺，且可使舞臺由具象轉爲抽象，使戲曲表演

㉑ 詳見王泰來：〈論中國戲曲表演程式創造〉，《戲曲藝術》1989 年第 2 期（總 39 期），頁 48。

㉒ 見〔清〕黃旛綽原著：《明心鑑》，後改名《梨園原·身段八要》，收入《中國古典戲曲論著集成》（北京：中國戲劇出版社，1982 年），第 9 冊，頁 20。

可以由有限表現無限。而如砌末中之桌椅，其實可視爲積木個體，乃爲缺乏具體指向之抽象記號，故如桌子可用作御案、書案、公案，亦可代床、代山。桌椅組合，則有「八字桌」、「騎馬桌」、「內場椅」、「外場椅」、「高臺」、「半高臺」……等近四十種之多。㉓

最後，就聽覺記號群言，語言程式體系乃體現於演員之出聲、行音、收聲、歸韻等「字正腔圓」的精準與流暢。而音樂程式體系在伴奏中有「托腔保調」的功能，既能輔助、襯托唱腔，又能在調高、節奏、速度等方面規範演唱。另在獨立發揮作用時，亦可透過各種器樂曲牌與打擊樂中之鑼鼓點，構成戲曲中的場景音樂。在北曲中，首曲—正曲—煞尾固然有一定之聯套規律；在南曲中，引子—過曲—尾聲亦有一套排列次序。又如元雜劇首折多用仙呂宮，末折多用雙調；明清傳奇聯套更有配合排場氣氛而作不同的要求，如歡樂、遊覽、悲哀、行動、幽怨、訴情等。㉔各自依照曲牌之曲式、調式、調性及其情趣等條件，合成若干組套曲，再組合成爲完整的戲曲音樂。而控制戲曲音樂節奏的鑼鼓，均以「冲頭」、「長錘」、「閃錘」、「紐絲」等爲基準，採取各種不同的、相對定型的鑼鼓經配搭使用。即使是如皮簧之吹打曲牌，出征用〔五馬江兒水〕、〔一江風〕、〔風入松〕，圓場用〔普天樂〕，帝王上朝用〔朝天子〕，久別重逢用〔哭相思〕，武將起霸用〔點絳唇〕，探路走邊用〔小桃紅〕等，在在都是固定的程式記號。

二、「戲曲程式」之審美特性

由上文可知，中國戲曲程式是一個完整的審美創作記號系統。這個記號系統，又是由許多單元或套式程式記號所共同組成的。這些程式記號爲吾人感官

㉓ 詳見筱藝坤、王佚人：〈桌椅在傳統戲曲舞臺上的運用〉，《戲曲藝術》1982 年第 1 期。

㉔ 參見許之衡：《曲律易知·論排場》（臺北：郁氏印獎會，1979 年），卷下，頁 97-132。

所直覺，就文化意義言，有引生美感的可能。因此，中國戲曲程式記號之審美特性，是可以依據某些組合原則而予以經營的。因爲藝術的本質在反映生活，而戲曲若非經由舞臺三度空間的展演，便不能說是一種完整的藝術形態。所以，除了劇本程式體系必須模擬生活製作演出大綱外，其他塑形、表演、語言、音樂及舞臺程式體系等，亦均不可脫離相關於眞實生活的對應與模仿。但是這種對應與模仿絕非一成不變的抄襲，相反的，卻是對生活從不同角度、不同層次出發，綜合運用「體驗與想像、摹形與取神、象形與象徵、再現與表現」等多種藝術方法，作不同提煉和概括，使戲曲程式具有抽象和具象相結合的特點。㉕然而相對於講求寫實、摹形、象形與再現等表現手法的話劇而言，中國傳統戲曲毋寧說是更偏向寫意、取神、象徵與表現的。故其程式記號之審美特性，應可標舉出簡約性、象徵性、虛擬性及寫意性等。而此特性之營造原則，則不外凝煉與簡化、象徵與誇飾、虛擬與示現、寫意與想像等項。茲分別論述如下：

㈠ 凝煉與簡化

中國傳統戲曲程式記號既如上節所云，多是具有多層次意指功能之複合記號，則其只能用簡化凝煉的形式來表現豐富多重的意義，應是可以理解的。如以京劇服飾爲例，爲適應表演要求，大抵以明代服飾爲基礎，參酌唐、宋、元、清各朝代加以創造和豐富。不分朝代、地域、季節，只從式樣、色彩圖案上來區別劇中人物之性別、身分、性格和年齡。如統治階級穿蟒袍，武將穿鎧靠，中級官員穿官衣。再以蟒袍爲例，所穿顏色亦有區分，如皇帝穿正黃色，王爵、太子穿杏黃色，元老穿香色或白色，侯爵穿紅色。又一般正直者多穿紅或綠色，粗豪或奸滑者多穿黑色等。而如皇帝、王爵、武官戴盔，文官上朝或慶弔、宴會時戴紗帽，家居戴巾（便帽）等。盔與紗帽均是硬體，巾是軟胎。以巾爲例，

㉕ 見黃克保：〈表演程式：戲曲塑造舞臺形象的藝術語滙〉，《戲曲表演研究》，同注❹，頁 88-89。

其種類甚多，式樣各自不同，如老人巾、文生巾、武生巾、窮生巾、宰相巾……等。另以鬍鬚爲例，地位較高、性格凝重者多戴滿髯，文官或知識分子戴三髯，丑腳扮知識分子多用吊搭髯，架子花臉多用扎髯……等。㉖這樣的塑形程式記號，正是一種簡約類型化的妝扮，足以表徵生活自然形態的形象。

又如中國傳統戲曲中貫用的「唱段慢板五更天，走一圓場百十里」、「三五步行遍天下，六七人百萬雄兵」等手法，其實也都可以說明程式記號凝煉簡化的特性。如《追韓信》中韓信熟背兵書的一段情節，只在嗩吶牌子裡做了幾個雲手身段，就算交代。再如《蘇三起解》中蘇三與崇公道繞幾個圓場唱幾段詞，便是從洪洞縣走到了太原府。另如道具，本是爲演員之表演藝術服務，故舞臺上所用物件、器具均避免使用實物，其式樣、質料、輕重、大小、長短都有所改變。或縮小比方，如城、橋、車等，甚至以鞭代馬、以槳代船；或誇張放大，如酒杯、印盒等。其目的均在適應演員的需要，配合演員的舞蹈動作，並符合舞臺經濟原則。

㈡　象徵與誇飾

曾師永義〈中國古典戲劇的象徵藝術〉一文，㉗認爲：中國古典戲劇拘限在一個狹隘的空間和布置簡單的舞臺面上演出，而卻要表現出無限的時空流轉，所以無論在腳色、化妝、服飾、砌末、音樂、賓白、科汎等方面，都在在的表現著超現實的象徵意味。如行當類型化後形成扮飾腳色的類別，其中已含有象徵和褒貶的意味。而化妝服飾中對於人物塑形之構圖、線條、色彩、質料等的區分，亦有象徵兼指示劇中人物之性格、年齡、身分、社會地位等的作用。他如較笨重或易妨礙演出的砌末，多以假物代之，乃至以部分代全體。如一塊

㉖　詳見梅蘭芳：〈談戲曲舞臺美術〉，中國藝術研究院戲曲研究所編：《中國戲曲理論文選》，同注⑲，下冊，頁 34-47。

㉗　參見曾師永義：〈中國古典戲劇的象徵藝術〉，《中國古典戲劇論集》（臺北：聯經出版事業公司，1975 年），頁 15-29。

布，可畫上城牆、輪子、風或水，以象徵關塞、車輦、煙塵、波濤等場景情境即是。而曲牌體音樂中之各宮調曲牌，固有各自不同的聲情和調質，如仙呂宮清新綿邈，正宮惆悵雄壯等；即如板腔體音樂中二簧宜於莊重，反二簧宜於悲痛，西皮瀟灑，四平逍遙等，亦未嘗不具象徵的特質。賓白則因有特殊的腔調，其抑揚頓挫、氣勢強弱和音節長短，均可表現不同的情感與韻致。又因其與鑼鼓密切配合，而有歌唱和象徵的意義。至於科汎（即動作）更可謂是以曲線的方式來表現優美的象徵意味。由此可見，中國傳統戲曲程式記號的審美特性之一，即是象徵性。

第一節已經說過，臉譜本身就是一組約定俗成的象徵式（即俗成式）記號。故如臉譜顏色可概括爲一套口訣：「紅忠、紫孝、黑正、粉老、水白奸邪、油白狂傲、黃狠、灰貪、藍兇、綠暴、神佛精靈、金銀普照。」除以顏色象徵人物面貌、性格、品質外，也在構圖上使用局部象徵藝術手法。如包拯額上之月牙，乃表示其人能晝斷陽，夜斷陰。這是根據人物的特點而構成的標誌，並非普通的裝飾，當然也有象徵的功能。㉘但戲曲程式記號爲強調其象徵的意義，不免也會運用誇張的方式，再予以美化修飾。如爲凸顯關雲長之忠義威嚴，其臉譜便誇飾得十分鮮紅，五綹長髯也垂至腰帶以下；又如爲使赤壁之戰時的諸葛孔明顯得飄逸有仙氣，於是才二十八歲的孔明，不僅穿上道袍，且掛上三髭髯等。此外，演員行路的臺步也有誇飾的意味；如旦腳使用之雲步，淨、生腳使用之方步和蹉步，武將起霸時之「亮靴底」等。然而最足以表現高度凝練和鮮明誇張之特質者，莫如「亮相」。中國傳統戲曲在主要人物登場時，常有一套整冠、抖袖或理髯之類的規定動作，此即「亮相」。如《挑滑車》譜岳飛收高寵以抗金兵事，其中高寵是以大鑼「四擊頭」上場，提靠腿，走「朝天蹬」亮相；《盜御馬》中竇爾墩盜來御馬以大鑼「四擊頭」片腿、轉身、涮鞭、勒

㉘ 參見翁偶虹：〈戲曲臉譜的特殊藝術〉，《中國建設》（1986年3月），頁46。

纙亮相；《蘇三起解》中蘇三在幕後喊「苦啊！」接著大鑼「紐絲」切住、「撕邊」上的拉鎖鍊亮相等，都是取捨自生活原形，依變形誇張的組合原則，予以集中處理，使人物一上場就顯現出其精神處境。凡此均可看出中國傳統戲曲中象徵與誇飾的手法運用之妙。

(三) 虛擬與示現

中國傳統戲曲演員的表演，不但要表現腳色之性格，也要表現符合腳色性格之行爲和動作，且須把舞臺上所沒有的道具用形體動作和眼神等手段表現出來。這就是利用虛擬化的藝術手法，來示現劇情場景。所以，虛擬化是「把人物具體行動中和具體操作中的直接實物對象虛掉，而結合人物的抒情寫意，在泛美的表演身段裡把它描寫出來。」亦即「虛去實物的表演，讓那實物在『實』上虛而在情中顯。」㉙中國傳統戲曲舞臺一般不用「景」，只有一桌二椅，並無實在的立體景物形象。故此「景」（即人物形象的「生活背景」）乃是虛擬的。桌椅的各種不同位置之擺放方式，均可以指示出劇情發生之地點、範圍，而且頃刻可變，變幻無窮。大到山水，小到針線，均可無實物，亦無具體形象，全靠劇中人物的動作和觀眾根據劇中人物之動作的聯想構成景物形象。因之，如無腳色上場，則舞臺就不表示任何時間和地點。及至腳色上場後，具體的時空才被規定顯示。故而「人在景在，景隨人至；人去景去，景隨人移」，舞臺時空十分自由。此時並非實踐生活中的時空，而是「經過心靈折射的時間和空間的藝術反映」。換言之，這是一種「心理時間」和「心理空間」，存在於創造者和欣賞者的想像之中。㉚如《徐策跑城》規定的空間是皇城，有大量的跨臺階動作，而舞臺上卻空無一物，則演員必須或上或下、或左或右，透過各種

㉙ 見陳幼韓：《戲曲表演概論》，同注⑫，頁134。

㉚ 參見見葉長海：〈中國傳統戲劇的藝術特徵〉，《中國藝術虛實論》（臺北：學海出版社，1997年），頁46。

姿勢身段，以表現皇城之存在。又如《追韓信》，扮飾蕭何的演員，也是用演唱和步法變化，來表現「山又高，水又深」的追人過程與情景。再如《秋江》寫道姑陳妙常乘小舟追趕情郎潘必正，舞臺上無水亦無船，如何表現江面之寬窄，吃水之深淺，波浪之高低，行船之快慢等，都只好由扮飾妙常與船夫的兩個演員，透過俯仰傾側等幅度一致的舞蹈動作和位置移動來完成。另如《拾玉鐲》中孫玉姣要開門、關門、出門、進門、餵食、趕雞、穿針、引線，舞臺上既無門、雞、食；也無針、線，但經由演員虛擬化、程式化之表演，卻使這些道具或場景一一被指示出現了。㉛可見傳統戲曲演出時的生活場景，主要是由演員運用表演程式記號之虛擬與示現的特質，以誘發觀眾活躍的想像力所形成的。

㈣ 寫意與想像

中國傳統戲曲表演藝術之具有「寫意性」這一概念，在一九二四年左右，由余上沅首先提出。其後程硯秋以自己實際的舞臺表演經驗予以印證，認為中國戲曲有其「可珍貴的寫意的演劇術」。一九六二年以後，黃佐臨更標舉「寫意的戲劇觀」作為中國傳統戲曲最鮮明的特徵。此後論者多使用之，成為戲曲研究領域中耳熟能詳的詞彙。其意義應是強調戲曲舞臺上所表現之客觀生活形象的內在特徵，尤其是人物形象的性格特徵與情感特徵。因此，「寫意性」是融入戲曲程式中，透過演員和觀眾的想像來體現的。㉜

戲曲程式的寫意，不重在表現程式本身，而重在表現劇中人物的思想、情感、情緒和感覺。故如抖髯表示驚慌、恐懼，甩髯表示激動、憤怒，托髯表示感傷、慨嘆等。又如翎子口訣：「大笑之時雙掏翎，憤怒憂愁雙搓翎，自慚形

㉛ 參見蔣星煜：〈中國傳統戲曲的一些藝術特徵〉，《中華戲曲》第15輯（1993年8月），頁218-219。

㉜ 詳見陳曉魯：〈論戲曲藝術的「寫意性」〉，《戲曲研究》第15輯（1986年7月），頁191-211。

橇三抹翎，表示決心雙咬翎」等，都是把人物內心情感視覺化、形象化。這些「假象」傳達至觀眾眼中，自有聯想，自有「會意」。再如川劇前輩周海波在傳授其藝術經驗時，曾指出《秋江》之表演須合乎「河窄、流急、船溜」的原則。且應注意三點：一是船在行進，人在動蕩，故須掌握一個「動」字；二是江上行舟，必然有風，故感覺中應有「風」字；三是趕潘心切，故心裡應有一「追」字。如此，設計行船動作時自然有所依據。㉝可見《秋江》身段，要表現「動」（船行江上）、「風」（江上有風），更要注意表現「追」。「動」和「風」是空間特徵，「追」是心理特徵。雖然舞臺上沒有寫實具體的景，但透過演員虛擬的身段動作，此景已浮現於觀眾的想像中。所以，戲曲程式記號之寫意特性，貴在傳神。

三、「戲曲程式」之有機運用

中國傳統戲曲程式記號之形成，一方面固然是來自於長久實際演出中彼此觀摩取法的結果，如「起霸」本是明沈采傳奇《千金記》中項羽夜半起身披甲札靠的身段，但因動作架式雄偉可觀，後來乃演變成爲武將上場的一種固定模式。然而另一方面，卻更可能是爲了超越、抵消劇場噪音，所採取的有效手段。因爲中國傳統劇場不論是早期「廣場奏技，百藝雜陳」，或晚近戲園、戲樓的演出場所，其均因觀眾具流動性且劇場具複雜性，而不得不採用某些方法來吸引、帶領觀眾進入劇情。如用高音量、重節奏、大動作、艷色彩等強化視覺、聽覺效果，用聲音（眞假嗓）、扮相之對比幫助觀眾區分腳色，且在劇情轉折處，一再由劇中人向觀眾重覆交代已演過的情節；或在「自報家門」後，以視覺語言代替口頭語言，讓劇中人採用固定之穿戴、臉譜等。大凡此類看似多餘

㉝　見黃克保：《戲曲表演研究》，同注❹，頁 65。

或呆滯的程式表演，其實都是為了適應傳統劇場的生存之道。㉞然而，就現今劇場趨向精緻化、典雅化看來，此類戲曲程式記號的存在，實已有檢討之必要。同時，某些套式程式記號，日久成為俗套。演員於表演時，只知其然而不知其所以然。為了賦予中國傳統戲曲搬演更鮮活的生命力，對於這些程式記號，都應該從體驗生活出發，在繼承與發展中，重新轉化或創造，使戲曲程式記號能作有機的運用。

㈠ 轉化程式記號

中國傳統戲曲中的套式程式記號，本是由許多單元程式記號依序排列組合而成。如以「起霸」和「走邊」為例，即可對照如下表所示：㉟

起霸：威武的記號	走邊：隱秘的記號
提靠拍子三步上場亮相，向前走幾步，墊步(在下臺口)亮相，放靠拍子，雲手跨腿踢腿撐膀壓掌亮相，拉開山膀(後退至九龍口後)，豎雲手跨腿踢側腿推掌趨步(至臺中)，雲手跨腿轉身騎馬式，雲手向前走幾步(至九龍口)後退(至下臺口)拉開山膀，單彈髯轉身栽錘，雙手推出，繞手鷂子翻身，雲手跨腿亮相，雲手向前邁幾步，再後退(至九龍口後)拉開山膀，正、反雲手同時正反跨腿踢腿，整冠，彈髯勒甲亮相，提靠拍子跨腿轉身亮相，小圓場(至臺中)翻靠拍子亮相，放靠拍子，雲手轉身拉開，再合手抱拳……	幾步上場雙手撐開亮相，捋髯壓掌，小圓場(至臺中)，單彈髯山膀亮相，放髯跨腿踢斜腿甩髯綏手亮矮相，雲手跨腿踢正腿撐膀壓掌(下臺口)，後退(至九龍口)拉開山膀，豎雲手跨腿踢腿推掌趨步(至臺中)，甩髯大刀花轉身騎馬式，雲手向前(至九龍口)，後退拉開山膀(至下臺口)，單彈髯轉身栽錘，雙手推出，緩步甩髯回頭望月，再甩髯豎雲手轉身亮相，雲手向前邁幾步，再後退(至九龍口後)拉開山膀，整左、右彈髯，整冠，彈開捋髯束帶亮相，踢大帶，抓帶轉身亮相，三栽錘，變身亮相(至上臺口)，正、反綏手，甩髯鷂子翻身，轉身三跨腿甩髯綏手亮相……

㉞ 參見欒冠樺：〈傳統戲曲與傳統劇場〉，《戲劇藝術》1992年第2期（總第58期），頁60-62。

㉟ 此表可參見董德光：〈結構主義方法論的啟示——淺析戲曲表演程式的結構〉，《戲曲藝術》1989年第3期（總第40期），頁103。

「起霸」原爲塑造項羽勇猛威武的形象，後來成爲表現武將出征前，進行戰前準備的表演程式記號，以烘托舞臺戰鬥氣氛，展現武將之精神氣質，並刻畫人物性格。爾後更因應劇情所需，衍生出「男霸」、「女霸」、「整霸」、「半霸」、「正霸」、「反霸」、「倒霸」、「蝴蝶霸」、「單人霸」、「雙人霸」、「官中霸」、「專用霸」、「多人霸」等多種名目之程式。而「走邊」則是在舞臺上專以表現夜行、巡邏、偵探、偷襲、潛行等情節的成套程式，後來也分化出「走邊」、「響邊」、「啞邊」、「水邊」、「單人邊」、「雙人邊」、「多人邊」等套式。但是如上表所示，分析兩者之單元動作程式記號，可以發現都運用了雲手、腿功、腰功、飛腳、平轉等跳轉或跌撲等基本功。故知一套表演程式的完整結構，其實是由各個單元記號重新排列組合而成的。經由不同的排列組合，單元記號依序被賦予新義，並創發出整體的不同意義。其實不僅是「走邊」，即如「打對子」、「四股檔」等，也都是通過「劈叉」、「臺撲」、「臺蠻」、「旋風」等跌撲翻跳技巧加以組合運用，來表現夜行人趕路與開打的場景。

又如「抖顫」，在《殺惜》中，宋江丟失書信之「抖顫」與雙翻袖結合，表現其恐慌心急狀；在《十道本》中，褚遂良之「抖顫」與涮步結合，表現其救人之急迫心情；在《清風亭》中，張元秀與老妻爭執時之「抖顫」，則須表現體衰無奈狀。故同一「抖顫」單元程式記號，可依劇情需要，與其他單元程式記號相結合，使劇中人物之情感張力因而更顯豐富。再如梅蘭芳演《貴妃醉酒》中之楊玉環時，按傳統方式是大醉後以醉步上場，接連左右兩邊做反方向的「臥魚」，再走到臺中做一個蹲下去轉一個身的「臥魚」（有時還打一個圈子急速臥倒）。但此處理方式無道理可言，故梅蘭芳由生活感受觸發靈感，以嗅花把「臥魚」動作全盤改造：在演頭一個「臥魚」時，於慢慢扭身下蹲之際，左手作攀枝嗅花的姿態，雙眼略瞇，似乎在盡情領略鮮花的芬芳，然後睜眼站起，將花枝放回原處，把袖子往身上撣一下；第二次「臥魚」時，加進拈花枝、掐花朵、扔花瓣及攏枝聞花的動作，並把眼神從手中之花轉移到盛開的花卉中，嗅畢把花朵掐下，往身後隨手散去；第三次「臥魚」，雙袖同時抬去作攏枝聞花狀，如此既點明其身處百花亭環境，又在動作中表明人物醉後鬱悶無奈的心情。這種演出方式，在規範上仍合乎「臥魚」程式，但卻因爲梅氏別出新解，使動作更加精微，更富有美學品味。㊱所以，轉化戲曲程式記號，即是在原本固定之套式程式記號中，略微修改某些單元程式記號，以使整個程式的內涵意義更具圓滿性與可觀性。

㈡ 創造程式記號

一個優秀的傳統戲曲演員，應該具有反省、創造程式記號的能力。其須隨時向生活汲取養分，依舞臺邏輯的體驗強調眞實感和合理性，並且根據具體劇目和具體人物的需要，對於舊有程式加以思考，如何去蕪存菁，經由重新組合或改造，以避免停滯和僵化。在這一方面，梅蘭芳也勇於突破傳統既定之戲曲程式，嘗試革新創發，而頗獲好評。

如其於塑形與表演程式體系中，上承王瑤卿而新創「花衫」一目。「花衫」乃介乎青衣與花旦間的一種表演藝術方式，雖非所謂的「行當」，但卻打破了旦行演員的行當限制。據徐城北研究，梅氏自一九一三年冬在北京搬演《汾河灣》之柳迎春始，因齊如山的指點，而使「花衫」藝術奠定基礎。至排演新戲《太眞外傳》時，靈活多變的「花衫」技法終於成型。爾後歷經《霸王別姬》的昇華，於《宇宙鋒》中演趙艷容裝瘋時達到極致。㊲又如梅氏在《太眞外傳》中，以快節奏的「翠盤艷舞」取代了白居易〈長恨歌〉裡緩歌慢舞的「霓裳羽衣舞」，且將此一排場置於第三本末。其方法是在上場門臺前設一高三尺許之

㊱ 參見吳乾浩：〈有規則的自由行動——戲曲美學特徵探微〉，《戲劇藝術》1988 年第 2 期（總第 42 期），頁 59-61。

㊲ 參見徐城北：《梅蘭芳與中國文化》（臺北：商鼎文化出版社，1991 年），頁 203-213。

翠綠色盤，四周圍以繡緞，下垂絲穗，盤心不動，盤邊可自動旋轉。啓幕時，梅飾太眞身披蘇繡孔雀翎子立於盤心，童子立於盤下。後者將手持舞旗拋向前者，前者接住後亮一姿態，隨即擲還後者。童子擲旗由一人、二人漸增至十六人，速度由緩慢逐漸加快。彩旗或方或圓，或三叉或六角，形狀各自不同。在飛快傳旗中，雀翎伴隨翠盤繡帶與滿臺彩旗輝映飄舞，煞是好看。這種創造儘管不合白氏原意，然亦足以呼應第四本首場「漁陽鞞鼓」驚天動地的氣勢，故梅氏巧心，仍是值得喝采的。㊳

再如其於舞臺程式體系中，結合表演、音樂程式，新創《洛神》一劇〈川上相會〉一場的布景，更極具慧心。爲了凸顯表演區域，梅氏於舞臺上搭出一個象徵仙島的高臺，高低三層，由上而下，由窄而寬。啓幕前，梅飾洛神先在幕內唱〔倒板〕，然後現身於最高一層。另有十個雲童，兩個仙女，手持傘、扇、采旄、旌旗等儀仗（均爲參考古畫，配合舞臺需要所製定者），或坐或立，分布於島的三層。於是從〔西皮倒板〕開始，洛神依次唱〔慢板〕、〔原板〕、〔二六〕……直至〔快板〕止，二十多分鐘內運用許多老腔曲牌，以襯托其新編舞蹈。目的即在使觀眾體會到「神光離合」、「乍陰乍陽」、「翩若驚鴻」、「宛若游龍」的意境。此一布景排場，乃梅氏平生頗引以傲的創作。㊴另如蓋叫天創造「鷹展翅」，亦是通過對實物——鷹的觀察，虛構而成的。取其騰空刹那之典型特徵——振翅、引頸、蹲爪，再經由個人之妙想，遂創造出盤腿半蹲、展臂屈身、仰面提頸、雙眸凝空這樣一個表演程式單元。㊵可見戲曲程式之創造必須遵循「觀象取象」的原則，甚至取「象外之象」，即由直觀的實境中取其象徵、暗示的意義，如此才有可能完全體現「形與意合，意在舞先，意在舞中，意在舞外」的審美原則。

㊳ 徐城北：《梅蘭芳與中國文化》，同前註，頁 142-145。

㊴ 梅蘭芳：〈談戲曲舞台美術〉，同註㉖，頁 50-51。

㊵ 王泰來：〈論中國戲曲表演程式創造〉，同註㉑，頁 50。

結　語

戲曲程式屬於形式範疇，是一種創造藝術形象、表露情感的手段。演員演戲的過程是從內容到形式，觀眾看戲的過程卻是從形式到內容。只有當演員把握了全劇的內容主旨，以及人物的性格心理時，才能活用程式，把人物立體地塑造出來，自然流露感情，以此感動或教育觀眾，得到較佳的藝術效果。也只有當觀眾從舞臺上之劇中人物的唱做念打去理解人物的性格情感，從而體會戲劇的表演精義後，才能受到思想的啓發和美育的薰陶。因此，不論劇作家、導演、演員或觀眾，在創作、詮釋或鑑賞作爲綜合文學與藝術表徵的中國傳統戲曲時，都必須先掌握這些無處不有、無時不有的戲曲程式之內涵，否則就無法對搬演作精確的審美評價。戲曲程式並非專爲某一個演員、某一場戲或某一個人物而存在發展，其乃爲所有的演員（包括各個行當），在搬演各種故事時，因必須配合舞臺現實條件，所刻意經營出來的多元技藝。這些技藝，其實代表各種記號。其能指與所指（含外延、內涵）意義，在理論上是導演、演員與觀眾均熟知者，且可通用於不同劇本之類似情節處，故謂之「戲曲程式」。

綜上所述，可知「戲曲程式」約可區分爲單元與套式兩種程式記號。一般而言，前者只是單純的技術記號，須經各種方式之排列組合構成套式後，才具有貼合人物、鋪敘劇情、呈現場景等完整的作用。故後者可謂多組具多重意指功能之複合記號系統的外顯表徵。其體現範疇可概分爲六大類，即：劇本程式體系、塑形程式體系、表演程式體系、語言程式體系、音樂程式體系及舞臺程式體系。仔細觀察諸戲曲程式體系，則會發現其雖對應、摹擬於眞實生活的情境，但卻運用了內含凝煉簡化、象徵誇飾、虛擬示現及寫意想像等具審美特性的組合原則，使「戲曲程式」經由歷代演員不斷的舞臺實踐，終於大致定型可觀。

不過，毋庸諱言的是，有某些已經定型化了的「戲曲程式」，也許囿於時代之演進、社會之變動或舞臺之轉換，逐漸顯得僵化呆板，未必適合戲曲搬演，實有加以檢討修改的必要。同時，在新編劇目時，可能亦須考慮實際需要，有機地轉化或創造某些程式，以使戲曲搬演更符合理想。此一課題，頗值得關心中國傳統戲曲未來發展趨向者所共同思考、致力解決。如能集思廣益，善加利用，則「戲曲程式」之重新評價與再創生機，當指日可待。

元人度脫劇中的夢淺析

劉少雄*

一、元雜劇與夢

蒙古入主中原，是漢民族歷史上一齣沉痛的悲劇。漢人，尤其是知識階層，生活在元人高壓手段的統治下，就彷如身陷一場噩夢之中。然則，惡夢終得轉醒，而現實災厄的消褪卻渺渺難期，有史以來，中國士人所面臨的困窘羞辱之境莫甚於此，悲憤無能之感也莫大於此。這如巨石壓心的沈痛以及隱藏內心深處虛渺難言的奇思幻想，有意無意之間，形諸筆墨，託諸故事，悄然卻又不容忽視地存在於元人許多文學作品裡。其中，元代的代表文學—雜劇，得搬演故事莫辨眞假，會心之處，觀眾作者皆無須多言之便，正好擔當了渲洩、紓解、慰藉人心的功能。換言之，創作與欣賞戲劇，除了一般的娛樂性質外，已成了身處異族壓迫下的文人、老百姓的一個自我陶醉的樂園、發洩鬱悶的出口。元人建構出來的雜劇世界，有清官賢吏之爲民平冤，發奸揭惡；綠林豪傑之鋤強扶弱，行俠仗義；有鬼神的因果報應；愛情的苦盡甘來；這樣的清明世界，著實令人振奮，給人無限的安慰。但從另一個角度來看，那些祈求法律保障、希望武力報復、訴諸神秘力量的情節安排，毋寧呈現了時政黑暗、社會混亂的徵象，更反映了一般民眾對現實的無助之感與憤懣之情。的確，那些美麗動人的情節，恐怕只是一廂情願的看法，一種幻想罷了。試想：大部分愛情故事的甜

* 國立台灣大學中文系副教授。

蜜美滿（兼得功名與美人），何嘗不是士子在政治地位低落、商人橫行、官吏跋扈的實際情況下，一種自欺而又無可奈何的構想？愛情劇的甜美是殘破現實的苦果，同樣的，公案劇的賞罰分明，綠林劇的正邪判然，或因果劇的善惡有報，也都不過是深沈可怖的黑夜裡，最易警醒的一場美夢罷了。❶

夢，是最巧妙而曖昧的主觀心理運作，是在隱意識裡滿足和實現自我生命的一種方式。在現實人生所遭受的屈辱與挫折，許多缺陷和不足，元人藉藝術的手法在劇場上加以渲染、美化、彌補，使空虛落寞的心靈，獲得暫時的安慰和滿足。這樣說來，元人是善於作夢的。

現存的元雜劇中，以「夢」爲名的劇本，有九種；而其他設有夢的情節的，也有十八齣。就其思想主題來加以區別，大致可分爲四類：

㈠因夢悟道—如〈忍字記〉、〈東坡夢〉、〈度柳翠〉（以上佛教劇），〈黃粱夢〉、〈翫江亭〉、〈竹葉舟〉、〈金童玉女〉、〈昇仙夢〉、〈莊周夢〉、〈劉行首〉（以上道教劇）；

㈡相思感夢—如〈梧桐雨〉、〈漢宮秋〉、〈西蜀夢〉（以上爲生死之思），〈雲窗夢〉、〈金錢記〉、〈揚州夢〉、〈西廂記〉（以上是一般男女之情）；

㈢托夢訴冤—如〈東窗事犯〉、〈昊天塔〉（〈竇娥冤〉）；

㈣以夢斷案—如〈蝴蝶夢〉、〈緋衣夢〉。

四類之外，零散的個例，有如〈看錢奴〉演賈仁於夢中受命借財；〈冤家債主〉述張善友在夢裡得知妻兒病歿皆由宿緣；〈霍光鬼諫〉敘霍光示夢漢帝，告子孫謀反；〈范張雞黍〉寫張劭報夢范式，告己身已故；〈盆兒鬼〉中楊國用與盆罐趙同夢被殺及殺人事等；這些夢的境況，都是故事裡的重要情節。而

---

❶ 鄭振鐸說：「在實際社會上，這些故事都是不容易出現的。」「這只是一個夢。」見〈論元人所寫商人、士子、妓女間的三角戀愛劇〉，《中國文學研究新編》（臺北：明倫出版社，1973 年），頁 547、549。這兩句話雖然是評戀愛劇，其實也可以移之於其他劇作。

四類之中，「相思感夢」一類的雜劇，寫人間情緣的牽繫延續，藉夢以了相思，突破時空的限制，超越陰陽之隔，無疑更強化了深情摯意的表現。〈揚州夢〉說：「相公則是想著那個人兒便有夢，我也不想甚麼，那裡得夢來？」❷綺夢，濃情，總是相關。至如「託夢訴冤」、「以夢斷案」一類的故事裡，夢的顯現往往發揮了指點、提示、警覺的功能，扭轉了劇情的發展，使不白的冤情得以伸說，無頭的公案因此定奪。凡此皆顯見元人雜劇中夢境的設置，是促使其主題意識更彰著的重要關目，它不獨能突顯情感的深度，滿足慾望，埋伏兆端，更且由於其突破時空、超越現實的性質，適足以銜接、彌縫故事情節發生斷層或無法貫串的地方，對早期思考不夠細密的劇作家來說，無疑是解決構篇上的難題時，這是最方便又有效的方法；更何況跳脫人生眞實情境，加插非寫實的動態，變換一些場景，疑眞疑幻之間，更能增加故事的動感與趣味。

而在以夢作爲重要關節的元人雜劇中，「因夢悟道」是最大的一宗，也是值得注意的一類。其所安排的夢境，是怎樣一種形態？發揮了甚麼功能？又有何深意？都是值得探討的。不過，在討論之前，有兩點需要說明。一是元人雜劇中的夢，是就其超時空、非現實的情節言，雖然這些夢的安排也有其暗喻的層次，但它的意圖卻很明顯，表現得相當有條理，而非原始型態的夢——種心理學家所謂的經過扭曲、濃縮、變形的夢。換言之，雜劇中的夢，是劇作家有意識的藝術處理手法，是一種相對於當下現實場景的安排，其用以呼應、對照、轉折、反射的作用十分明顯，而不是一種任由夢境生發，以爲潛意識的自然顯露的方式。其次，除了相思之夢，元雜劇中的夢的情節大都帶著宗教色彩，尤其是「因夢悟道」一類更是宗教的產物。

---

❷ 見〔明〕臧懋循編：《元曲選》（臺北：臺灣中華書局，1966 年），戊集下，第 2 折，頁 5。

二、度脫劇中夢的情節

因夢悟道的故事，基本上可歸屬爲道教、佛教的宗教劇，以其內容往往敷演仙佛度人使脫離紅塵苦海之事，因此又稱度脫劇。佛經〈般若心經〉上說：「世間眞相，苦而已矣。」在宗教的立場來看，一般人生的歷程就是一連串苦痛的歷程。人生的困苦，就在於以有限的生命追求無窮的欲望，患得患失，而喜怒哀樂之情遂如鐘擺般搖盪不息，卻又毫無自覺。馬致遠〈黃粱夢〉有一段精采的話說：

> 功名二字，如同那百尺高竿上調把戲，一般性命不保，脫不得酒色財氣這四般兒。笛悠悠，鼓鼕鼕，人鬧炒。在虛空怎知的平地上來，平地上去？無災無禍，可不自在多哩。❸

出世得道之士爲了使人掙脫痛苦，體悟出酒色財氣、貪嗔癡愛不過只是虛幻，徒增痛苦，遂不斷勸人參透物欲的本質，追求生命的眞諦，以享極樂—這是元人度脫劇的主要內容。這類劇作和前述那些愛情劇、公案劇等都是在相同文化社會氛圍中孕育出來的：

> 生活在這個時代的讀書人沒有進身之路，一般百姓為牛為馬，永無翻身之時；道德為蒙古人所殘，法律為蒙古人所設；其生活之悲慘可知，其心境之空虛可想。於是便從超現實的世界裏，希企獲得指望和慰藉。恰好這時全真教為當局所崇奉，陷溺的人們自然飢不擇食，渴不擇飲的信仰起來，成仙了道解脫塵寰，逍遙物外的思想便充滿人們空虛的心目之

---

❸　見《元曲選》，同前注，戊集上，第1折，頁2。

中。也因此，元人的散曲便充滿隱居樂道的情味，元人的雜劇便大量敷演度脫凡人，成佛成仙的內容。❹

元人心目中的仙境佛界，其實也不過是爲了尋求解脫與慰藉所虛構出來的烏托邦罷了。

基本上，度脫劇的構成，必須塑造相對的人物、對立的情境，使之相拒相抗，互動互成，進而登涅槃之地，同時，也因此形成戲劇的張力。佛家有謂「彼岸」、「此岸」，❺「彼岸」是諸佛稱菩薩超脫清靜安樂涅槃之地，「此岸」是眾生受苦的現世環境。滔滔江河，須得船隻，始能橫渡；滾滾紅塵，若要由此岸去達彼岸，也要有一「度」（「渡」）字功夫。度脫劇的劇情發展主要就是由兩岸的代表人物來推動的；站在彼岸的是度人者，處於此岸的則是被度者。衡諸我們所要討論的十個劇本，前者通常是具備無邊法力的仙佛，能超度解救眾生的重重苦厄，而被度的對象雖爲塵世中的男男女女，但其實卻也都是些特殊人物—前身若非仙人鬼物，便是有神仙之分的讀書人，❻換言之，他們都必有宿慧，是俗語所謂的「有緣人」。這是所以願度、所以能悟的關鍵。芸芸眾生執著於功名富貴、酒色青春，可是這些物慾享受，在仙佛的眼中，卻只是鏡花水月，一切有爲也總不過是夢幻泡影、如露如電，生命的最高境界是明心見性，直證涅槃，是超脫生死、悠遊自由眞境的道。〈忍字記〉有一偈云：

---

❹ 見曾永義：〈鬼神世界的意識形態〉，《說戲曲》（臺北：聯經出版事業公司，1977 年），頁 60-61。

❺ 《般若心經》：「眾生迷心，受五蘊體，溺於愛河中，隨風浪漂入苦海，不能解脫，徒悲傷也。菩薩悟心，駕彼若航，來於此地，不往中流，度到彼岸，自在逍遙，真常樂也。」

❻ 此十劇的度人者有：布袋和尚、鍾離權、了緣和尚、月明尊者、李鐵拐、呂洞賓、太白金星和馬丹陽；被度者包括：豪富劉均佐（仙）、秀才呂洞賓（有神仙之分）、歌者白牡丹、學士東坡、妓女柳翠（觀音瓶內柳枝）、豪富牛璘趙江梅夫婦（金童玉女）、秀才陳季卿（有神仙之分）、豪富金安壽童嬌蘭夫婦（金童玉女）、豪富柳陶氏夫婦（柳桃樹精）、莊周（仙）和歌妓劉行首（鬼仙）。

> 人人有個夢，千變萬化鬧。覺來細思量，一切惟心造。息氣受境禪，迷惑若顛倒。發願肯修行，寂滅真常道。❼

夢由心造，有心則有執，有執則有欲，而其實所有物欲皆由主觀的意念和外在的誘惑所造成，那都是人生的虛幻。要由此岸登彼岸，就必須參破這點，由夢中醒來，發願修行，才能長住「眞常道」中。度脫的步驟，便是由大覺大悟者點化醉生夢死中的芸芸之眾，但「古今如夢，何曾夢覺」？對奔馳於名利場中，享受著人間歡樂的人們來說，又豈是那麼容易覺醒，一點即化？更何況仙侶生活總給人虛無縹緲、遙不可及之感。心雖嚮往，但相較於此時此刻眞實無比的歡樂榮華，恐怕後者更爲可親，更難捨棄，如是眞眞假假，是夢是覺，出世與入世之間便產生了種種矛盾與衝突……。

我們審視度脫劇中度脫的模式，會發現幾乎是千篇一律的過程：當事人往往執迷不悟並對度化者之言加以辯駁→仙佛乃設一幻境讓其經歷可驚可愕之事→被度者經點化後遂頓然開悟。❽其中仙佛所設的幻境，通常藉夢來進行，讓被度者在迷離恍惚中暫別有所執的世界，跳進另一個時空，去親身體驗生死眞幻的況味，從驟然強烈的對比感受中了悟得道：

> 我與你踢倒鬼門關，打開這槐安路，把一枕南柯省悟，再休被利鎖名韁相纏住。急回頭，又蚤則暮景桑榆。（〈竹葉舟〉第一折）
>
> 這人俗緣不斷。呂岩也，你既然要睡，我教你大睡一會，去六道輪迴走

❼ 見《元曲選》，同注❷，庚集上，第3折，頁10。

❽ 曾永義先生說：「度脫劇有一個不成文的規律，那就是凡度必為三而始成。所謂『三度』往往是某仙或某佛發現某人有靈根宿緣，於是前往度化，先說以富貴不足恃，再喻以功名不足戀；可是被度脫的人還是執迷不悟，此時此際，乃假藉其仙佛之超越力量，幻設出各種可驚可愕的事蹟，於是乎被度化的人也頓然開悟，隨其出家修道，位列仙班。」見〈鬼神世界的意識形態〉，《說戲曲》，同注❹，頁59。此處略參其意。

一遭。待醒來時，早已過了十八年光景。見了些酒色財氣，人我是非，那其間方可成道。（〈黃粱夢〉第一折）

這些夢境，稱「境頭」，或稱「惡境頭」：

劉均佐睡著了也，著他見個境頭。疾！此人魔頭至也。（〈忍字記〉第三折）

你睡著了，我著你大睡一場。這等人不著他見個惡境頭，他可也不得省悟。（〈度柳翠〉第二折）

這樣看來，夢境的出現，主要表現在劇中的逆轉，是世人執迷不悟時仙佛使出的法寶，無疑是劇情發展中最重要的環節。

在度脫劇中設有夢境的十個劇本裡，度脫的程序雖然有一定的模式，但夢境的安排還是有彈性的變化。第一種情形是：辯難→辯難→藉夢點化。如李壽卿〈度柳翠〉，述觀音淨瓶中楊柳枝謫降塵寰爲妓女柳翠，後經月明尊者度化，使重歸正果事。月明尊者先在爲柳父作佛事時勸她出家，兩人爭辯不休；後來又在茶坊勸導，柳翠也不依從；最後，月明尊者只好在夢中設境下柳翠於陰曹，讓她省悟。又如賈仲名〈金童玉女〉之演李鐵拐度金安壽（金童）、童嬌蘭（玉女），無名氏〈劉行首〉之寫馬丹陽點化劉倩嬌悟前身（鬼仙——唐明皇時管玉斝夫人）得成正果，都是依循這一再論辯而後藉夢點化的構篇形式的。

第二種情形是：辯難→夢中指點→夢醒點化。在劇情的演繹上，此與第一種情形極相似，但其間有一大分別，那就是：度人者在這裡是要走入被度者的幻夢之中，假扮另一角色，從旁點撥指引；而第一種情形的劇情安排，度人者是不介入被度者之夢的。如馬致遠〈黃粱夢〉，寫呂洞賓受鍾離權度化事。呂洞賓執著於現世功名，鍾離權向他說教，卻遭抗辯，於是設下夢境，使之經歷十八年酒色財氣，人我是非。其間鍾離權一化高太尉，二化老院公，參與了夢中之事，更三化一樵夫，從旁指引正道，可惜當時夢中落難、風塵僕僕的呂洞賓於倉皇之際，依然未能悟道；及至歷盡榮枯，黃粱夢覺，再經鍾離權指點，終得省悟，遂發願入道。

范康的〈竹葉舟〉寫呂洞賓度脫陳季卿，劇情關目亦始自呂洞賓勸說落第秀才陳季卿修行不果，遂貼竹葉於壁上，化作小舟，接引陳季卿入夢，使之於夢境中如願乘舟返家，省視父母妻兒。而呂洞賓又偕道友列御寇、葛洪、張子房同入其夢，在其返鄉途中，二度點化，然季卿執迷未悟。於是又讓季卿於幻夢之中，乘舟赴京應舉，不料遭逢狂風暴雨，墜落江中，倉皇無助之際，一夢驚醒，方才參破玄機，追上呂洞賓，接受點化，出家悟道。這種度脫的模式也見於無名氏的〈莊周夢〉一劇。莊周本為大羅仙，謫降凡間後，迷戀於花酒之中，太白金星怕他迷失正道，先化作府尹勸他修行，莊周不為所動；太白金星再令鶯、燕、蜂、蝶四仙女於夢中與莊交歡，乘間勸他戒絕酒色財氣，莊周仍不知悔悟；於是，太白金星又派春、夏、秋、冬四仙女為他煉丹，卻旋即被三曹官逐去；莊周在悵然若失之際，醒悟前身，太白金星遂引他證果還元。

吳昌齡的〈東坡夢〉與〈莊周夢〉的夢中情節頗類似，不過在度脫的程序上卻稍有變動：辯難→設夢→再辯→點化悟道。〈東坡夢〉整齣戲的劇情是相當複雜而精彩的。東坡本來想藉白牡丹魔障佛印，勸他還俗，同登仕途，他先是藉言辯，施巧計，希望能毀其戒行，豈料佛印道行高深，不僅未曾中計，還反過來點化了東坡和白牡丹。佛印安排了一個夢，讓梅、竹、桃、柳四友化作姐妹來與東坡交歡，然後師扮松神將四女趕走，盼東坡能了悟色即是空的眞諦，但東坡猶未參悟，夢中驚醒，仍不斷問禪辯難，等到白牡丹自願削髮為尼，東坡尚且不服，待四友亦現身問禪，而東坡卻已不識四人容止，至此方省得喜樂情欲不過如夢，顛倒癡狂其間，醒來卻是無憑據。至此，東坡才息了心，承認佛印「果然是眞僧，問他不倒」，「從今懺悔，情願拜為佛家弟子」。這個度脫行動與前面各劇最大的不同處是：它是被度者親自送上門來受到點化，而非仙佛主動去度人。

此外，像鄭廷玉的〈忍字記〉、戴善甫的〈翫江亭〉和無名氏的〈昇仙夢〉，這三齣在夢境的編排上又各具特色。〈忍字記〉寫布袋和尙度劉均佐事。布袋首先使均佐無端一掌打死由伏虎禪師變成的劉九兒，然後迫均佐答應待他幫忙救活九兒後出家；但均佐塵緣未了，只願在家修行，心性難淨，於是布袋又讓他心生幻情—以爲他的結義兄弟與其妻有染，故而取刀意欲殺人，破了「忍」戒，經布袋及時指點，似有所悟，決定上山修道；然而均佐在山寺裡仍不能斷絕塵想，布袋的弟子定慧和尙遂令他見個境頭—妻兒與布袋在一起—均佐一看，不由得勃然大怒：原來師父勸我出家是要騙我錢財與妻兒！遂憤而下山。誰料出家三月，世間已過百十餘年，人事全非，弄得他進退無門，至此均佐才恍然大悟。這一齣戲的度脫程序是：設幻境→設幻境→再藉夢點化。〈翫江亭〉寫李鐵拐三度牛璘（金童）；而牛璘得道後，又三度其妻趙江梅（玉女）。李度牛時沒有設夢境，牛度趙時則使用幻境→辯難→設夢的三度手法。他的幻術（寒波造酒、枯樹開花）是李鐵拐所傳授。當趙江梅執意不從時，牛璘便只好在她的夢中設境——扮梢公渡江梅，至江中擊殺她，讓她在生死的掙扎中猛然醒悟。至於〈昇仙夢〉的情節則更爲奇異。此劇演呂洞賓度化桃柳樹精成仙事，其度脫的手法是：勸介→設夢→設夢。第一夢是令二人（桃柳樹精於三十年前已託生爲人——柳氏和陶氏，並結爲夫婦）遇盜被殺，忽然驚醒，遂看破紅塵，隨呂出家。第二夢是桃柳二神殺陶柳夫婦，於是二人凡體與二神精魄相合，共成眞仙，同赴天庭。富貴也罷，失意也罷，或是飽讀詩書的書生，或是淪落風塵的美妓，只要是有緣人，便得以藉夢境波折，悟得正道，修成正果，從此了卻人間嗔痴愛怒，超越生老病死—元人的「美夢」，宜乎此也。

三、度脫劇裡夢的性質

元人度脫劇中設夢的情形，一如上節所述，多是三度的形式，不過，其中還有幾個特點須加注意：

首先，那些夢的產生，不是夢者自發的，完全是度人者巧妙的安排。

其次，那些夢的作用，不外乎是滿足欲望（使得之）、驚嚇（後奪之而逼至絕境）、提示（潛意識的浮現）和刺激行動，但無論是那種形貌，其終極目的毋非是要藉一場噩夢，發揮宗教的阻嚇功能。

第三，夢有長短。所謂「長短」，一是就劇情中的夢裡歲月言，有一夢閱世以四十載，如〈金童玉女〉；有夢中酒色財氣、人我是非十八年者，如〈黃粱夢〉；也有夢醒之間不過一二日，甚至倏忽而已，如〈竹葉舟〉、〈東坡夢〉、〈㵐江亭〉等。另一種則是就劇情的結構來看「夢」所佔篇幅的長短。凡旨在先滿足欲望進而又將之粉碎以示警惕的，通常都會將劇中人得失的實際情況作詳細的交代，譬如〈黃粱夢〉在第一折契子後入夢，到第四折末尾醒來，全劇幾乎都在演呂洞賓的夢中情節；又如〈莊周夢〉演莊周在夢中受仙女魔障，用了二、三、四折的篇幅；而像〈竹葉舟〉、〈東坡夢〉也足足花了將近兩折的戲演夢裡情事。至於那些只用作驚嚇、提示或刺激行動的夢境，則都是短暫的夢，大約佔一折中小部分的篇幅而已，像〈劉行首〉一劇中東嶽神一上場只說了幾句話，劉氏便驚醒了——那是最短的一個夢。

最後一點是境有虛（假造、想像、超現實者）、實（採樣現實、貼近人生的追尋與失落者）。既然曰夢，當然都是幻境，只是對劇中被度者言，夢裡當下卻是無比眞實；然而，如果我們換從觀眾的角度來判讀，則可發現夢境的形貌可以分爲現實與超現實：神鬼出沒、地獄受審，是超現實，是「假」的，是「虛」的；而人生悲歡離合的際遇，渡江墮海、路逢惡賊的劫難，卻在在都與現實呼應，看來感同身受，何其眞實！想當時觀者身在台下，恐不免也隨之憂懼喜妒—如此貼近人生的夢境設計，往往也就更易牽動市井小民潛在的愛欲嗔痴，而隨著「好夢易醒」、「好景不常」的劇情安排，度脫劇作者打破的不再只是劇中人物的富貴功名，他同時也無情地潑了觀眾一盆冷水—富貴無憑、名利兩空、生死難料—回應現實的幻夢，其震撼人心的力量恐怕更在託言神鬼閻王的「超現實之夢」之上。「假作眞時眞亦假」，夢境的虛虛實實無非只是映襯人生得失的無常變化，打破了眞假成敗哀樂的執著，劇中被度者因此了悟前因、出家修道，而受辱於現實的創作者、受困於生活的觀賞者或許也能在這入夢、出夢之際，獲得一點心靈的安慰—雖然不免自欺，卻也是元人的無奈辛酸。

四、度脫劇中夢的作用與深層意義

㈠ 夢如行舟，接引人橫渡苦海

〈竹葉舟〉、〈翫江亭〉等劇的夢境中都曾出現仙佛扮梢夫，以舟楫渡人過江的情節。這其實正是度脫劇的意象。如果塵世是茫茫江海，人浮沈其中，飽受波濤之苦、滅頂之憂，那麼度脫劇中或長或短的夢則如一艘行舟，仙佛搖槳掌舵，正藉此舟度人脫離生死苦海以達涅槃彼岸。

㈡ 夢如鐘鼓，喚醒迷失在塵世間的仙佛本性

歡取苦捨，喜生悲死，一但托生爲人，在現實的成規、制約之中，無論富貴貧賤，人性往往爲慾望牽引，在反覆的喜怒哀樂裡逐次忘卻本然純眞，失落了夙昔慧根—仙佛本性也難免如此淪落。於是，度脫劇中的被度者若是仙佛淪落之人，那麼夢境的安排往往就是用以昭示前生，藉以喚醒其仙佛本性。如〈劉行首〉一劇，被度者劉倩嬌本是唐明皇時管玉斝夫人而爲鬼仙，託生人間女子是爲還宿債，好度脫入道，卻不料在「雨雲鄉」、「鶯花陣」中迷失本性忘前因，須待馬丹陽來度，命東嶽神於夢中告以前生公案，方才於朦朧間漸有所悟，醒後再經馬丹陽提點，終於重提起本性根源，遂得修成正果。

㈢　夢如清水明鏡，映照世事的虛幻，反照己身的冥頑暗昧

不曾擁有的，便有無限渴欲；未嘗遭受的，總是難以貼切體認。度脫劇中，度人者就常設夢境，讓被度者一嘗夙願，而後又加以摧滅，使其猛地驚醒，悵悵然，悽悽然，進而接受點化，眞切了悟物象皆空、世事如幻。如〈東坡夢〉、〈莊周夢〉的夢中景象：酒色的滿足與失去，就是旨在點悟「色即是空」的眞諦。而〈黃粱夢〉裡，秀才呂洞賓在夢中擁有了人生事業的高峰，也遭受了毀人心志、勞人體膚的苦難，更且面臨殺戮的危機—悲歡榮辱十八年，醒來卻只是人間一頓飯的工夫！人生的短暫虛幻在此一劇中夢裡，無疑有了極深刻的描述。而透過這樣的夢境，被度者的心靈自然如同拂去塵埃，照見明鏡，焉得不悟道？

㈣　夢如刀斧，砍斷人的生死執著

前面提過，元人度脫劇所設夢境的性質，基本上都是一場惡夢，而最險惡的夢境便是驟然面對死亡的威脅。這觸及一個死生相對的存在問題。「死亡」是猶戀世情的人心最深的恐懼，驟然降臨的死亡所帶來的驚怖更是無與倫比。可是，就在這極度惶恐、極度絕望的當下，夢，嘎然而止，死亡，悄然退下，恍惚之間，驚悸之情仍明晰地縈繞心頭，而可驚可悸之事卻只是夢幻一場，早已化爲烏有—死若是幻，生又何嘗是眞？死亡之夢的設計，正如一把利斧，一刀揮下，叫人斷盡生死的執著。〈度柳翠〉中，柳翠所遭遇的惡境頭，就是被牛頭鬼力推斬，面對生死難關，她不得不向月明和尚求救。月明趁這機會問：「柳翠，有生死無生死？」柳翠答：「師父，有生死。」「求出離也不求出離？」「求出離。」「肯修行也不肯修行？」「肯修行。」夢中刀斧臨身的景象與月明和尚的話，點省了她。隨後，月明代她向閻神討饒，閻神卻不答應，並促鬼力快下手，……就在此時，月明又硬把柳翠喚醒，讓她在承受死亡的恐懼的同時，再接受一個活著的體驗。在夢醒前後的短暫時間內，有兩種強烈的死生情境激盪著柳翠。她醒來第一句話即是：「兀的不唬殺我也！」接著又說：「恰

才分明的殺壞了我，卻又不曾死；我待道死來卻又生，待道生來卻又死。生死原來是幻情，幻情滅盡生死止。」至此，柳翠已眞的識破幻情，其後再經月明點化，終於大澈大悟，重見如來法身。

這種夢中被殺的惡境頭，也發生在〈㔃江亭〉中的趙江梅、〈竹葉舟〉中的陳季卿及〈昇仙夢〉中的柳春和陶氏等人的身上。至如〈忍字記〉中的劉均佐，他所面臨的生死困境卻是另一種情況—生死發生在他的親人和後代身上。當他受定慧和尙的境頭刺激，斷然離開山寺，走回「故地」，才發覺時空已變，以爲回家以後可以再享榮華，焉知道竟孓然面對家墳以及不相識的後人—「弄得我如今進退無門」。而當子孫問他：「公公你怎生年紀不老也？」他衝口而出：「你肯依著我念佛便不老。」一言驚醒了他：「原來師父是好人。」眷戀世情、以生爲重的，卻不道生如泡沫，旋生旋滅，只留墳塋孤單；而出家棄世，斷去了生喜死悲之念的，反倒是無所謂生死，遂成就了長生不老。

「若不是一夢見了境界，怎能夠地久天長？」❾噩夢促人驚醒，也唯有極險惡的夢，人才能猛然省悟。站在宗教的立場，這些惡境頭毋寧是善的，嚇破人的執著心，使人速速回頭。換言之，這些驚嚇，都是指向一個可以寬慰現實心靈的宗教極樂之境，對元人而言，畢竟還是個「好夢」。

度脫劇的舞台上，度人者以不具實質殺傷力的夢境，去引度那具有夙慧的有緣人，而那些被度者在虛擬的夢境中體驗人生之福禍興衰，終得悟道修身，以成正果，從此度過人生苦海登彼極樂涅槃——相對於舞台下困窘、殘破的現實人生，無仙無佛無所逃遁的眞實世界，一齣齣的度脫劇無疑也是元人用來安慰自己的虛幻之夢罷了。

---

❾ 見無名氏：〈昇仙夢〉，《元曲選外編》（臺北：臺灣中華書局，1967 年），第 2 冊，頁 706。

論析關漢卿《蝴蝶夢》之主題意蘊

李惠綿*

近數十年來海峽兩岸學者，對關漢卿劇作分別加以研究評論者以《竇娥冤》爲最多，估計論文已有一兩百篇；其次爲《單刀會》、《救風塵》、《魯齋郎》、《拜月亭》等；探討《蝴蝶夢》的篇章則寥寥可數，❶就筆者所閱讀相關論述，

* 國立臺灣大學中國文學系副教授。

❶ 參曾師永義：〈關漢卿研究及其展望〉，《關漢卿國際學術研討會論文集》，頁 21。筆者檢閱關漢卿之研究論文集和相關戲曲資料索引，得知專篇討論《蝴蝶夢》者只有兩篇，和外國戲劇作品並論的有一篇，其餘皆是附帶討論（詳見本文所引用資料）：

1. 周昭明：〈蝴蝶夢中殺人償命的問題和解決——元人雜劇現代觀之九〉，《中外文學》第 5 卷第 12 期（1977 年 5 月），頁 102-112。
2. Stephen H. West （奚如谷）, "Law and Ethics, Appearance and Actuality in *Rescriptor in Waiting Pao Thrice Investigates the Butterfly Dream*"《關漢卿國際學術研討會論文集》（臺北：行政院文建會，1994 年），頁 93-112。
3. 戴雅雯著，呂健忠譯：〈公堂與私仇：中西劇場裡的正義觀〉，《中外文學》第 24 卷 4 期（1995 年 9 月），頁 1-17。

按：另將檢閱之論文集和資料索引依出版年代條列如下：

1. 梁沛錦編著：《關漢卿研究論文集成》（香港：潛文堂，1969 年）。
2. 何貴初編：《元代戲曲論著索引》（1912－1982）（香港：自印出版，1983 年）。
3. 李漢秋、袁有芬編：《關漢卿研究資料》（上海：上海古籍出版社，1988 年）。
4. 漢學研究資料及服務中心編印：《臺灣地區漢學論著選目彙編本（1982－1986）》（臺北：漢學研究中心，1987 年）。
5. 香港大學中文學會主編：《中國古典戲曲研究資料索引（1949－1983）》（香港：廣角鏡出版社，1989 年）。
6. 漢學研究中心編印：《臺灣地區漢學論著選目彙編本（1987－1991）》（臺北：漢學研究中心，1992 年）。
7. 中外文學月刊社編印：《中外文學論文索引（1972 年 6 月－1992 年 5 月）》（臺北：中外文學月刊社，1993 年）。
8. 曾師永義主編：《關漢卿國際學術研討會論文集》（臺北：行政院文建會，1994 年）。

大多將《蝴蝶夢》歸類為「公案劇」或「包公戲」。凡以社會訟獄事件為題材的戲劇謂之「公案劇」或「公案戲」。❷羅錦堂先生就現存元人雜劇加以分類，其中具有決疑平反和壓抑豪強情節的公案劇有十四部，《蝴蝶夢》屬於決疑平反者。❸此外現存元代包公戲有十二種，其中《小孫屠》戲文一種，雜劇十一種，《蝴蝶夢》亦是其中之一。❹可知《蝴蝶夢》是一本兼具公案劇與包公戲性質之雜劇。

因為從公案劇或包公戲的角度研讀《蝴蝶夢》，故論者不外乎從冤獄基型、殺人償命、法律倫理、道德正義等觀點著眼。例如齊曉楓先生即是將《蝴蝶夢》歸屬因特權階級跋扈而造成冤屈的基型結構作品；❺但筆者認為《蝴蝶夢》關目推展並不在葛彪如何的跋扈，其旨趣亦不在王氏兄弟如何的冤屈，而是呈現

---

❷ 齊曉楓先生〈元代公案劇的基型結構〉解釋「公案」一詞，本指政府官吏辦理公案的几案，後引伸為凡是官府經辦依律令而判斷是非曲直、解決懸疑的一切案件。見《文學評論》（臺北：書評書目出版社，1977年），第4集，頁179。

❸ 根據羅錦堂氏之分類，其中具有決疑平反和壓抑豪強情節的公案劇有十四部。屬於決疑平反者尚有：《緋衣夢》、《金鳳釵》、《硃砂擔》、《盆兒鬼》、《後庭花》、《救孝子》、《魔合羅》、《勘頭巾》、《馮玉蘭》。屬於壓抑豪強者有：《魯齋郎》、《陳州糶米》、《生金閣》、《十探子》。見氏著：《現存元人雜劇本事考》（臺北：中國文化事業公司，1959年），頁427-428。又據李漢秋〈元代公案戲論略〉考述，鍾嗣成《錄鬼簿》所錄四百五十多種元雜劇劇目中，公案劇佔十分之一以上，現存一百五、六十種元雜劇中，公案劇佔八分之一左右。見《安徽大學學報（社會科學報）》第3期（1979年）。

❹ 根據《錄鬼簿》、《錄鬼簿續編》、《太和正音譜》記載，另外十種是：《魯齋郎》、《後庭花》、《生金閣》、《灰闌記》、《留鞋記》、《合同文字》、《陳州糶米》、《盆兒鬼》、《神奴兒》、《替殺妻》。參李春祥：《元代包公戲選注·前言》（鄭州：中州書畫社，1983年），頁5。該書並未選入後三種。

❺ 齊文歸納公案劇主要有兩種基型結構，其中一種是經由引發事件的導引，舉凡因強權的欺壓所造成的權豪與平民之間一種強凌弱的爭執，在戲劇進行中的節奏聲中，往往邁向一種因特權階級的跋扈造成冤屈的基型結構，《蝴蝶夢》屬之。不過作者在「特權階級的跋扈」小節末尾說：「這種特權分子擾民害民而造成的冤獄的結構於公案劇層出不窮（除前引《生金閣》、《魯齋郎》、《十探子》諸劇，又見於《金鳳釵》、《蝴蝶夢》等劇）。」其對《蝴蝶夢》只是一筆帶過，並未討論。同注❷，頁181、200。

王母遭遇人生變故的苦情吶喊與王三的嘲弄批判。周昭明先生提出《蝴蝶夢》不在處理一般冤情，而在解決一個問題——如何在殺人償命的法律中使爲報父仇，失手殺人的王大兄弟免死。周氏已察覺《蝴蝶夢》實異於所謂「公案劇」，但認爲《蝴蝶夢》主要在解決殺人償命的問題，仍然環繞著公案劇的主題。❻美國加州大學著名戲曲學者奚如谷先生主要從法律與倫理觀點切入，認爲這一齣包公戲肯定母賢子孝倫理意義超過殺人償命的法律意義。

戴雅雯先生更從道德與正義角度入手，解釋包拯在緊要關頭，避開案情複雜的人命事件，讓趙頑驢爲替身，拯救王家一條活路，以解決法律和道德的衝突，這是把法律體系整個顛倒，藉以重整道德理法，以便爲社會保全道德理想，但卻使正義的考量不合常軌。❼胡耀恆先生專文評論，認爲戴氏之文沒有考慮到元代文化因素與歷史背景，對公案劇的看法以及對包拯的批評，因而不是入乎其內的，更不是移情同感的。胡先生認爲《蝴蝶夢》中，包拯的表現迥然不同，看似缺點累累，其實不然；原因在它不是個「擿奸發覆、洗冤雪枉」的公案劇，也不是公案劇中的簡單的復仇劇。❽可見《蝴蝶夢》的旨趣不在爲重整道德理想而放棄正義考量之上，其關目推展亦不在追查兇手、洗刷冤情的佈局安排。

以上篇章多未論及劇中蝴蝶夢境情節之深層意義；然既以「蝴蝶夢」爲劇名，不免使讀者繫聯「莊周夢蝶」的寓言。誠如奚如谷先生所說，「蝴蝶夢」詞語會引導讀者或觀眾聯想到莊子的蝴蝶夢；雖然該文並未就莊周夢蝶及其與

---

❻ 周昭明先生之說見〈蝴蝶夢中殺人償命的問題和解決〉，同注❶，頁 102。

❼ 戴雅雯先生之說見〈公堂與私仇：中西劇場裡的正義觀〉，同注❶，頁 11-12。

❽ 胡先生主張文學批評應從作品的時空觀點去閱讀，元代的法律絕對不能代表正義，它的法庭更是黑暗重重。戲劇中的世界，正是元代的實況；而雜劇的公案劇最能反映當時觀眾「渴望援手，企求公理」的心裡。參〈中西戲劇中的正義、道德與法律〉，《中外文學》第 24 卷 4 期（1995 年 9 月），頁 24-25。

包公夢蝶之關聯進一層討論，卻令人感到心有戚戚焉。❾莊周夢蝶不僅是莊子思想一個經典的譬喻象徵，後世文學家亦往往闡發引用，以「蝴蝶」、「夢蝶」、「蝴蝶夢」等詞語象徵夢幻、迷惘、失意、死亡。❿眾所熟知的，譬如李商隱〈錦瑟〉：「莊生曉夢迷蝴蝶，望帝春心託杜鵑」；馬致遠〈夜行船·秋思〉：「百歲光陰如蝶夢，重回首往事堪嗟」；以及梁祝死後化爲雙蝶栩栩飛舞的故事等。關漢卿《蝴蝶夢》的夢境情節是否亦轉用莊周夢蝶的哲學思維，以寄寓其生命感慨於劇本文學，乃成爲筆者關注的動機。爲了分析劇中「蝴蝶夢境」對「莊周夢蝶」之轉用及象徵，必須先解讀《蝴蝶夢》的關目情節及其排場藝術，才能從「蝴蝶」象徵所開展的主題意蘊加以論析，深入解讀作者塑造劇中王母、王三與包待制人物之涵義。本文期望融合哲學、文學思想及生命存在之困境等方面，對《蝴蝶夢》雜劇做不同觀點的思考和詮釋。

一、《蝴蝶夢》的關目情節及其排場藝術

元雜劇雖然以四折（或有楔子）做爲推展戲劇情節起承轉合的基本體例，但細讀每一折仍有排場藝術蘊藏其中。所謂「排場」包括關目情節的輕重、腳色人物的主從、套數聲情的配搭、科介表演的繁簡、穿關砌末的運用。⓫根據

---

❾ 本文完稿之後，拜讀奚如谷的先生的英文論文，承蒙中研院文哲所華瑋先生解惑，才發現該文也有這樣的說法，可以支持本文切入的觀點。其說如下：Even though this is not the butterfly dream of Chuang-tzu,the very mention of the term *hu-tieh-meng* should induce inthe reader or audience the idea of confoundment, an idea that it (is) well worked out, as noted above, in the constant references to confusion, dissembling or befuddlement. 同注❶，頁 104。

❿ 曾良：〈蝴蝶在詩詞曲中的比興語義〉，《文史知識》第 12 期（1994 年）。此篇資料為侯淑娟學妹提供，特此致謝。

⓫ 排場理論主要用於傳奇分場（即分齣），如張師清徽〈南曲聯套述例〉專立「傳奇組場與聯套的關係」一節，提出傳奇之分場，即分別其排場類型。若以關目分量為依據，則有大場、正場、短場、過場之分；若以表現形式為基準，則有文場、武場、文武全場、鬧場、同場、群戲之別；後者實依存於前者之中。曾師永義歸納清徽師「分場」的基礎就是建立這五點之上。見曾師：〈說排場〉，《詩歌與戲曲》（臺北：聯經出版事業公司，1988

這五項基礎，可以分析出每一折的引場、主場、尾場。⑫顧名思義，引場是該折戲劇情節的序幕開端，主場是構成該折故事情節的主體部份，尾場則是收束該折情節。本節將由古典戲劇作品中分場及排場觀念，實際運用於雜劇作品，且為每一折每一場擬一個標題，以便掌握關目情節發展之脈絡，期能為《蝴蝶夢》文本提供不同於小說的閱讀方法，並做為下文詮釋之張本。

《蝴蝶夢》的題目正名是：「葛皇親挾勢行兇橫，趙頑驢偷馬殘生送。王婆婆賢德撫前兒，包待制三勘蝴蝶夢。」。⑬由四句八言詩構成的「題目正名」概括全劇劇情大要，每句詩皆為三、二、三之句式，各以一個主要人物為主語，並蘊涵一樁與該人物關係最密切的事件，而且是主導劇情的重要關目；最後一句雖做為劇名之總題，⑭對全劇主題思想卻有化龍點睛的作用。《蝴蝶夢》於四折之外，另有楔子，以下先列出劇中重要腳色及其扮飾人物、相關情節，再就各折各場加以分析說明。⑮

淨扮葛彪：題目中稱「葛皇親」，葛彪上場時亦自稱「權豪勢要之家」；

年），頁 371。

⑫ 曾師永義運用引場、主場、尾場分析關漢卿《關大王獨赴單刀會》第一折的排場。筆者認為這種分析方式可以通用於雜劇作品。見《中國古典戲劇選注》（臺北：國家出版社，1983 年），頁 27。

⑬ 《蝴蝶夢》有《古名家雜劇》本和臧晉叔《元曲選》本，兩本題目正名及關目套式全同，賓白曲文除第一折中數曲外，極少改動。臧選此劇，對於舊本最為忠實。蓋舊本曲文瑕疵既少，又以質樸見長，只好如此作，臧氏綺麗之筆墨，無所施其技也。曾師永義《中國古典戲劇選注》，就《元曲選》本之《蝴蝶夢》做詳盡之注釋說明，尤其曲文詳分正襯，並有附錄〈包待制三勘蝴蝶夢異本比較〉，下文凡引用者，簡稱曾注《蝴蝶夢》。此處版本說明引用之，同前注，頁 164。

⑭ 題目正名照例寫在全劇後面，或各一句或各兩句，每句字數不一，但必須一律。那一句正名或二句之中的後一句，通常寫在劇的前面，鄭騫先生稱之為「總題」；又按總題之文義語氣讀作兩段，節取其中比較切實具體的一段，而成為本劇的「簡題」。參鄭騫先生：〈元雜劇的結構〉，《景午叢編》（臺北：臺灣中華書局，1972 年），上編，頁 191。

⑮ 本文據《元曲選》、曾注《蝴蝶夢》本，以下分析各折各場，除專有名詞外，凡引號內之句皆是劇本原文，不再一一注明，以免繁瑣。讀者依照文本，即可檢證。

第二折中報官的張千卻稱爲「平人葛彪」，其間似有矛盾。葛彪是當時蒙古人的典型，所以是平民，平民中的「潑皮」；但在被征服的漢民族眼中，卻是和「皇親國戚、玉葉金枝」一樣，可以肆無忌憚、爲非作歹。⑯

外扮孛老（王老）：葛彪行兇橫的對象。

趙頑驢扮偷馬賊：因盜馬而被判死刑。

正旦扮王母：捨親生護前兒，主唱全本。

沖末扮王大、王二：王老前妻之子。

丑扮王三：王母親生子。

外扮包待制：藉蝴蝶夢境斷案。⑰

楔子：王老教子　　仙呂宮協眞文韻

王氏一家全部出場，科白部份由王老陳述三個孩兒都不肯做農莊生活，以讀書爲業，王大、王二更表明志在功名。【賞花時】帶【么篇】由王母主唱，感慨家私窘困，三個孩兒應尋個長久立身之計。

第一折：王門橫禍　　仙呂宮協支思韻

引場：場景從長街至王宅再回到長街，由於舞臺時空轉變，故引場應分爲三個小段落。

㈠王老遇害：以科白組成，王老至長街替孩兒買紙筆，閒耍的葛彪故意沖撞王老，反誣賴王老衝撞其馬頭，遂將王老打死。

㈡驚聞惡耗：地保至王宅報訊，母子聞訊驚愕，王母哭唱【點絳唇】、【混江龍】，在唱「走的我氣咽聲絲，恨不的兩肋生雙翅」、「我這裏，急忙忙，過六街，穿三市」曲辭中，

---

⑯　參曾注：《蝴蝶夢》，同注⑫，頁136。

⑰　《宋史》有〈包拯傳〉。包拯字希仁，廬州合肥人。生於宋真宗咸平二年，卒於宋仁宗嘉祐七年（999－1062）。二十八歲進士及第，先後任天長知縣端州知州、廬州知州、開封府尹等地方官，又擢天章閣待制、除龍圖閣學士、拜樞密副使等朝廷官員，故稱「包待制」。

戲劇場景轉至長街。

㈢長街哭屍：承接上段音樂，王母見屍後接唱【油葫蘆】、【天下樂】哀痛不已。音樂結構及情節都告一個段落。

主場：爲父報仇

王大兄弟欲尋見葛彪，扯到官府償命，不想葛彪喝醉，更是強勢姿態，兄弟竟將葛彪打死。劇本寫著：「（王大兄弟打葛死科，兄弟云）這凶徒粧醉不起來。」可見王氏兄弟本無意私報私了，應是在彼此情緒憤怒、血氣方剛之中毆鬥而死的。當王母發現葛彪死時，王三云：「好也！我並不曾動手。」這似乎強調所謂「王大兄弟打葛死科」並不包括王三。關漢卿埋下此筆，對後面王母欲使王三犧牲代兄償命，具有強化主題的意義，並且對其後塑造王三人物性格及心理反應有重要意義。面對兄弟爲父報仇的動機及料想不到的結果，王母唱【那吒令】至【醉中天】五支曲，亦隨情勢變化而有心理轉折（詳下文）。

尾場：兄弟被捕

王母眼見三兄弟惹下官司而被逮捕，這悲痛無疑是雪上加霜。【金盞兒】至【賺煞】四曲抒發王母的惶急之情，面對這場無法避免的官司，王婆最後的一線希望是：「止不過是一人處死，須斷不了王家宗祀。」

第二折：勘夢問案　南呂宮協魚模韻

引場：包公早衙

本折一開始並不直接承續上折餘文，而是另外佈置兩條支線，做爲扭轉全劇結局關目，可見關漢卿編劇手法。這兩條情節支線是以科白組成：

㈠審偷馬賊

王氏兄弟人犯未到開封府之前，包待制先判趙頑驢偷馬一案，無須多問，包待制馬上命令張千「上了長枷，下在死囚牢裏去。」

㈡午夢蝴蝶

包待制審偷馬賊一案後，覺得困倦，伏案而睡，進入夢境。值得注意的是：這一場與本劇主題關係密切的蝴蝶夢境，安排在審理打死葛彪命案之前，著實高明。如果進入審案情節之中或之後才安排夢境，將無法在旦本主唱的體製限制下施展，本劇亦將呈現另一種故事情節。因此就《蝴蝶夢》之舞臺時空與關目結構而言，這應是最佳之編排方式。關於夢境的內容及其涵義，詳見下文。

主場：包公審案

包待制夢醒，情節進入由中牟縣押解而來的王氏兄弟。【一枝花】、【梁州第七】二曲先抒發王母隨至開封府的心情，儘管充滿驚懼，王母仍然相信「這開封府，王條清正，不比那中牟縣、官吏糊塗。」顯然是中牟縣官糊裏糊塗把王大兄弟草草一審，都當死囚看待，往府裏一推。此處正可看出關漢卿繁簡有度的戲劇藝術。⓲以下是運用一問一唱的方式推展，屬於「曲白相生」的形式。⓳包待制問案依序提出以下五個問題：

㈠問王母教子無方

包待制確知兄弟三人與婆子的關係後，責問王母「村婦教子，打死平人」，【賀新郎】一曲是王母爲兒子的辯辭；包待制以審案不打不招的慣例進行，【隔尾】一曲哭訴三子受鞭打之悲痛，聯套中用此曲具有承上啓下之作用，下文正是包待制開始審問案情。

㈡問爲首打死人者

⓲ 此說參周文：〈蝴蝶夢中殺人償命的問題和解決〉，同注❶，頁105。

⓳ 戲曲文學體製中，賓白和曲辭的配合，大多是交互使用，稱之為「曲白相生」；另外也有「重疊」或「相輔」的情形。參曾師永義：〈元人雜劇的搬演〉，《說俗文學》（臺北：聯經出版事業公司，1980年），頁369。

王大、王二、王母爭認爲首打死人，王三則以四兩撥千斤方式，完全否認此案與王家相關。包待制惱怒，再度命人拷打三兄弟。【鬥蝦蟆】曲辭哭唱三子受拷打的慘狀，爲人母親的「愁腸似火，雨淚如珠」。

㈢問三兄弟之名字

王大叫金和，王二叫鐵和，王三叫石和，包待制聽了嗤之以鼻。關漢卿插入這一段細節，由科白組成，頗有深意（詳下文）。

㈣問王大王二償命

【牧羊關】一曲，包待制的賓白問語穿插在王母的唱辭中，包待制以「殺人的償命，欠債的還錢」原則，先後要王大王二償命，【隔尾】一曲此處用於王母請求包待制開脫王大之後，又請求開脫王二之時，前後兩支【隔尾】皆與劇情轉變有關。

㈤問護救二子之由

王三眼見母親護衛兄長二人，自己雖不曾動手打人，卻「自帶枷科」表示願意償命，王母竟然同意，包待制質疑王三非爲親生，【牧羊關】一曲之運用同上，王母以唱代答之中，道出護救前家兒捨親生子的苦情。其間，包待制猶試探云：「兀那婆子！近前來，你差了也！前家兒著一個償命，留著你親生孩兒養活你，可不好那？」主場最後兩曲【紅芍藥】、【菩薩梁州】，達到包待制審案的最高點：在不堪忍受母子被嚴刑拷打之下，在斥責包待制「你都官官相爲倚親屬，更做道國戚皇族」的無奈之下，王母忍痛讓王三償命。

尾場：證夢斷案

包待制聽完王母所言，深爲母賢子孝感動，猛然想起「午時一枕蝴蝶夢」，似乎胸有成竹，豈知他竟命張千「把一干人都下在死囚牢中去」。關漢卿運用高度的戲劇張力，不僅使觀眾、讀者錯愕不解，更令劇中的王婆「慌向前去扯科」，劇情和人物情緒急轉，此時南呂聯套中竟聯入【雙調·水仙子】，運用借宮手法，其例特殊，顯見音樂與劇情的搭配，更見關漢卿創作戲劇的排場藝術。王母隨三子來到開封府，還抱一線希望，誰料包待制「今日爲官忒慕古」，落得「呆老婆，唱今古。又無人，肯做主。則不如，覓死處」的困境。

第三折：王母探監　正宮協先天韻

引場：兄弟入牢

承接上折，衙役張千、李萬押三兄弟入牢，對王大王二只打了三下殺威棒，對王三卻「抬過押床來，丟過這滾肚索去扯緊著」，可以看出關漢卿在許多細節處都刻意塑造王三不同於兄長的性格與遭遇，在本折中王三有相當重的戲份。引場簡短，只以科白組成，主要是呈現本折戲劇的場景在牢獄中。

主場：乞食探監

㈠乞食探子

【端正好】、【滾繡毬】兩段曲辭之間不插入賓白，和第一折【點絳唇】、【混江龍】相同，也是一個連續的曲段，交代王母從卑田院討了些殘羹剩飯，欲往大牢探視三兄弟。

㈡獄卒索賄

王母「做到牢門科」，故事情節的舞臺時空正是在牢獄展開，【倘秀才】、【脫布衫】二曲演述一段獄卒索賄的現形記，點出王婆已然貧困到要將補衲的破襖兒和舊褐袖當做冤苦錢的無奈。

㈢王母餵食

衙役張千不要冤苦錢，放王母進牢門。【笑和尚】、【叨叨令】二曲是一幅賢母慈愛圖，王母「做餵王大王二科」，兩個燒餅也只給王大王二，且叮嚀「休教石和看見」，王三只得開口云：「娘也！我也吃些兒！」包待制審案時，王母極力袒護前家兒的苦衷，我們可以體會，但當此時刻，三個孩兒都押入死囚牢，連叫化來的食物都不分予王三，則令人無法認同。也許是作者有意強化王母捨親子的大胸懷，顯出她的愛已經達到「造次必於是，顛沛必於是」的境界吧！⑳

㈣二子獲釋

王母餵食後與三兄弟有一段話別，這段對白與本劇主題有密切關係（詳下文）。接著張千入牢告知釋放王大王二，王三則「把他盆吊死，替葛彪償命去」。劇情又一轉折，再度令人驚愕，原來包待制將三人押入死牢，其實只要王三償命。儘管這個結果符合了王母欲捨親子的犧牲精神，但畢竟是悲痛萬分的惡耗。此時戲劇情境改變，作者再次運用聯入其他宮調的手法，使用【中呂宮】的【上小樓】、【么篇】、【快活三】、【朝天子】四支曲牌，讓王母抒發內心掙扎、無奈與認命的心情。將音樂聲情與人物情緒融合起來，又見作者編劇的排場藝術。

尾場：王三自歎

雜劇的每一折聯套在【尾煞】之後劇情即告結束，㉑但本折在王大王二隨主唱人物王母下場後，卻安排兩支同宮調的【端正好】與【滾繡毬】，改押支思韻，且改由王三主唱。劇中張千云：「你怎麼唱起來？」，王三云：「是曲尾」。「曲尾」形式在雜劇中少見，是由其他次要腳

⑳ 范子保賞析《蝴蝶夢》第三折，對於王母行為也提出不近情理的質疑，他解釋說：「細細體會，我們可以悟出王母此時此地的潛台詞，王三既已死定，吃不吃已無關緊要，且全力來保護這兩個要活下去的兒子吧！這也是作者刻劃王母賢良性格的最濃重的一筆，讀之令人涕下。」見霍松林主編：《關漢卿作品賞析集》（成都：巴蜀書社，1990年），頁36。筆者認為王母此時是以為三個兒子皆須償命，下文張千釋放王大王二時，王母還問：「那第三個孩兒呢？」因此范氏所論不合原劇。

㉑ 【尾煞】又有【煞尾】、【尾聲】、【賺煞】、【收尾】等不同名稱，參鄭騫先生：《北曲新譜》（臺北：藝文印書館，1973年）。

色所唱，[22]作者為王三刻意經營這一場，讓讀者觀眾也可以瞭解王三的心聲，因而賦予本劇深刻的主題意蘊（詳下文）。

第四折：李代桃僵　雙調協皆來韻

引場：含怨收屍

上折尾場張千才說要將王三盆吊死，本折一開場作者卻安排「王三背趙頑驢屍上伏定」。設想此劇搬演於舞台時，這個動作當然是可以用暗場方式，觀眾仍然不知道王三未曾受死，亦不知死者為趙頑驢；但就閱讀劇本而言，讀者隨即知道眞相，似乎削弱了戲劇的懸宕性。這將影響引場、主場王母含怨收屍、悲哭屍首的悲劇情調；如果改為「張千背屍上場即下」就可以保留懸疑的效果了（若如此改動，則下文相關的賓白亦須隨之而改）。這一場由【新水令】、【駐馬聽】組成，是王母「叫化的亂烘烘一陌紙，拾得粗坌坌幾根柴」，同兄弟來到牆底下來收屍，時間是天色「未拔白」之時。

主場：

㈠悲哭屍首

這一段落由【夜行船】至【太平令】四支，是王母認屍哭屍的場景，悲戚哀感。作者相當細膩，安排王母：「（做認悲科唱）慌急列教咱覷了面色，血模糊、污盡屍骸。」使得王母誤認屍首合情合理。

㈡王三得救

王三出現是在王母唱【太平令】時一句「帶白」：「石和孩兒呵！」

---

[22] 元雜劇其他次要腳色唱「曲尾」之例，又見關漢卿《單刀會》第二折、《望江亭》第三折，見曾師：《中國古典戲劇選注》，同注[12]，頁 27；另有用於第四折劇尾之後，有曲子有賓白，唱曲之人仍是正末或正旦，而不是丑淨搽旦，其性質用以完成劇情或另起餘波，鄭騫先生稱之為「散場曲」，見〈論元雜劇的散場〉，同注[14]，頁 201-203。根據鄭騫先生對散場曲的歸納，顯然與曲尾不同，筆者以為還是保留各自的專稱。

將之引出來的。劇本寫著：「（王三上應云）我在這裡。（正旦唱）教我左猜，右猜，不知是那裡應來？呀！莫不是、山精水怪。」如果本折一開場改成筆者所提出的「張千背屍上場即下」，則作者此處的編排手法將有非常驚人的效果。王母於「有鬼有鬼」的驚恐中，唱【風入松】、【川撥棹】，二曲之間，王三陳述：「包爺爺把偷馬賊趙頑驢盆吊死了，著我拖他出來，饒了你孩兒也！」王母這才「解放愁懷，喜笑盈腮」。李代桃僵的劇情交代，簡潔俐落；而對錯認的屍首，作者最後安排一支【殿前歡】予以交代：「常言道老實的終須在，把錯抬的屍首，你與我土內藏埋。」顯見王母的慈悲心腸，合乎人物塑造。

尾場：下斷封賞

包待制衝場而上，親自說明錯認的屍首乃是偷馬賊趙頑驢替償葛彪之命，顯然是根據蝴蝶夢境而使用李代桃僵的手法，至此由包待制親審判定的案情才算完整結束。以下是包待制上奏君王後，對王氏一家的封賞：「（詞云）你本是龍袖嬌民，堪可爲報國賢臣。大兒去隨朝勾當，第二的冠帶榮身。石和做中牟縣令，母親封賢德夫人。國家重義夫節婦，更愛那孝子賢孫。今日的加官賜賞，一家門望闕霑恩。」既稱之爲「詞云」，便是韻白，而且是三、四（或三、二、二）的意義形式和音節形式，舞台上應是彈唱的表演形式。㉓包待制在這齣戲的重要性僅次於王母，但因受限於元雜劇一種腳色主唱的體製，包待制人物之唱做無從發揮，故特別有一段「詞云」讓演員也可以發揮說唱藝術。最後以【水仙子】、【鴛鴦煞】收束，慶賀「苦盡甘來」、「恩

㉓ 張師清徽推測元雜劇中這類相當冗長的詞云、詩云、斷云或偈云，不可能是「乾念」作「念誦」的方式，而是彈唱的，至少也是有板拍如今之國劇中丑角上場時的數板。參〈由南戲傳奇資料、臆測北雜劇中的一項懸疑〉，《清徽學術論文集》（臺北：華正書局，1993年），頁 67-93。

德無涯」、「子母團圓」，表面上看起來是一齣落入俗套的喜劇結尾。

二、「莊周夢蝶」之轉用及象徵

經由上節分析關目情節及排場藝術之後，才能掌握「總題」所謂「包待制三勘蝴蝶夢」。包待制爲主語；「勘」爲動詞，是推究、審問之意；「蝴蝶夢」爲受詞，是包待制推究細思的主要內容；「三勘」與「蝴蝶夢」之間呈現必然的關聯性，而且必須與包待制有關，則「三勘」所指的是第二折包待制的「午夢蝴蝶」、「證夢斷案」及第四折根據蝴蝶夢境的「下斷封賞」。㉔就關目結構而言，如果刪除包待制審案前後的蝴蝶夢境，並不影響《蝴蝶夢》故事發展；換言之，包待制不必然要憑藉一個夢境才能用偷天換日手法搭救王三，果眞如此，作者又何必編排一場蝴蝶夢？顯然在劇情發展中，「三勘蝴蝶夢」給予包待制判案相當大的啓示與引導，而這其中應該有關漢卿寄託的理念。由此觀之，蝴蝶夢境應是本齣戲劇情節的靈魂，也是探討《蝴蝶夢》主題思想的一把鑰匙。本文開始曾提及，《蝴蝶夢》劇名會令人想到《莊子·齊物論》中「莊周夢蝶」一段：

> 昔者莊周夢為胡蝶，栩栩然胡蝶也。自喻適志與？不知周也。俄然覺，則蘧蘧然周也。不知周之夢為胡蝶與？胡蝶之夢為周與？周與胡蝶則必有分矣，此之謂物化。

先討論這段文字中的兩個命題，首先是「夢」與「覺」（覺者，醒也）的

㉔　范子保解釋：「官拜龍圖閣代制直學士的開封府尹包拯，開堂審案，以死罪初判王大，再判王二，二人均非王母親生，卻為王母據理訴回。復判王三，此兒為王母嫡出，她反而爽然應允，是為三勘。」見《關漢卿作品賞析集·蝴蝶夢》，同注⑳，頁 33。筆者以為如此解釋，則無法繫聯三勘與蝴蝶夢之間的關係。

命題。莊周夜來做夢，夢到自己變成蝴蝶，夢中已然忘記自己原來是莊周。換言之，即使做夢變成蝴蝶，卻不驚慌失措自己竟然不再具有人的形貌，還能栩然自得。俄頃之間，夢罷而覺，舉目驚視自己原來是莊周，依然自愉適志。㉕因此不論是夢而爲蝴蝶，或是覺而爲莊周，皆能自適自得。其次是「人」與「物」的命題，「周之夢爲胡蝶」是從「人」化爲「物」；「胡蝶之夢爲周」是從「物」化爲「人」。人類自以爲只有人會做夢，沒想到蝴蝶（物）也會做夢，可見人與物有共同精神的狀態，二者之間當然會互相物化成彼此的形貌樣態；物化之後，究竟誰是人？誰是物呢？故此二句雖以「不知」總領，表面上是提出疑惑，其實是正言若反的語言技巧，意思是說不必執著人與物的區分，而人類亦無須以萬物之靈沾沾自喜。張默生說：「既把自己的形體（代表一切我），看作也許是蝴蝶夢中的幻象，又把身外的蝴蝶（代表一切物）看作也許是自己夢中的偶現，如此，既不能確知有『物』，又不能確知有『我』，究竟『我是物』呢？還是『物是我』呢？」㉖所以不論是「人化而爲物」或「物化而爲人」，都當該自愉適志。莊子由這兩個命題得出最後結論：「周與胡蝶則必有分矣，此之謂物化。」宣穎解釋得好：「以常形論之，必有分別，乃今以夢幻觀之，何又相爲而不能自辯也？」㉗是故，莊周與蝴蝶各有其自然之分，則在人適於人，在物適於物吧！莊子將這種觀照哲學，稱之爲「物化」。

「物化」是萬物變化之理，一切物類都是在宇宙的有機體中變化。宇宙的本體是「道」，道即「自然」，自然就是時間與空間交錯而成的宇宙，萬物在

㉕ 自喻適志，郭象《注》：「自快得意，悅豫而行。」王師叔岷云：「喻、愉古通」。又引成玄英《疏》：「蘧蘧，驚動之貌也。俄頃之間，夢罷而覺。」並考釋「蘧」為界之假借，《說文》：「界，舉目驚界然也。」《莊子校詮》（臺北：中央研究院歷史語言研究所，1988 年），頁 96。筆者此處解釋是認為「栩栩然」、「蘧蘧然」上下對應，互文見義，因此「俄然覺，則蘧蘧然周也」亦有「自喻適志」之意。

㉖ 見張默生：《莊子內篇新釋》（成都：成都古籍書店，1990 年影本），頁 81。

㉗ 見張默生：《莊子內篇新釋》引宣穎說，同前注，頁 88。

這自然的時空中，不住地變化，即是物化。《莊子·秋水篇》云：「物之生也，若驟若馳，無動而不變，無時而不移。何爲乎？何不爲乎？夫固將自化。」這「自化」二字即是物化說的大旨，莊子以爲萬物之生，如奔馳一樣的快，沒有一時不動的，沒有一動不變的；這其間的變化，全由於自然，人力不能措意於其間。㉘既然萬物必在自然中不斷變化，則人之由生而死，當然也是一種物化。

從物化觀點再回顧上文所引的一段文字，我們要問：莊周夢蝶與〈齊物論〉之說的關聯性何在？首先，莊子以夢象徵死亡，以覺象徵生命，文中所云「栩栩然」指夢境而言，「蘧蘧然」指覺境而言，是夢是覺、是生是死，皆自適其志也。故成玄英《疏》云：「託覺夢於死生，寄自他於物化。生死往來，物理之變化也。」王師叔岷進而闡釋：「莊子由覺夢體悟物化之理，即死生變化之理也。在覺適於覺，在夢適於夢，則無所謂覺夢；然則在生適於生，在死適於死，則無所謂生死。破覺夢猶外生死矣。破覺夢之執，以明外死生之理，齊物之義，盡於此矣。」㉙其次，莊周（人）夢爲蝴蝶（物），乃是以此比喻人死後化爲物的另一種形體，也是自然的變化。誠如《莊子·寓言篇》所說：「萬物皆種也，以不同形相禪。始卒若環，莫得其倫，是謂天均。」是說宇宙萬物都像一粒種子，不同種子生出不同形狀物體，形成不同變化，這種變化，不知其始，不知其終，如玉環之無端，不能得其先後次第，這本是合於自然之分的天倪（天均）。莊子由此引出齊萬物之論，因此人與蝴蝶雖各有其自然之分，但是從萬物齊一的角度觀照，則爲人可也，爲物亦可也。不論是物化說或齊物論，其中都隱含了再生的意義。

既然萬物與人齊等，則其生命所面臨的困境是相同的，當該接受的尊重尊嚴也是相同的，這便是關漢卿轉用莊周夢蝶之精神所在。以下將討論包待制的

㉘ 本段物化說解釋參考張默生：〈莊子傳略及其學說概述〉，《莊子內篇新釋》，同注㉖，頁19。

㉙ 王師：《莊子校詮》，同注㉕，頁96-97，該書引成玄英《疏》乃是據前後疏節引。

「午夢蝴蝶」：

（包做伏案睡，做夢科云）老夫公事操心，那裏睡的到眼裏，待老夫閒步游玩咱。來到這開封府廳後，一個小角門，我推開這門，我試看者！是一個好花園也。你看那百花爛熳，春景融合。兀那花叢裏，一個撮角亭子，亭子上結下個蜘蛛羅網。花間飛將一個蝴蝶兒來，正打在網中。（詩云）：「包拯暗暗傷懷，蝴蝶曾打飛來，休道人無生死，草蟲也有非災。」呀！蠢動含靈，皆有佛性。飛將一個大蝴蝶來，救出這蝴蝶去了。呀！又飛來一個小蝴蝶，打在網中，那大蝴蝶必定來救他。好奇怪也！那大蝴蝶兩次三番只在花叢上飛，不救那小蝴蝶，佯常飛去了。聖人道：「惻隱之心，人皆有之」。你不救，等我救。（做放科）（張千云）喏！午時了也。（包待制做醒科）（詩云）：「草蟲之蝴蝶，一命在參差，撒然夢驚覺，張千報午時。」

包待制夢境的場景是一個百花爛熳、春景融合的好花園，呈現燦爛美麗、生機盎然的世界。這樣美好的景致，竟在花叢裏，一個撮角亭子上結下個蜘蛛羅網，美與醜強烈對比，顯得極不協調。繁華似錦的塵世，儘管令人賞心眩目，卻也處處充滿危機，蜘蛛羅網正象徵世間之塵網，所以陶淵明〈歸園田居〉感慨「誤落塵網中，一去三十年」；阮籍〈詠懷詩〉也發出「天網彌四野，六翮掩不舒」的鬱悶。生機勃勃、欣欣向榮的宇宙天地之中，人類萬物合該各得其所，自由自在，擁有璀燦的人生圖景；然而羅網的存在，卻使天地萬物隨時都可能落入其中，果然花叢間飛將一隻蝴蝶來，正打在網中。[30]同理，人類又何

---

[30] 張靜二先生〈關漢卿的喜劇〉對此處有另一番解釋，頗值得參考：「花園中百花爛熳，春景融合，應該是樂園的寫照；既然是樂園，則理當純淨無邪，渾樸圓融才對。但蜘蛛顯然包藏禍心，亭上的羅網也顯然是個陷阱，是則樂園內埋伏著凶險。只是小蝴蝶天真無邪，

曾能夠倖免？因此包待制詩云：「包拯暗暗傷懷，蝴蝶曾打飛來，休道人無生死，草蟲也有非災。」後二句已明白指出人與萬物都有旦夕禍福、不測風雲，隨時都可能誤落羅網而面臨生存危機。小蝴蝶誤入網中時，及時飛來一隻大蝴蝶將牠救出，可見：「蠢動含靈，皆有佛性」。再來一隻小蝴蝶誤入網中，[31]那大蝴蝶竟三番兩次只在花叢上飛，不救那小蝴蝶而佯常飛去了，三番兩次表示猶疑、徘徊、徬徨、矛盾。於是包待制發揮「惻隱之心，人皆有之」的精神予以救出，印證人類萬物皆有慈悲佛性。從齊物觀點，正因人與萬物同會面臨生存困境，故反而言之，其生命亦同該接受尊重，接受拯救。夢中大蝴蝶救小蝴蝶，是「以物救物」的關係；包待制放另一隻小蝴蝶，是「以人救物」的關係；由夢境延伸到現實世界，包待制拯救王三，便是完成了「以人救人」的關係。綜上所述，莊周夢蝶與包公夢蝶之差異在於：莊子入夢化爲蝴蝶，體會物我合一的齊物觀；包待制入夢，則是以人（旁觀者）的角度體會物我合一的精神。

以上討論的是關漢卿運用莊周夢蝶在夢境的涵義，接著要論述夢境情節與故事實境的呼應。劇中的王老漢只是上街去買紙筆，竟會天外飛來橫禍，遇上無賴葛彪，無端喪命，如同蝴蝶飛入羅網。王氏兄弟面對喪父之痛，本也只想尋見葛彪，扯到官府償命，孰知一場打鬥，鬧出人命，同被逮捕，誤觸法網。王老漢父子四人正應合了「休道人無生死，草蟲也有飛災」的眞理，原來生命的危機，人類萬物皆無所遁逃。接二連三的災難，卻把難題留給王母，公堂之上，包待制要著一個償命，究竟捨誰？與包待制一番爭執之後，決定捨親生王

不知樂園中有陷阱，也是個勾心鬥角、弱肉強食的場所，以致橫遭飛禍、深陷絕地。」文見《文學的省思與交流》（臺北：書林出版社，1995年），頁213。

[31] 第二折包待制證夢斷案，回憶夢境是說：「適間老夫晝寢，夢見一個蝴蝶墜在蜘蛛網中，一個大蝴蝶來救出，次者亦然；後來一小蝴蝶亦墜網中，大蝴蝶雖見不救，飛騰而去。」根據夢境則只有兩隻小蝴蝶，稍有出入。為使夢境與故事相合，下文解釋採取三隻小蝴蝶。

三。

於是包待制蝴蝶夢境的伏筆有了照應，我們可以確切的分析《蝴蝶夢》的象徵意義：㉜以蝴蝶象徵美麗卻短暫無常、無助迷惘的生命；以蜘蛛象徵法網；以前兩隻小蝶象徵王大、王二；以第三隻小蝴蝶象徵王三；以三隻小蝴蝶飛入蜘蛛羅網象徵王氏兄弟誤觸法網；以大蝴蝶象徵王母，毫不遲疑地拯救王大、王二，對王三畢竟只能忍情不救；最後以包待制設法搭救王三，呼應夢中救放小蝴蝶，所以包待制在證夢斷案時說道：「天使老夫預知先兆之事，救這小的之命」；而劇情以王母、王三獲得重生收尾，則寄託莊子物化說的再生意義。由莊周夢蝶延伸出來尊重生命、拯救生命，乃至生命平等的理念，都在故事實境中發揮得淋漓盡致。討論至此，我們發現夢中的大小蝴蝶都轉化成劇中人物，而全劇重要的關目也都環繞著「蝴蝶」，成爲全劇的主要象徵。正是透過追溯〈齊物論〉莊周夢蝶的深層意義，才能更深入掌握本劇蝴蝶夢境典故的轉用及象徵。

三、由「蝴蝶」象徵開展主題意蘊

如果蝴蝶是全劇的主要象徵，則蜘蛛羅網應是與蝴蝶成爲對立衝突的象徵。蝴蝶的美麗多采卻短暫無常，以及觸入羅網所造成的無助掙扎、痛苦迷惘，像一面大鏡都會反射到人類身上。儘管莊子經由夢蝶哲學告訴我們生死乃自然物化之道，人類可以努力涵養超越生死的智慧；然而人類眞實面對的反而是活著的過程，也就是活在世間塵網中面對災難危機所必須承擔的生命經驗和心理歷程。從這個角度切入《蝴蝶夢》的主題，或許可以較爲深入的解讀王母的辛酸血淚與王三的滑稽嘲弄。

㉜ 周昭明先生〈蝴蝶夢中殺人償命的問題和解決〉亦論及夢境象徵意義，筆者略有增添，讀者可參照。見同注❶，頁 107。

《蝴蝶夢》屬旦本雜劇，由王母主唱全本，全劇的心理變化完全依循王母一件件的經歷而鋪敘，以下將依循劇中重要事件剖析王母的心理轉折。楔子於全劇關目雖然未發端緒，但提出了古代讀書人努力追求「一舉首登龍虎榜，十年身到鳳凰池」的普遍理想，而對一個家私窘困的家庭，理想與現實卻有著時間上的衝突，誠如王老所問：「孩兒也！幾時是那峥嶸發跡的時節也呵？」現實生活的拮据，究竟能允許他們有多少時間寒窗苦讀？王母的危機意識，不得不提醒著：

> 老的！雖然如此，你還得替孩兒尋一個長久立身之計。（唱）
>
> 【賞花時】且休說文章可立身，爭奈家私時下窘，枉了寒窗下受辛勤，卻被那愚民暗哂，多咱是宜假不宜真。

開頭「且休說」將文章可立身之事冷冷地推翻，原來實踐理想也得有基本的經濟條件，否則寒窗苦讀也只是枉然，徒令人暗中譏笑罷了！所以「尋一個長久立身之計」才是實際，而文章可立身的想法是「宜假不宜眞」的。王母雖然清楚理想與現實的衝突，自己也陷入矛盾：

> 【么篇】他只敬衣衫不敬人，我言語從來無向順，若三個兒到開春，有甚麼實誠定准？怎生便都能勾跳龍門？

「只敬衣衫不敬人」提出深刻的質疑:追求功名是不是人唯一可以活下去的路？如果功名不成，人可否回歸做爲一個平凡人原有的尊嚴與價値？王母坦承她的矛盾：在整個重功名利祿不重人性平等的文化格局下，不讀書不求功名又怎能出人頭地？然而，又如何能保證她三個孩兒在來年皆可以登榜進士？作者以王母對社會價値的質疑與文章功名的矛盾爲《蝴蝶夢》開端，同時將這一條主題思想貫穿劇中。

王母只有遠憂卻無近慮，她忽略了「時間」在生命中的變數，換言之，人的命運會在一剎那之間風雲變色。關漢卿以迅雷不及掩耳的戲劇技巧，在楔子之後的第一折引場隨即給予王母最大的衝擊，接下來一連串的變故，皆使王母措手不及，以至於她只能在每一件事故發生的當下，表達最直接的心理反應。第一轉折是驚聞惡耗之時，她「仔細尋思，兩回三次，這場蹊蹺事。」王母之所以覺得不可思議的是：

> 【混江龍】俺男兒負天何事？拿住那殺人賊我乞個罪名兒。他又不曾身耽疾病，又無甚過犯公私。若是俺軟弱的男兒有些死活，索共那倚勢的喬才打會官司。我這裏，急忙忙，過六街，穿三市。行行裏，撓腮撧耳，抹淚揉眵。

這段唱詞分別從天和人兩方面尋思所謂「蹊蹺事」。對於一個莫名其妙降臨的災厄，人最先要問的是天——中國人心中主宰著宇宙萬物、人間禍福的天。儘管天意難測，但凡事總有因果可尋，老實平凡的活著，又不曾負天，爲什麼遭此災難？無從聽到天的回答，轉而問人，殺人總有動機，王老無病無過，殺人賊的理由又何在？問天、問人其實都是枉然，因爲天地不仁，諸事無常，人生的變故何須講道理說緣由？苦難的降臨往往是不按牌理的。王母一邊理性思索一邊鼻涕眼淚地來到長街，眞實目睹王老「血模糊污了一身，軟荅剌冷了四肢，黃甘甘面色如金紙」，方才頓悟時間的變數：「昨朝怎曉今朝死，今日不知來日事」，人們對於昨日、今日、來日尚且不能夠掌控知曉，又怎能計畫長久立身之事？「時間」在人的生命中原來如此不留餘地，那麼李白〈將進酒〉的「君不見高堂明鏡悲白髮，朝如青絲暮成雪」也是眞實象徵了。王母哭屍之後，浮現心中的實際問題是：「咱家私，自暗思，到明朝若是出殯時，又沒他一陌紙」，這個憂慮一則呼應楔子「家私時下窘」的事實，二則凸顯王母的困境，三則埋伏第三折牢獄中母子訣別之語（詳下文）。

第二轉折是兄弟爲父報仇事件引發的心理變化。當她看到三兄弟與葛彪對質時非常理直氣壯：

【鵲踏枝】若是俺到官時，和你去對情詞。使不著國戚皇親，玉葉金枝。便是他、龍孫帝子，打殺人、要吃官司。

葛彪一上場即自稱「是個權豪勢要之家，打死人不償命」，王母完全忘記當時代種族不平等，漢人性命如同螻蟻的事實，竟敢提出到官對質，且儼然像包拯口吻，代表王母在遭遇橫禍問天不應時，試圖在公堂之上爭取人間的公義。誰知王大兄弟打死了葛彪，不僅使王母瞬間失去爭取公義的立足點，反而另外陷入兒子殺人的官司：

【寄生草】你可便斟量著做，似這般甚意兒？你三人平昔無瑕疵，你三人打死雖然是，你三人倒惹下刑名事。則被這清風明月兩閒人，送了你玉堂金馬三學士。

王母責備兒子失去斟酌分寸，「打死雖然是」與「倒惹下刑名事」成爲「私是」與「公非」的對立狀態，然而法律之前殺人動機只能做爲判刑參考，最終仍得爲殺人結果負責。王母仍本其理性思考，意識到兄弟將被「清風明月兩閒人」，枉送了「玉堂金馬三學士」；王母其後固然以「雖道是殺人公事，也落個孝順名兒」、「我也甘心做郭巨埋兒」寬慰，然而兄弟的前途功名畢竟化爲烏有：

【後庭花】再休想跳龍門、折桂枝，少不得為親爺、遭橫死。從來個人命當還報，料應他天公不受私。

【賺煞】為甚我教你看詩書，習經史？俺待學孟母、三移教子。不能勾金榜上分明題姓氏，則落得犯由牌、書寫名兒。想當時也是不得已為之，便做道審得情真奏過聖旨，止不過是一人處死，須斷不了王家宗祀，那裏便滅門絕戶了俺一家兒。

時間的變數如巨浪般再度襲捲而來，從「且休說文章可立身」到「再休想跳龍門折桂枝」這大幅度的轉彎，猛然驚覺功名理想的追求竟如此不能自主；尚未金榜題名，卻莫名其妙「落得犯由牌、書寫名兒」，原來安放名字的位置，會有榮辱貴賤之落差。第二折主場包公審案得知王氏兄弟名字時，不以爲然的說了一句：「庶民人家，取這等剛硬的名字！」難道止有王孫貴族才夠資格取剛硬的名字嗎？令人感到嘲諷的是，元代的庶民百姓，任由蒙古人踐踏摧殘，即使取了剛硬名字也不能擁有剛強的生命力，人命依然脆弱卑賤。而今現實與理想的問題只能置之腦後，無端死難的王老也只能暫時放下，迫在眉睫的是孩兒即將在公庭上接受的刑罰，此時王母仍然回到對天對人的訴求，她以爲兄弟觸犯刑法乃情有可原，所以料想天公當不循私情，而官府審得情眞奏過聖旨，止不過是一人處死而已。

包待制蝴蝶夢境的主題旋律：「休道人無生死，草蟲也有非災」在【金盞兒】唱詞重複出現：

苦孜孜，淚絲絲。這場災禍從天至，把俺橫拖倒拽怎推辭？一壁廂磣可可停著老子，一壁廂眼睜睜送了孩兒。可知道福無重受日，禍有併來時。

王老不曾負天，兄弟三人亦不曾犯過（平昔無瑕疵），然佈滿於世間的天網，卻使王老遭遇死亡之網，兄弟遭遇法律之網。重重疊疊的網相加起來，對於王母便是從天而至的災禍，是無所遁逃且不知如何安頓的生命之網，正呼應包待制夢醒後的詩句：「草蟲之蝴蝶，一命在參差」；此處「把俺橫拖倒拽怎推辭」形容王母困境的狀態非常生動。前兩個轉折中，我們看到王母在對天、人的質問與訴求之間擺盪，公堂正義或許是唯一可以平衡的力量。無奈天不從人願，先是中牟縣「把三個未發跡小秀士，生扭作吃勘問死囚徒」；其次指望開封府王條清正，豈知包待制未審即拷打。王母在人間公堂失去依憑，仍試圖以讀書涵養與道德人格做爲訴求的立足點，是王母第三個心理轉折：

> 【賀新郎】孩兒每！萬千死罪犯公徒。那廝每情理難容，俺孩兒殺人可恕。俺窮滴滴寒賤為黎庶，告爺爺、與孩兒每做主。這三個自小來、便學文書，他則會依經典、習禮義，那裏會定計策、廝虧圖。百般的拷打難分訴。豈不聞三人誤大事，六耳不通謀。

官府審案不問葛彪仗勢兇橫打死人，不問兄弟尋仇動機，也不問彼此毆打情狀，試問包待制、中牟縣令不都是苦讀詩書才能成爲百姓之父母嗎？他們尚且糊塗爲官、無能展現知識份子的道德人格，又怎能以同理心爲王母孩兒作主？眼見兄弟受千般拷打，無人搭救，王母進入第四個心理轉折：

> 【鬥蝦蟆】靜巉巉無人救，眼睜睜活受苦。孩兒每索與他招伏，「相公跟前拜覆：那廝將人欺侮，打死咱家丈夫，如今監收媳婦。公人如狼似虎，相公又生嗔發怒。休說麻槌腦箍，六問三推不住，勘問有甚數目，打的渾身血污，大哥聲冤叫屈，官府不由分訴。二哥活受地獄，疼痛如何擔負？三哥打的更毒，老身牽腸割肚。這壁廂那壁廂，由由忬忬，眼眼廝覷，來來去去，啼啼哭哭。」則被你打殺人也！待制龍圖，可不道兒孫自有兒孫福。難吞吐，沒氣路，短嘆長吁，愁腸似火，雨淚如珠。

嚴刑逼供之下只好認罪，對人的訴求徹底破滅；相對地「料天公不受私」的期望亦隨之破滅。從質疑到訴求到破滅，加之三個孩兒受苦打鞭刑之痛，王母的心猶如在熱火中翻滾。作者撰寫這支曲牌，運用大量的「增句」技巧，㉝加深延長王母的椎心之痛，可在音樂、文學上達到抒情和敘事的效果。當包待制堅持要一人償命，王母三度與之斡旋而同意讓王三償命時，王母【牧羊關】唱出她內心第五個轉折：「不爭著前家兒償了命，顯得後堯婆忒心毒。我若學嫉妒的桑新婦，不羞見那賢達的魯義姑。」一連串的心理轉折之後，對於作嫉妒惡毒或賢德通達女性之選擇，竟無半點遲疑。王母只是庶民人家，也可能目不識丁，而能在變故之中堅持自己的道德人格。即使在王母心中，天人之間完全失去依憑，仍要維持這僅有的人性尊嚴。關漢卿試圖以王母的人性光輝與黑暗世界形成對比，展現出意志對抗的堅強，因此《蝴蝶夢》不應只是「創造了一崇高的母親形象」而已。㉞原以為捨親生便可了結此案，不料包待制將三人都押入死牢，王母在拉扯之中終於完全崩潰：

> 【黃鍾尾】包龍圖往常斷事曾著數，今日為官忒慕古。枉教你坐黃堂，帶虎符，受榮華，請俸祿。俺孩兒，好冤屈，不睹事，下牢獄。割捨了，待潑做，告都堂，訴省部。撅皇城，打怨鼓，見鑾輿，便唐突。呆老婆，唱今古，又無人，肯作主。則不如，覓死處。眼不見、鰥寡孤獨，也強如沒歸著痛煞煞哭啼啼活受苦。

㉝ 曲中原來只有本格的「正字」，其後加「襯字」使曲意流利活潑；襯字原為虛字，寖假而易為「實字」，於是意義分量與正字相敵，其地位乃提升而為「增字」；增字起初不超出三字，後來也有逐漸累積的情形，因而成句，即所謂「增句」。文見曾師永義：〈北曲格式變化的因素〉，《說俗文學》，同注⑲，頁326。本段引文括號內之句子即是增句。

㉞ 徐文斗：〈關漢卿劇作中的婦女形象〉，《關漢卿研究論文集成》，同注❶，頁232。

這是王母第五個心理轉折，此時她已經怨氣沖天，怒斥包待制之餘，高唱要不計一切赴省部告狀，甚至上朝面聖擊鼓鳴冤。轉念之間，她知道一切都是徒勞無功，她深深明白儘管哭天喊地，也不會有人與她作主的。驟然間，失去所有抗爭奮戰的力量，王母萬念俱灰竟求一了百了，俗云好死不如歹活，王母卻寧可求死，也不堪再承擔人生一點點的苦難。經由王母的吶喊，我們終於體會：原來一心求死也是可以如此理直氣壯的。

王母畢竟是王母，她沒有輕生，含悲唱著【端正好】「遙望著死囚牢，恰離了悲田院，誰敢道半步俄延。排門兒叫化都尋遍，討了些潑剩飯和雜麵。」準備到牢獄中與孩兒充饑。第三折「王母探監」是第六個心理轉折，刻劃王母在孩兒受刑前做最後一件事及其如何果敢面對孩兒的死別。不想王大王二竟然獲釋，雖喜出望外，但面對親生子即將命喪黃泉不免悲從中來，是爲第七個轉折：

> 【朝天子】我可便，可憐。孩兒忒少年，何日得重相見？不爭將前家兒身首不完全，枉惹得後代人埋怨。我這裏自推自攧，到三十餘遍，暢好是苦痛也麼天。到來日一刀兩段，橫屍在市廛，再不見我這石和面。
>
> 【尾煞】做爺的、不曾燒一陌紙錢，做兒的、又當了罪愆。爺和兒要見何時見？若要再、相逢一面，則除是夢兒中、咱子母團圓。

捨親生、做魯義姑固然是自己理性的選擇，但死別在即，怎不叫人痛不欲生而直呼蒼天。悲莫悲兮生別離，生死原只有一線之隔，而這間不容髮之隔，卻飽含如此不可勝數的憂患。丈夫、兒子都在一瞬間離她而去，一句若要相逢、除是夢中，唱得讀者觀眾淚水盈眶、辛酸不已。

王母第八次轉折是二度叫化二度認屍，這回叫化的是一陌紙錢，認的是王三屍首，王母只能將滿懷悲憤訴之於不可測的幽冥：

（打悲科云）孩兒啊！（唱）

【駐馬聽】想著你抱怨心懷，和那橫死爺相逢在分界牌。（帶云）若相見時呵！（唱）您兩個施呈手策，把那殺人賊推下望鄉臺。……。

只因爲天地人間公義不彰，竟異想天開叫爺兒兩到地府親自向葛彪討取，何等無奈！又何等諷刺！哭認王三屍首可說是全劇悲痛的最高點，作者安排【夜行船】、【掛玉鉤】、【沽美酒】、【太平令】連續四支曲牌抒發王母的悲痛：「荒急列教咱觀了面色，血模糊污盡屍骸。我與你慌解下麻繩，急鬆開衣帶」；「你與我揪住頭心掐下頦，我與你高阜處招魂魄」；「我將這老精神、強打拍，小名兒叫的明白。你個孝順的石和安在哉？則被他拋殺您妳妳，教我空沒亂、把地皮摑。」這些唱詞字字含血帶淚，句句蘊含科介，並與劇情、悲情、聲情、詞情完全融合，充分展現舞臺效果。就在王母唱「空叫我哭啼啼、自敦自摔，百般的、喚不回來」時，王三乍然出現，扭轉整個戲劇氣氛，王母轉悲爲喜：「這場災，一時間命運衰。早則解放愁懷，喜笑盈腮。」（【川撥棹】）。對王母而言，石和重生亦即其重生，因此她可以隨即拋擲之前的多災多難、哭啼怨哀，並視之爲「一時間命運衰」，而重懷欣喜之情接受人生，做爲全劇最後的心理轉折。

如果說王母是對生命變故無常的啼哭吶喊，王三就是對荒謬人生的嘲弄批判。王三的意義分量與包待制不相上下，王母、王三、包待制三人在《蝴蝶夢》中可說是鼎足而立的關係，甚至像一個三角習題。王三是關漢卿極爲用心刻劃塑造的丑角人物，㉟儘管「滑稽詼諧」本是中國小戲傳統的特色，但在關漢卿劇作中，像王三這樣突出有特色的丑角幾乎不多見。《蝴蝶夢》中，王三的科

㉟ 元雜劇並無丑腳，古名家本以「三末」扮王氏三兄弟，劇本行文則分稱王大、王二、王三。《元曲選》本則以沖末扮王大、王二，丑扮王三。此處所謂「丑角人物」就其類型而言，並非指腳色行當。

介、賓白、唱詞大多出現在劇情關鍵處。例如第二折包公審案問爲首打死人者，王母與兄長都爭相認罪，王三卻說：「爺爺！也不干母親事，也不干兩個哥哥事，是他肚兒疼死的，也不干我事。」公堂之上正在進行人命關天的嚴肅問題，王三此話必然搏得滿場笑聲，充分發揮插科打諢的喜劇效果。其實王三本可理直氣壯的表明自己不曾動手，但他卻以四兩撥千斤的方式將刑責完全推諉而不累及母親兄長，頗有太史公〈滑稽列傳〉人物「談笑解紛」的幽默。其次，包待制先後要著王大王二償命，王母斥責包待制「葫蘆提」：

> （包待制云）著大的償命，你說他孝順；著第二的償命，你說他會營運生理；卻著誰去償命？（王三自帶枷科）（包待制云）兀那廝做甚麼？（王三云）大哥又不償命，二哥又不償命，眼見的是我了，不如早做個人情。

王三看出母親護兄長之心，索性自帶枷鎖，一句「不如早做個人情」乾脆俐落，而成全母親心意已然蘊涵其中。不曾動手的王三，卻如此甘心頂罪，畢竟不是人人輕易可以做到的。到了第三折王母餵食後的母子話別，更顯出王三對母親的深情：

> （正旦云）大哥！我去也，你有什麼說話？（王大云）母親！家中有一本《論語》，賣了替父親買些紙燒。（正旦云）二哥！你有什麼話說？（王二云）母親！我有一本《孟子》，賣了替父親做些經懺。（王三哭云）我也沒的分付你，你把你的頭來我抱一抱。

表面上這段賓白流露爲人子孝心，細讀之卻滿紙辛酸。所謂「半本《論語》治天下」，《四書》《五經》象徵社會價値的最高指標，小可修身齊家，大可治國平天下，正呼應楔子中王氏兄弟的理想。可以想見，對經濟貧困的王家，即使購買書籍紙筆也都必須辛苦積累的（作者安排王老遇害前是上街買紙筆，亦別具用心）。然而一旦面臨災變希望幻滅時，原來可以安身立命的經典書籍止不過是一堆無用的文字而已。回顧第一折兄弟復仇之後，王大兄弟拋給母親一個新的難題：「這事少不的要吃官司，只是咱家沒有錢鈔，使些甚麼？」王母的應變之道是：「若到官司使鈔時，則除典當了閒文字」（【醉中天】）；如今王大王二囑託賣《論語》、《孟子》，卻是爲了聊盡一分爲人子養生送死之意。這兩段對話彰顯的主題意義照應楔子中王母的質疑，也寄寓作者感慨諷刺，而經書有用無用之吊詭亦蘊涵其中。王三的話語聞之則令人鼻酸，在生離死別之際，還管甚麼經書？談甚麼盡孝？那些都是身後之事，眼前最具體感受的是母子天人永隔之前最後的擁抱吧！[36]王三異於兄長的言語，細膩地呈現出母子血脈相連的感情。這一場是面對生母的死別，接下一場則是處理王三面對自己即將受死的心情：

> （王三云）饒了我俩個哥哥，著我償命去，把這兩面枷我都帶上。只是我明日怎麼樣死？（張千云）把你盆吊死，三十板高墻丟過去。（王三云）哥哥！你丟我時，放仔細些，我肚子上有個癤子哩！（張千云）你性命也不保，還管你甚麼癤子。

有誰能夠面對自己即將無辜受罪、嚴刑致死，卻還能如此從容、如此玩笑地接

---

[36] 古名家本作：「我也沒的吩咐你，你把你的頭來我撈一撈。」《元曲選》本作：「抱一抱」。曾注：《蝴蝶夢》曰：「撈為緊箍使痛之意。舊日官吏刑訊犯人，有所謂撈子，即以木棒用皮繩穿鑿成排，套於犯人十指上而緊箍之使其疼痛難忍也。今王三竟欲撈其母之頭，無理取鬧，所以表示其為丑角，王三於全劇中之語言動作皆具此種意味。臧選改為平凡之抱字，全失原意。」見《中國古典戲劇選注》，同注[12]，頁 165。筆者按：「撈一撈」確實較合乎王三的語言風格，是以更具象的語言表達王三在死別之前，欲緊抱其母使之疼痛難忍之意。

受？王三絕不止是一般戲曲中塑造純粹插科打諢的淨丑人物，他具有〈滑稽列傳〉人物中的智慧，往往能在嚴肅、難堪或困境之中，表現機智、詼諧、幽默、玩笑，莊周夢蝶中「在生適生、在死適死」的智慧反而在王三人物身上展現出來。對自己的生死都能如此幽默，轉個角度自然也能夠對自己平生讀書追求功名的志向加以嘲弄，試聽王三所唱「曲尾」：

【端正好】腹攬五車書，（張千云）你怎麼唱起來？（王三云）是曲尾。（唱）都是些《禮記》和《周易》。眼睜睜、死限相隨，指望待為官為相身榮貴。今日個畢罷了名和利。

飽讀經書追求功名本是讀書人最平凡最普遍的人生理想，然一旦變故發生，乃至性命不保時，希望幻滅、萬事成空，《四書》《五經》終不能拯救自己於萬一，知識之用何在？對於所謂「文章可立身」之道，王三的嘲弄與王母的質疑相映成趣，成為《蝴蝶夢》的重要主題意蘊之一。至於因讀書而擁有高官厚祿的包待制，又是如何？王三接唱：

【滾繡毬】包待制比問牛的省氣力，俺父親比那教子的少見識，俺秀才每比那題橋人、無那五陵豪氣。打的個遍身家、鮮血淋漓，包待制又葫蘆提，令史每粧不知。兩邊廂、列著祗候人役，貌堂堂、都是一火灑合娘的。隔牢攛徹墻頭去，抵多少平空尋覓上天梯。……。

前三句用比較的句法調侃了包待制、父親和自己：包待制身為開封府尹未能善盡職責，竟苟且糊塗、草菅人命；父親空有望子成龍之心，卻無法使三個孩兒登科成名；自己枉為少年，卻無司馬相如般的五陵豪氣。甚至那一個個謀得一官半職的令史和衙役，又何曾清楚明白事件的眞相？原來人相貌堂堂、有模有樣的活著，都只是一種虛幻的表象而已。眞實與假象之辨不也是莊周夢蝶的命題嗎？

綜上所述，王母在九個轉折中，其心理變化波濤起伏，可看出王母是一位平凡中見剛強的傳統女性。她不必擁有榮華富貴或知識學問，仍然可以憑恃從艱困生活中鍛鍊而來的鋼鐵意志，在悲痛之中，保持高度的鎮定思考，審時度勢每一個事件的轉折，而表現最大的勇氣與堅韌。關漢卿《蝴蝶夢》中寄託天地不仁如羅網、人生無常如蝴蝶以及讀書功名如浮雲的主題，塑造一個意志堅強的女性以及一個深具滑稽詼諧的小人物，從而對人存在的困境與價值做了反思與批判。

餘論——借用包公及運用夢境手法之寓意

第二折「勘夢問案」，王母不時地唱出她對包待制的指責；第三折「王三自嘆」一場亦對包待制極盡諷刺。顯見包公在《蝴蝶夢》劇中一反清官形象。歷史上的包拯，對整頓吏治不遺餘力，劇作家將包拯剛正不阿、清正廉明有如閻羅的性格與精明審案、公正斷獄的能力結合，運用於雜劇作品，賦予了包拯不懼權勢、不徇私情、不庇下屬、公正無私、嚴格執法、斷案如神的形象，甚至具有日斷陽夜斷陰的超感能力。於是歷史人物包拯，在戲曲中被美化、神化、理想化、典型化爲「包青天」。㊲

但是元雜劇中的包公並非時時、事事都嚴格執法的，㊳《蝴蝶夢》中可以列舉出包待制審案斷案不合清官形象、不按法律條文之處：例如王大兄弟一被

㊲ 《宋史·包拯傳》：「拯立朝剛毅，貴戚宦官為之斂手，聞者皆憚之，人以包拯笑比黃河清，……京師為之語曰：『關節不到，有閻羅包老』。」又據史書記載，包公審斷疑案，嚴格地說，只有「訴盜割人牛舌」一案而已。本段敘述參李春祥：〈元代包公戲新探〉，同注❹，頁 294-299。

㊳ 李春祥〈元代包公戲新探〉特別擬出「元雜劇中的包公並不是時時、事事都嚴格執法」一節的篇幅討論《後庭花》和《蝴蝶夢》，下文述及兩條律法乃參考此文，見同注❹，頁 299-303。

押解到開封府，包待制尚未開始問案由便說「與我一步一棍打上廳來」；開始審案竟不問殺人動機和手段；審案過程一直用嚴刑拷打；無法審出王三未曾動手，未能彰顯包待制斷案智慧。此外，根據《元史·刑法志》：「諸人殺其父，子毆之死者，不坐；仍於殺父者之家徵燒埋銀五十兩。」王母【賀新郎】就情理進行申訴：「那廝每情理難容，俺孩兒殺人可恕。」完全符合法律條文，因此包待制要王氏兄弟一人爲葛彪償命，於法不合。又根據《元史·刑法志》：「盜馬者，初犯爲首八十七，徒二年；爲從七十七，徒一年半；再犯加等，罪止一百七，出軍。」可見趙頑驢偷馬罪不當死；退一步說，即使當死，[39]與葛彪一案亦風馬牛不相及，沒有理由要他爲別人償命。

以上從審案到定案過程中，看出關漢卿塑造的包待制顛覆了歷史與戲曲的人物形象，是作者不懂當朝法令嗎？還是不明歷史包拯眞正形象？或是隨心所欲任意杜撰，不必顧及關目情節及人物塑造之合情合理？試想如果《蝴蝶夢》的包待制是個典型的清官，這齣戲自然也就無法如此搬演了。

不僅審案斷案的包待制與原來形象不合，甚至與蝴蝶夢境中具有惻隱之心的包待制互相矛盾。夢境裏包待制擁有拯救小蝴蝶的慈悲情懷，現實中卻不斷動用刑罰；直到聽得王母護前兒捨親子，回想夢境後，才體悟「天使老夫預知先兆之事」，而引導其運用偷天換日手法拯救王三。現實中的包待制固然不是個貪贓受賄之官，也算是個糊裡糊塗、不明是非法理的昏官，如果沒有夢境啓示，絕不會設法釋放王三。包待制審案之前的夢原屬個人，無關人情法律；問案之後卻將夢境啓示延伸轉用於現實人情法律。換言之，有這個啓示才能統合包待制夢境中與現實中「民胞物與」的精神，也就是莊周夢蝶中「萬物齊一」的理念。

---

[39] 曾注《蝴蝶夢》引《新元史·刑律志上》：「盜馬一二匹者，即論死。」同注[12]，頁146。曾師所引元代盜馬刑法與此不同。

關漢卿運用超現實的手法，以一個充滿邏輯秩序的夢境使包待制放棄他堅持一人償命的審判，成爲他心中一個合理的轉折；對讀者觀眾而言，透過境夢以解救無辜王三於法網之中，因而完成了包待制「順天理、合民心」的旨趣。夢境情節對全劇實具有譬喻象徵及因果關係的美學意義。然而夢畢竟是虛幻不實的，在處處佈滿天羅地網而「變故在斯須，百年誰能持」（曹植〈贈白馬王彪〉）的人間世，誰眞正能以正義之心挺身而出爲庶民百姓化災解厄？即使《蝴蝶夢》中讓包公再世，也得用如此迂迴周折的夢境才能爲之。如此說來，關漢卿實實有意扭曲歷史與戲曲中的包青天；換言之，包待制只是作者權變假借的人物而已，或者說是編劇的一種策略吧！[40]因此，劇末以一門封賞收尾，王母的賢德慈愛有了美名榮譽，王氏兄弟的文章功名更可安身立命；而這些都必須經由天子賞賜才能獲得，甚至必須經由天意使包待制做夢預知此事，王氏母子才得以重生。看似苦盡甘來的團圓喜劇，卻令人感到荒謬不已、哭笑不得；原來這一切都只不過是場「蝴蝶夢」而已。然則，與其說《包待制三勘蝴蝶夢》是個公案劇或是齣包公戲，不如說是一本深具「寓言」性質的雜劇吧！

「寓言」是莊子書寫哲學思想主要的語言形式，莊周夢蝶正是一則寓言，關漢卿轉用於劇中，安排包待制「午時一枕蝴蝶夢」，亦蘊藏寓言的旨趣。本文嘗試探尋二者的交集，從而析論《蝴蝶夢》主題蘊涵的意義。回顧中國敘事文學，夢情節境是頗常運用的形式技巧之一，而且作品中的夢境往往扭轉故事情節發展或決定故事結局。後者如唐人小說〈枕中記〉的黃粱一夢、〈南柯太守傳〉的南柯一夢，分別使主角盧生、淳于棼當下頓悟人生，改變人物的抉擇與命運。前者如《牡丹亭》杜麗娘一場〈游園·驚夢〉，成爲生命的轉捩點，

---

[40] 彭鏡禧先生特別從「計謀的運用」討論關劇特色。論及《蝴蝶夢》時，認為第二折末尾包公命張千「把一干人都下在死囚牢中去」是一種計謀；而盆吊趙頑驢替王三償了葛彪之命，是最後一計。整齣戲的劇情都是隨著一個接著一個計謀的設定而推展。見〈計將安出——淺說關漢卿編劇的一項特色〉，《關漢卿國際學術研討會論文集》，同注[1]，頁604。

因而展開追尋夢境情懷，形成一段「生而死之、死而生之」的歷程。關漢卿雜劇也有運用夢境手法：《緋衣夢》中，開封府尹錢可依循被告李慶安的夢語斷出兇手名爲裴炎，將之捉拿，方得破案。㊶《竇娥冤》中，竇天章夜夢竇娥鬼魂哭訴，才能重審冤案，爲之昭雪，還其清白。這些小說戲劇作品，讀者都可以很清楚很直接掌握作者安排夢境作爲故事轉折的意向；而《蝴蝶夢》的夢境表面上只是提供一個來自「天」的啓示，使包待制感動母慈子孝的倫常而予以拯救；然而此天意又遠遠不及竇娥之冤足以感天動地那麼震撼強烈。竇娥與王母都是以頑強意志對抗人性的罪惡與社會的黑暗，但竇娥的冤情是歷經家庭親情（蔡婆）、社會人性（張驢兒）、公堂法律（楚州縣官桃杌）三者環環相扣而形成的。她是透過自己的冤情，「以自己整個生命的信心，來創造靈聖的奇蹟，在上顯彰湛湛青天，在下啓示百姓世人，證明眞理是存在於宇宙的，天人是相通合一的。」最後由其父竇天章替她雪冤，意味著父親對竇娥的補償；而竇娥的冤，同時得到天上父與地上父之雙重昭雪，也同樣應合著全劇天人合一的主調。㊷王母則不是受冤而死的當事者，劇中她對天人的質疑與訴求皆不曾得到回應，她與王三最後仍不知道包待制的李代桃僵之計來自天意托夢，因此天意對備受苦難的王母實無法構成天人感應的意義。

相較之下，《蝴蝶夢》之夢境顯然較上述作品來得複雜曲折，而《蝴蝶夢》中「天」的作用也不如《竇娥冤》具有說服性。或許關漢卿安排此天意並以喜

㊶ 錢可著令史開了李慶安枷鎖，教他去獄神廟裡歇息，然後燒一陌紙錢，向獄神祈禱，聽慶安睡夢中說什麼？令史依言行事，果然聽得慶安說：「非衣兩把火，殺人賊是我。趕的無處藏，走在井底躲。」。此段情節在《緋衣夢》第二折，見吳國欽校注：《關漢卿全集》（廣州：廣東高等教育出版社，1988 年），頁 335-337。

㊷ 參張師淑香：〈從戲劇的主題結構談竇娥的冤〉，《元雜劇中的愛情與社會》（臺北：長安出版社，1980 年），頁 265、267。此外，王季思提出《緋衣夢》和《蝴蝶夢》兩本雜劇是「通過一些帶有神怪色彩的關目，表現了惡業相纏、人天報應的宗教思想。」見〈關漢卿的創作道路〉，《關漢卿研究論文集成》，同注❶，頁 323。筆者覺得如此解釋並不貼切。

劇收尾，可安慰當時庶民百姓的心靈，讓人們相信老天有眼，相信人在天的眷顧下將可以重生，就像王母相信這是「九重天飛下紙赦書來」（第四折【水仙子】）；如此也可以呼應毛蟲蛻變爲蝴蝶及其物化的再生意義。然而誠如太史公的質疑：「或曰天道無親，常與善人，儻所謂天道，是邪？非邪？」在重重羅網的人間世，人類究竟能得到多少天意的紓難拯救？因此做爲知識分子的王三獲得釋放後，作者並未安排他有片言隻字的欣喜，是否也暗示著關漢卿內心對天意的疑惑矛盾？如此看來，由劇中葫蘆提的包待制做一場蝴蝶夢而得到天的啓示，豈不是深具莊子荒唐謬悠之寓意？經過這樣的觀照，更能看出作者借用包待制人物與夢境情節之寓意。而這些意蘊必須透過莊周夢蝶寓言、蝴蝶夢境象徵，才能分別深入解讀王母的悲情吶喊與王三的嘲弄批判。原來《包待制三勘蝴蝶夢》所蘊涵的仍是夢幻、迷惘、失意、死亡的主題。

後記：大學就讀臺大夜間部，四、五年級連續兩年是張以仁老師的導生，深受老師關照。記得畢業考訓詁學科目那天，我在外處讀書，因下班時間交通阻塞而遲到十五分鐘。張老師見我考試未到，著急萬分，深恐我因未應考而無法畢業，詢問同學得知我住女五宿舍，竟親自前往尋找；舍監不識老師，還以「男賓止步」阻之。我進教室，慌忙之中頻向老師鞠躬道歉；考完試後同學告知此事，內心感動，久久不能自已。事隔十四年，未曾忘懷，每憶此事，感念之情仍充盈心中。偶有機緣和老師同桌聚餐，每次總要舉起酒杯，謙懷敬謝。欣聞老師七十壽誕，特撰寫論文共襄盛舉，以表祝賀與感謝之意。由於教學心得，有意撰寫關漢卿《蝴蝶夢》雜劇之意念已蘊釀兩年。記得有一回，校園遇到柯慶明老師，論及此劇，柯師提醒我不妨與《竇娥冤》對照思考，當時的啓發埋藏心中。今年暑假寫作期間，曾與中研院文哲所華瑋、王瓊玲先生一同前往國家戲劇院觀賞大陸川劇表演，其間談起正在撰寫《蝴蝶夢》一事，二位先生當時對本文題目給予建議；初稿完成後，更就內容賜予寶貴中肯意見，特此致謝。所以在本文之後寫下這一段後記，只是想留下生活中偶然的、片段的美好經驗。總以為人生相與，當該追求相知相惜的永恆情感，故而對於王羲之〈蘭亭集序〉「及其所之既倦，情隨事遷」之語始終無法釋懷。經歷過人情困頓之後，逐漸體悟世間俗情亦是轉眼雲煙，何須強求永恆？於是可以開始品味杜甫「傳語風光共流轉，暫時相賞莫相違」的情懷。原來天地萬物雖無永恆之情，卻也有剎那交會的閃亮，正如蝴蝶之夢一樣。

李惠綿誌於臺大中文系五〇二研究室

民國八十七年八月二十日

對臺灣當前幾種文學現象的省思

何寄澎*

在歷史長河的流動中，個人基本上是無力的，也是無知的。所謂無力，是他對一種已然的流動，並不能改變什麼；所謂無知，是他「當局者迷」，對進行中的流動，沒有任何感知。但做爲一個學術工作者，雖然仍可能是渺小的，他卻必須時時做審視、回顧——對當下的審視、對過往的回顧；而後憑著自己的知識良心，思考該思考的問題，提出諍言或者對策。解嚴以後的臺灣，各種變化之迅速，令人目不暇給，甚至給人有無暇思考的窒息感；加上網路時代的來臨，各種有用的、無用的資訊充斥，令人窮於選擇，也難以分辨其眞僞優劣，構成一幅既可稱之爲世紀末華麗，亦可稱之爲世紀末紛亂的圖象。九〇年代的臺灣，基本上呈現著這種文化特質，而這種特質將如何變化，則攸關臺灣在新世紀中的發展；因之，九〇年代對臺灣而言，是個極端重要的年代，對這十年中的種種現象，我們必須仔細端詳，仔細思考。以下謹就個人所見臺灣當前的幾種文學現象，提出所感所思：

一、本土意識高漲

七〇年代的「鄉土文學」是臺灣文學發展中的一個重要里程碑，但這個反西化的、內蘊民族主義與社會主義思想的文學「回歸」運動，在進入八〇年代以後，逐漸過渡、變而成爲「臺灣文學」，此中癥結即在於一九七九年美麗島

---

* 國立臺灣大學中國文學系教授，兼臺灣大學學務長。

事件後急遽激化的「本土（臺灣）意識」。❶整個八〇年代，鼓吹「臺灣文化主體性」與「臺灣文學主體性」的刊物，相繼出現，如：《文學界》（1982 年 1 月創刊）、重新整頓的《臺灣文藝》（1983 年 1 月）、以及《臺灣新文化》（1986 年 9 月創刊）等，三者共同的是，標舉「臺灣」的自主性、主體性，強烈宣示與「中國」的割離；而一九八七年二月十五日成立的「臺灣筆會」，更儼然與「中華民國筆會」形成強烈的「中國 V.S.臺灣」色彩；其他相應的現象，如：前衛出版社自一九八二年起即有計劃地出版《年度臺灣小說選》，又出版《新臺灣文庫》；胡民祥（〈臺灣新文學運動時期「臺灣話」文學化發展的探討〉）、林宗源（〈我對台語文學的追求及看法〉）等積極提倡「台語文學」；以及彭瑞金、陳芳明等努力建構「臺灣文學」詮釋體系，❷莫不清晰顯示其割離中國文學的對抗意識。

九〇年代以降，這種現象更迅速擴散，不唯創作與出版數量激增（開始包含客家文學與原住民文學）；部分報紙副刊更完全為「本土」取向；尤要者，臺灣文學之研究成為學術主流，一時各路專家趨之若鶩；而各大學之開設臺灣文學課程亦漸普遍；相關之碩、博士論文正方興未艾；臺灣文學系、所更相繼設立；凡此種種，充分見證了「本土化」趨勢已躍昇為當前文化主流。

平心而論，具有「地域性格」的「本土」創作、「本土」詮釋、「本土」研究，基本上有其價值、有其意義，也有其必要。事實上，本土意識之高漲，帶來普遍對本土的關懷，許多具有環保、生態意義的自然寫作以及具有社會意義的都市寫作，都是在此一意識下推衍而成，對文學表現之日新月異、益廣益

❶ 參見呂正惠：〈七、八〇年代臺灣鄉土文學的源流與變遷〉，收入張寶琴、邵玉銘、瘂弦主編：《1949－1993 四十年來中國文學》（臺北：聯合文學出版社，1994 年）。

❷ 參見蔡詩萍：〈一個反支配論述的形式——八〇年代臺灣異議性文化生態與文學的考察〉，收入孟樊、林燿德編：《世紀末偏航——八〇年代臺灣文學論》（臺北：時報文化出版公司，1990 年）。值得附帶一提的是：近日與陳芳明兄聊天，他自我調侃的說：連他的台獨立場也遭若干基本教義派人士質疑。

深而言，確有正面功能。但人類文明的任何內涵，都最忌排他性與壟斷性，文學自不例外。可惜，八〇年代以來日益高漲的本土意識雖然終於形成風起雲湧的「臺灣文學」創作、「臺灣文學」研究風潮，一時之間，儼然成爲沛然莫之能禦的顯學，但它同時也具有強烈的排他性、壟斷性。常見的情況是，「本土派」的論者、學者，對「非我族類」者往往予以嚴厲批判，甚或否定；❸而對同黨之士則相互汲引，相互標榜。在當前的臺灣環境（包含創作、評論以及學術研究）中，已形成一種不可拂逆、不可挑戰、不可質疑的霸權結構。呂正惠說得好：「『臺灣文學』『自主性』的追求，反而導致了另一種狹隘的、自閉式的義和團心態」，這是另一種閉關自守的「門羅主義」。❹我們理解本土論者在數十年來兩種霸權（西洋文學與中國文學）的壓迫下，亟求自主的心情；但我們也擔憂這種新霸權心態——對中國文學全然拒斥、對西洋文學又有意無意忽視，究竟對臺灣文學主體性的建構是有益呢？還是有害？它會把「臺灣文學」帶上愈來愈寬廣的路呢？還是帶進死胡同？值得我們嚴肅面對。

二、女性主義論述

如果說「臺灣文學」自主性的追求，意謂著「本土」論者對「中國文學」的挑戰，則女性主義論述便意謂著臺灣女性對男性威權體制的反抗；二者皆自八〇年代以降快速發軔。

臺灣女性主義文學作品晚近以來確實琳琅滿目，不煩備舉；至於作者，則廖輝英、袁瓊瓊、蕭颯、李昂、朱天文等殆爲其中代表。根據鍾玲的分析，這些作品大體呈現三種主題：㈠對傳統中國女性角色之詮釋與顛覆，㈡都市女性

---

❸ 不論是一九八三、八四年一場橫跨左右翼雜誌的臺灣意識論戰，或是一九九五年在《中外文學》，陳昭瑛與廖朝陽、張國慶、陳芳明等人的一串筆戰，都出現相當強烈的攻擊文字。

❹ 呂正惠著：〈門羅主義？還是「拿來」主義？〉，《戰後臺灣文學經驗》（臺北：新地文學出版社，1992 年）。

的婚姻處境，㈢兩性鬥爭。❺

相應於這些創作且與之相激相生者，則爲各種女性主義論述，此中著者爲何春蕤、劉毓秀、張小虹、林芳玫、邱貴芬等（後繼者尚難計其數）。

女性主義論述在臺灣的興起，其實爲時甚早，其先驅者爲七〇年代初期之呂秀蓮。但由於彼時威權意識與封建氛圍仍濃，以致女性主義並未引起迴響。八〇年代以降，隨著臺灣社會各種舊有體制與價值觀的快速崩解、女性自力人口急遽增多，加上女性主義理論源源不絕引介而入，蘊含女性主義思想的論述（自此以下的「論述」，也包含創作；蓋創作也是一種論述）乃如雨後春筍，至九〇年代之今日，其與前述「臺灣文學」堪稱兩大顯學。

和「臺灣文學」的力求本土、力求自主相同的，女性主義論述追求女性各方面的自主，原即理所當然。長期以來，女性之被約制、被犧牲，其嚴重性可能更甚於「本土」之被約制、被禁忌，因之臺灣女性力求拓展出一片「自己的天空」，理應爲吾人所共期、所樂見。但如果我們同意「臺灣文學」爲力求自主而寧限自身於狹窄傳統之認同、追尋，進而拒斥與其他文學之關聯及溝通是一種偏誤，則我們也就不能不遺憾於女性主義論述爲求女性做爲主體以致否定男性爲可能對話的個體，同樣是一種偏執。女性主義作品中的男性恒常被定型爲儒拙的、可笑的，或玩世的、難解的，邱貴芬即曾云：「當代臺灣女性小說的一大特色，即是代表傳統父權的男性角色消縱隱跡。在蕭麗紅、蕭颯、廖輝英、李昂等等當代臺灣女作家的故事裡，女主角往往自幼失父，傳統中的父親影像自始至終未曾出現在她們的生命裡。而這些女性角色所遇到的男人往往是無法自力更生，必須『吃軟飯』方得生存的軟骨人物。」❻而女性主義論述研

---

❺ 鍾玲著：〈女性主義與臺灣女性作家小說〉，張寶琴等編：《1949－1993 四十年來中國文學》，同注❶。

❻ 邱貴芬著：〈性別／權力／殖民論述：鄉土文學中的去勢男人〉，《仲介臺灣·女人——後殖民女性觀點的臺灣閱讀》，頁 178。也許有人會質疑：非女性小說或非女性作家作品

究又在「西方／中國」、「現代／古典」的路線發展上失衡：以臺灣有關女性主義的文學研究主題而研言，西方文學與當代文學佔了絕大多數❼——這當然和女性主義理論由外文系所引進有關，無能厚非，可是其確實隱然存在的黨同伐異仍復讓人憂心。前者顯示了女性自身對與其關係密切男性的缺乏觀察與了解；後者顯示了女性主義研究者的本位與專制心態——二者共同形成女性主義論述的霸權結構。在這種情況下，所有「異類」的聲音便噤不敢言，連批判也很少見。然則女性主義論述者所追求的到底真的是兩性平權？還是女性霸權？當我們看到八〇年代以來，男性在女性主義論述中甚居弱勢；❽當我們看到小說中所透露的兩性關係愈來愈成絕緣體；❾當我們發現女性作者筆下的成品，

中也常見猥瑣、犬儒的男性人物，如黃凡、張大春即是。但我們強調的是，在女性小說中男性幾乎是定型化的；而黃、張的書寫負面男性，反而見證了他們的反省與深刻。

❼ 張小虹：〈性別的美學／政治：當代臺灣女性主義文學研究〉，《慾望新地圖》，頁 109-112 有云：臺灣有關女性主義的文學研究，也於八〇年代中期以各校外文系為引介中心而開始發展，由一九八六至一九九五的十年當中，已有部份可觀之積累：期刊論文方面計二一六篇，西方文學方面最多，計七十四篇，中國古典文學方面計二十六篇，中國現代與當代方面計十九篇，臺灣當代研究計五十篇，文化與藝術研究計二十六篇，理論評析部份計二十九篇（計有八篇文章重複在兩類中出現）。在教學開課方面，則依各校的情況而有頗大的差異。整體而言，八〇年代中就已有女性主義文學的課程出現，但較大規模有系統之課程設計則延至九〇年代才開始，以台大外文系為例，一九九三年秋季有關女性主義文學研究的相關課程計八門，冬季共計四門，而同時的台大中文系所卻沒有任何相關課程之開設，此種差別充分顯示出本土女性主義文學研究十分取決於對外文（英文）資料之掌握與否，以至於能在部分學校外文系所擴張地盤、有系統地開課，而在中文系所方面除了淡江李元貞、清大李宗慬、東海鍾慧玲、林秀玲、中山龔顯宗等外，幾無相關專題課程之記錄。同樣地，女性主義文學批評或以女性作家為主的相關博碩士論文，外國文學方面計八十一篇，華語文學方面僅有九篇，比例十分懸殊。

❽ 就創作而言，女性小說作者幾無一男性——而這可能不宜簡單地認定男性作家欠缺性別觀點，應予譴責；即在嚴謹論述中，陳芳明、王德威、楊照、廖咸浩等人雖有成績，但似乎回響不大。

❾ 請參閱張國立：〈不知誰家的狗〉（1988 聯合報小說獎第二名）、朱玖輝：〈三十三歲 CD 的多餘週末和吊娃娃機的光榮〉（1993 年聯合報小說獎第一名）。

頗見膚淺、粗糙、意念先行，⑩對更細緻、更實際的女性問題（如雛妓、未婚媽媽、家庭與勞動婦女的自處等等）反少關注、反省、探討時，我們不能不憂心臺灣兩性世界的未來。⑪在此必須強調的是，女性主義論述若陷於偏執與尊霸，其影響絕不僅在文學，更在社會的每一層面，豈可等閒視之？

三、不斷顛覆的遊戲

就某種程度而言，「臺灣文學」或「女性主義論述」都帶有「顛覆」色彩：前者顛覆「中國」，後者顛覆「男性」。但本節所論則是充斥於八、九〇年代的各種「文學顛覆」，其中包括觀念的、形式的、以及角色功能的顛覆。

由於近代中國的特殊境遇，自「五四」以來，「寫實」即成爲文學創作者幾乎不易的律則，但至八、九〇年代，這條律則已被顛覆；作品只是作者建構出來的眞實，而傳統小說所念茲在茲的故事、人物、主題……，也不再是作家關注的重點，作品中往往沒有一貫的情節，沒有井然的敘述，更沒有清晰的時空；⑫更有甚者，各種文類文體之間的界線悉被泯除，眞實與虛幻之間也完全無由釐分。不斷嘗試此種顛覆遊戲的作者，允推張大春最可爲代表。自《大說謊家》問世以迄於今，張氏對這種顛覆遊戲可謂樂此不疲，但無庸諱言，似也漸入窘境。以上爲文學觀念、文學形式之顛覆。

在臺灣，文學的評論與解釋權原在學院人士中，但此種情況自八〇年代已

---

⑩ 如李元貞《愛情私語》的何未名到《婚姻私語》改名的何來明，由於被賦予強烈教育讀者的目的，於是從主角認識自我身體到經歷丈夫外遇、自己外遇、子女墮胎及同性戀等情節的鋪排，角色的言行已然偏離文學作品自己發聲說話的美感，只看到作者過於努力地示範正確價值。

⑪ 當然也有朱天心〈袋鼠族物語〉、〈鶴妻〉、〈新黨十九日〉等深刻地寫出家庭主婦隱形於閉鎖空間與貧乏生活的困境；或是如《天送埤之春》眞實記錄一個七十歲女人從年輕到老第一手的心事，呈現出在實際生活裡戰鬥的女性面貌。但整體來說，這種表現實在少見。

⑫ 例如近兩年聯合報小說獎的首獎：黎紫書〈蛆魘〉與張啟彊〈俄羅斯娃娃〉，都沒有太清楚的情節發展，而以跳躍得的思維表現譎異的心靈。

漸有變，至九〇年代則變本加厲。學院派明顯沒落，在文學評論與解釋的領域內已退居邊緣，取而代之的，除作家外，即文化工作者或其他非文學領域的專家。無論在文學獎的評審、文藝營的指導乃至媒體園地的掌握上，學院人士已大量喪失其舞台。

這種種的顛覆，當然不能說沒有正面意義：擺脫了「寫實」的無限上綱，文學的發展可以更為悠游、活潑、寬廣；突破了文學既有的形式以及與非文學之間的樊籬，也許可以衍生出新的文學表現方式；而文學解釋權的轉移，或許更可以豐富文學批評的內容，拓展文學批評的向度與深度。但過猶不及，同樣偏失。前二種顛覆，已漸具有濃厚的遊戲味道，為變而變、為突破而突破，則作家終至不知為何而寫，讀者亦不知為何而讀。陳長房有一句深刻的話：「今天的文壇有個奇特的現象：寫作的人多，閱讀的人少。」⓭當作家把作品當魔術來變時，讀者的興味很快會消失；而且作品也會愈來愈難解，最後只剩作者自己在其間享受、過癮。

至於文學解釋權的轉移，迫使學院中人或曲意以迎潮流，或廢然棄之而轉究他學；前者使學者庸俗化，後者使學者絕緣化，二者皆非文學之福。須知，文學的解釋不是聰明的賣弄，不是倉促的販售，臺灣當前作家集創作、評論、教育於一身，高度明星化，長期而言，對文學解釋的嚴肅性必有傷害。⓮

⓭ 語見陳長房著：〈後現代主義與當代臺灣小說創作〉，收入張寶琴等編：《1949－1993四十年來中國文學》，同注❶。

⓮ 這種現象或許也反映了專業的模糊。除了文學解釋權從學者過渡到文化工作者、作家之外，事實上寫作者也由專業作家普及到一般大眾，例如報紙副刊有愈來愈多的篇幅是專屬於「大眾寫作」，這跟以往刊登成名作家之作的情形不可同日而語。孟樊：〈文學傳播現象〉，《1996 臺灣文學年鑑》，（臺北：行政院文化建設委員會，1997 年），便曾說明「副刊的大眾文學」有兩層意義：一是副刊的趨向，隨時不斷地要跟大眾握手，大眾所不耐讀的長篇大論及萬言小說，幾難再見，所登的文章愈來愈短，品味自然也就參差不齊；二是副刊不僅和大眾握手，還進一步請他們來作客，供出園地，讓「全民（一起來）寫作」，於是「大眾所寫的文學」也就東一塊西一塊地登堂入室。九〇年代的臺灣，這種種「角色」

四、隨波逐流的創作

就地理而言，臺灣是一海島；而海島文化的特質，便是容易吸取外來文化。但半世紀以來，由於國府統治之需要，臺灣基本上是一個封閉的海島，其所吸取的外來文化只有美式文化（外加一點東洋文化），由是，以文學而言，現代主義雄踞六〇年代，「一支」獨秀，便非不可理解。這種「一元」式的汲取，固然不夠豐繁，但亦自有一些正面意義：以六〇年代作家而言，無論其背景如何，都多少受現代主義之啓發沾溉，而促其寫作時力求矜慎琢磨，故六〇年代頗有精采、動人作品。八〇年代以降，臺灣社會進入多元時代，各種資訊紛沓而至，文學之脈動與世界潮流更相應和，魔幻寫實、後設、後現代，固爲八、九〇年代時髦的書寫，而女性、同志、情慾、科幻、傳記等書寫更是層出不窮，姿態橫生。⓯值得注意者，此中頗有新生代作者。從好的方面來說，富多元性、實驗性，對時代變化反應靈敏；但從另一方面來說，則或不免隨笛起舞，或不免輕率成篇，一個眞正作家應具之中心思想與中心關懷往往已無暇顧及或棄之不問矣。許俊雅曾慨然嘆之：「令人憂心的是近來國際間興起某種主義、潮流或運動，往往在很短時間內，就給臺灣文壇帶來衝擊，從而使臺灣創作界呈現一片仿效之風。」⓰這種風氣所帶來的後遺症，不唯使讀者苦於如困迷宮，望之卻步；也對文學創作的嚴謹性與藝術性大爲斲傷；更有甚者，什麼才是眞正屬於我們的文學，乃愈發渺不可知。其間雖亦有佳作，但仍存瑕疵，且往往難有繼者。推究原因，當與文學及相關媒體的商業化、通俗化、以及標新立異化

的顛覆，究竟意味了多元轉變中的活力呢？抑或是多元轉化中的混亂？值得深思。

⓯ 以同志文學為例，許佑生《男婚女嫁》、邱妙津《鱷魚手記》、紀大偉《膜》、陳雪《惡女書》等皆是勇於出櫃的同志聲音（他們多是書寫與運動並進）；連過去長於描寫兩性情愛的張曼娟都有〈聽說你們相愛〉講同性戀的故事

⓰ 見許俊雅著：〈戰後臺灣小說的階段性變化〉，收入《五十年來臺灣文學研討會論文集二：臺灣文學發展現象》（臺北：行政院文化建設委員會，1996 年）。

有關。

臺灣當前之文學現象可論者，固不僅上述四端，但前二者為當代顯學，是二種具有「中心」思想的霸權「結構」；後二者則相對的看不出作家真正的「關懷」所在，就某種程度而言，是對文學「本質」的一種「解構」。換言之，前二者不斷在求其「主體性」，後二者則根本放棄其「主體性」；這兩兩相應的四者，構成臺灣當前極特異的文學風景。它們都有令人擔憂的地方——一如前述；但只要作者、讀者以及評者嚴肅思考、審慎面對，則又都有幻化出新世紀臺灣文學美麗新貌的可能。然而，這個過程絕對是不易的，畢竟九〇年代末期的臺灣，各方面都還像一個旋轉的陀螺，又像電玩裡的世界，躍動不已，極易使人迷失；即使僥倖不迷失，也往往還是令人無措手足。在這裡，我最期待的仍是作家的自省。六〇年代的現代主義表現了那個時代的飄流心靈；七〇年代的鄉土文學表現了那個時代的回歸意識；然則八〇、九〇年代呢？追求臺灣文學的主體性？追求女性論述的主體性？追求嶄新的文學表現形式？當前的作者確應開擴胸懷、深化思維，正視歷史的變遷與聯繫，肯認主體客體的相融相孳；不一味投合讀者，也不率意無視讀者。當前的作者應該想一想「村上春樹現象」：村上所以風靡臺灣知識青年，是因為村上的作品恰如一面鏡子，映出了當代青年無聊又無奈的心緒；村上以眾多數字和物象堆砌的標語也夠「眩」，恰符其口味；村上讓現代人無以割捨的物慾追求都冠上精神意義；村上保留了對生命的思考與反省，卻抽離了哲學論證的嚴肅和辛苦；村上是相當「西」化的——可是他作品中那種瑣碎細節的講究以及不可思議的譬喻，又都是「日本」商品新巧、精緻以及過度包裝的翻版。村上是「地球村」裡的人，可是又具「日本性」；村上的作品似乎很「通俗」，可是又那麼「高雅」；村上震盪著現代人所特具的那份無力感，可是又構築出一個舒適的象牙塔，疏離己身以外的一切。我不是要臺灣的作家一循村上的路子；舉村上為比，也許對部分臺灣作者更是一種不敬；但以上所論種種村上特質，其中一定有值得臺灣作家省思的地方吧？⑰

後記：面對解嚴以後的多元臺灣，本文提出誠懇的個人感思，初無批判責難之意，唯求符合學術良知，並且表現我個人對臺灣文學發展的關心而已，幸知者不誣我。文內相關資料猶需多加填補，論據自未完足，修正工作正應持續，敬祈先進不吝賜教。

1998.7.22 初稿

1998.10.4 初修

---

⑰ 有關村上春樹現象，女棣吳閔閔曾提供許多寶貴意見，特此說明並致謝意。

張以仁先生學術月表長編初稿

楊晉龍編

中華民國十九年（庚午，西元 1930 年）　先生一歲

元月十八日生於湖南省醴陵縣水口鄉。

民國二十六年（丁丑，1937）　先生八歲

七月七日，日本炮轟宛平，蘆溝橋事變爆發。

八月十七日，日軍進犯松滬，我國進行全面抗戰。

民國三十年（辛巳，1941）　先生十二歲

八月，先生隨父母弟妹自長沙遷耒陽，中日長沙會戰。後還鄉，依外家，父母弟妹往重慶，此後數年或在舅父商店，或隨姨父軍中，流亡於醴陵、萍鄉、萬載之間。

民國三十四年（乙酉，1945）　先生十六歲

八月，日本投降。

九月，自醴陵北赴上海與父母家人團聚。就讀於中正中學，愛讀文藝作品，尤嗜翻譯小說。草中篇小說《餘生》，蓋多歷戰亂，慨然多感也。未竟，稿佚。

民國三十八年（己丑，1949）　先生二十歲

正月，由上海移居臺灣省臺北市，後就讀於成功中學。

九月，入淡江英專，文名頗盛，人稱「秀才」。國文老師黃錦鋐先生。

民國三十九年（庚寅，1950）　先生二十一歲

七月，首次發表小說〈綠衣女郎〉於中央日報副刊，連載八天，爾後續有

小說及散文數十篇發表於臺灣各報副刊及香港祖國周刊，或署本名，或用筆名：東方青、張羅、張擎天、張展等，其較著者，小說有〈扒手〉（聯合報副刊，43 年 4 月 13 日）、〈最後一站〉（中央日報副刊，44 年元月 2 日）、〈窗前〉〈小有加利的死〉（香港祖國周刊 181 期及 298 期）、〈家〉（臺灣新聞報副刊，73 年 11 月 11 日，刊出後該報副刊在 74 年 12 月 16 日載王瑞雪〈學術與文藝之間——讀張以仁的「家」〉評介一篇讚美備至）；散文較著者有〈牧牛兒〉（聯合報副刊，42 年 12 月 17 日，後收入該報散文集）、〈空餘懷慕千行淚——永懷恩師屈翼鵬先生〉（聯合報副刊，68 年 3 月 10 日，後編入高中國文教師手冊）、〈獅城之旅〉（中華日報副刊，69 年 5 月 14 日至 16 日）、〈星夜〉（中華日報副刊，71 年 4 月 27 日。以駢儷手法寫白話文，編者特予推介）。等等，總敘於此，以見先生愛好文學，興趣不斷。

民國四十二年（癸巳，1953）　先生二十四歲

九月，就讀於國立臺灣大學中文系，從學於臺靜農、戴君仁、鄭騫、屈萬里、王叔岷、董同龢、孔德成諸先生。與夫人周富美教授同班。

民國四十六年（丁酉，1957）　先生二十八歲

六月，國立臺灣大學中文系畢業，論文〈讀魏風〉，屈萬里先生指導。

九月，入中文研究所。

民國四十八年（己亥，1959）　先生三十歲

六月，臺大中文研究所畢業，獲碩士學位。指導教授臺靜農、屈萬里二位先生，論文：《國語研究》。

八月，入中央研究院歷史語言研究所，爲助理員。

九月，入伍，服預官役。

民國五十年（辛丑，1961）　先生三十二歲

二月，退伍，回中央研究院歷史語言研究所，任助理員。

十一月十六日，與周富美女士結婚。周女士任教臺大，時為講師。

民國五十一年（壬寅，1962）　　先生三十三歲

二月，發表論文：〈論國語與左傳的關係〉（中央研究院歷史語言研究所集刊〔以下簡稱「史語所集刊」〕　第三十三本）。

八月，升任史語所助理研究員。長男漢宜生。

十二月，論文：〈從文法語彙的差異證國語左傳二書非一人所作〉（史語所集刊　第三十四本上冊）。

民國五十二年（癸卯，1963）　　先生三十四歲

六月，論文：〈讀史記會注考證晉世家札記〉（大陸雜誌　第二十六卷第十二期）。

九月，論文：〈與徐復觀先生談「仁」〉（文星　第七十一期）。

十二月，論文：〈村姥姥是信口開河——談談李辰冬教授對詩經作者的新發現〉（文星　第七十四期）。

民國五十三年（甲辰，1964）　　先生三十五歲

七月，論文：〈讀史記會注考證札記〉（大陸雜誌　第二十九卷第一期）。

八月十一日，論文：〈淺談「陰陽對轉」〉（聯合報副刊）。

九月，論文：〈緯書集成「河圖」類鍼誤〉（史語所集刊　第三十五本）。

十一月，論文：〈關於左傳君子曰的一些問題〉（孔孟月刊　第三卷第三期）。長女佩宜生。

民國五十四年（乙巳，1965）　　先生三十六歲

四月，論文：〈國語札記（一）〉（大陸雜誌　第三十卷第七期）。

九月，論文：〈戰國策札記（上）〉（大陸雜誌　第三十一卷第六期）。

十月，論文：〈戰國策札記（下）〉（大陸雜誌　第三十一卷第七期）。

十二月，論文：〈晉文公年壽辨誤〉（史語所集刊　第三十六本上冊）。

論文：〈釋詩蠡斯「薨薨」〉（幼獅學誌　第四卷）。

民國五十五年（丙午，1966）　先生三十七歲

元月二十九日，論文：〈也談「反切」〉（中央日報副刊）。

三月，論文：〈讀史記會注考證札記〉（大陸雜誌　第三十二卷第六期）。

五月，論文：〈讀中華五千年史春秋史前四章〉（思與言　第四卷第一期）。

六月，論文：〈經傳釋詞的音訓問題〉（韓國　中國學報　第五輯）。

七月，論文：〈論語札記〉（大陸雜誌　第三十三卷第一期）。

八月，論文：〈「告」字探源〉（大陸雜誌　第三十三卷第四期）。

九月，次男錦宜生。

十月，論文：〈有關「對」字的一些問題〉（大陸雜誌　第三十三卷第七期）。

民國五十六年（丁未，1967）　先生三十八歲

一月，論文：〈經傳釋詞諸書所用材料的時代問題〉（大陸雜誌　第三十四卷第二期）。

三月，論文：〈國語虛詞訓解的商榷〉（史語所集刊　第三十七本上冊）。

八月，升任史語所副研究員，並爲國立臺灣大學中國文學系合聘副教授。

十二月，論文：〈國語札記（二）〉（清華學報　慶祝李濟先生七十歲論文集下冊）。

民國五十七年（戊申，1968）　先生三十九歲

元月，論文：〈古書虛字集釋的假借理論的分析與批評〉（史語所集刊　第三十八本）。後收入世一書局印行之《古書虛字集釋》一書，民國六十三年六月再版。

七月，論文：〈經傳釋詞諸書訓解及引證方面的檢討〉（中央圖書館館刊　第二卷第一期）。

八月十五日，論文：〈從「乃覺三十里」談到訓詁〉（中央日報副刊）。

九月，專書：《國語虛詞集釋》（中央研究院歷史語言研究所　專刊之五

十五）。

九月，論文：〈由廣韻變到國語的若干聲調與聲母上的例外〉（大陸雜誌　第三十七卷第五期）。

十月，論文：〈讀史記會注考證札記〉（大陸雜誌　第三十七卷第六期）。

民國五十八年（己酉，1969）　　先生四十歲

元月，論文：〈經傳釋詞補、經傳釋詞再補以及經詞衍釋的音訓問題〉（史語所集刊　第三十九本上冊）。

三月，論文：〈讀史記會注考證札記〉（大陸雜誌　第三十八卷第五期）。

七月，專書：《國語斠證》（臺北　臺灣商務印書館）。

八月，始教「訓詁學」。

九月，論文：〈國語舊注輯校序言〉（史語所集刊　第四十一本第三分）。

十一月，論文：〈國語辨名〉（史語所集刊　第四十本下冊）。

民國五十九年（庚戌，1970）　　先生四十一歲

六月，論文：〈「形訓」的歷史淵源及其在訓詁方法上的地位〉（中華文化復興月刊　第三卷第六期）。

八月，論文：〈「讀如」「讀若」「讀爲」「讀曰」與「當爲」〉（大陸雜誌　第四十一卷第三期）。

十月，論文：〈訓詁學的舊業與新猷〉（東方雜誌　復刊第四卷第四期）。

今年榮獲菲華中正文化優等著作獎。

民國六十年（辛亥，1971）　　先生四十二歲

四月，論文：〈國語舊注輯校（一）〉（孔孟學報　第二十一期）。

五月，論文：〈從虛字訓解源流談到助字辨略與經傳釋詞〉（東方雜誌　復刊第四卷第十一期）。

九月，論文：〈國語舊注輯校（二）〉（孔孟學報　第二十二期）。

十月，論文：〈說文「訓」「詁」解〉（文史季刊　第二卷第一期）。

十二月，論文：〈國語舊音考校序言〉（史語所集刊　第四十二本第四分）。

論文：〈國語舊音考校〉（史語所集刊　第四十三本第四分）。

民國六十一年（壬子，1972）　　先生四十三歲

元月，論文：〈莊子山木篇「王長」釋文疏義兼駁俞樾〉（中華文化復興月刊　第五卷第一期）。

四月，論文：〈國語舊注輯校（三）〉（孔孟學報　第二十三期）。

六月，實際參與指導之臺灣大學歷史研究所碩士生葉達雄畢業，論文：《詩經史料分析》，獲碩士學位，今爲臺大歷史系教授。

七月，論文：〈從若干有關資料看「訓詁」一詞早期的涵義〉（史語所集刊　第四十四本第一分）。

八月，升任史語所研究員、國立臺灣大學中國文學系合聘教授。

九月，論文：〈國語集證卷之一（上）〉（史語所集刊　第四十四本第一分）。

論文：〈國語舊經輯校（四）〉（孔孟學報　第二十四期）。

十月，論文：〈國語集證卷之一（下）〉（史語所集刊　第四十四本第二分）。

十一月，任行政院國家科學委員會人文及社會科學組副組長，兼理組務。

民國六十二年（癸丑，1973）　　先生四十四歲

四月，論文：〈國語舊注輯校（五）〉（孔孟學報　第二十五期）。

九月，論文：〈國語舊注輯校（六）〉（孔孟學報　第二十六期）。

民國六十四年（乙卯，1975）　　先生四十六歲

八月，爲中央研究院歷史語言研究所歷史學組主任，任期至民國七十二年（一九八三）七月。

民國六十五年（丙辰，1976）　　先生四十七歲

四月，論文：〈聲訓的發展與儒家的關係〉（總統蔣公逝世週年論文集）。

十二月，編著：《國語引得》（中央研究院歷史語言研究所）。

民國六十六年（丁巳，1977）　　先生四十八歲

正月，報告：〈國科會人文組推動專題研究的回顧〉。兼史語所第一組主任。

六月，與屈萬里先生共同指導臺灣大學中文研究所博士生周鳳五畢業，論文：《六韜研究》，獲博士學位，今爲臺大中文系教授。

六月：任中華文化復興運動推行委員會第七屆委員。

民國六十七年（戊午，1978）　　先生四十九歲

三月，論文：〈鄶亡於叔妘說〉（史語所集刊　第四十九本第一分）。

六月，論文：〈春秋鄭人入滑的有關問題〉（中央研究院成立五十週年紀念論文集）。

十月，論文：〈國語舊注範圍的界定及其佚失情形〉（屈萬里先生七十榮慶論文集）。

民國六十八年（己未，1979）　　先生五十歲

十二月，論文：〈鄭國滅鄶資料的檢討〉（史語所集刊　第五十五本第四分）。

民國六十九年（庚申，1980）　　先生五十一歲

九月，專書：《國語左傳論集》（臺北　東昇出版事業公司）。

十二月，論文：〈國語集證卷二上〉（史語所集刊　第五十一本第四分）。

民國七十年（辛酉，1981）　　先生五十二歲

八月，撰〈柳梢青〉詞，應臺靜農教授邀約題張大千〈瀧湞歸舟圖〉，其他題詩者鄭因百、王叔岷、孔達生三位教授。先生工於詞，受前輩師長推重如此。

九月，專書：《中國語文學論集》（臺北　東昇出版事業公司）。受聘爲東海大學中文研究所兼任教授。

十月，論文：〈國語舊注輯佚的工作及其產生的問題〉（中央研究院國際漢學會議論文集）。

十一月，論文：〈鄧曼亡鄧之說的檢討〉（臺靜農先生八十壽慶論文集）。

十二月，論文：〈從司馬遷的意見看左丘明與國語的關係〉（史語所集刊　第五十二本第四分）。

論文：〈論詞義的種類〉（幼獅學誌　第十六卷第四期）。

民國七十一年（壬戌，1982）　先生五十三歲

九月，論文：〈論語詞的演變〉（韓國　中國國學　第十輯）。

十一月，論文：〈淺談國語的傳本〉（孔孟月刊　第二十一卷第三期）。

民國七十二年（癸亥，1983）　先生五十四歲

六月，指導臺灣大學中文研究所碩士生劉文強、李隆獻畢業，獲碩士學位。劉生論文：《春秋時代封建制度的解體》，今爲高雄國立中山大學中文系副教授；李生論文：《晉文公復國定霸考》，續入博士班就讀。

八月，借調任中山大學中文系教授兼系主任至七十四年七月。授「訓詁學」、「左傳」、「詞選」、「國學導讀」等課。

十二月，論文：〈從國語與左傳本質上的差異試論後人對國語的批評（上）〉（漢學研究　第一卷第二期）。

民國七十三年（甲子，1984）　先生五十五歲

六月，論文：〈從國語與左傳本質上的差異試論後人對國語的批評（下）〉（漢學研究　第二卷第一期）。本月指導臺灣大學中文研究所碩士生王文陸畢業，論文：《周宣王史料與史事彙考》，獲碩士學位，今爲中央研究院歷史語言研究所編審兼文物館主任；東海大學中文研究所碩士生趙潤海畢業，論文：《國語及其思想與文學》，獲碩士學位，今爲中央研究院近代史研究所助理研究員。

八月二十三日，論文：〈李白「憶素娥」〉（中央日報　文藝評論　第二

十二期）。

十月，論文：〈「關於李清照再嫁之爭議」講評〉（中外文學　第十三卷第五期）。

十一月，論文：〈國語韋解商榷〉（孔孟月刊　第二十三卷第三期）。

民國七十四年（乙丑，1985）　　先生五十六歲

六月，論文：〈晉文公年壽問題的再檢討〉（鄭因百先生八十壽慶論文集）。

本月指導臺灣大學中文研究所碩士生張寶三畢業，論文：《毛詩釋文正義比較研究》，獲碩士學位，續入博士班就讀。

八月，兼中山大學中文系合聘教授至七十六年七月。爲提倡學術研究及討論風氣，召開每月一次的學術研討會，由教師輪流發表研究成果。

十一月，論文：〈讀詞小識〉（臺大中文學報　創刊號）。

十一月九日，於高雄臺灣新聞報「山海經」專欄發表評論性雜文：〈關於語法草案〉，以後陸續撰寫有關文化、文學、社會論評之文，至七十七年元月共得三十八篇。

民國七十五年（丙寅，1986）　　先生五十七歲

六月，與程元敏先生共同指導臺灣大學中文研究所博士生洪國樑畢業，論文：《王國維之經史學》，獲博士學位，今爲臺大中文系教授。

七月，陳淑宜訪問先生及夫人之整理稿，刊於《國文天地》第二卷第二期（總 14 期），可略知先生與夫人之家居生活。

民國七十六年（丁卯，1987）　　先生五十八歲

四月，論文：〈鄭桓公非厲王之子說述辨〉（毛子水先生九五壽慶論文集）。

六月，指導臺灣大學中文研究所碩士生龔慧治畢業，論文：《左傳「君子曰」問題研究》，獲碩士學位，後爲靜宜大學中文系講師。

八月，初度由總統任命爲典試委員。爾後獲聘典試委員或閱卷委員，不下二十餘次，不煩辭費。

九月，爲中山大學中文系兼任教授，至七十九年七月。

論文：〈不問馬〉（高雄市紀念孔子誕辰特刊）。

民國七十七年（戊辰，1988）　先生五十九歲

十一月，論文：〈試從密處說溫詞〉（臺大中文學報　第二期）。

十二月，論文：〈淮南高注「私鈚頭」唐解試議〉（史語所集刊　第五十九本第四分）。

今年以〈溫飛卿詞評注商榷〉獲國科會傑出研究獎。

民國七十八年（己巳，1989）　先生六十歲

六月，論文：〈孔子與春秋的關係問題商榷〉（中央研究院第二屆國際漢學會議論文集）。本月指導臺灣大學中文研究所碩士生張素卿畢業，論文：《左傳稱詩研究》，獲碩士學位，續入博士班就讀。

十月，獲聘爲中央研究院中國文哲研究所籌備處諮詢委員，至今。

十二月，論文：〈溫飛卿詞舊說商榷〉（臺大中文學報　第三期）。

論文：〈試釋溫飛卿〈夢江南〉詞一首〉（臺大文史哲學報　第三十七期）。

民國七十九年（庚午，1990）　先生六十一歲

元月，專書：《春秋史論集》（臺北　聯經出版事業公司）。

六月，指導臺灣大學中文研究所碩士生陳銘煌畢業，論文：《春秋三傳性質之研究及其義例方法之商榷》，獲碩士學位，今任職於淡江大學中文系。

七月，參加臺大教授團與夫人首次訪問大陸，前後十六天，相隔四十餘年，重登斯土，不免今昔之悲，觸目興感，得詩十六首，題名〈大陸行雜詠〉，發表於《國文天地》第六卷第五期，爾後連年有詩，八十一年起，多者二百數十首，少亦過百首。

今年以〈溫飛卿詞舊說商榷續〉再獲國科會傑出研究獎。

民國八十年（辛未，1991）　先生六十二歲

三月，論文：〈溫飛卿詞舊說商榷續〉（中央研究院中國文哲研究集刊〔以下簡稱「文哲集刊」〕 創刊號）。

六月，論文：〈花間詞人薛昭蘊〉（臺大中文學報 第四期）。本月指導臺灣大學中文研究所博士生李隆獻、徐富昌、張寶三畢業，獲博士學位。李生論文：《晉史蠡探》，今為臺大中文系副教授、徐生論文：《睡虎地秦簡研究》，今為臺大中文系副教授、張生論文：《五經正義研究》，今為臺大中文系教授。指導臺灣大學中文研究所碩士生彭美玲畢業，論文：《鄭玄毛詩箋以禮說詩研究》，獲碩士學位，續入博士班，今為臺大中文系助理教授。

十一月二十四日應邀參加由世界華文教育學會主辦「一九九一年全美華文教師學會年會」，宣讀論文：〈訓詁與華文教學的關係〉。

民國八十一年（壬申，1992） 先生六十三歲

三月，論文：〈溫飛卿〈菩薩蠻〉詞張惠言說試疏〉（文哲集刊 第二期）。

太夫人鍾月輝女士喪，享年八十歲，撰〈哭母詩〉十二首，發表於《國文天地》八卷八期。

六月，論文：〈「花間」詞人皇甫松〉（臺大文史哲學報 第三十九期）。

論文：〈試釋薛昭蘊〈浣溪沙〉詞一首〉（臺大中文學報 第五期）。

本月與程元敏先生共同指導臺灣大學中文研究所碩士生鄒純敏畢業，論文：《鄭玄王肅詩經學比較研究》，獲碩士學位，今為專科學校講師。《中國文哲研究通訊》第二卷第二期（總 6 期），刊楊晉龍撰〈學者與詩人〉一文，簡介先生之學行。

八月，應邀至美國史丹福大學訪問半年。

民國八十二年（癸酉，1993） 先生六十四歲

三月，論文：〈從鹿虔扆的「臨江仙」談到他的一首「女冠子」〉（文哲集刊 第三期）。

六月，論文：〈溫庭筠兩首「女冠子」的訓解與題旨的問題〉（王叔岷先生八十壽慶論文集）。

民國八十三年（甲戌，1994）　先生六十五歲

三月，論文：〈試論孫光憲的四首「楊柳枝」〉（文哲集刊　第四期）。

六月，論文：〈試釋皇甫松「夢江南」之一〉（臺大中文學報　第六期）。

七月，弟守仁喪，享年六十二，撰〈哭守仁弟〉長詩一首。先生與令弟手足情重，中日戰時同在亂區，患難相依有年。

民國八十四年（乙亥，1995）　先生六十六歲

六月，論文：〈「花間」詞舊說商榷〉（漢學研究　第十三卷第一期）。

本月指導臺灣大學中文研究所博士生陳韻珊畢業，論文：《清代嚴可均之說文學研究》，獲博士學位，今為中央研究院歷史語言研究所助理研究員。

民國八十五年（丙子，1996）　先生六十七歲

元月十三日及元月二十七日，《國語日報》之《古今文選》新 877、878 二期，刊登臺灣大學中文系副教授蕭麗華專文，介紹先生詩詞，並附作品註解、賞析及翻譯。

六月，本月指導臺灣大學中文研究所博士生張素卿畢業，論文：《敘事與解釋——《左傳》經解研究》，獲博士學位，今為臺大中文系副教授、又與吳宏一先生共同指導博士生楊晉龍畢業，論文：《明代詩經學研究》，獲博士學位，今為中央研究院中國文哲研究所籌備處助研究員。

十二月，專書：《花間詞論集》（臺北　中央研究院中國文哲研究所籌備處）。

民國八十六年（丁丑，1997）　先生六十八歲

六月，論文：〈試論皇甫松的兩首浪淘沙〉（臺大中文學報　第九期）。

民國八十七年（戊寅，1998）　先生六十九歲

六月，大妹瓊仙過世，得年六十，先生撰〈哭妹詩〉七首，戰亂時兄妹同

住外家半年，歷經患難，師院畢業後復居南港依兄嫂，手足情深。

本月指導臺灣大學中文研究所博士生劉文清畢業，論文：《墨子閒詁訓詁研究》，獲博士學位。

論文：〈花間集中的非情詞〉（上）（臺大文史哲學報　第四十八期）。

獲中國詩經研究會「詩運獎」。先生工於古典詩詞創作，有詞三百餘闋，詩近千首。偶發表於報章雜誌。出版詩集《涵怡集》（萬卷樓圖書有限公司）。

十二月，論文：〈花間集中的非情詞〉（下）（臺大文史哲學報　第四十九期）。

編輯後記

中華民國八十八年（西元 1999 年）欣逢　以仁師七秩大壽之辰，門生弟子爲感謝　以仁師平日關懷照顧之恩情，在民國八十六年九月共同商議，決定出版論文集以祝　以仁師壽，於是各自分工，發函徵稿，至截稿日止，共收海內外師長及門生弟子所撰文計四十二篇，都百萬言。

文稿編排，略依傳統經、史、子、集分類，師長鴻文於各類中分置前首，常禮也。撰稿體例力求一致，編輯常規也。據前述分類，來稿經部得十六篇、史部十一篇、子部七篇、集部八篇，此見　以仁師多方面之影響與貢獻，而於經學相關之研究特多也。

論文編輯過程中，林慶彰先生於體例之統一、版面之設計、出版事宜之協商，出力獨多。又渥蒙　王叔岷師題字、臺灣學生書局上下全力配合，再則諸多師長、門生弟子，因時間關係而無法再接受來稿，惟其隆情盛意，編輯委員會成員，均銘感五內，謹此致謝，是爲記。

楊晉龍　謹識

1999 年元月 1 日

國家圖書館出版品預行編目資料

張以仁先生七秩壽慶論文集

張以仁先生七秩壽慶論文集編輯委員會編.-- 初版.— 臺北市：臺灣學生，1998(民 87)
面；公分

ISBN 957-15-0928-0 (精裝)
ISBN 957-15-0929-9 (平裝)

1.漢學 – 論文，講詞等

030.7 87016928

張以仁先生七秩壽慶論文集

編　　者：張以仁先生七秩壽慶論文集編輯委員會
出 版 者：臺灣學生書局
發 行 人：孫善治
發 行 所：臺灣學生書局
臺北市和平東路一段一九八號
郵政劃撥帳號00024668號
電話：(02)23634156
傳真：(02)23636334
本書局登記證字號：行政院新聞局局版北市業字第玖捌壹號
印 刷 所：宏輝彩色印刷公司
中和市永和路三六三巷四二號
電話：(02)22268853

定價：精裝新臺幣一七〇〇元
平裝新臺幣一五〇〇元

西元一九九九年一月初版

03007

ISBN 957-15-0928-0 (精裝)
ISBN 957-15-0929-9 (平裝)